बेनीपुरी ग्रंथावली-4

आत्मकथात्मक संस्मरण और यात्रा-साहित्य

बेनीपुरी ग्रंथावली

4

सामग्री संकलन

जितेन्द्र कुमार बेनीपुरी

संपादक

सुरेश शर्मा

राधाकृष्ण

ISBN : 978-81-7119-424-7

बेनीपुरी ग्रंथावली-4

पहला संस्करण : 1998
पहली आवृत्ति : 2013

मूल्य : ₹ 7200
(आठ खंडों का पूरा सेट)

प्रकाशक
राधाकृष्ण प्रकाशन प्राइवेट लिमिटेड
7/31, अंसारी मार्ग, दरियागंज, नई दिल्ली-110 002

शाखाएँ : अशोक राजपथ, साइंस कॉलेज के सामने, पटना-800 006
पहली मंजिल, दरबारी बिल्डिंग, महात्मा गांधी मार्ग, इलाहाबाद-211 001

वेबसाइट : www.radhakrishnaprakashan.com
ई-मेल : info@radhakrishnaprakashan.com

मुद्रक
बी.के. ऑफसेट
नवीन शाहदरा, दिल्ली-110 032

BENIPURI GRANTHAVALI-4
Edited by Dr. Suresh Sharma

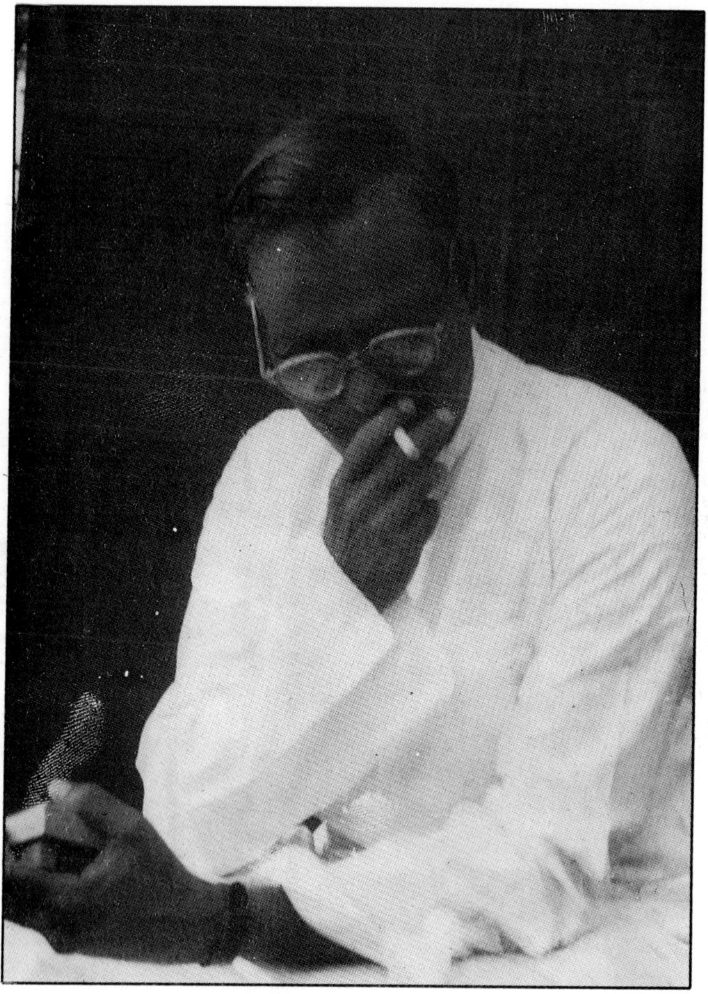

चिंतन के क्षण.

बड़े बेटे देवेन्द्र बेनीपुरी के लड़के लल्लन, मन्नन और रतन के साथ.

भूमिका

ग्रंथावली के चौथे खंड में बेनीपुरीजी के आत्मकथात्मक लेख और यात्रा संस्मरण संकलित हैं। इस खंड में शामिल आत्मकथात्मक पुस्तकों के नाम हैं : 'मुझे याद है', 'जंजीरें और दीवारें' तथा 'कुछ मैं, कुछ वे' (अप्रकाशित)। यात्रा संस्मरण से संबंधित पुस्तकों के शीर्षक हैं : 'पैरों में पंख बाँधकर' तथा 'उड़ते चलो, उड़तो चलो'। अंत में उनकी नेपाल डायरी को एक जगह संकलित करके एक और यात्रा पुस्तक बना दी गई है—'नेपाल में'।

बेनीपुरी ने घोषित रूप से कोई आत्मकथा नहीं लिखी है। लेकिन उन्होंने आत्मकथात्मक टिप्पणियाँ और लेख बड़े पैमाने पर लिखे हैं। जेल में अपनी जिंदगी के एक-एक दिन का हाल लिखा है। जीवन के उत्तरार्द्ध में लगभग चौदह वर्षों तक उन्होंने नियमित डायरी लिखी है। डायरी शिल्प में ही यात्रा संस्मरण लिखे हैं। समय-समय पर लिखे उनके हजारों पत्रों में भी उनकी जिंदगी की धड़कने दर्ज है। ये सामग्रियाँ यथास्थान ग्रंथावली में शामिल की गई हैं। इन सामग्रियों के बीच से बेनीपुरी के जीवन का एक समग्र चित्र उभरकर सामने आता है। यह चित्र ऐसे महानायक का है जो एक साधारण किसान परिवार में जन्म लेकर बीसवीं सदी के हिंदी साहित्य, पत्रकारिता और भारतीय राजनीति की दुनिया में निर्णायक भूमिका निभाता है। इन सामग्रियों के आधार पर कोई बेनीपुरी की विस्तृत जीवनी तैयार कर सकता है। आश्चर्य है कि इस दिशा में अब तक कोई प्रयास नहीं हुआ।

बेनीपुरी ने पहली आत्मकथात्मक टिप्पणी तीसरे दशक के अंतिम वर्षों में लिखी। 'अपनी ओर' शीर्षक यह टिप्पणी अधूरी और अप्रकाशित है। परिशिष्ट-1 के अंतर्गत इसे ग्रंथावली के इसी खंड में शामिल किया जा रहा है। उन्होंने अपनी अंतिम आत्मकथात्मक टिप्पणी छठे दशक के अंत में लिखी। शीर्षक है—'मेरा स्कूली जीवन'। बच्चों के लिए लिखी यह टिप्पणी 20 अगस्त, 1958 को आकाशवाणी के पटना केंद्र से प्रसारित हुई थी। यह अब तक अप्रकाशित थी। उसे इसी खंड में परिशिष्ट-3 के अंतर्गत शामिल किया जा रहा है। अपने पहले आत्मकथात्मक आलेख से अंतिम आलेख के बीच के तीस वर्षों में बेनीपुरी ने अपनी जिंदगी के बारे में समय-समय पर अनेक बार लिखा है। उनका यह संपूर्ण आत्मकथात्मक लेखन हिंदी पत्रकारिता तथा स्वाधीनता आंदोलन के विकास का दस्तावेज भी है।

उनकी उपलब्ध डायरियों में सबसे पुरानी है वह डायरी, जिसमें 'अपनी ओर' शीर्षक संस्मरण है।। यह डायरी युवा बेनीपुरी के मन का आईना है। 1929 तक वे 'तरुण भारत', 'किसान मित्र', 'गोलमाल' और 'बालक' आदि पत्रों के सह-संपांदक या संपादक की हैसियत से काम कर चुके थे। उनकी लिखी अनेक जीवनियाँ और बाल साहित्य प्रकाशित हो चुके थे। बिहारी सतसई की टीका भी वे लिख चुके थे। विद्यापति पदावली का संपादन कर लिया था। बेनीपुरी ने इस डायरी के शुरू में कुछ कौमी तराने लिखे हैं। ये तराने दूसरे शायरों के हैं जो उस दौर के नौजवानों के बीच बेहद लोकप्रिय थे। इनमें शहीद रामप्रसाद बिस्मिल की एक रचना भी है। उसकी आखिरी कुछ पंक्तियाँ हैं :

'मिट गया जब मिटनेवाला फिर सलाम आया तो क्या
दिल की बरबादी के बाद उनका पयाम आया तो क्या,

आखिरी शब दीद के काबिल थी बिस्मिल की तड़प
सुबह दम गर कोई बाला ए बाम आया तो क्या !

इसी तरह डायरी में उन्होंने उस दौर के अत्यंत लोकप्रिय राष्ट्रवादी कवि बालकृष्ण शर्मा 'नवीन' की कविता 'अरी धधक उठ' भी नोट कर रखी है। छियान्बे पंक्तियों की यह कविता 'प्रताप' के 18 मई, 1929 के अंक में प्रकाशित हुई थी। कविता में क्रांति की ज्वाला सुलगाने का आह्वान है। डायरी में शायर 'फलक' की रचनाएँ भी हैं।

"दिल से निकलेगी न मरकर भी वतन की उलफत
मेरी मिट्टी से भी खुशबू ए वफा आएगी
जिंदगानी में तो मिलने से झिझकती है 'फलक'
खल्क को याद मेरी वादे फना आएगी।"

इसी तरह इकबाल का 'सारे जहां से अच्छा' भी इस डायरी में दर्ज है। ये सारी रचनाएँ युवा बेनीपुरी की मानसिकता का प्रतिबिंब हैं। उर्दू-हिंदी की राष्ट्रीय धारा की रचनाएँ किस तरह उस समय समाज या साहित्य में सक्रिय हो रहे युवाओं के मानस का निर्माण कर रही थी। बेनीपुरी की डायरी में दर्ज ये रचनाएँ इसका उदाहरण हैं। डायरी के शुरू में संभवतः 1927 की लिखी हुई एक टिप्पणी है जिसमें बेनीपुरी ने अपने भविष्य के जीवन की रूप-रेखा खींची है। टिप्पणी का शीर्षक रखा है 'मेरे जीवन का आदर्श'। युवा बेनीपुरी लिखते हैं—"अपनी कलम के द्वारा बारह बीघे जमीन खरीदूँगा। दस बीघे जमीन में 'खेती-बारी' करूँगा। दो बीघे जमीन में फुलवारी लगा दूँगा। फुलवारी के भीतर साहित्याश्रम की स्थापना करूँगा। साहित्याश्रम में एक पुस्तकालय होगा जिसमें विश्व-साहित्य के अनमोल ग्रंथ रहेंगे। साहित्याश्रम में एक प्रेस भी होगा; जिससे छपकर 'परिवार' नामक मासिक पत्र निकलेगा। साहित्याश्रम में पूरा साम्यवादी बरताव रहेगा।"

इस उद्धृत अंश का अंतिम वाक्य महत्त्वपूर्ण है। इससे एक ओर, उस समय के युवा बेनीपुरी के मानस का पता चलता है तो दूसरी ओर, उनकी भविष्यत विचारधारा के संकेत भी मिलते हैं। युवा बेनीपुरी भविष्य में साहित्याश्रम बनाना चाहते हैं। साहित्याश्रम शब्द गांधीवाद से प्रेरित है। गांधीजी कीं वजह से उस समय आश्रम शब्द काफी लोकप्रिय हुआ था और वह विचार का हिस्सा बन गया था। बेनीपुरी भी गांधीवाद से प्रेरित थे और असहयोग आंदोलन के लिए पढ़ाई छोड़ दी थी। दूसरी ओर, युवा बेनीपुरी यह भी कहते हैं कि इस साहित्याश्रम में साम्यवादी बरताव होगा। साम्यवादी बरताव के लिए आग्रह युवा बेनीपुरी के मानस का एक और पक्ष है जो उनके क्रांतिकारी व्यक्तित्व का परिचायक है। 1927 तक साम्यवादी विचारधारा के आधार पर देश में क्रांतिकारी संगठन बनाने की सार्थक पहल हो चुकी थी। 1927 में ही राधामोहन गोकुलजी की पुस्तक छपकर आई थी। 'कम्युनिज्म क्या है ?' पुस्तक ने तत्कालीन युवकों को काफी प्रभावित किया था। युवा बेनीपुरी के मन में एक ओर, गांधीजी के आदर्शवादी आश्रम के प्रति आग्रह है तो दूसरी ओर, क्रांतिकारी साम्यवाद के प्रति। दोनों ही विचारधाराओं में बेनीपुरी तालमेल बिठाते हैं और 'साहित्याश्रम में साम्यवादी बरताव' की बात करते हैं। बेनीपुरी के इस युवा मानस में भविष्य की उनकी विचारधारा के सूत्र देखे जा सकते हैं। उन्होंने अगर गांधीजी के नेतृत्व में स्वाधीनता आंदोलन में शिरकत की तो साम्यवादी विचारधारा को अपनाते हुए चौथे दशक के अंत में कांग्रेस सोशलिस्ट पार्टी भी बनाई। लगता है, सीधे कम्युनिस्ट पार्टी में इसलिए नहीं गए, क्योंकि

गांधीजी से लगाव था। लेकिन कांग्रेस के प्रति भी पूर्णतः समर्पित इसलिए नहीं हो पाए, क्योंकि इसमें उनकी सामंतवाद और पूँजीवाद विरोधी विचारधारा आड़े आती थी। 'मेरे जीवन का आदर्श' शीर्षक टिप्पणी इसी खंड में परिशिष्ट-2 के अन्तर्गत शामिल है।

इस आरंभिक डायरी के एक पन्ने पर कुछ पुस्तकें तैयार करने की योजना बनाई गई है। बेनीपुरी ने लिखा है कि वे 'सूर्यमुखी' (या फूलों का देश), 'झोपड़ी से महल', 'साहस के पुतले' और 'परीस्तान' नाम से बच्चों के लिए पुस्तकें तैयार करना चाहते हैं। इन पुस्तकों में से उन्होंने 'साहस के पुतले' और 'झोपड़ी से महल' पुस्तकें तैयार कीं और 1935 में प्रकाशित कराईं। बेनीपुरी ने इस डायरी में कुछ कहानियों के शीर्षक भी लिखे हैं। ये कहानियाँ या तो लिखी नहीं गईं या अगर लिखी भी गईं तो उपलब्ध नहीं हैं। कहानियों के शीर्षक हैं–'गेनिया', 'रनिया', 'गुलबिया', 'बुधुआ' और 'अभागा'। नामों से स्पष्ट है कि ये चरित्र समाज के शोषित वर्ग के हैं। बेनीपुरी इस वर्ग के इन चरित्रों को 1927 में ही अपनी कहानियों में लाने पर विचार किया। हिंदी कथा साहित्य के इतिहास में प्रेमचंद के अलावा सिर्फ बेनीपुरी हैं जो 1927 में 'बुधुआ' और 'रनिया' को अपनी कहानी का विषय बनाना चाहते हैं।

बेनीपुरी ने क्रमिक आत्मकथात्मक संस्मरण लिखने का नियमित प्रयास छठे दशक में किया, जब वे 'नई धारा' में संपादक थे। उन्होंने 'नई धारा' में 'मुझे याद है' कॉलम के अंतर्गत ये संस्मरण लिखे हैं। बाद में इसी शीर्षक से इन संस्मरणों को पुस्तक रूप में प्रकाशित किया गया। इसमें बेनीपुरी के जीवन की आधी सदी की कहानी दर्ज है। इन संस्मरणों में उन्होंने निजी जिंदगी, अपनी पत्रकारिता तथा राजनीति के बारे में विस्तार से लिखा है। लेखों में उनकी जिंदगी के विभिन्न पड़ाव दर्ज हैं। माता-पिता, परिवेश, साहित्य में रुचि, पत्रकारिता तथा राजनीति से जुड़े इन आलेखों में बेनीपुरी ने जीवन की अंतहीन व्यथाओं का चित्रण किया है।

उन्होंने अपनी माँ के निधन का दिल दहला देनेवाला वृत्तांत लिखा है। उनकी मुमूर्षु माँ को लोगों ने आँगन में लिटा रखा था। वे पानी नहीं पी रही थीं। सिर्फ चारों ओर अपनी निगाहें फिरा रही थीं, जैसे किसी को ढूँढ़ रही हों। चार साल के बेनीपुरी को वहाँ लाया गया। अपने बच्चे ने जब पानी पिलाया तो पी लिया और आखिरी बार आँखें बंदकर लीं।

उस समय के सामंती और अंधविश्वास में डूबे समाज में यह परंपरा थी कि 'जो माँ छोटे बच्चे को छोड़कर मरती है वह चुड़ैल होकर फिर बच्चे को लेने आती है।' इसकी रोक के लिए मुर्दे के पैर में कील ठोंक दी जाती थी कि वह बच्चे को लेने न आ सके ! छोटे से बेनीपुरी ने देखा कि श्मशान ले जाने से पहले उनकी मरी हुई माँ के पैर में कीलें ठोंकी गईं ! समाज की सड़ी-गली मनुष्य विरोधी परंपराओं को खत्म करने के संकल्प का पहला बीज उनके मन में यहीं पड़ा। 'मेरी माँ' संस्मरण में बेनीपुरी लिखते हैं–"जब-जब मुझे याद आता है कि मेरी मरी हुई माँ के पैरों को इकट्ठाकर एक लंबी कील ठोंक दी गई थी, अपने समाज पर वह गुस्सा आता है जिसकी कोई सीमा नहीं ! जहाँ माँ का मातृत्व या संतान प्रेम का ऐसा अपमान हो, निरादर हो, उस समाज को जहन्नुम में जाना चाहिए !"

'जंजीरें और दीवारें' में बेनीपुरी के जेल जीवन का वृत्तांत है। यह पुस्तक राजपाल एंड संस, दिल्ली से 1957 में छपी थी। स्वाधीनता आंदोलन के दौरान 1930 से '45 के बीच बेनीपुरी ने अनेक बार जेल यात्राएँ कीं। 'जंजीरें और दीवारें' में उन्हीं यात्राओं का अनुभव दर्ज है। जेल में बेनीपुरी का इतना अधिक समय गुजरा कि उनकी चेतना पर जेल बाद तक भी हावी रही। स्वाधीनता के बाद 1952 की एक डायरी में उन्होंने लिखा है कि अब भी वे अकसर सपने में खुद को जेल के अंदर पाते हैं। बेनीपुरी लिखते हैं–"एक विचित्र बात

है। इधर यह सपना देखा करता हूँ कि मैं जेल में हूँ। हजारीबाग, पटना, कैम्प जेल, गया, सारे-के-सारे जेल सपनों में आते रहते हैं। राष्ट्रीय आंदोलन में मैं प्रायः जेल जाता रहा। कोई आंदोलन शुरू हुआ नहीं कि मैं पहली ही किस्त में जेल जा पहूँचा। कुल मिलाकर बारह-चौदह बार जेल गया होऊँगा और सात-आठ वर्षों का जीवन जेल में कटा होगा...।" सहज स्मृति के आधार पर बेनीपुरी ने अपने जेल जीवन की अवधि सात-आठ वर्ष लिखी है। जाँचने पर पता चला वे आठ वर्ष, नौ महीने और सोलह दिन जेल में रहे। इस अवधि के दौरान उन्होंने जेल के अंदर जो कुछ महसूस किया, वह 'जंजीरें और दीवारें' में दर्ज है। पुस्तक में जेल जीवन के साथियों के व्यक्तित्व का ब्योरा है। विख्यात स्वाधीनता सेनानियों के जेल जीवन का निकट से चित्रण है। 1942 के 'भारत छोड़ो आंदोलन' के दौरान गिरफ्तार जयप्रकाश नारायण के जेल से भागने का जीवंत वृत्तांत इस पुस्तक का अविस्मरणीय हिस्सा है। जेल से जे.पी. का 'महापलायन' करवाने में बेनीपुरी की अति महत्त्वपूर्ण भूमिका थी। कुछ ऐतिहासिक तथ्यों के विवरण भी उल्लेखनीय हैं। जैसे यही कि ज्यादातर कांग्रेसी 1942 में भारत छोड़ो आंदोलन के पक्ष में नहीं थे। जेल जीवन पर उनका उपन्यास था 'पतितों के देश में'। दूसरा उपन्यास 'कैदी की पत्नी' भी प्रकारांतर से जेल जीवन से ही संबद्ध है। ये तीनों किताबें भारतीय जेल जीवन तथा अपने समय के इतिहास का बहुमूल्य दस्तावेज हैं। दोनों उपन्यास ग्रंथावली के पहले खंड में शामिल हैं।

'कुछ मैं, कुछ वे' बेनीपुरी की ऐसी आत्मकथात्मक पुस्तक है जिसमें उनके राजनीतिक और पत्रकार जीवन की महागाथा दर्ज है। यह पुस्तक अब तक अप्रकाशित थी। पुस्तक के दो खंड हैं—'राजनीति के तूफान में' तथा 'पत्रकार जीवन के पैंतीस वर्ष'। 'राजनीति के तूफान में' के अंतर्गत बेनीपुरी ने अपनी राजनीतिक जिंदगी का सिलसिलेवार ब्योरा लिखा है। उन्होंने इसमें स्वाधीनता आंदोलन में अपने प्रवेश, असहयोग आंदोलन, किसान आंदोलन तथा मिलों की हड़ताल में अपनी लगातार शिरकत का दिलचस्प वृत्तांत लिखा है। पुस्तक के इस हिस्से को पढ़ने से स्वाधीनता आंदोलन में बेनीपुरी के बहुस्तरीय योगदान का पता चलता है। पुस्तक का यह अप्रकाशित खंड उस समय के किसान आंदोलन के इतिहास की दृष्टि से भी अत्यंत महत्त्वपूर्ण है।

पुस्तक के दूसरे हिस्से का शीर्षक है 'पत्रकार जीवन के पैंतीस वर्ष'। इसमें बेनीपुरी ने अपने पत्रकार जीवन का पूरा वृत्तांत लिखा है। 1921 में उन्होंने 'तरुण भारत' के सहकारी संपादक के रूप में पत्रकारिता शुरू की थी। तब से 1959 में लकवाग्रस्त होने तक उन्होंने दर्जनों पत्रों का संपादन किया और हिंदी पत्रकारिता को नई दिशा दी। जिन पत्रों से वे संबद्ध रहे, उनके नाम हैं; 'तरुण भारत', 'किसान मित्र', 'गोलमाल', 'बालक', 'युवक', 'कैदी', 'लोक संग्रह', 'कर्मवीर', 'योगी', 'जनता', 'तूफान', 'हिमालय', 'जनवाणी', 'नई धारा' और 'चुन्नू-मुन्नू'। बेनीपुरी ने पुस्तक के इस हिस्से में इन सभी पत्रों से अपने जुड़ाव तथा उसमें अपनी भूमिका का विस्तृत वृत्तांत लिखा है। पत्रकारिता के इतिहास की दृष्टि से ये सामग्रियाँ ऐतिहासिक महत्त्व की हैं। यह संस्मरण 'पत्रकार जीवन के पैंतीस वर्ष' शीर्षक से 'नई धारा' के सितंबर 1956 से मार्च 1959 के बीच सात भागों में प्रकाशित हुआ था।

संपूर्ण आत्मकथात्मक आलेखों से बेनीपुरी की तसवीर एक क्रांतिकारी लेखक पत्रकार और राजनीतिज्ञ की बनती है। एक ऐसा बेचैन मन सामने आता है जो अन्याय के ढाँचे पर आधारित समाज को आमूल बदलना चाहता है।

आत्मकथा के अलावा इस खंड में बेनीपुरी का यात्रा साहित्य भी शामिल कर दिया गया है; क्योंकि इन में भी एक प्रकार से जीवन गाथा ही है। उन्होंने अनेक बार विदेश यात्राएँ

कीं। 19 अप्रैल, 1951 को वे पहली बार विदेश रवाना हुए। वे यूरोप के अनेक देशों की यात्रा पर गए। उनके पासपोर्ट पर उसके जारी किए जाने की तारीख 16 अप्रैल, 1951 है। पासपोर्ट में देने के लिए उन्होंने पटना के त्रिवेदी स्टुडियो में विशेष रूप से अनेक तसवीरें खिंचवाई थीं। पासपोर्ट में जो तसवीर उन्होंने दी है, अनुमान है वही उनकी सर्वाधिक पसंदीदा तसवीर रही होगी। इसलिए 1951 की यह तसवीर ही ग्रंथावली के कवर पर दी गई है। उनकी तसवीर की पृष्ठभूमि में बेनीपुर में उनका बनवाया मकान है जिसे वे मजाक में अपना स्मारक कहते थे ! यह मकान उनका एक स्वप्न था। उसके मुंडेरों पर उन्होंने गेहूँ और गुलाब के निशान भी अंकित कराए थे। वे आज भी उनके सपने की कहानी कहते हैं। यही कारण है कि बेनीपुरी की तसवीर की पृष्ठभूमि में उनका बेनीपुर का मकान रखा गया है।

बेनीपुरी की दो यात्रा पुस्तकें हैं—'पैरों में पंख बाँधकर' तथा 'उड़ते चलो, उड़ते चलो'। ये यात्रा पुस्तकें डायरी शैली में हैं। वे लगभग दो सप्ताह के लिए नेपाल भी गए थे। वहाँ भी डायरी के आधार पर मैंने उनकी एक और यात्रा पुस्तक बना दी है 'नेपाल में'। यात्रा के दौरान बेनीपुरी नियमित डायरी लिखते थे। इसमें नई जगह का खोजपूर्ण और एंद्रिक वृत्तांत होता था। अपनी इन्हीं डायरियों को संकलित करके उन्होंने 'पैरों में पंख बाँधकर; तथा 'उड़ते चलो, उड़ते चलो' पुस्तक बनाई। 'पैरों में पंख बाँधकर' पुस्तक 1952 में छपी। इसमें इंगलैंड, स्कॉटलैंड, स्विट्जरलैंड और फ्रांस आदि देशों की यात्राएँ हैं। दूसरी पुस्तक 'उड़ते चलो, उड़ते चलो' अगस्त 1954 में प्रभात प्रेस, पटना से छपी। इसमें फ्रांस, इंगलैंड, स्विट्जरलैंड और इटली की यात्रा का वृत्तांत है। पुस्तक मीनू मसानी को समर्पित है। ओंकार शरद ने इन भ्रमण कथाओं के बारे में ठीक ही लिखा है कि 'इनमें दूसरे देशों का वर्णन तो है ही, साथ-ही-साथ वहाँ की संस्कृति, प्रकृति, राजनीति, मनःस्थिति और आर्थिक स्थिति का भी आँखों देखा वर्णन है।'

लेकिन बेनीपुरी को विदेश यात्रा के दौरान अपना देश और उसकी स्थितियाँ बार-बार याद आती रहती हैं। शेक्सपीयर के गाँव और उसके संग्रहालय में जाते हैं तो उन्हें अपने भारतेंदु की याद आती है। हम अपने युग पुरुषों की स्मृति क्यों सुरक्षित नहीं रखते; यह सवाल बेनीपुरी को उदास करता है। बेनीपुरी की विदेश यात्रा के ये संस्मरण उनकी अंतर्यात्राओं की भी झलक देते चलते हैं। यह इनकी सबसे बड़ी विशेषता है।

—सुरेश शर्मा

अनुक्रम

आत्मकथात्मक लेख

मुझे याद है

मुझे याद है
(एक प्रेरक आत्म-कहानी)

साहित्य महारथी स्वर्गीय श्रीरामवृक्ष बेनीपुरी का जीवन बड़ा ही घटनापूर्ण रहा है। साहित्य, राजनीति और पत्रकारिता का एक ही व्यक्तित्व में ऐसा अनुपम समावेश दूसरा शायद ही मिले। अड़सठ साल का बेनीपुरी का जीवन, अड़सठ हजार ऐसी घटनाओं से भरा है कि उनकी जीवन-कथा अपने आप में एक रोमांचक गाथा है। लेकिन रंगीन व वैविध्यपूर्ण जीवन का इतना बड़ा खजाना रखकर भी बेनीपुरीजी ने जाब्ते से अपनी आत्मकथा नहीं लिखी। हाँ, बर्नार्ड शॉ के 'सिक्स्टीन सेल्फ स्केचेज' के ढंग पर उन्होंने 'नई धारा' के कई अंकों में 'मुझे याद है' शीर्षक से जो व्यक्तिगत संस्मरणात्मक लेखमाला लिखी थी, उसी का संकलन है यह ग्रन्थ, 'मुझे याद है'।

बेनीपुरीजी राजनीति और साहित्य को एक-दूसरे का अन्तर्विरोधी न मानकर दोनों को एक-दूसरे का पूरक ही मानते थे। उनके व्यक्तित्व के निर्माण में किसकी प्रमुखता थी, राजनीति की या साहित्य की, यह कहना कठिन है। वे जितना राजनीति की लहरों पर तैरे उतना ही साहित्य की सरिता में डूबे भी। साथ ही दोनों का संतुलन भी बड़े ढंग से साधा। न साहित्य पर राजनीति हावी हुई, न राजनीति पर साहित्य छाया। जो स्वर उनके जीवन में मुखर हुआ, वही उनके साहित्य में भी चहका। उनका साहित्य, उनके तूफानी जीवन के अनुरूप ही समाजवादी साहित्य है। उनका व्यक्तित्व पूर्ण था, कहीं से भी खंडित नहीं। वे राजनीति में समाजवादी थे, क्रान्तिकारी थे और उनके साहित्य में भी वैसा ही ओज था, चमत्कार था और थी जिन्दगी की धड़कन, माटी की सुगन्ध तथा वर्षा की फुहार भी।

'मुझे याद है' में बेनीपुरीजी के जीवन के लगभग सभी प्रमुख तत्त्व उजागर होते हैं। बेनीपुरीजी के व्यक्तित्व के निर्माण की राह में मील के पत्थरों का इस कृति में स्पष्ट संकेत मिलता है। गाँव-देहात का किसान किस तरह युगस्रष्टा, साहित्यकार और स्वप्नदर्शी राजनीतिक बनता है, इसकी ऊबड़-खाबड़ राह का परिचय इस कृति से मिलेगा।

बेनीपुरीजी ग़रीबी और दुनियादारी की पाठशाला में दीक्षित हुए थे, उन्हें विश्वविद्यालय तो क्या, कॉलेज का द्वार पार करने का भी अवसर नहीं मिला था। उनको जीवन के संघर्ष से ही सर्व ज्ञान मिला था। जीवन की पाठशाला के ही वे स्नातक थे। जीवन के प्रारम्भ में उन्होंने घोरतम अभावों, दरिद्रता के ही दर्शन किए, शायद इसीलिए मानव-मात्र के प्रति अपरम्पार ममता, स्नेह, सहानुभूति के नैसर्गिक गुणों का उनमें स्वाभाविक विकास हुआ। उन्हें संसार की कटुता एवं कुटिलता का अनुभव संस्कार के रूप में मिला। कृषकों का कठोरतम जीवन उनके संवेदनशील हृदय का स्पंदन बना। बाल्यकाल के इन्हीं अनगढ़ संस्कारों ने भविष्य में उन्हें जन-जीवन का महान रेखा-चित्रकार बनाया और राजनीति में वे सर्वहारा वर्ग की वाणी बनकर समाजवादी हुए। उनका जाग्रत हृदय प्रारम्भ से ही बड़ा सशक्त और पुष्ट एवं समर्थ था। तरुणाई में तुलसी की 'रामचरितमानस' ने उनके संवेदनशील हृदय में जहाँ साहित्य का बीजारोपण किया, वहीं गांधीजी के आह्वान ने राष्ट्रीयता की ओर भी प्रेरित किया। वे किशोरावस्था में ही साहित्य-सर्जक बने और तरुणाई मे ही उग्र राष्ट्रकर्मी बने।

बेनीपुरीजी की जीवन-गाथा संघर्ष और तपस्या की, साथ ही नवजागरण की एक लम्बी

कहानी है। वे गाँव की मिट्टी के बने थे, खेतों-खलिहानों में उनका बचपन पला था, तरुणाई राष्ट्रीय आन्दोलनों में लहराई थी व जवानी, जेल की कोठरियों में कटी थी और बुढ़ापा धूपबत्ती की तरह जल-जलकर सुगन्ध फैलाने में बीता था।

जीवन के मात्र खट्टे-कड़ुवे-तीते अनुभवों के बूते ही उन्होंने विपुल साहित्य-सृष्टि की। बेनीपुरी का रचना-संसार महासागर के समान अनन्त और असीम है जो जीवन के हर सम्भव क्षितिजों को छूता है।

बेनीपुरीजी की क्रान्तिकारी और उद्भट प्रतिभा की छाप उनके साहित्य पर स्पष्ट दृष्टिगोचर होती है। उन्होंने शब्दचित्र, रेखाचित्र, कहानियाँ, उपन्यास, नाटक, निबन्ध, संस्मरण, यात्रा-वृत्तान्त यानी गद्य की सभी विधाओं में उच्चकोटि की रचना की और हर जगह उनकी बहुमुखी प्रतिभा की छाप देखने को मिलती है। 'पतितों के देश में', 'कैदी की पत्नी' जैसे उपन्यास, 'लालतारा', 'चिता के फूल' जैसी कृतियों की कहानियाँ, 'माटी की मूरतें' व 'गेहूँ और गुलाब' के रेखाचित्र, 'पैरों में पंख बाँधकर', 'उड़ते चलो', 'पेरिस नहीं भूलती' जैसी कृतियों के संस्मरण व यात्रा-वर्णन, 'अम्बपाली', 'सीता की माँ', 'नेत्रदान', 'तथागत', 'संघमित्रा' और 'विजेता' जैसे नाटक और कविताएँ भी सांस्कृतिक नवजागरण और सामाजिक परिवेश में क्रांतिकारी रचनाएँ हैं। उनकी रचनाओं में जहाँ उनकी साधना और प्रतिभा की चमक है, वहीं उनमें भारत की मिट्टी की सोंधी गमक है और तेजस्विता का पैनापन भी है।

एक पत्रकार के रूप में 'बालक', 'युवक', 'योगी', 'जनता', 'हिमालय' और 'नई धारा' का सम्पादन करके भारतीय इतिहास की आधी-शती का इतिहास उन्होंने समय की शिला पर अमिट रूप में अंकित किया है।

राजनीति में उनका समाजवादी योद्धा के रूप में अतुलनीय योगदान है। गांधीवाद और समाजवाद में आस्था रखनेवाले बेनीपुरी ने जीवन के चौदह वर्ष जेलों में काटे और सिद्धान्त के प्रति इतने समर्पित रहे कि समझौतावादी बनकर कभी पद व शक्ति के लिए लालायित नहीं हुए।

सरल भाषा में व स्वाभाविक ढंग से गम्भीरतम विचार व्यक्त करने में उन्हें कमाल हासिल था। और उनकी शैली ! शैली तो ऐसी थी जो पाठक के मस्तिष्क पर चोट ही नहीं करती थी, हृदय को भी चीर देती थी। मात्र शैली के कारण अपनी पहचान कराने में बेनीपुरीजी अद्वितीय थे। हिन्दी साहित्य को अपनी विशिष्ट शैली प्रदान करके नई धारा का जिन्होंने सृजन किया, उनमें बेनीपुरी अग्रगण्य हैं। बेनीपुरीजी में अद्भुत मौलिकता थी और लेखनी भी सशक्त थी।

हर दृष्टि से बेनीपुरीजी का जीवन तूफानी था। साहित्य में वे सदा तूफान उठाते रहे, राजनीति में भी तूफान के ही प्रतीक थे। उनमें जब भी जो धुन समाई, वे तूफान बनकर बहे और अपनी धुन की पूर्ति की। जिस तरह वे तूफान बनकर आए, वैसे तूफान की तरह गए भी। शायद तूफान ही उनके जीवन का प्रतीक था।

राष्ट्रकवि मैथिलीशरण गुप्त के शब्दों में वे 'क़लम के जादूगर' थे। उन्होंने साहित्य-रचना के रूप में जो भी रचा, प्रस्तुत किया, उसमें एक अनोखी सुगन्ध थी। उन्होंने मात्र सोना ही नहीं बनाया, सोने में सुगन्ध भी भरी। उन्होंने जिस विषय को भी छुआ, उसी की कायापलट कर दी, नया रंग-रूप दे दिया और यह 'जादूगरी' उन्हें न तो सहज में प्राप्त हुई थी, न ईश्वरप्रदत्त थी। इसके लिए उन्हें बड़ी साधना करनी पड़ी, ऐसी जीवन साधना, जिसमें उनके साहित्य, पत्रकारिता तथा राष्ट्रसेवा की महत्ती उपलब्धियाँ निहित हैं। इसके प्रमाण रूप में ही यह कृति—'मुझे याद है'—प्रस्तुत की जा सकती है।

उनकी यह आत्मकथात्मक कृति एवं महान तथा निष्कपट और सतत संघर्षरत योद्धा की वीरगाथा—'मुझे याद है'—के रूप में हमारे सामने आती है। जिसमें उन्होंने बिना लाग-लपेट के अपने जीवन-संघर्ष के सभी रूप प्रस्तुत किए हैं, कच्ची-पक्की बातें कही हैं, युग की सच्ची कथा कही है और सबसे बढ़कर विपरीत तूफानी झोंकों के थपेड़े खाते अपने ही जीवन और निर्माण की प्रक्रिया की परत-पर-परत बड़ी निर्ममता से उघाड़ते चले गए हैं। अपने ही सम्बन्ध में ईमानदारी बरतना सबसे बड़ी चारित्रिक ऊँचाई है और इस दिशा में बेनीपुरीजी बड़े खरे उतरे हैं, अपनी—'मुझे याद है'—कृति के पृष्ठों के माध्यम से।...गरीब किसान के घर जन्म, बचपन में ही अनाथ होकर ननिहाल में आश्रय, युगीन समस्याओं के थपेड़े सहते हुए पढ़ाई त्यागकर राष्ट्रीय आन्दोलन में शामिल होना, साहित्य और संस्कृति के उत्थान में योगदान के नाम पर गरीबी, अभाव और संघर्ष को अपनाना, पारिवारिक जीवन और उस जीवन की खट्टी-मीठी स्मृतियाँ, अभाव का अपना सुख, संघर्ष का अपना आनन्द...यही सब है इस पुस्तक में—एक संघर्षशील बेचैन आदमी की आपबीती।

इस कृति को पढ़कर जाना जा सकता है कि बेनीपुरीजी की जीवन-गाथा संघर्ष और तपस्या की अनोखी कहानी है। जिसका सम्बन्ध खेतों-खलिहानों की मिट्टी और कड़ी धूप तथा गहरी बरसात से है। ऐसा जीवन, जिसके पथ में रोड़े, काँटें, झाड़ियाँ ही ज्यादा रही हैं, राजपथ जहाँ कभी नहीं रहा, कँटीली पगडंडियाँ ही जहाँ सदा रही हैं।

बेनीपुरी की जीवनव्यापी साधना का ही प्रताप है कि आज हिन्दी के शैलीकारों में उनका शीर्षस्थ स्थान सर्वमान्य हो चुका है। उनके गुणों की चर्चा करते लोग अघाते नहीं। उनके गुण ...बुद्धि की तीक्ष्णता, कर्म में प्रताप, अग्नि की ऊष्मा लिये हृदय, वाणी में चुम्बकीय शक्ति ...अट्टहास करता मानव शरीर, जो कभी भय व चिन्ताओं की घटा से दबता नहीं, छिपता नहीं। आत्मसम्मान के साथ संघर्षमय जीवन बिताने की अपनी आत्म-कहानी है यह, 'मुझे याद है'। बेनीपुरी जैसे व्यक्ति की यह आत्म-कहानी।

अब बेनीपुरी आज की पीढ़ी के पितर हो चुके हैं। अपने पितर का अतीत, अतीत की बातें जानने को यह कृति—मुझे याद है—युग-दर्पण का काम देगी।

आज की युवा पीढ़ी, विद्यार्थी इस कृति से सिर्फ ज्ञानार्जन ही नहीं करेंगे, बल्कि इससे प्रेरित होकर वे अपने भविष्य की राह बनाएँगे, राह के काँटों-रोड़ों को हटाने की शक्ति व प्रेरणा पाएँगे और यही इस कृति और इसके कृतिकार की सार्थकता होगी।

—ओंकार शरद

बेनीपुरी पुण्य-तिथि,
7 सितम्बर, 1978

मेरी माँ

मुझे याद है वह सन्ध्या, जिसमें मेरे घर से एक अरथी निकली थी। वह अरथी मेरी माँ की थी।

उस समय मैं चार साल का बच्चा था। सारी घटनाएँ स्मृति में धुँधली-धुँधली छाई हुई हैं—जैसे, आईने पर धूल पड़ गई हो, जैसे तसवीर के रंग और रेखाओं को समय के थपेड़ों ने धूमिल कर दिया हो।

किन्तु शीशे पर एक हल्की फूँक दीजिए, धूल उड़ी, चेहरा चमका। ज़रा नज़रों पर जोर देकर, निकट से, गौर से देखिए, तसवीर की रेखाएँ उभड़ीं, रंग निखरे।

आह री, वह सन्ध्या !

मेरी मुमूर्षु माँ को लोगों ने घर से निकालकर आँगन में उत्तर सिरहाने लिटा दिया। माँ को घर से आँगन में ले आए और मुझे आँगन से दरवाजे पर ले गए, क्योंकि बच्चे को मरनेवाली माँ के सामने नहीं रखना चाहिए। थोड़ी देर के बाद मेरी माँ ने मुँह पर हाथ ले जाकर पानी पीने का इशारा किया। लोगों ने गिलास में पानी दिया, तो उन्होंने मुँह एक ओर करके पीने से इनकार जताया और बड़ी चेष्टा करके अपने चारों ओर खड़े लोगों को देखने लगीं, जैसे किसी को ढूँढ़ रही हों। फिर कुछ देर तक आँखें मूँदे रहीं। जब दूसरी बार पानी पीने का इशारा किया और पानी दिया गया, तो फिर अस्वीकार कर दिया। यों यह क्रिया कई बार हुई। तब एक बूढ़ी, अनुभवी स्त्री ने ताड़ लिया और कहा—शायद अपने बच्चे के हाथ से पीना चाहती है। बेचारी की साँस इसी के लिए अटकी हुई हैं। मुमूर्षु की इच्छा पूरी होनी चाहिए। फलतः मुझे वहाँ बुलाया गया। जब मैं पहुँचा उनकी आँखें मुँदी थीं, किन्तु ज्यों ही कान में कहा गया, बेटा आया है, कि उन्होंने आँखें खोल दीं और बड़ी देर तक मुझे देखती रहीं। मेरे हाथ में गिलास रखकर उसे उनके होंठों से लगाया गया—गटगट कर वह सारा पानी पी गईं। पानी खत्म और उनकी आँखें मुँदीं। दो-तीन लम्बी हिचकियाँ और सारे आँगन में हाहाकार मच गया। मुझे झट फिर दरवाजे पर ले जाया गया।

माँ की उन टकटकी-बँधी, गीली-गीली, आँसुओं में डूबी, डबडबाई, पुतलियों को मैं प्रायः ही कल्पना की आँखों से देखता रहा हूँ और सच कहता हूँ, इस लम्बी जिन्दगी में, पचास पार कर लेने के बाद भी, जब कभी उदास होता हूँ, विषाद में होता हूँ, चिन्ता में होता हूँ, वे पुतलियाँ, लगती हैं, जैसे मुझे सहला रही हों, दुलरा रही हों और मुझ पर अनवरत आशीर्वादों की वर्षा कर रही हों। और, यह तो मान ही लिया है कि मैं जो कुछ हूँ, सब उनकी तपस्या, दया और करुणा का प्रभाव है, नहीं तो नियति ने, समाज ने, घटनाओं के प्रपंच ने, स्वयं मैंने, भी अपने को डुबाने, नष्ट करने, बरबाद करने की कम कोशिश नहीं की है।

उनकी तपस्या—माँ की तपस्या ! हाँ, सुना है, उन्हें मेरे लिए तपस्या भी थोड़ी नहीं करनी पड़ी थी। विवाह होने के बहुत दिनों बाद तक उन्हें किसी सन्तान का मुख देखने का सौभाग्य नहीं प्राप्त हुआ था। उन्हीं की उम्र की, उन्हीं के साथ ब्याही गईं, उनके पीछे जो आईं, उन गोतिनों की गोदें भरती जा रही थीं—एक, दो, तीन-तीन सन्तानों तक की वे माँ बन चुकी थीं, किन्तु मेरी माँ निस्सन्तान थीं ! उन्हें ताने सुनने पड़ते, उलाहने सुनने पड़ते, गालियाँ सुननी पड़तीं...तुम कोखजली हो, बाँझिन हो, अभागिन हो, निपूती का मुँह तक देखना पाप ! तुम पापिन हो—नहीं तो तुम्हारी कोख में आग कैसे लगी ? माँ इन्हें सुनतीं, रोतीं, बिसूरतीं।

तरह-तरह के व्रत करतीं, मनौतियाँ मानतीं।

सन्तान के देवता सूरज हैं, बिना सूरज को जल चढ़ाए वह मुँह में अन्न नहीं रखतीं। घर के सारे काम-काज समाप्त कर, भोजन बनाकर, सभी लोगों को खिलाकर, दुपहरिया ढलने के बाद वह स्नान करतीं, लोटे में पानी लेकर तुलसी-चौरे के निकट पहुँचतीं। जल चढ़ाकर, आँचल उठाकर, हाथ जोड़े वह एक टक सूरज को देखती रहतीं—उनके होंठ हिलते होते, उनकी आँखों से आँसू झरते होते। देखनेवाले भी द्रवित होते, किन्तु उन्हें यह भी सुनना पड़ता—यह सब करने से कुछ नहीं होगा, बाँझिन कहीं की !

बाँझिन कहीं की—यह बिच्छू की डंक ! और उन्होंने देखा था, ऐसे ही बिच्छुओं की डंकों से मर्माहत होकर, इसी आँगन में, उन्हीं की एक सखी ने आत्महत्या कर ली थी ! भगवान, क्या मुझे भी कलवारीवाली की तरह गले में फँसरी लगाकर मरना पड़ेगा। आह ! न जाने कितनी बार मेरी माँ ने मन-ही-मन वह करुण वाणी कही होगी।

बारह बरस पर घूरे का भी भाग जगता है, मेरी माँ के भी जगे। उनकी गोद भरी। मैं इस धराधाम पर अवतीर्ण हुआ ! कब ? किस साल में, किस तिथि को ! मुझे मालूम नहीं। कोई बतानेवाला भी नहीं है। पंडितजी ने शायद अपनी पोथी में लिखा होगा, गरीब के घर में जन्मपत्री की क्या जरूरत ? उस समय किसी ने सोचा भी नहीं होगा कि कभी इस व्यक्ति की जन्मतिथि की आवश्यकता पड़ेगी। माँ रही नहीं कि वह याद रखें, पिताजी भी थोड़े दिनों के बाद ही चल बसे। मैं ननिहाल गया तो स्कूल में कोई तिथि लिखा दी गई। और जब मैंने इसकी जरूरत महसूस की और खोजने-ढूँढ़ने की कोशिश की, तब तक वे सब लोग चल चुके थे, जिनसे कुछ पूछताछ करता ! अच्छा भी हुआ; एक झंझट खत्म। अधिक-से-अधिक जो मालूम हो सका, वह सिर्फ इतना कि वह पूस का महीना था।

जन्मतिथि की याद किसी को भले ही नहीं हो, किन्तु मुझे याद है, किस नाज़ोअदा से मैं पाला गया था। माँ मुझे अपनी आँखों की पुतली बनाए रखतीं। हमेशा कलेजे से चिपकाए रहतीं, आँगन से बाहर जाने देने में भी घबरातीं, कहीं अधिक देर तक बाहर रह गया तो व्याकुल हो उठतीं। मेरी सारी इच्छाएँ पूरा करतीं। उनके लाड़-प्यार ने मुझे जिद्दी, हठी, बिगड़ैल बना दिया था। मैं चीजों को तोड़-फोड़ देता, कपड़े फाड़ देता, नंगधड़ंग रहा करता। यदि कोई मुझे डाँटता, वे रोने लगतीं। मुझे याद है, एक बार जब वह बीमार थीं, मैंने उन्हें बहुत तंग किया, उनके केशों को पकड़कर ऐसा झटका दिया कि वह भहराकर गिर पड़ीं। उनकी यह दुर्गत देखकर दादी दौड़ीं और मुझे एक चपत लगा दी। मैं जोर से चिल्ला उठा, जितनी चोट नहीं लगी थी, उससे अधिक शायद अपमान बोध किया ! मेरा चिल्लाना और माँ ने मुझे कलेजे से लगा लिया और इस तरह फूट-फूटकर रोने लगीं कि दादी हक्का-बक्का। माँ रोतीं और कहती जातीं—मेरी आँखों के सामने मेरे बच्चे को लोग यों पीट देते हैं, जब मैं नहीं रहूँगी...अब दादी की आँखें भी तर थीं।

मेरे जन्म के बाद से ही माँ बीमार रहतीं। धीरे-धीरे उनका दूध सूख गया था, अतः मुझे एक दाई के दूध पर पलना पड़ा। उसके भी एक बच्चा था, मेरी ही उम्र का। वह बच्चा अब बूढ़ा हो गया है। जब-जब उसे देखता हूँ, मातृप्रेम उमड़ आता है ! दूध रक्त से अधिक गाढ़ा भले ही न हो, वह मीठा तो होता ही है !

मुझसे छोटा एक और भाई हुआ था, किन्तु माँ ने उसे कभी मेरा हिस्सेदार नहीं बनने दिया। वह बेचारा भी एक दूसरी स्त्री के दूध पर पलता रहा और माँ की मृत्यु के थोड़े ही दिन बाद चल बसा।

मैं कुछ ऐसा जिद्दी और हठी हो गया था कि सदा बेमौसम की, बेवक्त की, चीजों की

माँग कर बैठता। माँ उन्हें जुगो-जुगोकर रखतीं। चूड़ा, मूढ़ी, भूँजा, बताशे, लड्डू, केले, आम, जामुन, दही-दूध, सँजोकर रखे जाते और ज्यों ही मेरी माँग हुई, पूरी की गई। जब मेरी माँ दिन-दिन अधिक बीमार होती गईं लोगों की यह भी शंका होती, कहीं इन चीजों से वह कुपथ्य तो नहीं कर लेतीं ! लेकिन वह बेचारी करतीं क्या, अपने लाड़ले की हर मनुहार जो उन्हें पूरी करनी थी !

उनके मरने के पहले, एक विचित्र बात देखी जाती है। वह इस तरह बातें करने लगतीं, जैसे आत्महत्या करनेवाली मेरी वह चाची उनके सामने खड़ी हैं और उन्हें बुला रही हैं। मेरी आरजू-मिन्नत करतीं कि मुझे छोड़कर वह किस तरह उनके साथ चलें ! जब लोग उन्हें रोकते, तो कहतीं, देखिए न, वह कलवारीवाली खड़ी है ! दोनों में बड़ी गाढ़ी दोस्ती थी, शायद इसका कारण यह हो कि उस आँगन में ये दोनों ही एक समान पीड़िता रहीं।

कहा जाता था, जो माँ छोटे बच्चे को छोड़कर मरती है, वह चुड़ैल होकर फिर बच्चे को लेने आती है। इसकी रोक यह समझी जाती थी कि मुर्दे के दोनों पैरों को इकट्ठा कर कील ठोक दी जाए और घर से श्मशान तक सरसों के दाने छींट दिए जाएँ ! कील के कारण चल न सकेगी और यदि घिसक-घुसककर चली भी तो सरसों के सारे दाने चुन लेने के बाद ही वह आ पाएगी। इतने दाने वह बेचारी कैसे चुनेगी ? अतः बच्चा निरापद रहेगा।

जब-जब मुझे यह याद आता है कि मेरी मरी हुई माँ के पैरों को इकट्ठा कर एक लम्बी कील ठोक दी गई थी, अपने समाज पर वह गुस्सा आता है, जिसकी कोई सीमा नहीं ! जहाँ माँ का, मातृत्व का, सन्तान-प्रेम का ऐसा अपमान हो, निरादर हो, उस समाज को जहन्नुम जाना चाहिए !

यह मेरा सौभाग्य था कि मेरी माँ की दो छोटी बहनें पिताजी के दो छोटे भाइयों से ब्याही गई थीं। जब माँ मरने को हुईं तो बड़ी मौसी को उन्होंने नैहर से बुलवा लिया था और उन्हीं के हाथों मुझे सौंप गई थीं। मेरी मौसी ने जिस तरह अपनी बहन की सौगात को सँभाल कर रखा, सब बहनें वैसी सुबुद्धि पावें। मेरा दूध तो छूट ही चुका था; मौसी ही अपने कलेजे से मुझे सटाकर सोतीं। माँ की तरह ही लाड़-प्यार से रखतीं, मेरी सारी जिद्द और हठ को पूरा करतीं और बदमाशियाँ करने पर मेरी ढाल बन जातीं। हमारी ओर एक कहावत मशहूर है—'मरे माँ, जीये मौसी !' किसी की माँ मरे, यह निस्सन्देह ही ऐसी क्षति है, जिसकी पूर्ति नहीं हो सकती, किन्तु मौसी ने उसके अभाव को बहुत कुछ दूर कर दिया था, इसमें शक नहीं। तब तक मौसी को कोई सन्तान नहीं हुई थी, अतः उनका सारा स्नेह मुझ पर ही केन्द्रित रहता है।

दिन में खेलता होता, तो माँ को मैं भूल जाता; लेकिन जब रात होती, सोने जाता, चिराग बुझा दिया जाता, त्योंही मुझे स्पष्ट दिखाई पड़ता, मेरी माँ दीवार के छेद से मेरी ओर देख रही हैं। फिर लगता, जैसे उस छेद से निकलकर वह घर में चली आई हैं और धीरे-धीरे वह मेरी ओर बढ़ रही हैं। मैं भयभीत हो जाता, काँप उठता। मेरी माँ तो मेरे लिए चुड़ैल थी, जो मुझे मार डालेगी, अपने साथ ले जाएगी। वह मेरे निकट पहुँच जाती, मेरे बदन को टोतीं। मुझे कभी-कभी लगता उसके नख बढ़ गए हैं, जिनकी चुभन भी मैं महसूस करता। फिर वह बड़ी चौकसी से मेरी बगल में सटकर सो जातीं और मेरे सिर पर हाथ फेरने लगतीं। उनका हाथ कितना ठंडा लगता। अब तो भय से मेरे प्राण सूखने लगते, मैं समझता, मैं मरा। तब बड़े जोरों से मौसी को बकोटने लगता, भय के मारे रोने की हिम्मत कहाँ थी ? मौसी जग जातीं, मुझे कलेजे से सटा लेतीं, फिर पूछने लगतीं। जब मैं सारा किस्सा कहता, वह हाथ जोड़कर अपनी मरी हुई बहन से प्रार्थना करने लगतीं—एक बच्चे को तो ले ही गई हो, इसे

मेरे लिए छोड़ दो !

माँ के पैरों में कील ठोकने का जितना दुख मुझे है, उससे भी अधिक दुख है कि मेरे दिमाग में भय की अजीब कील ठोक दी गई थी कि मैं अपनी माँ को चुड़ैल मानने लगा था। आह, आज यदि माँ को सपने में भी पा जाऊँ, कि किस तरह उनके चरणों में लिपट जाऊँ, रोऊँ, रुलाऊँ। अपने जीवन में भी सबसे बड़ी अभाव अनुभव करता हूँ, वह यह कि मैं किसी महिमामयी महिला को माँ कहने के गौरव से वंचित रहा ! माँ ! माँ—संसार का सबसे पवित्र शब्द यह है, जो इससे वंचित रहा, उससे बढ़कर अभागा और कौन है ? ओम्, राम, रहीम ये शब्द इतने पवित्र इसीलिए माने गए कि इनके अन्त में माँ का प्रथम अक्षर है, कभी इच्छा होती है, नास्तिक होते हुए भी ऐसा कह दूँ ?

माँ से अलग हुए, चार युग बीत गए, किन्तु अब भी उनके प्रभावक्षेत्र से मैं अपने को दूर नहीं कर सका। उन्होंने मेरे लिए जितने व्रत, नेम साधे, जितनी मनौतियाँ कीं, सब अब तक मेरे घर में पाले जा रहे हैं। मेरी रानी को इनके चलते हर महीने तीन-चार दिन तो उपवास में गुजारने ही पड़ते हैं। तरह-तरह की बद्धियाँ, गंडे भी मुझे इस बुढ़ापे तक पहनने पड़ते हैं। भगवान को कब न छोड़ दिया, किन्तु इन्हें छोड़ न सका, न सकूँगा ! खासकर, छठ के दिन, सूरज देवता को अर्घ्य देते समय, कई शाम का उपवास किए, मेरी रानी जब कमर भर पानी में धँसकर, उस थरथराती भोर में सूरज की ओर मुँह किए आँचल उठाती है, उसके चेहरे में मैं अपनी माँ का दर्शन करता हूँ !

माँ, माँ, प्रणाम माँ ! तुम मुझे छोड़कर उस सन्ध्या को कहाँ चली गईं, माँ? तुम चली गईं और मेरे लिए छोड़ गईं टकटकी बँधी, गीली-गीली, डबडबाई पुतलियों की वह करुण-कोमल स्मृति, जो मुझे व्याकुल बनाती है, रुलाती है, ढाढ़स देती है और अहर्निश रक्षा करती है ! प्रणाम माँ, माँ, माँ !

दूसरी अरथी

पाँच वर्ष के बाद, मेरे आँगन से, आधी रात को एक और अरथी उठी और यदि वह अरथी न उठी होती, तो मैं आज क्या होता !

यह अरथी मेरे पिताजी की थी। यदि वह जीवित रहते तो मुझे न ननिहाल जाना पड़ता, न मेरे जीवन में परिवर्तन होता, न मैं वह सब कुछ हो पाता, जो आज हूँ ! आज मैं एक छोटा-सा अपढ़ किसान होता, खेती-बारी करता, बाल बच्चों के साथ खेत-खलिहान में मरता-खपता होता, जैसी कि मेरे चचेरे भाइयों की हालत है।

किन्तु यह न समझिए कि पिताजी की मृत्यु से मुझे आनन्द हुआ था। घर-घर रोया था, मैं भी रोया था। सबसे अधिक रोए थे मेरे पितामह—बाबा। बाबा के पाँच लड़के थे, किन्तु मेरे पिताजी को वह सबसे अधिक मानते। उनके पाँचों लड़कों में पिताजी सबसे अधिक होशियार थे, घर का कामकाज देखने-सँभालने में बाबा का पूरा हाथ बँटाते।

मेरी माँ के मरने के बाद बाबूजी ने दूसरी शादी कर ली थी। मेरी मौसियों ने शायद इसे पसन्द नहीं किया था। किन्तु पिताजी का प्यार—मुझे सदा पूरा मिलता रहा। उन दिनों बाप अपने बेटे को खुलकर प्यार भी नहीं कर सकता था, खासकर यदि उसके पिता जीवित हों या घर में और लोग हों ! अपने बेटे को आप प्यार करना कलजुगहापन समझा जाता था। किन्तु क्या बैर और प्यार...छिपता है ? एक बात और हुई—मेरी सौतेली माँ को भी काफी

दिनों बाद सन्तान हुई, एक बच्ची। वह बच्ची गोद में ही थी कि पिताजी की मृत्यु हुई। अतः, पिताजी के प्रेम का अकेला हकदार तो मैं ही रहा।

माँ की मृत्यु के बाद, उसकी क्षतिपूर्ति में, घर के सभी लोग मुझे बहुत ही प्यार करते। नतीजा, दिन-दिन मेरा बिगड़ैलपन बढ़ता गया। मैं कितना बिगड़ैल था, इससे जानने के लिए मेरे शरीर के अनेक दागों को देखिए।

कमर के निकट तीन बड़े-बड़े दाग हैं। एक दिन मेरी दादी मुझे गोद में लिटाए हुक्का पी रही थीं। मैंने ज़ोरों से हाथ-पैर उछाल दिए। चिलम से आग के कई गोले गिरे—जहाँ-जहाँ मेरे बदन पर पड़े, फफोले निकल आए। वे फफोले कितने बड़े रहे होंगे, इसकी सूचना वे दाग़ देते हैं ! यह घटना माताजी की जिन्दगी में ही हुई थी !

एक दिन मैं लाह की चूड़ियाँ लेकर ताखे पर रखे दीये से खेल रहा था। चूड़ियाँ जलती थीं, लहक उठती थीं—कितना सुन्दर ! मौसी ने कई बार मना किया, किन्तु कौन सुनता है ? कि अचानक चूड़ी की लहकती हुई लाह मेरी छाती पर आ चुई ! बाप-बाप करते भागा। उसका एक लम्बा निशान बना हुआ है। जब-जब मैं देश के कामों में जाता, अपने कार्ड में यही निशान लिखा देता। यों, यह बड़े काम का बन गया।

एक बार एक कुत्ते से छेड़खानी कर दी—झपटकर उसने इतना बड़ा कौर मारा कि उसके दो बड़े-बड़े दाँत जाँघ में पूरे गड़ गए। लहूलुहान ! दाँतों के निशान अब तक जाँघ में चमकते हैं।

दो बार तो मरते-मरते बचा। एक बार कुदाल से एक आदमी खेत ताम रहा था। मैं उसके निकट पहुँचा, तो उसने अलग ही रहने की चेतावनी दी। किन्तु मैं और चेतावनी सुनूँ ? बार-बार उससे छेड़खानी करता और सो, एक बार उसकी कुदाल मेरे सिर पर बजर गई। संयोग था कि मेरे सिर मनौती के बड़े-बड़े बाल थे, नहीं तो मैं उस दिन गया ही था। तो भी, कुदाल की धार ठहरी !—खोपड़ी में बीचोबीच अब तक एक लम्बा चिह्न बरकरार है।

दूसरी बार मैं एक दीवार के नीचे आ गया था। मेरा पुराना, आलीशान दालान गिर रहा था। कच्ची मिट्टी की बड़ी ऊँची दीवारें थीं। उस रास्ते से लोगों का आना-जाना बन्द कर दिया गया। किन्तु मैं मनाही मानूँ ? इस ओर से दौड़कर उस ओर चला जाता और कहता—कहाँ गिरी दीवार ? बूढ़ी दीवार ने इस पर अपना अपमान समझा और जब मैं इसी प्रकार के प्रयोग में था कि वह अरराकर गिरी। हाहाकार मच गया। किन्तु संयोग ने मुझे फिर बचा लिया। दीवार काफी ऊँची थी, उसके साथ मेरे नए घर के बरामदे का छप्पर भी गिरा। मैं नीचे, ऊपर छप्पर, उसके ऊपर दीवार ! जब जल्द-जल्द मुझे उस मलबे से निकाला गया, मैं जीवित था, हाँ, खोपड़ी के पिछले हिस्से में एक खिपटा गड़ गया था ! जिससे अनवरत रक्त बहा जा रहा था !

कभी-कभी पीठ में अब दर्द हो जाया करता है। कई डॉक्टरों को दिखलाया। अन्त में यह रहस्य खुला है कि उसी की चोट का यह अवशेष है। ज्यों-ज्यों उम्र ढलती जाती हैं, दर्द उभड़ता जाता है !

पैर और हाथ की मोचें तो प्रायः ही हुआ करती थीं। एक बार उछलकर अथाह पानी में चला गया था, तो मुश्किल से डूबने से बचाया जा सका। एक बार चाकू से इस तरह उँगुली काट ली कि नख का एक हिस्सा भी गायब हुआ। वह उँगली आज भी उसका निशान लिये हुए है।

अपने शरीर के दागों की गिनती तो मेरे पास है—किन्तु, जिन दूसरे लोगों के शरीर पर मैंने दाग दिया, उसकी गिनती क्या होगी, कैसे बताऊँ ? उनमें से बहुत से लोग तो चल बसे,

जो बचे हैं, जब वे चर्चा करते हैं, तो शरम से गड़ जाया करता हूँ।

पाठशाला के नाम से ही मैं घबड़ाता था, बड़ी मुश्किल से टाँग-टूँगकर मुझे वहाँ तक पहुँचाया जाता था। मैं घर में घुस जाता या मौसी की साड़ी से लिपट रहता था। अतः वहाँ से कभी पुचकारकर और प्रायः टाँगकर मुझे पाठशाला तक पहुँचाने का काम फूआजी करती थीं। पिताजी के पाँचों भाइयों में यह अकेली बहन थीं। बड़ी नेक, बड़ी सरल। मुझे बहुत मानतीं; लेकिन क्या करें बेचारी ? मेरी भलाई के लिए ही तो उन्हें यह कठोर कर्म करना पड़ता। किन्तु मुझे उस समय इसका ज्ञान कहाँ था ? मैं उन्हें गालियाँ तक देता, हाथ-पैर चलाकर पीटता, कभी-कभी दाँत से काट लेता। उन्हें कष्ट होता, उनकी आँखें भर आतीं, किन्तु तो भी उन्हें इस कर्तव्य का पालन करना ही पड़ता।

कह चुका हूँ, पिताजी मुझे बहुत प्यार करते थे। जब कभी वह फूआजी की ससुराल या मेरे ननिहाल जाते, प्रायः मुझे अपने साथ कर लेते। फूआजी की ससुराल में एक बार जो मैंने शैतानी की, उसे तो काव्य का महत्त्व मिल गया है। जब कभी वहाँ जाता हूँ, प्रायः वह कहानी दुहराई जाती है !

गरमी के दिन थे। फूफाजी के दालान पर सभी लोग सोते थे। पिताजी मुझे अपनी ही खाट पर लेकर सोए। सबकी नींद लगी, मैंने भी आँखें मूँदकर सोने की चेष्टा की। किन्तु नींद नहीं आई—दिमाग में तो शैतान घुस गया था। मैं हौले-हौले उठा। फिर धीरे-धीरे जितने जूते उस दालान में थे, सबको इकट्ठा किया और अपने अँगोछे में बाँध लिया। इस पोटरी को लेकर तालाब के किनारे पहुँचा और बीच पानी में जाकर छोड़ दिया। जब लोग उठे, अपने-अपने जूते खोजने लगे। किसी के जूते नहीं—क्या बात है ? मैं फिर आकर बाबूजी की बगल में आँखें मूँदकर सो गया था, इसीलिए किसी की मुझ पर शंका नहीं हुई। जूते क्या हुए—सब लोग आश्चर्यचकित थे ! गाँव भर में शोर हो गया। मैं देखता था, कभी-कभी फूआजी मेरी ओर कुतूहल की आँखों से देखती थीं, किन्तु ऊपर से तो वह मेरा ही पक्ष-समर्थन करतीं, यदि किसी ने मेरे बारे में फुसफुस भी की तो।

तीन-चार दिनों के बाद जब किसी नहानेवाले के पाँव टकराए, तो वे जूते निकले ! सबकी सूरत अजीब बन गई थी। और तब मुझसे भी नहीं रहा गया—मैंने अपना भंडाफोड़ आप ही कर दिया !

धीरे-धीरे मैं नियमित रूप से पाठशाला जाने लगा। जब पढ़ने में ध्यान लगाया, तो एक तेज विद्यार्थी निकला ! मेरी तारीफ होने लगी। शुरू से ही मेरे अक्षर बड़े सुन्दर होते। मेरे बाबा बड़े धर्मनिष्ठ व्यक्ति थे। नियमित रूप से पूजापाठ करते। बिना पूजापाठ किए, मुँह में अन्न नहीं रखते। बड़े सवेरे उठते—जाड़ों में बड़े अच्छे सुर से प्रभाती गाते। खेती-बारी से निश्चिंत होकर, स्नान-ध्यान करते। फिर भोजन कर दुपहरिया में लोगों को रामायण सुनाते। बँसहा कागज पर हाथ से लिखी तुलसीकृत रामायण की एक प्रति उनके पास थी। उनसे रामायण सुनने को आसपास के गाँव के लोग भी आते थे। रामायण का भावार्थ भी वह लोगों को समझाते। उनका गला बड़ा मीठा था। जब वह रामायण-पाठ करते, एक समा बँध जाता।

उनकी बड़ी इच्छा थी कि मैं भी रामायण पढ़ सकूँ। मेरे लिए छापे की एक रामायण खरीदी गई और एक शुभ दिन को मेरे गुरुजी ने मुझे रामायण का श्रीगणेश कराया। बाबा के आनन्द की उस सन्ध्या को सीमा नहीं थी। उन्होंने गुरुजी को उस दिन पुरस्कार भी दिया !

इसी तरह दिन बीत रहे थे कि मेरे बाबूजी बीमार पड़े। उनको पियरी की बीमारी हो गई, जो अब जॉण्डिस कहलाती है। बाबा ने उनकी बीमारी का इलाज कराने में कोर-कसर नहीं की; कहीं डायन ने जादू नहीं किया हो, इसलिए झाड़-फूँक भी चलती रही। किन्तु इन

सारी कोशिशों के बावजूद उन्हें जाना था, एक दिन सबको रुलाकर चल दिए।

मुझे याद है, उस रात में मेरे आँगन में कैसा चीत्कार मचा था ! मेरे पिताजी का शव आँगन में उत्तर सिरहाने पड़ा था। गाँव भर के लोग इकट्ठे हो गए थे। रोने-धोने के बीच भी लोग उनके शील-स्वभाव की प्रशंसाएँ करते थे।

और मुझे याद है फिर वह क्रूर कर्म, जो मुझसे उस दिन सम्पादित कराया गया था। श्मशान में पिताजी की लाश चिता पर रख दी गई थी। चारों ओर लकड़ियाँ थीं—सिर्फ उनका मुँह उघार था। मेरे हाथ में एक लम्बी लुकाठी रख दी गई थी। उसके सिरे में आग लगा दी गई और चिता की प्रदक्षिणा कर, तीन बार मुझसे उनके मुँह में आग लगवाई गई। जब-जब मैं उनके मुँह के सामने आग ले जाता, मैं काँप उठता। मुँह में आग लगाते ही उनकी मूँछें झुलस उठती, मूँछें, बरौनियाँ, भवें—एक-एक कर झुलसने लगीं। मेरी आँखें झिप जातीं। लगता था, सारा कलेजा मुँह को आ गया; किन्तु तो भी, एक बार नहीं, दो बार नहीं, तीन-तीन बार मुझसे यह कठोर कर्म करवाया गया !

मेरे चलते मेरी माँ के पैरों में कील ठोंकी गई, मुझे अपने हाथों से अपने पिताजी का मुँह झुलसाना पड़ा—जब-जब ये बातें याद आती हैं, दिमाग बौखला उठता है। जो समाज अपने मुर्दों के साथ इस बेरहमी से पेश आता है, उसे जिन्दा रहने का क्या अधिकार है ?

सबसे बुरी बात यह हुई कि जब-कभी मैं पिताजी के रूप-रंग का स्मरण करता, सदा उनकी वह मूँछें, बरौनियाँ, भवें झुलसती हुई सूरत याद आ जाती ! यों यदि नियति ने पिताजी को छीन लिया, तो मेरे पिताजी का रूप-रंग भी छीन लिया ! मैं बिलकुल ही निरवलम्ब, निराश्रय, सच्चे अर्थों में टुअर बन गया !

बाढ़ का बेटा !

कुछ दिन हुए, इच्छा हुई थी, अपनी आत्मकथा लिखूँ और उसका नाम रख दिया था, बाढ़ का बेटा !

बाढ़ का बेटा—जो तरंगों पर खेले, तरंगों पर पले, तरंगों पर बढ़े ! जिसे धारा से प्रेम हो, प्रवाह से प्रेम हो, गति से प्रेम हो। जो किनारों को नहीं माने, सीमाओं को नहीं माने, बन्धनों को नहीं माने। जिसे ढूहों को गिराने, बड़े-बड़े वृक्षों को उखाड़ने, बड़ी-बड़ी नावों को डुबाने में मजा आवे ! जो अनियन्त्रित हो, उच्छृंखल हो, मौजी हो ! मौजी हो—इसका मतलब समझा ? यह मौज शब्द से बना है, जिसका अर्थ ही है तरंग !

बाढ़ ! कभी आपने बाढ़ देखी है ? देखी भी होगी, किन्तु मेरा दावा है, जिस तरह बहुत सी चीज़ों को देखकर भी आप नहीं देखते उसी तरह बाढ़ को देखकर भी आपने नहीं देखा होगा ! बाढ़—प्रकृति की वह उद्दाम, तरल, उच्छल लीला !

मुझे याद है, बचपन में जब हम खेलते होते, पढ़ते होते, या आँगन में कुहराम मचाते होते कि किसी बुजुर्ग के मुँह से आवाज आती, बाढ़ आ रही है। बाढ़ आ रही है; हमारी नसों में उमंग की बाढ़ आ जाती ! बाढ़, जब नालों में पानी छुरी की तरह काट करने लगेगा, जब खेतों में पानी-पानी होगा, जब पानी में मछलियाँ उछलने लगेंगी; जब थोड़ी देर में गाँव के चारों ओर पानी-ही-पानी होगा—उस पानी पर साँप, भैंसे जा रहे होंगे, गोह तैर रहे होंगे—गोह, वह पन्द्रह फीट का पीला, लम्बा जानवर, जिसकी पूँछ पर काँटें होते, जो अपने लम्बे थुथने को निकाले जीवित यमराज-सा इधर-उधर घूमता !

किन्तु हमें क्या डर, क्या भय ? बाढ़ की बात सुनी और पहुँच गए नाले में। कीचड़ से सना पीला-पीला पानी। हम चुभक रहे हैं, उछल रहे हैं, तरंगों पर तैर रहे हैं। मछुए अपने जाल लेकर आ गए, वे मछलियाँ मार रहे हैं। नए पानी का झाग खाकर पागल बनी मछलियाँ इधर-उधर मारी-मारी फिर रही हैं। हम बच्चे भी, खाली हाथ, उनमें से कुछ को पकड़ पाते—पकड़ने में, उछल-कूद करने में कितना कोलाहल मचाते हम ! किन्तु यह स्थिति ज्यादा देर तक नहीं रहती। पानी बढ़ता गया, बढ़ता गया ! नालों से खेतों में पहुँचा और थोड़ी देर में ही हरी-भरी फसलें उसके विकराल उदर में समा जातीं। लोग उदास होते; किन्तु हमें इसमें मज़ा ही आता ! क्योंकि अब नावों पर हम झिझरी खेलेंगे—गाना-बजाना होगा, उत्सव, उछाह होगा ! हमारी नावें ! तरंगों को कुचलती वे किस शान से चलेंगी !

हमारे बड़े-बुजुर्ग कुछ उदास होते, किन्तु उनकी उदासी भी क्षणिक होती। क्योंकि बाढ़ के सर्वनाशी रूप के साथ उसके कल्याणप्रद पहलू से भी वह परिचित थे। यह बाढ़ हटेगी, बागमती नदी की यह बाढ़—हटते ही खेतों में यह कुछ ऐसी कीचड़ रख जाएगी कि उस पर खेती करते ही फसल ऐसी बढ़ेगी कि देखनेवाले भी दंग रहे जाएँगे। बेनीपुर का धान मर्द से भी ऊँचा बढ़ जाता है, बेनीपुर की रबी जो खेतों में सड़ जाती है,—धान की वे लम्बी-लम्बी बालियाँ, सरसों की वह पीली-पीली चादर, तीसी-खेसारी की चकमक बूटेदार चोलियाँ—ये सब बाढ़ के ही तो वरदान हैं ! कुछ खेत कट जाएँगे, तो कटें, नए खेत भी तो ऊपर होंगे !

जब गाँव को बाढ़ घेर लेती, गाँव में कोई काम नहीं होने से, खेल-कूद का बाजार लग जाता ! दरवाजे-दरवाजे पर तरह-तरह के खेल जमते—कौड़ियों के, गोटियों के, ताश के, गुल्ली-डंडे के। दिन भर खेल-ठहाके मचते, ललकारें लगतीं, हाहा-हूहू का समाँ बँधता ! दिन भर खेल, रात भर झिंझरी ! बूढ़े लोग झींखा करें, जवानों के लिए, बच्चों के लिए तो बाढ़ वरदान बनकर आती !

बाढ़—बेनीपुर के जीवन के साथ बँधी है ! बेनीपुर की नस में बाढ़ है। बचपन में ही जो मेरी नस में समाई, वह आज तक बनी हुई है ! आज भी, जब शायद खून की रफ्तार मन्द पड़ गई है—अपने का तरंगों पर फेंक देने में मुझे जरा भी झिझक नहीं होती !

यह बाढ़ का गाँव—यहाँ हमारे पूर्वज आकर क्यों बसे ? यहाँ तो मछुओं को बसना चाहिए था, खेतिहरों का गाँव कैसे बसा !

अपने बाबा के मुँह से सुना था, यह बेनीपुर कोई पुराना गाँव नहीं है। यह नई आबादी है। हमारे पूर्वज यहाँ पश्चिम से आए। पहले वे यहाँ गरमियों में अपने बैलों को चराने के लिए लाया करते थे। नीची, दलदली जमीन—गरमियों में भी यहाँ हरियारी रहती। एक बड़ा सा चौर, उसमें सदा पानी रहता। चार महीनों तक वे यहाँ अपने ढोर चराते, फिर वापस जाते। किन्तु धीरे-धीरे उनका मन यहाँ रमता गया। वे यहाँ बस गए और न-जाने किस पुण्यात्मा के नाम पर इसका नाम 'बेनीपुर' रख दिया।

उन्हीं के साथ कुछ और लोग भी यहाँ, उन्हीं की तरह, कुछ महीनों के लिए आया करते थे। बेनीपुर के साथ ही उन लोगों ने उसके आसपास कुछ और बस्तियाँ बसाईं। उनमें आपस में प्रेम था, किन्तु जब झगड़े उठते, वे भीषण रूप धारण कर लेते। एक प्रचंड झगड़ा उठा था, मेरे गाँव और बगल के एक गाँव की सीमाबंदी को लेकर। बचपन में सुना उस झगड़े का रोमांचक वर्णन मुझे अब तक याद है।

एक दिन तय हुआ कि सीमा के झगड़े को लाठी से फरिया लिया जाए। उस गाँव के लोगों के साथ सात भाई पठान थे, बड़े मुस्तंडे, बड़े बहादुर। उनके सामने कौन खड़ा होगा ? मेरे गाँव में भी एक पहलवान थे। अपने गाँव का अपमान होने देते ? भाई में अकेले, माँ

ने जाने से मना किया। तब भी चल पड़े। माँ बाँह से लिपट गई। वह बाँह में लिपटी है, पहलवानजी, उन्हें उठाए, आगे बढ़ रहे हैं। अन्त में माँ ने बाँह छोड़ दी; वह लाठी लेकर दौड़ पड़े। ज्यों ही उन्हें आते देखा, एक पठान ने चिल्लाकर कहा—कहो, माँ को सलाम करके आए हो न ? आज लौटना नहीं है। इन्होंने ललकारकर कहा—बीवी का मुँह देखकर आए हो न ? फिर मिल न सकोगे ! बात-बात में लाठियाँ चलने लगीं। घमासान मच गया। उस गाँव के लोग, सातों पठानों के साथ भागे। यह उन्हें खदेड़ने लगे !

तीसरे गाँव के लोग यह तमाशा देख रहे थे ! उनमें से एक ने पुकारकर कहा—कहाँ भागे जो रहे हो ? एक आदमी और तुम हजार ! अरे, खेत में ढेले हैं, फेंक-फेंककर मारो न ? अब एक आदमी पर हजार-हजार ढेले। लाठी क्या करे ? ताकत क्या करे ? दो-चार बार उनकी ओर दौड़े, फिर व्याकुल होकर भागे, किन्तु अपने गाँव की सीमा पर आते-आते बेहोश हो गए ! जब होश में आए, लोगों ने ढोकर गाँव में ले जाना चाहा; उन्होंने कहा, नहीं, कोई जरा कन्धे का आसरा दे, मैं तालाब में जाऊँगा ! वहीं तालाब में पानी में पड़ रहे, जब चोट कुछ कम हुई, स्वयं घर आए।

फिर मुकदमे शुरू हुए—कलकत्ता तक मुकदमे गए थे। तब लोग साढ़नी पर कलकत्ता जाते थे। किन्तु संयोग ऐसा कि दोनों गाँवों के लोगों को जेल की सजा हुई। वहीं जेल में, एक साथ, विपदा के दिन काटते समय, फिर उन लोगों में दोस्ती हुई। पंचायत से सीमाबन्दी कर लेने को तय कर दोनों गाँव के लोग लौटे।

इस सीमाबन्दी की भी विचित्र व्यवस्था हुई। निकट के एक गाँव के सज्जन को पंच माना गया और तय हुआ, वह दोनों गाँव के बीच से जिसे रास्ते निकल जाएँगे, वही सीमा मान लिया जाएगा। एक ओर से वह चले। वह कुछ इस तरह जा रहे थे कि मेरे गाँव को कम जमीन मिल पाती। किन्तु उन्हें रोके कौन, टोके कौन ? उन्हीं के गाँव के एक सज्जन को यह सह्य नहीं हुआ—उन्होंने ललकारकर कहा, दुष्ट, यह क्या कर रहा है ? अब इधर बढ़े नहीं कि पैर तोड़ दूँगा। वह सज्जन तब उस गाँव की ओर मुड़ गए, सीमा रेखा टेढ़ी हो गई, किन्तु मेरे गाँव को कुछ जमीन मिल गई !

कैसे थे वे लोग, कितने सबल, कितने सरल ! हाँ सबलता और सरलता साथ-साथ चलती है न !

सबलता और सरलता के सबूत तो मैंने बचपन तक पाए थे। मुझे याद है, मेरे चाचा और चचेरे भाई उन दिनों कितने ही मरदाने खेल खेलते। गरमियों में पेड़ों की छाया में, अब बरसात शुरू हुई, तो धनखेतों में वे सब के सब जुटते। पुष्ट जाँघ, चौड़ी छाती, लम्बी बाँहोंवाले वे तगड़े लोग—उछल-कूद होती, धमाचौकड़ी मचती, उठा-पटक से भी वे बाज नहीं आते। किसी को मोच आई, किसी की चमड़ी छिली, कई बार हड्डियाँ भी टूटीं। किन्तु, किसको इनकी परवाह ! ललकारों में सब कुछ भूल जाते। जब दो दलों में बँटकर खेलते, लगता, दुश्मनों के दो दल आमने-सामने खड़े हैं। जब खेल खत्म हुआ, फिर सब एक हो जाते—हँसते-खेलते घर लौटते।

पिताजी की मृत्यु के थोड़े ही दिनों बाद, एक दिन, बड़े तड़के, सूर्योदय के पहले ही, मैं बेनीपुर को छोड़ रहा था। कितने दिनों के लिए ? मैं उस समय नहीं जान सका था, किन्तु रह-रहकर दिल में एक हूक उठती थी ! वह मिट्टी का मोह था ! आज भी तो यह मोह बना हुआ है। जब कभी, दो-चार महीने भी, बाहर-बाहर रह जाता हूँ, इस गाँव में जाने के लिए तबीयत तड़पती है। मेरे नाम के साथ इस गाँव का नाम जो जुड़ गया है, यह कोई आकस्मिक या औपचारिक बात नहीं है। और धीरे-धीरे 'बेनीपुरी' ने जो 'रामवृक्ष' को नीचे दबा दिया

है, उसके अस्तित्व तक को छिपा दिया है, यह भी एक स्वाभाविक बात ही हुई है। अपने गाँव के सारे सुख-दुख, उत्साह-उमंग, व्यथा-कथा का मैं अपने को प्रतीक मानता हूँ और मेरे सारे विचारों और सिद्धान्तों पर ही नहीं, मेरी भाषा और शैली पर भी इस गाँव की अमिट छाप है ! आज मैं जो कुछ हूँ वह 'रामवृक्ष' नहीं है, 'बेनीपुरी' है—इसमें रंचमात्र भी सन्देह की गुंजाइश नहीं।

नए पिता !

पिताजी के श्राद्ध में मेरे मामाजी बेनीपुर पधारे थे। उन्होंने मेरे बाबा से आग्रह किया कि मुझे ननिहाल जाने दें। बाबा ने इस आग्रह को मान लिया। मैं बंशीपचड़ा पहुँचा और पन्द्रह वर्षों के लिए वहीं का हो रहा।

यों तो ननिहाल में, सुनते आए थे, सबसे अधिक नाना-नानी का स्नेह लोग पाते हैं, किन्तु मैंने थोड़े ही दिनों में देखा, मामाजी के प्रेम ने मुझे सबसे अधिक ओत-प्रोत कर लिया है। मामाजी के सिर्फ लड़कियाँ थीं; बेटे हुए, किन्तु चल बसे। अतः बेटे के प्रति पिता का जो स्नेह होता है; वह पूरे-का-पूरा उन्होंने मुझे दिया। मैंने पिताजी को खोकर नया पिता पाया।

मामाजी के स्नेह का आर-पार न था। वह मेरी सारी इच्छाएँ पूरी करते, मुझे सब तरह से प्रसन्न और सुखी रखने की चेष्टा करते। उन्हीं की छत्रच्छाया में मैं बढ़ा, आदमी हुआ। उन्होंने मुझे पढ़ाया-लिखाया, नवजीवन दिया। आज जो कुछ हूँ, सब उन्हीं की कृपा है।

मामाजी बड़ी शाहखर्च तबीयत के थे। वह भी माँ-बाप के इकलौते बेटे थे। बंशीपचड़ा उनके मामा की जमींदारी में था, लेकिन 'मालिक' यही कहलाते थे। उनके दरबार में सदा कुछ लोग जुटे रहते। वह जिधर निकलते, कुछ पार्षद उनके साथ होते। पेठिया जाएँ, मेला जाएँ, तीर्थ जाएँ सदा एक हजूम उनके आगे-पीछे लगा रहता।

गठिये के प्रकोप के कारण उनकी कमर झुकी हुई थी। तो भी बड़ी तेजी से चलते। हाथ में चाँदी की मूठ की छड़ी रखते। उनका जीवन बहुत नियमित था। सवेरे उठते, शौचादि से निवृत्त होकर प्रायः गाय का दूध और मिसरी लेते। फिर गाँव के किसी मित्र के दरवाजे की ओर निकल जाते। एक राजपूत सज्जन से उनकी गाढ़ी मैत्री थी, जिन्हें हम गुसाईं कहते। गुसाईं के दरवाजे पर मामाजी का दरबार जुटता। फिर स्नान-पूजा के लिए बगीचे की ओर निकलते। बगीचे में एक मन्दिर था, जिसमें एक बूढ़े साधु रहते थे। वह साधु मेरठ की ओर के थे। सिपाही-विद्रोह में भाग लिया था। जब विद्रोह कुचल दिया गया, फरार होकर साधु बन गए। बहुत दिनों तक वह इस बात को छिपाए रहे, तभी तो बच सके। साधुबाबा का चेहरा बड़ा भव्य-दिव्य था, अब सोचता हूँ, हो सकता है, वह विद्रोही नेताओं में से रहे हों।

पूजा-पाठ से निवृत्त होकर जब मामाजी भोजन करने जाते, तब तक मैं भी पाठशाला से छुट्टी पाकर पहुँच गया होता। मुझे अपने साथ ही भोजन कराते। भोंजन के बाद थोड़ी देर सोते, फिर बेला ढलने पर, भंग छानकर, अपने दरबारियों के साथ किसी तरफ निकल जाते। सन्ध्या को अपने दरवाजे पर ही रहते। बहुत बड़ा दालान था। पट्टीदारी भर के लोग वहाँ जुटते। शाम को प्रायः ही रामायण होती या कोई कथा। पूजा-पाठ के लिए वहाँ एक एकान्त स्थान था, वहाँ बारी-बारी से लोग जप करते। मामाजी के दरवाजे पर प्रायः ही साधु, कथावाचक और गाने बजानेवाले आया करते।

ननिहाल आने के बाद ही मेरे स्वभाव में एक अजीब परिवर्तन हुआ। मैं धीरे-धीरे भक्ति

और साधुता की ओर झुकने लगा। सवेरे उठता, माघ के जाड़े में भी सूर्योदय के पहले ही स्नान कर लेता। फिर पूजा-पाठ के लिए बैठ जाता। मामा के घर के सामने मैंने एक छोटी सी फूलबगिया बना ली थी। बीच में एक चौंतरा बनाया, जिस पर तुलसी का बिरवा रोप दिया, कुश-कम्बल की आसनी पर बैठकर चन्दन लगाता, माला जपता, पाठ करता, हवन जलाता। पाठ प्रायः रामायण का होता, नौ दिनों में पूरी रामायण समाप्त करने का नवाह्न-पाठ भी प्रायः होता। धीरे-धीरे रामायण कंठस्थ होने लगी।

तुलसीकृत रामायण का यही पाठ है, जिसने मेरे हृदय में साहित्यिकता का बीज-वपन किया।

मामाजी के दरवाजे पर कुछ और पुस्तकें भी थीं। सूरसागर मैंने वहीं देखा, सागर में गोते लगाने का दम मुझमें उस समय नहीं था, किन्तु इधर-उधर उलट-पुलटकर जरूर देख लेता। वहीं सुखसागर और प्रेमसागर देखा। इन दोनों पुस्तकों की कथा वहाँ प्रायः होती। राम के साथ-साथ कृष्ण की भक्ति भी हृदय में जमी। सबल सिंह चौहान का महाभारत भी वहाँ था, किन्तु उसकी पूरी कथा वहाँ कभी नहीं कही जाती थी, क्योंकि प्रवाद था, जहाँ महाभारत की पूरी कथा होगी वहाँ महाभारत मचकर रहेगा। बेताल पचीसी और सिंहासन बत्तीसी भी वहाँ थीं और गुलबकावली नाम की एक प्रेमकथा की पुस्तक भी। पद्माकर का जगत-विनोद भी भूलते-भटकते वहाँ पहुँच चुका था। इन पुस्तकों को पढ़ने में मैंने अपना बहुत सा समय लगाना शुरू किया। मैं धीरे-धीरे पढ़क्कू लड़का बनता गया।

किन्तु मेरी, सबसे प्यारी पुस्तक रही रामायण ही। रामायण पढ़ते मैं अघाता नहीं था। पीछे उसके तत्त्व तक पहुँचने की प्रवृत्ति जगी। उस समय रामचरण दास की टीका प्रसिद्ध थी, वह टीका मँगवाई। किन्तु अधिक समझ नहीं सका। फिर बैजनाथ कुर्मा की टीका पढ़ी। ज्वाला प्रसाद मिश्र की टीका उन दिनों बहुत प्रसिद्ध हुई थी, साधारण लोगों के लिए वह अच्छी टीका थी। मानस-मयंक भी पढ़ डाला। रामायण पढ़ने और समझने की धुन में तुलसीदासजी की अन्य पुस्तकों की ओर भी ध्यान गया—खासकर विनयपत्रिका ने मोह लिया। उसके पदों को कंठस्थ करके गाते हुए मैं अपार आनन्दबोध करता था। तुलसी सतसई के दोहे भी बहुत प्यारे जँचे। मेरे ननिहाल की बगल में एक गाँव में एक सज्जन बड़े अच्छे रामायणी समझे जाते थे, मैं कभी-कभी उनकी सेवा में भी पहुँच जाया करता था।

मुझे याद है, मैं उन दिनों बिलकुल राममय बना हुआ था। मैं सपने में कभी राम के साथ जनक की फुलवाड़ी में होता, कभी चित्रकूट में और कभी लंका की रणभूमि में। एक बार एक साधु से मैंने अपने सपनों की चर्चा की, उन्होंने कहा, किसी से यह मत कहना, तुम बड़े भाग्यवान हो कि सपने में राम तुम्हें दर्शन दे देते हैं। सचमुच, उस दिन मैं अपने भाग्य पर फूला नहीं समाया।

बचपन से शैतानियों के कारण मेरी शिक्षा बहुत देर से शुरू हुई। ननिहाल में लोअर प्राइमरी पाठशाला थी। वहाँ की पढ़ाई समाप्त कर मैं उसके गुरुजी से उर्दू पढ़ने लगा। उन दिनों के हर कायस्थ की तरह उन्होंने उर्दू-फारसी भी पढ़ी थी। उन्होंने फ़ारसी की ओर मेरा ध्यान आकृष्ट कराया, कई किताबें रटा डालीं। मश्क करना और रटना—फ़ारसी शिक्षा का मूलमन्त्र यही है, उनकी धारणा थी। काठ की पट्टी पर गुरुजी सुन्दर अक्षरों में लिख देते और ठीक उसी के अनुरूप उन अक्षरों को लिखते जाना, यही मश्क कहलाता था। आज भी जो मेरे अक्षर बड़े सुन्दर हैं, उसका प्रधान कारण वही मश्क है, ऐसा मैं मानता हूँ।

बेनीपुर की बाढ़ को अपनी नसों से लेकर में बंशीपचड़ा पहुँचा था। किन्तु बंशीपचड़ा के प्राकृतिक दृश्यों ने मुझे अभिभूत करना प्रारम्भ कर दिया। बेनीपुर में सिर्फ दो फसलें, धान

या खेसारी, कभी-कभी गेहूँ। बेनीपुर में पेड़-पौधे बहुत ही कम—बाढ़ जो उन्हें बचने दे। किन्तु बंशीपचड़ा में उनकी भरमार। सदाबहार यह गाँव। जिधर निकलिए, उधर ही बगीचे। आम के पेड़ तो बेनीपुर में भी थे, किन्तु लीची के सौन्दर्य ने मुझे यही मोहित किया। अमरूद, आँवला, कटहल, बड़हर, बेर, जामुन, बेल, अनार, नींबू, केले कहाँ तक गिनती कराई जाए। क़िस्म-क़िस्म के फल, मौसम-मौसम के फल। यों ही, तरह-तरह की फसलें—बारहों महीने कोई-न-कोई फसल खेतों में खड़ी, लहराती रहती। वसन्त और बरसात में बंशीपचड़ा दुलहिन-सा लगता, हर खेत उसका आँचल, हर आँचल रंगीन, सरस, सफल, सुन्दर।

यह रंगीन वातावरण लोगों के जीवन को भी रंगीन बनाए रहता। वहाँ रोमांस की कमी नहीं थी और एडवेंचर की तो वह भूमि ही थी। चारों ओर राजपूतों और यादवों की बस्तियाँ, भूमिहारों का यह गाँव समुद्र में टापू-सा। समुद्र के हिलकोरे इसे प्रायः ही झकझोरते रहते। उन बस्तियों में प्रायः ही लाठियाँ गरजतीं, भाले चमकते और गँड़ासे बरसते। कौन ऐसा साल था, जब एक-दो खून न हो जाएँ ! 'बात-बात में बजी किरचें'—का प्रत्यक्ष प्रमाण। मैं भक्तिभावना में ऐसा ओत-प्रोत था कि रोमांस का असर तो मुझ पर बिलकुल नहीं पड़ा, किन्तु नसों में जो बाढ़ थी, उसमें वहाँ के एडवेंचर तरंगें पैदा करते।

एक अजीब बात देखता हूँ, अब भी जब उपन्यास, कहानी या स्केच लिखता हूँ, बंशीपचड़ा का ही वातावरण उसमें प्रमुखता पा जाता है—वहाँ के लोग, वहाँ के खेत, वहाँ के पेड़-पौधे जैसे जबरदस्ती मुझसे अपना चरित्र-चित्र खिंचवा लेते हैं। सपने में भी वे मेरा पिंड नहीं छोड़ते। अभी पिछली बार जब पेरिस गया, दिन भर शाँ जिलैंजे की रूमानी फ़िज़ा में घूमने-फिरने के बाद, आधी रात को, जब अपने होटल में जाकर सोया, सपना देखा, बंशीपचड़ा के अमुक बगीचे की पगडंडी पकड़े अमुक खेत की ओर जा रहा हूँ। मैंने भोर में जगते ही पेरिस से पहला पत्र अपने ननिहाल के एक लँगोटिया यार को लिखा, जिसमें इस सपने की चर्चा थी !

मैं उर्दू-फ़ारसी में अच्छी तरक्की कर रहा था। उस गाँव के एक सज्जन उर्दू पढ़कर शहर में ताईदी का काम कर रहे थे। अच्छे पैसे कमाते थे। मेरे मामाजी की इच्छा थी कि मैं भी उसी शहर में जाकर ताईदी करूँ। किन्तु जिस तरह मेरे जीवन में आकस्मिक घटनाएँ आतीं और मेरी जीवनधारा को बदलती रही हैं, उसी प्रकार एक सन्ध्या को फिर एक घटना घटी और मेरा जीवन एक नई दिशा की ओर मुड़ गया।

नई दिशा

उस दिन मेरी ममेरी बहन की बिदागरी थी। आँगन में, दरवाज़े पर धूम मची हुई थी। जिनके घर में बेटियाँ-ही-बेटियाँ हों, उनके घर में बेटियों के आदर-सम्मान का क्या कहना ! बहन के लिए साड़ियाँ, ज़ेवर, उनके साथ जाने के लिए मिठाइयाँ आदि का प्रचुर प्रबन्ध था। हम लोग बड़ी उत्सुकता से इन्तजार कर रहे थे, अपने बहनोई का, जिनके बारे में सुन तो रखा था, किन्तु मैंने देखा नहीं था।

घोर प्रतीक्षा के बाद हम लोग उस रास्ते की ओर बढ़े जिस ओर से वह आनेवाले थे। धुँधलका हो चला तो हमने घोड़ों की टाप सुनी और कई घोड़े हमारे सामने आ गए। उनमें से एक घोड़े के सवार ने हमसे पूछा—बंशीपचड़ा का रास्ता कौन है ?

रोब में हमने बता दिया, सीधे जाइए ! हिम्मत नहीं हुई कि अपना परिचय देते। हाँ,

हमारे साथ एक सज्जन थे, वह ज़रूर कुड़बुड़ाए—अरबी-फारसी छाँटता है ! बात यह है कि हम लोग अपनी ग्रामीण बोली में ही बातें करने और सुनने के आदी थे, यह पक्की हिन्दी हम लोगों के लिए अरबी-फारसी ऐसी विदेशी लगती थी उन दिनों !

जिन्होंने हमसे रास्ता पूछा था, वही मेरे बहनोई थे। घर पर जाकर देखा, बड़े खूबसूरत—गोरा रंग, छरहरा बदन, रोबदार, भूरी-भूरी पतली मूँछें ! पक्की हिन्दी में ही बातें करते। जब उनसे मेरा परिचय कराया गया, उन्होंने मेरी पढ़ाई-लिखाई के बारे में दरयाफ़्त किया। जब सुना, मैं उर्दू-फ़ारसी पढ़ रहा हूँ, यह सलाह दी, अब वह ज़माना गया, अंग्रेज़ी पढ़िए, चलिए, मेरे साथ ही पढ़िएगा !

और सचमुच, उसी दिन मेरा जीवन एक नई दिशा ही ओर मुड़ गया।

मैं उनके साथ पढ़ने को भेजा गया। उर्दू-फारसी छूट गई, अंग्रेजी की वर्णमाला सामने आई। रामायण छूटी वे दस-पाँच पुस्तकें छूटीं जिनके दायरे में ही मैं दिन-रात चक्कर काटता था। अब हिन्दी की नई-नई पुस्तकें देखने को मिलने लगीं, नए-नए विषयों की ! जब ननिहाल में था, एक बार एक सज्जन ने एक अखबार दिखलाया था, वह पीले कागज का एक लम्बा-चौड़ा ढढ्डर ! अब नए-नए अखबार देखने लगा, नई-नई पत्रिकाएँ देखीं। तब पत्रिकाओं की संख्या कम थी, किन्तु जो निकलती थीं, बड़ी सुन्दर और साफ़ दीखती थीं। पत्रिकाओं ने मुझे और भी मोह लिया।

उन दिनों जर्मनी की पहली लड़ाई चल ही रही थी। विचित्र-विचित्र खबरें सुनाई पड़तीं। हवाई जहाज (जेपलिन) का नाम सुना, पनडुब्बी जहाज (एमडन) के कारनामे सुने, उस तोप (हौटजर) की बात भी सुनी, जो पचास-पचास मील तक गोले फेंकती है। यह सब विज्ञान की करामात है, यह नया नाम एक नए सन्देश के रूप में आया ! बड़ी ही संजीदगी के साथ कहा जाता, यदि हमारे देश को उन्नति करनी है, तो हमें विज्ञान की ओर सबसे अधिक ध्यान देना होगा।

देशभक्ति नाम की एक नई देवी भी सामने आई। फ्रांस, जर्मनी, इंगलैंड, रूस—सभी लड़ रहे हैं अपने देश की रक्षा के लिए, उसकी शान की रक्षा के लिए। देश के लिए जान देना परमकर्तव्य है। देश के साथ स्वतन्त्रता की बात नत्थी हुई। गुलामी सबसे बड़ा अभिशाप है। आज़ादी के लिए बड़ी-से-बड़ी कुर्बानियाँ भी छोटी हैं !

कानोकान यह भी सुनने लगा, हमारा देश गुलाम है। अंग्रेज़ों ने कहा है, लड़ाई में हमारी मदद कर दो, जब हम जीत जाएँगे तुम्हें स्वतन्त्र कर देंगे। एक ओर कहा जाता, लड़ाई में भरती होना देश की सेवा है। किन्तु दूसरी ओर, गुपचुप कहा जाता है, नहीं, यह सब धोखा है। देश में नौजवानों का एक दल है जो इस भ्रम में नहीं पड़ा है और वह तैयारी कर रहा है कि अंग्रेजों को मार भगाएँ ! वह दल कहाँ है, कोई नहीं बताता, लेकिन सभी चौकन्ने रहते कि एक दिन उस दल द्वारा कोई बड़ा कांड अवश्य किया जाएगा !

मेरा छोटा सा दिमाग अजीब ढंग से आन्दोलित रहने लगा। पुराना पूजा-पाठ दूर हुआ, नई भक्ति जगी। मैं अनुभव करता जैसे मेरा कायाकल्प हो रहा है।

पत्र-पत्रिकाओं में लेख पढ़ता, कविताएँ पढ़ता, कहानियाँ पढ़ता। नई-नई पुस्तकें पढ़ता। मैं समझता था, दुनिया में वे ही दो-चार कवि या लेखक हो गए हैं, जिनकी रचनाएँ मैं उस दूर देहात में पढ़ा करता था। अब नए-नए कवियों और लेखकों के नाम सामने आने लगे ! अरे, इस युग में कवि और लेखक होते हैं ! मिडिल स्कूल में ही हमारे एक अध्यापक थे, जब सुना, वह भी कविता कर लेते हैं, तब तो महान आश्चर्य हुआ ! और, जब एक दिन सुना हमारे स्कूल के सेक्रेटरी के लेख अखबारों में छपते हैं, तब तो कहना ही क्या ?

क्या मैं कवि नहीं हो सकता ? क्या मैं लेख नहीं लिख सकता ? कल्पना में डैने लगे, मैं उड़ने के लिए डैनों को फटफटाने लगा, किन्तु तब तक पर कहाँ आए थे ?

मामाजी के दरवाजे पर पंडितों द्वारा कथाएँ तो सुनी थीं, वे बड़े अच्छे ढंग से कहते, हँसाते-रुलाते। किन्तु यहाँ कथा के बदले व्याख्यान सुनने को मिले ! व्याख्यान, वक्तृता, लेक्चर—इनकी धूम थी। सेक्रेटरी साहब बहुत अच्छा व्याख्यान देते, कुछ शिक्षक भी बोलते, कुछ लड़के भी। जब वे मंच पर खड़े होते, उनकी शान देखने लायक होती, जब तालियों की गड़गड़ाहट में वे बैठते, ईर्ष्या होती, मैं भी ऐसा बोल पाता !

रहन-सहन में भी नवीनताएँ पाईं। यों तो कोट-कमीज का नाम देहातों में भी फैल चुका था, किन्तु उनके नए कट क्या होते हैं, इसका कहाँ पता था ? कपड़ों की, जूतों की, बालों की नई-नई सजावटें, जो फैशन के नाम से प्रसिद्ध हो रही थीं। खाने-पीने में भी नई-नई बातें। हमारे एक शिक्षक चाय पीते थे, मैं एक दिन बड़ी उत्सकुता से इस पेय को देखने गया था ! उन्हीं को पहले-पहल सफाचट मूँछ मुँड़ाए देखा था, जो उन दिनों कर्जन फैशन कहलाता था। गाँवों में सिर्फ नचनियों को मूँछ मुँड़ाए देखता था; उस दिन अपने शिक्षक पर कितनी घृणा हुई थी !

किन्तु जिस चीज़ ने मुझे सबसे अधिक चकित और विचलित किया, वह यह कि मर्द-मर्द में यौन-सम्बन्ध हो। एक शिक्षक थे, जो खूबसूरत लड़के खोजा करते ! कई ऐसे भी लड़के थे, जो बच्चों को बरगलाकर सत्यानाश करते थे !

बचपन में जो धार्मिक प्रवृत्ति मुझमें जगी थी, वह ढाल की तरह मेरी रक्षा करने लगी। फिर चुपके-चुपके देशभक्ति की भावना भी मेरे हृदय में घर कर चुकी थी। इन दोनों भावनाओं ने मुझे फैशन और दूसरी बुराइयों से सदा दूर रखा था। किसी को विश्वास होगा, यदि मैं कहूँ कि आज की तरह छोटे-बड़े बाल एक गुरुजन के आग्रह पर मैंने सत्ताईस साल की उम्र में कटवाना शुरू किए। नहीं तो, या तो बाल एक-सा बढ़े या मुँड़े !

सिगरेट की भी छूट देखी ! शिक्षक पीते, लड़के पीते। किन्तु मेरे जीवन के साथ सिगरेट की एक करुण कथा है।

घर से जाने के थोड़े ही दिनों बाद, एक दिन मैंने अपने बहनोई के एक चचेरे भाई के साथ सिगरेट पी। यह बात उनके कानों तक किसी तरह पहुँच गई। भाई की तो अच्छी मरम्मत की, मुझे इस चेतावनी के साथ ही छोड़ दिया कि अब ऐसी बात सुनने को मिली तो वापस घर भेज दूँगा।

इसके बाद ही एक दुर्घटना हो गई—मेरे अभाग्य ने मुझे अब तक नहीं छोड़ा था। मेरे बहनोई की अचानक मृत्यु हो गई। मेरे दिल पर बड़ी चोट लगी। उनकी स्मृति को सदा ताज़ा बनाए रखने के लिए मैंने मन-ही-मन प्रतिज्ञा की, अब कभी तम्बाकू का किसी रूप में इस्तेमाल नहीं करूँगा। इस नियम को मैंने पच्चीस वर्षों तक निबाहा। जब पिछली बार, जेल में नज़रबन्दी की लम्बी मुद्दत काट रहा था, तो एक वैसे ही प्यारे मित्र के आग्रह पर मैंने सिगरेट पीना शुरू किया और शायद इसे फिर पच्चीस वर्षों तक ढोना पड़ेगा।

बहनोई की मृत्यु के बाद मेरा जीवन फिर चंचल हुआ। कई स्कूलों में दौड़ना पड़ा। अन्त में अपने ज़िले के सदरमुक़ाम में आकर सिलसिले से पढ़ाई शुरू की।

यहाँ मेरे विचारों में कुछ परिपक्वता आई। साहित्य की ओर मेरी प्रवृत्ति अधिक झुकी। उन दिनों हिन्दी साहित्य सम्मेलन की परीक्षाओं की धूम थी। प्रथमा और माध्यमा की परीक्षा दी, मैं विशारद बना। मैं स्कूल की नीची कक्षा में था, कितने की बड़े-बूढ़े और ग्रेजुएट भी मेरे साथ परीक्षा में बैठे थे। उन्हें अपने बीच मुझे देखकर कुतूहल हुआ था, तो भी साहित्य

के पर्चे में उन्होंने मुझसे सहायता लेने में संकोच नहीं किया था।

देशभक्ति की भावना भी दृढ़ होती गई। इसी शहर में खुदीराम बोस ने भारत के इतिहास में पहली बार बम पटका था, जिससे धोखे में दो मेमें मारी गई थीं। खुदीराम के मुकदमे में जिन वकील साहब ने काम किया था, उनका डेरा मेरे स्कूल की बगल में ही था। हम उन्हें किस श्रद्धा से देखते थे ! हमारे डेरे में एक सिपाहीजी आते थे, वह कहते थे, फाँसी के पहले खुदीराम जिस कोठरी में रहते थे, उसके पहरेदारों में वह भी थे। मैं खोद-खोदकर उनसे पूछा करता था !

एक दिन कुछ बंगाली नौजवान एक होटल में पकड़े गए थे, उन दिनों उन्हें 'अनार्किस्ट' कहा जाता था। जिस दिन वे कचहरी ले जाए गए, मैं उन्हें देखने कचहरी गया था।

नए-नए नेताओं के भी नाम सुने—उन दिनों बाल, लाल, पाल की धूम थी। बाल = बाल गंगाधर तिलक; लाल = लाला लाजपत राय; पाल = विपिनचन्द्र पाल ! फिर गांधीजी की धूम आई ! दक्षिण अफ्रीका के उनके कर्तृत्वों ने हमें विशेष रूप से मोहित किया था और जब उन्हीं गांधीजी को एक दिन स्टेशन पर चम्पारण जाते हुए देखा था। अहा ! वह दृश्य आज भी नहीं भूल सका हूँ !

धीरे-धीरे मैं वक्ता बना और कवि भी ! किन्तु इसकी चर्चा अभी पीछे के लिए सुरक्षित रहे।

एक आदर्श विद्यार्थी का जीवन बिताने की भी धुन समाई। सिगरेट छोड़ दी थी, पान खाना भी छोड़ दिया। शहर की मिठाइयाँ भी नहीं खाता। प्रायः नंगे पैर ही आता-जाता। बालों की सजावट तो कभी की ही नहीं। सरसों का तेल ही मेरे लिए सबसे अच्छा तेल था। पहनावे में घुटनों के थोड़े ही नीचे पहुँचनेवाली धोती और आधी कमीज़। टोपी मैंने जीवन में बहुत ही कम पहनी है। खाने-पीने में भी बड़ी सादगी। भोर कच्चे चने या चूड़ा चबा लिये, दिन में भात-दाल ठूँस लिया, शाम को चबैना उड़ाया और रात में फिर वही भात-दाल। दूध, दही, घी की क्या परवाह ! मैं जिस प्राइवेट होटल में रहता था, वहाँ शौकीन लड़कों की कमी नहीं थी। मैं उनके औज-मौज पर जलता और मन-ही-मन कहता, उड़ा लो बाप-दादे की कमाई; परीक्षा के समय मालूम होगा न ? मैं सदा परीक्षाओं में प्रथम आता इसका मुझे कम घमंड नहीं था।

अपने ज्ञान को बढ़ाने के लिए मैं सदा उद्योगशील रहता। थोड़ी ही अंग्रेजी जान पाया था, तो भी 'माडर्न रिव्यू'; जो रहा-सहा ज्ञान उर्दू का था, उसी के बल पर 'ज़माना'; और इधर थोड़ी बँगला सीख ली थी, सो 'भारतवर्ष' खोज-ढूँढ़कर पढ़ने की चेष्टा करता। हिन्दी की पुस्तकों का तो कीड़ा ही था, अंग्रेजी और बँगला की पुस्तकें भी मेरी गलहार बनने लगीं। पाठ्य पुस्तकें बहुत कम पढ़ता; तो भी मेधाशक्ति कुछ इतनी तीव्र थी कि उस क्षेत्र में भी कोई मेरी परछाईं नहीं छू पाता !

इन सब बातों का यह अनिवार्य परिणाम था कि मैं कुछ विद्यार्थियों का नेता भी बन गया था !

विवाह

मुझे याद है उस भोर को, जिसमें पहले-पहल मेरे विवाह की बात चली थी।

जाड़े के दिन थे। हम लोग अलाव को घेरकर बैठे थे, जिसे हमारी बोली में घूर कहा

जाता है। गुलाबी धूप उग आई थी, तब भी गुलाबी जाड़ा हम महसूस कर रहे थे। उसी समय गाँव के एक वयोवृद्ध सज्जन आए, अलाव के निकट बैठ गए। कुछ इधर-उधर की बात चलाई। फिर मेरे मामाजी से बोले—रामवृक्ष की शादी तो अब होनी चाहिए और, लगे हाथों एक लड़की की चर्चा भी छेड़ दी—"बड़ी अच्छी लड़की है, गाँव के उस आदमी की लड़की जैसी !" इसके बाद और क्या बातें हुईं, मैं सिलसिले से अनुसरण नहीं कर सका, क्योंकि मैं तो अब गाँव की उस लड़की के रंग-रूप की स्मृति में उभ-चुभ कर रहा था !

वह लड़की गोरी है, सुन्दरी है, सुशील है ! उस दिन वह कसीदा सीखने मेरी ममेरी बहन के पास आई थी, उस दिन पोखरे में स्नान करते देखा था, उस दिन आम के बगीचे में आम चुन रही थी, उस दिन मकई के खेत के मचान पर उसे देखा था, जब उसके आँचल फर्र-फर्र उड़ रहे थे। हाँ, ऐसी लड़की मेरे लिए अवश्य ही योग्य पत्नी हो सकती है।

उन दिनों में पन्द्रह-सोलह साल से ज्यादा का नहीं था। यों मैं बहुत संयम से रहता, कस्बे के स्कूल में जाकर भी मैं बिगड़ नहीं सका था, लड़कियों से अपने को दूर-ही-दूर रखता था, तो भी लड़कियों के प्रति मेरे मन में एक आकर्षण अवश्य पैदा हो चुका था। मेरे ऐसे भी दोस्त थे जो उस उम्र में भी पूरे भौंरे बन चुके थे, जो मुझे भी उस फुलवाड़ी में घसीटना चाहते थे, फूलों की सुगन्धि की चर्चा करके मुझे उत्तेजित करने की भी कोशिश करते थे, किन्तु उन्हीं के शब्दों में, मैं झेंपू था, जो सचमुच सही बात थी ! लेकिन यदि कोई लड़की 'अपनी' हो जाए, और वह लड़की, गाँव की उस लड़की की तरह सुन्दर हो, सुशील हो, तो भला मुझे क्या उज्र हो सकता था ?

मामाजी से कुछ बातें हुईं, बात टल गई ! मामाजी चाहते थे, मैं पढ़ूँ। पढ़ने में और पति बनने में परस्पर विरोध है, यह उनकी धारणा थी। कुछ प्रत्यक्ष उदाहरण भी थे। मैंने अपने नए स्कूल में शिक्षकों के मुँह से ब्रह्मचर्य की महिमा सुनी थी,—भीष्म, हनुमान, दयानन्द, विवेकानन्द आदि के चरित सामने आ चुके थे। अतः जब बात टली तो मुझे बुरा नहीं लगा। और जब उस अपरिचित लड़की के गाँव के लोगों ने मेरे घर, बेनीपुर जाकर इसकी चर्चा की तो मेरे बाबा ने उन्हें ऐसा झाड़ा, कि मान लिया गया, अब वह लड़की मेरी पत्नी हो नहीं सकती ! मैं भी उसे भूल गया।

पर, संयोग देखिए। लगभग एक वर्ष के बाद मैं बंशीपचड़ा से स्कूल जा रहा था, बेनीपुर के ही रास्ते। ज़रा मौसी का आशीर्वाद पा लूँ, बाबा के दर्शन कर लूँ। मामाजी ने एक बहुत अच्छा घोड़ा खरीदा था, उस पर से कई बार गिर कर मैं सवार बन चुका था। घोड़े को उड़ाते जब मैं बेनीपुर के निकट पहुँचा, मेरा मुल्तानी घोड़ा दोनों कानों को सटाकर हिनहिना उठा ! देखा, दूर पर एक घोड़ा आ रहा है। मैंने चाबुक फटकारा और एक ही सर्राटे में गाँव में जा पहुँचा।

पिछले घोड़े पर मेरे भावी श्वसुर थे। पीछे सुना, जब उन्होंने मुझसे अपनी बेटी की शादी की चर्चा चलाई थी, उनकी माँ और पत्नी ने जोरदार विरोध किया था—टूअर लड़के से, जिसके पिता-माता चल बसे हों, लड़की का ब्याह करना उचित नहीं, उनकी निश्चित राय थी। अतः नए लड़के की तलाश होने लगी; अन्त में एक लड़का मिला, जिसे उनके गाँव के लोगों ने पसन्द कर लिया था। किन्तु जब मेरे श्वसुरजी स्वयं 'सगुन' देने को पहुँचे, उन्हें न घर पसन्द, न वर। उस लड़के का गाँव मेरे गाँव के पड़ोस में ही था। अतः वहाँ से वह सीधे चले थे मेरे गाँव—अपनी आँखों मुझे और मेरे घर को देखने।

उनके आने की खबर मुझे नहीं थी। किन्तु लोगों ने समझा, जैसे मैं ही अपने श्वसुरजी को लेता आया हूँ। मेरे श्वसुरजी का बड़ा ही दिव्य व्यक्तित्व था। गोरे भभूके, पाँच हाथ के

जवान, स्वस्थ, सुन्दर। विशुद्ध आर्यत्व के प्रमाण में आँखों में नीलापन, बालों में भूरापन, नुकीली नाक ! उन्होंने आकर मेरे बाबा को जीत लिया; उनके दामाद के रूप में मेरा सगुन चढ़ आया। ब्रह्मचर्य की कल्पना काफूर हो गई, मेरी आँखों में फिर वह अपरिचिता लड़की, ननिहाल की उस परिचिता लड़की के रूप में घूमने लगी !

विवाह ! अपने विवाह की याद कितनी मधुर लगती है अब तक ! बारात सजी, मैं दूल्हा बना, ससुराल पहुँचा, परछावन हुआ, चुमावन हुआ। फिर विवाह-मंडप में पहुँचा, मेरी बग़ल में एक लड़की को लाकर बिठलाया गया, चद्दर में लिपटी, सिमटी-सकुची। वह कैसी होगी ? जब उसका हाथ मेरे हाथ में रखा गया देखा, पतली-पतली अंगुलियाँ हैं, पतली-पतली, गोरी-गोरी। जब भाँवरें देने के समय वह खड़ी हुई, पाया, मुझसे कुछ छोटी है, छरहरी है; जब लावा छितराने के समय उसे अँकवार में भरा, सारा शरीर झनझना उठा था ! किन्तु शरम की बात कहाँ तक कहूँ ? वही लड़की जब मेरे गाँव में आई और कोहवर में जब मेरे साथ उसे सुलाया गया तो मैं पसीने-पसीने हो रहा। अरे, पति-पत्नी का जो शाश्वत सम्बन्ध है, मैं तो उसका क-ख-ग भी नहीं जानता !

किसी तरह हाँ-हूँ के बीच रात कटी। दूसरे ही दिन मैं ननिहाल चला गया। वहाँ जब उन मित्रों से कोहवर की चर्चा की, वे लोग हँसते-हँसते लोट-पोट होने लगे और मेरी अज्ञानता पर शायद तरस खाकर पूरे ब्योरे के साथ मौखिक शिक्षा दी गई और बताया गया, बाकी बात प्रयोग से जान जाओगे !

बहुत दिन हुए, बरट्रेंड रसेल की एक पुस्तक विवाह सम्बन्ध पर पढ़ी थी। उसमें उन्होंने इस बात पर ज़ोर दिया है कि रतिशास्त्र की शिक्षा बच्चों को देनी चाहिए; क्योंकि जीवन के इस अति आवश्यक अंग के बारे में अज्ञान के कारण ही पति-पत्नी का सम्बन्ध सुखकर नहीं हो पाता, सम्बन्ध-विच्छेद तक होता है। जब तक विद्यालयों में इसका प्रबन्ध नहीं है, माता-पिता इस काम को करें। क्योंकि बच्चे कहीं-न-कहीं, किसी-न-किसी तरह, इसका ज्ञान पाते ही हैं और चूँकि अधिकतर बुरी जगह, बुरे ढंग से पाते हैं, इसलिए उनका जीवन बरबाद हो जाता है। रसेल की यह राय तर्कसम्मत तो है, किन्तु स्वयं उनकी पाँच-पाँच शादियाँ दलील को काटती हैं। इधर अज्ञान के कारण उस दिन मैं भले ही शरम से गड़ा जा रहा होऊँ, किन्तु मेरा दाम्पत्य जीवन ऐसा रहा है कि सभी तरसते हैं। शायद उस अज्ञान ने भी हमें एक-दूसरे के प्रति और भी आकर्षित किया, हम अनन्य बन गए, एक हो गए; आज तक एक हैं !

कैसा था उन दिनों का विवाह ! कैसा था उन दिनों का दाम्पत्य जीवन ! वर-कन्या की रुचि-अरुचि की कोई बात नहीं, दोनों के पिता ने जहाँ, जिससे जोड़ दिया, जुड़े गए दोनों। प्रायः छोटी ही उम्र में शादी—इसलिए, कुछ ही दिनों में, कुछ उठा-पटक के बाद भी, दोनों में समन्वय भी स्थापित हो जाता। फिर किसी तरह, हँसी-खुशी ज़िन्दगी काट लेते—ज़िन्दगी जो उन दिनों इतनी उलझी हुई नहीं थी। अपने बाबा और दादी को देखता था—मेरी दादी बिलकुल सूधी गऊ थीं, भोलीभाली, छः-पाँच से बिलकुल अलग—दस तक भी गिन पाती होंगी, इसमें भी मुझे सन्देह है। किन्तु मेरे बाबा उन्हें कितना मानते !

पति-पत्नी का सम्बन्ध बाहर-बाहर अजीब अलगाव का, किन्तु भीतर-भीतर कितना निकटता का होता ! नया पतिदेव दिन में अपनी पत्नी की ओर झाँकने की भी हिम्मत नहीं करता। रात में, जब सब सो जाते, चुप-चोरी अपनी पत्नी के पास जाता और मुँह अँधेरे ही घर से निकल भागता। जब कई बच्चे हो जाते, सास-ससुर चल बसते, तब दिन में वे मिल पाते। तो भी देखते, कोई दूसरा उन्हें देख तो नहीं रहा है।

मैंने शुरू से ही इन नियमों को ढीला करना शुरू किया। मेरा दरवाजा घर से कुछ दूर

था, इसीलिए ज्यों ही दरवाजे पर लोग सोने का उपक्रम करते, मैं घर चला आता। मौसी इसमें मुझे प्रोत्साहित करतीं, साँप-बिच्छू, भूत-प्रेत का भय होता। घर पहुँचते ही वह मुझे मेरी कोठरी में सुला देतीं और बाहर से किवाड़ लगा देतीं। मेरे आँगन में बहुत सी स्त्रियाँ थीं,। बहुत रात तक मजलिस जुटती—मेरी रानी को घर के सारे कामकाज करने होते, बड़ी-बूढ़ियों के पैर दाबने होते। जब सब स्त्रियाँ अपने घरों में पहुँच जातीं, तब वह सकुचाती हुई आतीं, किवाड़ खोलतीं, भीतर से बन्द करतीं और अन्धकार में ही टटोलती पलंग के पास आ जातीं। प्रकाश में पति से मिलना—राम, राम ! मौसी मुझे घर में रखकर चिराग़ गुल करके ही किवाड़ लगाती न ? तब तक मैं उस घोर अन्धकार में पुराने नायकों की तरह अपनी प्रियतमा के लिए घोर प्रतीक्षा करता होता। मन-ही-मन कुड़बुड़ाता—इन औरतों को नींद नहीं आती है क्या ? रानी ही क्यों न तुरत सारे कामकाज सँभाल लेतीं और चली आतीं ? यह पैर दबाने का खटराग कैसा ? खैर, वह आतीं, तो मैं ऐसा काछ देता कि मैं गम्भीर निद्रा में हूँ। सोचता, वह मुझे जगाएँगी ही। किन्तु यह क्या, अँधेरे में हाथ से टो-टाकर वह बग़ल में या पाताने में सो रहतीं। अब क्या करूँ ? एक लम्बी साँस लेकर करवट बदलता और इस तरह उनके बदन पर हाथ या पैर पटक देता कि जैसे मुझे कुछ ज्ञात न हो कि यह कब आईं। किन्तु असल तो मतलब होता, उन्हें बताने से कि मेरी नींद टूट चुकी है, अब तो कुछ बोलो ! इतने पर वह टस-से-मस नहीं होतीं, तो हारकर मुझे ही उनकी खुशामद करनी होती।

इस लुका-चोरी के विवाहित जीवन में भी एक रोमांस था। विवाह के पहले तो रोमांस की गुंजाइश नहीं होती, अतः उन दिनों उसकी पूर्ति इस रूप से की जाती थी।

धीरे-धीरे अपनी कोठरी में हम चिराग़ भी जलाने लगे, लेकिन उसे इस ठिकाने से रखते कि बाहर के लोग नहीं जान सकें। मैंने पाया, मेरी रानीजी कुछ भी पढ़ी-लिखी नहीं हैं—अतः, उन्हें पढ़ाने के लिए भी बेचैन हुआ। किन्तु जब किसी तरह यह खबर हुई कि मैं रात को चिराग़ जलाकर अपनी बीवी को पढ़ाता हूँ, तब तो एक कोलाहल-सा मच गया। उधर कोलाहल, इधर मेरी मास्टरी कुछ ऐसी तेज हुई कि रानी ने पढ़ना छोड़ दिया। जब वह मैके गईं, तो क-ट-प सीख आईं और उसी ज्ञान के बल पर मुझसे उन दिनों भी सम्पर्क रख सकीं, जब मैं बार-बार जेलों में जाने लगा !

प्रारम्भ से ही अपनी पत्नी में मैंने कुछ विशेष बातें पाईं। मेरी शादी होते ही प्रायः यह चर्चा चलती ही रहती कि मैं अब पढ़ नहीं सकूँगा, कुछ दिन में छोड़-छाड़कर बैठ जाऊँगा। ये बातें उन्हें तीखी लगतीं। जब मैं स्कूल से छुट्टी में आता, वह पूछ लेतीं, मेरी छुट्टी कब समाप्त होती है और जो अवधि मैं बता देता, उसके बाद क्या मजाल कि मैं घर पर रह जाऊँ ! न मुझसे बोलतीं और एक ही पलंग पर सोती हुई भी मुझसे दूर ही रहतीं !

यों ही, जब मैं स्कूल चलने को होता, तो वह मुझे कुछ-न-कुछ पैसे जरूर दे देतीं। वह अपनी माँ की बड़ी दुलारी लड़की थीं। शादी के बाद उन्हें काफी पैसे दिए गए थे; जब कभी मैके से आदमी आता, कुछ पैसे लिये आता। इन पैसों को सँजोकर रखतीं और जब मैं चलने को होता, उनमें से कुछ दे देतीं—कुछ खास चीज़ पसन्द पड़े, तो खाइए-पीजिएगा।

यही नहीं, यदि कभी स्कूल से लौटते समय कुछ शौक की चीजें—साबुन, तेल—ले आता, तो वह कभी उनका प्रयोग नहीं करतीं ! मेरे लिए ही उन्हें सँजोकर रखतीं। यही नहीं, मैं साफ-सुथरा रहूँ, इसकी भी चिन्ता करतीं—आप बाहर रहते हैं, इस तरह रहने से लोग क्या कहेंगे ! मैं तो भीतर रहती हूँ, किसको देखना है मुझे ?

"मुझे तो देखना है !"

वह एक देहाती कहावत कह देतीं, यदि पिया अच्छे होंगे, तो गूदर पर भी रीझे रहेंगे।

और मैंने पाया, उनका इसका गर्व है कि मैं सिवा उनके किसी औरत पर दृष्टि नहीं डालता। पत्नी को अपने पति के पत्नीव्रत पर उतना ही घमंड होता है, जितना पति को अपनी पत्नी के पतिव्रत पर—बल्कि उससे भी अधिक, काश, पुरुष इस सत्य को सदा ध्यान में रखता ! फिर पारिवारिक जीवन कितना शान्तिमय और सुखकर होता !

विवाह के तीसरे वर्ष ही मेरे जीवन में एक तूफान आया। मेरे जीवन में क्या, देश के जीवन में ही। गांधीजी का असहयोग प्रारम्भ हुआ, मैं पढ़ना-लिखना छोड़कर उसमें पड़ गया। इसके बाद पूरे पच्चीस वर्षों तक मैं उस तूफान के चक्कर में रहा। बार-बार जेल जाता, जीवन सदा संकटमय रहा, घर की आर्थिक स्थिति दिन-दिन बिगड़ती गई। इन पच्चीस वर्षों को उन्होंने किस तरह काटा, उनका चेहरा उसका गवाह है खासकर, एक बार जब मैं जेल में ही था, हमारा एक बच्चा चल बसा। बहुत ही प्यारा बच्चा था, सात साल का। जब मैं जेल से लौटा, पाया, रानी बूढ़ी हो चली है।

पिछली बार जब मैं जेल में था, वार्ड में जमादार साहब बुलाने आए, आपकी माँ आई है, गेट पर भेंट करने चलिए। मैं चकित; मेरी माँ कहाँ से आई ? वह तो कब न चल बसी थीं। फिर सोचा, नजरबन्दी के समय भेंट में जो कठोर बन्धन हैं, उनके कारण शायद मौसी 'माँ' कहकर भेंट करने आई हैं। किन्तु गेट पर जाकर देखा, वहाँ तो सिर्फ रानी बैठी हुई है ! तब मैं बात ताड़ गया, हँसकर कहा—जमादार साहब, मेरी माँ नहीं, मेरे बबुआजी की माँ ! एक ठहाका ! जमादार साहब का सिर जो नीचा हुआ, ऊपर नहीं उठा !

अभी उस दिन रानी कह रही थीं, एक रिक्शेवाले ने, जब वह उन्हें डेरे पर ला रहा था, उनसे पूछ दिया था—क्या आप बेनीपुरीजी की माँ है ! रानी यह किस्सा कहकर खूब हंसी !

इन सारे विनोदों के भीतर जो करुणा छिपी है, उसकी कल्पना मुझे प्रायः द्रवित करती रही है। मेरी देशभक्ति का जितना ज़हर था, उसे रानी ने अकेले पी लिया, मुझे तो सिर्फ अमृत-ही-अमृत मिला ! कभी-कभी वह व्यंग्य में कहा करती हैं, मेरे जैसी औरत मिली कि यह लीडरी ! कोई चोटी और पट्टीवाली मिली होती, तब मालूम होता !

आज तो पट्टी और चोटीवाली औरतों की ही चलती है, क्योंकि स्वराज्य हो चुका है न ? किन्तु उन संघर्ष के दिनों में तो वे पुरुष धन्य थे, जिन्हें रानी ऐसी पत्नी मिली थी, जो बिना शिकवा-शिकायत के, चुपचाप आँसू पीती हुई, घर-गिरस्ती सँभाल रखे, बच्चों की देखभाल करे, नाते-रिश्ते निभाए। मुझे याद है, एक बार रानी को सिर्फ एक साड़ी पर एक साल काटना पड़ा था !

जब-जब रानी की ओर ध्यान जाता है, इच्छा होती है, उसका गुणगान करता ही रहूँ। 'क़ैदी की पत्नी' में उनकी एक तसवीर भी खींचने की कोशिश की, किन्तु बन न पाई। उस दिन जयप्रकाशजी मेरे गाँव गए थे। मेरे नए घर का देखकर बोले, सुना था आप मकान बना रहे हैं, यह तो महल बना दिया। और जब तक मैं कुछ जवाब दूँ, कह उठे—यह सब रानीजी के सौभाग्य का फल है।

हाँ, मेरी रानी आज ज़रूर सौभाग्यशालिनी है। तीन बेटों और एक बेटी की गौरवमयी माता और तीन पौत्रों की महिमामयी मातामही ! घर-बाहर भरा-पूरा, किन्तु इन्हें पाने के लिए उन्हें कितनी तपस्या करनी पड़ी है, उसका साक्षी मुझसे बढ़कर दूसरा कौन है ?

कविता

न जाने क्या बात है, सौ में नब्बे साहित्यकारों को अपने इस जीवन का प्रारम्भ मैंने कविता से करते पाया है। पत्रकारिता से जो मेरा घनिष्ठ परिचय है, वह मेरी इस धारणा को और पुष्ट करता रहा है। आज जितने लेखक और आलोचक प्रसिद्ध हैं, उनमें से अधिकांश ने एक-न-एक दिन कविता देवी का घूँघट काँपते हाथों से हटाया था, यह मैं निस्संकोच कह सकता हूँ।

अब रचना के लिए प्रेरणा हुई, मैंने भी तुक जोड़ना शुरू कर दिया। उदारता घर से ही प्रारम्भ होती है, मैंने जो पहली बार तुकबन्दी की उसमें अपने गाँव का, यानी बंशीपचड़ा का ही वर्णन किया—कैसा सुन्दर गाँव है यह, ये खेत, ये बगीचे, बगीचे में ठाकुरबाड़ी, पश्चिम ओर स्कूल और पोखरा, बीच में ब्रह्मस्थान, बीचोबीच एक नाला—क्या-क्या न भर दिया था उसमें।

जब गाँव छोड़कर बाहर पढ़ने गया, पिंगल से पाला पड़ा। अरे, कविता के भी नियम होते हैं—अक्षरों को गिनना पड़ता है, मात्राओं को गिनना पड़ता है, गति और यति, तुक और ताल पर ध्यान रखना पड़ता है। यही नहीं, अक्षर भी शुभ और अशुभ होते हैं, एक शब्द आया—'दग्धाक्षर'। जले हुए अक्षर या जलानेवाले अक्षर। क्या कहने हैं ? पिंगल के बाद, रस और अलंकार। नव रस, फिर उनके भाव, विभाव, अनुभाव, संचारी भाव। रसों में भी मित्रता है, शत्रुता है। छन्द और रस में भी सम्बन्ध है। इस रस में यही छन्द अच्छा लगता है, इस रस और उस रस को कभी एक साथ मत लाना। अलंकार ने तो जादू की पिटारी ही खोल दी। कविता अब पूरी वनिता थी—दोनों ही के लिए अलंकार चाहिए, अलग-अलग अंगों के लिए अलग-अलग अलंकार और अलग-अलग अवसरों के भी अलग-अलग।

कुछ दिनों तक कविता लिखने की अपेक्षा कविता के सौन्दर्य को निकट से देखने-परखने में ही अधिक मजा पाता रहा। वे ही पुरानी कविताएँ अब नए रूप में मेरे सामने आने लगीं—ओ हो, इनका सौन्दर्य यहाँ था, इसलिए ये मुझे इतनी अच्छी जँची थीं।

जब कुछ तृप्ति हुई, भीतर की कविता फिर बाहर निकलने को आतुर-सी हुई। लिखता, छिपाता, किसी को दिखाने से शरमाता। किन्तु जब शहर में आकर देखा, शहर की वनिताओं की तरह, कविताएँ भी सभा-सोसाइटी खोजती हैं, छिपने की जगह छपने को व्याकुल बनी रहती हैं, तो फिर मुझमें प्रगल्भता आई। लेकिन यहाँ भी पहले-पहल चुपचोरी की ही शरण ली।

उन दिनों श्री गणेशशंकर विद्यार्थीजी के 'प्रताप' की धूम थी। 'प्रताप' में एक पृष्ठ कविताओं का होता। ये कविताएँ प्रायः राष्ट्रीय होतीं। राष्ट्रीयता मेरी नसों में घर कर चुकी थी, कविता भी उसी रंग में सराबोर होती। मैंने एक कविता लिखी और 'प्रताप' में भेज दी। किसी मित्र को जानने भी नहीं दिया। 'प्रताप' में एक शीर्षक था—'नहीं छपेंगे', उसमें सम्पादक की ओर से सूचना छपती—कि अमुक-अमुक सज्जनों के लेख, कविता या समाचार नहीं छपेंगे। कविता भेजकर मैं बड़ी उत्सकुता से 'प्रताप' की डाक की प्रतीक्षा करता। डाकिए को देखते ही टूट पड़ता और झट अखबार खोलकर इस शीर्षक को देखता, तब कवितावाले पृष्ठ को। सोच रखा था यह कि यदि 'नहीं छपेंगे' में मेरा नाम छप गया तो फिर 'प्रताप' के उस अंक को ही गायब कर दूँगा जिसमें मित्रों के सामने जिल्लत नहीं उठानी पड़े। कैसा भोलापन ! जैसे शहर में 'प्रताप' का यही एक अंक आता हो। कई हफ्ते हो गए, न कविता छपी, न सूचना। मैं एक जरूरी काम से घर से चला गया !

और, जब वहाँ से लौटता हूँ, मैं प्रसिद्ध हो चला हूँ। शहर में घुसने भी नहीं पाया था

कि मित्रों की एक मंडली से भेंट हो गई, वे बधाई-पर-बधाई देने लगे। होस्टल में आया, वहाँ बधाइयाँ; स्कूल गया; वहाँ बधाइयाँ, पुस्तकालय में गया, वहाँ बधाइयाँ—जब मैं सड़क पर जाता, देखता, मुझे देखकर लोग फुसफुसा रहे हैं, उँगली से बता रहे हैं। बात यों है कि उन दिनों न तो इतनी पत्र-पत्रिकाएँ थीं और न इतने कवि थे। अभी उसी दिन एक कवि मित्र ने कहा—सड़क पर एक ढेला फेंको, जरूर वह किसी-न-किसी कवि को लगेगा। उन दिनों ढेला-मार कवि नहीं पैदा हुए थे। फिर 'प्रताप' की बड़ी घूम थी। हर राष्ट्रीय विचार का आदमी 'प्रताप' पढ़ना अपना धर्म समझता। उसी 'प्रताप' में मेरी कविता, इतनी प्रमुखता से छपी। कसर सिर्फ एक रह गई थी, रामवृक्ष की जगह रामकृष्ण छपा था। शायद उसके विद्वान प्रूफरीडर ने सोचा होगा, रामवृक्ष भी कोई नाम हुआ, शुद्ध करके रामकृष्ण बना दिया था, किन्तु बेनीपुरी लगा था, इसलिए यह किसी को भ्रम नहीं हुआ कि यह कविजी कोई दूसरे हैं।

यह कविता काफी प्रसिद्ध हुई। उन दिनों कई पत्र-पत्रिकाओं में वह प्रकाशित हुई। लेकिन, आश्चर्य तो यह कि उस कविता को उसके बारह वर्ष बाद एक सज्जन ने अपने नाम से एक प्रसिद्ध पत्रिका में छपवाया। मेरे एक कवि मित्र ने ही उसका भंडाफोड़ किया था। मैंने उत्साहित होकर 'सीता' नाम से एक खंडकाव्य लिखना शुरू किया, उसका एक अंश एक महिलोपयोगी पत्रिका में छपा भी। जब असहयोग का दौरा हुआ, मैं धड़ल्ले से कविताएँ लिखता और उन्हें सुनाकर लोगों को उत्साहित करता। जब गांधीजी आए, उनकी सभा में भी मैंने अपनी कविता सुनाई। पंजाब हत्याकांड पर कविता थी। भाषण में गांधीजी ने उसकी मार्मिक चर्चा की। थोड़े ही दिनों में पत्र-पत्रिकाओं में, कवि-सम्मेलनों में मेरी कविता-कामिनी अपनी अदा दिखाने लगी। कविता में व्यंग्य रखकर मैं कवि-सम्मेलनों मे खूब हँसाता भी। कभी-कभी लोगों को छकाता भी। बिहार प्रादेशिक हिन्दी साहित्य सम्मेलन के एक कवि सम्मेलन में मैंने एक ही साथ पं. जगन्नाथ प्रसाद चतुर्वेदी और पं. ईश्वरी प्रसाद शर्मा को ऐसा छकाया कि ईश्वरी ने तो दौड़कर छाती से लगा लिया। यह याद रखने की बात है कि चतुर्वेदीजी और शर्माजी ऐसे विनोदी उस समय हिन्दी-संसार भर में नहीं थे। कितने ही स्वर्णपदक मुझे देने की घोषणाएँ हुईं, यद्यपि मिला एक भी नहीं। उन दिनों कवि सम्मेलनों में पदक देने की घोषणाएँ प्रायः होती थीं, किन्तु जब मुझे नहीं मिल सका तो क्या आशा करूँ कि किसी को मिलता होगा ? मेरे लिए घोषणा करनेवालों में एक सुप्रसिद्ध हिन्दी-प्रेमी राजा और एक अतिप्रसिद्ध राजकुमार भी थे। यह अच्छी बात हुई है कि अब के कवि उधार पदक के फेरे में नहीं पड़कर, सम्मेलनों में जाने के पहले अपनी फीस नकद वसूल कर लेते हैं।

किन्तु धीरे-धीरे कविता की ओर से मेरा झुकाव कम होता गया। मन में देशभक्ति तरंगें लेने लगी थी, उसके लिए मैं किसी सशक्त माध्यम की तलाश में था। उन दिनों मुझे लगा, पत्रकारिता ही वह तलवार है, जिसे लेकर मैं देशमाता की मुक्ति के लिए अधिक सफलता से लड़ सकता हूँ। लेकिन यह भी सही है कि मैं जब गद्य लिखने लगता, सम्पादकीय लेख या टिप्पणी भी, तब भी मुझ पर वही सरूर सवार हो जाता, जो कविता लिखने के समय होता था। अभी तक मैं विश्लेषणात्मकता से प्रायः दूर ही रहता हूँ, मेरी चीजें प्रायः हृदय से निकली हैं और हृदय को अपील करती रही हैं, जो कविता का स्रोत है।

एक बात और। बिहार में मेरे कुछ ऐसे प्रियजन कविता के क्षेत्र में आए, जिनकी चीजों में मैंने यह बात पाई जो कविता में देखना चाहता था। मैंने सोचा, यह क्षेत्र उनके लिए ही छोड़ देना चाहिए, यही नहीं, उनकी कविता की ओर लोगों का ध्यान आकृष्ट करना भी मैंने अपना कर्तव्य मान लिया। उनकी चीज़ों को प्रमुखता से छापना, उनकी प्रशंसा के गीत गाना, यहाँ तक कि उनकी कविताओं को अपने मुँह से सुनाना, यह भी मेरा काम हो गया। यह

आश्चर्य की बात है कि अब भी लोग मुझे कवि समझते हैं और सभाओं में मुझसे कविता की माँग करते हैं।

मेरे एक कवि मित्र ने हाल में ही कहा, जहाँ हमने कविता को गद्य बना दिया है वहाँ तुमने गद्य को कविता बना दिया। यह अतिप्रशंसा तो है ही, किन्तु इसके भीतर से यह भी ध्वनि है कि मैंने कविता के माध्यम यानी पिंगलबद्ध रचना को तो छोड़ दिया है, किन्तु कविता को नहीं छोड़ सका हूँ। गद्य लिखता हूँ, किन्तु उसमें आ जाती है कविता की आत्मा। यह अच्छा हो या बुरा—बात कुछ सही जरूर है।

और, रहस्य की एक बात और कहूँ। अब भी कभी-कभी कविता बनाने की ओर जी ललचता है। जब 1942 में जेल में था, 'नया आदमी' नामक एक काव्य ही लिखना शुरू कर दिया था, जो अधूरा इसलिए रह गया कि मेरी अचानक रिहाई हो गई। वहीं रवीन्द्र कवीन्द्र की लगभग सौ कविताओं का मुक्तक छन्द में अनुवाद कर डाला था। अंग्रेजी साहित्य के कुछ रोमांटिक कवियों की कविताओं को भी हिन्दी रूप देने की चेष्टा की। अभी पार साल पूना गया था, तो सिंहगढ़ की यात्रा के समय एक छोटी सी घटना ने ऐसी ठेस पहुँचाई कि एक लम्बी कविता, ढाई सौ पंक्तियों की लिख डाली। कुछ फुटकर चीजें भी जब-तब लिख ही लेता हूँ। किन्तु उन्हें अपनी डायरी में ही आबद्ध रखता हूँ।

बार-बार सोचता हूँ, मानव जीवन से कविता का क्या सम्बन्ध है ? यह कैसी कुहेलिका है, जो ज्ञान को झीने परदे से आबद्ध कर उसे और भी मोहक और प्रभावक बना डालती है। यह कैसी शै है कि जो लगी, तो छूटती नहीं। अभी उस दिन एक क्रान्तिकारी नेता के टेबुल पर हिन्दी की एक सुप्रसिद्ध गीत-पुस्तिका देखी। मैं उनकी ओर देखकर मुसकराया, वह भी जरा विहँस पड़े।

तूफान

पखेरू के अभी ठीक से पंख भी नहीं फूटे थे। वह घोंसले में ही चें-चें करता रहता। बहुत हुआ तो निकट की डाली पर फुदककर चला जाता और वहीं से विस्मय-विस्फारित नेत्रों से नीचे-ऊपर के संसार की एक झाँकी लेकर फिर घोंसले में आकर दुबक रहता।

कि अचानक तूफान आया !

जब दिन ढलने लगा था, उसने देखा था, आसमान का रंग कुछ बदल रहा है। हवा गुमसुम थी; उमस का अहसास भी किया था उसने। किन्तु वह नहीं जानता था, इन सबका अर्थ यह होनेवाला है।

तूफान, भीषण तूफान। पहले हवा का एक झोंका, फिर गर्द-गुबार का एक बवंडर और बाद में हाहा-हूहू, चर्रमर्र ! उसके छोटे से चार तिनकों के घोंसले की क्या बिसात, डालियाँ अरराकर गिर रही थीं, वृक्ष जड़ से उखड़ रहे थे। बड़े-बड़े वट वृक्ष भी; जिनकी डालों से जड़ें फूट निकली थीं।

जब 1921 के असहयोग युग की याद करता हूँ, तूफान की सूरत आँखों के सामने घूम जाती है और उसके बीच में, लपेट में पड़े अपने को छोटा सा पखेरू अनुभव करता हूँ।

जब से होश हुआ, आज तक कितने आन्दोलन देख चुका हूँ, किन्तु यह दावे के साथ कह सकता हूँ, असहयोग ने भारतीय समाज को जिस तरह जड़ से हिलाया, दूसरे आन्दोलनों में वह बात हर्गिज नहीं देखी गई।

देशभक्ति हृदय में अंकुर ले चुकी थी, देशसेवा की प्रेरणा भी मस्तिष्क में स्थान बना चुकी थी। किन्तु देशभक्ति का एक रूप यह भी होगा कि पढ़ना-लिखना छोड़कर, घर-द्वार की चिन्ता भूलकर, फकीरी का बाना लेकर इस गाँव से उस गाँव, उस गाँव से इस गाँव देशमाता की मुक्ति का अलख जगाना होगा, यह तो कभी सोचा ही नहीं था। शरीर पर खद्दर का कुरता (1921 में जो रुखड़ा खद्दर था, उसी ने धीरे-धीरे नफासत और नज़ाकत पाकर 'खादी' का रूप लिया) पैर में चमरौंधा चप्पल, सिर पर गांधी टोपी, कन्धे पर तिरंगा झंडा, बगल में एक झोला, जिसमें तिलक-स्वराज्य फंड की रसीद, एक-दो फालतू कपड़े और पानी पीने के लिए टिन का एक लोटा—इस भव्य भेष में अपने को ही देखकर कितना आश्चर्य होता था उन दिनों !

पंजाब का हत्याकांड हो चुका था। जलियाँवाला बाग में बच्चे तक भूने जा चुके थे। डायर-ओडायर की नृशंसता की कहानियाँ जबान-जबान पर थीं। रौलेट ऐक्ट के जख्म पर मांटेगू-चेम्सफोर्ड सुधार की मरहम पट्टी किसी काम की सिद्ध नहीं हुई। मुसलमानों में खिलाफत को लेकर एक अलग हंगामा था ! सारा देश क्षुब्ध था ! उस क्षोभ को, क्रोध को एक रास्ता देना था। गांधीजी ने उसे असहयोग का रास्ता दिया।

यह शैतान सरकार है, इससे अपना सारा सम्बन्ध तोड़ो—इसकी कचहरियाँ छोड़ो, इसके स्कूल-कॉलेज छोड़ो, इसकी पदवियाँ छोड़ो ! यह सरकार हमारे सहयोग पर चलती है; शान्तिमय तरीके से उससे असहयोग मात्र कर दो, फिर तो उसे तुम्हारे सामने झुकना ही पड़ेगा ! विदेशी कपड़ों को जला डालो, खादी पहनो, छुआछूत छोड़ो, हिन्दू-मुसलिम एकता स्थापित करो, नशीली वस्तुओं का व्यवहार बन्द करो, राष्ट्रीय पाठशालाएँ कायम करो, तिलक-स्वराज्य फंड में पैसे दो, मुठिया निकालो, चरखा चलाओ—जीवन का कोई अंग नहीं था, समाज की कोई ऐसी श्रेणी नहीं थी, जिसे महात्मा का यह कार्यक्रम नहीं छूता हो ! झोंपड़ी से महल तक, गाँव से शहर तक एक हलचल थी, शोर था, मालूम पड़ता था, प्रशान्त सागर में अचानक ज्वार आ गया है—उफ़, वे बड़ी-बड़ी तरंगें ! किसकी नाव न डूबेगी, कौन सी तटरेखा न नष्ट होगी !

मुझे याद है, जिस दिन अपना स्कूल छोड़ा था ! कई दिनों से दिमाग में शान्ति नहीं थी। गांधीजी ने असहयोग की बिगुल फूँक दी थी। उन्होंने वचन दिया था, बस एक वर्ष के लिए यह असहयोग; तुमने इसे किया तो हमसे स्वराज्य लो ! एक वर्ष में स्वराज्य ! अरे, एक वर्ष में स्वराज्य होने जा रहा है और हम पाठ्य-पुस्तकों के भ्रमजाल में फँसे रहेंगे !

किन्तु उसी समय अपने घर की, परिवार की स्थिति की याद आ जाती। उन सबका एकमात्र आशा केन्द्र मैं ही था। मामाजी ने सुनहली कल्पना की ही होगी; हमें अधिक चिन्ता थी अपने परिवार की। अब मैं विवाहित था। अपनी पत्नी की आशाओं पर मैं पानी फेर दूँगा ? घर की स्थिति मालूम थी; अभी उस दिन कर्ज में अपनी जमीन का एक हिस्सा रजिस्टरी कर आया था। बड़ी मुश्किल से रजिस्ट्रार को यह विश्वास दिलाया जा सका था कि मैं बालिग़ हूँ। जब जमीन बिकी थी, बाबा का जैसे कलेजा किसी ने काढ़ लिया हो। क्या यह उचित नहीं कि पढ़-लिखकर, पैसे कमाकर, उस जमीन को हासिल कर या नई जमीन जोड़कर उनकी स्वर्गीय आत्मा को शान्ति दूँ ? नहीं, नहीं, यह खटराग हम गरीबों के लिए नहीं है ! उस पर हेड मास्टर का समझाना-बुझाना। यह गलती मत करो, तुम तेज़ लड़के हो, तुम्हें स्कॉलरशिप जरूर मिलेगी। देशभक्ति के लिए भी योग्यता चाहिए, तुम योग्य तो बन लो—देखो, कई नेता तो इसका विरोध भी कर रहे हैं !

किन्तु नहीं, कोई तर्क, कोई दलील कारगर सिद्ध नहीं हुई। मुझे स्कूल छोड़ना चाहिए, गांधीजी की पुकार पर ध्यान देना ही चाहिए। चम्पारण जाते समय उन्हें एक बार स्टेशन पर

देखा था, कितनी सादगी, कैसी सत्यनिष्ठा ! क्या वैसे सन्त की वाणी व्यर्थ हो सकती है ? चम्पारण से गोरों का राज्य खत्म हुआ, एक वर्ष में स्वराज्य भी जरूर होगा। और यदि नहीं ही हुआ—तो देश के लिए जहाँ हमारे इसी शहर में खुदीराम फाँसी पर चढ़ गया, वहाँ हम इतना भी नहीं करेंगे ? खुदीराम भी तो बच्चा ही था !

दूसरे ही दिन स्कूल में जाकर मैंने घोषणा कर दी, मैं असहयोग में शामिल हो रहा हूँ, मैं पढ़ना छोड़ रहा हूँ। जैसे इसी के इन्तज़ार में सारा स्कूल था। पूरी हड़ताल हो गई। वह स्कूल ही कुछ दिनों में राष्ट्रीय स्कूल बन गया और मुझे जो इतना समझाते-बुझाते थे, वह हेड मास्टर भी पूरे असहयोगी बन गए। पाजामा, अचकन, पगड़ी की जगह खादी की धोती, खादी का कुरता, खादी की टोपी—वह राष्ट्रीयता के प्रतीक-से लगते। अभी कुछ दिन हुए, उनसे भेंट हुई थी; कहाँ उनकी पुरानी शान, कहाँ उनकी आज की दयनीय स्थिति ! मुझे बड़ा दुःख हुआ। देशभक्ति के लिए कितने लोगों ने कितना मूक बलिदान किया है ! निस्सन्देह ऐसे ही लोगों के त्याग ने देश को आज़ाद किया है।

असहयोग करने के बाद ही सुना, मेरे पूज्य श्वसुरजी की गिरफ्तारी हो गई है। मैं ससुराल गया, उनसे जेल में मिला। बिहार में यह पहली गिरफ्तारी थी। बड़ी चर्चा रही इस गिरफ्तारी की ! फिर तो गिरफ्तारियों की धूम मच गई। यह गिरफ्तार हो रहे हैं, वह गिरफ्तार हो रहे हैं, यहाँ गिरफ्तारी हो रही हैं, वहाँ गिरफ्तारी हो रही है। भाषण करने के लिए गिरफ्तारी, गीत गाने के लिए गिरफ्तारी, नाटक खेलने के लिए गिरफ्तारी, विदेशी कपड़े जलाने के लिए गिरफ्तारी, पिकेटिंग करने के लिए गिरफ्तारी, वकील-बैरिस्टरों की गिरफ्तारी, रईस-जमींदारों की गिरफ्तारी, शिक्षक-विद्यार्थियों की गिरफ्तारी, दुकानदारों-फेरीवालों की गिरफ्तारी ! किन्तु इन गिरफ्तारियों से क्या लोगों का उत्साह कम रहा ? गांधीजी ने तिलक-स्वराज्य फंड में एक करोड़ रुपया माँगा—जनता ने कितने करोड़ दिए। यदि वे सबके सब गांधीजी तक नहीं पहुँच सके, तो इसमें संगठन का दोष था ! और मानव तो फिर मानव है। हाँ, उन दिनों, कुछ दिनों के लिए ही सही, वह देवता बन चुका था, इसमें सन्देह नहीं।

मैं देहातों में घूमने लगा। कहाँ गई थी भूख उन दिनों, कहाँ गई थी प्यास उन दि .. की ? खिलानेवालों की कमी नहीं थी, किन्तु फुरसत कहाँ कि खाया जाए—चले चलो, बढ़े चलो। इस गाँव से उस गाँव, इस टोले से उस टोले। आप खादी पहने हों, तो जो कह दीजिए, आपका वाक्य वेदवाक्य। गांधीजी ने नशा निषेध की बात की। किसी ने कह दिया, तम्बाकू खाना-पीना भी नशा है। फिर क्या है ? हर गाँव के सामने आप बाँसों पर कुछ हुक्के लटकाए देखते उन दिनों ! किसी ने कह दिया, तम्बाकू के पत्ते पर गाय और सूअर, दोनों के रोयें उग आए हैं। लोगों ने पत्तों को देखा, सचमुच उजले और काले रोयें थे उन पर ! वे रोयें सदा थे, आज भी होंगे, किन्तु उनका सूअर और गाय से सम्बन्ध उन्हीं दिनों जुड़ा था !

गाँवों में तरह-तरह की अफवाहें उड़ा करतीं। गांधीजी अदृश्य हो जाते हैं ! एक दिन गांधीजी को लोगों ने बादल पर उड़ते भी देखा ! अंग्रेजों ने गांधीजी को जेल में रखा, जेल का फाटक बन्द, किन्तु गांधीजी ग़ायब ! राम-रावण, कृष्ण-कंस की, यों ही गांधी-गवर्नमेंट की जोड़ी बनाई गई। तरह-तरह के गाने बने, पँवाड़े बने, आल्हा बने। लगता था, जैसे सारे देश की पूरी कायापलट हो चली है।

असहयोग करने के बाद हिम्मत नहीं होती थी कि घर जाऊँ। ननिहाल जाऊँ, तो मामाजी क्या कहेंगे ? घर जाऊँ, तो रानी क्या कहेंगी ? बड़ा असमंजस रहा। किन्तु जब ननिहाल पहुँचा, देखा, मेरे मामाजी ने गाँजा छोड़ रखा है, खद्दर धारण कर लिया है। घर पर रानी कुछ दिनों तक रोई-धोई थीं, किन्तु जब अपने पिता की गिरफ्तारी का खबर पा चुकीं, तो फिर क्या कहकर

इस काम से मुझे रोकतीं ! मुझे अच्छा लगा कि मेरे बाबा (पितामह) मर चुके थे, नहीं तो निस्सन्देह उन्हें बड़ी पीड़ा हुई रहती, क्योंकि वह मुझसे बड़ी-बड़ी आशाएँ बाँधे हुए थे।

पत्रकार

इस जीवन में बहुत से काम मैंने लाचारी में किए, पत्रकारिता को मैंने अन्तःप्रेरणा से अपनाया था, इसमें तनिक सन्देह नहीं।

किन्तु मेरी कल्पना की पत्रकारिता एक दूसरे ही ढंग की थी। सोचा था, पढ़ूँगा, वकील बनूँगा, कुछ पैसे इकट्ठा करूँगा, गाँव पर कुछ जमीन खरीदूँगा, बाग लगाऊँगा और उसी बाग में एक प्रेस बिठाकर अखबार निकालूँगा।

पत्रकारिता में भी मासिक पत्रिका की ओर मेरी विशेष रुचि रही। अधिक-से-अधिक उन दिनों साप्ताहिक की बात ही सोचता था। आखिर घोर देहात से जो चीज निकाली जाती, वह दैनिक कैसे हो सकती थी ? आज भी वह सम्भव नहीं, तो तीस-पैंतीस साल पहले उसकी कल्पना कैसे की जा सकती थी ?

किन्तु गांधीजी के असहयोग ने मेरी उस काल्पनिक पत्रकारिता की जड़ ही काट दी। जब वकील बनने की साध ही घुट मरी, तो फिर गाँव की उस पत्रकारिता के लिए जगह कहाँ रह गई ?

लेकिन जहाँ चाह वहाँ राह--इस लोकोक्ति की सार्थकता जिन्दगी में प्रायः पाता रहा हूँ। जिसकी इच्छा बनी रही, किन्तु जिसका साधन दिखाई नहीं पड़ा, अतः जो कामना हृदय में ही घुलती रही, अचानक एक दिन उसके लिए राह निकल आई। ऐसे अवसरों पर मैं स्वयं चकित रह गया हूँ।

कुछ दिनों तक असहयोग की आँधी में देहात-देहात की खाक छानता एक दिन मैं मुजफ्फरपुर आया। वहाँ अपने श्रद्धेय गुरुवर पं. मथुराप्रसाद दीक्षितजी से भेंट हुई, जो असहयोगी बनकर अब पटना से एक पत्र का सम्पादन कर रहे थे। उन्होंने मुझे अपना सहकारी बनाने का प्रस्ताव रखा; मैं उनके पीछे हो लिया !

याद है, जब गाँव में ही पढ़ता था, एक दिन एक सज्जन एक लम्बा सा पीला कागज ले आए और बताया, यही अखबार है। इतना लम्बा कि आप बिछाकर उस पर सो जाइए। मैंने मान लिया था, अखबार की सूरत-शक्ल यही होती है। किन्तु जब कस्बे में पढ़ने गया, तो देखा, अखबार के भी भिन्न-भिन्न प्रकार होते हैं, आकार होते हैं। शहर में आया, तब तो जैसे आँखें खुल गईं। किन्तु अब जब स्वयं अखबार में काम करने जा रहा था, तब लगा, अरे, यह क्या होने जा रहा है ? मैं और अखबार निकालूँ ?

असहयोग की धूम थी, गांधीजी की धूम थी। गांधीजी के 'यंग इंडिया' की धूम थी। तब तक गांधीजी का कोई हिन्दी पत्र नहीं था, 'हिन्दी नवजीवन' नहीं निकला था। अतः 'यंग इंडिया' के तर्ज पर 'तरुण भारत' नाम से एक साप्ताहिक पत्र पटना के एक उदार रईस निकालने जा रहे थे। दीक्षितजी को उन्होंने बुलाया, दीक्षितजी ने मुझे बुलाया। अपने पत्रकार जीवन पर एक लम्बी सी चीज ही अलग लिख रखी है, यहाँ उसे दुहराऊँगा नहीं; कुछ खास बातों का ही उल्लेख कर दूँगा।

उस पत्र में गांधीजी के लेखों का अनुवाद अधिकतर छपता। अंग्रेज़ी अधिक जानता नहीं था। हाँ, 'विशारद' परीक्षा में अंग्रेजी से अनुवाद मेरा एक विषय था; अतः उस ओर खास

ध्यान दिया था। गांधीजी की भाषा भी बड़ी सरल और मधुर होती थी। कोशों से भी सहायता लेता था। फिर दीक्षितजी थे ही। किन्तु उसी समय मुझे मालूम हुआ, गुजराती में 'नवजीवन' निकलता है, गांधीजी के लेख उसमें छपते हैं। झट एक सज्जन से थोड़ी गुजराती सीख ली और यों यह काम आसान बन गया।

बँगला पहले सीख रखी थी, उर्दू तो बजाब्ता पढ़ी थी। इसका ज्ञान भी पत्रकार जीवन में सहायक बना।

प्रूफ देखने का महत्त्व भी यहीं आकर मुझ पर प्रकट हुआ। किन्तु आज तक इसमें माहिर नहीं हो सका हूँ, स्पष्ट कह दूँ।

अनुवाद के साथ ही, समाचार संकलन करना, टिप्पणी लिखना और कभी-कभी अग्रलेख तक लिखना पड़ता था। एक उपनाम से कविता भी लिखता था। एक तरह यों कहिए कि अधिकांश काम अपने ऊपर लेकर मैंने अपने गुरु-सम्पादक को बहुत कुछ निश्चिन्त कर दिया था।

एक छोटा सा प्रेस था; एक ही घर में प्रबन्ध, सम्पादन, कम्पोजिंग, छपाई आदि सब की खिचड़ी। हमारी खिचड़ी भी वहीं पकती।

उन दिनों पत्रों की संख्या सैकड़ों में ही होती। जो ग्राहक बनते, उनके मन अजीब-अजीब तरह के होते। यह तो प्रायः ही लिखते, मुझे 'तरुण भारत' नामक 'हिन्दी बंगवासी' या 'वेंकटेश्वर समाचार' चाहिए। यानी उन दिनों देहातों में अखबार का मानी, 'हिन्दी बंगवासी' या 'वेंकटेश्वर समाचार' था। मैंने जो पहला अखबार देखा था, वह वही 'हिन्दी बंगवासी' था।

कुछ दिनों तक तो इस काम में बड़ा मन लगा। अपनी लिखी चीज़ को यों तुरत-तुरत छपते और बँटते देखना और उस पर चर्चा होते पाना बड़ी ही रोमांचक लगता। जब कम्पोजीटर मुझे छोटे सम्पादकजी कहकर पुकारते, तब तो मैं फूला नहीं समाता। सम्पादक का पूरा स्नेह और संचालक की कृपा भी मुझे प्रचुर मात्रा में प्राप्त थी। किन्तु तो भी थोड़े दिनों में ही मन उचट गया !

इस्तीफा देकर मैं घर चला गया। उन दिनों मेरे घर में एक मुकदमा लगा था। जब उसके चलते शहर में आता, अपने मित्रों से एक मासिक पत्रिका निकालने की चर्चा किया करता। यह मासिक पत्रिका अजीब ढंग से दिमाग में घुस गई थी; जो आज तक घुसी हुई है।

किन्तु कुछ हुआ नहीं। एक बार उसी मुकदमे के सिलसिले में जब फिर पटना आया; 'तरुण भारत' के संचालक ने बड़े आग्रह से मुझे रख लिया। तब तक दीक्षितजी चले गए थे। उनकी जगह पर जो सज्जन थे, उन्होंने एक अजीब 'उलटी गंगा' बहा रखी थी। थोड़े ही दिनों में मुझे पता चला, यह मैंने बड़ी गलती कर ली है। उस सज्जन ने अपनी 'उलटी गंगा' में मुझे भी फँसा ले जाने की कोशिश की, किन्तु मैं बाल-बाल बच गया।

अजीब थी उनकी खोपड़ी। कांग्रेस के नेताओं के नामों की विकृति करने में तो वह लाजवाब थे। श्री राजेन्द्र प्रसादजी, मुंशी ठगेन्द्र प्रसाद थे; श्री अनुग्रह नारायण सिंह, दुराग्रह नारायण चश्मोनियल थे; बाबू बलदेव सहाय, खलदेव सहाय थे—कहाँ तक गिनाया जाए, वैसी खोपड़ी फिर नहीं देखी !

आज बार-बार 'तरुण भारत' के संचालक लालबाबू की याद आती है। वह पटना के एक सुप्रसिद्ध घराने से थे। उनका नाम था श्री नागेश्वर प्रसाद शर्मा, किन्तु कहलाते थे लालबाबू। पूरे लालबाबू थे, रंग-रूप में, आचार-व्यवहार में। भावनाओं पर बहते। उनके एक भाई बड़े लाट की कौंसिल के मेम्बर थे, एक भाई आई.सी.एस. थे और वह थे असहयोगी। शायद हिन्दी पत्रकारों को यह बात याद भी नहीं रही कि वह पहले पत्रकार थे, जिन्हें जेल

में ही शहादत पाने का सौभाग्य प्राप्त हुआ। 'तरुण भारत' में एक लेख निकला, इस पर 'सं.' करके उनका नाम छपता। कहा गया उक्त 'सं.' का अर्थ सम्पादक और उन्हें सख्त कैद की सजा मिली। सजा लेकर हजारीबाग जेल गए और वहीं शहीद हुए !

किन्तु मैं उसके पहले ही 'तरुण भारत' छोड़ चुका था। उसके बाद 'किसान मित्र' नामक एक पत्र निकला, मैं उसमें बुलाया गया। उसके प्रबन्धकों में मेरे एक दोस्त थे। उन दिनों किसान आन्दोलन का आरम्भ हो रहा था। एक थे हरफनमौला--स्वामी विद्यानन्दजी। वही उसके संचालक थे। उन्होंने किसानों का एक पत्र निकाला था, तो उसके जवाब में जमींदारों ने भी एक पत्र निकाला। किन्तु, इस तरह का प्रबन्ध रखा कि मालूम नहीं हो कि वह जमींदारों का पत्र है। मैं इसी भूल-भुलैए में पड़ गया था। वहाँ रहते समय मैं बुरी तरह बीमार पड़ा--शायद यह प्रायश्चित्त था !

बीमार पड़कर घर गया। लगता था, अब मृत्यु निकट है। मुजफ्फरपुर के प्रसिद्ध चिकित्सक स्वर्गीय शिवचन्द्र मिश्रजी की बार-बार याद आती है। वह मेरे बड़े प्रशंसकों में से थे, मुझे साहित्यिकजी कहते। उन्होंने मुफ्त में दवा की दवाएँ दीं। किन्तु जिस तरह अचानक बीमार पड़ा, उसी प्रकार, जब दवाओं से आजिज आकर मृत्यु की प्रतीक्षा कर रहा था, अचानक एक बुढ़िया की जड़ी-बूटी ने भला-चंगा कर दिया।

शरीर अच्छा हुआ, तो मन क्लान्त रहने लगा। क्या करूँ, कहाँ जाऊँ ? असहयोग समाप्त हो गया था। फिर स्कूल-कॉलेज भरने लगे थे। वकीलों ने फिर अपने कन्धों पर चोगे डाल लिये थे। नेताओं में कुछ चरखा चलाने लगे थे, कुछ कौंसिलों और बोर्डों की कुरसियाँ तोड़ रहे थे ! पत्रकार जीवन का अनुभव भी कोई लुभावना नहीं था--'सिर मुँड़ाते ही ओले पड़े' की कहावत चरितार्थ हुई थी। कुछ मित्रों ने सलाह दी, फिर पढ़ो। किन्तु थूक फेंककर फिर उसे चाटने की मेरी आदत नहीं रही !

अजीब पेशोपेश में था। कई मित्रों और परिचितों को पत्र लिखा और उत्सुकता से उत्तर की प्रतीक्षा करने लगा। एक दिन अचानक एक पोस्टकार्ड मिला, लाल रोशनाई से लिखा हुआ। सोचता हूँ, उस दिन वह कार्ड नहीं मिला होता, तो मैं कहाँ होता ? सच कहता हूँ, कभी-कभी ऐसी ग्लानि होती थी कि आत्महत्या कर लेने का जी चाहता--उफ़ गांधी की आँधी में मैं सचमुच उड़ गया !

किन्तु इस पत्र ने जीवन को एक निश्चित धारा दे दी। यह पत्र भाई शिवपूजनजी का था, जो उन दिनों कलकत्ता के 'मतवाला मंडल' के शृंगार थे। शिवजी ने लिखा था, पत्र देखते आप पटना सिटी आइए, वहाँ आपके लिए एक काम है।

पत्र में ब्योरे के साथ उस स्थान का पता था। मैं उसी का सूत्र पकड़े वहाँ पहुँचा। शिवजी ने गले लगाया। उनके एक मारवाड़ी मित्र एक हास्य-व्यंग्य का पत्र पटना से निकालना चाहते थे। उनका 'गोलमाल' नाम रखा गया था। उसके सभी शीर्षक शिवजी ने ही ठीक किए। प्रथम अंक की सामग्री भी उन्होंने ही जुटाई। फिर मुझे समझा-बुझाकर, उसके सम्पादन का पूरा भार देकर वह कलकत्ता चले गए।

'गोलमाल' में मुझे पूरी स्वाधीनता थी। शिवजी के बताए रास्ते पर चलता। जहाँ त्रुटि होती, शिवजी लम्बा पत्र लिखते। यही नहीं, मेरी सफलता पर भी पीठ ठोंकते। न जाने क्या बात थी, मेरे सुन्दर भविष्य के बारे में उनकी पक्की धारणा हो गई थी। अब वे पत्र मेरे पास नहीं है, किन्तु मुझे याद है, मेरे भविष्य के बारे में उन्होंने अपने लम्बे-लम्बे पत्रों में क्या-क्या भविष्यवाणियाँ की थीं। कुछ दिन हुए, मैं एक त्योहार के दिन उन्हें प्रणाम करने गया। गले से लगा लिया और बोले, मेरी कुछ भविष्यवाणियाँ तो सफल हो चुकी हैं, जो शेष हैं, भगवान

शंकर उसे भी पूरा करेंगे, आप विश्वास रखिए।

शंकर या किसी भगवान पर तो मेरा विश्वास कभी नहीं रहा, किन्तु शिवजी ऐसे मानवता की विभूतियों पर विश्वास रखकर ही तो जी रहा हूँ। नहीं तो जिन्दगी में जितने कष्ट आए, जितनी ठोकरें मिलीं, कोई भी विश्वासहीन पुरुष उनकी चपेटों से, चोटों से नष्ट हो गया होता!

'बालक'

'बालक' का मेरे पत्रकार जीवन में एक विशेष महत्त्व है। इसके सम्पादन में ही मैंने अपनी योग्यता का अन्दाज़ पाया। 'बालक' ने मुझे प्रसिद्धि दी, 'बालक' ने मुझे आत्मविश्वास दिया, 'बालक' ने ही मुझे साहित्यिकों की पंगत में बिठलाया और अन्त में 'बालक' ने ही मुझे वह कड़वा अनुभव दिया कि लेखकों और प्रकाशकों के बीच एक चौड़ी खाई पड़ी हुई है। यों यह मेरा बच्चा, मेरा गुरु भी सिद्ध हुआ !

'गोलमाल' घाटे में चलता था, 'तरुण भारत' घाटे में चलता था। दोनों के संचालकों को मैंने अपने पत्रों के लिए घर के ज़ेवर बेचते हुए देखा है। जब 'युवक' का संचालन स्वयं प्रारम्भ किया, मुझे स्वयं इस कटु अनुभव से पार होना पड़ा। उन दिनों पत्र-पत्रिका निकालना कोई खेल नहीं था !...किन्तु उन दिनों धनी लोगों, धूनी रमानेवाले लोगों की भी कमी नहीं थी।

घाटे के प्रहार से आहत होकर एक दिन 'गोलमाल' के संचालक चुपचाप पटना से अन्तर्धान हो गए। कलकत्ता जाकर उन्होंने पत्र लिखा, आप यहीं आ जाइए, अब यहीं से उसे निकालूँगा। किन्तु बिहार की ममता, घर की ममता, कभी मुझे प्रान्त से बाहर नहीं जाने दे सकी। सिर्फ एक बार छः महीने के लिए, इसके बहुत बाद, मैं बाहर गया। सिर्फ छः महीने के लिए; नहीं तो सदा बिहार की मिट्टी से चिपका रहा हूँ।

अब मैं ऐसी स्थिति में था कि इसकी चिन्ता मुझे नहीं करनी पड़ी कि कहाँ जाऊँ ? एक सज्जन ने कहा, राजेन्द्र बाबू अपने 'देश' में तुम्हें रखना चाहते हैं; दूसरे सज्जन ने बताया, बाबू गोकर्ण सिंह चाहते हैं कि तुम खड्गविलास प्रेस में चले जाओ और उनके बाद भी काम सँभालने की ज़िम्मेदारी लो। तीसरे सज्जन ने कहा—चलिए, मेरे साथ लहेरिया सराय, हिन्दी पुस्तक भंडार में आपके लिए जगह खाली है।

श्रद्धेय राजेन्द्र बाबू की छत्रच्छाया में काम करना, अपना कितना बड़ा सौभाग्य होता ! बाबू गोकर्ण सिंह मेरे जिले के रहनेवाले थे, मेरे आत्मीयों में से थे, वह बिहार के सुप्रसिद्ध नेता बाबू रामदयाल सिंह के बड़े भाई थे। खड्गविलास प्रेस की वृद्धि और विकास में उनका बहुत बड़ा हाथ था। एक बार, मेरी भतीजी की शादी के अवसर पर, वह बारात में मेरे गाँव भी आए थे, मुझसे बातें की थीं, मुझे प्रोत्साहित किया था और उन दिनों हिन्दी पुस्तक भंडार की साख भी कम नहीं थी। मैं इनमें से किसको पसन्द करूँ ? मैंने तीनों के पास पत्र लिखा और तय कर लिया, जहाँ से पहले पत्रोत्तर आएगा, वहीं चला जाऊँगा।

पहला पत्र लहेरिया सराय से मिला। उसमें अपनापन भी था, मैं वहाँ के लिए चल दिया। वहाँ पहुँचने पर पता चला, 'बालक' नाम के एक पत्र निकालने की सूचना भी वहाँ से निकल चुकी है, मुझे उसी में लगना है। किन्तु तत्काल का काम यह था कि जिला बोर्ड द्वारा खरीदी जाने के लिए कुछ बालोपयोगी पुस्तकें चाहिए, जो मैं तैयार कर दूँ। बगुलाभगत, सियारपाँडे,

कविता-कुसुम, प्रेम और बिहारी सतसई की टीका, एक ही धड़ल्ले में पाँच पुस्तकें लिख दी गईं; काशी जाकर छपवा ली गईं। भंडार को टूट के पैसे मिले, मुझे यश मिला। एक दिन भंडार के संचालक ने गद्गद कंठ से कहा—तुम नौकर नहीं हो, मेरा छोटा भाई अपने को समझो, रुपए-पैसे की चिन्ता नहीं करो, तुम भंडार के लिए गोकर्ण सिंह बनो और सचमुच मैं अपने को वैसा ही समझने लगा।

बड़ी लगन, बड़ी धुन से 'बालक' के सम्पादन कार्य में लगा। मैंने तय किया, ऐसा पत्र निकालूँ कि जिसका जोड़ नहीं मिले। अंग्रेजी, उर्दू, बँगला, मराठी, गुजराती की बालोपयोगी पत्र-पत्रिकाएँ मँगाई। बालोपयोगी साहित्य के कई सन्दर्भ ग्रन्थ मँगाए। लगातार एक साल तक तैयारी की। तीन अंकों की अधिकांश सामग्री स्वयं लिख ली। चूँकि एक नए ढंग की चीज देनी थी, अतः उसका नमूना स्वयं जुटाना था। किन्तु एक ही नाम से सारी चीजें कैसे जाएँ ? अतः कुछ मित्रों के नाम दे दिए। आज उन लेखों को उन्हीं मित्रों के नाम से उद्धृत किया जाता देखकर कितनी प्रसन्नता होती है !

सारी सामग्री जुटाकर कलकत्ता पहुँचा। भाई शिवपूजनजी को एक बार दिखला लेना था। फिर चित्र आदि का प्रबन्ध तो वहीं हो सकता था। इस सिलसिले में स्वर्गीय रामेश्वर प्रसाद वर्मा से भेंट हुई ! रामेश्वरजी की चित्र-साधना अद्भुत थी। उस छोटी उम्र में ही उनके चित्र 'सरस्वती' को प्रायः विभूषित करते। वह बर्दमान राज्य के स्टेट-आर्टिस्ट थे। जैसी रंगीच कूची, वैसी ही रंगीन तबीयत। यह बिहार का दुर्भाग्य रहा कि उनका असामयिक निधन हो गया। उनसे बड़ी आशाएँ थीं। 'बालक' के सारे चित्र उन्होंने ही बनाए। बिहार का यह मासिक, बिहार के ही एक चित्रकार द्वारा सुसज्जित हो सका, यह मेरे लिए बड़े ही सन्तोष की बात रही।

'बालक' निकला, खूब निकला, धूम से निकला। हिन्दी के सभी आचार्यों ने उसे हिन्दी का सर्वश्रेष्ठ बालोपयोगी मासिक माना ही, कलकत्ता और पूना के पत्रों ने उसे बँगला और मराठी के बालोपयोगी पत्रों के समकक्ष कहा। 'बालक' की सबसे बड़ी खूबी यह रही कि हिन्दी के सभी महारथियों ने उसके लिए बालोपयोगी लेख लिखे—प्रसादजी, प्रेमचन्दजी, पद्मसिंहजी शर्मा, गौरीशंकर हीराचन्द ओझा, कामता प्रसाद, गुरु रघुवर प्रसाद द्विवेदी, अमीर अली 'मीर', लाला भगवानदीनजी, हरिऔधजी आदि, आदि। मैं तो अपनी इस सफलता पर फूला नहीं समाता था।

कलकत्ता में सिर्फ दो अंक छपने के बाद उसकी छपाई काशी में शुरू हुई। भाई शिवपूजनजी को मैं कलकत्ता से खींचकर काशी ले आया। 'बालक' के अतिरिक्त हिन्दी पुस्तक भंडार से साहित्यिक प्रकाशन का शुभारम्भ कराया। छपाई-सफाई, गेटअप आदि में नवीनताएँ देख लोग मुग्ध हो गए। मैं भी अब अधिकतर काशी में ही रहता। काशी के सभी नए-पुराने साहित्यिकों का सान्निध्य प्राप्त हुआ। जब-जब मैं उन दिनों की याद करता हूँ, आज भी पुलकित हो उठता हूँ। प्रेमचन्दजी के साथ भूँजा फाँकना, प्रसादजी के साथ भंग छानना, दीनजी की फुलझड़ियाँ सुनना, हरिऔधजी की सजल आँखों का आशीर्वाद पाना, उग्र, सुमन, द्विज, मनोरंजन, लक्ष्मीनारायण आदि के साथ यारबाशी करना, अट्टहास लगाना—उफ़, कैसी रंगीन ज़िन्दगी थी वह !

मैं 'बालक' की सफलता से उत्साहित हो, 'विद्यपति' नाम से एक विशुद्ध साहित्यिक मासिक पत्रिका के निकालने का मंसूबा बाँधने लगा। लहेरिया सराय में जो प्रेस बैठाया गया, उसका नाम इसी उद्देश्य को रखकर विद्यापति प्रेस रखा गया। मेरे उत्साह की सीमा नहीं थी; एक अद्भुत कल्पना-लोक की सृष्टि मैंने कर ली थी। बिहार में एक साहित्यिक पुनर्जागरण के युग का मैं सपना देख रहा था।

एक बात बीच ही में छूट गई। जब बिहार प्रादेशिक हिन्दी साहित्य सम्मेलन की स्थापना हुई, मैं स्कूल में ही पढ़ रहा था; हाँ, विशारद बन चुका था। उसके प्रथम प्रधानमन्त्री थे मेरे गुरुवर पं. मथुराप्रसाद दीक्षित। उन्होंने मुझसे सेवा लेना प्रारम्भ किया और प्रादेशिक सम्मेलन के तीन सहकारी मन्त्रियों में मैं भी एक चुना गया—दो थे, भाई रामधारी प्रसादजी और भाई राघवप्रसाद सिंहजी। तीनों में मैं छोटा था। इसलिए गधे का बोझ मुझे ही ढोना पड़ता ! उस भारवहन में मैं आनन्द-ही-आनन्द अनुभव करता। प्रारम्भ से ही प्रादेशिक सम्मेलन में जीवन-ही-जीवन दिखाई पड़ता। मैं सदा उसके कार्यों में उत्साह से भाग लेता। हम लोगों ने तय किया, अखिल भारतीय हिन्दी साहित्य सम्मेलन का अधिवेशन मुजफ्फरपुर में किया जाए। उसके लिए तैयारियाँ होने लगीं। स्वागत मन्त्रियों में मैं भी था। किन्तु इसी अधिवेशन में कुछ लोगों ने ऐसी कटुता फैलाई कि अन्तिम दिन वहाँ लाठियाँ तक चलकर रहीं। खैरियत यह रही कि आगत सज्जनों को इसकी भनक तक नहीं लगी, हम लोग भी वहाँ नहीं थे, यों हमारी इज्जत तो बच गई; किन्तु एक अनर्थ का बीज तो बोया ही गया।

जब मैं इस सम्मेलन के प्रबन्ध में लगा था, न तो काशी में रहने की फुरसत मिलती थी, न लहेरिया सराय जाने की। स्थिति ही ऐसी थी। तो भी एक दिन लहेरिया सराय चला गया। किन्तु यह क्या ? वहाँ का वातावरण देखकर मैं दंग रह गया। मेरे खिलाफ एक अजीब विषाक्त वायुमंडल बना रखा गया था, जिसे जाते ही भाँपने में मुझे देर नहीं लगी।

मुझे याद है, जब-जब मैं चर्चा करता कि अब तो हिन्दी पुस्तक भंडार से मैं सदा के लिए बँध चुका हूँ, अब उसकी सेवा में ही अपनी ज़िन्दगी बिता दूँगा, यही नहीं, मुझे वहाँ कितना प्रेम और सत्कार मिल रहा है, इसकी भी गद्‌गद कंठ से चर्चा करता, तो मेरे एक मित्र थे, जो सदा इस पर मुसकरा दिया करते थे और कभी-कभी हलके से दुनिया की बेवफ़ाई की चर्चा भी कर देते थे। प्रकाशकों की मनोवृत्ति पर भी वह उँगली उठाते थे। मुझे उनकी बातें बुरी लगती थीं, मैं उन्हें द्वेषी प्रवृत्ति का आदमी मान लेता था। किन्तु जब इस बार लहेरिया सराय का रंग देखा, झट उनकी सारी बातें याद आ गईं। मुझे बड़ा दुख हुआ। मैंने मेहनत कितनी की थी ! उसी समय काशी में एक बार मुझे मूर्च्छा तक हो आई थी, जो अब तक एक स्थायी बीमारी बनकर बैठी हुई है ! हो सकता है, मुझसे कुछ गलतियाँ हो गई हों, किन्तु जब मुझे भाई कहकर स्वीकार किया गया था, तो उसका फल क्या यही मिलना था ?

सबसे बुरा मुझे यह लगा कि मेरे चरित्र पर लांछन लगाया जा रहा था। मैं स्पष्ट कहूँ, मुझे सबसे अधिक गर्व किसी पर है, तो अपने चरित्र पर। अगर कोई भगवान हो भी तो उसके सामने खड़ा होकर में 'कबीर' की तरह गर्व से कह सकूँगा—'दास कबीर जतन से राखी, जस की तस धर दीनी चदरिया' ! मैंने अपनी चरित-चादर को कभी मैला नहीं होने दिया, उस पर दाग़ नहीं लगने दिया !

शुरू से ही मैं एक देहाती कहावत का कायल हूँ—'भर माँग सेनुर, न त पट दे राँड़ !' बीच की स्थिति मुझे पसन्द नहीं। तुरत ही मैंने तय कर लिया, मुझे लहेरिया सराय छोड़ देना चाहिए। उसके संचालक ने मेरे साथ पूरी शिष्टता दिखाई कहा, घर पर ही रहो, पुस्तकें लिखा करो, मैं रुपए भेज दिया करूँगा। किन्तु यह सब बातें क्षणिक थीं, इतना समझने को अक्ल तो थी ही। तुरन्त इस्तीफा दिया, 'बालक' के लिए 'बिदाई' का एक सम्पादकीय लिख दिया, सारा दोष अपने ऊपर मढ़ लिया और अपने सामान तक को वहीं छोड़कर चल दिया। कई महीनों के बाद जब अपना ट्रंक आदि वहाँ से मँगाया, तो पाया ट्रंक से सारी चिट्ठी-पत्रियाँ और हस्तलिपियाँ गायब हैं ! हस्तलिपियों के गायब होने का मुझे उतना दुख नहीं हुआ, किन्तु हिन्दी के प्रायः सभी आचार्यों की चिट्ठियाँ यों खो देने का दुख आज तक मेरे हृदय पर चीरा की

तरह बना हुआ है।

इस तरह अचानक हट जाने से मित्रों को विस्मय हुआ। उनके निकट मुझे अपराधी सिद्ध करने की कोशिश की गई। अपनी नेकनीयती के सबूत में मेरे लिखे उस 'बिदाई' वाले सम्पादकीय को ही पेश किया गया। किन्तु मैं आज तक मानता हूँ, मेरा वहाँ से हटना मेरे कल्याण के लिए, मेरे भविष्य विकास के लिए अच्छा ही हुआ। लेखक और सम्पादक को आत्ममर्यादा के प्रश्न पर सब कुछ तिलांजलि देने को सदा तैयार रहना चाहिए। इससे, दूर जाने पर, हानि तो होती ही नहीं है, उसकी क्षतिपूर्ति भी किसी-न-किसी रूप में हो जाती है।

थुक्कमफजीहती करके हटने से दोनों ओर हानि होती है। ज़हर ही पीना है, तो फिर मुँह बिचकाने से क्या फायदा ? हँसते-हँसते पिया जाए, पिलानेवाले का जयकार करके पिया जाए। हमारी यह हँसी कभी-न-कभी उनके हृदय को आलोड़ित करेगी ही; उसका मुँह न खुले, उसका रोआँ कभी-न-कभी बोलेगा ही और यह हँसी ही प्रायः ज़हर को अमृत बनाती रही है, हमें सदा इसे याद रखना है।

वे लोग

'युवक' के साथ ही फिर मेरा जीवन घोर राजनीति का शुरू होता है, अतः उसे प्रारम्भ करने के पहले मैं उन साहित्यिक गुरुजनों और साथियों की चर्चा कर लेना चाहता हूँ, जिन्हें निकट से देखने, जिनकी संगति में आने, जिनका आशीर्वाद पाने या जिनके सहयोग से लाभ उठाने का सौभाग्य मुझे प्राप्त हुआ—खासकर उन लोगों की चर्चा, जो अब हमारे बीच नहीं रहे।

ऐसे लोगों की ओर ध्यान जाते ही सबसे पहले दो साथियों की याद आती है—श्री रामधारी प्रसाद की और श्री राघवप्रसाद सिंह की। जब मैं देहात से शहर में आया एक पुस्तकालय में प्रतिदिन पढ़ने जाया करता था। मैं सम्मेलन की प्रथमा परीक्षा में सम्मिलित होना चाहता था; उसके लिए किताबों के जुगाड़ में था। एक दिन एक युवक वहाँ आए और बातों-ही-बातों पता चला, वह भी सम्मेलन की परीक्षा में सम्मिलित होना चाहते हैं ! उन्होंने बड़े स्नेह से अपने डेरे पर मुझे बुलाया। मैं पूरा देहाती आदमी, डरते-डरते गया; क्योंकि पता चल गया था, वह कॉलेज में पढ़ते हैं, धनी आदमी हैं, अपना मकान लेकर रहते हैं। किन्तु उस पहले दिन से ही उन्होंने अपने भाई की तरह जो अपनाया, उसे आजीवन निभाया। ऐसे थे भाई रामधारी प्रसादजी।

हम दोनों ने साथ प्रथमा पास की, विशारद बने, बिहार प्रादेशिक हिन्दी साहित्य सम्मेलन की स्थापना में सहायता दी, साथ ही उसके सहकारी मन्त्री बने, संयुक्त मन्त्री रहे, फिर वह सभापति हुए, तो मैं प्रधानमन्त्री बना और दोनों ने सम्मेलन के लिए जहाँ तक सम्भव था, किया। आज वह नहीं है, किन्तु उनके स्मरण मात्र से मेरा रोम-रोम कृतज्ञता से खिल उठता है।

राजनीति में भी हमने साथ-साथ प्रवेश किया। वह शान्त थे, धीर थे, जैसा शरीर था, वैसी ही स्थिर गति थी। मैं शुरू से ही चपल रहा, कुछ नटखट रहा, कुछ उतावला भी रहा। तुरत फैसला किया और दौड़ गए। न भय, न चिन्ता ! राजनीति में मैंने सदा उग्र पथ पर चलना पसन्द किया। वह कांग्रेसी ही रहे, सुधार की राह ही उन्हें पसन्द रही। मैं क्रान्ति के लिए पागल—कुछ दिनों तक आतंकवादियों से भी साँठ-गाँठ रखी, उसका प्रशंसक तो सदा रहा, फिर समाजवादी बना, सदा अपने को संकटों में डालता रहा। अपने को ही नहीं, अपने परिवार

को भी। उन्हें इसके लिए दुख होता, मेरे परिवार की भी मदद करने की कोशिश करते, कभी-कभी मुझे भी डाँटते। किन्तु मत-विभिन्नता होने के कारण कभी हममें मनमुटाव नहीं हुआ।

यही नहीं, उन दिनों कायस्थ-भूमिहार का अजीब झगड़ा बिहार में था। वह कायस्थ थे, मैं भूमिहार था। किन्तु हममें इसके कारण ज़रा भी मनोमालिन्य नहीं हुआ। मैं कहूँ, यह भाई रामधारी का स्नेह था कि कभी मेरे मन में जाति-पाँति की भावना उठी ही नहीं।

हिन्दी के लिए उनके मन में अपार स्नेह था। उस स्नेह का मूर्त रूप था—सम्मेलन। प्रादेशिक सम्मेलन को वह किस निष्ठा से चलाते रहे इसका साक्षी मैं हूँ। 1945 में मैं जब जेल से छूटकर आया, यह उन्हीं का जादू था कि मुझे राजनीति से घसीटकर सम्मेलन के काम में पूरे पाँच वर्षों तक के लिए जोत दिया। छोटा नागपुर में, बिहार के अहिन्दी भाषी अंचलों में हिन्दी प्रचार के लिए वह कितना व्याकुल रहते थे ! इस दिशा में उन्होंने जो कार्य प्रारम्भ किया था, यदि उसे जारी रखा गया होता तो वे समस्याएँ नहीं उठा करती जिनके कारण बिहार के अंग-भंग तक की नौबत आ जाया करती है।

अचानक उनकी मृत्यु हुई, अद्भुत उनकी मृत्यु हुई ! बिहार ने उनके रूप में अकाल ही एक अनन्य सेवक खोया, इसमें सन्देह नहीं।

भाई रामधारी के साथ राघवजी से भेंट हुई थी। उन दिनों स्वदेशी का बोलबाला था। राघवजी की एक दुकान थी, सिंह एंड कम्पनी। घाटा सहकर भी सिर्फ स्वदेशी वस्तु का ही कारोबार वह करते। स्वदेशी पेंसिल, स्वदेशी निब, स्वदेशी लालटेन, स्वदेशी साबुन—इन सबकी खोज करनी पड़ती थी उन दिनों और ये साधारण चीजें भी मुश्किल से मिल पाती थीं। राघवजी की दुकान ही उस बड़े शहर में एक दुकान थी, जहाँ आप किसी चीज़ के स्वदेशी होने की गारन्टी पा सकते थे, क्योंकि स्वदेशी की भावना देख उन दिनों विदेशी माल भी लोग स्वदेशी के नाम पर खपा लेते थे। यही नहीं, उनकी दुकान एक ऐसा अखाड़ा था, जहाँ स्वदेशी-प्रेमियों और साहित्य-प्रेमियों का गंगा-जमुनी संगम होता। शहर के ही नहीं, प्रान्त के स्वदेशी-प्रेमियों और साहित्य-प्रेमियों को आप वहाँ प्रायः देख ले सकते थे।

प्रादेशिक सम्मेलन के हम तीनों ही सहकारी मन्त्री रहे। वह हम दोनों से बड़े थे। उन्हें कविता की ओर रुचि थी। उनकी लिपि बड़ी सुन्दर होती थी। सुन्दर उक्तियों को आभूषित अक्षरों में लिखने का उन्हें कमाल हासिल था, इसका रोजगार भी उन्होंने कुछ दिनों के लिए किया था। जब मैं 'बालक' में गया, उन्होंने बच्चों के लिए कविता लिखना शुरू किया, वे कविताएँ बड़ी ही सुन्दर होतीं। एक बार वह उनका संग्रह लेकर मुझसे छपवाने के सम्बन्ध में परामर्श करने भी आए थे। उन दिनों उन्होंने दुकान उठा दी थी। किन्तु अचानक सुनने में आया, वह अब नहीं रहे ! हम सभी सन्न हो रहे। बार-बार सोचता हूँ, न जाने उनकी उन कविताओं का क्या हुआ ? सिर्फ सुन्दर लिपि के कारण भी किसी संग्रहालय के लिए वे शोभा की वस्तु हो सकती थीं !

बिहार प्रादेशिक हिन्दी साहित्य सम्मेलन के प्रथम अधिवेशन का सभापतित्व किया था, पं. जगन्नाथप्रसाद चतुर्वेदी ने। चतुर्वेदीजी हास्यरसावतार थे। अधिवेशन में अपनी उक्तियों से उन्होंने लोगों को लोट-पोट कर दिया था। उन दिनों पश्चिम के कुछ लेखकाचार्य 'पूर्वी हिन्दी' कहकर बिहार की भाषा की फबतियाँ उड़ाने और गालियाँ देने से अघाते नहीं थे। चतुर्वेदीजी उन्हें तुर्की-बतुर्की जवाब देकर हमें आगे बढ़ते रहने को प्रेरित करते थे। यों तो वे चौबे थे, ज़िन्दगी भर कलकत्ता में रहे; किन्तु मलयपुर, मुंगेर के नाते अपने को बिहारी मानते थे और हम भी उन्हें अपना समझते थे। जब मैं 'तरुण भारत' में था, पहली बार कलकत्ता गया। कहाँ

ठहरूँ, यह प्रश्न हुआ। मैं सीधे चतुर्वेदीजी के घर पहुँचा और यहाँ आतिथ्य पाया, स्नेह पाया, आज भी नहीं भूल पाता।

चतुर्वेदीजी में विलक्षण प्रतिभा थी। भाषा पर असामान्य अधिकार था उनका। व्याकरण की बारीकियों के वह पारखी थे। बड़े-बड़े लोगों से टक्कर लेने में उन्हें मजा आता था। पं. महावीरप्रसाद द्विवेदी से उनकी सदा नोंक-झोंक रही। 'कालिदास की निरंकुशता', 'भाषा की अनस्थिरता' आदि मनोरंजक विवाद उन दिनों चले थे। बाबू श्यामसुन्दर दास, कविवर शंकर किस-किससे वह नहीं भिड़े ! जब वह हिन्दी साहित्य सम्मेलन के लाहौर अधिवेशन के सभापति हुए, उनके 'अभिभाषण' पर शंकर ने लिखा–

हिन्दी का व्याकरण है अभिभाषण के साथ !
मौजी मौज समास के सिद्ध हुआ जगनाथ।

चतुर्वेदीजी हास्यरस के चुटकुले 'मौजी' नाम से लिखते थे और अपने भाषण में उन्होंने अपनी एक ब्रजभाषा की कविता दी थी, जिसमें 'जगन्नाथ' के बदले 'जगनाथ' शब्द आया था। शंकर को उन्होंने करारा जवाब दिया–

शंकर अब सठिया गया भूल गया है ज्ञान।
जगन्नाथ के भात का करता है अपमान !

बहुत दिनों तक यह पद्यबद्ध उत्तर-प्रत्युत्तर चलता रहा था। उन दिनों के विवाद भी कितने सरस होते थे। दो महारथी दिन भर एक-दूसरे पर बाणों की वर्षा करते और सन्ध्या को एक ही साथ बैठकर आमोद-प्रमोद करते। आज तो सब कुछ भ्रष्ट हो चला है। वाद-विवाद के नाम पर गाली-गलौज ! प्रशंसा भी भ्रष्ट और निन्दा की तो बात मत पूछिए–जैसे पीव का पनाला बह रहा हो !

कलकत्ता की उसी यात्रा में बिहार के एक मौन साधक से भेंट हुई, जो हिन्दी के उन दिनों के सर्वश्रेष्ठ दैनिक 'भारतमित्र' के संचालक के रूप में प्रख्याति प्राप्त कर चुके थे। वह थे अखौरी यशोदानन्द जी। वह प्रौढ़ लेखक भी थे और कविता भी अच्छी करते थे। कलकत्ता की साहित्य मंडली में उनका बड़ा सम्मान था। बड़े ही सात्त्विक पुरुष, विनय और शिष्टता के अवतार। हमने पीछे उन्हें बिहार प्रादेशिक हिन्दी साहित्य सम्मेलन का सभापति बनाकर अपने को सम्मानित किया था।

बिहार के एक और बड़े साहित्य साधक कलकत्ता में बिहार और हिन्दी की ध्वजा फहराते रहे, वह थे पं. सकलनारायण शर्माजी तीर्थत्रयी। दर्शन, काव्य और व्याकरण तीनों के तीर्थ। अप्रतिम प्रतिभाशाली। आरा नागरी प्रचारिणी सभा की संस्थापना मे उनका बहुत बड़ा हाथ था और उन दिनों यह सभा अपनी समाननामा काशी की सभा से कार्यशीलता में होड़ लेती थी। उसकी अपनी पत्रिका थी, उसका अपना प्रकाशन था। हिन्दी में अनुसन्धान कार्य कराना और वैज्ञानिक साहित्य प्रस्तुत करना–छोटे पैमाने पर ही सही–उसने प्रारम्भ किया था। हिन्दी साहित्य सम्मेलन को जन्म देने में भी उसका हाथ था। शर्माजी उन दिनों सभा की आत्मा थे। उनका जीवन एक आदर्श ब्राह्मण का जीवन था। उनकी प्रतिभा पर ही मुग्ध होकर सर आशुतोष ने उन्हें कलकत्ता विश्वविद्यालय में बुला लिया था। पटना से प्रकाशित होनेवाली 'शिक्षा' के वह सम्पादक थे। उनकी टिप्पणियाँ, उनके लेख बड़े ही मौलिक होते थे। 'मिसरी' और 'चीनी' ये दो नाम ही बताते हैं, ये विदेशी माल हैं–एक मिस्र की ओर से आया होगा, एक चीन की ओर से और दोनों ने मिलकर हमारी शर्करा या खाँड़ को नीचे दबा लिया–उनकी

यह उक्ति जो बचपन में पढ़ी थी, दिमाग पर आज भी नक्श है। मैं इस कथन के तथ्य की बात पर नहीं जाता !

जिन दो महान आत्माओं को खोकर बिहार के साहित्य जगत ने अपने दो जाज्वल्यमान सितारे खो दिए और जिनकी पूर्ति आज तक, मेरी समझ में नहीं हो सकी, उनकी याद ही हृदय को विचलित कर देती है। वे दो विभूतियाँ थे—दर्शन केसरी पांडेय जगन्नाथप्रसादजी और प्रोफेसर राधाकृष्ण झाजी। ये दोनों ही उन दिनों पटना कॉलेज के प्रोफेसर थे। पांडेयजी साहित्याचार्य पं. रामावतार शर्मा के प्रिय शिष्य थे। प्रतिभा के पुंज ! कलकत्ता विश्वविद्यालय के रायचन्द-प्रेमचन्द स्कॉलरशिप के लिए वह परीक्षा में बैठे थे और जब उन्हें वह प्राप्त नहीं हो सकी थी तो उन दिनों यह प्रचलित था कि शर्माजी ने कलकत्ता विश्वविद्यालय को चुनौती दी थी कि वह उनके परीक्षा पत्र को प्रकाशित करे और यदि कोई वैसा लिख दे तो उसे शर्माजी ही उतनी रकम दे देंगे। पांडेयजी ने मुजफ्फरनगर से प्रकाशित 'सत्ययुग' का सम्पादन किया था, जो उन दिनों एक उत्कृष्ट कोटि का मासिक था। भाई रामधारी के साथ मैं उनके घर पर, शिकारपुर (चम्पारण) भी गया था और उनकी प्राइवेट लाइब्रेरी देखकर चकित हो गया था। जब असहयोग आन्दोलन आरम्भ हुआ, पांडेयजी ने इस्तीफा दे दिया था। वह हम लोगों के प्राकृतिक नेता थे और जब उनकी अचानक मृत्यु हुई, हम लोग अनाथ-से हो गए।

क्या बिहार को याद है, हिन्दी संसार को छोड़िए कि यह हमारे प्रोफेसर राधाकृष्ण झाजी थे जिन्होंने हिन्दी में सबसे पहले अर्थशास्त्र और राजनीति पर दो प्रामाणिक ग्रन्थ दिए थे ? 'भारत की साम्पत्तिक अवस्था' लगभग एक हजार पृष्ठों की पुस्तक थी। जब वह कलकत्ता से प्रकाशित हुई थी, हिन्दी संसार में हलचल मच गई थी। यों ही उनकी 'भारतीय शासन पद्धति' अपने विषय की हिन्दी में पहली पुस्तक थी, जिसमें वेदकाल से लेकर अंग्रेजी राज्य तक की शासन पद्धतियों पर प्रकाश डाला गया था। इसके अतिरिक्त झाजी पत्र-पत्रिकाओं में सदा लिखा करते थे। वह स्वयं एक संस्था थे। सदा लोग उन्हें घेरे रहते और सभी सांस्कृतिक और साहित्यिक काम में उनकी दिलचस्पी रहती। नए लोगों को प्रोत्साहित करते हुए वह थकते नहीं थे। जब मैं 'गोलमाल' में था, एक दिन बड़े प्रेम से मुझे पुचकारा और सदा साहित्य सेवा करते रहने के लिए बढ़ावा दिया। बड़े ही हँसमुख, मधुरभाषी, प्रत्युत्पन्नमति, उदार—देखने में भी बड़े सुन्दर। शरीर भी काफी पुष्ट था; किन्तु अचानक कहाँ से क्षयरोग आ लगा और थोड़े ही दिनों के बाद खबर मिली, वह चल बसे।

बिहार में उन दिनों दो वैद्यराज थे, जिनकी साहित्यिक सेवा भी कभी नहीं भुलाई जा सकेगी। एक थे पं. शिवचन्द्र मिश्रजी। मुजफ्फरपुर में उनकी बड़ी धाक थी, वैद्य की हैसियत से और साहित्यिक की हैसियत से भी। 'आयुर्वेद-प्रदीप' नाम से एक मासिक पत्र भी निकाला था उन्होंने। साहित्य सेवा के सभी कामों में पूरी सहायता करते। बड़े ही सहृदय व्यक्ति। जब मैं दमा से पीड़ित था, ओषधि ही नहीं दिया करते थे, आश्वासन से भी मुझे आश्वस्त करते थे। 'रामचरितमानस' के बड़े ही हिमायती; कहा करते थे 'महाभारत' के अतिरिक्त संस्कृत में भी ऐसी सर्वगुणसम्पन्न पुस्तक नहीं है। मुझे 'साहित्यिकजी' कहकर पुकारते थे।

दूसरे वैद्यराज की तो हिन्दी के निर्माताओं में उन दिनों गिनती होती थी। बाबू श्यामसुन्दर दास ने 'हिन्दी कोविद' नाम से जो पुस्तक लिखी, उसमें उनको सादर स्थान दिया था। वह थे पं. चन्द्रशेखरधर मिश्रजी। अद्‌भुत व्यक्ति थे वे। गूलर के अनेक गुणों का अनुसन्धान किया था उन्होंने। उस पर पुस्तकें रचीं, श्लोक बनाए। यात्रा में भद्रा पर सबसे अधिक ध्यान रखते। अपने साथ अपने चूल्हे के साथ लकड़ी भी लिये चलते। पोशाक भी विचित्र। संस्कृत के प्रचंड विद्वान। चम्पारण से एक पत्रिका भी निकाला करते थे। काशी में जब रहते, वहाँ के साहित्यिक

क्षेत्र से निकट सम्पर्क रखते। खड़ीबोली को खड़ा करनेवालों में उनकी गिनती थी। अभी उस दिन चम्पारण में उनके सुपुत्र से भेंट हुई थी, उनकी शिकायत थी, उनके पिताजी को लोग जानबूझकर भुला बैठे हैं, क्योंकि हिन्दी का एक युग उनका युग था, उस युग को लोग दूसरा युग कहकर घोषित करना चाहते थे और कह रहे हैं। बात जो हो, हमने उन्हें प्रादेशिक सम्मेलन का सभापति बनाकर अपने ऋण का कुछ अंशों में परिशोध तो कर ही दिया था।

किन्तु मुझे तो अधिक दुख इस बात का है कि हम लोग बाबू शिवनन्दन सहायजी की तरह के तपस्वी साहित्य साधक को भूल रहे हैं। सहायजी ने 'भारतेन्दु हरिश्चन्द्र' और गोस्वामी तुलसीदास' की ऐसी दो जीवनियाँ प्रस्तुत कीं, जिनके जोड़ की चीज उस समय तो नहीं ही थी, अब भी वैसी साहित्यिक जीवनियाँ हैं या नहीं, यह सन्देहास्पद है। नाटे, दुबले, सामने सफेद चुक्की दाढ़ी, कुछ कम सुनते, किन्तु इसी से गुनते बहुत। हिन्दी संसार में उनकी बड़ी कदर थी। एक बार उन्हें हिन्दी साहित्य सम्मेलन का सभापति बनाने की बात चली थी, किन्तु वह बिहार के थे—प्रयाग में उनकी क्या चलती ! हाँ, हमने अपने प्रादेशिक सम्मेलन का सभापति बनाकर अपना दिल जरूर हलका कर लिया था। किन्तु मैं मानता हूँ, हमने उनकी कदर वैसी नहीं की, जिसके वह हकदार थे।

जब मैं शहर में आया, पुस्तकालय के टेबुल पर जो पत्रिकाएँ थीं, उनमें एक थी 'श्रीकमला'। वह भागलपुर से निकलती थी, अच्छी पत्रिका थी। उसके सम्पादक थे पं. जीवानन्द शर्मा। शर्माजी ने नाटक भी लिखे थे। उन दिनों उनका 'बूढ़े का ब्याह' बहुत प्रचलित था और उसका सुन्दर अभिनय भी मैंने देखा था। हलकी सी चीज थी, किन्तु काफी मनोरंजक और उपदेशप्रद। पीछे शर्माजी ने पटना से 'प्रजाबंधु' निकाला था, उसके लिए लिमिटेड कम्पनी खड़ी की थी। शायद हिन्दी के लिए बिहार में यह पहली लिमिटेड कम्पनी थी। 'श्रीकमला' तब तक बन्द हो चुकी थी, 'प्रजाबंधु' भी बन्द हुआ। तब शर्माजी ने कथावाचक का काम प्रारम्भ किया। 1930 के नमक सत्याग्रह के समय उन्हें हजारीबाग जेल में देखा। 1934 के भूकम्प में वे दब मरे। शर्माजी भी विलक्षण पुरुष थे। बिहार की प्रारम्भिक पत्रकारिता तथा हिन्दीसेवा में उनका स्थान भी उच्च था।

बिहार की उस युग की पत्रकारिता में पं. पारसनाथ त्रिपाठी के नाम को भुलाया नहीं जा सकता। 'पाटलिपुत्र' के सम्पादक थे बाबू सोना सिंह चौधरी, किन्तु उसके सारे काम त्रिपाठीजी करते थे। हथुआ नरेश की छत्रच्छाया में निकलनेवाला यह साप्ताहिक बिहार का सर्वांग-सुन्दर पत्र था। इसे यह यश देने में त्रिपाठीजी का बड़ा हाथ था। असहयोग आन्दोलन में यह पत्र बन्द हो गया। फिर त्रिपाठीजी राजेन्द्र बाबू के 'देश' में आए, जहाँ एक सम्पादकीय के कारण उन्हें जेल की सजा हुई। जेल में ही थे कि उनके भाई की मृत्यु हुई, वह माफी माँगकर चले आए। किन्तु उनके हृदय में सच्ची देशभक्ति थी। इस आकस्मिक विपत्ति ने उन्हें विचलित कर दिया था। अतः हमारी नजरों में वह सदा ही ऊँचे रहे, किन्तु वह स्वयं से खिन्न रहा करते। गाँव में जाकर बैठ गए थे। जब इस आघात से ऊपर हुए, आरा से एक पत्र निकालने लगे। किन्तु एक दिन, कांग्रेस मिनिस्टरी के बाद जब वह बाबू अनुग्रह नारायण सिंह के साथ दौरे पर गए थे, अचानक मोटर दुर्घटना हुई और त्रिपाठीजी का घटनास्थल पर ही प्राणान्त हो गया। बिहार ने एक अनन्य हिन्दीसेवी खोया।

जब इतना लिख चुका हूँ, कितने चेहरे सामने आ रहे हैं ! किन्तु एक की चर्चा किए बिना तो इसे समाप्त नहीं ही किया जा सकता। वह थे पं. ईश्वरी प्रसाद शर्मा।

शर्माजी ने आरा से 'मनोरंजन' निकाला था। बड़ी ही सुन्दर मासिक पत्र था, यथा नाम, तथा गुण। 'मनोरंजन' के सम्पादक स्वयं भी मनोरंजन-मूर्ति थे। हँसाने, गुदगुदाने, चिकोटी

काटने का उनका स्वभाव था। मुझे याद है, एक बार काशी में मैं एक मारवाड़ी बासे में पालथी मारकर भोजन कर रहा था। पीछे से आकर किसी ने ऐसा गुदगुदा दिया कि मैं उठ खड़ा हुआ। मुड़कर देखता हूँ, शर्माजी खिलखिला रहे हैं। चेहरा भी सुन्दर, उसे सँवारकर रखते भी। बात-बात में चुटकियाँ, जिस पर भिड़ गए, भगवान उसका भला करे ! लिखने में धाक्कड़—उनकी लेखनी सदा फर्राटे से चला करती। एक दिन में दो-तीन फर्मे लिख डालना उनके लिए बाएँ हाथ का खेल था। कई स्थानों में घूमते-फिरते कलकत्ता में जा रमे थे या कहिए, जम गए थे। वहीं से 'हिन्दूपंच' निकाला था, जो 'मतवाला' के बाद हिन्दी संसार का हास्यरस का सर्वाधिक जनप्रिय पत्र था। शर्माजी का निधन भी असामयिक ही हुआ।

आज वे लोग नहीं रहे, किन्तु उन्हीं की सेवा का, तपस्या का, धुन का, लगन का, अनवरत परिश्रम का, अटूट मेहनत का यह फल है कि आज बिहार में साहित्य के लिए इतनी रुचि है, जागृति है। वे नमस्य हैं, प्रणम्य हैं !

वे दिन

अभी तक मेरा कार्यक्षेत्र प्रायः बिहार ही रहा। जब 'बालक' की छपाई काशी में शुरू हुई, बाहर के साहित्यिकों से मेरा सम्पर्क बढ़ा। भाई शिवपूजनजी को कलकत्ता से उठाकर काशी ले आया था। अब मैं प्रायः काशी जाता और वहीं भाईजी के साथ ठहरता। काशी के वे दिन ! सचमुच जीवन के सुखदतम दिनों में वे थे।

वर्तमान हिन्दी के जनक भारतेन्दु हरिश्चन्द्र की काशी ! काशी सदा से विद्या और ज्ञान की नगरी रही है। उन दिनों की काशी हिन्दी की सबसे बड़ी आचार्यपीठ थी। हिन्दी के इतने बड़े साहित्यकार शायद ही किसी एक नगरी में एक समय एकत्र हुए हों।

श्री जगन्नाथदासजी 'रत्नाकर', पं. अयोध्यासिंह उपाध्याय 'हरिऔध', लाला भगवानदीनजी 'दीन', पं. किशोरीलाल गोस्वामी, कवि चक्रवर्ती देवीप्रसाद, बाबू श्यामसुन्दर दास, श्री बाबूराव विष्णु पराड़कर, प्रेमचन्दजी, प्रसादजी, रायकृष्ण दास, श्री रामचन्द्र वर्मा, पं. रामचन्द्र शुक्ल—एक-से-एक अगड़धत्त विद्वान, साहित्यस्रष्टा ! अपनी-अपनी जगह पर सब अनुपम ! हम लोगों के साहित्याचार्य पं. चन्द्रशेखर शास्त्रीजी भी वहीं रमे हुए थे उन दिनों। विनोद, बेढ़ब, उग्र, सुमन, लक्ष्मीनारायण मिश्र, वाचस्पति पाठक, फिर हमारे बिहार के मनोरंजन, सुधांशु, द्विज, ठाकुर मंगल प्रसाद सिंह आदि वहीं अपनी प्रतिभा की प्रातकिरणें छिटका रहे थे। इकट्ठे इतने लोगों के सान्निध्य और संगति का सुख लूटना ! केदारनाथ, विन्ध्येश्वरीजी ऐसे संस्कृत साहित्य की नई पीढ़ी का प्रतिनिधित्व करनेवाले भी हमारी जमात में आ जुटे थे।

जब मैं काशी जाता, भाई गंगाशरण भी आ जाते। मैं शिवजी के साथ ही ठहरता। यों मैं अब भी हँस लेता हूँ, किन्तु उन दिनों का अट्टहास ! जब मैं काशी से बाहर होता, उस अट्टहास के अभाव से ही मोहल्लेवाले शिवजी से पूछ बैठते, क्या बेनीपुरी आजकल नहीं हैं ?

काशी मस्तों की पुरी है। दिन भर इधर-उधर काम किया। शाम को गंगा किनारे जाकर भाँग छानी। दो पैसे का साबुन खरीदकर कपड़े साफ किए और सूखने को पसार दिया। फिर गंगा में खूब गोते लगाए; उछल-कूद की। एक पैसे का चमेली का तेल सिर में मलकर तौलिए से बदन पोंछा, धुले कपड़े पहने, सिर में मुफ्त का चन्दन चहबोच लिया और दो पैसे का पान मुँह में दाबकर चौक की चहलकदमी करने लगे, ऐसे कि कहीं के नवाब हों ! यह वहाँ का साधारण जीवन था उन दिनों।

किन्तु हम लोग तो विशिष्ट पुरुष थे ! भंग के सारे सामान रखकर नाव से हम उस पार चल देते। उधर भंग घुट रही है, इधर कहकहे लग रहे हैं। भंग छानकर उस पार नाव लगाते, शौच जाते। शौच के समय की वे खुराफतें ! हँसते-हँसते गंगा में गिरते। नहा-धोकर दिव्य होते, फिर नाव धारा पर छोड़ दी जाती और मिठाइयाँ खाकर बजड़े पर ही हम मजलिस जुटाते। किसे परवाह रात कितनी बीती, हमारी नाव किस घाट से लगी ! प्रायः हम अधरतिया कर देते !

भंग भी ऐसी-वैसी नहीं छनती—मौसम के अनुसार आम में, लीची में, अंगूर में, कसेरू में ! मलाई और दही में तो कम-से-कम !

एक ऐसी ही मस्त शाम को, जब गंगा के वक्षस्थल पर हमारी नाव बिहर रही थी और पूर्णिमा का चन्द्रमा आकाश में निर्द्वन्द्व विचर रहा था, हमने प्रसादजी के श्रीमुख से उनकी अनुपम कृति 'आँसू' के सारे पद सुने थे। सिर पर एक तौलिया लपेटे, हथेली पर हाथ रखे, मस्ती में प्रसादजी गाए जा रहे थे और हम लोग आत्मविभोर उनके मुँह की ओर एकटक देखते सुनते जा रहे थे।

रविवार को हम प्रातः ही किसी बगीचे या बावड़ी की ओर निकल जाते—शहर के कोलाहल से दूर ! दिन वहीं गुजार देते। भंग छनती, बाटियाँ लगतीं, कविता की फुलझड़ियाँ छूटतीं ! फलों के बगीचे में हम तय कर लेते, तुम हमसे जो चाहे ले लो, हम जितना चाहे खाएँगे ! एक-एक डाल से चुन-चुनकर फल तोड़े जाते, कचरकूट मचाई जाती !

प्रायः ही किन्हीं के घर साहित्य मंडलियाँ जुटतीं। पुराने और नए लोगों का जमावड़ा देखने लायक, सुनने लायक ! रत्नाकरजी का वह विशाल शरीर—उनकी मोटी गरदन से जब मोटे स्वर में कवित्त की धारा फूटती, तो लगता, सचमुच हमारे सामने ही 'गंगावतरण' हो रहा है ! हरिऔधजी करुणा की धारा बहाते-बहाते स्वभावतः ही अपनी आँखों में सावन-भादों उमड़ा लेते ! लाला भगवानदीनजी की बात ही निराली—वैसा फक्कड़ साहित्यिक अब कहाँ देखने को मिलता है ! पिंगल और अलंकार के आचार्य के रूप में तथा एक उच्चकोटि के साहित्य शिक्षक के रूप में तो वह प्रसिद्ध थे ही ! गया की 'लक्ष्मी' का बहुत दिनों तक सम्पादन किया था, अतः हम लोग उन्हें अपना ही समझते। गोस्वामीजी की फबन ही निराली थी—बुढ़ापे में भी आँखों में सुरमा लगाने से नहीं चूकते थे तथा बच्चों को भी दो चिकोटी काटे बिना नहीं छोड़ते थे। कवि चक्रवर्ती सचमुच कवि चक्रवर्ती थे, संस्कृत और हिन्दी, दोनों में उनकी काव्य-प्रतिभा कमाल दिखलाती ! बाबू श्यामसुन्दर दास की सूट और नेकटाई क्या हम कभी भूलेंगे—स्वभावतः ही गम्भीर; किन्तु वह दम्भी नहीं हैं, यह सब कोई मानते। शुक्लजी उन दिनों उनकी छाया मात्र लगते थे, किन्तु वर्माजी की ही ऐसी हस्ती थी, जो इस गम्भीरता के वातावरण में भी सरसता का संचार करती। रायकृष्ण दास का रईसी ठाट उन दिनों देखने लायक था।

किन्तु हम नए लोग अधिकतर खिंचे रहते प्रसादजी और प्रेमचन्दजी के निकट। यहाँ अपनापा का बोध होता; यद्यपि प्रसाद और प्रेमचन्द के रहन-सहन और तौर-तरीके में जमीन-आसमान का फ़र्क था। प्रसादजी रईस थे, रूप-रंग, बातचीत, रहन-सहन, सब में रईस। गोरा दिपता हुआ मुखमंडल—अब तक एक भी चित्र नहीं देखा, जिसमें उनकी प्रतिकृति सही आ हो ! बिहारी की नायिका की तरह, उनका चित्र खींचने में जैसे कैमरा भी 'कूर' सिद्ध हो गया ! प्रेमचन्दजी भी गोरे थे, किन्तु उनके चेहरे पर, उस जवानी में भी, कितनी झुर्रियाँ थीं ! लटपटी धोती, धब्बेदार कमीज, बेतरतीब मूँछ—ठीक इसके विपरीत प्रसादजी की चुन्नट पड़ी धोती, रेशमी कुरता और चादर, सफाचट चमचमाता चेहरा ! प्रेमचन्दजी बातें करते-करते

बेतहाशा ठठ्ठा मारकर हँस पड़ते। प्रसादजी की मुसकान गजब की थी, जोरों से हँसते भी तो रईसी शान से ही। प्रेमचन्दजी के बालों में भूरेपन के साथ कुछ ललाई थी और आँखों में नीलापन। उस दिन अमृत मुझसे मिलने आए थे, तो मैं रह-रहकर उन्हें गौर से देखता था, बाप से इस लड़के ने क्या-क्या पाया है !

एक ही समय में, एक ही शहर में, साहित्य की नई दिशा देनेवाले ये दो महारथी—एक-दूसरे से कितने पृथक् थे ! एक को, इतिहास के सड़े-गले पन्नों से नए-नए पात्र ढूँढ़ निकालने और उनमें फिर से प्राणप्रतिष्ठा करने की व्याकुलता थी—वेद, पुराण, इतिहास जहाँ से जो कुछ अलौकिक जँचा, उसे लिया और उसे अमरता दे दी। दूसरे को, अपने गाँव, मोहल्ले या शहर में उसकी आँखों के सामने चलने-फिरनेवालों के जीवन में ही रस मिलता था और उन्हीं को नाना रूप में सजाकर, सँवारकर लोगों के सामने उपस्थित करने में उसे मजा आता था। यह कहता था, 'गड़े मुर्दे को क्या उखाड़ रहे हो—देखो, इन्हें। क्या तुम्हारी कला के ये हक़दार नहीं हैं ? इस पर वह मुसकरा पड़ता था, किन्तु उसकी लेखनी कहती थी, जमाना आने दो, फिर दोनों का मूल्य निर्धारित हो जाएगा ! और जमाने ने बता दिया है, दोनों ने साहित्य को ऐसी निधि दी है, जिसका मूल्य आँका नहीं जा सकता ! अपने-अपने क्षेत्र में दोनों अनुपम हैं—दोनों ध्रुव कभी मिलते नहीं, किन्तु दोनों में आकर्षण है, अपने-अपने ढंग का।

मुझे दोनों का ही स्नेह और आशीर्वाद पाने का सौभाग्य प्राप्त हुआ था। जब मैंने प्रकाशन की योजना बनाई, प्रसादजी की 'कामना' से ही उसका श्रीगणेश किया। बड़ी सज-धज से प्रकाशित किया था उसे। यदि मैं लहेरिया सराय से नहीं हटा होता तो भारतेन्दु के नाटकों की तरह, प्रसादजी के नाटकों के प्रकाशन का श्रेय भी बिहार को ही मिलता। प्रेमचन्दजी ने तो एक बार अपने सरस्वती प्रकाशन प्रेस के पूरे संचालन का भार मुझ पर सौंपने की भी चर्चा चलाई थी। खास बच्चों के लिए उनसे मैंने एक कहानी लिखवाई थी जो 'बालक' के एक विशेषांक में छपी थी—'रक्षा में हत्या' ! यह आश्चर्य की बात है कि उनकी कहानियों में किसी संग्रह में यह कहानी देखने में नहीं आई है—शायद उसकी मूल प्रति की कोई प्रतिलिपि नहीं रखी गई और बाद में वे उसे भूल गए।

बिहार के तरुणों की टोली हिन्दू विश्वविद्यालय में थी। हम वहाँ जाते। मनोरंजनजी का गुनगुन सदा चला करता। द्विज अपने पूरे कंठ से अपनी करुण कविता सुनाते, रोयें सिहर उठते। सुधांशु को उन दिनों 'नवरस' का शौक था, उनकी गम्भीरता उन दिनों भी थी। किन्तु आज बार-बार याद आती है, ठाकुर मंगल सिंह की। मंगल ने 'बिहार के नवयुवक हृदय' के नाम से एक पुस्तक निकाली थी; उनके कवियों में मैं भी था। मेरी कविताएँ अन्तिम बार उसी में छपी थीं। पीछे छपरा में उन्होंने प्रेस किया, प्रकाशन प्रारम्भ किया, राजेन्द्र कॉलेज की स्थापना में योग दिया। सचमुच उनका असामयिक निधन बिहार के लिए बड़ा ही हानिप्रद सिद्ध हुआ।

मुझे याद है, जब एक दिन हम सभी बिहारी-बन्धु एक चने के खेत में एकत्र हुए थे। वासन्ती समाँ था, चारों ओर सरसों का सागर लहरा रहा था और हम उनकी तरंगों में अपने अट्टहास की तरंगें मिलाकर एक खासे ज्वर की सृष्टि कर रहे थे।

पं. चन्द्रशेखर शास्त्रीजी ऐसे मौलिक व्यक्ति मुझे जीवन में कम दीख पड़े हैं। जब वह पटना में थे, उनके निकट बैठने का सुअवसर मिला करता था। काशी में मैं उनके अति निकट आ गया। उन दिनों बीमार रहते थे। एक दिन इच्छा हुई, उनका फोटो खिंचवा लूँ। उन्होंने कहा, 'टंडनजी भी इसमें असफल हो चुके हैं, तुम इसमें मत पड़ो।' शास्त्रीजी ने सम्मेलन की नींव डालने में बहुत बड़ा हाथ बँटाया था। किन्तु जहाँ टंडनजी असफल हुए, मेरा बालहठ सफल हुआ। जीवन में उनका एकमात्र वही फोटो लिया जा सका। अपने इस सौभाग्य पर मुझे आज

भी गर्व है।

काशी में रहते समय ही भाई शिवपूजनजी की नई शादी कराई। शिवजी की वह बारात ! क्या कहने हैं ! उनकी ससुरालवाले भूले नहीं होंगे और हम क्यों भूलेंगे, जब गाँव से बाहर निकलने पर लठियलों के हाथों से पीटे जाने से हम बाल-बाल बचे ! हम लोगों की खुराफ़ातें ही ऐसी हुई थीं वहाँ !

न वह देवी रही, न वह कड़ाह रहा ! अब भी काशी जाता हूँ तो उन गलियों की ओर, घाटों की ओर, बगीचों की ओर, बावड़ियों की ओर ललचाई नजरों से देखता हूँ। उन लोगों को भी आँखें ढूँढ़ती हैं जिनके साथ ज़िन्दगी के वे सुनहले दिन हँसते-हँसते गुज़ारे थे। अधिक लोग चल बसे, बचे-बचाए इधर-उधर बिखर गए। काशी है, किन्तु जैसे हमारी काशी उजड़ गई ! यही होता है, यही होता आया है !

'युवक'

सोचता हूँ, यदि मैं 'बालक' नहीं छोड़े होता, तो आज क्या होता ?

एक महान साहित्यिक, साहित्य-महारथी भी ! औज-मौज की जिन्दगी होती, रेशमी पहनता, ऊनी पर मरता, अच्छा खाना, भंग छानना। बहकी बातें, बेढंगी सूरत ! या आचार्यत्व के बोझ के नीचे दबा सिर झुकाकर चलनेवाला एक विशेष प्राणी !

उस दिन एक ऐसे ही आचार्य ने कहा था–'बेनीपुरीजी, काश आप राजनीति में नहीं पड़े होते ! हिन्दी को कितना अधिक दिए होते आप !'

जैसे मेरे किसी साथी ने मुझसे अधिक दिया हो हिन्दी को–परिमाण में या गुण में ? या मुझसे किसी ने साहित्य में अधिक पाया हो, प्रसिद्धि में या पैसे में ?

हर दुर्भाग्य मेरा सौभाग्य बनता आया है। माता-पिता स्वर्गीय नहीं हुए होते तो आज मैं बेनीपुर में भैंस चराता, घास छीलता। गांधीजी की आज्ञा पर स्कूल नहीं छोड़े होता तो मुजफ्फरपुर में एक अच्छा वकील बनकर रह गया होता–कोठी होती, मोटर होती, किन्तु वह नहीं होता, जिसने मेरे छोटे से गाँव को देशव्यापी नाम बना दिया है। यों ही 'बालक' नहीं छोड़े होता तो वही होता, जिसकी कल्पना ऊपर की है।

निश्चिन्तता–कलाकार जीवन की वह सोने की जंजीर है, जो उसे एक खूँटे से बाँधकर सड़ा डालती है।

आनन्द–यह तो सेठ को चाहिए या बैल को ! वान गॉग को उस कलाकार ने ठीक ही कहा था–भरा हुआ पेट, कुछ दूसरा ही निर्माण करता है ! कला ऐसी सूक्ष्म चीज वह पैदा कर नहीं सकता !

संघर्ष-संघर्ष-संघर्ष ! कला का पिता संघर्ष है ! संघर्ष निठुर होता है, किन्तु वही ठोस बनाता है, चमक देता है, काट करने की शक्ति देता है !

'युवक' और फिर मेरा संघर्ष का जीवन शुरू हुआ।

कल्पना कीजिए उस जीवन की, जब दो साथी जहाँ-तहाँ से कुछ पैसे एकत्र कर, कलकत्ता पहुँचते हैं, वहाँ एक मासिक पत्र, एक प्रेस में, काफी एडवांस के साथ छपने को दे देते हैं। सोचते हैं, यहाँ कांग्रेस का अधिवेशन होने जा रहा है, दो-चार सौ प्रतियाँ तो वहीं बेच लेंगे, सौ-पचास ग्राहक भी बना ही लेंगे। मासिक पत्र छप जाता है, ललकते हुए वे प्रेस में आते हैं–किन्तु प्रेस के देशसेवी संचालक बड़ी मिठास से कहते हैं, बिना पूरी रकम चुकाए इसकी

कुछ भी प्रतियाँ देने में हम असमर्थ हैं। आरजू-मिन्नत, वादे-जमानत ! किन्तु कोई सुनवाई नहीं !

कलकत्ता में हलचल है ! पं. मोतीलाल नेहरू का वह शानदान जुलूस, सुभाष बोस का स्वयंसेवकों के कप्तान के रूप में वह रूप ! नारे लग रहे हैं, झंडे फहर रहे हैं ! चारों ओर जिन्दगी-ही-जिन्दगी ! किन्तु, वे दोनों साथी कलकत्ता के मैदान में उदास, विषण्ण, भूखे-रूखे-सूखे दो बेंचों पर आमने-सामने औंधे पड़े हैं ! हाय रे, यह क्या हुआ !

या उस मासिक पत्र का अंक जब्त हो चुका है, सम्पादकजी पर 124 चल रहा है। इसी समय एक मित्र आते हैं, सहायता का आश्वासन दिलाते हैं। वह दौड़ा-दौड़ा एक प्रेस खरीद लाता है। किन्तु अन्त में वह मित्र आते हैं, कहते हैं, मुझे प्रान्त के नेताओं ने मना कर दिया है कि आप की मदद नहीं की जाए !

मुझे याद है, किस प्रकार यह सुनते ही मेरा दिमाग बौखला उठा था। एक दुमंजिले मकान में रहता था। व्याकुल हो, मैं छत पर चला गया। देखा, बिजली के तार इतनी दूर पर हैं कि एक छोटे से छड़ से छू ले सकता हूँ। एक लोहे का छड़ भी पड़ा है। जी में आया, इसी छड़ से बिजली के तार को छूकर अपने जीवन का अन्त कर लूँ।

मैं खड़ा हूँ, पैर के नीचे वह छड़ है। सामने वह तार है। कई बार छड़ उठाने को झुका, फिर रुका। फिर न जाने क्यों, फिर क्या तरंग उठी कि वहाँ से नीचे आया और साइकिल उठाकर चल दिया। कहाँ ? साइकिल भागी जा रही है ! अन्त में मैं अपने को 'कुम्हरार' के निकट पाता हूँ—वहीं, जहाँ अशोक के भग्नावशेष की खुदाई हुई है। एक चिकने पत्थर की लाट पड़ी है। उसी पर जाकर सो जाता हूँ। नींद टूटती है, फिर अपने 'आश्रम' में आता हूँ और पुराने जोशखरोश से ही लड़ने लगता हूँ—लड़ता हूँ, परिस्थितियों से, सरकार से, नेताओं से भी।

'युवक' में अजीब-अजीब अनुभव हुए। यदि मैं 'युवक' नहीं निकालता तो आज मेरा जीवन कितना अधूरा होता !

उफ, भाई गंगाशरण ने किस तरह 'युवक' के लिए पैसे जुटाए, प्रिय रामनन्दन ने किस तरह अपनी सौभाग्यवती पत्नी के गहने तक बेचे, मैंने किस तरह अपनी जमीन तक गिरवी रखी, अवधेश्वर ने क्या-क्या न तकलीफें उठाई, स्वर्गीय अम्बिका ने क्या-क्या न किया, जगदीश ने किस धुन से सारे काम सँभाले—किस तरह दिघवारा से पैसे लाए, पूर्णिया में प्रेस खरीदा, किन्तु पटना पहुँचा नहीं कि एक देवता ने उसे उचक लिया।

उधर सरकार के वार-पर-वार। क्रान्ति अंक जब्त किया गया, गाँव-गाँव में पुलिस पहुँचकर उसके लिए तलाशी करती फिरी और यों 'युवक' के ग्राहक बनने से डराती रही; फिर 124 का प्रहार। बेनीपुर में एक दिन सशस्त्र पुलिस का एक दस्ता धूमधाम से पहुँचा और मेरे घर का कोना-कोना छाना। जब गाँववालों ने गवाह होना स्वीकार नहीं किया तो दो आदमियों पर अदल-हुक्मी का मुकदमा चलाया। फिर मेरी गिरफ्तारी, दस हजार की जमानत, एक वर्ष की कड़ी कैद, ढाई सौ रुपए जुर्माना, नहीं तो छः महीने की और सजा। उसी जुर्माने में मेरी रानी ने अपने गहने बेचे जो फिर उसके बदन पर नहीं चढ़ सके। आज तक नहीं। किन्तु बेचारी क्या जानती थी, मैं जेल में भी न चैन से बैठ सकता था, न बैठने दे सकता था। जेल में भी मुझे तीन अतिरिक्त महीने काटने पड़े !

'युवक' स्वतन्त्र पत्रकारिता का अनोखा प्रयत्न था। जिस दिन 'बालक' छोड़ा, उसी दिन 'युवक' के लिए हैंडबिल छपवाया और उसके लिए काम शुरू कर दिया। सोचा था, जिनके हाथों में हैंडबिल दे दूँगा, वही मेरे हाथों में कम-से-कम एक वर्ष के शुल्क के चार रुपए तो

रख ही देगा। यार लोग बातें भी ऐसी ही करते थे। किन्तु देखा, बात के पैसे और ताँबे के पैसे में बहुत फर्क है—एक सिर्फ हवा की फूँक है, एक ठोस धातु है !

फिर सोचा, अच्छा किसी तरह एक अंक निकाल लिया जाए। फिर तो पैसे बरसने लगेंगे। किन्तु एक अंक के लिए भी पैसे कहाँ से आवें ? भाई गंगाशरण आगे आए और न जाने कैसे-कैसे पैसे जुटाए। वह अपने घर के मालिक नहीं हैं, यह तो पहले से ही जानता था। उन रुपयों को लेकर, हम लोग कलकत्ता पहुँचे।

कलकत्ता में क्या मुसीबत पड़ी, कह चुका हूँ। खैर, जैसे-तैसे कहीं से कुछ और पैसे जुटाए और प्रेस से बड़ी आरजू-मिन्नत के बाद पहले अंक की कुछ प्रतियाँ प्राप्त कीं और उन्हें लेकर आनन्द-विभोर हो कांग्रेस-नगर पहुँचा। बिहार से इतने लोग आएँगे, हिन्दी-भाषी लोगों की भरमार होगी, एक हजार प्रतियाँ हम बेच ही लेंगे और सौ-दो सौ ग्राहक भी बना ही लेंगे।—ऐसा था अनुमान—किन्तु प्रमाण में वही ढाक के तीन पात !

किन्तु क्या हम डिगनेवाले, पीछे हटनेवाले लोग थे—'युवक' का वह शानदार मुखपृष्ठ। बेलगाम के बछेड़े पर बेजीन के ही चढ़ने को आतुर अस्तव्यस्त बालोंवाला उभरे पुट्ठों का वह युवक ! वह हार मानेगा ? उसके ऊपर लिखा है—'शक्ति, साहस और साधना का मासिक'। शक्ति हार मानती है ? साहस हार मानता है ? साधना हार मानती है ? नहीं, नहीं, नहीं !

पटना में साइंस कॉलेज के सामने, एक खपरैल के मकान में 'युवक आश्रम' खोल दिया गया। हाँ, उन दिनों पटना में दो आश्रम थे—एक सदाकत आश्रम, एक युवक आश्रम ! और मैं कहूँ, बिहार की राजनीति में तभी से दो आश्रम चले आ रहे हैं, आप चाहे उन्हें जिन नामों से पुकारें।

'युवक' बिहार के युवकों की क्रान्तिकारी भावनाओं का सोलह आने प्रतिनिधित्व करता था। समाजवाद पर पहला लेख 'युवक' में ही छपा था। यतीन्द्र मुखर्जी, रासबिहारी बोस आदि क्रान्तिकारी नेताओं पर उसमें बराबर लेख निकलते थे। मेरठ षड्यन्त्र केस के सभी अभियुक्तों का सचित्र परिचय उसी में छपा और भगतसिंह की फाँसी पर जो सम्पादकीय छपा, उसी के चलते मुझे डेढ़ साल की सजा भुगतने का सौभाग्य हुआ। बिहार के शेर भाई योगेन्द्र शुक्ल का अड्डा भी युवक आश्रम ही था। राहुलजी अपनी धूनी वहाँ रमा दिया करते।

मुसीबतों की कमी नहीं थी, झंझटों की कमी नहीं थी। किन्तु किस मस्ती में हम रहते थे ! सूर्योदय से पहले उठ जाते, अपने हाथों घर की सफाई करते, अपने से अपने कपड़े धोते, प्रायः रसोई के बरतन भी मलने पड़ते, कभी-कभी पाखाने की सफाई भी करनी होती। जो कुछ साग-सत्तू होता, अतिथियों के साथ हिल-मिलकर खाते। फिर अपने-अपने कामों में लगते। कोई प्रेस जाता, कोई पते लिखता, कोई लेबुल चिपकाता, कोई डाक ले जाता। ग्राहकों के लिए तो सदा दौड़धूप बनी ही रहती।

मैं किस मस्ती में लिखता ! क्या-क्या नहीं लिखता ! सिर्फ लिखता ही नहीं, लिखवाता भी। आज बिहार में एक दर्जन ऐसे चोटी के लोग तो होंगे ही जिनकी आत्माएँ कहती होंगी, हम 'युवक' की पैदावार हैं। कितने नए लेखक आए, कितने नए कवि उमड़े।

धीरे-धीरे 'युवक' में स्थायित्व आने लगा। भाई अम्बिकाकान्त 'सर्चलाइट' के यशस्वी मैनेजर थे। कैसा मनोहर व्यक्तित्व पाया था इस आदमी ने ! भरा-पूरा शरीर, प्रभावशाली श्यामल रंग, बड़ी-बड़ी आँखें, चौड़ा ललाट, मोटी भवें, बड़े-बड़े कटे-छँटे बाल, जब मोटर साइकिल पर चलता, लगता, यौवन की साक्षात् प्रतिमा जा रही हो। देशबन्धु चित्तरंजनदास के साढ़ू यानी वसन्ती देवी की बहन के पति श्री सी.सी. दास उसे बेटे की तरह मानते, उन्हीं के साथ रहता, पढ़ी-लिखी सुशिक्षिता सुसभ्या बंगाली लड़कियों के बीच वह कुँअर कन्हैया-सा

लगता। प्रगतिशील विचारों का पुतला, अपने पर विश्वास, अपनी शक्ति पर विश्वासी। जब उसने 'युवक' के प्रबन्ध की देख-भाल अपने ऊपर ले ली तो हमने समझा, अब हमारा बेड़ा पार है।

किन्तु, किन्तु विधाता मुसकरा रहा था—

हम लोग 'युवक' का 'क्रान्ति अंक' प्रेस से बाहर भी नहीं कर पाए थे कि 1930 की क्रान्ति शुरू हो गई—अम्बिका, मैं, गंगा—तीनों जेल में। अम्बिका ने जेल से ही 'क्रान्ति अंक' ग्राहकों को भेजवाने का प्रबन्ध किया, किन्तु उनके पास वह पहुँचा, न पहुँचा कि उसकी जब्ती की सूचना सरकार ने निकाल दी।

जेल से निकलते ही फिर 'युवक' निकालने का आयोजन हुआ। इस बार श्री रामनन्दन मिश्र ने सहायता दी, जिसकी चर्चा कर चुका हूँ। किन्तु, उन दिनों वह गांधीवादी नेता थे, गांधीवादी नेताओं ने उन्हें हमारी मदद करने से रोक दिया। नाव फिर डाँवाँडोल दीखने लगी कि सरकार आगे बढ़ी। मुझ पर 124 दफा का वारंट निकला, मुकदमा चला, सजा हुई।

जिस लेख पर मुकदमा चला था, उसका शीर्षक था—'इन्कलाब जिन्दाबाद'। मैजिस्ट्रेट ने एक दिन मेरे वकील से पूछा—'इस नारे का क्या मतलब ? इन्कलाब होता है, नया राज्य बनाता है, फिर इन्कलाब खत्म होता है। इन्कलाब हमेशा जिन्दा रहे, इसका क्या मानी ?'

मेरे वकील थे बाबू बलदेव सहाय। उन्होंने झट जवाब दिया—इसका मानी तो साफ है, एक दिन ऐसा आएगा, जब आपकी जगह कोई गांधी टोपीवाला हाकिम होगा, जहाँ सरकारी वकील हैं, वहाँ मैं होऊँगा, किन्तु उस दिन भी बेनीपुरी उसी कटघरे में रहेंगे, जहाँ वह आज हैं। मैजिस्ट्रेट हँस पड़ा। हम भी हँस पड़े। किन्तु उनकी बात कितनी सही निकली। जब वह कांग्रेसी सरकार के एडवोकेट जनरल थे, तब भी मुझ पर सरकारी मुकदमे चलते रहे और अब जब इन पंक्तियों को लिख रहा हूँ, तीन मुकदमें जारी हैं और हर महीने कम-से-कम तीन बार कटघरे में खड़ा होना पड़ता है।

राजनीति

'युवक' का निकलना और मुझे फिर राजनीति में आना पड़ा। जो मासिक पत्र अपने को शक्ति, साहस और साधना का मुखपत्र घोषित करे, उसका सम्पादक, उस युग में अपने को राजनीति से अलग कैसे रख सकता था ?

1921 का तूफान शान्त होते ही मैं साहित्य क्षेत्र में चला आया था। सरस्वती की मुझ पर सदा कृपा रही है, लक्ष्मी को वह सदा खींचकर मेरे पास लाती रही है। 'बालक' में रहते समय से ही मुझे इतने पैसे मिलते रहे कि यदि उनका संग्रह करता तो मैं लखपतियों में तो जरूर ही गिनती पाता। किन्तु मैंने लक्ष्मी से सदा यही शर्त रखी कि आप इस हथेली पर पैर रखकर आया-जाया कीजिए, कभी ठहरिए मत। क्योंकि मैं सरस्वती का वाहन हंस हूँ, आपका वाहन उल्लू बनने को किसी शर्त पर तैयार नहीं।

'युवक' में आने का मतलब एक ओर गरीबी को अपनाना था, तो दूसरी ओर अपने को राजनीति की भट्ठी में झोंक देना था।

मैंने देखा था, राजनीति को मजहब और जाति-पाँति किस तरह भ्रष्ट रखते हैं। बेचारे गांधीजी को इक्कीस दिन तक अनशन करना पड़ा था तो भी हिन्दू-मुसलिम दंगे शान्त नहीं हो सके थे। अपने बिहार में देखा; और जो लोग अंग्रेजों से लड़ने में बड़े-से-बड़ा बलिदान करने

को प्रस्तुत थे, वे भी अपने दिमाग से जाति-पाँति की कलुषित विचारधारा को अलग नहीं कर सके थे। सभाओं में राष्ट्रीय गुणगान करना और घरों में जातीयता के दाँवपेंच खेलना—मुझे इससे बढ़कर गन्दा कुछ और नहीं मालूम होता था।

ज्यों ही राजनीति में आने की बात सोची, सबसे पहले मैंने धर्म और जाति-पाँति से अपने को दूर कर लेने का निर्णय कर लिया। धर्म का आधार है भगवान—मैं भगवान से भी द्रोह कर बैठा।

कहाँ बचपन का वह चन्दन-फटाका, कहाँ किशोरावस्था की ब्राह्मणता और गायत्री का प्रतिदिन जाप और कहाँ एक मैं हूँ कि अब अपनी चुटिया काट डाली, जनेऊ उतारकर फेंका, अपने नाम से 'शर्मा' की उपाधि हटा दी और जोरों से कहने लगा—भगवान से बचो, सबसे बड़ा भूत वही है। जब तक तुम्हारे सिर पर यह भूत है, तब तक कोई अच्छा काम कर नहीं सकते।

यही नहीं, मैंने यह भी देखा कि यह मजहब, जाति-पाँति का नारा सरकारी पदों के लिए या कौंसिलों और बोर्डों की सीटों के लिए ही बुलन्द किया जाता है। अतः मन-ही-मन यह भी तय कर लिया, इनसे दूर-दूर ही रहने की कोशिश करूँगा।

राजनीति को दो ही रूप में आप ग्रहण कर सकते हैं—या तो आप उसे साधना का क्षेत्र बनाइए, त्याग-तपस्या द्वारा जनसेवा करने का साधन समझिए, नहीं तो वह आपके सिर पर उस रूप में सवार होकर रहेगी, जिस रूप में वह 'बदमाशों का आखिरी करिश्मा' नाम पाती है। गांधीजी ने उसे पहला रूप देने की कोशिश की, किन्तु क्या उनके शिष्यों ने ही उनकी चेष्टा को विफल नहीं बना दिया ?

मुझे आज यह अनुभव करते हुए बड़ी प्रसन्नता होती है कि अब तक पैंतीस वर्ष के सार्वजनिक जीवन में राजनीति को मैंने पहले रूप में ही ग्रहण किया। मैंने राजनीति को दिया ही है, उससे लिया है तो सिर्फ कष्ट-सहन—अपने लिए ही नहीं, अपने पूरे परिवार के लिए भी।

स्वभावतः ही मैं राजनीति में सदा उग्रपंथी रहा। 'युवक' में मैंने सदा उन बलिपंथियों की प्रशंसा की, जो राजनीति के इस दूसरे रूप के सुगम मार्ग को छोड़कर सदा अपनी जान हथेली पर लिये घूमा किए या जो गांधीजी के तपस्या-मार्ग पर चला किए। मैं कभी एक छटाँक सूत कात सका हूँगा, इसमें मुझे सन्देह है, किन्तु मैं सदा गांधीजी का पूजक रहा, सदा खादी ही धारण करता रहा और यद्यपि अपनी छाती पर पिस्तौल रखकर पूछे जाने पर भी मैंने आतंकवादी दल में सम्मिलित होने से इनकार कर दिया था, तो भी सदा उसके अनुयायियों के बलिदान के गीत गाता रहा। मुझे आज भी इस बात पर गर्व है कि उनका गीत गाने के लिए डेढ़ वर्ष की सख्त सजा भुगतनी पड़ी थी।

छाती पर पिस्तौलवाली घटना बड़ी मनोरंजक है। मैं 'बालक' छोड़कर 'युवक' निकालने लगा था। युवक में मैंने यतीन्द्रनाथ, रासबिहारी बोस, कर्तार सिंह आदि की जीवनियाँ दी थीं। इस दल के नेताओं से भी मेरा परिचय था। एक रात की बात है। मैं एक मित्र के घर उनकी छत पर सोया था। गरमी के दिन—चाँदनी खिली थी। इतने ही में किसी चीज के स्पर्श से नींद टूटी। देखा, मेरी बगल में एक सज्जन बैठे हैं, उन्हें पहचानते देर नहीं लगी। उन्होंने कहा—'देखो, तुम्हारी छाती पर यह क्या है।' मैं देखते ही काँप गया। बोले, 'अब तुम्हें पार्टी में शामिल होना पड़ेगा। या तो हमारे साथ आओ या वहाँ जाओ।' वह तारों की ओर देखकर मुसकराए। किन्तु मैं तो उस पतली लकीर को देख रहा था, जो मृत्यु और जीवन के बीच उस समय खिंच रही थी। तो भी, मैंने अपनी पतली कलाई की ओर इशारा करते हुए बताया,

'क्या यह हाथ पिस्तौल पकड़ने के लिए बनाया गया है ? इससे तो कलम ही सध सकती है।' उन्होंने कहा–'यही काम करो, किन्तु पार्टी का सदस्य होकर।' मैंने कहा, 'क्षमा कीजिए, आपके ऐसा शेर का दिल मैंने नहीं पाया है। हो सकता है, कभी कमजोरी आ जाए–तब जो कुत्ते की जिन्दगी भुगतनी पड़ेगी, उससे यह मृत्यु अच्छी जो आपके हाथ से मिले।' बीच में वह गम्भीर हो उठे थे, फिर मुसकरा पड़े और मुझ पर कुछ जिम्मेदारी सौंपकर चलते बने।

निस्सन्देह उन लोगों के संसर्ग से भी सदा खतरा था। किन्तु इतना खतरा उठाने को मैं सदा तैयार रहा। एक दिन की बात है। 'युवक' सर्चलाइट प्रेस में छपा करता था। मैं वहीं बैठा प्रूफ देख रहा था कि एक किशोर आया और उसने कहा, 'बाहर एक सज्जन आपको बुला रहे हैं।' बाहर आया तो देखा, योगेन्द्र शुक्लजी हैं। शुक्लजी पर उन दिनों कितने वारंट थे ! सरकार ने उनकी हुलिया के पर्चे जगह-जगह टँगवाए थे। किन्तु कहाँ वह हुलिया, कहाँ यह शुक्लजी। घुँघराले बाल, माँग को दो हिस्सों में बाँटकर सजाए हुए। बाल के गुच्छे आधी ललाट तक को ढँके हुए। मूँछ-दाढ़ी सफाचट–चेहरे पर वह रौनक कि लोग राजकुमार ही समझें। रेशमी कोट, चुन्नटदार धोती, पम्प शू, हाथ में नफ़ीस छड़ी, कलाई पर सोने की घड़ी। गौर करके देखने पर ही पहचान सका। देखते ही उन्होंने अपने प्रिय शब्द 'साले' से सम्बोधित किया, फिर कहा, 'चलो।' यह तो जान की चुका था, न कभी यह पूछना है कि कहाँ से आए, न कभी यह जानने की उत्सकुता होनी चाहिए कि कहाँ चले। साथ हो लिया। सर्चलाइट प्रेस के बगल में ही थाना था। ज्यों ही सड़क पर आए, देखा पुलिस के कुछ जवान वरदी में चले आ रहे हैं। मैं घबराया, शुक्लजी ने कहा, नहीं, ये कहीं ड्यूटी से आ रहे हैं, मुझे पकड़ने के लिए इस तरह नहीं आते। फिर मेरी कलाई पकड़कर जेब में ले गए–'समझ गए न ? दोनों जेब में दो हैं, जिनमें एक दर्जन गोलियाँ भरी हैं। जब तक मैं जगा हूँ, कोई पकड़ नहीं सकता।' सचमुच जब वह सोए हुए थे, तभी पकड़े जा सके थे।

बहुत आगे बढ़ने पर बोले–'स्टेशन चलो।' मैंने कहा, 'स्टेशन पर आपकी हुलिया के पर्चे टँगे हैं।' 'चलों उसे भी देख लें।' उन्हें कौन समझाए कि स्वयं शेर की माँद में घुसना बुद्धिमानी नहीं। हम स्टेशन पर गए, शुक्लजी हुलिया पढ़ते रहे, हँसते रहे। क्योंकि लिखा था–उनके सिर पर चुटिया है, वह घुटनों तक धोती पहनता है, देखने में पहलवान लगता है, आदि-आदि। फिर एक होटल में जाकर खाना खाया और चलते बने।

उन दिनों शुक्लजी बिहार के नौजवानों के हीरो थे और सरकारी हल्कों में त्रास की मूर्ति।

धीरे-धीरे कांग्रेस में भी काम करने लगा। उन दिनों युवक संघों की भरमार थी। पटना युवक संघ कार्यशील और उत्साही नौजवानों का अड्डा था। उसके सदस्यों को लेकर प्रति रविवार को खादी की फेरी भी करता। कन्धे पर खादी के थान और हाथ में गज लेकर चलते हुए उन दिनों ऐसा लगता कि किसी देश की विजय के अभियान पर निकला हूँ। खादी उन दिनों आजादी के सैनिकों की वरदी थी–एक व्यक्ति को खादी पहना देने का मतलब था देशभक्तों की सेना में एक नया सैनिक भरती करना। चोरबाजारी का बाना तो वह आजादी के बाद बना दी गई है।

राजनीति में सरगर्मी आ रही थी। 1921 के बाद जो प्रतिक्रिया फैली थी, वह दूर हो रही थी। हिन्दू-मुसलमान आपस में लड़कर थक चुके थे। जाति-पाँति का बोलबाला भी दब रहा था। युवकों ने अँगड़ाइयाँ लेना शुरू किया था। काकोरी केस के शहीदों के तराने घर-घर फैल रहे थे। रामप्रसाद और अशफाक ने फाँसी के तख़्ते पर एक साथ झूलकर नौजवानों को बतला दिया था कि देश के लिए किस तरह एक साथ मरा जा सकता है। मेरठ षड्यन्त्र केस ने एक नई दिशा की ओर आकृष्ट किया था–सारे भारत के गरीब एक हैं, यही नहीं, हिन्दुस्तानी

के साथ अंग्रेज भी उनके लिए लड़ सकते हैं। दो अंग्रेज भी थे।

इन सरगर्मी में साइमन कमीशन के आगमन से आग में घी पड़ गया था। साइमन कमीशन का वह शानदार बायकाट–सारा भारत 'साइमन–गो बैक' के नारे से गूँज उठा था। लखनऊ में जवाहरलालजी पर मार पड़ी, लाहौर में लाला लाजपत राय पर डंडे बरसे। लालाजी ने गरजकर कहा–'ये डंडे अंग्रेजी राज्य के कफन के लिए कील साबित होंगे।' लालाजी की मृत्यु हुई, जिस अंग्रेज अफसर ने उन पर डंडे बरसाए थे, उसके सहकारी की लाहौर में खुलेआम हत्या कर दी गई। फिर असेम्बली में बम फूटे। 'इन्कलाब जिन्दाबाद' के नारे से भारत का चप्पा-चप्पा मुखरित हो उठा था। गाँव-गाँव में भगतसिंह के फोटो टँग गए। चरवाहे तक गाते–'आजादी का दीवाना था, मस्ताना भगतसिंह' यह पग-पग पर स्पष्ट होता जाता था कि देश फिर एक बार सामूहिक रूप से अंग्रेजों से मुकाबला करने को तैयार है।

पटना के युवकों ने साइमन कमीशन के बायकाट में शानदार हिस्सा लिया था। 'युवक आश्रम' पटना कॉलेज के सामने था। एक दिन पहले से ही वह शिविर-सा बन गया था। प्रान्त भर के युवक वहाँ पहुँचने लगे थे। पटना कॉलेज के विद्यार्थियों ने भी बड़ी बहादुरी दिखलाई। अधिकारियों ने सारे फाटक बन्द कर दिए थे, किन्तु तो भी सारे होस्टल आधी रात को ही खाली हो चुके थे। लेकिन यह क्या–नौजवान इन फाटकों को तोड़कर, तड़पकर जब स्टेशन पहुँचे, वहाँ पाया, उनके लिए वहाँ ऊँचे-ऊँचे बाड़े बने हुए हैं। उन्हें हुक्म हुआ, स्टेशन से दूर, इस बाड़े के अन्दर ही रहकर चिल्लाते रहो, क्योंकि तुम्हारे नेताओं ने ऐसा ही समझौता पुलिसवालों से कर रखा है।

पटना के नेता पुलिस से समझौता करने में सदा कमाल हासिल करते रहे हैं। इससे दोनों को फायदा–पुलिस को परेशानी नहीं हुई, नेताओं की पीठ या छाती भी सलामत रहे। इसी तरह जब युवकों ने यतीन्द्रनाथ दास की शहादत पर जुलूस निकालना चाहा तो उन्होंने पुलिस से समझौता कर लिया कि 'इन्कलाब जिन्दाबाद' का नारा नहीं लगाया जाएगा। नेताओं की जय-जयकार होती रहे–ऐसे नारों में क्या धरा-पड़ा है !

किन्तु नेताओं के बावजूद नौजवानों का रुख क्रान्तिकारी होता जा रहा है, इसका प्रबल प्रमाण उन्हें तुरन्त ही मिल गया। मुंगेर में बिहार प्रादेशिक राजनीतिक सम्मेलन हुआ। उसमें सरदार पटेल भी बुलाए गए। सरदार की मौजूदगी में ही नौजवानों ने उसमें पूर्ण स्वाधीनता का प्रस्ताव पास करा लिया–जबकि उसके खिलाफ छोटे-बड़े, मँझोले सभी नेता मंच पर आए और भीम-गर्जन करते रहे। वह प्रस्ताव मेरे द्वारा ही पेश किया गया था। जब मैं मुंगेर से पटना लौटा, देखा, कांग्रेस के मुखपत्र ने तीन कालम में मुझे सख्त-सुस्त सुनाई है–उच्छृंखल, उदंड आदि ही नहीं, धर्मद्रोही, ईश्वर विरोधी तक कहकर अपने दिल की जलन निकाली है।

यह राजनीति भी क्या है, इससे भी गन्दी कोई चीज हो सकती है ? उफ, इसमें कितना पाखंड है, झूठ है, प्रपंच है। तिकड़म तो इसकी कुंजी है। वह इतिहास को मिटाता है। झूठा इतिहास तैयार करता है। देवता को दानव और दानव को देवता के रूप में प्रस्तुत करने में इसे जरा भी झिझक नहीं होती। जितने अपराध इसके मंच पर होते रहते हैं, यदि उन सब पर कार्रवाई की गई होती तो हर शहर का आधा स्थान जेल ही घेरता। जिनके गले में मालाएँ मिल रही है उन्हें तौक़ मिलता। जिनके सरों पर ताज रखे जाते रहे हैं, उन पर काँटे रखे जाते और उन्हें सूली पर चढ़ा दिया जाता। किन्तु वाह रे खिलाड़ी ! शरीफ लोग बकते रहें, इनका कारवाँ बढ़ता जाएगा–कल बढ़ा और आज भी बढ़ रहा है !

एक मुट्ठी नमक

स्वराज्य की लड़ाई नमक से। यह समझने की बात न थी, लेकिन देश लड़ाई चाहता था और सेनापति की आज्ञा यही थी।

मुझे याद है, मैं आचार्य कृपलानी को लेकर पटना सिटी की एक सभा में जा रहा था, कि उनसे पूछ बैठा—'दादा, यह कैसे होगा ? नमक बनाकर हम स्वराज्य कैसे लेंगे ?' उन्होंने कहा था—'मैं भी नहीं जानता। इतना ही कह सकता हूँ, जो बुड्ढा कहता है, करते जाओ, कुछ चीज ज़रूर निकल आएगी; यह मेरा विश्वास है'।

और हम अविश्वास रखकर भी क्या करते ? न हम बम फेंक सकते थे, न चरखा चला सकते थे। साथ ही, कुछ करना भी चाहते थे। देश में जो गरमी फैल रही थी, उससे हमारी नस-नस कसमस कर रही थी। अंग्रेजों से हम लड़ें—यही कामना थी। नमक कानून को तोड़ने से ही वह लड़ाई छिड़ सकती हो, तो वही सही।

पटना में ऐसे युवकों का अच्छा-खासा गिरोह बन गया था, जो देश के लिए कुछ करने को आतुर थे। लेकिन पटना के नेताओं की सदा यह नीति रही कि प्रान्त के बाहर जो कुछ हो, राजधानी में शान्ति बनी रहे। इसका प्रमुख कारण यह था कि पटना का नेतृत्व मुख्यतः वकीलों के हाथ में था। शैतान और भगवान, दोनों को एक साथ प्रसन्न रखने की कला में वे प्रवीण थे।

किन्तु हमें वे कब तक रोके रख सकते थे। गांधीजी की डांडी यात्रा प्रारम्भ हो गई थी। बिहार के कई स्थानों में नमक कानून तोड़ा जा रहा था। प्रतिदिन अखबारों में गिरफ्तारियों के समाचार मोटे-मोटे अक्षरों में छपा करते। हमने तय किया, हम पटना में भी कुछ करके रहेंगे। सत्याग्रहियों की भरती शुरू की और जब उनकी सूची कुछ लम्बी हुई, तो मुझे भेजा गया कि राजेन्द्र बाबू से सत्याग्रह प्रारम्भ करने की स्वीकृति ले आऊँ। नियम था, प्रान्त के सत्याग्रह-संचालक से स्वीकृति लेकर कहीं सत्याग्रह प्रारम्भ किया जा सकता था।

उस दिन राजेन्द्र बाबू दरभंगा से मुजफ्फरपुर आ रहे थे। मुजफ्फरपुर स्टेशन पर ही उनसें भेंट हुई। देखते ही पटना का हाल पूछ बैठे। मैंने सारा किस्सा सुनाया। संयोग से पटना के एक नेता आ निकले—उन्होंने बात टलवा देने की चेष्टा की। किन्तु राजेन्द्र बाबू विचलित नहीं हुए। उन्होंने झट से मुझसे कागज लेकर लिख दिया—'पटना में सत्याग्रह शुरू किया जाए।' यही नहीं, उन्होंने सारे प्रान्त को इजाजत दे दी कि जहाँ भी सत्याग्रही हों, वे पूर्ण शान्ति रखने की शर्त पर नमक कानून तोड़ना प्रारम्भ कर दें। मुझसे पूछने की कोई जरूरत नहीं। अब हमारे नेता उनका मुँह देख रहे थे और मैं पुलकित हो रहा था। राजेन्द्र बाबू ने पटना के नागरिकों के नाम एक अपील भी लिखकर दे दी कि चन्द्रगुप्त और शेरशाह का पटना अपने पूर्व गौरव का फिर परिचय दे।

और पटना ने उसका परिचय दिया। सत्याग्रहियों का पहला जत्था भाई अम्बिकाकान्त के नेतृत्व में निकला। कैसा समाँ, कैसा जोश, कैसा उत्साह। भोर-भोर यह जत्था बांकीपुर से पटना सिटी की ओर रवाना हुआ जहाँ नमक बनाना था। झंडे उड़ रहे थे, नारे लग रहे थे। आगे-आगे जत्था, पीछे-पीछे अनगिनत लोगों की भीड़। दर्शकों में औरतों की भी काफी संख्या।

जब यह जत्था पटना कॉलेज के सामने पहुँचा, पुलिस ने उसे आगे बढ़ने से रोक दिया। पुलिस लाठी की दीवार बनाकर खड़ी थी। क्या किया जाए ! अम्बिका ने झुककर लाठी के नीचे से निकल जाना चाहा कि एक सारजेंट ने उसकी बाँह पकड़ ली, बाँह को मरोड़कर पीठ पर ले गया और चट-चट कई डंडे बरसा दिए। फिर क्या था—एक कोलाहल-सा मच गया।

नारे लग रहे थे, डंडे बरस रहे थे ! सिर फूट रहे थे ! रक्त के फव्वारे फूट रहे थे। सत्याग्रहियों और दर्शकों में भी कोई भेदभाव नहीं रहा। जो कई पुलिस के सामने आता, डंडे का प्रसाद पाता।

पहले से तय था, मैं पहले जत्थे में नहीं शामिल किया जाऊँगा। 'युवक' के 'विप्लव अंक' को डिस्पैच कर देना था। जल्द यह काम खत्म करके मैं दूसरे जत्थे में शामिल होऊँगा। अतः मैं जत्थे से अलग-अलग जा रहा था। किन्तु अब तो दूर रहना मुश्किल हो गया। मैं उस हिन्दुस्तानी डिप्टी सुपरिन्टेंडेंट के पास पहुँचा, जो पुलिस का नेतृत्व कर रहा था और उससे कहा—'यह क्या तमाशा कर रहे हैं, सत्याग्रहियों को गिरफ्तार करके क्यों नहीं जेल ले जाते हैं ?'

जैसे उन्हें रास्ता सूझ गया। अम्बिका आदि को बस में भरकर जेल ले गए। लेकिन तब तक तो यह सारे शहर में आग की तरह फैल चुकी थी। लोग वहाँ एकत्र होने लगे और अब वहीं से सत्याग्रहियों का दूसरा जत्था रवाना हुआ, जिसका नेतृत्व मैं कर रहा था।

मैं सिर्फ तमाशा देखने आया था, शरीर पर सिर्फ एक गंजी थी और एक चादर। इसी वेश में आगे बढ़ा। कुछ नौजवान मेरे पीछे लगे। मैं थोड़ी ही दूर गया था कि मुझे भी गिरफ्तार करके जेल में ले गए।

हम तो जेल चले गए, किन्तु कारवाँ आगे बढ़ता रहा। नमक का बनाना तो पीछे पड़ गया, लोग कानून तोड़कर जुलूस निकालने और गिरफ्तार होने लगे। राजधानी में महाभारत मच गया। राजेन्द्र बाबू को हारकर पटना आना और इसका नेतृत्व करना पड़ा। स्वर्गीय प्रोफेसर बारी साहब पर कोड़े बरसाए गए। वह घटना भूलने की नहीं है।

पटना में चरचर साहब नामक एक अंग्रेज पुलिस अफसर था। घुड़सवारों की एक टुकड़ी लेकर सदा तैयार रहता और ज्यों ही जुलूस को आते देखता, टूट पड़ता, उन पर चाबुक फटकारता, उन्हें तितर-बितर करता और पकड़कर घसीटते हुए हाजत में घुसा देता। एक दिन उसने भीड़ में बारी साहब को देखा। बारी साहब काफी ऊँचे थे, पूरे पठान। शानदार दाढ़ी, रोबदार चेहरा। उन्हें देखते ही वह टूटा और चाबुक से मारता हुआ बकने लगा—'यह लाट साहब की ओर से, यह कलेक्टर की ओर से, यह मेरी ओर से...'

बारी साहब के इस अपमान ने आग में घी डाल दिया और अन्ततः सरकार को झुकना पड़ा।

जब मैं छः महीने की सजा भुगतकर घर आया, नमक सत्याग्रह चल ही रहा था। अतः अपने घर के ही निकट, बागमती नदी के किनारे एक सत्याग्रह आश्रम बनाकर मैं काम करने लगा। उफ़, उन दिनों गाँव-गाँव कैसा उत्साह था ? जिस गाँव में जाता, पैसे मिलते, अनाज मिलता, स्वयंसेवक मिलते। बात की बात में नदी के किनारे एक मकान बन गया, झंडा गड़ गया। वहीं स्वयंसेवक रहते। खाते, गाँव-गाँव प्रचार करते, पिकेटिंग के लिए हाट-बाजार या मुजफ्फरपुर जाते। यह स्थान मुजफ्फरपुर से सीतामढ़ी जानेवाली मुख्य सड़क पर पड़ता, इसलिए कभी-कभी सत्याग्रह के दमन के लिए घूमनेवाले बलूची घुड़सवारों का धावा भी इस आश्रम पर होता।

कभी-कभी मुझे शहर भी जाना होता। शहर का आन्दोलन अब गुप्तरूप धारण कर चुका था। जिले-जिले में एक-एक सत्याग्रह-संचालक नियुक्त होता, जो डिक्टेटर कहलाता। प्रान्त के लिए भी डिक्टेटर-पर-डिक्टेटर की नियुक्ति होती रहती। क्योंकि इन डिक्टेटरों की गिरफ्तारियाँ होती रही रहतीं। शहर का सत्याग्रह शिविर कहीं गुप्त स्थान में होता, वहाँ से बुलेटिनें निकला करतीं, जिनके आधार पर मुफस्सिल में सत्याग्रह का संचालन होता। एक जिले से दूसरे जिले

का और सब जिलों का प्रान्त से सम्बन्ध गुप्त डाक के द्वारा बना रहता। इस डाक के काम को प्रायः छोटे-छोटे बच्चे करते। एक तो उन्हें टिकट आधी ही देनी पड़ती, फिर उन पर किसी को शक भी नहीं होता। हाँ, यदि धोखाधड़ी में वे बेचारे पकड़ लिये गए, तो उन पर कड़ी मार पड़ती। लेकिन वाह री हिम्मत ! कभी उन्होंने भंडाफोड़ नहीं होने दिया। मुझे एक बच्चे की याद है। मैं पटना से मुजफ्फरपुर आ रहा था। ढूँढ़-ढाँढ़कर शिविर में पहुँचा। जाड़े का दिन था, शिविरपति ने दो कम्बल दे दिए। एक बिछा लिया, एक को देह पर डाल लिया। आधी रात के बाद वहाँ मोतिहारी से एक बालक डाकिया पहुँचा। अतिरिक्त कम्बल था नहीं, शिविर-संचालक ने एक चादर दे दी और पूछा, 'इससे काम चल जाएगा ?' बच्चे ने कहा–'कटिए नु जाई।' मैं कम्बल में दुबका यह सुन रहा था और, स्पष्ट कहूँ, तब से जब कभी कोई संकट आया है, बुरी घड़ी आयी है, प्रायः ही उस बच्चे का वह कथन मेरे कानों में गूँजता रहा–'कटिए नु जाई।'

उन दिनों पुलिस सत्याग्रहियों में आँख-मिचौनियाँ भी कम नहीं होती थीं। एक बार मैं स्वयं उसका अभिनेता बना। पटना से लौट रहा था। मित्रों से मिलकर जब मैं सड़क के किनारे खड़ा किसी सवारी के इन्तजार में था, देखा, सी.आई.डी. का एक परिचित इंसपेक्टर अपनी मोटर पर आ रहा है। मुझे देखते ही उसने गाड़ी खड़ी कर दी। मैंने धृष्टतापूर्वक कह दिया–'क्या जहाज घाट तक पहुँचा दोगे।' उसने अपनी गाड़ी पर मुझे बिठला लिया और घाट पर उतारकर चल दिया।

मैं जहाज पर आया। मेरे साथ एक बंडल था, उसमें सत्याग्रह सम्बन्धी कुछ कागजात थे। ध्यान आया, कहीं उस अफसर ने भाँप न लिया हो, तो बंडल को उठाकर एक निर्भृत कोने में रख आया और ऊपर के डेक पर टहलने लगा कि देखा वह सी.आई.डी. इंसपेक्टर आ रहा है। उसके पीछे कुछ और लोग थे, जिनके जूते बता रहे थे, सादी पोशाक में भी ये पुलिस हैं। इंसपेक्टर सीधे ऊपर आया। मैं हँसता हुआ उसके पास पहुँचा और बोला–'क्या, मुझे गिरफ्तार करने आए हो ?' उसने कहा–'बोलो, वह बंडल कहाँ है ?'

'बंडल ! कैसा बंडल ? गिरफ्तार ही करना है तो उस बंडल का क्या बहाना ? हाँ, तलाशी भी लेना चाहते हो क्या ? देख लो, खड़ा हूँ।' ऐसे कहकर मैंने इस तरह हाथ उठा दिया कि मैं आत्मसमर्पण कर रहा हूँ। मैं जानता था कि यदि उसने तलाशी ली तो मेरी बंडी की भीतरी जेब से कुछ ऐसी चीज निकलकर रहेगी, जो मुझे फिर जेल ले जाएगी। किन्तु वह अफसर तो इस तरह हतप्रभ था कि जैसे हाथ में आई चिड़िया फुर्र से उड़ गई हो। वह इधर-उधर झाँकता रहा कि बंडल कहाँ है और यह समझकर कि मैंने उसे कहीं गायब कर दिया, फिर हँसता हुआ ही वहाँ से चल दिया।

एक बात कहूँ, इस अफसर का मैं प्रशंसक रहा हूँ। अपनी ड्यूटी करनी थी, की। किन्तु कभी, जिसे 'हिटिंग बिलो द बेल्ट' कहते हैं, उसने नहीं किया। वह एक मुसलमान अफसर था। किन्तु मेरा दुर्भाग्य कि जिन हिन्दू अफसरों से मेरा साबका पड़ा, उन्होंने प्रायः ही नीचता दिखलाई और आज उन्हीं नीचों और अधमियों को स्वराज्य होने पर बड़े-से-बड़े पदों पर देखकर मैं गुस्से में आपा खो बैठता हूँ। उन दिनों भी वे सरकार के सबसे अधिक वफादार कुत्ते थे, आज भी वे वही हैं। आदमी जितना रंग बदलता है, बेचारा गिरगिट क्या खाकर उतना रंग बदलेगा ?

अन्ततः गांधी-इरविन पैक्ट हुआ। हमारी विजय हुई। इस विजय ने गांधीजी की अहिंसात्मक युद्ध पद्धति पर सार्थकता की मुहर लगा दी। एक मुट्ठी नमक ने स्वराज्य का दरवाजा खोल दिया। यद्यपि उसके भीतर प्रवेश करने में हमें इसके बाद भी पन्द्रह वर्षों तक संघर्ष करना पड़ा।

जेल में

हाँ, मुझे याद है, जब मैं जेल में दाखिल हुआ, मेरे बदन पर मात्र एक गंजी थी और उस पर एक चादर लिपटा रखा था। उन दिनों, उसके बहुत दिनों बाद तक, मुझ में कपड़े-लत्ते से कोई विशेष अनुराग नहीं था। पैर में चप्पल, कमर में कसी हुई खादी की धोती और बदन पर एक ढीली-ढाली हाफ कमीज। ऊपर से एक चादर डाल लेता। टोपी मैंने बहुत कम पहनी है। किन्तु उस दिन कमीज भी नहीं थी, सिर्फ गंजी पहने था।

जेल—जेल के बारे में बहुत सुन रखा था, बहुत पढ़ा था। किन्तु यही है, उसके भीतर जाने पर अनुभव हुआ और यह अनुभव सभी सुनी-सुनाई बातों से पृथक् था। अपने जेल-जीवन के लिए मैंने एक पृथक् पुस्तक 'जंजीरें और दीवारें' की रूपरेखा तैयार कर रखी है, अतः यहाँ संक्षेप में ही।

जेल का जो पहला भोजन मिला, क्या उसे जीवन भर भूल सकूँगा ? भात—जिसमें कंकड़-कंकड़। दाल—जिसमें छिलके, पानी और नमक का स्वाद मात्र। तरकारी—कुट्टी कटी हुई डंठलों को नमक-मिर्च के साथ उबाल दिया और तीनों का वह घिनौना रूप और यह सड़ी-सड़ी गन्ध। भूख लगी थी, किन्तु कुछ भी कंठ के नीचे उतार सका क्या ?

शाम को रोटियाँ आईं। कहा गया, गेहूँ की हैं, किन्तु मंड़वे की रोटी का रंग और स्वाद उसके जैसा होता, तो गनीमत। रात को सोने चला, किन्तु क्यों नींद आए ? गरमी के दिन, बन्द घर, बिछावन के लिए कम्बल जो काँटे-से चुभते और पटना का मच्छर ! किन्तु इन मच्छरों को भी मात कर दिया खटमलों ने, सच कहता हूँ, छत से उनकी वर्षा रात भर होती रही।

यह पहला दिन था, पहली रात थी। किन्तु धीरे-धीरे पता चल गया हम लोग विशिष्ट व्यक्ति हैं, हमारे लिए विशेष प्रबन्ध किया जाना चाहिए। जिनसे मिलने के लिए राजेन्द्र बाबू आते हैं, आचार्य कृपलानी आते हैं, उन्हें साधारण कैदियों की तरह तो रखा नहीं जा सकता। फिर, बेचारे यतीन्द्रनाथ दास ने अनशन द्वारा अपने प्राणों की आहुति दे, हम लोगों की सुख-सुविधा के लिए पथ प्रशस्त कर ही दिया था।

हम कई लोग, जो आज पकड़े गए थे, वे लोग तो साथ थे ही, धीरे-धीरे कुछ और लोग आने लगे। उनमें कई लोग, हमीं लोगों की तरह, विशिष्ट व्यक्ति थे। अतः जेल के एकाकीपन का कभी अहसास भी नहीं हुआ। किन्तु तो भी प्रारम्भ के कई दिनों तक एक अजीब एकाकीपन का अनुभव करता—सूना-सूना-सा लगता। जेल की काली दीवारों को प्रायः देखता आया था, वह लगभग बीस फीट ऊँची होंगी। किन्तु यहाँ पता चला, उसकी ऊँचाई उससे कितनी गुनी बड़ी है और उसका कालापन भी कितना गहरा है।

और अद्भुत बात यह देखी कि ये दीवारें आदमी को कितना बदल देती हैं। मेरे साथ एक विद्यार्थी आया था, कितना इन्कलाबी जोश था उसमें। पुलिस उसे पकड़ना नहीं चाहती थी, तो भी वह उछलकर पुलिस वान पर चढ़ गया था। रास्ते भर नारे लगाता-लगाता गला फँसा लिया था। क्षत्रिय था, शाहाबाद का—कुँअर सिंह की भूमि का। किन्तु वही इन दीवारों के भीतर पहुँचते-पहुँचते कैसा ठंडा पड़ा और एक दिन जब जेल गेट पर गया, सो लौटा नहीं। मालूम हुआ, माफी माँगकर चला गया।

जो विशिष्ट लोग थे, वे भला कैसे माफी माँगते। किन्तु उनकी कमजोरियाँ दिन-दिन खिलने लगीं। हम लोगों के सामने ही एक कैदी को लात-जूतों से मार-मारकर अधमुआ कर दिया गया और कहा गया, हम राजबन्दी हैं, हमें जेल के भीतरी प्रबन्ध में हाथ नहीं डालना चाहिए। मेरा खयाल है, जेलर से बढ़कर मनोविज्ञान-ज्ञाता शायद ही कोई प्राणी हो।

जैसे चेहरे देखकर ही वह हमारी कमजोरियाँ जान जाता। किसी के लिए चिट्ठी, किसी के लिए मुलाकात, किसी के लिए कुछ बूँद घी, किसी के लिए एक प्याली चाय, किसी के लिए कोई अखबार, किसी के लिए कोई किताब—क्या महत्त्व रखते हैं; वह भाँप लेता और इन्हें मुहैया कर वह अपना मनमाना राज्य चलाता। ज्यों-ज्यों दिन बीतते गए, हमारी कमजोरियाँ भी खिलती गईं।

हम पर जो मुकदमा चलाया गया, वह फार्स था। एक अफसर आया। हमें जेल गेट पर बुलाया गया, पुलिस के कुछ अफसरों ने गवाहियाँ दीं, हमने इस कार्रवाई में भाग लेना अस्वीकार किया, हमें सजा सुना दी गई। मुझे छः महीने की सजा मिली।

पटना जेल से हज़ारीबाग़ जेल—पता चला, प्रान्त भर के जितने विशिष्ट कैदी हैं—'ए' और 'बी' डिवीजन के—उन्हें यहाँ रखा जाएगा। हम लोग पहली खेप में आए थे, फिर तो यहाँ कैदियों का ताँता बँध गया।

किन्तु यहाँ आते ही एक अजीब घटना हो गई। यहाँ का सुपरिन्टेंडेंट एक अंग्रेज था, किसी फौज में था पहले। लंगड़ा था, अजीब सूरत थी उसकी। हाथ पर उसने साँप गुदवा रखा था। कहा जाता था, उसका लड़का तुतलाता था तो उसने आपरेशन के नाम पर उसकी जीभ ही काट डाली। हमसे पहले एक राजबन्दी आए थे, उन्होंने अपना नाम कामरेड लिखवाया था। (उन दिनों तो बन्दर, कलन्दर आदि नाम भी लिखवाए जाते थे।) किन्तु इस नाम पर वह अंग्रेज अफसर आगबबूला हो गया और उन्हें अपने हाथों इतना पीटा कि वह बेचारे बेहोश हो गए थे और बहुत दिनों तक बीमार रहे।

इसी अंग्रेज अफसर का सामना पड़ गया, छोटा नागपुर के शेर—बाबू रामनारायण सिंह से। एक दिन ठनकर रही। रामनारायण बाबू को गनी-क्लॉथ पहनाकर उसने खड़ी बेड़ी दे डाली। इसी धक्कम-धुक्की में वह लंगड़ा भहराकर गिर गया था। रामनारायण बाबू के साथ उसने जो ज्यादती की, वह तो लोग भूल गए—विवेचना चली कि उन्होंने अहिंसा का व्रत कहाँ तक तोड़ा।

उस साहब का नाम बर्क था। मैंने जेल में 'बर्क बत्तीसा' लिखा। वह इतना प्रसिद्ध हुआ कि उसके बारह वर्ष बाद भी उस जेल के लोग उसे सुनाने का मुझसे आग्रह करते। हमारे आन्दोलन पर उसकी बदली हो गई और अन्त में उसने आत्महत्या कर ली।

हज़ारीबाग में हमारे ठाट का क्या कहना—पंलग, गद्दा, तकिया, मशहरी, टेबुल, कुरसी, सेल्फ, हलवा, दूध, पावरोटी, अंडा, बासमती चावल, तस्मई, खिचड़ी, गोश्त, मछली—'क्या चाहिए प्यारे भाइयो ! खाइए, खिलाइए। स्वराज्य पीछे आवेगा, स्वराज्य भोगिए पहले।

किन्तु यह क्या ! कुछ लोग इन स्वर्ग-सुखों का दो-चार दिर भी भोग नहीं कर पाते, कि परवाना आता, तुम तो नारकी हो, धोखे से यहाँ भेज दिए गए थे, हटो यहाँ से—'क्षीणे पुण्ये मर्त्यलोक विशन्ति'। जब-जब वे भेजे जाते, एक उदासी का वातावरण सारे जेल में फैल जाता—सिर्फ इसलिए नहीं कि हमारे साथियों को क्यों हमारे बीच से हटाया जा रहा है या बेचारों की क्या दुर्गति होगी, बल्कि इसलिए भी कि कहीं हमारे लिए भी ऐसा ही परवाना नहीं कट जाए।

बात यह थी कि यतीन्द्रनाथ दास की शहादत के बाद सरकार ने राजबन्दियों के लिए जो वर्गीकरण स्वीकार किया उसमें हैसियत की शर्त भी रख दी। मैजिस्ट्रेट अपनी समझ से वर्गीकरण कर देता, किन्तु प्रान्तीय सरकार फिर छानबीन कराती और जिनकी हैसियत नहीं पाती, उनका क्लास तोड़ देती। इन छानबीन में भी धींगागर्दी होती, मनमानी होता।

जब बात बढ़ती गई तो इसके खिलाफ एक राजबन्दी ने अनशन शुरू कर दिया। तब

लोग गम्भीरता से सोचने को मजबूर किए गए। मैं उन लोगों में था जो सोचते कि यह वर्गीकरण ठीक नहीं, सभी राजबन्दियों को एक वर्ग में रखा जाए, चाहे वह जौन-सा वर्ग हो। किन्तु इसके विपक्ष में कहा जाता, गांधीजी ने कहा है, हमें जहाँ भी रखा जाए, हमें रहना चाहिए और जेल के कानून को मानना चाहिए ! गांधीजी ने ही क्या-क्या कष्ट नहीं सहे, फिर हम कष्ट से क्यों भागें ! बात ठीक थी, किन्तु दुख की बात यह थी कि यह उन लोगों के मुँह से निकलती जो स्वयं स्वर्ग-सुख भोग रहे थे। अपनी स्थिति को कायम रखने के लिए सुखभोगी लोगों ने कब-कब और कहाँ-कहाँ ऋषि-मुनियों वेद-शास्त्रों के वाक्य न उद्‌धृत किए हैं !

अन्त में जब हमसे नहीं रहा गया, तो हमने स्वयं सारी सुविधाओं को छोड़ दिया। पलंग-गद्दे हटा दिए, जमीन पर कम्बल बिछाकर सोना शुरू किया और अपना भोजन अपने 'पनिया' को देकर उसका साधारण भोजन करना शुरू किया। हम लोगों को नहाने-धुलाने या घर-बरतन साफ करने के लिए जो साधारण कैदी दिए जाते थे, उन्हें 'पनिया' कहा जाता था। निस्सन्देह ऐसा करनेवालों की संख्या कम थी—बस, बीस-पच्चीस मात्र।

गीता के उस सूत्र के अनुसार—भोग से भोग की प्रवृत्ति बढ़ती है—'ए'-'बी' डिवीजन की सुविधाओं से भी लोगों की तृप्ति नहीं हो रही थी। एक-दूसरे से प्रतिस्पर्द्धा थी कि कौन कितनी शान से रहता है। इस शान की पूर्ति तभी सम्भव थी, जब जेल में चुपाचोरी चीजें मँगाई जा सकें। तब तिकड़म का बोलबाला हुआ। पहले जेलर की खुशामद से ही काम चल जाता, किन्तु जब खुशामदियों की तादाद बढ़ी, तो फिर लेन-देन की बात आई। कहा जाता था, अमुक ने अपनी घड़ी दे दी है, तो अमुक ने अँगूठी—घर से मँगाकर नकद पैसे देने की भी चर्चा थी। जब राजेन्द्र बाबू इस जेल में आए, उनसे इसकी चर्चा की गई थी—किन्तु क्या वह इसे रोक सकते थे। आज राष्ट्रपति हो जाने पर भी दिल्ली में ही उनकी नाक के सामने जो कुछ हो रहा है, उसे वह रोक पाते हैं, जो उन दिनों वह रोक पाते ! हाँ, यह दूसरी बात है कि हम कहें, चूँकि उन दिनों उन्होंने कड़ाई से काम नहीं लिया, इसलिए बात उनके बूते के बाहर चली गई है।

यह तो हुआ उस जेल जीवन का काला पक्ष; उजला पक्ष भी कम नहीं था। प्रान्त भर के सभी नेता-उपनेता इकट्ठे थे वहाँ। तरह-तरह के लोग, तरह-तरह की बातें। कहीं गीता पाठ चल रहा है तो कहीं गाना-बजाना हो रहा है। नियमित रूप से कवि सम्मेलन होता। कवियों की भी कम तादाद नहीं थी वहाँ। मैंने 'कैदी' के नाम से एक हस्तलिखित पत्रिका निकालना शुरू कर दिया था। राजेन्द्र बाबू भी उसमें लिखते। स्वामी भवानी दयालजी वहीं थे—'कैदी' की देखा-देखी उनके सम्पादकत्व में 'कारागार' निकला। स्वर्गीय दीपनारायण सिंहजी भी आ गए थे। उनका राजसी ठाट। दरबार लगता रहता था उनके पास। जाइए, नाश्ता कीजिए, चाय पीजिए, ताश खेलिए। कुश्तीबाजों का भी अखाड़ा खुल गया था। उन दिनों सेवादल की धूम थी—नियमित रूप से उसका परेड भी चालू रहता। बिहार और उड़ीसा उन दिनों साथ-साथ थे। मैंने एक हिन्दी क्लास भी खोल दिया था वहाँ—क्योंकि जेल जाने के पहले गोरखपुर में जो हिन्दी साहित्य सम्मेलन हुआ था उसके सभापति श्री गणेशशंकर विद्यार्थी ने मुझे प्रचारमन्त्री बनाया था। कुछ बंगालियों और कुछ उड़ीसा भाइयों को हिन्दी सिखाकर मैं वह उत्तरदायित्व निबाह रहा था।

इसी जेल में मेरे साथ एक विशेष घटना हुई, उसका उल्लेख करने का लोभ मैं नहीं दबा पाता।

जिस समय यह सत्याग्रह चला, उसी समय उत्तरी भारत में क्रान्तिकारी आन्दोलन की धूम मची थी। बिहार भी उसका एक केन्द्र था और उसके सूत्र संचालक श्री योगेन्द्र शुक्लजी

थे। मोलनिया डकैती केस चल चुका था, जिसके तीन अभियुक्त लम्बी सजाएँ लेकर इसी जेल में हमारे साथ थे। उस केस में शुक्लजी का नाम प्रमुख रूप में आया था। शुक्लजी फरार थे। जिस दिन मैं उस जुलूस में जा रहा था, शुक्लजी भी उसमें थे ! वह उस तमाशे को उत्सुकता से देख रहे थे। शुक्लजी के दुर्द्धर्ष साहस के सभी कायल थे। वहीं शुक्लजी गिरफ़्तार कर लिये गए—जब वह एक जगह सोए हुए थे।

उनकी गिरफ्तारी के बाद सरकार एक बहुत बड़ा षड्यन्त्र केस चलाने का आयोजन कर रही थी।

एक दिन जेल में खबर आई, अमुक के फोटो लिये जाएँगे। कुछ लोगों ने दे दिए, कुछ लोग अड़ गए, जिनमें मैं भी था। एक दिन मुझे खबर दी गई, आपके घर से मुलाकाती आए हैं, गेट पर आइए। वहाँ मुलाकात एक न्यामत समझी जाती थी। मैं बड़ी उत्सकुता से चला। रास्ते में मैं वार्डर से पूछने लगा, "जो आए हैं, वे कैसे हैं !" मैं जानना चाहता था, कौन हैं, जिन्होंने इतनी दूर आने की यह कृपा की है। कहाँ नेपाल तराई के निकट मेरा घर; कहाँ यह झारखंड कि वार्डन ने जो इशारतन बताया, मेरा माथा ठनका। इतने ही में जेल में जो छेद होता है उसमें देखा तो लगा वहाँ कैमरा लगाया हुआ है। ओहो ! तो क्या मेरा फोटो लेने के लिए यह षड्यन्त्र किया गया है !

इच्छा हुई, लौट जाऊँ। किन्तु कहीं फोटो ले लिया गया हो तो ? मैं झट गेट पर आया और भीतर पहुँचते ही उधम मचा डाला। किसने मुझे बुलाया है ? कहाँ है मेरे मुलाकाती ? वह फोटो कौन ले रहा था ? आप लोग बोलते क्यों नहीं हैं ? मैं यहाँ कुछ ऐसा करूँगा कि आप लोगों को पता चल जाएगा, आपने किस बर्रे के छत्ते में हाथ रखा है ! मैं बोले जा रहा था, जेल के सभी अफसर सन्नाटे में थे, कि एक बंगाली सज्जन ने कहा—" 'नमोस्कार'। आप काहे नाराज होता है ? आपका फोटो नहीं आया।"

"तुम कौन हो ? कैमरा कहाँ है ?"

"कैमरा यह है—देख लीजिए, बाबा।"

मैं उसे पहचानता था। उसने बिहार के एक फरार क्रान्तिकारी को गिरफ्तार करके नाम कमाया था। तो भी, उसका नाम पूछता रहा। जब उसने नाम बताया, मैंने कहा—"तुमने ऐसा क्यों किया !" उसने कहा—"सरकार का हुक्म है। और मैं आपसे कुछ बात पूछूँगा, नाराज मत होइए।"

"क्या पूछना है तुम्हें ?"

"आप कब छूटेंगे ? छूटकर क्या करेंगे ?"

"कब छूटेंगे ? यह इनसे पूछो," मैंने जेलर की ओर इशारा किया, जो आकर खड़े हो गए थे। "और करना—सो जानते हो न; पटना के गुंडे नामी हैं। सबसे पहले उन्हीं के द्वारा तुम्हें एक दिन पिटवा लूँगा, तब घर जाऊँगा।"

इतना कहकर मैं जेलर पर बिगड़ा और कहा—"जल्द मुझे भीतर पहुँचा दीजिए, नहीं तो यहाँ कोई कांड होकर रहेगा।" जेलर अपनी गैर जानकारी की शपथ खा रहे थे। मुझे वहाँ से रवाना किया गया। जब वहाँ से चलने लगा, तो गौर से देखा, वहाँ कई अपरिचित आदमी थे और एक आदमी के हाथ में कागज और पैंसिल थी। मैं समझ गया, इन्हें पहचान के लिए उस खुफिया इंसपेक्टर ने यहाँ बुला रखा है और वह आदमी मेरी बातचीत को लिखने के लिए यहाँ लाया गया था। जब मैं भीतर आया—बड़ा कुहराम मचा। भोजन का वक्त था। लोगों ने खाने से इनकार कर दिया। कुछ लोगों ने थाल पटक दिए।

बीच में राजेन्द्र बाबू पड़े। वह कैमरा जब्त करके एक जानकार आदमी से दिखलाया

गया, फिर सरकार को एक विरोध पत्र भेजा गया, जिसमें यह भी चर्चा कर दी गई थी कि शायद मुझे किसी षड्यन्त्र केस में शामिल करने के लिए ही यह षड्यन्त्र किया गया था।

खैर, छः महीने की अवधि पूरी होने में क्या देर लगती है ? यद्यपि साधारण कैदियों का भोजन ही बराबर लेता रहा, तो भी वजन में कुछ खास फर्क नहीं आया—यही तीन-चार पौंड घट गया था। हाँ, वहाँ ऐसे मित्रों की कमी नहीं थी, जो छः महीने में तीस-चालीस पौंड का अतिरिक्त वजन लेकर लौटे थे। शायद उन्होंने उन साथियों के घटे हुए वजन की क्षतिपूर्ति कर ली, जो प्रान्त के भिन्न-भिन्न जेलों में 'सी' क्लास का सड़ा-गला भोजन करते हुए अपना एक-एक बूँद रक्त सुखा रहे थे।

मौत के आमने-सामने

जब मैं कहता हूँ, मैं जानता हूँ, मौत क्या है ? किस तरह मरना होता है ? जिन्दगी और मौत के बीच की रेखा कितनी पतली है। तो लोग आश्चर्य करते हैं। किन्तु बात सही है, सोलह आने सही।

'युवक' के लिए जो डेढ़ साल सजा हुई थी, वह हाई कोर्ट से भी जब बहाल रही तो मैं कलेक्टर के कोर्ट मे हाज़िर हुआ। पाँच हजार की जमानत थी, मेरे दो स्नेही मित्र उसमें उलझे हुए थे। सोचा, कहीं उन पर कोई आफत नहीं आ जाए।

किन्तु बेचारे मुसलमान पेशकार को शायद मुझ पर दया आई। उसने कहा, "अभी पन्द्रह दिनों तक आप बाहर रह सकते हैं। एक बार घर से हो आइए न !" ज़मानत की बात उठाने पर उसने कहा—"एक दरखास्त हाज़िरी की दे दीजिए, कुछ नहीं होगा।"

मैं घर की ओर चला। घर का अकेला—सोचा, कुछ प्रबन्ध कर आऊँ। उन दिनों मेरे गाँव के चारों ओर पानी रहता था। मैं नाव पर घर जा रहा था कि रास्ते में ही मलेरिया ने इस तरह दबोच लिया कि क्या कहना ? देहात का मामला; गाँव चारों ओर पानी से घिरा, दवा-दारू का क्या प्रबन्ध हो सके ? ज्वर बिगड़ गया, सन्निपात हो गया—कर्णमूल सन्निपात !

कर्णमूल सन्निपात ! आज भी जब उस पीड़ा की याद करता हूँ, रोमांच हो आता है। सारा शरीर ज्वर से जल रहा है ! यों सौ से कुछ ही आगे ज्वर बढ़ता है तो मेरी प्रलाप की अवस्था शुरू हो जाती है। किन्तु यहाँ एक सौ दो-तीन से बुखार कम होता ही नहीं। एक छोटी-सी मड़ैया में पड़ा हूँ, जिसे चारों ओर से मूँद-माँदकर अंधी कोठरी बना दिया गया है। ज़मीन पर पुआल डालकर सुलाया गया है—क्योंकि खाट पर सोने से बुखार टँगा ही रहता है ! बुखार की जो हो, मेरी जान तो ज़रूर टँगी थी।

उसी अवस्था में एक दिन बाईं कनपटी में कुछ दर्द अनुभव किया। फिर सूजन दिखाई पड़ी। दर्द बढ़ता गया, सूजन बढ़ती गई। सूजन इतनी बढ़ी कि कान से लेकर नाक और आँख तक फैल गई। बाईं आँख अब मुँदी ही रहती। खैर, यह सब भी बरदाश्त कर ली जाती, किन्तु धीरे-धीरे दर्द इतना बढ़ गया कि लगता कि कुछ लोग भाले लेकर चारों ओर खड़े हैं, और मेरी कनपटी में लगातार वार-पर-वार किए जा रहे हैं। वह पीड़ा, वह टीस, वह टभकन !—शिराएँ झनझनाती-सी लगतीं। कोई जरा भी जोर से बोलता तो लगता, भाले से ही भोंक रहा हो !

करवट भी नहीं बदल सकता था। केवल आह, आह; पानी, पानी ! घर के लोग परेशान; बेचारी रानी का हाल मत पूछिए। दिन-रात पैताने बैठी रोती रहती। कुछ बाई का कोप भी

आ जाता—मैं उसे जब-तब पीट देता, जो कोई बगल में आता, कब किस पर हाथ-पैर चला दूँगा, कोई ठिकाना नहीं। लोग डर से अलग हट जाते, वह बेचारी कहाँ जाए ? पिटती, रोती, बिसूरती !

इसी भयानक स्थिति में कभी-कभी एक और स्थिति आ जाती। यों तो आँखें खुलती नहीं थी; कभी-कभी झपकी-सी आ जाती है। जब झपकी लगती, मुझे लगता मैं कहीं विचित्र स्थान में पहुँच गया हूँ। वहाँ पानी-ही-पानी है, बड़ा ही स्वच्छ, शीतल, नील जल, जिस पर सूरज की सुनहली किरणें अठखेलियाँ कर रही हैं। अजीब झिलमिल लगता। मैं उस नील जल में तैर रहा हूँ, तैर रहा हूँ। तैरते-तैरते कभी-कभी नीचे डुबकियाँ लगाता। डुबकियाँ लगाने में कितना मज़ा आता—वह शीतल जल, मन-प्राण को शीतल-स्निग्ध बनाए जाता। डुबकियाँ लगाता हुआ नीचे, बहुत नीचे चला जाता। तब अचानक सोचता, अरे, इतना नीचे चला जा रहा हूँ, कहीं दम घुट जाए तो ? अब अपने को ऊपर की ओर फेंकता; किन्तु ऊपर की सतह जो मिले ! दम घुट रहा है, साँस फूल रही है, लग रहा है, अब जान निकली, निकली; कि अचानक आँखें खुल जातीं।

आँखें तो खुल जातीं, किन्तु मैं पहचानता कहाँ किसी को ! जो लोग वहाँ होते, उनका मुँह देखने लगता। बड़ी देर तक देखने के बाद कहीं लोगों को पहचान पाता। तब देखता, लोग मेरे हाथ-पैर में मालिश कर रहे हैं, आँखों में आँसू हैं, लोग कहते, मुझे तो ठंड मार गई थी, मैं मर गया था ! मैं सोचता, क्या यही मृत्यु है ? उस झिलमिल नील जल में तैरना, डुबकियाँ लगाना और एक बड़ी डुबकी लेकर उसमें लीन हो जाना—यदि यही मृत्यु है तो जीवन से तो वह कहीं अधिक ही सुन्दर है ! खासकर उस जीवन से, जो कर्णमूल सन्निपात के बरछों की चुभन के बीच कट रहा था।

तभी से मैं मानने लगा हूँ, मृत्यु उतनी भयानक नहीं है, जैसी हमने कल्पना कर रखी है। मृत्यु मुक्ति है—जिस दिन मैं जेल से छूट रहा था, कितना आनन्द अनुभव कर रहा था ! यही नहीं, मृत्यु से समय पीड़ा बिलकुल नहीं होती है। पीड़ा का पिंड तो पीछे छूट जाता है; मृत्यु का आमना-सामना होते ही सारी पीड़ाएँ, सारी चिन्ताएँ, सारी इच्छाएँ न जाने कहाँ भाग जाती है ! जब मैं होश में होता, यह चिन्ता होती कि मेरे बाद मेरे परिवार का क्या होगा ? रानी के लिए और बच्चों के लिए खासकर सोचा करता। किन्तु यह चिन्ता अब क्षणिक होती; ज्यादातर तो मैं निश्चिन्त, निर्बन्ध, आधा जागा, आधा सोया, सदा उस झिलमिल शीतल नील जल में तैरता या डुबकियाँ लगाता होता !

प्रायः इसी अवस्था में रहता कि एक दिन जब थोड़ा होश हुआ, मुझे यह सूझा कि क्यों नहीं शहर के अपने किसी दोस्त को मैं इसकी सूचना दे दूँ। संयोग से लखनजी बेनीपुर ही थे; उन्हीं के द्वारा अपने प्रिय मित्र रामधारी प्रसाद को एवं प्यारे चक्रधरशरण को खबर भेजी। उसी सन्ध्या को वे लोग मुजफ्फरपुर से एक डॉक्टर को लिये आये। डॉक्टर ने एक पट्टी जख्म पर साट दी और कहा, "यदि रात भर में आराम नहीं हो तो कल इन्हें मुजफ्फरपुर ले आइए।" आराम क्या खाक होता; दूसरे दिन एक खड़खड़िया पर मुजफ्फरपुर के लिए रवाना किया गया।

मकरध्वज और कस्तूरी के बल पर मैं किसी तरह मुजफ्फरपुर पहुँचा। चक्रधरजी उन दिनों तिलक मैदान में ही रहते थे, कांग्रेस का काम करते थे। नमक सत्याग्रह में जिले का काम उन्होंने ही सँभाला था। तिलक मैदान का प्रबन्ध-भार उन्हीं पर था। वहाँ डॉक्टरों को बुलाकर मुझे दिखलाया गया और सबकी राय से मुझे अस्पताल में रखा गया, जहाँ जख्म का आपरेशन किया गया।

अस्पताल में भी मेरी हालत चिन्ताजनक ही रही। मृत्यु और जीवन के बीच झूला झूलता

रहा। या तो बेहोश रहता, या पीड़ा से कराहता होता। दाँत-पर-दाँत बैठ गए थे। इधर मुँह से लगातार लार चूती रहती, जिसके गिरने के लिए दाँतों के बीच कोई कड़ी चीज रख दी जाती कि मुँह खुला रहे। बड़ी ही घिनौनी स्थिति थी। तिलक मैदान में स्वयंसेवक पारी-पारी से रात-रात भर जगकर मेरी सेवा-शुश्रूषा करते। कह सकता हूँ, यदि भाई रामधारी और प्रिय चक्रधर तथा तिलक मैदान के ये स्वयंसेवक नहीं होते तो मैं बच नहीं सकता था। उन्हीं लोगों ने मुझे नया जीवन दिया। भाई रामधारी चल बसे हैं; प्यारे चक्रधर राष्ट्रपति के निजी मन्त्री होने के बाद काँके के मेंटल हास्पिटल में है, उन स्वयंसेवकों में सिर्फ तुलसी त्रिपाठी कभी-कभी उन दिनों की हालत की स्मृति ताज़ा कर दिया करते हैं।

धीरे-धीरे मैं अच्छा हुआ। किन्तु इसके अन्दर ही बहुत सी बातें मेरे दिमाग से निकल चुकी थीं। सारी बातें कुछ धुँधली-धुँधली-सी लगतीं। पहले की देखी हुई चीजों को भी फिर से देखने की उत्कंठा जगती। अस्पताल रेलवे स्टेशन के नजदीक है—जब थोड़ा बल हुआ, इंजिन देखने की इच्छा प्रबल हुई ! लाठी टेकता स्टेशन चला गया और वहाँ से लौटा तो फिर ऐसा बुखार चढ़ आया कि डॉक्टरों ने समझा, अब मेरा परवाना कटकर रहेगा। खैर, बुखार तुरन्त उतर गया। यों ही गुलाब का फूल देखने की तबीयत मचलने लगी तो एक मित्र अपने बाग से रोज़ एक गुलदस्ता भेजने लगे। रोगी के सिरहाने फूल रखना अंग्रेजी क़ायदे के अनुसार अशुभ है—यह वहाँ की नर्स ने बताया। किन्तु मैं इस अशुभ सूचना के बावजूद गुलदस्ता मँगाता ही रहा। इसी अस्पताल में निरामिष भोजी से मांसाहारी बनना पड़ा, क्योंकि इतना कमजोर हो गया था कि डॉक्टरों ने अंडे खिलाना लाज़िमी समझा। अंडे, फिर रेहू का मूँड़ा, फिर खसी के पैरों की हड्डियों का शोरबा !

मैं अस्पताल में ही था कि 1932 का आन्दोलन शुरू हुआ, गांधीजी गिरफ्तार हुए, सभी नेता गिरफ्तार हुए। कांग्रेस गैर कानूनी संस्था घोषित हुई। फिर लुका-चोरी काम होने लगा। मैं अस्पताल की जिस खाट पर था, ऊपर मैं सोया होता, उसके नीचे, चारों ओर से कम्बल से ढँककर, रात भर साइक्लोस्टाइल चलाया जाता। मुझे भी इसमें मज़ा आता, मेरी बीमारी भी राष्ट्रीय आन्दोलन को मदद पहुँचा रही है, इस कल्पना से आनन्द आता। किन्तु यह भी अधिक दिनों तक नहीं चल सकता था। मैं इस समय पेरोल पर था; सरकार ने डॉक्टर से पूछताछ की कि मुझे कब तक जेल भेजा जा सकता है। बेचारे ने मुझे इसकी सूचना कर दी। अब मैं एक बार अपने घर जाकर अपने बाल-बच्चों को देख आना चाहता था, जिनके चेहरों की धुँधली-धुँधली याद मात्र रह गई थी। अपने वकील से पुछवाया और एक दिन चुपचाप अस्पताल से खिसककर बेनीपुरी जा पहुँचा। बेनीपुर में सिर्फ एक दिन रहकर पटना के लिए रवाना हुआ कि रास्ते में फिर बुखार चढ़ आया।

पटना अस्पताल; फिर पटना जेल; फिर हजारीबाग जेल, फिर पटना कैम्प जेल ! और, इसी पटना कैम्प जेल में फिर एक बार मौत से आमना-सामना हुआ।

यह पटना कैम्प जेल—इसका सुपरिन्टेंडेंट कहा करता, "पहले इस देश में दो दर्शनीय वस्तुएँ थी—हिमालय और ताज। अब तीन हैं और तीसरी है यह हमारा कैम्प जेल !" यह कैम्प जेल तो दर्शनीय था ही, उससे भी बढ़कर था वह सुपरिन्टेंडेंट—जो विरोधी प्रवृत्तियों का ऐसा मजमूआ था, जिसका जोड़ मुझे तो अब तक नहीं मिला। वह एक क्षण पहले आपको गले लगा सकता था, दूसरे क्षण आपको तिकटी पर चढ़वा दे सकता था ! जो अव्यवस्था का दुश्मन था, किन्तु खुद अपनी दी गई व्यवस्था को आप ही बेझिझक तोड़ सकता था। जो आपके दुख में आपके साथ सौ-सौ आँसू बहा सकता था, किन्तु जो क्रुद्ध होने पर आपको नोंचकर खा जा सकता था ! जिसे मच्छरों से दुश्मनी थी, मक्खियों से दुश्मनी थी और इनके नाश

के लिए उनके ऐसे तरीके स्वयं ढूँढ़ निकाले थे कि उनका व्यापक प्रयोग किया जा सके तो इस देश के इन दोनों महान शत्रुओं का समूल नाश हो जाए। जो हर कैदी को 'जवानो' कहकर सम्बोधित करता और स्वयं पैंसठ वर्ष की उम्र में भी अपने सभी अफसरों के सामने कूदकर, उछलकर, कुलाँचे भरकर, बेंती उलटकर बता दे सकता था, जवानी किसे कह सकते हैं !

संयोग, उसी से मेरी ठन गई। हम कैदियों की कुछ शिकायतें थीं, उन्हें पेश किया गया। उसने अस्वीकार कर दिया। तब एक युद्ध समिति बनी, जिसका अध्यक्ष मैं चुना गया। हमने तय किया, आज हम लोग वार्डों में नहीं बन्द होंगे और इसकी खबर भी उसे करा दी । उसने बातें करने को युद्ध समिति के सदस्यों को गेट पर अपने ऑफिस में बुलाया, किन्तु हम नहीं गए। क्योंकि हम जानते थे, इसी तरह गेट पर बुलाकर उसने वहीं से कितने ही लोगों को दूसरे जेलों में भिजवा दिया था। तब वह स्वयं भीतर आया और हमसे नहीं मिलकर कुछ नेताओं से मिला, जिन्हें वह नाना उपाय से अपनी मुट्ठी में किए हुए था। किन्तु नेताओं ने भी अपनी विवशताएँ प्रकट कीं। वह तरह-तरह की धमकियाँ देता, चीखता, चिल्लाता अपने ऑफिस में चला गया।

पाँच बजते-बजते एक अजीब दृश्य ! सारे जेल को दानापुर छावनी के सैनिक घेरे हुए हैं। उनकी भूरी पोशाक और चमकती संगीन—आतंक की सृष्टि कर रही हैं। हमारे ही कुछ लोग हमें समझा रहे हैं; नाहक लोगों की जान नहीं लो। संयोग से मैं जिस वार्ड में रहता था, वह गेट के ठीक सामने था—मैंने कहा, "गोलियों की पहली बौछार हमीं पर पड़ेगी न ?" मेरे वार्ड में जितने लोग थे, सबके सब बाँके लड़ाके थे ! हमारे एक साथी बीमार होकर अस्पताल में पड़े थे, ज्यों ही उन्होंने सुना, फौज आ गई है, अस्पताल छोड़कर वह वार्ड में आ गए। वहीं, यह हो नहीं सकता कि तुम मरो और मैं अस्पताल मैं महफ़ूज़ पड़ा रहूँ—मर्गे अम्बोह जशने दारम्। साथ-साथ का मरण भी त्योहार है ! आपने उस श्यामनन्दन बाबा का नामोल्लेख किए बिना मैं कैसे रहूँ आज ?

सन्ध्या हुई, वार्डबन्दी का समय निकट आया। सारे जेल में गम्भीरता का वातावरण था। आज कुछ होकर रहेगा, सभी यही सोचते और कुछ होकर रहे, कुछ लोग चाहते थे। इधर जेल की स्थिति नरक तुल्य हो गई थी। बीमारियों का दौरदौरा था, सैकड़ों आदमी अस्पताल में पड़े थे और दर्जनों घुटघुटकर दम तोड़ चुके थे। खाने-पीने में अव्यवस्था ही अव्यवस्था थी। टिन के छप्परों के भीतर रहना गरमियों में झुलसना था, उसनना था; जाड़े में ठिठुरना था, सिकुड़ना था और वर्षा में तो कुछ पूछिए मत ! बिछावन के भीतर तक पानी आ जाता, नई मिट्टी धँसने लगती, साँप और बिच्छू रेंगने लगते, रातें बैठकर काटनी पड़तीं। चलो, हम कुछ लोग गोली के शिकार बनें, तभी लोगों का ध्यान इस ओर आएगा।

जो सैनिक बाहर खड़े थे, वे भी कम चंचल नहीं थे। निरस्त्रों पर गोलियों की बौछार करनी पड़ेगी—शायद उनकी आत्मा रह-रहकर कचोट खाती ! जेल अफसरों के घर से स्त्रियाँ और बच्चे बरामदे में आकर सजल नेत्रों से हमारी ओर देखते। अरे, कुछ ही क्षणों में यहाँ क्या हो जाएगा !

कि गेट खुला और सुपरिन्टेंडेंट आता दिखाई पड़ा। वह सीधे मेरे सामने आया। हम लोग कतार बाँधकर बैठे थे। अपने सामने उसे खड़ा देखकर मैं भी खड़ा हो गया। उसने मुझे समझाने की कोशिश की, फिर आँखों में आँसू भरकर आजिजी ज़ाहिर की और अन्त में झकझोरकर धमकाता चलता बना—"आज तुम्हें देखेंगे !"

अब हम लोग धीरता से उस क्षण की प्रतीक्षा करने लगे, जब फायर करने का हुक्म होगा, गोलियाँ चलेंगी, न जाने हमसे कौन पहले गिरे, मरे ! मौत सामने खड़ी देख पड़ी ! वह

मौत नहीं, जो रोग के बिस्तरे पर, चुपके-चुपके, झपकियाँ लेते समय निकट आती और मुझे उस झिलमिल के शीतल नील जल में उभचुभ कराती। यह मौत थी, जो किरचों की नोक पर चमक रही थी और बन्दूकों की नालियों से कारतूस पर चढ़कर सनसनाती हुई आएगी और हमारी छातियों को पार कर हममें से कितनों को तुरत सुला देगी ! कुछ को वह छटपटाकर मारेगी और कितनों को अस्पताल में तड़पा-तड़पाकर अंग-भंग करके छोड़ देगी कि जीवन भर उसकी याद वे करते रहें। सच कहता हूँ, यह मृत्यु भयानक लगती थी, सन्ध्या की धूमिल बेला उसकी भयानकता को और भी बढ़ा रही थी।

किन्तु मन में एक अद्भुत उत्साह था। शहादत की कथाएँ बहुत सुनी थीं, कहीं थीं; शहादत के गीत बहुत गाए थे, गवाए थे। अब वही शहादत सामने थी ! घर या अस्पताल में मर गया होता, उस साधारण मृत्यु में क्या धरा था ? आज की यह शहीदी मृत्यु वरणीय है, वन्दनीय है ! वह आए, जल्द आए ! एक साथी ने टेर लगाई—

सरफरोशी की तमन्ना अब हमारे दिल में है,
देखना है ज़ोर कितना बाज़ु-ए-क़ातिल में है !

सारा कैम्प जेल अब गीतों और नारों से भरा था। चार हजार कैदियों के मुँह से निकली तुमुल ध्वनि आकाश को कँपाने लगी ! उन नारों और गीतों के बीच मौत की क्या हस्ती थी ?

किन्तु क्या शहादत पाना इतना आसान है ? शायद शहादत निमन्त्रण देकर आती भी नहीं। थोड़ी ही देर में फिर जेल का गेट खुला; कुछ सफेद टोपीधारियों का प्रवेश हुआ, वे लोग नेताओं से मिले, फिर हमें बुलाकर वादा किया, बाहर से सारी तकलीफें दूर करा देंगे। उनकी बातें माननी पड़ीं ! शहादत हम पर व्यंग्य कसती चली गई और कैम्प जेल फिर अपनी पुरानी रफ्तार से चलने लगी—ज्वार निकल चुका था; वह भाटे की सड़ाँध छोड़ गया, जिससे दम घुटता रहा, घुटता रहा !

समाजवाद

उस दिन मैंने हँसी-हँसी में एक समाजवादी नेता से कहा था, आप समाजवाद छोड़ सकते हैं, क्योंकि आपका समाजवाद आपकी राजनीति का एक अंग है, आपने उसे किताबें पढ़कर प्राप्त किया है और राजनीति के एक मोहरे के रूप में उसका प्रयोग कर रहे हैं। एक दिन आपको पता चले, वे किताबें गलत हैं या आपकी राजनीति बताए, अब सीधी राह नहीं जाकर कतरिया कर चलना है तो समाजवाद को छोड़ने में आपको तनिक भी झिझक नहीं होगी। अपने देश में और विदेश में भी इसके अनेक उदाहरण भरे पड़े हैं। अपने देश में पंडित नेहरू; इंगलैंड में राम्ज़े मैक्डोनाल्ड ! निकट के ही ये दो उदाहरण देखिए।

किन्तु मैं कैसे समाजवाद छोड़ सकता हूँ ? समाजवाद मैंने अनुभवों से ग्रहण किया है, उसमें आपबीती समाई हुई है, मेरे आसपास जो लोग रहे या हैं उनकी पीड़ा पिरोई हुई है ! और स्पष्ट कहूँ उसमें घृणा का पुट भी कम नहीं है। जब मैं किसी मूर्ख और दुराचारी को केवल पैतृक धन के बल पर या भ्रष्टाचार के बल पर मौज करते देखता हूँ, गुलछर्रे उड़ाते देखता हूँ, दूसरे पर जुल्म और अत्याचार ढाते देखता हूँ, तो मेरा खून खौल उठता है—घृणा से मैं लबालब हो उठता हूँ। ठीक उसी घृणा से, जिस घृणा से मैं कोढ़ी को देखता हूँ। किन्तु कोढ़ी को देखकर जहाँ घृणा दया बन जाती है, ऐसे लोगों को देखकर, वह गुस्सा बन उठती

है—इच्छा होती है, दो घूसे उसके ऐन चेहरे पर जमा दूँ—उसके होंठों से, नाक से खून गिरे और मैं आनन्द से देखूँ ! यदि ऐसा नहीं करता हूँ, अब तक एक वार भी नहीं किया तो इसलिए कि इतनी अक्ल मुझमें है कि इसकी व्यर्थता को समझ सकूँ। यह सामाजिक रोग है, इसका सामाजिक इलाज ही हो सकता है। सामाजिक प्रयत्न इसके लिए आवश्यक है और जब तक उस प्रयत्न में लगा हूँ, तब तक मैं अपने को समाजवादी समझूँगा। मेरे समाजवाद की आधारशिला है घृणा, घृणा, घोर घृणा ! ग़रींबी से घृणा—जो प्रतिभा को पीसती है; गरीबों से भी तब घृणा, जब वे अत्याचार के खिलाफ नहीं उठते; धनियों से घृणा, जो बाप-दादों की कमाई पर या नाना तिकड़मों से ग़रीबों का खून चूसकर जीते हैं, जो कमाते नहीं, सिर्फ खाते हैं, सिर्फ अन्न नहीं, बहुत लोगों के कलेजे भी ! समाज से भी घृणा, जो ऐसी चीज़ें बरदाश्त करती है और सरकार से तो घोर घृणा, जो ऐसी चीजों की रक्षा के लिए ही रची जाती है !

मेरी इस घृणा की बात पर मेरे मित्र चौंकें नहीं। जब प्रेम का ढिंढोरा पीटा जा रहा है, मानता हूँ, ऐसी बात कहना बुद्धिमानी नहीं। किन्तु मैं कहूँ, सिवा काम-वासनाजनित प्रेम के और किसी भी प्रेम में वह प्रेरणा नहीं कि वह आदमी के जीवन को एक निश्चित दिशा दे सके और सभी प्रेम फालतू हैं, लल्लो-चप्पो की बातें हैं। घृणा एक मौलिक, स्वाभाविक भावना है, उसी में यह ताकत है कि जीवन की दिशा को बदल दे, जीवन को बदल दे, फिर जगत को बदल दे ! मार्क्स और लेनिन के जीवन को प्रेरणा इसी ने दी, यह तो सब जानते हैं, किन्तु मैं यह कहने की धृष्टता करता हूँ कि बुद्ध और गांधी के जीवन में इसी ने मोड़ दी ! चौंकिए नहीं, सोचिए ! सोचिए हज़रत !

आप नहीं सोच सकें, तो भी मैं अपनी इस कथा को छोड़कर यहाँ इसमें उलझ नहीं जाऊँगा।

मेरा जन्म एक ऐसे परिवार में हुआ, जिसका हर सदस्य हड्डीतोड़ मेहनत करता था, किन्तु जो अच्छी तरह एक साधारण गृहस्थ जीवन व्यतीत नहीं कर पाता था। मेरे पिताजी और दो चाचाजी पियरी रोग—जॉण्डिस—से मरे और भरी जवानी में मरे। खेतों में हड्डी गलाकर आओ और घर पर मक्के या मँडुवे की रोटियाँ पाओ या अलुआ—तो फिर जॉण्डिस तो धरा पड़ा है न ! मेरे पितामह गाँव के सबसे अच्छे किसान थे, आज तक उनकी किसानी की चर्चा होती है। किन्तु बेचारे सदा परेशान रहे, कर्जे से लदे रहे, क्योंकि भगवान ने उन्हें पाँच बेटे दिए थे और उनमें धर्मनिष्ठा भी थी—इतने सारे मुँह भरना और वह भी ईमानदारी से—यह सम्भव नहीं था। फिर जो स्कूल में पढ़ने गया तो क्लास में सदा फर्स्ट आने के बावजूद जिसने कभी दूध का मुँह नहीं देखा और जिसे प्रायः एक रुपए की नक़द मेस-फीस नहीं देने के कारण चावल को भूनाकर भकोसना पड़ता—वह समाजवादी नहीं तो क्या होगा ? फिर आज तक गाँव से मेरा घनिष्ठ सम्बन्ध बना है, जहाँ दिन-रात भूख, बीमारी और गन्दगी के ही दर्शन होते हैं—भला खुली आँखों इन्हें देखनेवाला यथास्थिति का समर्थक कैसे बना रह सकता है ? मैं खुली आँखों देखता ही नहीं हूँ, प्रकृति ने अभिशाप कहिए या वरदान के रूप में जो हृदय दिया है वह इतना भावग्राही है कि ऐसी चीजें मैं बरदाश्त कर नहीं सकता—सदा इनके प्रति विद्रोह की भावना रही और है और अब कह सकता हूँ, रहेगी ! क्योंकि देश में जो हवा बहने लगी है, लगता है, अपने जीवन में समाजवाद की स्थापना शायद नहीं देख सकूँगा !

समाजवाद का नाम—जिसे उन दिनों साम्यवाद कहा जाता था—रूस की क्रान्ति के बाद ही सुनने लगा था। उन दिनों बेचारे स्टालिन का नाम कोई जानता भी नहीं था। लेनिन और ट्रॉट्स्की की जोड़ी विख्यात थी और विदेशमन्त्री की हैसियत से चेचरिन भी नामी था जो हर अन्तरराष्ट्रीय सम्मेलनों के अवसर पर समता और स्वाधीनता का वह उद्घोष करता था कि

संसार चकित रह जाता था ! उन दिनों रूस एक नई सभ्यता का प्रतीक था, लेनिन-ट्रॉट्स्की इस नई दुनिया के मसीहा थे। मैं उन दिनों स्कूल में ही पढ़ रहा था, किन्तु मुख्यतः श्रद्धेय गणेशशंकर विद्यार्थीजी के 'प्रताप' और 'प्रभा' में इस नई दुनिया के लिए होने वाले संघर्षों और प्रयोगों का वर्णन पढ़ते अघाता नहीं था और उन्हीं दिनों कल्पना करता था, बड़े होने पर अपने देश में भी ऐसी दुनिया की स्थापना के लिए चेष्टा करूँगा।

शौकत उस्मानी ने रूस का आँखों-देखा हाल लिखा, रमाशंकर अवस्थी ने रूस की क्रान्ति पर एक बृहत पुस्तक ही लिखी। कानपुर में बोल्शेविक षड्यन्त्र केस चला, जिसमें एम.एन. राय का नाम आया। फिर मेरठ षड्यन्त्र केस चला; जिसके वकीलों में बाबू देवकी प्रसाद सिंह भी थे, जो बिहार के थे और जिन्हें मैं जानता था। एक दिन देवकी बाबू से मिला और चाहा कि उनके पास की सामग्री के आधार पर इस केस के सम्बन्ध में एक पुस्तक ही लिख डालूँ। कह चुका हूँ, समाजवाद पर बिहार में पहला लेख 'युवक' में ही निकला था, जिसके लेखक थे, श्री देवराज उपाध्याय, जो उन दिनों विद्यार्थी थे और अब एक सफल प्रोफेसर और आलोचक हैं !

मैं धीरे-धीरे उस ओर बढ़ रहा था और पाया, बिहार में मेरे समानधर्मा बढ़ रहे हैं, अन्त में हमने बिहार सोशलिस्ट पार्टी की स्थापना की। उन दिनों एक ही ऐसी पार्टी थी, पंजाब सोशलिस्ट पार्टी, जिसकी सूचनाएँ आदि लाला लाजपत रायजी के 'पिपुल' में छपा करती थीं। किन्तु हमने अपनी पार्टी में एक विशेषता रखी थी, जो कांग्रेस के सदस्य हों, वही इस पार्टी के सदस्य हो सकते थे और उनके लिए सदा खादी का ही व्यवहार करना और अपने को जाति-पाँति के भेदभाव से बिलकुल अलग रखना अनिवार्य शर्त थी। आज जब फिर खादी पर बल दिया जाता और हर राजनीतिक दल में जाति-पाँति का बोलबाला होता हुआ देखता हूँ, सोचता हूँ, उन दिनों कितनी बड़ी दूरदर्शिता से हमने काम लिया था !

प्रोफेसर अब्दुल बारी साहब हमारी इस पार्टी के अध्यक्ष चुने गए और तीन मन्त्री थे—फूलन प्रसाद वर्मा, राहुल सांकृत्यायन और गंगाशरण सिंह। फूलन बाबू ने तुरन्त वकालत शुरू की थी और पटना के युवकों पर उनका बड़ा ही प्रभाव था। राहुलजी अब हममें घुल-मिल गए थे, पटना में रहते तो युवक आश्रम में ही और हमारे सारे कामों में हाथ बँटाते। भाई गंगाशरण तो मेरे अनन्य सहकर्मी थे ही। 'युवक' इस पार्टी का मुखपत्र था, यद्यपि उसका अस्तित्व स्वतन्त्र था और उससे मेरा और गंगाशरण का ही सम्बन्ध था। पार्टी की कार्य समिति में अम्बिकाकान्त सिंह, मणीन्द्र नाथ राय, शिवकली बोस आदि थे।

जब मैं हज़ारीबाग में था, युवक राजबन्दियों में समाजवाद का प्रचार करता रहा, किन्तु मेरा मुख्य काम तो हुआ जब मैं दूसरी बार की जेल यात्रा में कैम्प जेल भेज दिया गया। चार हज़ार कैदी थे, मुख्यतः युवक थे, देहातों से आए थे। उनके हृदय और मस्तिष्क में कोई मलिनता नहीं थी। किसी पूर्वधारणा से भी वे जकड़े हुए नहीं थे। अतः उनमें समाजवादी विचारधारा ने बहुत ही असर किया और एक प्रकार से कहा जा सकता है, बिहार में समाजवाद की नींव पटना कैम्प जेल में ही पड़ी। वहीं वे 'कैडर' तैयार हुए, जो पीछे चलकर बिहार में समाजवाद के प्रचारक, योद्धा और नायक सिद्ध हुए। हमने चुप-चोरी वहाँ समाजवाद पर कई पुस्तकें भी मँगा ली थीं और बाज़ाब्ता अध्ययन केन्द्र भी चलाते थे। इस काम में हमें एक जेल कर्मकारी ने बहुत बड़ी मदद की थी जिनके अहसानों को हम कभी भूल नही सकते ! मैंने वहीं 'कम्युनिस्ट मैनिफेस्टो' का अनुवाद किया था। दूसरों को तो समाजवाद का ज्ञान कराया ही, स्वयं मैंने समाजवाद के सिद्धान्तों का अध्ययन वहीं किया। जेल अधिकारियों से मिलकर वहाँ हम एक राजबन्दी विद्यालय चलाते थे, जिसमें पाँच सौ विद्यार्थी बाज़ाब्ता अध्ययन करते थे। उस

विद्यालय का आचार्य मैं ही था। उस विद्यालय के कारण भी समाजवादी विचारधारा का बहुत प्रचार हुआ। आज भी जब कभी उन लोगों से, जो उस विद्यालय के विद्यार्थी थे, घोर देहात में भी भेंट होती है, वे उन दिनों की याद दिलाते हैं और अपने पुराने आचार्य के प्रति हार्दिक कृतज्ञता प्रकट करते हैं।

जब हमने बिहार सोशलिस्ट पार्टी की स्थापना की, जयप्रकाशजी से हमारा सम्पर्क नहीं हुआ था। बहुत दिनों के बाद, जब हम पार्टी का एक घोषणा पत्र–मैनिफेस्टो–तैयार करने लगे, तब उनकी चर्चा फूलनजी ने चलाई। उन दिनों वह अखिल भारतीय कांग्रेस कमिटी के मजदूर विभाग के संचालक थे; प्रयाग में, आनन्द भवन में ही रहते थे। जब 'युवक' के कारण मुझ पर मुकदमा चला, मैंने उन्हें अपनी ओर से सफाई का गवाह भी बनाना चाहा था, किन्तु गवाही की जरूरत नहीं पड़ी। जयप्रकाशजी से हमारा यथार्थ सम्पर्क भूकम्प में बाद हुआ, जब वह नासिक जेल से निकले थे और अपने साथ एक अखिल भारतीय सोशलिस्ट पार्टी के संगठन की योजना लाए थे। उस योजना का मूलाधार बिहार सोशलिस्ट पार्टी के उद्देश्यवाली धारा ही थी, बल्कि वह उससे भी एक क़दम आगे था क्योंकि पार्टी के नाम के साथ ही कांग्रेस जोड़ देने का सुझाव उसमें था, जो स्वीकृत हुआ।

यहाँ इसकी चर्चा भी आवश्यक है कि कांग्रेस नेताओं ने हमारी इस पार्टी के बारे में क्या रुख लिया। बिहार सोशलिस्ट पार्टी की स्थापना की खबर अखबार में छपी, उसके बाद ही बिहार प्रान्तीय कांग्रेस कमिटी की जो बैठक हुई, उसमें पदाधिकारियों का चुनाव करना था। किसी ने मेरा नाम एक मंत्री पद के लिए प्रस्तावित कर दिया। उन दिनों जो बिहार कांग्रेस के सर्वेसर्वा थे, श्रद्धेय ब्रजकिशोर प्रसादजी ने तुरन्त यह प्रश्न उठाया–जो लोग व्यक्तिगत सम्पत्ति के उच्छेद की घोषणा कर चुके हैं, उनके लिए क्या कांग्रेस में स्थान हो सकता है ? क्योंकि कांग्रेस के जो प्रस्ताव आदि आज तक हुए हैं, वे इसके विरुद्ध हैं। सभापति के पद पर राजेन्द्र बाबू थे। उनके लिए निर्णय देना मुश्किल हो गया, क्योंकि तब तक कई बार जवाहरलाल नेहरू ने भी समाजवाद के पक्ष में मत व्यक्त किया था। ब्रजकिशोर बाबू की शक्ति से वह परिचित थे, अतः उन्होंने यह प्रश्न, यह कहकर टाल दिया कि इसका निर्णय अखिल भारतीय आधार पर ही किया जाना चाहिए। हाँ, ब्रजकिशोर बाबू का काम चल गया, क्योंकि उनके द्वारा यह प्रश्न उठाना ही मेरे विपक्ष में लोगों को कर देने के लिए काफी था।

किन्तु न उन दिनों रही और न आज ही किसी पद के लिए मेरे मन में कोई प्रबल अभिलाषा है। प्रायः ही अयोग्य व्यक्तियों को नाना प्रकार के प्रपंचों द्वारा उच्च पदों पर पहुँचते देखकर मन में टीस पैदा होती है। यह भी नहीं कह सकता कि मैं उच्च पद पर जाने से अपने को विरक्त पाता हूँ। मानव हूँ, मानवी कमजोरियाँ मुझमें हैं, किन्तु सदा कोशिश की है कि वे कमजोरियाँ इतनी न बढ़ें कि मानव ही नहीं रह जाऊँ ! सच बात तो यह है कि मुझ अकिंचन को स्वतः ही जितना प्राप्त हो चुका है, उसी पर मुझे आश्चर्य है।

भूकम्प

कबीर ने कहा है–पल में परलय होयगी, बहुरि करोगे कब ! पल में प्रलय ! किन्तु पल में प्रलय कैसे होती है, कबीर ने किसी से सुना होगा–पढ़े-लिखे तो थे नहीं कि पुराणों में पढ़ा हो। किन्तु उस दिन हमने जो देखा, हमें इत्मीनान हो गया, पल में प्रलय हो सकती है और वह यों होगी। वह दिन था 1934 की 15 जनवरी।

पटना कैम्प जेल से लौटने के बाद मैं मुजफ्फरपुर के 'लोकसंग्रह' में काम करने लगा। 'लोकसंग्रह' की स्थापना स्वामी सहजानन्दजी ने की थी। स्वामीजी ने पीछे उसे अपने प्यारे अनुयायी पं. यमुना कार्यी को दे दिया था। कार्यीजी उसे पटना से उठाकर मुजफ्फरपुर ले आए थे। उन्होंने मुझे सहयोग देने का निमन्त्रण दिया, मैं उसमें सम्मिलित हो गया। अभी मेरे अधिकांश साथी जेल में थे। अतः सोचा, घर के निकट रहकर कुछ काम करता चलूँ।

'बालक' के बाद ही मेरी आर्थिक स्थिति बहुत खराब हो गई थी। जब मैं बीमार था, दवा के लिए पैसे नहीं थे तो रानी ने अपने गहने दिए थे, जिन्हें भाई रामधारी ने घर लौटवा दिया था। पीछे वे गहने जुर्माने देने में बिके। मेरे पास एक अँगूठी और एक सेट सोने के बटनों के थे, दोनों को बेच चुका था। अतः इस काम से कुछ पैसे भी मिल जाएँगे, ऐसी आशा थी।

मैं मुजफ्फरपुर में 'लोकसंग्रह' कार्यालय में था, कि एक सज्जन एक काम से बुलाकर मुझे कचहरी ले गए। यदि मैं कचहरी नहीं गया होता तो शायद उस दिन मलबे के नीचे दब गया होता, क्योंकि वः घर ध्वस्त-पस्त हो गया था और वहाँ कई मौतें हुई थीं।

कचहरी में एक पेड़ के निकट खड़ा था। एक सज्जन से समाजवाद पर बातें कर रहा था। मेरी उँगली उनकी तोंद पर थी और मैं कह रहा था, ऐसी तोंदों से थोड़ी चरबी निकालने का उद्देश्य है समाजवाद का। मैं कह ही रहा था कि अचानक पेड़ के पत्ते खड़खड़ा उठे। चौंककर ऊपर की ओर देखने लगा कि पैर तलमलाने लगे। जब नीचे देखता हूँ, तो अरे, यह तो पृथ्वी काँप रही है। जिस तरह समुद्र की तरंगें एक-पर-एक आती हैं, लगता था, पृथ्वी की सतह उसी प्रकार तरल बन गई है और उस पर ढेहू-पर-ढेहू उठ रहे हैं ! अब खड़ा नहीं रहा गया। हम दोनों तलमलाकर लुढ़क गए। चारों ओर 'भूकम्प-भूकम्प' का शोर मच रहा था और जहाँ-तहाँ लोग भागते हुए, गिरते हुए, लुढ़कते हुए दीख रहे थे। सामने ही एक घोड़ा था। अपने पैरों के नीचे की जमीन को खिसकते हुए देखकर वह बेचारा जानवर ऐसा बदहवास हुआ कि हमारे ही ओर दौड़ा। हमने समझा अब कुचले।

कि धड़ाम-धड़ाम ! कचहरी की इमारतें इधर-उधर गिरने लगीं, जमीन में चौड़ी दरारें फटने लगीं। चारों ओर हाय-तोबा मचा था और ज्यों ही जमीन पैर पर खड़ा होने लायक बनी, लोग अपने-अपने घरों की ओर भागे। हम इधर से भागे जा रहे थे, उधर से लोग भागे आ रह थे। वे चिल्ला रहे थे—पानी, पानी, बाढ़, बाढ़। ज़मीन फोड़कर पानी के फव्वारे ऊपर आ रहे थे। सड़कों पर घुटने भर पानी आ गया था, किन्तु कहा गया, छाती भर पानी बढ़ा आ रहा है। क्या जल प्रलय होगा ? मैं एक शीशम के पेड़ के निकट खड़ा हो गया, सोचा, इस लम्बे पेड़ पर चढ़कर उस प्रलय से अपने को बचा लूँगा ! वह शीशम का पेड़ नहीं हुआ, अक्षयवट था और शायद मैंने उस प्रलय-बेला में अपने को उसके पत्तों के दोनों में लिपटनेवाला शिशु-भगवान मान लिया था।

थोड़ी देर प्रतीक्षा की, बाढ़ नहीं आई। आगे बढ़ा, अस्पताल आया। वहाँ देखा, घायलों को लोग ला रहे हैं, जिनमें अधिकतर बच्चे हैं। एक माँ एक बच्चे को चिपकाए हुए आई। बेचारा बच्चा मलबे के नीचे दब मरा था—कोई चोट नहीं, किन्तु निष्पन्द और निष्प्राण ! आँखें उमड़ आईं। बेचारे डॉक्टर भी परेशान। इस अप्रत्याशित भीषण घटना के लिए वे भी तैयार नहीं थे। वहाँ से शहर में घुसा। तब समझा में आया, कितनी बड़ी घटना इन चन्द मिनटों के अन्दर घटित हो चुकी ह। सारे मकान गिरे, अधगिरे ! जैसे बमबारी से सारा शहर ध्वस्त-पस्त कर दिया गया हो। हर मकान के सामने कुहराम ! मलबे के नीचे दबे हुए लोगों को लोग खोज रहे हैं, अस्त-व्यस्त यहाँ-वहाँ मिट्टी कुरेद रहे हैं ! कहीं-कहीं से दबे हुए घायलों की कराह

भी निकल रही है ! एक जगह एक आदमी को देखा, जिसका आधा शरीर मलबे के नीचे था, आधा बाहर ! वह पानी-पानी चिल्ला रहा था, उसका शरीर खून में डूबा हुआ था ! झट कमर कसकर मैं मलबे को हटाने में लगा, किन्तु ज्यों-ज्यों मलवा हटाता, वह बेचारा और दबता जाता, क्योंकि मलबे के बीच एक शहतीर थी। उसकी कराह सही नहीं गई, अपनी शक्तिहीनता पर खेद हुआ और मित्रों की याद आई—न जाने उनमें से किसकी क्या गत हुई हो ! आगे बढ़ा।

बीस साल बीत चुके हैं, किन्तु लिखते समय सारी बातें सिने-रील की तरह आँखों के सामन स्पष्ट आती जा रही हैं, किस लिखूँ, क्या छोड़ूँ ?

पानी हेलते, मलबे को पार करते, मित्रों के घर जा-जाकर उनकी खोज-खबर लेने लगा। अपने ऑफिस में आया, तो देखा, इमारत का कहीं पता नहीं, ढूह-ढूह है ! और उसके नीचे तीन-चार आदमी दबे पड़े हैं। इतनी बड़ी इमारत, कहाँ उनकी खोज की जाए, किसमें ऐसी ताकत कि इस ढूह को अलग करने की जुर्रत करे। वहीं पता चला, शहर में कई जगह आग भी लग गई है ! फूस के घर गिरे, नीचे आग थी, धधक गई ! लोगों ने समझा, शायद पानी के साथ ज़मीन फोड़कर आग भी निकल आई है !

एक जगह देखा, पाँच बच्चों की लाशें सिरहाने रखे उनकी माँ ज़ोर-ज़ोर रो रही है। मसजिद में मुल्ले अजान दे रहे थे—इस अज्ञान पर मुझे बड़ी झुंझलाहट हुई। अरे कमबख्तो, जरा घायलों की चिकित्सा में तो लगो ! शहर में चारों ओर कोहराम मचा था, जो कोई परिचित मिलता, पकड़कर फूट-फूटकर रोने लगता, और अपने किसी प्रियजन की मृत्यु का सम्वाद सुनाता ! एक मित्र के घर पहुँचा, तो देखा, सभी एक जगह के मलबे को हटाने पर तुले हैं—काफी सुखी, सम्पन्न आदमी। कभी कुदाल छुई भी नहीं होगी, अब ढेले ढो रहे थे ! मर्द ही नहीं, औरतें भी मलबे हटा रही थीं, जिनके नीचे दो प्राणियों के दम टूटे रहे होंगे ! किन्तु उनके सारे प्रयत्न व्यर्थ हो रहे थे ! एक मित्र के घर में काफी आदमी घायल हुए थे, सब एक जगह इकट्ठे किए गए थे; वे चिल्ला रहे थे ! उनमें दो लड़कियाँ थीं, जिनके हाथों कल ही आतिथ्य ग्रहण किया था ! उन्हें इस अवस्था में देखकर लगा, जैसे कलेजा फटा जा रहा हो ! एक तो प्राणहीन हो चुकी थी; गोरा चेहरा पीला पड़ गया था; बाहर से कोई चोट नहीं, सिर्फ नाक से खून की कुछ बूँदें नेटा के साथ चू गई थीं, जो अब काली पड़ गई थीं। एक की कमर टूट गई थी ! डॉक्टर को बुलाइए; मैं डॉक्टर के घर की ओर दौड़ा ! किन्तु वहाँ भी कुहराम ! ब्रांडी दीजिए—किन्तु ब्रांडी कहाँ मिले, सभी दुकानें तो मलबे में परिणत हो चुकी हैं ! याद आया, कचहरी से ही देखा था, रेलवे स्टेशन का घर खड़ा था; क्यों न वहाँ चला जाए ? किन्तु पैसे ? संयोग से कुछ रुपए मेरे पास थे ! केलनर के स्टाल पर भीड़ लगी थी; एक के तीन देकर कहीं एक बोतल ब्रांडी पा सका !

ब्रांडी सुपुर्द कर जब आगे बढ़ा, पता चला, हम लोगों के एक मित्र मृतप्राय हैं, अपने घर से निकलकर भाग रहे थे, अपना घर नहीं गिरा, दूसरे घर की दीवार में दब रहे ! उधर दौड़ा ! रास्ते में कोलाहल, कोलाहल ! कहीं टमटम चूर है, उससे लगा घोड़ा रक्त की तलैया में टाँगें फटकार रहा है और उसके थोड़ी दूर पर उसके तीनों सवार दम तोड़ रहे हैं—किसी का सिर भुरता है, किसी के पैर की हड्डियाँ चूर-चूर हैं, किसी की पसलियाँ टूट गई हैं ? कहाँ तक देखा जाए, किसे-किसे देखा जाए ! देखा जाता कहाँ था ? जब आधी बेहोशी में अपने घर की ओर लौट रहा था, शहर के मुख्य चौराहे पर देखा, टावर टूटकर गिर गया है, बेचारा सन्तरी खून से लथपथ मरा पड़ा है और एक कुत्ता उसका खून चाट रहा है ! आह ! उफ़ !

बुरी-से-बुरी सन्ध्याएँ व्यक्तिगत जीवन में आती-जाती रहती हैं, किन्तु उस दिन जो

सन्ध्या आई, वैसी डरावनी, दहशतनाक, रक्तरंजित सन्ध्या उत्तर बिहार में शायद ही कभी आई हो ! सही अर्थ में वह रक्तरंजित सन्ध्या थी ! रक्त और मृत्यु की विभीषिका चारों ओर छा रही थी। अपने घरों के मलबे पर बैठे, मृतकों की लाशों की कुत्तों और सियारों से रक्षा करते, घायलों की कराहों में अपनी रुदन-ध्वनि जोड़ते, कल से कहाँ जाएँगे, क्या करेंगे, आदि की दुश्चिन्ताओं में एक-एक क्षण आँखों में गुजारते लोगों ने रात कैसे काटी--उसकी कल्पना आज भी रोमांचित कर रही है ! जाड़े का मौसम, आसमान बादलों से घिर आया था, कभी-कभी टप-टुप बूँदें गिर जातीं, तेजी से हवा बहती हुई कलेजे को नहीं, पसली-पसली को कँपा जाती ! तिस पर रह-रहकर पृथ्वी हिल उठती ! जरा भी हिली कि खलबली—चीख, पुकार, हाहाकार, त्राहि-त्राहि ! मुल्ले अजान देने लगते, पंडित घड़ी-घंटे बजाने और शंख फूँकने लगते। किन्तु जो भगवान दिन में सो गया था, क्या वह रात में जग सकता था ! धार्मिकता भी कैसी अंधी होती है !

दूसरे दिन, सवेरे से ही, हम जहाँ-तहाँ पड़ी लाशों को उठा-उठाकर श्मशान घाट पहुँचाने लगे। वहाँ कोई नेता था नहीं, हम कार्यकर्ता ही उनकी जिम्मेवारी को निभाने लगे—हाँ, यह बात जरूर है कि जब बाहर से सहायता में रुपए-पैसे बरसने लगे, एक-एक नेता बिलों से निकले और उन स्वर्णकलशों को लपेटकर फन फुफकारने लगे !

देहात की हालत और भी विचित्र रही। जो नदी किनारे थे, उन्होंने बताया, किस तरह नदी का पानी एकाएक सूख गया और नीचे से मछली-मगर दिखाई देने लगे ! फिर थोड़ी देर में ऊपर ऐसा पानी आया कि बाढ़ आ गई। नदियाँ उथली पड़ गईं, किनारों के बन्धन टूट गए। देहात में जब जमीन फटी, तो उनसे पानी के फव्वारे ऐसे उठे कि मेरी मामीजी कहती थीं, लगता था, हजारों बिलों से काले नाग निकलकर फन फैलाए फुफकार रहे हों। एक आदमी आ रहा था कि वह देखता है, अचानक उसके पैर के नीचे की जमीन ऊपर उठ रही है और वह ऊपर उठता जा रहा है। वह भौंचक ही था कि अचानक फूली हुई रोटी की तरह उस ऊपर उठी जमीन के भीतर से पानी का सोता एक शब्द के साथ फूटा और फिर वह जमीन हवा निकली हुई फूली रोटी की ही तरह पिचककर पहले-सी समतल बन गई ! ऐसी भी दरारें फूटीं कि उनमें कितने पशु और मनुष्य समा गए और फिर उन दरारों ने आप-ही-आप मुँह बन्द कर लिये। तालाबों और कुओं की दुर्गत की बात मत पूछिए। तालाब का पानी सूख गया, वहाँ रेत का अम्बार लग गया। कुछ कुएँ नीचे इस कदर धँस गए कि आठ-दस फीट खोदे जाने पर भी उनका पता नहीं लगाया जा सका, कुछ पूरी जगत के साथ ऊपर उभर आए ! किन्तु अधिकांश बालू से भर गए ! पीने के पानी का घोर अभाव हो गया, जब कि भूकम्प के बाद ही एक बड़ी बाढ़ भी आ गई और जहाँ देखिए, पानी-ही-पानी था ! मेरे गाँव का एक आदमी बंगाल में था, वहाँ अखबारों में उसने पढ़ा मुजफ्फरपुर और सीतामढ़ी के बीच पानी-ही-पानी है, तो उसने समझा, बीच के सारे गाँव नष्ट हो गए होंगे और वह बेचारा रोते-रोते जो वहाँ से चला तो गाँव में आने पर ही उसे विश्वास हो सका कि उसके अपने लोग अभी बच रहे हैं !

सड़कों और रेलवे लाइनों की तो सूरत ही बिगड़ गई थी। वे टेढ़े-मेढ़े हो गए थे, जैसे किसी ने पकड़कर ऐंठ दिया हो। पुल कहीं ऊँट की पीठ की तरह और कहीं से भैंस की गरदन की तरह हो गए थे। उन पर चलना मुश्किल था, सवारियों के लाने-ले-जाने की क्या बात ?

सरकार का सारा शासन ठप्प पड़ गया था। जेल की दीवारें गिर गईं, सिपाही भाग चले; कैदियों ने अपने घर की राह ली। कचहरी के मकान गिर गए, हाकिम अदालत कहाँ लगावें। मेरे एक दोस्त कह रहे थे, जब यह हालत देखी, वे बड़े खुश हुए कि भूकम्प आया, बरबादी

हुई, तो क्या ? अंग्रेजी राज तो गया। किन्तु जब तीसरे दिन उनके सिर पर एक वायुयान चक्कर काट रहा था और उसने पर्चे गिराए जिनमें गर्वनर की ओर से सहायता का आश्वासन था तो उन्हें लगा, यथार्थ में भूकम्प अब हुआ है, उनके पैर के नीचे की जमीन ही जैसे खिसक गई !

जब बाढ़ खत्म हुई, लोगों ने देखा, उनके खेत बालू से पटे हैं ! अब खेती कैसे होगी ? लोगों के दुःखों का आर-पार नहीं था। यद्यपि देहात में कम मौतें हुई थीं, चूँकि वहाँ ज्यादा घर फूस के थे; मिट्टी के घर गिरे, तो भी इफरात जगह होने के कारण आँगन में या बाहर भागकर जानें बचाईं !

जैसी बड़ी यह घटना हुई; देश ने उसी प्रकार दिल खोलकर सहायता दी। संयोग से गांधीजी बाहर थे, वह दौड़े-दौड़े पहुँचे। सभी नेता पहुँचे। पटना और दिल्ली के देवता भी हिले। लन्दंन से भी सहायता आने लगी। पुनर्निर्माण का काम जोरों से चलने लगा और एक साल के अन्दर ही बहुत कुछ क्षतिपूर्ति हो गई।

मैं शहर छोड़कर देहात आ गया और अपने गाँव के निकट ही सहायता कार्य में जुट पड़ा। कामागातामारू के बाबा गुरुदत्तसिंह, कलकत्ता के डॉ. सोफ्ट और सुप्रसिद्ध पत्रकार भाई सत्यदेव विद्यालंकार के साथ काम करना कुछ कम आनन्दकर नहीं था। मेरा इलाका सबसे अधिक पीड़ित क्षेत्रों में था। पहले से ही वहाँ एक झील-सी थी; जिसे हमारी भाषा में 'चौर' कहते हैं। इस चौर के कारण पेड़ों, पशुओं और मनुष्यों की अपार क्षति हो रही थी। मलेरिया का बारहमासा अखाड़ा था, पशुओं को तरह-तरह बीमारी थी, बगीचे के बगीचे सूख गए। भरथुआ चौर की हालत कालीदह-सी थी ! कोई देवता चाहिए, जो उसका उद्धार करे। वह कृष्ण स्वयं गांधीजी बने। गांधीजी मेरे गाँव में आए, नाव पर उस झील तक गए और उनके उद्धार के लिए वचन दिया। गांधीजी के इस आगमन के बाद स्वयं लाट साहब पधारे और एक साल के अन्दर एक नहर खुदवाकर उस झील का उद्धार कर दिया गया। गांधीजी ही नहीं, देश-विदेश के लोगों की जमघट मेरे गाँव में लगी रहती। राजेन्द्र बाबू, टंडनजी, नरेन्द्रदेवजी, डॉ. पेरीसेरिसोल, ब्रिटिश पार्लियामेंट के सदस्य मि. हेल्स, आबिद अली, जनरल अबारी—मेरे इस छोटे से गाँव को किन-किन का स्वागत-सत्कार करने का सुअवसर नहीं प्राप्त हुआ !

प्रवास

यह मेरा सौभाग्य रहा है कि आजीविका या जीवनयापन के लिए मुझे कभी बिहार से बाहर जाने की आवश्यकता नहीं पड़ी। उसमें व्याघात पड़ा था सिर्फ एक बार, वह भी छः महीने के लिए। किन्तु छः महीने का वह प्रवास कितना सुखद और मधुर रहा—आज भी उसका स्मरण मुझे भाव-मुग्ध बना डालता है।

भूकम्प के बाद मेरे घर की आर्थिक स्थिति बहुत बुरी थी। मुजफ्फरपुर के एक स्थानीय पत्र में काम करता था, उस पत्र के प्रेस आदि मलबे के नीचे दब गए। 'युवक' को फिर से निकालूँ, यह हिम्मत नहीं रह गई थी। भूकम्प पीड़ित बिहार में अपने लिए कोई गुंजाइश नहीं देखकर मैंने जयप्रकाशजी से बातें की कि यदि वह मुझे किसी ऐसे पत्र में लगवा दें, जिसका विचार समाजवाद के अनुकूल हो तो मेरे लिए अच्छा होगा। उस समय तक कांग्रेस समाजवादी पार्टी की स्थापना हो चुकी थी और उसके प्रधानमन्त्री की हैसियत से जयप्रकाश देश के

कोने-कोने में दौरे कर रहे थे।

बहुत दिनों तक उनका कोई पत्र नहीं मिला तो मैं अपने गाँव से चल पड़ा कलकत्ता के लिए। सोचा, उस महानगरी में कहीं कोई जगह मिल ही जाएगी। वहाँ कितने मित्र थे, हिन्दी पत्रकारिता का वह एक प्रमुख क्षेत्र भी रहा है। किन्तु ज्यों ही मुजफ्फरपुर पहुँचा, वहीं के पते से भेजा जयप्रकाशजी का एक पत्र मिला। उसमें लिखा था, मैं खंडवा गया था तो पं. माखनलाल चतुर्वेदीजी ने स्वयं एक अच्छे सहकारी की आवश्यकता बताई और यह भी कहा कि यदि वह बिहार के हों तो और अच्छा। आपका नाम लिया तो वह बहुत प्रसन्न हुए और कहा है, आप वहाँ रहें या नहीं, एक बार उनसे मिल अवश्य लीजिए—आने-जाने का खर्च वह आपको दे देंगे।

बस, मेरी गाड़ी पूरब रुख नहीं जाकर पश्चिम-दक्षिण की ओर मुड़ गई।

मुझे याद है, मैं किस रूप में खंडवा गया था। एक-सवा रुपए वाली दरी पर खादी की एक चादर, जो वक्त जरूरत पर ओढ़ने का भी काम दे देती। दो धोतियाँ, दो हाफ कमीज, एक झोला, जिसमें हाथ-मुँह धोने का कुछ सामान। यही झोला तकिए का भी काम कर देता। जब खंडवा स्टेशन पर उतरकर मैं चतुर्वेदीजी का घर ढूँढ़ते उनके यहाँ पहुँचा और बतलाया कि मैं बेनीपुरी हूँ, तो शायद सोचा गया, मैं भी कोई अनाहूत अतिथि हूँ। चतुर्वेदीजी भीतर थे, जब वे बाहर आए, मैंने जयप्रकाशजी के पत्र की चर्चा की। फिर तो उन्होंने जैसा स्नेह और आदर दिया, क्या जीवन भर उसे भूल सकूँगा !

पं. माखनलाल चतुर्वेदीजी, जो कविता क्षेत्र में 'एक भारतीय आत्मा' के नाम से प्रसिद्ध थे, बहुत दिनों से मेरे लिए साहित्यिक और राष्ट्रीयता के एक प्रतीक थे ! जब खंडवा से उन्होंने 'प्रभा' निकाली थी, तभी से मैं उनका अनुरक्त और भक्त था। मैं उन दिनों मिडिल में पढ़ रहा था, तो भी 'प्रभा' को पढ़ने को समझने की चेष्टा करता था ! जब जबलपुर से 'कर्मवीर' निकला, मैं उसका नियमित पाठक था। जब मैं कविता लिखने लगा, 'प्रताप' के साथ अपनी कविता 'कर्मवीर' में भी भेजा करता। 1921 के आन्दोलन में जब मेरे पूज्य श्वसुरजी जेल गए, मैंने एक कविता लिखी थी—'जेल गए, हाँ, जेल गए !' वह 'कर्मवीर' में ही छपी। गणेशशंकरजी जब जेल गए थे, तब 'प्रताप' का सम्पादन भार चतुर्वेदीजी ने ही उठाया था। उनकी लेखनी से उस बलिपंथी राष्ट्रीयता को पुष्टि मिलती थी, जिसका मैं हामी था। अतः उनकी शरण में पहुँचने पर मुझे कितना आनन्द हुआ, क्या बताऊँ !

तीन-चार दिनों तक तो आवभगत ही चली। फिर उन्होंने 'कर्मवीर' में मुझे जोत दिया—सम्पादन की सारी जिम्मेवारी मुझ पर सौंपकर जैसे वह निश्चिन्त हो गए। मन से, लगन से, धुन से काम करने की तो मेरी आदत ही रही है, मुझे प्रसन्नता हुई कि मैं अपने काम से उन्हें सन्तुष्ट कर सका !

जिन्दगी में पहली बार बिहार से बाहर गया था। डरता था, क्या होगा, कैसे लोग मिलेंगे ? यहाँ तो लगा, मैं अपने ही घर में पहुँच गया हूँ। प्रबन्ध विभाग श्री भुवनेश्वरजी चला रहे थे, जो शाहाबाद जिले के थे। अपने ही थे, सरलता, भद्रता और कर्मठता की मूर्ति ! फिर वीर भैया—चतुर्वेदी के घर-बाहर का सारा प्रबन्ध उनके ही जिम्मे था। सब लोग जानते थे, मैं भी जानता था, वह चतुर्वेदीजी के अपने सगे भाई हैं। यह तो बहुत पीछे पता लगा, कि चतुर्वेदीजी ने उन्हें अपना भाई बना लिया है ! वीर भैया का स्वभाव—थोड़े ही दिनों में उन्होंने मुझे अपना भाई बना लिया। हम साथ ही रहते, काम करते, घूमते-टहलते। मेरी ही तरह वह भी हँसोड़—हम लोगों का सम्मिलित ठहाका थोड़े ही दिनों में उस मोहल्ले में चिर-परिचित हो गया।

फिर प्रभागजी आ गए। अभी किशोर ही थे। विनय और शील की मूर्ति ! स्वभाव में अल्हड़पन ! हम लोगों की उन्मुक्त हँसी में वह भी सुर भरते। खंडवा के कुछ और भी तरुणों से हेल-मेल बढ़ा—अरझरे, वीरेन्द्र कुमार, शास्त्री, पगारे आदि आदि। हँसी-खुशी में ही वे छः महीने कैसे कट गए थे !

मैं वहाँ के सार्वजनिक कामों में भी दिलचस्पी लेने लगा। वहाँ के उन सज्जनों से जान-पहचान बढ़ी जो आज मिनिस्टर, एम.पी., एम.एल.ए. आदि क्या-क्या नहीं हैं !

प्रायः ही रविवार को मैं भाड़े पर साइकिल लेकर देहात में निकल जाता था। बड़े-बड़े सींगोंवाली भैंसों, गाड़ी में जोतकर दौड़ाए जानेवाले पुष्ट सुन्दर बैलों, घाघरे और चुस्त चोलीवाली ग्रामीण बधूटियों, रास्ता पूछने पर सिर हिलाकर 'हो...' कहनेवाले छोटे-छोटे बच्चों, ऊबड़-खाबड़ जमीन में बाजरे, ज्वार, मूँगफली, तिल से लहलहाते छोटे-बड़े खेतों और जगह-जगह टीलों और टेकड़ियों को देखकर मैं अघाता नहीं था। हर-हर करके बहनेवाले पहाड़ी नालों का स्वर तो मुझे आज भी सुनाई पड़ रहा है, जब उनसे डेढ़ हजार मील दूर बैठकर ये पंक्तियाँ लिख रहा हूँ !

मुझे कष्ट था तो एक—वहाँ ब्राह्मण मांस-मछली नहीं खाते। मांस से मुझे कोई शौक नहीं, किन्तु मछली के बिना तो मैं पानी के बाहर की गई मछली की तरह तड़पता ! दो-एक बार स्टेशन के रेस्तोराँ में जाकर छुपकर खा आया, किन्तु बाद में तो घर में ही बनवाने लगा। तब कानाफूसी चली कि यह कैसा ब्राह्मण है ! दादा ने कहा—चतुर्वेदीजी को हम अब दादा ही कहते—विनोद से ही मेरी रक्षा कर ली—अरे, यह बंगाली ब्राह्मण हैं न !

चतुर्वेदीजी चाहने लगे, कहने लगे, तुम यहीं रह जाओ, परिवार भी ले आओ। यहाँ साहित्य में ही नहीं, राजनीति में भी तुम्हारे लिए गुंजाइश होगी। उन्होंने ही बताया, सी.पी. के प्रायः सभी नेता बाहर के हैं। राघवेन्द्र राव मद्रासी थे, पं. द्वारका प्रसाद मिश्र यू.पी. के हैं, सेठ गोविन्द दास राजस्थानी हैं, यों ही शुक्रजी, मेहताजी, गुप्ताजी, वर्माजी सब कहीं-न-कहीं से आए हैं। चतुर्वेदीजी का परिवार भी बाहर से ही आकर सी.पी. में बसा था। यही दो-चार पुश्त का फ़र्क—नहीं तो सबके सब बाहरी आदमी हैं।

सी.पी. की राजनीति में जो अस्थिरता दीख पड़ती है, उसका कारण यही है। मैंने दुख के साथ पाया, देहातों में राजनीतिक जागरण प्रायः नहीं है। शहरी नेतृत्व है—देहात के लोग कांग्रेस और गांधीजी के नाम पर वोट डाल दिया करते हैं।

दादा कहते थे, वहाँ के जीवन में ऐसा घुल-मिल गया था कि जी ललचता था, क्या बुरा है, यहीं आकर काम करूँ ! और यह कह सकता हूँ, यदि दुबारा वहाँ जाता, तो शायद वहीं का हो रहता, किन्तु वैसा बदा नहीं था।

राजनीति के दाँव-पेंच होते हैं, मैंने वहीं अनुभव किया। साहित्यिक प्राणी किस तरह इस दाँव-पेंच में असफल होता है, जिबह किया जाता है, इसका उदाहरण स्वयं चतुर्वेदीजी थे। सी. पी. के बनाने में, उसे देश के राजनीतिक और साहित्यिक नक्शे पर रखने में चतुर्वेदीजी का कितना बड़ा हाथ रहा है, इसका उल्लेख एक दिन इतिहास करेगा। सी.पी. में, सारे हिन्दी संसार में, बलिपंथी तरुणों की एक पूरी पीढ़ी का निर्माण चतुर्वेदीजी ने किया था। किन्तु ज्यों ही सत्ता प्राप्त की जाने लगी, तिकड़म करने में चतुर लोगों ने उन्हें दूध की मक्खी की तरह निकाल फेंका ! मैं देखा, वे चतुर्वेदीजी के पास आते, उनसे आतिथ्य वसूल करते, उनसे घुल-मिलकर बातें करते, उनके प्रति श्रद्धा प्रकट करने में भी कोताही नहीं करते, किन्तु उन्हें सदा दूर-दूर ही रखने की कोशिश करते और इसके लिए घृणिततम षड्यन्त्र रचने से भी नहीं चूकते ! यह तो चतुर्वेदीजी की अनुपम जीवनी-शक्ति और साहित्यिक प्रवृत्ति है कि वह अब तक हम लोगों

के बीच में हैं, नहीं तो उनके साथ राजनीति में जो व्यवहार हुआ, बड़ों-से-बड़ों को भी ध्वस्त-पस्त कर सकता था !

मैं यह नहीं कहता, चतुर्वेदीजी में दुर्बलताएँ नहीं हैं, किन्तु मैं पूछने की हिम्मत कर सकता हूँ कि हममें कौन ऐसा अगड़धत्त है, जो दुर्बलताओं का पुंज नहीं हो ! बड़े-से-बड़े को मैंने निकट से देखा है, परखा है–

हमको मालूम है जन्नत की हक़ीकत लेकिन,
दिल को खुश रखने को 'ग़ालिब' य' खयाल अच्छा है।

खैर, मैं 'कर्मवीर' के सम्पादन काल के छः महीनों की मधुर स्मृतियाँ लिये घर लौटा। स्टेशन तक दादा पहुँचाने आए थे, कहा था, पहुँचकर कुशल का तार दे देना और बाल-बच्चों के साथ ही लौटना। तार तो दे दिया, किन्तु लौट नहीं सका। गाँव से आकर जब बोरिया-बिस्तर लिये पटना स्टेशन पहुँचा, वहीं 'योगी' के संचालक नारायण बाबू से भेंट हो गई। कुशलक्षेम के बाद उन्होंने पूछा, कहाँ जा रहे हैं ? और जो मैं टिकट कटाने जा रहा था, वह उनके साथ, 'योगी' कार्यालय में लौट आया। दादा से वेतन का कुछ अग्रिम ले आया था, वह तार से भेजवा दिया। न जाने दादा को कितना दुख हुआ होगा; मैं तो कई दिनों तक खोया-खोया-सा रहा !

बहुत दिन हुए, स्वेन हेडन का 'ट्रांस हिमालयाज' नामक ग्रंथ पढ़ा था। उसने लिखा है, ब्रह्मपुत्र और सिन्धु नदियाँ तिब्बत में जहाँ से निकली हैं, वे इतने निकट से चलती दिखाई पड़ती हैं कि लगता है, ये दो नाले अब मिले, तब मिले। किन्तु अचानक एक पहाड़ी टीला बीच में आ जाता है, दोनों दूर पड़ जाती हैं, दोनों की प्रवाह-दिशाएँ बदल जाती हैं और अन्ततः एक बंगोपसागर में और एक अरब सागर में जा गिरती है। जीवन भी कुछ ऐसा ही है। यदि उस दिन नारायण बाबू से भेंट नहीं हुई रहती, तो मैं आज कहाँ होता ?

किसान आन्दोलन

जब मैं 'योगी' में आया, बिहार में किसान आन्दोलन की धूम मची थी। मैं भी उसमें शामिल हुआ।

बिहार की भूमि उर्वरा है। यहाँ के किसान सदा खुशहाल रहे। किन्तु इन खुशहाल किसानों पर कार्नवालिस ने ज़मींदारी का जुआ रखकर उन्हें दुर्गत की गाड़ी में जोत दिया। जो कभी ज़मीन के मालिक थे, वे अर्द्धदास बन गए।

जब नील की खेती शुरू हुई, किसानों की दुर्गत और बढ़ी। अंग्रेज कोठीवाल आए और बिहार के–खासकर उत्तर बिहार के–कोने-कोने में छा गए। बड़े पैमाने पर ये खेती करते, किसानों से जमीन लेते, बेगार लेते, क्या-क्या नहीं लेते !

इन्हीं नील के कोठीवालों से लड़ने गांधीजी चम्पारण में आए थे। गांधीजी की जीत हुई; कोठीवालों का रोब और दबदबा चूर हुआ।

विदेशी कोठीवाल तो चले गए; किन्तु देशी जमींदारों के जुल्म तो बरक़रार ही रहे। इस देश की सबसे बड़ी जमींदारी बिहार में थी, जिसकी सम्पत्ति करोड़ों में कूती जाती थी। लखपति ज़मींदार तो पग-पग पर मिलते थे। समूचे बिहार में महाराजों, राजों, बाबुओं की भरमार थी ! कहीं बाबू शब्द किरानी के लिए प्रयोग होता है, बिहार में तो वह बड़े ही सम्मान का शब्द रहा है ! यहाँ के बड़े-से-बड़े नेता आज तक अपने को 'बाबू' कहे जाने में ही गर्व अनुभव

करते हैं !

इन ज़मींदारों के जुल्म के खिलाफ़ भी आवाज़ उठने लगी। मुझे याद है, जब मैं स्कूल में पढ़ता था, एक वकील थे, बाबू अरिक्षण सिंह। वे किसानों की सभाएँ करते थे, किसानों के पक्ष में बोलते थे। जब भारत में राजकीय कृषि कमीशन आया था, उसके सामने उन्होंने किसानों की ओर से गवाही दी थी और जब पं. मोतीलालजी ने एक सर्वदल सम्मेलन बुलाया था, इन्हें भी किसानों के प्रतिनिधि की हैसियत से निमन्त्रित किया था।

किन्तु ज़मींदारों में बड़ी हलचल मची, एक स्वामी विद्यानन्द के चलते। अचानक दरभंगा जिले में पुच्छलतारा की तरह वह आ गिरे और थोड़े दिनों तक ऐसी धमाचौकड़ी मचाई कि बिहार के सबसे बड़े ज़मींदार का भी आसन डगमगाने लगा !

स्वामी विद्यानन्द ने एक पत्र निकाला—'किसान समाचार'। उसी समय 'किसान मित्र' निकला, जिसके सम्पादकीय विभाग में मैंने कुछ दिनों तक काम किया था।

जब मांटेगु चेम्सफोर्ड सुधार के अनुसार चुनाव का सिलसिला शुरू हुआ, किसानों के नाम पर वोट माँगना सुलभ समझ कुछ लोगों ने अपने को किसानों का नेता घोषित किया। बिहार की विधायिका सभा में किसानों का एक छोटा सा दल भी कायम हुआ।

फिर कांग्रेस नेताओं का ध्यान इस ओर गया। सोनपुर मेले में एक सभा बुलाई गई, स्वामी सहजानन्दजी को वहाँ आमन्त्रित किया गया और उन्हीं को सभापति बनाकर एक प्रान्तीय किसान सभा गठित की गई। उस किसान सभा के प्रधानमन्त्री बनाए गए थे बाबू श्रीकृष्ण सिंहजी, जो आज बिहार के चीफ मिनिस्टर हैं।

संयोग से मैं उस सभा में पहुँच गया था। मैंने उसका विरोध किया था। मुझे यह सारा कुछ मायाजाल लगता था।

किन्तु 1930 और '32 के जेल में जो देखा-सुना और जो पढ़ा-लिखा, मैंने अनुभव किया, गरीबों के राज्य की स्थापना की बात तो दूर रखिए, हम अंग्रेजी राज्य को भी तब तक दूर नहीं भगा सकते, जब तक इस आन्दोलन में किसान नहीं आते और किसानों को इसमें लाना है, तो उनका अलग संगठन करना ही पड़ेगा। सिंह और बछड़े को कोई एक घाट पर पानी पिला भी लें, किन्तु दोनों को एक जुए में बाँधकर खेत तो जोता नहीं जा सकता !

जेल में ही कुछ सरकारी रिपोर्टें पढ़ीं और उनसे पाया कि बिहार की उन्नति तब तक हो नहीं सकती, तब तक ज़मींदारी प्रथा उठा नहीं दी जाती।

अतः 1933 में एक साल की सजा काटकर जब मैं लौटा, मैंने ज़मींदारी के खिलाफ लेख लिखना शुरू किया। 'प्रताप' में मेरा लेख 'ज़मींदारी क्यों उठा दी जाए ?' निकला, जो कई पत्रों में उद्धृत हुआ। 'विश्वमित्र' में भी कई लेख इस विषय पर मैंने लिखे। 'बिहार के किसान' शीर्षक से एक बड़ा सा खोजपूर्ण लेख लिखा, जिसे पं. बनारसीदासजी चतुर्वेदी ने 'विशाल भारत' में प्रथम लेख के रूप में छापा था।

जब 'लोकसंग्रह' में काम करने लगा, स्वामी सहजानन्दजी से घनिष्टता बढ़ी। स्वामीजी अद्भुत तेजस्वी पुरुष थे। चाहे जिस उद्देश्य से कांग्रेस नेताओं ने उन्हें सभापति बनाया हो, जब किसानों के काम को उन्होंने अपने हाथ में लिया, तो जी-जान से उसमें पड़ गए। इतिहास से इस तथ्य को दूर नहीं किया जा सकता कि बिहार में किसान आन्दोलन की यथार्थ नींव स्वामी सहजानन्दजी ने ही डाली थी।

किन्तु दुर्भाग्य कि शुरू में ही स्वामीजी से मेरा मतभेद प्रकट हुआ। जब मुजफ्फरपुर के जिला किसान सम्मेलन में मैंने ज़मींदारी उठाने का प्रस्ताव रखा, स्वामीजी मुझ पर नाराज हो गए। उनकी धारणा थी कि अभी ऐसा प्रस्ताव नहीं आना चाहिए। किन्तु जब उनकी

तटस्थता के बावजूद यह प्रस्ताव मैंने सम्मेलन में रखा, वह विशाल बहुमत से पास हो गया।

किसान सभाओं में ज़मींदारी प्रथा के खिलाफ बोलना, ज़मींदारी प्रथा उठा देने का प्रस्ताव रखना और पास कराना—यह मेरा पेशा ही हो गया। पत्र-पत्रिकाओं में लेख भी लिखता रहा। 'योगी' को किसान आन्दोलन का मुखपत्र-सा बना दिया। अन्त में बिहार प्रान्तीय किसान सभा ने ज़मींदारी उठाने का प्रस्ताव स्वीकार किया। जब मैं फैज़पुर कांग्रेस का प्रतिनिधि था, वहाँ भी मैंने यह प्रस्ताव रखा। मुझे याद है, इस प्रस्ताव पर पं. जवाहरलाल नेहरू किस प्रकार बिगड़ उठे थे—उसे क़बलअज़वक़्त कहकर टाल दिया था।

उन्हीं दिनों की एक मनोरंजक बात है। मेरे एक ज़मींदार मित्र ने मुझसे कहा—यह क्या करते फिरते हैं आप; क्या आप लोगों के कहने से ज़मींदारी प्रथा उठ जाएगी ? मैंने कहा—बारह वर्ष में उठकर रहेगी। उन्होंने कहा, आप दस्तख़त कर सकते हैं ? मैंने उनकी डायरी में लिखकर दस्तखत कर दिया ! जब 1946 के बाद कांग्रेसी मन्त्रिमंडल ने ही ऐसा विधान पास कर दिया, तो उन्होंने मुझे वह दस्तखत दिखलाया और कहा—आप जीत गए, मैं हार गया !

मैं कई जिला किसान सम्मेलनों का सभापति बनाया गया, फिर प्रान्तीय किसान सभा का सभापति चुना गया; अखिल भारतीय किसान सभा के उपसभापति का पद भी मुझे दिया गया। इन जिम्मेवारियों को मैंने बड़े उत्साह और स्नेह से वहन किया।

1934 के भूकम्प के बाद किसान आन्दोलन में बड़ी प्रगति हुई थी। स्वामीजी ने हम समाजवादियों को काम करने की पूरी स्वतन्त्रता और सुविधा दी थी। साथी जयप्रकाश नारायण प्रान्तीय किसान सम्मेलन के अध्यक्ष चुने गए थे।

हम लोगों के सम्मिलित प्रभाव से फैजपुर कांग्रेस ने एक किसानों का कार्यक्रम स्वीकार किया था। उसी कार्यक्रम के आधार पर 1937 में किसानों ने कांग्रेस को इतनी मदद दी कि सात प्रान्तों में कांग्रेस मन्त्रिमंडल बन पाया। कांग्रेसी मन्त्रिमंडल के बाद किसान आन्दोलन में और भी तीव्रता आई। पटना में हम लोगों ने किसानों की वैसी रैली की जैसी फिर कभी देखी नहीं गई। बिहार के कोने-कोने से किसान पैदल आए थे। पटना का सारा लॉन जो उस दिन भरा, फिर कभी भर नहीं पाया !

किन्तु किसानों की इस बड़ी भीड़ को देखकर ही जैसे कांग्रेस नेता भयभीत हो गए ; उन्होंने ज़मींदारों से एक समझौता कर लिया और किसान को अपना कोपभाजन बना लिया। धीरे-धीरे कटुता बढ़ती गई।

फिर किसान सभा में भी फूट फैली ओर उसकी वह शक्ति जो गई, आज तक नहीं लौटी। उस दुखद प्रसंग के बारे में अधिक लिखना आपसी कटुता बढ़ाना है।

इस प्रसंग में एक बड़ी ही मधुर स्मृति है। एक बार जयप्रकाशजी और मैं स्वर्गीय सर गणेशदत्त सिंह से मिलने गए थे। सर गणेश ऐसा त्यागी सपूत बिहार ने दूसरा नहीं पैदा किया, ऐसा बिना हिचक के कहा जा सकता है। जब तक वह मिनिस्टर रहे; अपने मामूली खर्च के अतिरिक्त उन्होंने एक-एक पैसा दान में दे दिया ! उनके दिए कई लाख रुपए से विश्वविद्यालय उपकृत हुआ है। उनके द्वारा स्थापित छात्रवृत्तियों ने कितने ही विद्यार्थियों के लिए सर्वोच्च शिक्षा का द्वार आज तक खोल रखा है। एक-एक पैसा उन्होंने दिया—यह शब्दशः सही है। यह सर्वप्रकट है कि अपनी पौत्री के विवाह में एक बार उन्होंने अपने बेटे को कुछ रुपए दिए, तो हैंडनोट करा लिया और उसके पैसे वसूल कर विश्वविद्यालय को दिये।

सर गणेश कुछ और भी अद्‌भुत काम किया करते थे। जब जयप्रकाशजी 1936 में जेल में थे, उनके पूज्य पिताजी बहुत बीमार पड़े। सर गणेश ने जयप्रकाशजी को समय से पहले छोड़ दिए जाने के लिए चुपचाप चेष्टा की थी और वह सफल हुए थे।

जब महायुद्ध शुरू हुआ, जयप्रकाशजी ने कहा, चलिए, उस वृद्ध-वसिष्ठ से हम मिल आएँ; न जाने फिर सुअवसर मिले या नहीं ! संयोग देखिए, मैं बीस वर्षों से पटना में था, किन्तु कभी उनसे मिला नहीं था। मुझे लोगों ने कह रखा था; वह जाति-पाँति के पक्षपाती हैं, भूमिहारों का पक्ष लेते हैं। मैं भूमिहार था, अतः निश्चय कर लिया था, कभी उनसे मिलूँगा ही नहीं।

किन्तु जयप्रकाशजी के साथ जाने में क्या उज्र हो सकता था ? अब सर गणेश राजनीति से पृथक् थे और एक तपस्वी का जीवन बिता रहे थे। अतः हम उनकी सेवा में पहुँचे। जब मेरा परिचय उन्हें दिया गया, उन्होंने अपनी स्वाभाविक मगही बोली में कहा—'तुम वही बेनीपुरी हो, जो कहता है, ज़मींदारी प्रथा उठा दी जाए !' मैंने अपराध स्वीकार किया। वह मुसकराकर बोले—'मैंने सोच रखा था, तुम देखने में बड़े भयानक होंगे; किन्तु तुम्हें तो उसके विपरीत पा रहा हूँ !' फिर बड़ी गम्भीरता से बोले—'देखो, मैं पच्चीस वर्षों तक बिहार ज़मींदार सभा में रहा हूँ और कोशिश की कि ज़मींदार सुधर जाएँ। किन्तु वे अपने को सुधार नहीं सके। जो सुधर नहीं सकेगा, उसका अन्त तो होगा ही।'

कुछ देर तक हम उनका मुँह देखते रहे ! फिर उन्होंने जयप्रकाशजी से बताया कि किस प्रकार एक आयरिश मित्र के आग्रह पर, जब वह कलकत्ता में थे, एक सोशलिस्ट क्लब के मेम्बर बने थे। 'बिहार का मैं पहला सोशलिस्ट हूँ !' उन्होंने मुसकराकर कहा।

अब जयप्रकाशजी की बारी थी। उन्होंने तुरत पेश किया—तो हमारी मदद कीजिए कि यह बुरी प्रथा (ज़मींदारी) तुरत नाश हो जाए ! सर गणेश फिर मुसकराए, बोले—'नहीं, मेरी स्थिति भीष्म की तरह है। विजय का आशीर्वाद तुम्हें दूँगा और लड़ूँगा उनकी ओर से, यद्यपि अब मेरी स्थिति उसके योग्य भी नहीं रह गई !' उनके चेहरे पर करुणा छा गई !

तो क्या मैं समझूँ, ज़मींदारी प्रथा उठ जाने से, अपने आशीर्वाद की सार्थकता पर, उस वृद्ध-वसिष्ठ की आत्मा स्वर्ग में आनन्दित हुई होगी ?

जयप्रकाश

यहाँ मैं उस व्यक्ति के परिचय और साहचर्य की याद कर लेना चाहता हूँ, जिसने मुझे इतना प्रभावित किया, जो मुझे आज तक इतना प्रभावित करता आया है।

जयप्रकाशजी का नाम मैंने पहले पहल तब सुना, जब वह अमेरिका से लौटे। अमेरिका से लौटने के बाद उनके कुछ लेख 'सर्चलाइट' में छपे। मैंने उनके वे लेख ध्यान से पढ़े थे। जब मुझ पर 'युवक' के सम्बन्ध में राजद्रोह का मुकदमा चल रहा था, मेरी सफाई के गवाह के रूप में उन्हें पेश करने की बात उठी थी। उन दिनों वह कांग्रेस में मजदूर मन्त्री की हैसियत से काम कर रहे थे, प्रयाग के आनन्द भवन में ही रहते थे। फूलनजी (श्री फूलन प्रसाद वर्मा, जो उन दिनों वकालत कर रहे थे और फिर दामोदर वैली कॉरपोरेशन के माननीय सदस्य रहे।) उनकी प्रायः चर्चा करते थे। दोनों बालसखा थे। उस मुकदमे में फूलनजी मेरे वकीलों में थे।

किन्तु उस मुकदमे में उन्हें नहीं बुलाया गया। जब हमने बिहार सोशलिस्ट पार्टी की स्थापना की, उसके घोषणा पत्र को उनसे दिखलाने की बात चली थी। यह भार फूलनजी पर ही सौंपा गया था। फूलनजी के घर पर उन्हें एकाध बार देखा भी था।

यह परिचय घनिष्ठता में तब बदला, जब वह बिहार भूकम्प के बाद नासिक जेल से छूटकर पटना आए और यहीं रहने का निश्चय हम लोगों पर प्रकट किया। नासिक जेल से

ही वह एक कागज लाए थे, जिस पर कांग्रेस सोशलिस्ट पार्टी के उद्देश्य और विधान का खाका था। हम लोगों को उसे पढ़ने को दिया। उसमें मूल बातें वही थीं, जो बिहार सोशलिस्ट पार्टी के उद्देश्य और विधान में थीं। अतः हमें स्वीकार करने में कठिनाई नहीं हुई। हाँ, सोशलिस्ट पार्टी के नाम के पीछे 'कांग्रेस' जोड़ना मुझे जँचता न था। किन्तु उनकी दलीलों ने यह आपत्ति भी दूर कर दी। उसी खाके के आधार पर एक अखिल भारतीय पार्टी के संगठन के लिए किस तरह हमने पटना में एक कॉन्फ्रेंस बुलाई, किस तरह वह पार्टी उनके अनवरत अध्यवसाय से इतनी व्यापक बनी, प्रतिष्ठा प्राप्त कर सकी, इस पर यहाँ अधिक प्रकाश डालने की आवश्यकता नहीं।

उनके ज्ञान, धुन, कर्मठता आदि के अतिरिक्त उनके व्यक्तित्व ने मुझे मोह लिया। एक कलाकार का हृदय मेरा; स्वभावतः ही उनका शरीर-सौष्ठव मुझे बहुत ही भाया। लम्बी छरहरा बदन; गौर कान्तिपूर्ण मुखमंडल, पहनावे में सादगी के साथ अद्भुत सौन्दर्य, वाणी में मधुरता, मुसकान में मोहकता ! फिर भाईचारे की अपूर्व भावना–न ज्ञान का अभिमान, न अपनी बात लादने की कोई चेष्टा करते। साथियों के विचारों का सम्मान करते और प्रायः ही उनकी बातें तुरंत स्वीकार कर लेते।

जब 'कर्मवीर' से लौटकर मैं पटना आया और 'योगी' का सम्पादन करने लगा, योगी ऑफिस, किसान आन्दोलन और समाजवादी आन्दोलन का ही नहीं, जयप्रकाशजी का भी अड्डा हो गया। उन दिनों की याद कितनी मधुर है ! हम लोग चटाई पर, खुरदरे कम्बल पर बैठकर बातें करते, शाम को भूँजा-मूँढ़ी मँगाकर जलपान करते, एक पैसे में एक प्यालीवाली चाय कैसी तृप्ति से पीते ! यह सिलसिला तो 'जनता' तक चलता रहा। भूँजा फाँकते हुए एक ऐसे समाज की कल्पना करना, जिसमें घी-दूध की नदियाँ बहेंगी और उस समाज के निर्माण के लिए अपने को उत्सर्ग करना, अपने को खपाना, गलाना–आह ! कैसे वे दिन थे !

'योगी' के समय की एक दिलचस्प घटना की याद आ रही है। एक दिन मेरे ऑफिस में मेरे एक मित्र को लेकर सी.आई.डी. के एक अफसर आए। बड़े प्रेम से बातें कीं। किसान आन्दोलन और समाजवादी आन्दोलन तारीफें कीं। हमारी मदद के लिए वे छटपटा रहे हों, ऐसा जाहिर किया। फिर एक सहज नुस्खा बताया–देखिए, किसान सभा की या सोशलिस्ट पार्टी की बैठकों की खबरें तो अखबारों में छपती ही हैं। तो क्या बुरा हो, यदि उनकी एक अग्रिम प्रति हमें भी दे दिया करें, बस, उन्हीं खबरों की, जिन्हें आप अखबारों में भेजते हैं। यदि आप ऐसा करें, तो एक अच्छी रकम मैं दे दिया करूँगा, आप ब्राह्मण हैं, मैं भी ब्राह्मण हूँ, उन्होंने यहाँ तक कहा। मैं तो सन्न ! फिर उन्हे चुपचाप चले जाने की प्रार्थना की। मित्र को डाँटा। किन्तु इस अफसर की धृष्टता देखिए। जयप्रकाशजी के घर पर जाकर उसने उनसे भी यह प्रार्थना की। जयप्रकाशजी ने फौरन उसे घर से निकलवा दिया और 'सर्चलाइट' में इस बेहूदी हरकत के खिलाफ एक वक्तव्य दिया–बेचारा अफसर तुरंत वहाँ से बदल दिया गया।

उसी समय सोशलिस्ट पार्टी के मुखपत्र 'कांग्रेस सोशलिस्ट' में स्वर्गीय भाई मेहरअली का जयप्रकाशजी पर एक शब्द चित्र निकला। कितना सुन्दर था वह शब्दचित्र ! उसमें उन्होंने लिखा था, लोग पूछते हैं, सोशलिस्ट पार्टी में जयप्रकाश का क्या स्थान है ? ऐसे प्रश्न के उत्तर में एक कथा आलोचक का उत्तर मैं पेश करूँगा। जब उससे पूछा गया, चार्ली चैपलिन का स्थान अभिनय कला में क्या है ? तो उसने कहा था–चार्ली एंड दि रेस्ट ! सभी अभिनेता एक तरफ और चार्ली एक तरफ ! भाई मेहरअली के उस कथन में कितनी सच्चाई थी ! मैंने उसका अनुवाद 'योगी' में छापा था। उन दिनों जयप्रकाशजी के पिताजी पटना में ही रहते थे।

उस लेख को देखकर उनकी आँखें भर आई थीं।

जब मैं 'योगी' का सम्पादक था, कांग्रेस की स्वर्ण जयन्ती मनाई जाने वाली थी। कांग्रेस के सभापति थे पूज्य राजेन्द्र बाबू। उन दिनों वह दक्षिण भारत के दौरे पर थे। 'योगी' का शहीद अंक निकालने की मैंने योजना बनाई और उनसे सन्देश भेजने का आग्रह करते हुए यह भी लिखा कि क्या इस अवसर पर शहीदों के प्रति श्रद्धांजलि अर्पित करने के लिए कांग्रेस की ओर से कोई आयोजन नहीं किया जाएगा ? राजेन्द्र बाबू ने सन्देश तो भेजा ही, एक वक्तव्य देकर स्वर्ण जयन्ती के कार्यक्रम में शहीदों के प्रति श्रद्धांजलि अर्पित करने का भी आदेश दिया। इस शहीद अंक पर सरकार ने जमानत माँगी ! 'योगी' की आर्थिक स्थिति ऐसी न थी कि जमानत दी जा सके। जयप्रकाशजी आर्थिक मदद जुटाने को तैयार हुए, बशर्ते कि 'योगी' को किसान सभा का मुखपत्र बना दिया जाए। किन्तु उसके संचालकों ने दूसरा ही प्रबन्ध किया। मैं उससे हट गया। हम लोग 'जनता' निकालने के आयोजन में लगे।

कि 1937 का चुनाव आ पहुँचा। कांग्रेस की शानदार जीत हुई। किन्तु गर्वनरों द्वारा हस्तक्षेप नहीं किए जाने का आश्वासन नहीं दिए जाने तक कांग्रेस ने मन्त्रिमंडल बनाने से अस्वीकार कर दिया। बिहार में यूनुस साहब का अन्तरिम-मन्त्रिमंडल बना। जिस दिन वह मन्त्रिमंडल कार्यभार सँभालने जा रहा था, पटना में हड़ताल करने और जुलूस निकालने का हमने तय किया। मैं ही उन दिनों पटना शहर कांग्रेस कमेटी का सभापति था। हड़ताल के एक दिन पहले मुझ पर और जयप्रकाशजी तथा कुछ और साथियों पर 144 की नोटिस तामील की गई ! कांग्रेस के बुजुर्ग नेताओं ने सलाह दी, हम लोग कानून नहीं तोड़ें। किन्तु क्या यह सलाह मानने योग्य थी ?

पहली अप्रैल 1937। पटना उस दिन को क्या भूल सकता है ? भोर से ही सड़कों पर घुड़सवार पुलिस गश्त लगा रही थी, तो भी शानदार हड़ताल हुई। सन्ध्या को चार बजे हम लोग भिन्न-भिन्न राहों से पटना कॉलेज के निकट पहुँचे और जेब में रखे झंडे को हाथ में लिये डंडे में लगाकर नारे लगाते हुए आगे बढ़े। हम लोगों ने मुश्किल से बीस आदमी से शुरू किया होगा, किन्तु मेडिकल कॉलेज के सामने जाते-जाते सड़क पर नरमुंड-ही-नरमुंड दिखाई पड़ते थे। सरकार अवाक्, पुलिस भौंचक ! जब उसे होश आया, हम लोग गिरफ्तार किए गए। किन्तु तब तक तो सारे पटना में 144 की धज्जियाँ उड़ चुकी थीं। अदालत में अपना बयान देते हुए जयप्रकाशजी ने सच ही कहा था, पटना की गली-गली में उस दिन नया विधान पनाह माँगता फिरता था !

हम लोगों को तीन-तीन महीनों की सजा हुई। दो मुसलमान मित्रों के साथ हम लोग—जयप्रकाश और मैं—हजारीबाग जेल भेज दिए गए।

आह ! वे तीन महीने ! जेल में ही तो आदमी की कमजोरियों और खूबियों को परखने का अवसर मिलता है। जयप्रकाशजी के मानव रूप को मैंने वहीं देखा ! हम लोग साथ-साथ खाते, पीते, सोते, उठते, कसरत करते, दौड़ते, पढ़ते, लिखते ! जयप्रकाशजी के पैर शरीर के अनुपात में कुछ पतले पड़ते हैं; छाती का ऊपरी अंश कुछ आगे की ओर झुका हुआ है। अपने पैरों पर खिन्न होते। छाती को उभारने की कोशिशें करते, स्वयं उर्दू सीखने की चेष्टा करते। हमें समाजशास्त्र की मोटी-मोटी बातें सिखाने की चेष्टा करते। हम खोद-खोदकर उनसे अमेरिका के अनुभव पूछते, वे बड़े संकोच से बताते। अमेरिका में पाँच वर्षों तक अपनी रसोई आप बनाते रहे, यहाँ अपने उस अनुभव का फायदा हमें उठाने का सुअवसर देते। रोज कुछ नई चीज पकाते। 'ईटिग अबुल पाई'—अंग्रेजी के इस मुहावरे का अर्थ तब मालूम पड़ा, जब उन्होंने 'पाई' बनाकर हमें खिलाया !

मैंने कबूतर पाला, उन्होंने गौरैय्या का बच्चा पाला। मेरे पास मेटरलिंक का एक नाटक था। उसके नायक के नाम पर उस बच्चे का नाम 'टिलटिल' रखा। कमबख्त टिलटिल जयप्रकाश से कितना प्रेम वसूल सका था ! किन्तु यह क्या ? एक दिन भोर में उठकर देखते हैं, टिलटिल चल बसा है।

जयप्रकाशजी की सूरत उस दिन कैसी रुआँसी हो गई थी ! दिन भर आकुल-व्याकुल दीखे। किन्तु यह टिलटिल तो अपनी मौत के साथ कई मौतें छिपाए हुआ था। उसके बाद ही खबर आई, मेरा मँझला लड़का चल बसा ! लगभग एक सप्ताह तक मैं क्या होश में था ? और क्या जयप्रकाश का ध्यान एक पल भी मुझसे अलग होता था ? जब मैं शौच के लिए जाता, वह इर्द-गिर्द चक्कर लगाया करते। और सच कहता हूँ, यह उनकी स्नेहकातरता थी, जिसने मुझे बाध्य किया कि अपने को संयमित करूँ।

फिर वही खबर आई, उनके पिताजी चल बसे हैं। यद्यपि यह बात गलत थी, तो भी उस दिन जयप्रकाश की आँखों का अश्रु-प्रवाह देखा, क्या वह कभी भूला जा सकता है ?

लोगों को आश्चर्य होता है, मैं जयप्रकाश पर इतना अनुरक्त क्यों हूँ ? काश, वे जान पाते, हम लोगों के स्नेह का आधार केवल राजनीति नहीं। यह स्नेह आँसुओं से सींचा गया है—'अँसुअन जल सींचि-सींचि प्रेम-बेलि बोई।'

बाहर आकर हमने 'जनता' निकाली। 'जनता' के लिए उन्होंने क्या-क्या नहीं किया ! वह कभी-कभी खीजकर कहा करते—'जनता' सफेद हाथी है। इस हाथी का चारा उन्हें जुटाना पड़ता है, मैं तो उसके कन्धे का महावत मात्र था !

और उसी जयप्रकाश ने एक दिन बिगड़कर कहा—'आपने मेरी पीठ पर छुरा भोंका है !' और मैंने तमककर कहा—'मैं उन लोगों में नहीं, जो पीठ में छुरा भोंकते हैं, जब छुरा ही भोंकना होगा, तो मैं आपकी छाती में भोंकूँगा !'

यह विचित्र प्रसंग कैसे सम्भव हुआ ?

त्रिपुरी कांग्रेस की बात है। नेताजी सुभाष बोस को जिताने के लिए हमने क्या-क्या नहीं किया था ? नेताजी जब पटना आए थे और कांग्रेसियों ने उन पर जूते चलवाए थे, मैंने उनकी प्रतिष्ठा की रक्षा के लिए अपने को किस खतरे में डाला था ? जब उसी नेताजी का साथ पार्टी ने त्रिपुरी में नहीं दिया, अपने को तटस्थ रखा, मुझे बहुत गुस्सा आया। मैं त्रिपुरी नहीं गया था। पत्रों में जो खबरें छपीं, उन्हीं के आधार पर मैंने 'जनता' में एक जबरदस्त टिप्पणी लिखी। जब जयप्रकाश लौटे और पार्टी की कार्य समिति की बैठक हुई, मैंने यह प्रश्न फिर उठाया। जयप्रकाश बिगड़ उठे; मेरा जवाब सुनते ही वे चौंके। पार्टी में ऐसे लोग थे, जो त्रिपुरी के लिए निन्दा किए फिरते थे; किन्तु बैठक में चिकनी-चुपड़ी बात कर रहे थे, उन्हीं को मैंने लक्ष्य किया था। झट जयप्रकाशजी ने मुझसे माफी माँगी। किन्तु उन्हें इतने से ही सन्तोष नहीं हुआ। बैठक के बाद मेरी कोठरी में आए और फिर माफी माँगी, गलती कबूल की, बताया, कई रात से नींद नहीं आई है, इसी से अचानक ऐसी बातें मेरी मुँह से निकल गईं ! मैंने अपनी स्थिति समझाई। फिर हम दोनों साथ-साथ एक सभा में गए, जैसे कोई अप्रिय प्रसंग हुआ ही नहीं हो। वहाँ जयप्रकाश के लम्बे भाषण ने त्रिपुरी की सारी भ्रान्तियाँ दूर कर दीं।

1940 में फिर हम लोग एक ही साथ जेल में रहे। उनका विश्वास था, यह युद्ध सात वर्ष चलेगा और बीच में हम नहीं छोड़े जा सकेंगे, यद्यपि उनकी दस महीने की तथा मेरी एक साल की ही सजा थी। इस लम्बी अवधि को काटने के लिए कुछ शगलें चाहिए, अतः उन्होंने ही मुझे सिगरेट पीने को बाध्य किया, ताश खेलना सिखलाया, बैडमिंटन, बॉलीबाल आदि खेलों की ओर प्रेरित किया ! खेलने में मैं सदा ही कच्चा रहा। ब्रिज में मुझे अपना साथी बनाकर

कितने टिन सिगरेट वह हारे होंगे, उसकी याद ही हँसी ला देती है ! और उस दिन वही कहने लगे, 'आप बहुत सिगरेट पीते हैं।' मैंने कहा—'काश आप जान पाते, किसी कलाकार को कोई लत लगाना कितना आसान है और छुड़ाना कितना मुश्किल !'

अगस्त क्रान्ति में जब वह जेल से भागे, क्या किसी को विश्वास होता था, जयप्रकाश ऐसा आदमी भी जेल से भाग सकता है ? उन दिनों वह बीमार थे। जिस सन्ध्या को भागे, कुछ अतरंग मित्रों से मिलने आए। फूलनजी से नहीं रहा गया ममता उमड़ आई, उनके मुँह से ज्यों ही निकला—आप बीमार हैं। उन्होंने बीच ही में डाँट दिया—आप क्या बोल रहे हैं ? क्या शरीर ही सब कुछ है, स्पिरिट कुछ नहीं ? इतना कहकर तमककर चल दिए, फूलनजी की आँखों से आँसू झरने लगे थे !

जिन दिनों जयप्रकाश मार्क्सवाद के क्लास चलाया करते थे, उन दिनों भी मैं कहा करता था—जयप्रकाश 90 फीसदी गांधीवादी हैं तो मित्रों को मालूम होता था, मैं बहकी बातें कर रहा हूँ। जब उसकी 'अच्छाई की प्रेरणा' निकली, तो सब एक-दूसरे से कानाफूसी करने लगे। जयप्रकाशजी ने एक दिन मुझसे पूछा—आपकी क्या राय है ? मैंने कहा, मैं जो कहा करता था, उस पर आपने सही मात्र कर दिया है ! वह हँस पड़े !

जिस दिन उन्होंने जीवन दान की घोषणा की; मैं उनके साथ ही ठहरा था। उन दिनों बड़े दुर्बल हो गए थे। मैंने कहा—मैं आपसे नाराज हूँ। उन्होंने कहा—क्यों ? मैंने कहा—जरा अपना चेहरा तो आईने में देख लिया कीजिए। बोले—मधुमेह हो गया है। और क्या क्या चल रही है ?—यह पूछते ही मुसकरा पड़े, वही मुसकराहट जो उनके मित्रों को मोहित करती रही है। इतने ही में किसी ने मेरे उन लेख की चर्चा चलाई, जो 'भूदान यज्ञ बिहार' में छपा था। उस लेख में मैंने लिखा था, इस बोधगया में ही आज से ढाई हजार वर्ष पहले संसार के कल्याण के लिए एक रास्ता निकाला गया था। जो लोग वहाँ एकत्र हो रहे हैं, क्या आज के संत्रस्त-विपन्न मानव के लिए कोई नया रास्ता बता सकेंगे ? पढ़कर बोले, अच्छा लिखा है आपने ! लेकिन, उस अच्छा का क्या अर्थ, यह तो दूसरे दिन पता चला, जब उन्होंने यह घोषणा की !

उस दिन की (19-4-54) की अपनी डायरी में मैंने लिखा है—

'मैं प्रायः कहा करता हूँ, मैं कलाकार हूँ, सद्गुणोपासक हूँ, जयप्रकाश ही मेरी उपासना की मूर्ति हैं, जहाँ वह रहेंगे, वहाँ मैं रहूँगा। 1934 से ही उनका साथ है। आज बीस वर्षों के बाद एक प्रश्न आया है—अब तुम कहाँ रहोगे बेनीपुरी ?'

बार-बार बच्चों की याद आती है—नाबालिगों की एक पूरी पल्टन है मेरे साथ। क्या मैं जयप्रकाश की असि-धार पर चढ़ सकूँगा, चल सकूँगा ?

'जनता'

'युवक' के बाद मेरे पत्रकारिता के जीवन में सबसे प्रमुख स्थान है 'जनता' का। 'योगी' से हटने के बाद ही मैं 'जनता' के लिए प्रयत्न करने लगा। सबसे जटिल प्रश्न था पैसे का। उसके लिए मैंने योजना सोची। यदि सौ आदमी ऐसे मिल जाएँ जो पचास-पचास रुपए दे दें, तो पाँच हजार रुपए में एक अच्छा साप्ताहिक हम निकाल सकेंगे। इसके लिए 'जन साहित्य संघ' नाम की एक संस्था स्थापित करने की बात सोची गई। उनकी ओर से एक अपील निकालने का निश्चय किया गया।

जन साहित्य संघ के संस्थापकों के रूप में जयप्रकाशजी, आचार्य नरेन्द्रदेव, फरीदुल हक अंसारी, माखनलाल चतुर्वेदी, सीताराम सेक्सरिया और मेरे नाम से एक अपील निकाली गई। सबसे पहले काशी के सुप्रसिद्ध देशभक्त और हिन्दी सेवी श्री शिवप्रसाद गुप्तजी ने तीन सौ रुपए का एक चेक जयप्रकाशजी को भेजा और लिखा, आवश्यकता पड़ने पर फिर भी याद कीजिएगा।

जेल से लौटने के बाद जयप्रकाशजी मुझे लेकर कलकत्ता गए और वहाँ दो हजार रुपए हुए। उन रुपयों से टाइप और कागज का प्रबन्ध कर हम पटना आए। मैं 'जनता' निकालने में जुट गया। टाइप आते ही अपने यहाँ मैटर कम्पोज कराकर और एक दूसरे प्रेस में छपवाकर 1937 की विजयादशमी को हमने 'जनता' निकाल दी।

उनके लिए सन्देश पंडित जवाहरलाल नेहरू ने भेजा था, जो हिन्दी में था और उसे उन्हीं की लिपि में मुखपृष्ठ पर, खास 'जनता' के लिए भेजी गई उनकी एक तसवीर के साथ, ब्लाक बनवाकर छापा था। उन दिनों जवाहरलालजी हमारे कितने निकट थे, आज कितने दूर हैं ! जनता का पहला अंक हमने दो हजार छपवाया था। किन्तु ऐसी माँग हुई कि उस अंक का फिर दूसरा संस्करण करवाना पड़ा। साप्ताहिक पत्रों के लिए यह एक नई बात थी। पहले अंक से ही जनता पाँच हजार निकलने लगी।

'जनता' तूफान की तरह आनन-फानन में बिहार के कोने-कोने में छा गई और उसने हर जगह एक हलचल मचा दी। 'जनता' के हर अंक के लिए एक उत्सुकता-सी बनी रहती और जहाँ प्रकाशित हुई, हाथोंहाथ बिक जाती। समाजवादी विचारधारा के साथ वह किसान आन्दोलन का सन्देश घर-घर पहुँचाती। नए विचार के युवक उसे अपना प्रतिनिधि साप्ताहिक मानते थे और किसानों के लिए तो वह ढाल और तलवार, दोनों थी। उन दिनों कांग्रेसी मन्त्रिमंडल की स्थापना हो चुकी थी। मन्त्रिमंडल के माननीय सदस्य भी हर सप्ताह के अन्त में उत्सुकता से प्रतीक्षा करते कि देखें, इस सप्ताह 'जनता' क्या लिखती है ?

1937 के चुनाव में बिहार में कांग्रेस की विजय मुख्यतः किसानों के कारण हुई थी। सर गणेशदत्त ने ज़मींदारों का एक ऐसा मोरचा बनाया था कि उन्हें अपनी विजय अवश्यम्भावी मालूम होती थी। जमींदारों ने रुपए तो पानी की तरह बहाए ही, जोर-जबरदस्ती में भी कोई कसर नहीं रखी। तो भी कांग्रेस जीती और शान से जीती। सभी प्रमुख जमींदार हारे, बुरी तरह हारे। आज उनमें से अधिकांश जमींदार कांग्रेस के माननीय सदस्य हैं—कैसी विधि-विडम्बना !

किसानों ने सोचा था, कांग्रेसी राज्य होते ही हमारे दुखों का अन्त होगा। उनके उत्साह और आनन्द का क्या कहना ! जमींदारों ने सोचा, हमारे बुरे दिन आए ! उन्होंने पटना में एक बड़ी सभा की और उनके एक प्रमुख वक्ता ने कहा—यदि हमारे अधिकारों पर प्रहार हुआ तो हम कांग्रेसी नेताओं के खादी के कपड़े को लाल बना देंगे ! लगता है, उनकी इस धमकी का असर हुआ। एक स्टीमर पर कांग्रेस नेताओं को दावत दी गई और बिहार में कुख्यात कांग्रेस-जमींदार समझौता हुआ, जिसके औचित्य को हमें समझाने के लिए मौलाना आजाद साहब तक पटना तशरीफ लाए थे !

जनता ने किसानों का पक्ष जोरदार शब्दों में रखना प्रारम्भ किया। जमींदारों की करतूतों का उसने भंडाफोड़ करना शुरू किया। कांग्रेस नेताओं को भी चेतावनी देने से नहीं चूकती। यही नहीं, पटना में हमने किसानों की एक ऐसी जबरदस्त रैली की, जिसे कभी भुलाया जा सकता है ? उसमें हमने कांग्रेसी मन्त्रियों को भी आमन्त्रित किया था, किन्तु सिर्फ एक मन्त्री आए, जिनका मन्त्रिमंडल पर कितना प्रभाव था, हम जानते थे।

उसी समय बिहार में मजदूर आन्दोलन भी प्रारम्भ हुआ। प्यारे बसावन के नेतृत्व में डालमियानगर की वह हड़ताल ! जनता अब किसानों के साथ मजदूरों की समस्या की ओर भी ध्यान देने लगी। फलतः जमींदारों के साथ पूँजीपतियों के लिए भी जनता एक हौआ बन गई।

'जनता' का प्रबन्ध भार श्री अवधेश्वर प्रसाद सिंह सँभाल रहे थे। उनके सहकारी थे श्री राजवंशी सिंह। अवधेश्वर आज कांग्रेसी एम.पी. हैं और राजवंशी बिहार को-आपरेटिव फेडरेशन के स्थानापन्न अध्यक्ष। इन दोनों की मेहनत का क्या कहना ? किन्तु ज्यों-ज्यों 'जनता' की प्रसिद्धि बढ़ रही थी, प्रचार बढ़ रहा था, त्यों-त्यों घाटे का परिमाण भी बढ़ता जाता था। क्योंकि हम जितने पृष्ठ जितने पैसे में देते थे, उनसे कागज और छपाई का खर्च भी मुश्किल से चल पाता था।

बात तब भी थी और आज भी है कि छोटी पूँजी से पत्र-पत्रिकाओं का चलना असम्भव है। बड़ी पूँजीवाले, आगे के मुनाफे का ध्यान रखकर, कम पैसे में भी अधिक पृष्ठ देते चले जाते हैं। इससे छोटी पूँजी के पत्रों की असामयिक मृत्यु हो जाती। फिर उनका पथ निष्कंटक हो जाता है। बाद में विज्ञापन अधिक मात्रा में एकत्र कर वे अपने घाटे को पूरा कर लेते हैं और आगे चाँदी काटते हैं।

हमें पद-पद पर इस स्थिति का सामना करना पड़ा। जब हमने पूँजीपतियों के खिलाफ लिखना शुरू किया, उन्होंने हमें विज्ञापन देना बन्द कर दिया। कई बड़े पूँजीपतियों के कारखाने बिहार में चल रहे थे। उन लोगों ने मिलकर ऐसी स्थिति ला दी कि हमें विज्ञापन नहीं मिल सके। हमने हार नहीं मानी। उनके इस प्रयत्न के बावजूद; दौड़धूपकर कुछ विज्ञापन इकट्ठे किए गए। किन्तु गाड़ी सदा चलाते रहने में उससे अधिक मदद नहीं होने पाती थी।

कांग्रेसी सरकार की भी वक्र-दृष्टि हुई। प्रान्तीय धारा सभा में एक प्रश्न पुछवाया गया कि किस पत्र की कितनी खपत होती है ! वहाँ सभी लाड़ले पत्रों की मनमानी ग्राहक संख्या बता दी गई, किन्तु 'जनता' का उल्लेख भी नहीं किया—जैसे 'जनता' नामक कोई पत्र बिहार से निकल ही नहीं रहा हो। इस प्रश्न और उत्तर को छपवाकर विज्ञापनदाताओं को चकमे में डालकर उन लाड़ले पत्रों ने खूब विज्ञापन बटोरे। 'जनता' बेचारी को उन्होंने कहीं का नहीं छोड़ा।

अतः 'जनता' का आर्थिक स्थिति चिन्तनीय बनी रही और उसके लिए सबसे अधिक चिन्ता करनी पड़ी जयप्रकाशजी को। हाँ, उस समय दो व्यक्तियों ने जो सहायता की, मैं भूल नहीं सकता—वे थे श्री श्यामनन्दन सिंह और शिवधारी सिंह। दोनों सोशलिस्ट पार्टी के सदस्य थे। दोनों प्रान्तीय असेम्बली के सदस्य थे। स्वयं भूँजा फाँकते, फटेहाली में रहते और असेम्बली से जो कुछ मिलता, 'जनता' की सहायता में मुक्तहस्त दे देते।

किन्तु दयनीय आर्थिक स्थिति के बावजूद हमारा उत्साह कभी कम नहीं हुआ। समय-समय पर हम शान से विशेषांक निकालते। हमारा 'राजबन्दी अंक' तो अनूठा था। कांग्रेस वचनबद्ध थी कि शासन सँभालते ही वह राजबन्दियों को रिहा करेगी। किन्तु उसके पास यह सूचना कहाँ थी कि कितने राजबन्दी हैं और वे कहाँ हैं ? इस विशेषांक में मैंने सूची ही नहीं दी, उनका विस्तृत परिचय भी दिया। राजबन्दियों के प्रश्न को लेकर कांग्रेसी सरकार को इस्तीफा तक देना पड़ा—'रिलीज ऑर रिजाइन' इस नारे का हमने इतना व्यापक प्रचार किया, इस पर इतना जबरदस्त जनमत तैयार किया कि कांग्रेसी सरकार के लिए कोई चारा नहीं रह गया था।

बिहार के सभी राजबन्दी रिहा किए गए। 'जनता' ऑफिस उनके लिए उन दिनों

तीर्थस्थल बन गया था। सभी छूटते ही वहाँ पहुँचते। बिहार के श्री कमलनाथ तिवारी लाहौर षड्यन्त्र केस में गिरफ्तार किए गए थे। वह पंजाब जेल में थे। उनके लिए भी आन्दोलन किया। बिहार सरकार ने पंजाब सरकार से उनकी बदली कराकर उन्हें भी छोड़ा। उन्हीं से पता चला, बटुकेश्वर दत्त के भाई बिहार में कहीं काम करते हैं। इसी आधार पर बटुकेश्वरजी की रिहाई के लिए भी आन्दोलन किया और अन्ततः उन्हें भी रिहा किया गया। एक दिन भगतसिंह और बटुकेश्वर दत्त के नाम भारत के घर-घर में व्याप्त थे। उसी बटुकेश्वर दत्त को छुड़वाकर मैंने कितने आनन्द का अनुभव किया था ! बटुकेश्वरजी से जब-जब भेंट होती है, उनकी आँखों में कृतज्ञता की झलक पाकर प्रायः सोचता हूँ, जीवन में एक कैसा बड़ा सुकर्म कर सका हूँ !

एक दिन मैं अपने गाँव गया था, तो एक सज्जन से भेंट हुई, जो अभी नेपाल से लौटे थे। उन्होंने वहाँ की राजनीतिक स्थिति बताई और कुछ कागज पत्र भी दिए। उन्हीं के आधार पर राणाशाही के खिलाफ मैंने 'जनता' में एक लेखमाला लिखी। उस लेख से सनसनी मच गई। फिर तो नेपाल से युवकों की टोलियाँ आने लगीं और मैं नेपाल के सम्बन्ध में डटकर लिखता गया। राणाशाही की ओर से प्रलोभन और धमकियाँ साथ-साथ आने लगीं। नेपाल की सरहद के स्टेशनों पर 'जनता' की बिक्री बेहद बढ़ गई। लोग दस-दस, पन्द्रह-पन्द्रह रुपए तक में 'जनता' की कापियाँ खरीदते और उसे बाँस की चोंगियों में रखकर नेपाल के कोने-कोने में पहुँचाते। हाल ही मैं काठमांडू गया था। वहाँ पाया, 'जनता' की उन सेवाओं को लोग भूले नहीं हैं। वहीं मुझे पता चला, 'जनता' के एक लेख की प्रतिलिपि रखने के कारण एक युवक श्री गंगालाल को दिन भर कोड़े लगाए गए थे और फिर उन्हें गोलियों से उड़ा दिया गया था। दूसरे युवक श्री दशरथचन्द्र को, जो 'जनता' में शिवानन्द के नाम से समाचार-आदि भेजते थे, भी गोलियों से उड़ा दिया गया था।

जब बिहार में बकाशत आन्दोलन चला, 'जनता' ने किसानों का पक्ष लेकर ऐसा आन्दोलन किया कि अधिकारी भी थर्रा उठे। राहुलजी जब इसी आन्दोलन में गिरफ्तार हुए और जेल में अनशन शुरू किया; 'जनता' ने इस आन्दोलन को चरम सीमा तक पहुँचाया। राहुलजी तो रिहा किए गए, किन्तु वहाँ के जमींदार ने बाद में मानहानि का मुकदमा मुझ पर दायर किया, उस मुकदमे के सिलसिले में मुझे छपरा जेल और सीवान जेल की सैर का मज़ा मिला। अन्त में मैजिस्ट्रेट ने मुझे निरपराध कहकर छोड़ दिया।

'जनता' के उन दिनों की याद अब भी मन में उत्साह भर देती है। हम कितनी परेशानियों में 'जनता' निकालते थे ! कहीं से कागज का जुगाड़ किया, कहीं से रोशनाई का; किसी तरह 'जनता' निकली, तो डाक खर्च के लिए पैसे नहीं, फिर मित्रों की जेब टटोलते फिरे। समय पर कम्पोजीटरों और मशीनमैंनो का मुशहरा नहीं देने के कारण हम प्रायः लज्जित और दुखित होते। वे लोग भी हमारी कठिनाई जानते थे और समझते थे कि हम उनका ही, गरीब सर्वहारा का ही काम कर रहे हैं। किन्तु बेचारे पेट में ईंट कब तक बाँधते—कई बार हड़ताल कर देने के लिए भी उन्होंने सोचा, किन्तु इसकी नौबत कभी नहीं आई।

जब युद्ध शुरू हुआ, कांग्रेसी मिनिस्टरी हट गई, सरकार ने हम पर धावा बोल दिया। नेपाल सम्बन्धी लेखों के कारण तो वह घबराई हुई थी, क्योंकि गोरखों को फौज में भरती किए बिना युद्ध में जीतना मुश्किल था और राणाओं ने उस पर दबाव डालना शुरू किया था। 'जनता' ऑफिस की तलाशियाँ हुईं, मुझे सेक्रेटेरियट में बुलाकर नेपाल पर कुछ छापने से मना किया गया। किन्तु मैं क्यों रुकनेवाला ! अन्त में पाँच हजार की जमानत माँगकर 'जनता' को बन्द किया गया। एक लेख के कारण मुझे भी गिरफ्तार कर जेल भेज दिया गया।

'जनता' के लिए सबसे बुरे दिन वे थे, जब भी सुभाषचन्द्र बोस को लेकर वामपंथियों

में फूट हुई। सुभाष बाबू जब पटना आए थे, मैंने उनका शानदार स्वागत कराया था। वह 'जनता' ऑफिस में आए थे, मेरे साथ अपना फोटो खिंचवाया था। 'जनता' के प्रेस के लिए भी उन्होंने बड़ी मदद की थी। मैं उनकी वीरता का कायल था। किन्तु जब त्रिपुरी कांग्रेस के बाद पार्टी ने अपने को तटस्थ रखा और उन्होंने फारवर्ड ब्लाक कायम किया, तो दुख के साथ मुझे उनका विरोध करना पड़ा। इस पर उनके भक्तों ने अड़ंगा डालना शुरू किया। 'जनता' एक अजीब खींचा-तानी में पड़ी थी कि सरकार ने प्रहार कर सारे मसले हल कर दिए।

अगस्त क्रान्ति के बाद, 1946 में जब मैं जेल से मुक्त हुआ, जयप्रकाशजी छूटकर आए, तो फिर 'जनता' को हमने प्रकाशित किया। जयप्रकाशजी के पटना आगमन के समय मैंने जयप्रकाश फंड की शुरुआत की थी। फंड में काफी पैसे आए। 'जनता' के लिए प्रेस खरीदा, मकान खरीदा। 1951 के चुनाव के समय 'जनता' को दैनिक किया गया। किन्तु सदा, बीच-बीच में, ऐसी परिस्थिति आती रही कि सभी साधनों से सम्पन्न होने पर भी, 'जनता' में वह जोर नहीं आ सका, उसे वह लोकप्रियता नहीं प्राप्त हो सकी, जो 1937 से 1940 तक उसे प्राप्त थी।

मैंने दुख के साथ अनुभव किया है, जब कोई पत्र-पत्रिका किसी पार्टी के साथ बिलकुल नत्थी कर दी जाती है, सम्पादक पर बन्धन डाल दिया जाता है, तब वह पार्टी का बुलेटिन मात्र बनकर रह जाती है, वह चलती-फिरती मूर्ति मात्र बन जाती है, जिसमें जीवन नहीं, जीवनजनित जोश और गरमी नहीं। ऐसी पत्र-पत्रिका ज्यादा दिनों तक जीवित भी नहीं रह सकती। 'जनवाणी' ऐसी पत्रिका नहीं चल सकी, आचार्य नरेन्द्रदेव की छत्रच्छाया पाकर भी 'संघर्ष' नहीं चल सका, 'जनता' भी टुकदम करती रहती है।

अब भी प्रान्त में जब दौरे पर जाता हूँ, उन दिनों में 'जनता' की याद बार-बार की जाती है। अब भी कितने लोग उसके सम्पादकीय लेखों और टिप्पणियों की याद किए हुए हैं। अभी कल की बात है, एक रेस्तोराँ में एक प्रोफेसर से बातें हुईं, बोले—हमारी पुश्त को तो आपने बनाया, बचपन में 'बालक' पढ़ा, 'नौजवानी में 'युवक' पढ़ा और प्रौढ़ता आने लगी कि 'जनता' ने सारी शिराओं को झकझोरा। उन दिनों कम्युनिस्टों के नेता पी.सी. जोशी ने अपने 'नेशनल फ्रंट' में बिहार के जनजागरण का एक संस्मरण छापा था, जिसमें उल्लेख किया था, जिस किसी प्रगतिशील कार्यकर्ता से उन्होंने बातें कीं, सबने बताया, 'जनता' ने ही उन्हें प्रगतिशीलता की ओर प्रवृत्त होने की प्रेरणा दी थी !

'जनता' यह नाम कुछ ऐसा लोकप्रिय हुआ कि कई भाषाओं में इस नाम से पत्र निकले। सोशलिस्ट पार्टी के अंग्रेजी मुखपत्र ने भी 'जनता' ही नाम धारण किया। पुस्तकालयों, दुकानों, होटलों के नाम ही जनता पर सिर्फ नहीं पड़े, अब तो 'जनता' गाड़ियाँ भी धड़ाधड़ चलने लगी हैं !

माँ भारती

इस बार लगभग पाँच वर्षों तक लगातार जेल में रहने के कारण मेरे भीतर-ही-भीतर एक परिवर्तन हुआ, मैं फिर माँ भारती के चरणों के निकट पहुँच गया।

दिन साथियों को लिखाने-पढ़ाने, इधर-उधर गपशप करने या खेलकूद में ही बीत जाता। किन्तु रात होते ही मैं लिखना शुरू कर देता और यह क्रम एक-दो बजे रात तक चलता।

जिस दिन मैं पेरौल पर रिहा हुआ, लगभग पाँच हजार पृष्ठों की हस्तलिपियाँ मेरे साथ

थीं। उन्हीं में 'अम्बपाली' और 'माटी की मूरतें' भी थीं, जिन्होंने मुझे इतना यश दिया है।

'युवक' के प्रकाशन के साथ ही मैं राजनीति में आकंठ निमग्न हो गया था। इस लम्बी जेल यात्रा ने मेरी साहित्यिक प्रवृत्ति को नीचे से उभारकर फिर ऊपर ला दिया।

बाहर आने पर, पत्रकारिता में इस नई प्रवृत्ति का मूर्तरूप 'हिमालय' था। इस बार भाई शिवपूजन सहायजी को मैंने प्रकाश्य रूप में अपने साथ लिया। दिनकरजी उन दिनों सरकारी नौकरी में थे, इसलिए उनके साहाय्य का रूप गुप्त ही रहा।

हम तीनों ने 'हिमालय' को साहित्य का हिमालय बनाना चाहा, किन्तु 'बालक' का इतिहास फिर दुहरकर रहा—'हिमालय' अचानक तिरोहित हो गया। मैं जेल से लौटा ही था कि भाई रामधारी प्रसादजी बिहार हिन्दी साहित्य सम्मेलन के सभापति हुए। उन्होंने मुझे सम्मेलन के प्रधानमन्त्रित्व के जुए में जोत दिया। अब क्या था—साहित्य का रंग और गाढ़ा होता गया।

जयप्रकाशजी जब जेल से छूटे, उन्होंने घोषणा की, हम एक बार और लड़ेंगे। और अंग्रेजों को भगाकर ही दम लेंगे। मैं फिर एक बार अग्निकुंड में कूदने की तैयारी में लगा।

किन्तु 1942 को अगस्त क्रान्ति, नेताजी सुभाष बोस की आजाद हिन्द फौज और अन्तरराष्ट्रीय परिस्थिति ने अंग्रेजों को बता दिया था, भारत को वे गुलाम रख नहीं सकते। संयोगवश इंगलैंड में लेबर पार्टी की विजय हुई और उसकी सरकार ने निश्चय कर लिया कि हम भारत छोड़ देंगे।

अंग्रेजों ने भारत छोड़ दिया, देश आजाद हुआ।

आजादी की रही-सही कीमत हमने हिन्दू-मुसलिम दंगों के रूप में और अन्ततः देश के विभाजन के रूप में चुकाई। उसकी पूर्णाहुति हुई गांधीजी के बलिदान के रूप में।

स्वराज्य के बाद ही मैंने अपने एक मित्र से कहा था, अब राजनीति में तीन ही पार्टियाँ होंगी—एक चोरी करनेवालों की, दूसरी गाली देनेवालों की और तीसरी सबसे बड़ी पार्टी होगी उनकी, जो चोरी भी करेंगे और गालियाँ भी देंगे। शरीफों के लिए, ईमानदारों के लिए कहीं कोई जगह नहीं रहेगी।

मैं गंगा में तैर सकता था, किन्तु सड़ी मोरियों में अपने पैर भी नहीं रख सकता।

राजनीति से वितृष्णा बढ़ती गई, साहित्य की ओर अधिकाधिक खिंचता गया।

बिहार हिन्दी साहित्य सम्मेलन के अधूरे भवन को पूरा करवाया, बिहार के अहिन्दी क्षेत्रों में हिन्दी प्रचार का व्यापक प्रबन्ध किया, बिहार कला केन्द्र की स्थापना की—बिहार में हिन्दी के लिए एक नई जागृति उत्पन्न हुई, कला की ओर अभिरुचि बढ़ी, साहित्य के निर्माण की ओर ध्यान गया।

मेरी पुस्तकें भी धड़ल्ले से निकलने लगीं।

फिर 'नई धारा' और 'चुन्नू-मुन्नू'।

किन्तु नहीं, नहीं, ये सब तो कल की बातें हैं। 'मुझे याद है' इस शीर्षक में इन कल की घटनाओं के लिए स्थान क्यों हो ?

जिस दिन ये दोनों मासिक मेरे सम्पादन में निकले, उसी दिन से मैंने डायरी लिखना शुरू किया है। बाद की कहानी तो वह डायरी ही लोगों के सामने उपस्थित करेगी।

किन्तु इसे समाप्त करने के पहले, इच्छा होती है, जरा पीछे की ओर मुड़कर देख लूँ !

मैं एक गरीब किसान का बेटा। अभागा ऐसा कि बचपन में ही माँ-बाप खो बैठा। गांधीजी के आह्वान पर पढ़ना-लिखना भी छोड़ दिया—कॉलेज का मुँह भी कभी नहीं देख सका।

और तबियत ऐसी आजाद कि कभी किसी का पिछलगुआ बनकर रह नहीं सका; न

राजनीति में, न साहित्य में।

तो भी जो कुछ कर सका, जो मुझसे हो सका, क्या मुझे उस पर सन्तोष नहीं होना चाहिए ?

जब तक राजनीतिक क्षेत्र में रहा, विचारों और कार्यों में मैं सदा अगली कतार में रहा। युद्धक्षेत्र तो मुझे सदा प्यारा रहा है—लड़ने में मैंने कभी पीछे मुड़कर नहीं देखा। अर्जुन की तरह—न दैन्यम्, न पलायनम्—की टेक सदा निभाने की कोशिश की।

इसके चलते मुझे कष्ट भी कम नहीं उठाने पड़े।

किन्तु सारे कष्टों को मैं अपने उन्मुक्त अट्टहास में इस तरह उड़ाता रहा कि निकट के लोग भी नहीं जान पाए कि मैंने भी कभी किसी कष्ट का मुँह भी देखा हो। लेकिन भीतर अंग-अंग में जो घाव लगे, उसकी कसक तो अनुभव करता ही हूँ।

अभी उस दिन रिक्शे पर मैं सेक्रेटेरियट की ओर जा रहा था। एक सी.आई.डी. का जमादार मेरे निकट आया और बोला—

बाबू, यह क्या हुआ ? जिन लोगों की तपस्या से स्वराज्य हुआ, वे पैदल दौड़ रहे हैं, रिक्शे पर चल रहे हैं और जिनका नाम भी हमने नहीं सुना था, वे नई-नई मोटरें चलाते फिर रहे हैं, बड़े-बड़े पदों पर बैठे हैं, गुलछर्रे उड़ा रहे हैं। यह कैसा स्वराज्य हुआ, बाबू ?

स्वराज्य का यह रूप मुझे भी खलता है, किन्तु अपने लिए नहीं। क्या देश की सेवा मैंने किसी पुरस्कार के लिए की थी ? माँ भारती ने मुझे जो दे रखा है, मेरे लिए क्या वही काफी नहीं है ?

जो मैट्रिक भी नहीं कर सका, उसकी पुस्तकें एम.ए. तक में पढ़ाई जाती हैं। स्वतन्त्र भारत ने पहली बार साहित्य पर पुरस्कार दिया, उसकी पहली सूची में मेरी भी एक पुस्तक रही। जब स्वतन्त्र भारत में पहला राष्ट्रीय नाटक महोत्सव हुआ उसमें मेरा नाटक खेला गया। बच्चों के साहित्य पर भी पुरस्कार मिला। अब स्वतन्त्र भारत की राष्ट्रीय सरकार जिन सात पुस्तकों को भारत की सभी भाषाओं में अनुवाद कराने जा रही है, उनमें एक पुस्तक मेरी भी है।

माँ भारती के वरदान-रूप दो बार यूरोप की भी सैर कर आया। पिछली बार संसार के बीस देशों के लब्धप्रतिष्ठ साहित्यिकों के बीच पेरिस में बैठकर कितनी तृप्ति प्राप्त की !

और मुझे क्या चाहिए ?

माँ भारती मुझे इतने पैसे भी दे रही हैं कि मजे से खाता-पीता हूँ; बच्चों को अच्छी तरह पढ़ाता-लिखाता हूँ, बुढ़ापे में रहने के लिए एक अच्छा-खासा घोंसला भी बनवा लिया है।

तीन बेटे, एक बेटी, चार पोते, गृहलक्ष्मी पत्नी, सुघड़ पतोहू, मेरा परिवार भी कितना भरा-पूरा है।

मेरे हितैषी और मित्र एक बात कहा करते हैं—यदि तुम राजनीति में नहीं पड़े होते, साहित्य को ही पूरा समय दिए होते तो और कितना कर सकते थे ! मैं ऐसा नहीं मानता।

साहित्यिक सदा भावना-प्रवण होता है। क्या वह साहित्यिक का हृदय है, जो देश की दुर्दशा पर पिघल नहीं उठे ? जब देशवासी जीवन-मरण के युद्ध में पिले हों, तो एकान्त कुंज में बैठकर वंशी बजाए—क्या साहित्यिक का यही कर्तव्य है ? मुझे अपने राजनीतिक जीवन पर कभी अफसोस नहीं हुआ।

पच्चीस वर्षों तक संघर्ष में रहने, चौदह बार जेलों की हवा खाने और जिन्दगी के साढ़े सात साल जेलों में बिताने, सदा अपने को ज्वालामुखी के मुँह में फेंकते रहने और उसकी झुलस और अंगार लिये बाहर निकलने से मेरी प्रतिभा में पंख ही लगे हैं। मेरी रचनाओं में, भाषा

में, शैली में जो कुछ जिन्दगी है, जिन्दादिली है, रवानी है, सब कुछ अग्नि स्थान का ही फल है।

पार्थिव हानियाँ हुईं, मानता हूँ, किन्तु उनकी पाई-पाई की भरपाई मैंने आत्मिक आनन्द और अभ्युत्थान के रूप में पाई है।

मेरे मित्र यह भी भूल जाते रहे हैं कि साहित्यिक जहाँ भी हो, साहित्यिक ही बना रहेगा। मेरी राजनीति का माध्यम भी मुख्यतः साहित्य ही रहा। और जेल से बढ़कर कौन सी जगह है जहाँ एकाग्रचित हो, साहित्य सेवा की जाए ?

मेरे बहुत से मित्र तो राजनीति से दूर रहे—उन्होंने क्या मुझसे साहित्य में कुछ अधिक कर लिया है ?

मैं तो देख रहा हूँ, अब उनमें से कुछ को राजनीति का शौक चर्राया है। जो गंगा-यमुना की तरंगों पर तैरने से डरते रहे, वे राजधानियों की नालियों और मोरियों की चुभकियाँ लगा रहे हैं।

मुझे अफसोस है, तो इस बात का कि स्वराज्य का जो सपना देखा, वह अधूरा ही रहा।

देश आजाद हुआ, यह बड़ी बात हुई। इसमें मेरा भी एक भाग रहा, इसकी स्मृति भी मुझे जिन्दगी भर पुलकित करती रहेगी। किन्तु आजाद भारत का जो नक्शा हमने सामने रखा था, लगता है, जैसे वह दिन-दिन धुँधला होता जा रहा है।

देश का निर्माण हो रहा है। मानता हूँ, स्वीकार करता हूँ।

किन्तु पाता हूँ, मेरे गाँव का बुधना, बिहारी, मखना तो जहाँ-का-तहाँ खड़ा है। चारों ओर यह गन्दगी, गरीबी, अनैतिकता, अविचार—साँस घुटने लगती है। एक रहस्य की बात बताऊँ—15 अगस्त, 1947 को जब सारा देश आजादी का जश्न मना रहा था, मैं 104 डिग्री का बुखार लिये बिस्तरे पर झटपटा रहा था। और तब से पाया है, यह तिथि आई नहीं कि मेरी तबियत सुस्त हुई !

किन्तु मैं निराश नहीं हूँ।

देश की इस स्थिति से अपने कितने ही साथियों को, अपनी ही तरह खिन्न पाता हूँ, किन्तु जहाँ उनकी खिन्नता-आत्मप्रताड़ना में जीवन की व्यर्थता के अनुभव में, संसार के प्रति उदासीनता के भाव में, फलतः कर्महीनता और जड़ता में परिणत होती जाती है, वहाँ जो मैं सतत कार्यशील और निर्माणरत बना रहा हूँ, यह माँ भारती का ही प्रसाद है।

मेरा विश्वास है, यह जो मैं अपने अनेक सहधर्मियों और सहकर्मियों के साथ दिन-रात अक्षरों से अक्षर जोड़े जा रहा हूँ, वह उन मिट्टी के घरौंदों से, पत्थरों के प्रासादों से, फौलादी कलपुर्जों से भी—जिन्हें राजनीति गढ़ रही है, कहीं अधिक टिकाऊ और जीवनप्रद सिद्ध होंगे।

हमारे ये अक्षर एक-न-एक दिन आत्मा को अमरता का, निर्द्वन्द्वता का, मुक्तता का सन्देश देकर रहेंगे, वह एक दिन उभड़कर रहेगी, एक नई दुनिया बसाकर रहेगी।

वह नई दुनिया, जिसमें नग्नता, क्षुधा, कुरूपता, क्षुद्रता, अशुचिता का नाम नहीं रहेगा। जहाँ ऐश्वर्य, शौर्य और सौन्दर्य ज्ञान और गान चारों ओर लहराते रहेंगे।

वह दिन शीघ्र आवे, आकर ही रहेगा !

जंजीरें और दीवारें

[1957 ई.]

प्रवेश

जंजीरें फौलाद की होती हैं, दीवारें पत्थर की !

जंजीरें खनकती हैं, बोलती हैं; स्वयं तुलकर लोगों को तौलती हैं—लोगों को, उनकी घात को ! कितने भारी-भरकम इस तुला पर चढ़कर कितने हलके-फुलके साबित हुए !

दीवारें गुमसुम ! अभिशापों की तरह काली। काली ? हाँ-हाँ, रक्त पीकर भी काली। कठोर—अलंघ्य। चीखते रहो, कराहते रहो। तुम्हारे लिए दिशाओं के द्वार बन्द हो गए !

गुलाम देश का बच्चा—बचपन से ही जंजीरों का अनुभव कर रहा था। जैसे, अंग-अंग कसे हों—कितना भी कसमस करो, आजादी से हिल-डुल भी नहीं सकते !

कई बार ये जंजीरें बोली हैं—झंकार कर उठी हैं, चीत्कार कर उठी हैं ! बचपन के कान भी उनका अनुभव कर सके थे।

मैं अपनी फूआजी के गाँव जा रहा था। घोड़े पर था। बच्चा मैं; साईस बगल-बगल चल रहा था। इतने में कानों में 'तड़ाक...तड़ाक' की आवाज। फिर भाग-दौड़ का कोलाहल। साईस ने घोड़े की लगाम थामी और उसे सड़क से घसीटकर खेतों की ओर ले भागा। घोड़ा थोड़ा अड़ियल। रह-रहकर रुक जाता; साईस की पेशानी पर पसीना-पसीना। इतने में आवाज तीव्रतर हुई और सामने, ओ, वह ऊँचा काला घोड़ा ! और उस पर गोरा साहब ! साहब का घोड़ा बेतहाशा, सरपट भागा आ रहा ! साहब का चेहरा—लाल भभूका। उसके एक हाथ में लगाम; दूसरे में कोड़ा। तड़ाक-तड़ाक; तड़ाक। घोड़ा निकटतर आ रहा था। मेरे साईस का जैसे, होश गायब। वह पूरा बल लगाकर मेरे घोड़े को घसीटकर खेत में ला सका। साहब का घोड़ा सड़क से निकल गया। साईस ने इत्मीनान की साँस ली। सड़क किनारे में झुरमुटों से निकलकर दूसरे पथिकों ने भी भयत्रस्त दृष्टि से उस धूल को देखा, जो साहब के घोड़े के पीछे सड़क पर अब भी उड़ रही थी।

हाँ, उस दिन जंजीरें बोली थीं, चीत्कार उठी थीं। हमारा यह देश—सात समुन्दर पार के ये फिरंगी। यह सड़क उनकी; यह जमीन उनकी ! साहब आ रहा है—सड़क छोड़ो; भागो; नहीं तो यह कोड़ा—तुम्हारी पीठ पर।

और, कोड़े पीठ पर क्या चीज हैं, फूआजी के गाँव के उस आदमी ने बताया ! वह कुछ कम सुनता था। यों ही सड़क से जा रहा था; साहब का घोड़ा आ गया। जब तक वह सँभले, भागे, कोड़े की चटाख उसकी पीठ पर। दस साल के बाद भी पीठ पर, उसकी रेखा काले साँप-सी फुँकार कर रही थी !

संयोग, मैं बच गया उस दिन साहब के उस कोड़े से। किन्तु कोड़े ही यह काली रेखा तब से ही मेरी पीठ पर चीख उठा करती !

काला घोड़ा, उस पर गोरा साहब। एक हाथ में लगाम, एक में कोड़ा। जंजीरें अब से मेरे सामने एक प्रतीक रूप में आ गईं।

घोड़े की टापों की तड़ाक-तड़ाक मेरे भावुक हृदय में सदा धूल उड़ाती रहती। कोड़े की चटाख-चटाख मेरी पीठ पर हमेशा रिसती होती !

शायद यही कारण है कि जब 1921 आया और गांधीजी ने इन जंजीरों के खिलाफ आवाज बुलन्द की, तब मैं अपने स्कूल का असहयोगी नं. 1 था। हेड मास्टर साहब ने आँखों में आँसू लाकर मुझे समझाया था कि तुम गरीब के लड़के हो, पढ़ना मत छोड़ो, तुम्हें स्कॉलरशिप

जरूर मिलेगी; ये चोंचले चार दिनों में खत्म हो जाएँगे, फिर तुम्हें पछताना पड़ेगा। किन्तु मैंने उनकी एक न सुनी ! और सचमुच, वह महान आन्दोलन जब एक तूफान की तरह आया और निकल गया और मेरे संगी-साथी फिर स्कूल-कॉलेजों में जाने लगे, तो भी मैं वहाँ न जा सका, जिसे 'गुलामखाना' कहकर छोड़ चुका था।

जंजीरें खनकती हैं, बोलती हैं; स्वयं तुलकर लोगों को तौलती हैं। अरे, जिन्हें मैं भारी भरकम समझे था; इन पर तुलकर वे कितने हलके-पोपले साबित हुए !

बाद के दस वर्षों का इतिहास—वकील साहबों ने अगर गांधी टोपी नहीं छोड़ी, तो कन्धे पर काला चोगा जरूर डाला ! नेताओं के कर्तृव्य का सबसे बड़ा सबूत धारा सभाओं में उनकी दहाड़ थी। हिन्दू-मुसलमान अपने उस क्षणिक स्वर्गिक मिलन को भूलकर, एक-दूसरे का गला काटने लगे ! बेचारा गांधी—कभी उपवास कर रहा; कभी चरखा कात रहा। हाँ, कुछ नौजवान आज़ादी की जोत को जगाए हुए हैं—कभी पिस्तौलें गरज उठती हैं; कभी बम विस्फोट कर उठते हैं ! जंजीरों के कसमस के प्रमाण जब-तब मिल जाया करते हैं ! दम गनीमत !

कि अचानक, यह 1930 ! गांधी का सोया जादू दस वर्षों के बाद फिर जागा। जंजीरें फुँकार रहीं, चिंघाड़ रहीं ! एक चुटकी नमक—दुनिया का कोई एटम बम भी क्या खाकर इसका मुकाबला करता ? अठारह लाख वर्गमील जमीन थर-थर काँप रही थी। छत्तीस करोड़ हृदय तरंगित थे, उद्वेलित थे ! हवा में बिजली ! नसों में बिजली ! इधर-उधर; यहाँ-वहाँ—बिजली, बिजली, बिजली ! अणु-अणु में विद्युत कण चमक रहे थे ! चमक रहे थे; आँखों में चकाचौंध पैदा कर रहे थे।

आह, वे दिन ! और उन्हीं दिनों की स्मृतियों में अभिभूत, आज भी मैं अपने को दीवारों के नीचे खड़ा पा रहा हूँ।

पटना जेल की ये दीवारें ! गुमसुम दीवारें, काली दीवारें, कठोर दीवारें, अलंघ्य दीवारें !

इन दीवारों की कितने दिनों से प्रतीक्षा थी !

1921 में, बिहार में सबसे पहले, जब मेरे श्रद्धेय श्वसुरजी जेल गए और उनकी गिरफ्तारी का समाचार जब उस समय के, पं. मोतीलाल नेहरू के, सैयद हसन के, 'इंडिपेंडेंट' में मोटे-मोटे अक्षरों में छपा और बाद में मेरे कितने साथी प्रान्त के भिन्न-भिन्न भागों के जेलों को भरने लगे, तो मुझे अपने दुर्भाग्य पर कितना अफसोस हुआ था !

और तब से हिन्दी, अंग्रेजी, बँगला या उर्दू में जेल जीवन सम्बन्धी कोई ऐसी पुस्तक रह गई थी, जिसे मैं पढ़ न गया होऊँ ?

किन्तु कल्पना की दीवारों और यथार्थ दीवारों में कितना अन्तर होता है ! नहीं, नहीं, आँखों से देखी गई चीजों में भी, परिस्थिति के कारण, कितना महान अन्तर हो जाता है ?

इन दीवारों को कितने दिनों से देख रहा था ? स्टेशन से उतरकर आप बिहार की इस राजधानी में घुसे नहीं कि आपकी आँखें इन दीवारों से टकराईं ! हाँ, बिहार की राजधानी से निकलते या उसमें घुसते समय आप इन दीवारों की दृष्टि से बच नहीं सकते और मैं तो दस वर्षों से मुख्यतः इसी शहर में रहा। इधर-उधर आते-जाते; न-जाने कितनी बार इन दीवारों की छाया से गुजरा हूँ और कितनी बार गरम साँसें भर चुका हूँ।

किन्तु क्या दीवारें पहले कभी इतनी ऊँची दिखाई पड़ी थीं ?

सब जेलों की ऊँचाई एक होती है। जब अपने श्वसुरजी से मिलने सीतामढ़ी जेल में जाया-आया करता था; तब भी ये दीवारें इतनी ऊँची नहीं दिखी थीं !

इनमें यह ऊँचाई कहाँ से आ गई ?

इतनी ऊँची; इतनी काली ? हाँ, हाँ, पहले इतनी काली भी तो नहीं दीखती थीं ! और, इनकी वाणी को अवरुद्ध करनेवाली मूकता और हृदय को जड़ीभूत करनेवाली कठोरता का अनुभव तो आज पहली ही बार कर रहा हूँ !

ये काली दीवारें—ये नंगी दीवारें !

नंगी !

हाँ, हाँ, इनकी नग्नता तो अभी-अभी दिमाग में कौंधी है।

नंगी सब बुरी, बीभत्स। किन्तु उन दीवारों से भगवान रक्षा करे, जो नंगी हैं। जिन पर छज्जे या छते हैं, ये दीवारें आपका घर बन जाती हैं—आपको आराम देती हैं; आपको प्रकृति और मनुष्य की कुदृष्टियों, कुवृत्तियों से बचाती हैं ! लेकिन बे-छज्जे या बे-छत की दीवारें—घेरा ! हाँ घेरा—मनुष्य के लिए और पशु के लिए भी। बे-छज्जे या बे-छत की दीवारें···सृष्टि की सबसे कुरूप, घृण्य रचना !

और वे ही आज, आहनी फाटक का मुँह खोले, मुझे निगलने को खड़ी हैं ! उफ, किस तरह घूर रही हैं वे मुझे !

राक्षसी, क्यों घूर रही है ? किसे डरा रही है ? आ रहा हूँ, राक्षसी ! आ गया हूँ, राक्षसी ! जानबूझकर, सोच-समझकर तुम्हारी छाया में आज आ खड़ा हूँ राक्षसी !

खुल, ओ लोहे के फाटक ! वार्डर साहब, खोलिए फाटक ! ये दीवारें मुझे बुला रही हैं ! मेरी परीक्षा लेने को बुला रही हैं; मेरी घात की परीक्षा लेने को बुला रही हैं, ये दीवारें ! आपको हैरत हो रही है ! मैं क्या बक रहा हूँ ? कब तक हैरत ? कितनी बार हैरत ? आज अप्रैल 1930 का जिस यात्रा का प्रारम्भ हो रहा है, वह पन्द्रह सालों तक—जुलाई 1945—जारी रहेगी और लगभग इतनी ही बार आपको या प्रान्त के आपके किसी साथी को इसी तरह पत्थर की दीवारों के आहनी फाटक खोलने पड़ेंगे !

स्वागत

झन-झन-झन्—और एक गहरी चीख़ के साथ लोहे का फाटक खुला !

लोहे की किस्में होती हैं—कोई झनझनाती हैं; कोई चीखती हैं, चिल्लाती हैं !

लोहे के बड़े-बड़े तालों की लम्बी-लम्बी तालियाँ झनझनाईं और लम्बे-मोटे छड़ों के बोझ से फाटक की कीलियाँ चीख़ उठीं !

भीतर !—लेकिन अभी तो मैं जेल के दरवाजे पर ही हूँ। इस फाटक के बाद एक और फाटक है। दोनों फाटकों के बीच में एक चौड़ी सी जगह, जिसके दोनों ओर दो कमरे। एक कमरे में जेलर साहब टेबुल पर सिर झुकाए हुए कुछ लिख रहे हैं और दूसरे कमरे में उनके सहकारी अफसर हैं। दोनों फाटकों के बीच जमादार साहब हैं, जो भीतर से तालों को खोलते और कैदियों की आमदरफ्त का पूरा, पक्का हिसाब लिखते जाते हैं।

दीवार पर ये क्या टँगी हैं ? लाल कपड़े की पृष्ठभूमि पर ये क्या काली-काली चीजें टँगी हैं ? जंजीरें ! जंजीरें ! अभी जंजीरें सुनते ही थे, कल्पना ही करते थे, अब देखो, इन्हें यहाँ ! अच्छी तरह देख सको, समझ सको, इसीलिए यह लाल पृष्ठभूमि !

अरे, कितने प्रकार हैं इनके ! हथकड़ी—बेड़ी ! हथकड़ी, खड़ी हथकड़ी; बेड़ी, डंडा बेड़ी, सीकड़ बेड़ी। कोई पतली, कोई मोटी; कोई छोटी, कोई मझोली, कोई बड़ी। जैसे देवता; वैसी पूजा !

हमें गिरफ्तार करके लानेवाले इंसपेक्टर साहब जेलर से कुछ बातें कर रहे हैं, कुछ कागज़ दिखा रहे है; कुछ लिखा-पढ़ी हो रही है। दूसरे कमरे में कुछ कलम घिस-घिस चल रही है, टाइपराइटर खट-खट कर रहे हैं !

सब लोग रह-रहकर हमारी ओर उत्सुकता से देख रहे हैं। शायद सोच रहे हैं, ये लोग कैसे ख़ब्त हैं ? यह कौन सी हवा बही है ? इसका हश्र क्या होगा ? बड़े अकड़ खाँ बने थे ये; अब इन्हें मालूम होगा, देशभक्ति क्या चीज़ है ? आजादी क्या चीज़ है ? आजादी की कीमत कैसी होती है ?

लेकिन मेरे मस्तिष्क में पिछले तीन-चार घंटों के दृश्य नाच रहे हैं ?

आज अम्बिका नमक बनाने जानेवाला था। मुझे हुक्म हुआ था, तुम्हें 'युवक' को निकालते रहना है, इसलिए बाहर ही रहो। किन्तु अम्बिका की बिदाई में शामिल होने से कैसे रुक सकता था? अम्बिका—मस्त-मौला अम्बिका; दोस्तपरस्त अम्बिका ! मेरी दोस्ती के चलते क्या नहीं छोड़ना पड़ा उसे ! 'सर्चलाइट' की मैनेजरी; नेताओं की कृपादृष्टि ! किन्तु जरा भी परवाह हुई उसे ? टाउन कांग्रेस कमेटी का वह प्रेसीडेन्ट !—किन्तु शहर के नेता नहीं चाहते थे कि यहाँ कुछ ऊधम हो ! बड़ी मुश्किल से, मुजफ्फरपुर जाकर, कल राजेन्द्र बाबू से मैं आज्ञा ला सका कि पटना में भी नमक सत्याग्रह हो। आज ही यह कूच ! कम-से-कम अम्बिका के बिदाई समारोह में शामिल होने से मैं कैसे रुकता ?

लोगों की भीड़; बिदाई के भाषण; रोली-चन्दन; जय-जयकार। अम्बिका की बंगालिन पुजारिनों ने उलू-ध्वनि भी की !

"अरे आप ! यहाँ ?" "चुप"—मेरा हाथ जोरों से दबा दिया गया—जैसे इस्पात के शिकंजे कस गए हों ! "अह-भैया !" "चुप साला !" भैया का यह प्रेमशब्द ! नहीं, नहीं भैया ! यहाँ पुलिसवालों का जमघट है--आप क्यों आए ? कब से शहर में ? भैया मेरे हाथ को पकड़कर अपने कोट की जेब में ले गए—कुछ स्पर्श ! भैया मुसकरा पड़े ! अरे, जब तक मैं जगा हूँ और जेब में यह है, कौन गिरफ्तार कर सकेगा मुझे ? देख वह जुलूस चला; जा।

उस स्पर्श का अनुभव अब भी हाथों में झिनझिनी ला रहा है। भैया कहाँ गए ? कहीं वह भी गिरफ्तार न हो जाएँ ! उनकी गिरफ्तारी ! क्या सिवा फाँसी के कोई चारा है उनका ?

भैया का गोरा चेहरा, लटुरिया बाल, आँखों के सामने नाच रहे हैं !

जुलूस बढ़ता जा रहा है। अभी सड़कें सूनी हैं—बहुत सवेरा है न ? जुलूस के जयनाद और जिन्दाबाद सुनकर छज्जों पर स्त्रियाँ निकल आती हैं। नुक्कड़ों पर कुछ लोग जमा हो रहे हैं।

यह पटना कॉलेज ! ये पुलिसवाले भी क्या बे-अक्ल होते हैं कि उन्होंने जुलूस को रोकने के लिए यह जगह तजवीज़ की !

बैरिकेड—हाँ, पुलिस का पूरा दस्ता सड़क को रोके खड़ा है। आपस में लाठियाँ इस तरह पकड़ रखी हैं कि कोई निकल न सके !

जयनाद-जिन्दाबाद ! कॉलेज के होस्टल से विद्यार्थियों का झुंड निकल आया। थोड़ी देर में ही भीड़ कितनी बढ़ गई है !

अभी उस दिन मैंने कृपलानी दादा से पूछा था—नमक बनाकर सत्याग्रह ! गांधीजी ने यह क्या सोचा ? सत्याग्रह ही करना था, तो कोई अच्छा सा, भारी-भरकम, आइटम सोचे होते। दादा ने मुसकराकर कहा था—बात तो मेरी समझ में भी नहीं आती; किन्तु वह जादूगर है न ? देखना, कोई करामात निकल ही आएगी !

और वह करामात देख रहा हूँ।

पुलिस बैरिकेड लगाकर खड़ी है—रास्ते को रोके। अम्बिका का जत्था खड़ा है, जयनाद करते। समुद्र की तरंगें हिलोरें ले रही हैं; कोई मूर्ख राजा उसकी तरंगों को रोकने के लिए बालू की दीवार खड़ी करा रहा है !

बैठ जाइए; हम यहीं धरना दे दें।

पुलिस सुपरिन्टेंडेंट मुसकरा रहा है। और दूर पर, वह भैया मुसकरा रहे हैं—कहो; तुम्हारी अहिंसा की नाव ज्यादा-से-ज्यादा इसी घाट लगनेवाली है न ?

लेकिन अम्बिका इस उठ-बैठ के तरीके को कब पसन्द करनेवाला। वह पुलिस सुपरिन्टेंडेंट की ओर बढ़ा; कुछ बातें, जो जय-जयकार और जिन्दाबाद के नारों में फुसफुसाहट मात्र बनकर रह गईं। फिर वह बढ़ा। पुलिस की लाठियों के नीचे से निकलना चाहा। एक गोरे सारजेंट ने उछलकर उसकी बाँह पकड़ ली। अम्बिका ने आगे बढ़ने को जोर लगाया। उसकी बाँहें मरोड़कर सारजेंट ने पीठ पर कर दीं और ऊपर से बैटन का एक धौल जमाया ! फिर···फिर···

कोलाहल; धक्कम-धक्का; उछल-कूद; जयनाद; इन्क़लाब जिन्दाबाद !

हाँ, अब इन्कलाब शुरू हो गया ! कब अम्बिका को पकड़ा गया; कब उसे पुलिस वान में बिठाकर जेल ले जाया गया; फिर कैसे, कब मैं कूद पड़ा—भावना-विभोर; आत्मविभोर ! शरीर में एक गंजी मात्र; ऊपर से जो चादर थी, वह न जाने कब, कहाँ खिसक गई ! नया जत्था तैयार कर मैं सिटी कोर्ट तक पहुँचा था कि पुलिस वान आगे घेरकर खड़ा हो गया और अभी-अभी वह भव्य-दिव्य सवारी मुझे इन दीवारों के नीचे पटककर चल गई है !

वे दीवारें; ये जंजीरें ! जंजीरें खनकती हैं, बोलती हैं ! लाल कपड़े की पृष्ठभूमि में टँगी जंजीरें मुझे देखकर मुसकरा रही हैं ! वे कब बोल उठेंगी ? मुखर हो उठेंगी ?

"अब भीतर चलिए !"

इंसपेक्टर वापस जा रहा है—क्या उसकी आँखों में पानी है ? जमादार साहब भीतरी गेट खोल रहे हैं—क्या उनकी अंगुलियाँ थरथरा रही हैं ?

अब हम जेल के अन्दर हैं !

इन दीवारों ने अब पूरे तौर पर हमें घेर लिया ! घेर लिया ?—कितने दिनों के लिए ?

मैं काँप गया ! इन पत्थर-सी दीवारों के घेरे ने; जिस हृदय को थोड़ी देर पहले पत्थर बना लिया था, उसे मोम-सा पिघला दिया। मैं काँप गया। आज पच्चीस वर्षों के बाद जब उन स्मृतियों को क़लमबन्द करनेवाला चला हूँ, तो मैं उसकी कँपकँपी अनुभव कर रहा हूँ।

यह कँपकँपी क्यों !—यह क्लीवता क्यों ? अभी कुछ क्षण पहले अपने को पत्थर महसूस कर रहा था; यह मोम कहाँ से पिघल आया ? कुछ क्षण पहले अर्जुन सशस्त्र होकर चला था। महाभारत मचाने—फिर यह थरथरी कैसी ? 'क्लैव्यंमास्मगमः पार्थ !' याद आ रही हैं, कृष्ण, तुम्हारी वे पंक्तियाँ ! तुम उपदेशक ठहरे, कह लो ! किन्तु हर युग में, हर महाभारत के अर्जुनों को यह 'क्लैव्यं', यह 'हृदय दौर्बल्यं' व्यथित; पीड़ित और शिथिल बनाते रहे हैं, बनाते रहेंगे !

मालूम होता था, इन दीवारों का—इन काली, ऊँची, अलंघ्य, पत्थर की दीवारों का सारा बोझ हृदय पर पड़ गया है। धुकधुकी बन्द हो रही है, साँस रुँध रही है, रुक रही है।

उफ, अब सारा संसार मुझसे अलग हो चुका ! अठारह फीट ऊँची इन दीवारों ने करोड़ों मील लम्बी-चौड़ी इस पृथ्वी को मुझसे अलग कर दिया। अब वे पेड़-पौधे न मिलेंगे, जिन्हें अतृप्त आँखों से देखा करता था; वे स्वजन-परिजन न मिलेंगे, जिसने दिन-रात की चुहलें थीं।

स्वजन, परिजन ! तरह-तरह के लोग, तरह-तरह के चेहरे ! तरह-तरह के चेहरे और

तरह-तरह की आँखें ! और उन सैकड़ों-हजारों आँखों में ये दो किसकी आँखें चमक उठी हैं? अनेक जोड़े आँखों के बीच ये एक जोड़ा आँखें ! ये दो आँखें। ये चिर-परिचित आँखें; ये सजल-प्रेमल आँखें ! ये कातर-विह्वल आँखें ! ये आँखें, ये आँखें !

रानी, रानी ! मेरी कुटिया की रानी ! मेरे हृदय की रानी ! तुम्हारी ये आँखें रानी ! सँभालो इन आँखों को रानी ! सँभालो इन आँखों के इस पानी को रानी ! जानता हूँ रानी, तुम्हारी क्या दशा होगी ? अपने एकमात्र अवलम्ब से अलग होकर तुम्हारी क्या दशा होगी ? तुम्हारी क्या दशा होगी और क्या दशा होगी तुम्हारे एकमात्र शिशु की, जिसे बारह वर्षों की तपस्या के बाद तुमने पाया है ! किन्तु यह तो होना ही था—यह तो सहना ही है। इसलिए सँभालो ! हाँ, हाँ—सँभालो, सँभालो। देखती नहीं हो, विद्रोही की, प्रचंड की, उद्दंड की ये आँखें भी आज पानी-पानी होने पर हैं ! बगल में साथी खड़े हैं—जंजीरों के प्रतीक ये जेल अफसर खड़े हैं ! वे क्या कहेंगे ? बड़े बने थे शेर ! जेल की पहली झलक ने ही—पहली झलक ने ही···

नहीं, नहीं, रानी, सँभालो ! हृदय सँभालो ! यह शोभनीय नहीं, वांछनीय नहीं—'नैतत्वप्युपपद्यते'। 'उत्तिष्ठ परंतप' ! अर्जुन, उठो। विद्रोही, सँभलो !

"इसी वार्ड में आप लोगों को रहना है।"

जैसे नींद टूट गई। हाँ, हाँ, इस नींद का टूटना ही अच्छा ! सामने यह खटाल। ऊँची, अलंघ्य, कठोर, गुमसुम दीवारों के अन्दर यह खटाल ! नमस्ते, ओ मेरे नए जीवन का नवीन आवास-स्थान ! नमस्ते ! तुम क्यों नहीं बोलते—स्वागत !

सत्कार

जंजीरें फौलाद की होती हैं, दीवारें पत्थर की।

किन्तु इन्हें क्या कहें जो दो पात्र मेरे सामने डाल दिए गए हैं ? ये किस धातु के हैं ? इन्हें किस शुभ नाम से सम्बोधित किया जाए !

शायद ये भी लोहे के हैं; ऊपर जंग-जंग और धब्बे-धब्बे तो यही बताते हैं। आकार में तसले-से। किन्तु इनका नाम ?

याद आई। योगी अरविन्द ने अपने जेल के अनुभव में इन्हें आई.सी.एस. की उपाधि दी है। आई.सी.एस. ! इनसे जो भी काम ले लीजिए। शासन में, शिक्षा में, अर्थ विभाग में, न्याय विभाग में—इन्हें जहाँ रख दीजिए, हर जगह फिट। ये तसले भी सब काम करते हैं। इनमें खाइए, इनमें पानी पीजिए, इन्हें लेकर शौच जाइए और फिर कभी मन बिगड़ जाए तो इन्हीं को लेकर किसी का सिर तोड़ दीजिए।

बस, बस, आई.सी.एस.।

लेकिन अम्बिका कह रहे हैं, इनमें छोटा सा जो है, उन्हें डिप्टी क्यों न कहा जाए ? आई.सी.एस. का छोटा भाई—पूरा-का-पूरा भारतीय !

और नामकरण का सिलसिला बढ़ा, तो वह बड़ा सा लोहे का कुप्पा, जिसमें पानी रखा जाता था, रायबहादुर बन गया। कान जरा मल दीजिए, टोंटी को जरा घुमा दीजिए, फिर जितना चाहिए, पानी ले लीजिए। तो पात्रों के तो ये नाम। किन्तु उस चीज को क्या कहा जाए, जो खाने के लिए इस आई.सी.एस. के खोखले, खुरदरे पेट में अभी-अभी रखी गई है !

इसे कहा तो गया है भात; किन्तु क्या यह भात है ? भूसा, कण, चावल और कंकड़—इन

चारों को समान भाग में—जैसे काँटे पर तोलकर—यह विचित्र चीज बनाई गई है ! अजीब शक्ल, अजीब रंग, अजीब स्वाद, अजीब गन्ध !

और जो भात पर रखी गई है, वह क्या तरकारी है ? किस चीज की तरकारी ? भंटे की डंठल, कद्दू के छिलके, सेम के रेशे और साग का पूरा झाड़—सबको काट-कूटकर, लोहे के कड़ाह में रखकर उबाल दिया, नमक रख दिया और जब वे सब एक रूप में आ गए, तो उतार लिया। क्या तरकारी इसी को कहते हैं ? और अभी मत पूछिए कि डंठल, रेशे, छिलके और झाड़ तो यहाँ रखे गए हैं, इनका असली भोज्य पदार्थ क्या हुआ ? जेल में पहले दिन में ही इतनी सारी बातों का पता नहीं लगाया जा सकता, न लगाना चाहिए।

और डिप्टी साहब के पेट में जो काला-काला पानी, दाल के नाम पर डाला गया है, उसके बारे में वह तमाशा देखिए। एक मसखरे साथी कुरता उतार रहे हैं। क्यों, भाई ? क्या बात है ? जरा डुबकी लगाकर देखना चाहता हूँ—दाल का एकाध चक्का भी मिलता है या नहीं !

दुपहरिया हो गई है। पेट में भूख खाँव-खाँवकर रही है। किन्तु क्या खाया जाए, कैसे खाया जाए ? तथाकथित भात का नेवाला मुँह में रखा गया कि एक बार ही सारे दाँत किटकिटा उठे। एक-एक दाँत के नीचे कितने-कितने कंकड़। सभी थूक रहे हैं; रसोई परोसनेवाला मुसकरा रहा है। बाबू, एक काम कीजिए। दाल फेंक दीजिए; उस बरतन में पानी रख दीजिए। फिर भात उसमें डाल दीजिए। भूसा ऊपर दहला उठेगा; कंकड़ नीचे बैठ जाएँगे; भात बीच में तैरता रहेगा। भूसे को ऊपर-ऊपर से छानकर फेंक दीजिए; फिर भात खाइए।

वही हो रहा है। लेकिन बार-बार याद आ रही है उस मुसलमान इंसपेक्टर की, जिसने जेल के रास्ते में बार-बार आग्रह किया था कि कुछ खा लीजिए। किन्तु तैश में आकर नाही कर दी थी—सोचा था; ये कमबख्त एक तरफ हमें गिरफ्तार करते हैं, दूसरी तरफ दया की धौंस जमाना चाहते हैं।

"भाई, शाम को क्या खाना देते हो ?"

रोटी ! किस चीज की ? गेहूँ की बाबू ! किन्तु रसोइया के मुँह पर, यह कहते समय, कुछ विचित्र रेखा खिंच आई थी। उस रेखा का अर्थ सन्ध्या समय खुला।

यह गेहूँ की रोटी—काली-काली—मंडुवे की रोटी की शक्ल ऐसी। वैसी ही काली, वैसी ही मोटी। वैसी ही अधपकी ! और स्वाद ? गन्ध ? आटे के साथ सारे घुन ही नहीं पीस दिए गए हैं; काफी मिट्टी भी मिला दी गई है। क्या किया जाए ? जेल अफसरों के घर पर जो आटा भेजा होता और भुक्खड़ पिसनहार भी तो कुछ गेहूँ फाँक जाया करते हैं, बाबू ! अंटसंट मिलाकर आटा तोल दिया गया—बताइए, पकानेवाला का क्या कसूर ?

जेल यही है ! इसी में, इसी तरह, कितने दिन काटने हैं। कितने दिन ? अभी सजा तो मिली ही नहीं है।

दोपहर तक पैदल दौड़ते फिर रहे थे; शरीर चूर-चूर था। दोपहर से तरह-तरह की चिन्ताएँ दिमाग को थका चुकी थीं। सोया जाए; सवेरे सोचा जाएगा। शाम को, सूर्यास्त के पहले ही, खटाल में ठूँस दिया गया था। बिस्तर के लिए जमादार साहब तीन-तीन कम्बल दे गए थे।

कम्बलों में अजीब बदबू आ रही है। अभी हम हाजती कैदी हैं—अपने कपड़े मिल सकते हैं। किन्तु अभी हमारे कपड़ों की 'सर्च' नहीं होने पाई है। इसलिए रात इन कम्बलों पर ही। मेरे पास तो सिर्फ धोती और गंजी। यह पटना है, अप्रैल के मध्य में भी काफी गरमी। नीचे से कम्बल के रोएँ काट रहे हैं। और ऊपर से पटना के प्रसिद्ध मच्छरों का धावा शुरू हो गया है। नींद क्या खाकर आएगी ?

खटाल की छत से लटकता हुआ फूटे शीशे का लालटेन टिमटिमा रहा है और नीचे एक ही सिरहाने लगभग आधे दर्जन हम लोग करवटें बदल रहे हैं ! शाम की थोड़ी प्रार्थना हुई थी; कुछ बातें हुई थीं, लेकिन इस समय तो सभी गुमसुम हैं। शायद किसी का दिमाग़ यहाँ नहीं है।

यह क्या ? शब्दों का एक अजीब ताँता लग गया। सारा जेल गूँज उठा। एक तरफ से आवाज आई—"एक-दो-तीन-चार-पाँच-छः-सात-आठ···।" अरे, ये तो बढ़ते ही जा रहे हैं। पहला उनचास पर जाकर रुका और बोला—उनचास कैदी ठीक हैं, जंगला बत्ती ठीक है, गिनती करो; छः नम्बर।" अब छः नम्बर के खटाल की तरफ से आवाज उठी ! वही "एक-दो-तीन-चार—कहाँ तक उनका साथ दीजिएगा ? और सबका ताला टूटता है—इतने कैदी ठीक हैं, जंगला-बत्ती ठीक है, गिनती करो अमुक नम्बर !" आवाजों में विभिन्नता, चढ़ाव-उतार में विभिन्नता। कोई चिल्ला रहा है, कोई चीख रहा है; कोई जैसे गा रहा है, कोई जैसे रो रहा है ! किसी का ठहराव तीसरे नम्बरों पर होता है, किसी का चौथे पर, किसी का पाँचवें पर, तो कोई एक ही साँस में सात सुरों को लाँघ जाता है !

पहले कुतूहल हुआ; थोड़ा आनन्द भी आया। गाँव में एक सियार के बोलते ही जो सैकड़ों सियार बोल उठते हैं, उसका स्मरण हो आया। किन्तु कुछ देर के बाद तो ऐसा लगा कि कोई हथौड़े की चोट लगातार दिमाग़ पर दे रहा है।—ठाँय, ठाँय, ठाँय ! और वह जेल के गेट पर ठाँय-ठाँय-ठाँय करके घड़ियाल ने बारह बजने की सूचना भी दे दी।

कैसी आत्मवंचना ? हम सबके सब जगे हैं, किन्तु कोई किसी को यह जानने नहीं देना चाहता कि उसे नींद नहीं आ रही है। हमारे साथी क्या समझेंगे कि हम घरेलू या बाहर की चिन्ता में चूर हैं। वे मुझे कितना छोटा समझेंगे ? हुँह—जैसे, हम आदमी नहीं है—जैसे हममें हृदय नहीं है ? अजी, जेल में पहली रात भी गाढ़ी नींद में सो सके, वह या तो होगा योगी, या पत्थर—हृदयहीन, भावना-विहीन !

कान में ठाँय-ठाँय; पेट में खाँव-खाँव और दिमाग में हाहा-हूहू। ऊपर से हथौड़े की चोट और यह नीचे से यह बरछी की चुभन ! यह टुस्-टुस् ! ये क्या सिर्फ कम्बल के रोंएँ हैं ? कम्बल पर आधी धोती बिछा रखी थी। धुँधली रोशनी में देखा—असंख्य खटमल उस पर टहल रहे हैं।

और यह देखिए, दीवारों पर खटमलों का ताँता। अब तो सभी साथी उठ-उठकर कपड़े झाड़ रहे हैं। किन्तु कहाँ तक कपड़े झाड़िएगा ? "अरे ऊपर से भी खटमल बरस रहे हैं !" हाँ, हाँ, हमने देखा कि खटाल की छत पर से खटमल बरस रहे हैं। ये छोटे जानवर भी कितने होशियार होते हैं ! कौन दीवारों की दूरी रेंगकर पार करे ? ऊपर से अपने को छोड़ दिया और हमारे सिर पर, पैर पर, गच पर ही सही, कहीं-न-कहीं आ ही जाएँगे ? फिर तो ताजा खून की बहार !

पी लो दुष्टो, पी लो ! इस देश में खून पीनेवालों की संख्या क्या कम है ? तुम्हीं को दोष क्यों दें ?

पानी से ही जो पेट भर रखा था, बार-बार पेशाब करने के लिए उठना पड़ता है। पेशाब के लिए यह कैसा बरतन रख दिया गया है ? बड़ा सा हंडा। खड़े-खड़े पेशाब कीजिए—गरगर गरगर—उफ़, यह अजीब शब्द ! ज्यों ही आँखें झिपती हैं, यह शब्द ! सभी साथियों की एक ही हालत है। कोई किसी से अपनी मर्मव्यथा नहीं कहना चाहता—सब अपनी बेचैनी को छिपाते हैं, किन्तु क्या वे इसमें समर्थ हो पाते हैं—प्रकृति की पुकारें उनका भंडाफोड़ कर देती हैं !

"बाबूजी, नींद नहीं आ रही है ?"

यह सिपाही बोला—जो हमारे खटाल के पहरे पर रखा गया है। जैसे आत्मसम्मान को धक्का लगा। आँखें मूँद लीं—अन्तःचेतना ने मदद की। और पिछले पहर की चैत की रात की पुरवैया ने भी !

चैत की पुरवैया, रात के पिछले पहर की ! जिसके साथ भीनी-भीनी गन्ध ! यह गन्ध—स्वर्गिक गन्ध। नाक कह रही है—यह गन्ध मोतिये की है। पटना का मोतिया नामी है न ? हाँ, हाँ, आते समय खटाल के आँगन में मोतिये के कुछ पौधे देखे थे। झुलसे-मुरझाए। इन्हें कौन पानी दे यहाँ ? किन्तु परिस्थिति प्रतिकूल होने पर भी प्रकृति अपनी एक झलक दिखा ही जाती है। मालूम होता है, उस रूखे-सूखे पौधे में भी एकाध कली लग आई थी; इस पुरवैया को पाकर वह सकुची-सहमी कली खिल उठी है। कली खिली—सुगन्ध फैली ! पुरवैया के झोंके ने उसे हमारे नाकों तक पहुँचा दिया है—सोओ, ओ बावरे ! इन काली, कठोर, घृण्य दीवारों के भीतर भी खाद्य-पानी, लाड़-प्यार के अभाव में भी, कलियाँ खिलती ही हैं—अपनी सुगन्ध पसारती ही हैं; तो फिर तुम क्यों चिन्तित हो रहे हो, क्यों अपनी प्रकृति और प्रवृत्ति भूल रहे हो। सोओ-सोओ !

कब आँखें झिपीं ? कब नींद आई ?

किन्तु गन्ध के साथ मेरे मस्तिष्क में स्वप्न का अजीब गठबन्धन है। जब-जब भीनी सुगन्ध का तेल लगाकर या सिरहाने गजरा या गुलदस्ता रखकर सोया हूँ, रात भर सपना देखता रहा हूँ ! वह रात भी सपने में बीती। किन्तु कैसे सपने ? सुख के ? दुख के ? मिलन के ? विरह के ? किस मुसकराहट ने मेरी बाँहों को पंख बना दिया ? किस काकली ने मेरे पैरों में चक्के बाँध दिए ? मैं उड़ रहा हूँ—फुर्र, फुर्र, फुर्र, फुर्र। मैं दौड़ रहा हूँ—सर्र, सर्र, सर्र, सर्र ! मैं कहाँ हूँ ? किस लोक में हूँ ?

उठता हूँ, तो धूप उग आई है—एक सुनहली चादर सब चीजों पर पड़ी है; सुनहली, जो इस बीभत्स वातावरण की सारी भयानकता को ढँक रही है, ढँप रही है !

साथी

साथी हों तो आदमी नरक भी काट ले। सवेरे से जो झुलस का सन्देश लाई है, पटना की उस चैती धूप की चिलचिलाहट में अपने साथियों को देख रहा हूँ।

यह हैं स्वामीजी—स्वामी सहजानन्द सरस्वती। कैसा तेजस्वी व्यक्तित्व ! जिस ओर मुड़े, तूफान की तरह बढ़े। अपनी जाति का अपमान देखा, उसे आसमान तक चढ़ा दिया। किसानों का दुख-दर्द देखा, तो उसी जाति के जमींदार से खम ठोंककर भिड़ गए। राष्ट्रीयता की ओर मुड़े तो यह गेरुआ वस्त्र लिये इस जेल में आ पहुँचे हैं। प्रचंड विद्वान...लोकमान्य तिलक की गीता की व्याख्या के विरोध में एक पोथा ही लिख डाला है—अकाट्य तर्कों से युक्त ! भगवान इनके क्रोध से दुश्मनों को बचाए। किन्तु यह क्या—एक ही रात में इनका एक नया रूप सामने आ रहा है ! अरे, नारियल से कठोर, रूखे-सूखे व्यक्तित्व के भीतर कैसा तरल, कोमल, सरस, स्निग्ध हृदय ! दर्शन के प्रकांड पंडित के होंठों से मीर और ग़ालिब के शेर अजस्र फूट रहे हैं !

यह हैं जगत बाबू—1921 के असहयोग आन्दोलन में वकालत छोड़कर स्वतन्त्रता संग्राम में कूदे ! जेलों में इतने कष्ट सहे कि अर्द्धविक्षिप्त होकर लौटे थे—कहते थे, मैंने भगवान का प्रत्यक्ष देखा है। कविता भी रचने लगे। किन्तु जब प्रतिक्रिया का दौरदौरा हुआ, हिन्दू सभा

के प्रवाह में बह गए। भटका हुआ कबूतर फिर अपने दड़बे में आ गया है। अभी-अभी दूसरी शादी की थी—और आज जेल में हैं ! सोच रहा हूँ, उस दिन स्टेशन पर उनके पीछे जिस लजाती, सकुचाती, रागभरी, सुहागभरी किशोरी को देखा था, वह बेचारी कैसे होगी ? कहाँ होगी ?

अपने प्यारे सखा अम्बिका के बारे में क्या लिखूँ ? मस्त-मौला—विचारों में क्रान्ति, आचार में क्रान्ति, व्यवहार में क्रान्ति। उस दिन मेरी चुटिया काट डाली, अब जनेऊ तोड़ने पर तुला है—भेदभाव के ये कुत्सित चिह्न, आत्मा को जकड़नेवाले ये बन्धन—तोड़ों इन्हें, छोड़ो इन्हें। शोख—कभी स्वामीजी को छेड़ देता है, कभी जगत बाबू से चुहलें करता है !

यह जस्सूलालजी हैं—सिटी में फलों की दुकान थी। जब हम लोग उस ओर जाते, प्रेमपूर्वक पवाते। आर्यसमाजी—उदार विचार, राष्ट्रीयता के हामी। हम लोग हँसी-हँसी में इन्हें अपना 'गार्डियन' कहते—अब जबकि इनके 'वार्ड' यहाँ आए, तो 'गार्डियन' उन्हें इस पर-पुरी में, पाषाण-पुरी में अकेले कैसे छोड़ते ?

यह हैं कीर्ति बाबू—चेहरे से कैसी सरलता और सौम्यता टपक रही है। देहात से आए हैं, एक राष्ट्रीय स्कूल में अध्यापक थे।

और यह रामनाथ—एक विद्यार्थी। हमारे युवक संघ का उत्साही कार्यकर्ता ! जब पुलिस मुझे पकड़कर 'बस' में बिठला रही थी, कूदकर भीतर चला आया—मैं भी जेल चलूँगा।

क्या हम सात इस छोटे से दायरे में देश का सच्चा प्रतिनिधित्व नहीं कर रहे हैं ? कभी-कभी मन-ही-मन सोच रहा हूँ, धन्य हो गांधी बाबा, कैसे-कैसे जानवरों को एक ही नाँद में भूसा खिला रहे हो तुम !

हाँ, हाँ, देखिए, वह नाँद में भूसा आ रहा है—और जो कुछ हो, तीनों बेला, ठीक समय पर चारा-पानी पहुँचाने में जेल जरा भी कोताही नहीं करता।

यह नाश्ता है—खिचड़ी। पानी, पानी जिस पर भुने हुए लाल मिर्चे तैर रहे हैं ! बस मिर्चे जीभ पर रखिए और खिचड़ी सुड़क जाइए; बड़ा मज़ा आएगा—यह कह रहे हैं हमारे भीमाकार रसोइया जोधीसिंह। दियारे के रहनेवाले हैं, ज़मीन की हदबन्दी लेकर झगड़ा हुआ, युद्ध ठना, कई खून हुए। जोधीसिंह को दस साल की सजा है—जैसा शरीर, वैसा ही काम मिला है। पूरी देगची किस आसानी से उठा लेते हैं !

खिचड़ी सुड़ककर बाहर देख रहा हूँ। यह सामने विशाल पीपल का पेड़। बेचारे को क्या-क्या न देखना पड़ा है, क्या-क्या न देखना पड़ेगा !

मानव तुम भी विचित्र हो ! जिस देव वृक्ष के नीचे बैठकर भगवान बुद्ध ने विश्वकल्याणकारी ज्ञान प्राप्त किया था, उसी को यन्त्रणाओं का आगार बना दिया है। देखिए, उसके मोटे तने और डालों में वे लोहे की कीलें ठुकी हुई हैं। वे क्या हैं ? कहीं-कहीं देहात में ऐसी कीलें देखी हैं जिनका अर्थ होता है, प्रेतों को इन कीलों के द्वारा क़ैद कर दिया गया है। किन्तु इन कीलों का क्या अर्थ ? बताया जा रहा है, बदमाश कैदियों को जब खड़ी हथकड़ी देनी होती है, इन्हीं कीलों में हाथ की कड़ियाँ बाँध दी जाती हैं। बस लटकते रहिए, जंजीर हिलाते रहिए, इस पीपल के देवता को गुहराते रहिए।

हाँ, दीवारें पत्थर की होती हैं, जंजीरें फौलाद की। जंजीरें चीखती हैं, चिल्लाती हैं और दीवारें गुमसुम !

किन्तु इस पीपल के निकट जो छोटी-छोटी दीवारें हैं, वे तो चीखती हैं, चिल्लाती हैं। उनकी चिल्लाहट से रात कई बार नींद उचटी है !

बड़ी दीवारों के अन्दर छोटी दीवारें—जेल के अन्दर सेल।

जेल दबोचता है, सेल पीस डालता है !

कौन बेचारा पिस रहा है इसमें ?

और यह बच्चा।

अभी दस साल का लगता है। धूल-गर्द से धूमिल चेहरा—तो भी कितना सुन्दर लगता है। हाफ कमीज—हाफ पेंट। पेंट काला, कमीज लाल। ज्यों ही सेल का दरवाजा खुला, पीपल के पेड़ के नीचे बैठ गया ! हम लोगों को देख रहा, उसकी आँखें बता रहीं, हमारे निकट आने को ललच रहा, किन्तु जमादार बता रहा, बचिएगा, बाबू पुराना गिरहकट है, चंट है, चंट, कई बार आ चुका है, चेहरे के भोलेपन पर नहीं भूलिएगा !

पुराना गिरहकट—चंट है चंट—भोलेपन पर नहीं भूलिएगा—कई बार आ चुका है, इससे बचिएगा !

किन्तु प्रश्न है—इस भोले को चंट किसने बनाया ? जिसे चूमने की इच्छा हो, उससे बचने की तम्बीह की क्यों जरूरत पड़ी ? इन प्रश्नों का उत्तर कौन दे ? किससे पूछा जाए ?

और पीपल के पेड़ के सामने कुछ दूर पर वह फाँसी-चबूतरा है। और फाँसी-चबूतरे के निकट ही वह फाँसी-सेल। क्या उस सेल में भी कोई है, जो जीवन और मृत्यु के झूले पर झूल रहा होगा।

है—चौबेजी हैं मालिक, यह मेरा सफैया कलुआ बता रहा है !

चौबेजी !

याद आया—उस दिन पटना की निचली सड़क पर एक धड़ाका हुआ था। कोई क्रान्तिकारी नौजवान आ रहा था, उसे फँसाने के लिए पुलिस ने फँदे डाल रखे थे। वह साइकिल पर दनादन आ रहा था कि अचानक साइकिल में धक्का लगा, वह गिर पड़ा। फिर साइकिल छोड़कर वह एक गली में भागा। गली में फँदा डाला गया था। अपने को घिरा देखकर उसने बम फेंका। बम फूटा, धड़ाका हुआ। किन्तु वह अपने को गिरफ्तार होने से बचा नहीं सका।

फिर एक षड्यन्त्र केस—एक हत्या भी जोड़ दी गई—चौबे को फाँसी की सजा हुई। कलुआ कह रहा है, चौबेजी कैसे अच्छे गबरू जवान है बाबू। हाय, उनको फाँसी होगी !

और तू किस दफा में आया है रे कलुआ ?

कलुआ—मगहिया डोम—बिहार की बदनाम जरायमपेशा कौम। काला आबनूसी रंग--पुट्ठे-पुट्ठे कसे हुए। कड़ी-कड़ी मूँछें—छोटी-छोटी आँखें अधजले कोयले की तरह रह-रहकर बल उठतीं। मेरे प्रश्न पर मुसकराता है। चोरी करो, शराब पीओ, पकड़े जाओ, यहाँ आओ, फिर छूटकर यही क्रम जिन्दगी भर दुहराते रहो—यही है इस क़ौम का नसीब, भाग्यरेखा !

तुम्हारी बीवी भी है, कल्लू ?

हाँ, सब हैं बाबू, बीवी, बाल-बच्चे—सब हैं।

उन्हें कौन देखता होगा तेरी गैरहाजिरी में ?

कुनबा उन्हें देखेगा, बाबू। यही होता है। जो यहाँ आ गए उनके परिवार की देख-रेख जो बाहर रह गए, वे करते हैं। चोरी के माल में सबका साझा, सुख-दुख में सबका साझा। अगर ऐसा नहीं हो तो यह पेशा ही नहीं चले, बाबू—कलुआ अपनी मूँछों पर ताव देते हुए मुझ अज्ञानी को समझाने की कोशिश कर रहा है।

ये ही हमारे साथी हैं—ऐसे ही लोग हमारे साथी होंगे, जब तक हम जेल में रहेगे ! हमारा सप्तर्षि मंडल और उसके इर्द-गिर्द वह पागल, वह बच्चा, जोधीसिंह, जमादार, सिपाही, यह पीपल का पेड़, वह फाँसी का चबूतरा, चौबेजी और सबसे बढ़कर वह डॉक्टर !

न जाने क्यों, उस डॉक्टर पर बार-बार सोचने को मजबूर होना पड़ता। हमारे साथ कैसा

अच्छा व्यवहार—वह बाहर की खबरें सुना जाता, कभी-कभी अखबार भी चुराकर ला देता, अम्बिका से उसने दोस्ती भी गाँठ ली थी ! किन्तु उस दिन कैसी राक्षसी वृत्ति दिखलाई उसने ! एक व्यक्ति—दो व्यक्तित्व !

इस बात का अनुभव तो पीछे हुआ कि जेल जीवन सचमुच व्यक्तित्व को टुकड़े-टुकड़े कर डालता है। बड़े-से-बड़े के व्यक्तित्व को भी !

सज़ा

जंजीरें खनक रही हैं, बोल रही हैं, स्वयं तुलकर हमें तौल रही हैं।

हम यहाँ इन ऊँची, अलंघ्य, गुमसुम दीवारों के अन्दर बन्द हैं, किन्तु बाहर आँधियाँ चल रही हैं, कोलाहल मच रहा है। एक ओर से जुलूस निकल रहे हैं, नारे लग रहे हैं, दूसरी ओर से लाठियाँ चल रही हैं, कोड़े फटकारे जा रहे हैं।

हमने जिसका श्रीगणेश किया था, उसकी इति यों ही नहीं हो सकती थी। इसे शुरू किया था कुछ नौजवानों ने; अब बुजुर्ग कन्धे उस भार को शानदार ढंग से ढो रहे हैं !

अम्बिका की गिरफ्तारी के बाद जब मैं जुलूस बनाकर आगे बढ़ा, रास्ते में एक टमटम पर बदहवास-सा आकर बारी साहब ने मुझे गले लगाया।

सदाकत आश्रम से किसी ने खबर की थी। बारी साहब वहाँ से दौड़े। उन दिनों कांग्रेस के पास मोटरें कहाँ थीं ? एक टमटम करके भागे-भागे पहुँचे थे।

आज बारी साहब हममें नहीं है, किन्तु क्या बिहार अपने इस सपूत को कभी भूल सकेगा ? प्रोफेसर अब्दुल बारी वैसे मुसलमान थे, जिनका राष्ट्रप्रेम उनके धर्म के भी ऊपर होता है। पठानी खून था उनमें—पाँच हाथ के लम्बे-तगड़े—जहाँ खड़े होते, सबसे ऊँचा उनका सिर होता। शाहाबाद के रहनेवाले—शेरशाह और कुँअरसिंह की बहादुरी के प्रतीक। कांग्रेस के कट्टर समर्थक, साथ ही बिहार में समाजवादी विचारों के जन्मदाता। उनके ऐसा मजदूर नेता भी बिहार ने पैदा नहीं किया। प्रान्तीय कांग्रेस के अध्यक्ष की हैसियत से जमींदारी उठाने का प्रस्ताव उन्होंने ही प्रथम बार रखा था।

बारी साहब ने मुझे गले लगाया, साथ ही आश्वासन दिया, जाओ, हम इस आग को जलाए रखेंगे !

हाँ, आग जल रही है, धू-धू जल रही है ! राजेन्द्र बाबू भी दौरे से लौट पड़े हैं, दादा कृपलानी तो यहीं थे ही। प्रतिदिन जुलूस निकल रहे हैं, गिरफ्तारियाँ हो रही हैं। इस जेल की आबादी भी बढ़ती जा रही है।

पटना लौटकर राजेन्द्र बाबू हम लोगों से मिलने जेल गेट पर पधारे, उनके साथ आचार्य कृपलानी भी थे। हम लोगों ने अपने को धन्य समझा। दादा के चेहरे पर एक व्यंग्य था—कहो, एक चुटकी नमक क्या कमाल कर रही है !

अभी उस दिन एक विचित्र दृश्य हो गया। स्टेशन से जुलूस निकला। लेजिस्लेटिव असेम्बली के अध्यक्ष श्री विट्ठल भाई पटेल पधारे थे। लोगों के उत्साह का क्या कहना ? वे जेल से सटी सड़क के किनारे के पेड़ों पर चढ़ गए और वहाँ से नारे देने लगे। उनके नारों की ध्वनि में जेल के राजबन्दियों ने ध्वनि मिलाई। थोड़ी देर तक लगा, बेस्टाइल की घटना दुहराकर रहेगी !

किन्तु कहाँ फ्रांस की खूनी क्रान्ति, कहाँ हमारी अहिंसक क्रान्ति !

लेकिन हमारा अहिंसक खून भी उन दिन खौल उठा; जिस हमने सुना, एक अंग्रेज पुलिस अफसर ने बारी साहब पर कोड़ों का प्रहार किया है।

उसका नाम था चरचर ! बड़ा ही शैतान अफसर। एक दिन जब स्वयंसेवकों के जत्थे निकल रहे थे, वह अपना घोड़ा फँदाता बारी साहब के निकट आया और तड़ातड़ कोड़ा चलाने लगा, यह कोड़ा गवर्नर के नाम पर, यह कोड़ा कलेक्टर के नाम पर और लो यह कोड़ा मेरे हिस्से का ! लोग हाहाकार कर उठे ! बारी साहब में इतनी ताकत थी कि उसे घोड़े पर से खींचकर दो घूँसे में ही जमीन पर सुला देते। किन्तु वह मुसकराते खड़े रहे।

इस घटना ने तो आग में घी का काम किया। जो हसन इमाम साहब 1921 के आन्दोलन में अलग रहे, वह भी इसमें आ कूदे, यद्यपि उनका स्वास्थ्य बहुत खराब था और अधिक वह कर नहीं सकते थे। हाँ, उनकी पत्नी और बेटी ने इस आन्दोलन की बड़ी सहायता की।

अब प्रतिदिन कुछ लोग सन्ध्या को सड़क के किनारे के पेड़ों पर चढ़ते और नारे लगाते, जवाब में जेल भी नारों से गूँजता। नारों का यह आदान-प्रदान अधिकारी बरदाश्त नहीं कर सकते थे। सड़क पर पुलिस का पहरा पड़ने लगा, भीतर जल्द-जल्द हमें हटाने की कोशिश हुई।

जेल में अदालत बैठी। अदालत क्या, मखौल—सामने मैजिस्ट्रेट बैठे। एक बगल हम खड़े किए गए। कोर्ट इंसपेक्टर ने मुकदमा रखा, पुलिस को लोगों ने गवाहियाँ दी, हमने अपराध स्वीकार किया, मैजिस्ट्रेट से सजा सुनाई, उन्हें धन्यवाद देकर हम अपने बैरक में लौटे।

हमें छः-छः महीने की सजा हुई—सख्त कैद की !

किन्तु दो-तीन दिनों से एक आशंका जो मन में उठ रही थी, वह सत्य सिद्ध हुई। मेरे साथ जो नौजवान विद्यार्थी आया था, उसके बहुत से मुलाक़ाती इधर आ रहे थे और प्रायः जेल गेट पर बुलाया जाता। जब-जब गेट से आता, वह उदास दीखता। पूछने पर अनमना उत्तर देता। आज जब वह अपने मुक़दमे के सिलसिले में गेट पर गया, (हमारे मुक़दमे अलग-अलग हुए थे) तो लौटा नहीं। पता चला, वह माफ़ी माँगकर छूट गया है !

अचरज हुआ, यह बहादुर नौजवान इतनी जल्द कैसे टूट गया ? किन्तु अधिक आश्चर्य की कौन सी बात है ? कुछ दिनों में ही देख रहा हूँ, हम लोगों की कई कमजोरियाँ उभरकर ऊपर आ रही हैं।

जेल एक अजीब भट्ठी है, इसमें तपकर सोना कुन्दन बन जाता है, टलहा इसकी आँच से ही पिघलने लगता है और थोड़ी देर में ही फदक-फदककर राख बन जाता है !

जंजीरें खनकती हैं, बोलती हैं, स्वयं तुलकर लोगों को तौलती हैं। अब हमारी तौल हो रही है। उस नौजवान का खोखलापन तो सिद्ध हो चुका, क्या हमारा वजन वही है जिसका दावा हम कर रहे थे ? किन्तु हम इस पहलू पर नहीं सोचें, इसी में कल्याण है।

अभी तक हम लोग अपने कपड़े पहन रहे थे, सजा के बाद हमें जेल के कपड़े मिले। काली धारी के मोटिए का कुरता—पूरी बाँह का, क्योंकि हम 'बी' डिवीजन में रखे गए थे। 'सी' क्लास की अपेक्षा यह काली धारी पतली, एक जाँघिया, एक सुथना—उसी काली धारी के मोटिए के। सुथना पहनने के हम आदी नहीं थे, इसलिए जाँघिया ही पहने रहते। जब हम लोगों ने यह सरकारी पोशाक पहनी, एक-दूसरे की सूरत देखकर हँसते-हँसते लोट-पोट हो गए।

सबसे बुरी गत स्वामीजी की हुई। बेचारे किशोरावस्था से ही संन्यासी; कभी ऐसी पोशाक पहनी नहीं। उन्होंने बड़े शौक से पहन लिया, किन्तु हमें बहुत बुरा लगा। कम-से-कम संन्यासी के लिए तो रियायत करनी ही चाहिए—खासकर स्वामीजी, ऐसे पद-प्रतिष्ठा के संन्यासी के लिए। किन्तु अंधी नौकरशाही के लिए तो सब धान बाईस पसेरी। हममें से कुछ ने विरोध प्रकट

करना चाहा, तो स्वामीजी ने रोक दिया।

हममें से सिर्फ अम्बिका को 'ए' डिवीजन मिला था। बाकी सबको 'बी' डिवीजन। 'बी' डिवीजन मिलने पर खाने में थोड़ा सुधार हुआ। अच्छा चावल, अच्छी दाल, कहने को हलवा और दूध भी। किन्तु सब पर जेल की मुहर ! अच्छा चावल आया तो भात गीला हो गया। हलवा कच्चा। गनीमत दूध—सो एक पाव में क्या हो ?

जब से जेल में आया, हजामत नहीं बनाई थी। कहा गया, जेल में छुरे का प्रवेश निषेध है। कहीं कोई अपना गला ही काट ले तो ? बस, कैंची से जहाँ तक सम्भव हो, बाल मुँडवा लीजिए। मैंने सोचा, चलो एक झंझट ही दूर हुई—बाल बढ़ने दो। 1921 में जब देशबन्धु चित्तरंजन दास जेल से निकले थे, उनकी शानदार दाढ़ीवाली तसवीर निकली थी। मेरी तसवीर भी कहीं निकल ही जाएगी, नहीं तो पास में तो रहेगी।

यह ख़ैरियत की बात है कि आदमी अपनी सूरत नहीं देख पाता। मैं इसे विधाता का वरदान मानता हूँ। क्योंकि यदि आदमी अपनी सूरत हर समय देख पाए, तो कभी-कभी ऐसी स्थिति आती है कि अपनी सूरत देखकर उसकी छाती फट जाए।

जेल में आईना रखने की भी मुमानियत थी। शीशे को चूरकर कच्चे धागे के सहारे लोहे के छड़ को काट दिया जा सकता है और निकल भागा जा सकता है। इसलिए हम अपना चेहरा देखने से भी वंचित कर दिए गए थे। कभी-कभी जेल के दीवारों पर अपनी छाया भर देख ली, बस।

किन्तु यह क्या ? एक दिन शौच के लिए पाखाने में गया, तो पेशाब के भरे बरतन में अचानक अपने चेहरे का प्रतिबिम्ब देखकर चौंक उठा ! प्रतिबिम्ब बिलकुल साफ था—भद्दे बाल, भद्दी दाढ़ी, भद्दी मूँछें। अरे, यही मैं हूँ। मैं अपनी हँसी नहीं रोक सका, हँसता, दौड़ता खटाल में आया और अम्बिका से अपने आविष्कार की चर्चा की। जिन्दादिल वह, मेरे आविष्कार से लाभ उठाने पाखाने की ओर दौड़ा !

जब उन दिनों की छोटी-छोटी बातें याद आती हैं, आज भी हँसी नहीं रुकती। कैसे थे वे दिन और कैसी मस्ती भरी थी हमारी तबियत में।

'बी' डिवीजन मिलने पर सेफ्टी रेजर मिला, किन्तु सोचा, अब यह रहे।

और इसी पोशाक और इसी चेहरे में हमें एक दिन हज़ारीबाग जेल से के लिए रवाना कर दिया गया।

सन्ध्या को चुकी थी। हम लोग खा-पीकर कुछ इधर-उधर की बातें कर रहे थे। कुछ विचारात्मक, कुछ संस्मरणात्मक। जेल में पुरानी बातें बार-बार सामने आती हैं। जो विचार कभी बिजली की तरह कौंधकर दिमाग में लीन हो गए, वे नया विस्तार लेकर उपस्थित होते हैं। जो घटनाएँ कभी तुच्छ लगी थीं, वे विशाल रूप में नए अर्थ लेकर पधारती हैं। ये बातें ही वहाँ आदमी को जिन्दा रखती हैं, हाँ, इनके चलते उलझनें भी कम नहीं पैदा होतीं।

आदमी मुख्यतः सोचने-विचारनेवाला प्राणी है, इस कथन की सार्थकता जेल में ही मालूम पड़ती है।

हम लोग बातों में मशगूल थे कि एक नायब जेलर ने आकर कहा—आप लोग गेट पर चलिए। गेट पर क्या है ? चलिए भी तो और गेट पर देखा, एक दारोगा कुछ सिपाहियों के साथ खड़ा है। हम लोगों का ट्रांसफर हो रहा है, जेलर ने मुसकराकर कहा। इस मुसकराहट में उसकी हार्दिक प्रसन्नता छिपी थी, क्योंकि हमारे ऐसे राजबन्दी जेलरों के लिए सदा सिरदर्द सिद्ध होते हैं !

किन्तु यह बेचारा क्या जानता था कि मुड़े सिर पर ओले गिरने ही वाले हैं। हमारे ट्रांसफर

के बाद ही इस जेल से एक राजबन्दी भाग गए और बेचारे को जिन्दगी भर नायबी की चक्की चलानी पड़ी।

वह राजबन्दी थे बसावन, जो उन दिनों क्रान्तिकारी पार्टी में थे। फरार थे कि इस हो-हल्ले में पकड़कर जेल में रख दिए गए और इसी हो-हल्ले में एक दिन दो साथियों की पीठ के सहारे दीवारे फाँद गए। दीवार के उस पार धम्म से गिरे, तो पहरे के सिपाही ने समझा, ताड़ के पेड़ से फल चुआ है।

किन्तु हमारे सामने भागने का प्रश्न कहाँ था ? हम तो सत्याग्रही थे; किन्तु पुलिस के निकट तो हम सभी भगोड़े ही समझे जाते रहे हैं। दारोगा सजग—सिपाही मुस्तैद ! गनीमत कि हमारे हाथों में कड़ियाँ नहीं डाली गईं। किन्तु एक बन्द गाड़ी में हमें ले जाया गया और स्टेशन न ले जाकर गुमटी पर रेल के एक सुरक्षित डब्बे में बिठलाया गया। पर पुलिस की यह सावधानी भी व्यर्थ गई। गाड़ी खुलने के समय जब उस डब्बे को स्टेशन ले जाया गया, तो देखा, गंगाशरण वहाँ मुसकराते हुए खड़े हैं। गया तक वह हम लोगों को पहुँचा आए।

और, गया स्टेशन पर भी कुछ लोग हम लोगों के स्वागत-सत्कार को तैयार खड़े थे।

यह सब कैसे हो जाता था ? कौन हमें इन बातों की खबर कर देता था, कौन हमारा सन्देश दूर-दूर तक पलक लगाते पहुँचा देता था ? भारत की आत्मा आजादी के लिए छटपटा रही थी—हम सत्याग्रहियों की संख्या थोड़ी थी, किन्तु सारा देश हमारे साथ था—प्रायः वे लोग भी, जो सरकारी वरदी में थे !

हज़ारीबाग़

मुँह-अँधेरे रेल के डब्बे से निकलकर जब बस पर चढ़े, ठंडक के मारे ठुड्डी हिलने लगी।

जून की शुरुआत। पटना में आग बरसती है। हज़ारीबाग़ में यह गुलाबी जाड़ा। पहले मज़ा अनुभव किया। किन्तु जब बस चली, सारा बदन हिलने-डुलने लगा। तो भी कुछ ओढ़ने की इच्छा नहीं होती थी। मरुभूमि में जल का सोता मिला है, पीते चलो, पीते चलो।

और ओढ़ें भी तो क्या ? सारे कपड़े तो बिस्तर में ही बँधे हैं, जो जमादार साहब के कब्जे में हैं। जेल से जिस पोशाक में रवाना किए गए, बदन पर वही आधी बाँह का धारीदार कुरता, आधी जाँघ का जाँघिया और वह अंगोछा, जो मुश्किल से बदन को ढक सके।

धीरे-धीरे उजाला बढ़ रहा है। कुछ जंगली पेड़, फिर जंगल और अब वह पहाड़। किसी पहाड़ के रास्ते से गुजरने का पहला मौका—उत्तरी बिहार में पहाड़ कहाँ, बस दूर से हिमालय की झाँकी भर ! पतली सी सड़क से बस भागी जा रही, एक ओर चट्टानों का पुंज—दूसरी ओर खड्ड-ही-खड्ड। जब-जब मोड़ आती, रोयें खड़े हो जाते। ज़रा भी गफ़लत या गड़बड़ हुई, तो इस खड्ड में कहीं हमारी हड्डियाँ ढूँढ़े भी मिल सकेंगी ?

किन्तु भय क्षणिक था, आनन्द स्थायी ! यह ठंडी हवा; यह खुशनुमा दृश्य ! हाँ, हाँ, जिन्दगी हो या जमीन—ऊबड़-खाबड़ ही अच्छी !

बस भागी जा रही है, हमारी आँखें पल-पल बदलनेवाले दृश्य में लीन हैं और मस्तिष्क में तरह-तरह के विचार आ-जा रहे हैं, हृदय में तरह-तरह की भावनाएँ उठ रही हैं, मिट रही हैं। कभी दुर्बलताएँ घेरती हैं, घर का क्या होगा ? कौन उन्हें देखेगा—जब मैं चला जा रहा हूँ, भोर-भोर हो सकता है, रानी आँसू बहा रही हो !

नहीं-नहीं—अरे, हम कितना बड़ा काम करने जा रहे हैं। देश की आजादी के लिए

लड़ना—जीवन की सार्थकता इससे बड़ी क्या होगी ? यदि देश के लिए बलि भी चढ़ जाऊँ, तो क्या यह कम सौभाग्य की बात होगी ?

इन हार्दिक उथल-पुथलों में, मस्तिष्क के उहापोहों में जब-तब आँखें झिप जातीं।

कि एक धचके के साथ गाड़ी रुकी और लीजिए, यह सामने हज़ारीबाग़ सेन्ट्रल जेल खड़ा है।

जंजीरें फौलाद की होती हैं, दीवारें पत्थर की। किन्तु पटना जेल में जो दीवारें देखी थीं, उनकी दीवारें भले ही पत्थर-सी लगी हों, थीं ईंट की ही।

पत्थर की दीवारें तो सामने हैं—चट्टानों के ढोंकों से बनी ये दीवारें। ऊपर-नीचे, अगल-बगल, जहाँ देखिए, पत्थर-ही-पत्थर। पत्थर—काले पत्थर, कठोर पत्थर, भयानक पत्थर, बदसूरत पत्थर।

किन्तु अच्छा हुआ कि भोर की सुनहली धूप में हज़ारीबाग़ सेन्ट्रल जेल की इन दीवारों का दर्शन किया। इन काली, कठोर, अलंघ्य, गुमसुम दीवारों की विभीषिका को सूर्य की रंगीन किरणों ने कुछ कम कर दिया था। सन्तरियों की किरचें भी सुनहली हो रही थीं। हाँ, अच्छा हुआ, क्योंकि बाद के पन्द्रह वर्षों में न जाने कितनी बार इन दीवारों के नीचे खड़ा होना पड़ेगा।

किसी ने कहा है, सब औरतें एक-सी। यह सच हो या झूठ, किन्तु मैं कह चुका हूँ, सब जेल एक-से होते हैं। सब की दीवारें एक-सी होती हैं, सबके फाटक एक-से दुहरे होते हैं, सबमें एक ही ढंग के बड़े-चौड़े ताले लटकते होते हैं, सबकी चाबियों के गुच्छे भी एक-से झनझनाते हैं और सबके वार्डर, जमादार, जेलर, सुपरिन्टेंडेंट जैसे एक ही साँचे में ढले होते हैं—मनहूस, मुहर्रमी। जैसे सबने हँसने से कसम खा ली हो।

किन्तु हज़ारीबाग़ का जेल अपनी कुछ विशेषता भी रखता है। सब जेल बनाए जाते हैं अपराधियों को ध्यान में रखकर, हज़ारीबाग़ सेन्ट्रल जेल की रचना ही हुई थी देशभक्तों पर नज़र रखकर।

1914-18 का विश्वयुद्ध। पंजाब और बंगाल की क्रान्तिकारी पार्टियों ने इस अवसर से लाभ उठाकर ग़दर करने की चेष्टा की। लाहौर से कलकत्ता तक उन्होंने जाल बिछाया था। बहुत से क्रान्तिकारी अस्त्र-शस्त्र के लिए बाहर भेजे गए थे, बहुत से विदेशों से इसी काम के लिए लौटे थे। किन्तु भंडा फूट गया, धर-पकड़ का दौर चला, गोलियाँ चलीं, बम फूटे। कितने मारे गए। जो पकड़े गए उन पर विद्रोह के मुक़दमे चले। कितनों को फाँसी हुई। जिन्हें सजाएँ हुईं, उन्हें कहाँ रखा जाए, यह प्रश्न उठा। कालापानी खतरे से खाली न था—'एडमन' नामक पनडुब्बी जहाज ने बंगोपसागर को चंचल कर रखा था।

सुरक्षित स्थान यह हज़ारीबाग़ समझा गया। छोटा नागपुर की पहाड़ी पर घनघोर जंगल में बसा यह स्थान। किसी भी रेलवे स्टेशन से पचास-साठ मील की दूरी पर। फिर आदिवासियों की आबादी में अपना रूप कोई छिपा सकेगा कैसे ! बस, उन्हें ला-लाकर यहाँ रखा गया।

जेल के फ़ाटक पर जेल-प्रवेश की रस्में पूरी की गईं। सामानों की सर्च, व्यक्तिगत सर्च। खैरियत समझिए कि हमें नंगा नहीं किया गया, क्योंकि हम अपर डिवीजन के कैदी थे न ?

भीतर बहुत बड़ा घेरा—एक ओर अस्पताल, एक ओर छोकरा क़िता, जिसकी बगल में ही रंडी क़िता। रंडी क़िता—इस नाम से हँसिए मत, घबराइए मत। हर औरत जो किसी जुर्म में जेल भेजी गई, जेलवालों की नजरों में रंडी है। छोकरा क़िता और अस्पताल के बीच में राजबन्दियों के लिए सेल—हाँ सेल-ही-सेल। सेलों की दो किस्में—बाबू सेल और पंजाबी सेल। पंजाबी सेल बहुत ही बुरे, बंगाली बाबुओं के लिए कुछ आराम पर ध्यान दिया गया था।

बाबू सेल में छः वार्ड हैं। हर वार्ड में अट्ठाईस सेल हैं, छब्बीस साधारण सेल, दो

चक्की-सेल। छब्बीस साधारण सेलों के सामने लम्बा बरामदा है। जो भलेमानस का व्यवहार करें, यानी जेल के सारे नियमों को चूँ-चरा किए बगैर मानें, वे सेल में सोएँ, बरामदे में चंडाल-चौकड़ी इकट्ठी करें, सामने के आँगन में घूमें-फिरें। किन्तु जिनका दिमाग फिरा है, जो हर जगह लड़ाई-झगड़े ही पसन्द करते हैं, वे इन चक्की-सेलों में रख दिए गए। वहीं मौज से चक्की चलाया करें—उसी में खाना, उसी में सोना, उसी में चक्की चलाना। फैक्टरी और क्वार्टर साथ-साथ।

और बदमाशी की मात्रा अधिक बढ़ी तो फिर पंजाबी सेल में। पंजाबी सेल के तीन वार्ड हैं—उनका हर सेल बाबू वार्ड के चक्की सेल की तरह बाहर से बिलकुल बन्द। 'भूत-पिशाच निकट नहीं आवे, जब पंजाबी सेल पठावे।' यह बर्क बत्तीसा की एक चौपाई है, जिसकी चर्चा अभी आनेवाली है।

इन्हीं सेलों में पंजाबी क़ैदियों को रखा गया था, जो मुख्यतः गदर पार्टी के लोग थे।

एक दिन अचानक एक मोटा पोथा हाथ लग गया था, एक क़ैदी ने लाकर दिया—कुछ बीड़ियों के लोभ में। वह गदर पार्टी के सदस्यों पर चलाए गए मुकदमों की मिसिल थी। पढ़कर रोंगटे खड़े हो गए—चार आदमियों को फाँसी हुई थी, कितने को कालापानी, लम्बी सज़ावालों की लम्बी सूची। यह पोथा इस क़ैदी को कैसे मिला ? पूछताछ से पता चला, इस प्रकार सबको बन्द रखे और सुरक्षा के प्रबन्ध किए जाने पर भी पंजाबी क़ैदियों ने इस जेल से निकल भागने की चेष्टा की थी। कुछ भाग गए, कुछ गोलियों के शिकार हुए, कुछ लड़ते-लड़ते मरे ! पलायन की उनकी यह चेष्टा कितनी रोमांचकारी थी, इसका पूरा पता 1940 में चला, जब इस पलायन के फरार बाबा सुच्चासिंह से इसी जेल में भेंट हुई ! वह कथा अभी स्थगित ही रहे।

हम भलेमानस थे, अतः हमें बाबू वार्ड में ही रखा गया। वार्ड नं. 2 में मुझे रखा गया।

यहाँ आने पर पता चला, अपर डिवीजन के क़ैदी के क्या मानी ? बेचारे यतीन्द्र नाथ ने तिरसठ दिनों का उपवास करके अपने प्राण दे दिए; वह तो स्वर्ग सिधारे, किन्तु हमारे लिए इस पृथ्वी पर ही, जेल में ही, स्वर्ग-सुख का दरवाजा खोल दिया। खाट है, गद्दा है, तकिया है, चादरें हैं, गुलगुल कम्बल हैं। किताबों के लिए शेल्फ हैं। सुगन्धित तेल, गौदरेज नं. 1 के साबुन, टेक का ब्रश, बंगाल केमिकल का खुशबूदार मंजन। फिर यह भोजन—भोर में गरमागरम हलुआ और गरम-गरम दूध या टोस्ट, मक्खन, अंडे। दिन में बासमती का चावल, मूँग की दाल, सब्जियाँ, पापड़, तिलौड़ी, अचार, शाम में घी से चुपड़ी, चपातियाँ, गोश्त।

किन्तु वह जमादार उस दिन कहने लगा, बाबू, ये सब मौज क्या हैं ? इन्हीं वार्डों में जब बंगाली बाबू लोग रहते थे, पानी की नाली में घी बहता था। न जाने कैसे खब्ती थे वे लोग, नाली में घी बहाकर वे क्या पाते थे ?

जब तक हम लोग हज़ारीबाग़ पहुँचे—अन्य जिले से राजबन्दियों का आना शुरू हो गया था। पता चला, बिहार और उड़ीसा के अपर डिवीजन के राजबन्दी यहीं रखे जाएँगे—उन दिनों उड़ीसा भी बिहार में ही था। सर्वश्री गोपबन्धु चौधरी, नीलकंठ दास, नवकृष्ण चौधरी, हरेकृष्ण महताब आदि से हमारा सामीप्य यहीं स्थापित हुआ था !

वार्ड नं. 2 में रहने से एक सहूलियत अनायास मिल गई। इसी वार्ड में फैक्टरी थी, जहाँ बुनाई आदि के काम होते। जिन्हें सख्त सज़ा मिली थी, वे इस फैक्टरी में काम करने आते। सादी कैदवाले राजबन्दियों ने भी काम करने में नाम लिखा लिया था। काम तो नाम का होता। सब लोगों से मिलने की सुविधा मिल जाती थी। मुफ्त में हर महीने चार दिनों की छुट्टी भी।

गांधीजी के जादू ने कैसे-कैसे लोगों को अभिभूत किया है, इसका पता यहीं आने पर

लगा। प्रान्त के जो माने-जाने नेता थे, वे तो आए ही हैं, ऐसे लोगों की—वकील, डॉक्टर, प्रोफेसर, विद्यार्थी—भरमार है, जो राजनीति से अपने को अछूते रखते थे। तरह-तरह के चेहरे, तरह-तरह के स्वभाव। किसी को किसी की धुन; किसी को किसी की लगन। 'नाना बाहन नाना बेषा। बिहसे सिव समाज निज देखा।।' क्या गांधीजी यहाँ होते, अपने समाज को देखकर ठट्ठा मारकर नहीं हँस पड़ते !

लेकिन गांधीजी तो अभी तक अपनी डांडी यात्रा पर ही हैं। हमें अखबार के नाम पर 'स्टेट्समैन' का सिर्फ 'ओवरसीज एडिशन' दिया जाता है, किन्तु क्या एक भी खबर हम तक पहुँचने से रहती है ? साबरमती आश्रम से चलते समय उन्होंने जो घोषणा की—'या तो मैं स्वराज्य लेकर यहाँ लौटूँगा, या मेरी लाश समुद्र में तैरती नजर आएगी'—हम लोगों के कानों में वह दिन-रात गूँजा करती है। और गूँजा करती है, गोलियों की आवाजें भी, जो देश के कोने-कोने से आया करती हैं। बिहार में ही आधे दर्जन स्थानों पर गोलियाँ चल चुकी हैं। लाठीचार्ज और गिरफ्तारियों की क्या बात ? धीरे-धीरे छः बाबू वार्ड और पूरा छोकरा कि़ता हम लोगों से भर चुका है। अब हम लोगों में से कुछ को पंजाबी सेलों में भी रखा जाने लगा है, हाँ, उन्हें घूमने-फिरने की पूरी स्वतन्त्रता दी गई है !

यों तो अब यहाँ सत्याग्रही राजबन्दियों की ही भरमार है, किन्तु मेरे वार्ड मे तीन राजबन्दी मौलनिया डकैती केस के हैं। तीनों नौजवान हैं। इनके नेता जोगेन्द्र शुक्ल थे, जो अब तक फ़रार हैं। वार्ड नं. 1 में देवघर षड्यन्त्र केस के राजबन्दी हैं। एक दिन खुफिया पुलिस ने वैद्यनाथधाम के एक घर पर छापा मारा। वहाँ एक कापी मिली, जिसमें संख्या-ही-संख्या लिखी थी। उन संख्याओं से क्रान्तिकारियों के नाम और पते निकाले गए और लाहौर से चटगाँव तक गिरफ्तारियाँ हुईं। फिर मुकदमा चला, लगभग एक दर्जन नौजवानों को सजा मिली। वे सब यहीं रखे गए हैं।

बड़ा आनन्द आ रहा है—नए-नए लोगों से परिचय; दिन भर हा हा-हू हू। जो लोग आते हैं, बाहर से सनसनी भरे समाचार लाते हैं। हाँ, हाँ, हमारा देश आज़ाद होगा—होकर रहेगा !

हमारे अट्टहास में जंजीरों की बोली गुम हो गई है और दीवारें उनकी प्रतिध्वनि से गूँजने लगी हैं !

बर्क

किन्तु डेनमार्क के राज्य में सब कुछ सपाट ढंग से नहीं जा रहा है, यह दिन-दिन प्रकट होने लगा !

यह जो गांधीजी के नाम पर शिव का समाज जुटा था, क्या उसे देखकर गांधीजी को आनन्द ही आता—क्या उनकी हँसी कुछ ही दिनों में रुदन में नहीं बदल जाती ?

समाज जुटाना एक बात है, किन्तु समाज को बाँधकर रखना दूसरी बात। फिर समाज में पवित्रता-ही-पवित्रता बनाए रखना तो तीसरी ही अनोखी बात है।

साबरमती आश्रम की कितनी ही दुखद कहानियाँ कानों में पड़ी थीं—कई बार गांधीजी को उपवास तक करना पड़ा था !

जिन कमजोरियों के बीज पटना जेल में देखे, पाया, वे अब यहाँ अंकुर ले रहे। आज की राजनीति में जो अवांछनीय चीजें दिखाई पड़ती हैं, उनकी नींव जेलों में ही पड़ी थी। जेल के सुगम रास्ते से हमने आजादी तो ले ली है, किन्तु वहाँ जो बीमारियाँ फूटीं, उनकी छूत से

हम अपनी सन्तानों को भी नहीं बचा सके। कुछ शारीरिक बीमारियाँ सन्तानों में पैतृक देन के रूप में नहीं मिलतीं। शारीरिक बीमारियाँ तो खून तक ही सीमित रहती हैं, किन्तु मानसिक बीमारियाँ तो मज्जा तक जा पहुँचती हैं।

कुछ ही दिन तो आए हुए, किन्तु अजीब बातें दीख पड़ने लगी हैं। पाक दामन स्वामीजी ने अपने सेल में ही अपने को समेट लिया है, कछुए की तरह। गीता पढ़ते हैं, चरखा चलाते हैं। अपना भोजन भी आप बना लेते हैं। अम्बिका पद्मपत्रमिवाम्भसा बना हुआ खाता है, खेलता है, ठट्ठा मारकर हँसता है। मेरी विचित्र स्थिति है—बाहर हँसना, भीतर रोना।

यहाँ की इन स्थिति को और भी उलझनपूर्ण बना दिया है यहाँ के जेल सुपरिन्टेंडेंट ने।

कहीं आदमी इतना कुरूप होता है—इस अंग्रेज गोरे को देखकर पहली बार ही मेरे मन में यह प्रश्न उठा।

उसके शरीर का विचित्र ढाँचा। लगता, किसी बदमाश लड़के ने क़सम खाकर मोम की एक ऐसी मूर्ति बनाई हो कि कहीं, किसी अंग से भी सौन्दर्य की झलक नहीं दिखाई पड़े। लंगड़ा; झुककर, गुरिल्ले की तरह उचक-उचककर चलता। चेहरे पर मानो किसी दूसरे बदमाश बच्चे ने लाल रोशनाई की दावात फेंककर फोड़ डाली हो ! छोटी-छोटी गोलमोल आँखें, जिनकी नीली पुतलियों से शैतान झाँकता ! बाएँ हाथ पर गोदने से साँप की तसवीर बनवा रखी थी उसने, यह तसवीर क्या उसकी मानसिक वृत्ति को सूचित नहीं करती ?

हेल्थ पास कराने को जब मैं उसके सामने गया, मेरे ही साथ उसने अजब व्यवहार किया। क़ैदियों की 'हिस्ट्री-टिकट' पर एक खाना होता है कि यह पहली बार जेल आया है या पुराना मुजरिम है। उस खाने को भरने के पहले मुझसे कुछ पूछा, जो उसके अटपटे उच्चारण के कारण मैं समझ नहीं सका। जेलर ने जवाब दिया, उसने वह खाना भर दिया। पीछे पता चला वह मुझसे पूछ रहा था, कितनी बार चोरी की है ?

किन्तु उसके लिए यह कोई बड़ी बात नहीं थी। अभी कुछ दिन पहले उसने एक राजबन्दी के साथ जो व्यवहार किया था, वह क़िस्सा लोगों ने कह सुनाया।

दानापुर से कुछ राजबन्दी आए थे। उनमें से एक नौजवान ने अपना नाम मैजिस्ट्रेट के सामने 'कामरेड' बताया था। उन दिनों ऐसा होता था, विनोदी लड़के अपना नाम 'बन्दर' बताने से भी नहीं चूकते थे। मजिस्ट्रेट इन बातों पर ध्यान नहीं देते थे, जो कहा लिख दिया और सजा दे दी। कामरेड के साथ यही हुआ। किन्तु दानापुर के वह कामरेड जब हज़ारीबाग़ के इस किंरूप-किमाकार गोरे के सामने पेश किए गए तो एक कांड ही मच गया। बर्क कहता,—यह नाम नहीं हो सकता, बताओ असली नाम। कामरेड कहते—जो है, सो बता दिया। बर्क गरजा; कामरेड तन गए। बर्क ने जमादार से कहा—जवान को सीधा करो।

इसके बाद बर्क की वह प्रक्रिया शुरू हुई जिसकी कल्पना से ही क़ैदी काँप उठते। दो सिपाहियों ने कामरेड के हाथ पकड़ लिये और दो ने पीछे से पैर पकड़े। बर्क चार डग पीछे हटता फिर बड़े वेग से बढ़कर अपनी बँधी हुई वज्र-मुष्टिका से कामरेड के होंठ पर, जबड़े पर, छाती पर, पेट पर प्रहार करता। हाँ, प्रहार के लिए इन्हीं मर्मस्थानों को वह चुनता था। थोड़ी देर में ही कामरेड का चेहरा लहूलुहान—मुँह से लोंदे-के-लोंदे खून भी गिरने लगा। जब कामरेड बिलकुल बेहोश हो गए, तभी बर्क ने छोड़ा।

यह भी सुना, बर्क ने अपने बेटे की जीभ काट डाली थी, क्योंकि वह बच्चा तुतलाता था और यह उसकी जीभ का आपरेशन कर उसकी तुतलाहट दूर करना चाहता था। तुतलाहट कहाँ तक दूर होती, वह बच्चा अपने इस क्रूर बाप को सदा के लिए सलाम करके चला बसा।

ज्यों-ज्यों राजबन्दियों की संख्या बढ़ने लगी, बर्क की झंझटें भी बढ़ती गईं। एक दिन

उसकी छोटा नागपुर के शेर बाबू रामनारायण सिंह से ठन गई।

बाबू वार्ड की जगहें भर गई थीं, अतः रामनारायण सिंहजी को पंजाबी सेल में जगह दी गई थी। सेल के आगे के पेड़ के चबूतरे पर बैठकर वह कुछ लिख-पढ़ रहे थे कि बर्क वहाँ जा पहुँचा।

वह पढ़ने-लिखने में तल्लीन थे कि आवाज़ हुई—उठो, पैर मिलाओ, हाथ उठाओ। इसी रूप में साधारण क़ैदी अफसरों के सामने खड़े किए जाते थे। शिष्टतावश रामनारायण बाबू उठते ही, किन्तु इस हुक्म में उन्होंने अपमान देखा। फिर क्या था, सिपाहियों द्वारा वह उन्हें खड़ा करवाने और हाथ उठवाने लगा और जब उन्होंने विरोध प्रकट किया तो उनके सारे कपड़े उतार, बोरियों के जाँघिए और कुरते पहनाकर, हाथों में खड़ी हथकड़ी डालकर उन्हें सेल में टँगवा दिया और हुक्म दे दिया, इसे 'पेनल डायट' दो—यानी वह लपसी जो जबान से नीचे नहीं उतरे और उतरे तो पेट में जाकर कुहराम मचाए।

हाँ, जंजीरें यहाँ भी बोल रही हैं और स्वयं तुलकर हमें तौल रही हैं।

जब यह खबर फैली, हममें से अधिकांश का खून खौलने लगा, किन्तु आश्चर्य, हममें से ऐसे लोग भी निकल आए, जो उसका समर्थन करने लगे। और समर्थन करने लगे गांधीजी के नाम पर—हमें जेल के सारे नियम मानने चाहिएँ। कैसा तमाशा, जेल के अधिकारियों ने गांधीजी द्वारा बताए जेल के नियम-पालन के आदेशों को लिखवाकर जगह-जगह टँगवा दिया।

हम लोग गद्दे पर सोएँ, हलवा खाएँ और हमारे एक बुजुर्ग नेता हथकड़ियों में लटके रहें, लपसी चाटते रहें ! किन्तु गांधीजी का आदेश है, हमें चुप ही रहना चाहिए !

एक और विशेष बात हुई। मजिस्ट्रेट ने तो जिन्हें उचित समझा, अपर डिवीजन में रख दिया। किन्तु सरकार छानबीन कराने लगी और बहुत से लोगों को फिर अपर डिवीजन से 'सी' क्लास में रखने लगी। 'क्षीणे पुण्ये मर्त्यलोक विशन्ति' का सिलसिला शुरू हुआ। अजब दृश्य—एक ओर नए-नए लोग आ रहे हैं, दूसरी ओर यहाँ से झुंड-के-झुंड लोग दूसरे जेलों में भेजे जा रहे हैं। जब वे जाने लगते, हृदय में अजीब तूफान उठता—

क्या यतीन्द्रनाथ के अपने को इसीलिए बलिदान किया था ? क्या लाहौर के बन्दियों की माँग का यही अर्थ था ? सरकार द्वारा जिन शर्तों को स्वीकार किए जाने पर भगतसिंह आदि ने अनशन तोड़ा, क्या उसकी मंशा यही थी ? कुछ पुलिस के अफसर मनमानी जाँचकर मजिस्ट्रेट द्वारा किए गए डिवीजन को तोड़वा दें; प्रान्त के हजारों राजबन्दी 'सी' क्लास की तकलीफें झेलें और हम कुछ लोग हलवा-माँडा उड़ाते रहें ! फिर, राजबन्दियों में डिवीजन का यह विभेद डालकर क्या सरकार हममें फूट नहीं डाल रही है ?

किन्तु इन बातों को सुननेवाला कौन था ?

कि एक भाई ने यहाँ भी अनशन कर दिया। वह भागलपुर से आए थे। उनके साथ जो लोग आए थे, उनमें से कुछ नौजवानों का डिवीजन तोड़ दिया गया था। उनके अनशन से उन नौजवानों का तबादला तो रुक गया, किन्तु डिवीजन तो टूटा ही। हाँ, हम अपने भोजन से खिलाते-पिलाते। उनमे से एक सज्जन आज कांग्रेस के बड़े पदाधिकारी हैं और उस बेचारे अनशन करनेवाले का कोई पुरसाहाल नहीं है !

जेलर होशियार हैं; कान से कम सुनते हैं, किन्तु बिना सुने ही सारी बातें समझ जाते हैं। सरकार ने सब कुछ दे रखा है, किन्तु जिनकी आवश्यकताएँ इनसे पूरी नहीं होतीं, उनके सारे अभावों को पूरा कर देते हैं। बिना पास किए हुए खत पढ़ा दिया करते हैं, अपने कमरे में मुलाक़ात करा देते हैं, जिन्हें टाट का गद्दा गड़ता है, उनके लिए रुई का गद्दा बनवा देते हैं, कुछ लोगों के लिए खास घी-दूध का भी प्रबन्ध कर दिया गया है। बड़े लोग उनसे खुश

हैं, इतना खुश कि यदि स्वराज्य तुरन्त मिल गया होता तो बेचारे को आई.जी. बनने में क्या देर लगती ?

यह भेदभाव भी लोगों में असन्तोष फैला रहा है। बर्क के खिलाफ तो जबरदस्त मोरचा बन रहा है : यदि नेता लोग नहीं सुनेंगे तो कुछ हम करेंगे। मैंने उसी समय एक 'बर्कबत्तीसा' बनाई, तुलसीदासजी की 'हनुमान चालीसा' के तर्ज पर। उसकी वन्दना है—

'गुरुपद 'लोटस'-'डस्ट' से मन 'मियर' हि सुधारि,
बरनौं बर्क हि बिमल जस जो दायक फल चारि,
घानी, चक्की, सेल पुनि, ऊपर से कुछ मार,
ये चारों फल देत हैं चोरन के सरदार ।।'

उसी की एक चौपाई थी—

'भूत-पिशाच निकट नहीं आवे, जब पंजाबी सेल पठावे।'

कितना आश्चर्य, इसके दस वर्षों के बाद भी 1940 में एक पुराने जमादार ने बर्कबत्तीसा सारा कंठस्थ सुनाया। हज़ारीबाग़ जेल में यह बर्कबतीसा कितना लोकप्रिय हुआ, इसी से कल्पना कीजिए !

लगता है, हमारा असन्तोष अनसुना नहीं गया। बर्क की बदली हो गई। वहाँ से वह गया सेन्ट्रल जेल भेजा गया। गया में तो उत्पात की अति कर दी। किन्तु अचानक एक दिन वह अपने बँगले में मरा हुआ पाया गया। जनश्रुति थीं, किसी क्रान्तिकारी ने उसके जुल्मों की कथा सुनकर उसकी हत्या का दी। यों कहा गया, उसने आत्महत्या कर ली है !

बर्क के साथ एक ओर अंग्रेज अफसर की चर्चा होनी ही चाहिए। वह था मैकरे, जो बिहार के जेलों का आई.जी. था। वह एक बार भागलपुर गया। भागलपुर जेल में एक विद्यार्थी था, नाम था रामजी प्रसाद वर्मा। वह हिन्दू विश्वविद्यालय में इंजीनियरिंग पढ़ता था। बहुत ही मेधावी विद्यार्थी। उसके आइरिश प्रिंसिपल उसे बहुत मानते। वह जब गिरफ्तार हुआ, उससे भेंट करने प्रिंसिपल साहब भागलपुर जेल तक पहुँचे।

जेलवालों से रामजी के साथ सद्व्यवहार रखने की उन्होंने सिफारिश की। रामजी का अक्षर बहुत सुन्दर था, उसे दफ्तर की लिखा-पढ़ी का काम दिया गया। उसके लिए अन्य सुविधाएँ भी दी गईं।

किन्तु यही उसके लिए अभिशाप सिद्ध हुआ ! जब मैकरे जेलों का निरीक्षण करते भागलपुर पहुँचा, रामजी से उसकी मुठभेड़ हो गई। रामजी मेधावी ही नहीं था, तेजस्वी भी। मैकरे ने दस बेंत की सजा उसे दी और कहा—बेंत मेरे सामने ही लगाए जाएँ। उसने शायद सोचा, राजबन्दियों को सबक भी सिखा दिया जाए।

झट रामजी को तिकटी पर चढ़ा दिया गया। तिकटी लकड़ी का वह ढाँचा होता है, जिस पर क़ैदी को औंधे मुँह बाँधकर उसकी चूतड़ पर बेंत लगाए जाते हैं। सभी राजबन्दियों को कतार में बिठला दिया गया यह दृश्य देखने को। मैकरे भी सदल-बल वहाँ खड़ा हुआ। नंगे चूतड़ पर बेंत बरसने लगे। बरसों तेल में पोसे हुए वे बेंत। सटाक्-सटाक् जहाँ पड़ते, खाल उधड़ आती। किन्तु वाह रे, रामजी ! हर बेंत पर 'महात्मा गांधी की जय', 'भारतमाता की जय' आदि के नारे लगाता ही रहा। जब दस बेंत पूरे हुए, मैकरे उसके निकट गया। रामजी ने कहा—बस इतना ही ! वह गुस्से में लाल हो उठा। हुक्म दिया—दस बेंत और ! अब तो

चूतड़ का मांस कटने लगा, किन्तु वे ही नारे और अन्त में फिर वही—बस इतना ही ! मैकरे अब होश में नहीं था, दस बेंत और ! फिर बेंत—तड़ाक, तड़ाक। तिकटी के नीच मांस के टुकड़े कटकर गिर रहे हैं, रक्त की बूँदे टपक रही हैं, रामजी का समूचा शरीर थरथर काँप रहा है, किन्तु मुँह से क्षीण स्वर में नारे जारी हैं। कहते हैं, इस दृश्य से मैकरे इतना प्रभावित हुआ कि दो बेंत और रह गए थे, तभी बेंत लगाना बन्द करवा दिया और उसके निकट जाकर करुण स्वर में बोला—मैंने ईसा की कहानी सुनी थी, आज प्रत्यक्ष देख लिया। यही नहीं, वहाँ से लौटकर वह अपने पद से इस्तीफा देकर इंगलैंड वापस चला गया !

वही रामजी एक दिन बिहार इंजीनियरिंग कॉलेज का प्रिंसिपल हुआ, अब हीराकुंड बाँध योजना का कार्यकारी अभियन्ता है !

ज़िन्दगी

धीरे-धीरे बिहार-उड़ीसा के सभी नेता आ गए हैं और जिन नेताओं का जो रूप हमने वहाँ देखा, वही आज तक निखरता आया है। सबसे अन्त में राजेन्द्र बाबू आए और जब वह आए, सब पर छा गए—इसमें सन्देह नहीं।

एक प्रश्न हमें सबसे अर्न्तजलन दे रहा था—राजबन्दियों में यह जो वर्ग विभाजन चल रहा था ! हम सब समता के नारे देते थे, एक-दूसरे को भाई समझते थे। अब हममें से किसी को 'ए' डिवीजन, किसी को 'बी' डिवीजन और किसी को साधारण कैदी में शुमार कर क्या सरकार हमारे उस साम्यभाव और बन्धुत्व पर प्रहार नहीं कर रही है ? और उसे स्वीकार कर क्या, हम अपने को आदर्श से नीचे नहीं उतार रहे हैं ?

हमने यह प्रश्न राजेन्द्र बाबू के सम्मुख रखा। किन्तु उन्होंने भी कुछ करने में असमर्थता प्रकट की—वह अपने लोगों की दुर्बलता को अच्छी तरह समझते थे, खुलकर कहा भी। तब हमने निश्चय किया, कम-से-कम हम लोग तो अपने को इससे मुक्त ही कर लें। हमने तय किया, हम अपर डिवीजनों की सहूलियत नहीं लेंगे।

हमने पंलग, गद्दे हटा दिए; 'सी' क्लास का खाना ही खाते। जेलवाले हमें 'सी' क्लास का भोजन देने को तैयार नहीं थे; फलतः हम अपना भोजन उन भाइयों को दे देते जिन्हें अपर डिवीजन से नीचे कर दिया गया था और उनका साधारण कैदी का भोजन ग्रहण करते।

इससे मन में थोड़ी शान्ति आई। अब निश्चित कार्यक्रम बनाकर जेल जीवन का प्रारम्भ किया।

ज्यों ही सेल का फाटक खुलता, मुँह-अँधेरे ही मैं उठ जाता। शौच आदि से निवृत्त हो स्वयं पानी लाकर अपना सेल धो लेता। जमीन पर ही सोना था, अतः स्वच्छ बनाकर रखना आवश्यक था। फिर स्नान करता; साबुन नहीं लेता था, अतः अच्छी तरह देह मल-मलकर नहाता। फिर थोड़ी कसरत करता—उन दिनों सूर्यनमस्कार और शीर्षासन आदि नियमित रूप से चलते। थोड़ा सुस्ताकर चना-गुड़ खा लेता और एक गिलास पानी चढ़ा लेता। तब पढ़ना-लिखना शुरू करता। बाजाब्ता शिक्षा तो अच्छी पाई नहीं थी; जेल में तरह-तरह की किताबें लोगों के पास थीं, उनसे लेकर पढ़ता। लिखना तो मेरा पेशा ही ठहरा—अपनी पत्रकारिता जारी रखने के लिए 'कैदी' नामक एक हस्तलिखित पत्रिका निकालने लगा। वहाँ लेखकों और कवियों की कमी नहीं थी, पत्रिका बड़े ठाट की निकलती थी। मेरा सौभाग्य, पहले अंक के लिए राजेन्द्र बाबू ने भी एक लेख लिख दिया। 'प्रजा का धन' उसका शीर्षक

था—राजेन्द्र बाबू का कहना था, हम जेल में प्रजा का ही तो धन खा रहे हैं, अतः उसकी भरपाई के लिए हमें कुछ काम यहाँ जरूर करना चाहिए।

पढ़ने-लिखने के बाद भोजन—बस, वही मोटा चावल, पतली दाल, उबली तरकारी ! किन्तु आदर्शरक्षा की भावना में उनमें कितना स्वाद भर दिया था ! खा-पीकर यारों से गपशप होती; हा हा-हू हू मचता। हँसना-हँसाना मेरा काम रहा है; जेलों में तो मैं हंगामा ही मचा डालता। एक बार इतना शोर मचा कि जेलवालों ने समझा, कहीं कोई बलवा तो नहीं हो गया; सभी हमारे वार्ड की ओर दौड़े !

सन्ध्या में खेल-कूद या सेवादल की परेड। मशहरी के डंडों को हम लाठी की तरह इस परेड में प्रयोग करते। कबड्डी हमारा प्यारा खेल था। उड़ीसा के वर्तमान मुख्यमन्त्री भाई नवकृष्ण चौधरी बड़े चाव से इसमें भाग लेते और अच्छे खिलाड़ी समझे जाते ! महताब साहब को खेल में अच्छा अनुराग था !

इस जेल यात्रा के पहले मैं अखिल भारतीय हिन्दी साहित्य सम्मेलन का प्रचारमन्त्री बनाया गया था। अतः उड़ीसा के भाइयों को हिन्दी पढ़ाने का काम भी मैं करता। मानभूम के बंगाली भाई भी बड़े प्रेम से सीखते ! उन दिनों बँगला-हिन्दी के झगड़े का नामोनिशान नहीं था।

सन्ध्या को प्रायः कवि सम्मेलन या मुशायरा जुटता। मैं ही इसका स्वनिर्वाचित संयोजक था। मैं उन दिनों कविता भी किया करता था। गद्य में जिस तरह मैं चिनगारियाँ उगलता, पद्य में भी उसी प्रकार हास्य का पुट भरता। लोग खूब हँसते। अब भी उन दिनों की अपनी कविताएँ अपने मित्रों के मुँह से सुना करता हूँ। अपनी कविताओं का संग्रह मैंने कभी नहीं रखा। किन्तु कभी सोचता हूँ, काश, उनकी कापी मेरे पास होती। उनका साहित्यिक मूल्य नहीं हो, जीवन के इतिहास में तो उनका कुछ स्थान है ही। सबसे बड़ी दिक्कत रात को होती। लालटेन भी हटा दिया था, यद्यपि राजेन्द्र बाबू तक ने उसे रखने के लिए आग्रह किया था। साँप, बिच्छू का भय दिखाया गया था। किन्तु आखिर 'सी' क्लासवालों की रक्षा जो भगवान करता है, वह क्या हमारे ही लिए सो जाएगा ?

कुछ देर तक गुनगुनाता रहता, कबीर, विद्यापति, तुलसी, सूर के कितने पद, जो कभी याद थे, लेकिन अब भूल गए थे, फिर स्मरण आने लगे। कबीर ने तो जैसे मोह ही लिया। बलवेडियर प्रेस से कबीर की पूरी रचनाएँ मँगाईं। कबीर के पद तुरन्त याद आ जाते और गाने में एक अद्भुत तन्मयता मैं अनुभव करता। कभी-कभी कबीर के पदों में दूसरे कवियों की कुछ पंक्तियाँ भरकर मैं उन्हें और भी मजेदार बना लेता। "कैसे दिन कटिहैं जतन बताई जइओ"—में विद्यापति, बिहारी आदि की विरह-सूचक पंक्तियाँ जोड़कर मैंने एक लम्बी लड़ी बना ली थी।

इस लड़ी ने ही मुझसे मेरा पहला उपन्यास लिखवा लिया।

एक दिन मैं गुनगुना रहा था कि एक क़ैदी ने उसमें एक देहाती कड़ी जोड़ दी। मैं चकित—पीछे पता चला कि वह रेप केस का क़ैदी है। उसकी प्रेम कथा ही 'पतितों के देश में' परिणत हुई। मैं चाहता था, इस सीरिज़ में कुछ और उपन्यास लिखूँ—डकैतों पर, हत्यारों पर, गिरहकट्टों पर ! ऐसे क़ैदियों से रब्त-जब्त बढ़ाई। जेल में आदमी थोड़ा फक्कड़ हो जाता है—अपनी पाप कथा कहने में झिझक कम रह जाती है और यदि बीड़ी-सुर्ती का लालच मिल जाए तो लीजिए न, पूरा जीवन-पुराण सुन लीजिए।

रात के एकान्त में एक और काम करता। कहाँ तक गुनगुनाता या गाता; अपने जीवन की पिछली घटनाओं को सिलसिलेवार याद करना शुरू किया। जब मैं बच्चा था, मेरी माताजी

मर गई थीं। वह कैसी थीं, उनका चेहरा-मोहरा, उनकी पोशाक, उनकी चाल, उनका व्यवहार आदि कैसे थे। यों ही एक-एक व्यक्ति और घटना की बारीक-से-बारीक यादगारी एकत्र करने लगा—मेरी शादी कैसे हुई—कहाँ-कहाँ से अगुआ आए, क्या-क्या बातें कीं, अपनी भावी पत्नी की मेरी कल्पना क्या थी, किस तरह सगुन पड़ा, तिलक चढ़ा, बारात चली, परिछावन हुआ और जब लावा छितराने के समय एक अपरिचित लड़की मेरे अँकवार में आई, तो मैं किन भावनाओं में डूबा। इसी प्रकार अपने ननिहाल, ससुराल, स्कूल, गुरु आदि के सम्बन्ध में एक-एक बात को ब्योरेवार याद करता। लगा, कहानियों का, चित्रों का एक बड़ा पोथा ही मिल गया—उस छोटे से सेल का अंधेरा एकान्त, रोमांस और रंगीनियों से, जगमग कर उठा !

किन्तु जिस दिन बाहर चाँदनी खिली होती, मैं अधीर हो उठता। चाँदनी में सोना, टहलना, चाँद को देखना, चाँदनी में नहलाना—मुझे सदा भाया किया है। किन्तु कितनी लाचारी—मुझसे चार गज दूर पर चाँदनी खड़ी मुसकरा रही है और मैं लोहे के छड़ों के भीतर छटपटा रहा हूँ। एक दिन जब बहुत सवेरे नींद टूटी, देखा, पूर्णिमा की चाँदनी मेरे पैताने में आ गई है ! आह, किस तरह हड़बड़ाकर उठा, इच्छा हुई, उसे गोद में समेट लूँ कि वार्डर के बूटों की चरमर सुनाई पड़ा—"हाय, कमबख्त को किस वक्त खुदा याद आया !"

नेताओं के निकट जाने से मैं सदा घबराता रहा हूँ; कोई आत्माभिमान के सिंहासन पर शान से बैठा हो और मैं उसके चरणों के निकट बैठकर उसका मुँह जोहूँ, उसकी हाँ-में-हाँ मिलाऊँ, जी-हुजूरी करूँ—यह मुझे कभी नहीं पसन्द हुआ। किन्तु यहाँ उत्सुकता जगी, देखूँ तो इनमें से कौन कैसा है ? प्रायः दूर से ही देखता, दो-चार क्षणों के लिए बैठ भी जाता तो चारों ओर दृष्टि डालकर उनके आसपास की एक-एक चीज देखता—बात तो सिर्फ दो-चार; शिष्टाचार की।

समूचे हज़ारीबाग़ जेल पर राजेन्द्र बाबू का व्यक्तित्व छाया हुआ था। 'ए' डिवीजन में रहकर भी बहुत ही सीधा-सादा जीवन व्यतीत करते—सीधा-सादा और नियमित। चरखा चलाना और पढ़ना उनका मुख्य काम। चरखा चलाते हुए ही लोगों से बातें भी करते जाते। फैक्टरी में आकर प्रतिदिन कुछ घंटे नियमित काम करते—नेबार बुनने का काम उन्होंने वहाँ सीखा था। जेल में प्रतिदिन उठनेवाली समस्याओं के हल करने में भी उनका समय लगता। प्रान्त भर के लोगों के निकटतम सम्पर्क स्थापित करने की उनकी चेष्टा होती। अचानक एक दिन मेरे सेल में आ गए, बातें कीं, घर का हालचाल पूछा—हर बात से आत्मीयता टपकती। बातें करते हुए उनका ध्यान मेरी पुस्तकों पर गया। उन दिनों मैं सेक्स-समस्या पर अध्ययन कर रहा था; कई पुस्तकें इस सम्बन्ध में मँगा भी ली थीं। मैं झेंप गया। किन्तु साहस बटोरकर कहा—बाबू, बरट्रेंड रसेल की यह पुस्तक आपने पढ़ी है—'मैरेज एण्ड मॉरल्स' नाम की पुस्तक मैंने उनके हाथ में रख दी। बरट्रेंड रसेल ऐसे लोग सेक्स पर लिखते हैं, यह जानकार उन्हें आश्चर्य हुआ। वह पुस्तक ले गए और फिर तो इस विषय की एक-एक पुस्तक पढ़ डाली।

जेल भर में शाहाना ढंग था बाबू दीपनारायणसिंह का। उन दिनों वही बिहार-केशरी कहलाते। शेर की तरह का शानदार चेहरा-मुहरा। ऊँची गरदन, कटी-छँटी, कड़ी-कड़ी मूँछें, सज-धजकर रहते, रोब से बातें करते ! एक दरबार जुटा रहता उनके आसपास—कालीन बिछे हैं। पान है, सिगरेट है, चाय के दौर चल रहे हैं। जब जाइए, नाश्ता हाजिर। उनके लिए प्रतिदिन बाहर से भोजन बनकर आता। उनकी श्रीमतीजी ने हज़ारीबाग़ में ही डेरा डाल दिया था—वह बंगाल के सुप्रसिद्ध विद्वान और धनपति सर तारकदास पालित की पुत्री थीं। दीप बाबू को जेल में जरा भी कष्ट न हो, इसके लिए वह पानी की तरह रुपया बहातीं।

सबसे विचित्र शख्सियत थी उड़ीसा के नीलकंठ दास की। वह दिन भर सोते, रात में

उठकर पढ़ते। हर विषय का अपने को अधिकारी विद्वान समझते। चेलों का एक दल उन्हें घेरे रहता। उन्हें इस बात की ईर्ष्या थी कि उनका ऐसा व्यक्तित्व अपने बीच पाकर भी लोग राजेन्द्र बाबू को नेता मानते हैं, जो उनसे कहीं छोटे हैं ! दुनिया को वह मूर्ख समझते !

उड़ीसा के गोपबन्धु चौधरी को देखकर ही सम्मान में सिर झुक जाता। उनका पूरा परिवार जेल में था—उनकी पत्नी, उनके भाई, उनका पुत्र। गोप बाबू भी नियमित चरखा कातते और फैक्टरी में आकर काम करते—कालीन बुनने में उन्होंने अच्छी व्युत्पन्नता प्राप्त की थी। उनके भाई श्री नवकृष्ण चौधरी तो हम में बिलकुल ही घुल-मिल गए थे। उनका पुत्र मनमोहन हम सबका प्रिय पात्र था।

एक-दूसरे विचित्र व्यक्ति थे—स्वामी भवानीदयाल संन्यासी। स्वामीजी बिहार के रहनेवाले थे किन्तु उनका पूरा जीवन बीता था दक्षिण अफ्रीका में। दक्षिण अफ्रीका के सत्याग्रह में उन्होंने सपत्नीक भाग लिया था। किन्तु उनकी धारणा थी, गांधीजी ने वहाँ गलती की, उनके समझौते से भारतीयों का अहित हुआ। संन्यासी की पोशाक थी, किन्तु भोजनपान में पूरे अपटुडेट। सदा वायसराय तथा ऊँचे अंग्रेज अधिकारियों से ही लिखा-पढ़ी करते। मैंने 'क़ैदी' निकाला, तो उन्होंने 'कारागार' निकाल दिया। सदा अपने को बड़ा दिखाते, कुछ लोग उनकी मखौल भी उड़ाते।

मानभूम के निवारण बाबू को सबकी प्रतिष्ठा प्राप्त थी। वह सन्त माने जाते। उनका सारा परिवार जेल में था। राजेन्द्र बाबू नौजवानों को उनके पास शिक्षाग्रहण के लिए प्रेरित करते थे। एक बार मुझ नास्तिक को उन्होंने ईश्वर के अस्तित्व पर विश्वास करने का उपदेश दिया था।

श्रीबाबू उन दिनों भी पुस्तकों के अध्ययन में ही लीन रहते। अनुग्रह बाबू राजेन्द्र बाबू की छाया समझे जाते। रामदयालु बाबू पर आध्यात्मिकता का रंग चढ़ रहा था। एक दिन देखा, वह गीता के शब्दों की गिनती कर रहे हैं।

लगभग ढाई-तीन सौ राजबन्दी कट-छँटकर रह गए थे। एक अद्भुत मेला था। कहीं कुश्ती चल रही है, कहीं पूजा हो रही है। कहीं आसन लगाए जा रहे हैं, कुशासन बिछाए जा रहे हैं। कहीं गीता पढ़ी जा रही है, कहीं रामायण का पाठ हो रहा है, तो कहीं लेनिन और मार्क्स का अध्ययन चल रहा है। विवेकानन्द और रामतीर्थ की भी पुस्तकें वहाँ थीं। तिलक का गीता रहस्य अब भी अध्ययन का एक मुख्य ग्रन्थ था। गांधीजी की रचनाओं को तो पूछिए मत—हमारी बाइबिल तो वे ही थीं।

त्योहार बड़े धूमधाम से मनाए जाते। कृष्णाष्टमी के दिन जगत बाबू और कुमार कालिका ने जो रास-कीर्तन किया, अब भी नहीं भूलता।

नैतिकता और अनैतिकता का प्रश्न धीरे-धीरे धीमा पड़ रहा था। जिसके जी में जो आता, करता। आपस में तू-तू-मैं-मैं करने से क्या फायदा ? कोई टोस्ट-अंडे से भगवान का भोग लगाता है, तो तुम बोलनेवाले कौन—जब उसके भगवान भी चुप हैं। किसी के सेल में कंटर-के-कंटर घी पड़ा है, किसी के सेल में मक्खन और विलायती दूध के डब्बों का अम्बार लगा है, किसी ने सेल में ही चूल्हा बैठा लिया है, जिस पर सदा कढ़ाह चढ़ा रहता है, किसी की अँगूठी किसी जेल अफसर के हाथ में चली जाती है, किसी के घर से मनीऑर्डर-पर-मनीऑर्डर गुप्त नामों से पहुँचा करता है—तो इसमें तुम्हारा क्या बिगड़ जाता है ? तुम आदर्शवादी बने रहना चाहते हो, तो बने रहो; जो औज-मौज को ही जीवन का सार समझते हैं, यदि जेल में पहुँचकर भी वे उसके लिए प्रबन्ध कर लेते हैं—तो उन पर उँगली उठाने का तुम्हारा क्या अधिकार ?

वहाँ जो क्रान्तिकारी राजबन्दी थे, सबके सब निष्ठा से रहते, पढ़ते-लिखते, अपने काम आप ही करते। हम सत्याग्रहियों की यह लीला देखकर वे बिगड़ उठते—इन्हीं से स्वराज्य प्राप्त हो सकेगा ! न वे जानते थे, न हम—स्वराज्य चाहे जिनके द्वारा आवे, उस स्वराज्य को भोगेंगे ये ही लोग, जिन्होंने जेल में भी सिद्ध कर दिया है कि भोगने की कला ये जानते हैं !

खुफिया

जेल की जिन्दगी इस प्रकार साधारण ढंग से जा रही थी कि एक दिन जैसे शान्त तालाब में एक ढेला आ गिरा !

जेल अधिकारियों ने एक दिन एक सूची पेश की और कहा, इन लोगों के फोटो लेने के लिए खुफिया विभाग के लोग गेट पर आए हैं।

उस सूची में जिन लोगों के नाम थे, उन पर ध्यान देने से ही लगता था, कहीं दाल में काला जरूर है !

इसके थोड़े दिन पहले ही, जब हम लोग जेल में कुछ दिन रह चुक थे, खबर मिली, बिहार के क्रान्तिकारियों के नेता योगेन्द्र शुक्लजी गिरफ्तार कर लिये गए। वह गिरफ्तारी जिस तरह, जिस स्थिति में हुई, तरह-तरह के अफ़वाहें उड़ रही थीं। एक बहुत बड़ा षड्यन्त्र केस चलकर रहेगा, यह तो स्पष्ट ही था।

क्या इस फोटो लेने की क्रिया का कुछ सम्बन्ध उस षड्यन्त्र केस से है ?

उस सूची में मेरा भी नाम था। शुक्लजी मेरे ही स्कूल में पढ़ते थे, मेरे ही जिले के रहनेवाले हैं, मुझसे जान-पहचान भी रही है, युवक आश्रम में भी कभी-कभी आते थे, फरारी के हालत में भी मुझसे मिलते रहे हैं। जिस दिन मैं गिरफ्तार हुआ, जुलूस के समय हाजिर थे। हम उन्हें प्रेम से 'भैया' कहा करते। उनके कामों से मेरा कोई सम्पर्क नहीं रहा, किन्तु क्या इतने ही सम्बन्ध मुझे षड्यन्त्र केस में शामिल करने के लिए काफी नहीं हैं ?

जिनके नाम सूची में थे, हमने मिलकर सलाह की। एक बार इतने ही से टाल दिया कि जब तक हमें यह नहीं बताया जाएगा कि किस दफा के अनुसार हमारा फोटो लिया जा सकता है और उसके लिए बाजाब्ता आर्डर नहीं आएगा, हम फोटो नहीं देंगे !

इस जाब्तगी को पूरा करके खुफियावाले फिर आ धमके। किन्तु उस दफा में वे ही आ सकते थे, जिनकी सजा छः महीने से ऊपर की हो। मैं बाल-बाल बच गया।

कि कुछ दिनों के बाद जेल गेट से खबर आई, आपके मुलाकाती आए हैं, भेंट करने चलिए।

इस दूर देश में कौन मिलने आया—बड़ी उत्सुकता हुई, उत्कंठा में जल्द-जल्द पैर बढ़ाता गेट की ओर चला।

लेकिन जब बुलाकर ले जानेवाले वार्डर से रास्ते में बात की तो माथा ठनका। उसने बताया, वहाँ पुलिस के कुछ लोग हैं, कुछ अपरिचित लोग भी हैं, फोटो लेनेवाले लोग भी फिर आए है। मेरी नजर तुरन्त जेल गेट की ओर गई—वहाँ उस छेद में, जिससे होकर गेट खोलने को कहा जाता है, मैंने कुछ हलचल अनुभव किया। क्या वे लोग उसी छेद से फोटो ले रहे हैं ? इच्छा हुई, लौट जाऊँ ! किन्तु यदि फोटो ले चुके हों, तब ? नहीं, मुझे आगे बढ़ना चाहिए। अपने रूमाल को इस तरह सिर पर रख लिया कि चेहरा बहुत कुछ ढका रहे और आड़े-तिरछे चलता हुआ गेट पर पहुँचा।

गेट के अन्दर पहुँचते ही मैंने हड़कम्प खड़ी कर दी—मेरे साथ ऐसी शैतानी क्यों की गई, मेरे मुलाकाती कौन है उन्हें मेरे सामने लाओ, मेरा फोटो कौन ले रहा था, कैमरा दिखलाओ, तसवीर वापस करो, नहीं तो मैं यहाँ कुहराम मचा दूँगा, अपना सिर फुड़वाऊँगा, तुम लोगों के सिर फोड़ूँगा।

बैठिए, बैठिए, उत्तेजित मत होइए—नायब जेलर बोलने लगा। मैंने कहा—यह हँसी-खेल नहीं है, आपने हमें भलेमानस समझ रखा है, जिन पर जो कुछ भी किया जा सकता है ? आज आपको बता दूँगा, हम कहाँ तक क्या कर सकते हैं !

"नाराज काहे होता है बेनीपुरी बाबू, आपका फोटो नहीं आया !"

मैंने मुड़कर देखा, वही खुफिया अफसर, जो चौबे को गिरफ्तार करके इंसपेक्टर बन गया था ! मेरा पारा और गरम हो उठा ! मैंने कहा, कैमरा दिखलाओ, नहीं तो''' । लेकिन वह भी घाघ। इध आइए, बैठिए—कैमरा आपको दिखला देगा, आप नाराज काहे होता है। बैठिए तो !

और जब बैठा, बड़ी चिकनी-चुपड़ी बातें करने लगा, हम तो गुलाम हैं, सरकार का हुकुम बजा लाता हैं। हम क्या करें, यही हुकुम था, लेकिन फोटो नहीं आया, आप विश्वास कीजिए ! एक आदमी से कैमरा लाने को कहकर वह पूछने लगा, आप तो अब छूटेगा, छूटकर क्या करेगा, कहाँ जाएगा ? मैंने गुस्से में ही कहा—जो अब तक नहीं किया, वही करूँगा। पटना पहुँचकर सबसे पहले तुम्हें पिटवाऊँगा, पटनिया गुंडों से शायद तुम्हारा पाला नहीं पड़ा है, अभी तक भलेमानसों को ही फँसाते रहे हो, आदि-आदि।

किन्तु वाह रे उस्ताद ! काहे नाराज़ होगा—हँसता रहा, अंटसंट बातें पूछता रहा। मुझे ऐसा लगा, दीवार की ओट में खड़ा कोई आदमी हमारी बातें लिखता जा रहा है। यही नहीं, कुछ अपरिचित लोग इधर-उधर घूम रहे हैं, जो घूर-घूरकर मुझे देख रहे हैं !

मैंने समझा, इससे बातें करना या ठहरना उचित नहीं हो सकता है, कुछ लोगों से मेरा शिनाख्त करा रहा हो। मैंने तमककर फिर कैमरे की माँग की और वह दाँत खिसोड़कर, 'फोटो नहीं आया, नहीं आया' कह रहा था कि मैं झमककर उठा और फाटक के निकट जाकर भीतर जाने देने के लिए नायब जेलर से कड़ककर कहा।

फाटक खोल दिया गया। मैं तेजी से अपने वार्ड की ओर चला। वहाँ वार्ड के फाटक पर कुछ लोग खड़े प्रतीक्षा कर रहे थे कि बाहर का कोई दिलचस्प समाचार मैं लाऊँगा। जब-जब किसी का कोई मुलाक़ाती आता, लोग इसी प्रकार प्रतीक्षा किया करते। किन्तु जेल के फाटक तक पहुँचते-पहुँचते तो गुस्से से मेरी आँखों में आँसू आ गए थे। लोग सन्न—अरे, कोई बुरी खबर तो मुझे नहीं सुनाई गई ? लेकिन रुँधे कंठ से जब मैंने सारी बातें कीं, एक समाँ बँध गया !

भोजन का समय था; खाना आ चुका था। सिद्धि बाबू तो ऐसे उत्तेजित हुए कि ठोकर देकर उन्होंने खाना उलट दिया—और बोले, जेलर को बुलाओ, आज कुछ होकर रहेगा। आह ! अब सिद्धि बाबू नहीं रहे; गया डिस्ट्रिक्ट बोर्ड के चेयरमैन—भव्य व्यक्तित्व; क्षत्रित्व नस-नस में ! उनकी बड़ी-बड़ी आँखों से अंगारे बरसने लगे।

एक कुहराम मच गया—जेलर आए, उन्होंने कैफ़ियत दी, मेरी गैर जानकारी में ही ये सारी बातें हुईं। उन्होंने वादा किया, अब आगे से ऐसा नहीं होगा। राजेन्द्र बाबू को बीच-बिचाव करना पड़ा। एक आदमी गेट पर जाकर कैमरे में जितने प्लेट थे, ले आया। सरकार के पास एक दरखास्त भेजी गई कि इस तरह का गैर कानूनी और गैर वाजिब व्यवहार क्यों किया गया ? आशंका प्रकट की गई कि कहीं पुलिस की कोई गर्हित मंशा तो फँसाने का नहीं है ? यह दरखास्त फूलनजी ने लिखी थी; राजेन्द्र बाबू ने उसे अच्छी तरह देख लिया था !

धीरे-धीरे छः महीने की सजा पूरी हो रही थी। ज्यों-ज्यों रिहाई का दिन निकट आता गया, त्यों-त्यों चिन्ता बढ़ती गई। 'युवक' का विप्लव अंक निकालकर आया था; उसे सरकार ने जब्त कर लिया था। ग्राहकों के घर-घर में उसके लिए खाना-तलाशी कराई गई थी। 'युवक' का क्या होगा ? सत्याग्रह चल ही रहा था, क्या उसमें फिर शामिल हुआ जाए ? घर का क्या प्रबन्ध होगा ? गरीबों के लिए राजनीति कितनी दुखदायी चीज उन दिनों थी ? यह आशंका भी थी, कहीं सरकार इस षड्यन्त्र केस में नहीं उलझा दे। देवघर षड्यन्त्र केस की कहानी यहाँ सुनी थी, उनमें से कई इसी तरह फँसाए गए थे।

जेल दो ही समय अधिक खलता है। एक–आने के बाद थोड़े दिनों तक; और दूसरा–जाने के पहले थोड़े दिनों तक ! आदमी दिन गिनते-गिनते घंटे गिनने लगता है। दिन कितने बड़े, रात कितनी भारी ! पुरानी स्मृतियाँ सहज होने लगती हैं ! सुख की स्मृतियाँ भी कसक पैदा करती हैं। दुख की स्मृतियों के वृश्चिकदंशन का क्या कहना ? यहाँ राजबन्दियों का जो रंग-ढंग देखा, वह अलग खलने लगा।

किन्तु ये सब बातें तो होती ही हैं–जिस यज्ञ का प्रारम्भ किया, उसकी पूर्णाहुति तो देनी ही होगी।

संयोग की बात, 'सी' क्लास के भोजन का स्वास्थ्य पर कुछ अधिक असर नहीं पड़ा था, हाँ, कुछ दुबला जरूर हो गया था। कुछ वजन कम हो गया था, किन्तु शरीर में अधिक स्फूर्ति मालूम होती थी। आदर्श स्वयं एक खुराक़ है, जब कोई खुराक़ काम नहीं आती, यही पुष्टि देता रहता है। जिसके सिर में प्रकृति आदर्शवाद भरती है, उसके बदन में ऊँट के कूबड़ की तरह, कुछ अव्यक्त खुराक़ भी रख देती है। अपने कलेजे के टुकड़े खाना और अपने खून के घूँट पीना, यह उर्दू के आशिकों का ही भाग्य नहीं है–आदर्शवादियों का भाग्य भी ऐसा ही होता है।

जब छः महीने के बाद हज़ारीबाग़ सेन्ट्रल जेल की दीवारों से बाहर खड़ा हुआ, क्या सिर्फ प्रसन्नता ही अनुभव किया ! मनुष्य, तुम भी क्या हो–बन्धनों से भी तुम्हें मोह हो जाता है। गेट पर उसी तरह भिन्न-भिन्न बेड़ियाँ और हथकड़ियाँ थीं, उन्हें किस ममत्व से देखा। इन काली, ऊँची, अलंघ्य दीवारों से भी जैसे ममता हो गई थी। इनके भीतर छः महीने का जीवन छोड़कर जा रहा हूँ–जहाँ अपने जीवन का एक अंश हो, उसके लिए मोह-ममता क्यों न हो ? चलते समय जेलर ने अपने कमरे में बुलाकर भूल-चूक भुला देने का आग्रह किया था, नायब जेलरों ने नमस्कार-आदाब किया था। जमादार-सिपाही सब जुहार दे रहे थे। ये भी तो समझते थे, हम कोई अपराधी तो हैं नहीं, जो काम कर रहे हैं, जिस काम के लिए कष्ट उठा रहे हैं, उनसे उनका भी तो कोई फायदा होगा ही। मैं साहित्यिक हूँ, आदर्शवादी हूँ, यह बात भी जेल में फैल चुकी थी। कुछ इसका असर भी जरूर था। सिर्फ उन लोगों के हृदयों पर नहीं, अपनी दृष्टि पर भी। तभी तो मन में न कहीं कटुता है, न कोई शिकवा-शिकायत ! वे और हम–सब अपनी-अपनी जगह पर हैं, सब अपने-अपने काम पर हैं।

सलाम, ओ फौलाद की जंजीरो ! तुम बोलती रहो, स्वयं तुलकर हमें तौलती रहो। तुम्हारी तौल हमें मालूम हुई और हमारी तौल में कहाँ पोल है, तुम जान गए !

सलाम, ओ पत्थर की गुमसुम, काली, कठोर, अलंघ्य दीवारो ! तुम्हारे भीतर अपने को छः महीने का जीवन रखे जाता हूँ। जरा हिफाजत से रखना और य़ाद रखना, फिर आऊँगा और अपनी थाती तुमसे माँगूँगा। समझे ?

धावा

उस घनघोर देहात में जब सशस्त्र पुलिस के एक पूरे दस्ते ने मेरे घर पर धावा बोल दिया तो सारे गाँव में कोलाहल मच गया।

पहली बार जेल से लौटने पर मैंने अपने गाँव के निकट ही नदी किनारे 'बागमती आश्रम' की स्थापना की और आसपास के गाँवों से युवकों को इकट्ठाकर सत्याग्रह की धूनी वहाँ रमाने लगा। किन्तु थोड़े दिनों के बाद ही गांधी-इरविन पैक्ट हुई, सत्याग्रह स्थगित हुआ। तब फिर पटना पहुँचकर मैंने 'युवक' निकालने की योजना की। दो अंक निकले। अपना प्रेस भी हो गया।

कि घर से खबर आई, मेरा दूसरा बच्चा एक शीशी पर गिर जाने के कारण बुरी तरह जख्मी हो गया है। मैं तुरत घर की ओर चला।

जब शाम को सोनपुर स्टेशन पर पहुँचा, गाड़ी खुलने में बहुत देर हुई। लोग कानोंकान बातें करने लगे, हाजीपुर में ट्रेन डकैती हुई है, स्टेशन मास्टर मारा गया है। डकैती किन लोगों ने की, तरह-तरह के अनुमान लगाए जा रहे थे। एक ने कहा, क्रान्तिकारियों का यह काम है। उन दिनों हाजीपुर क्रान्तिकारियों का अड्डा समझा जाता था—शुक्लजी का घर इस सब-डिवीजन के ही अन्दर था।

मेरा मन अपने बच्चे पर टँगा था। मुजफ्फरपुर पहुँचकर मैं सीधे बेनीपुर के लिए रवाना हो गया था। वहाँ से बच्चे को लेकर सैदपुर के अस्पताल में डेरा डालकर पड़ा था।

ज्यों ही गाँव में सशस्त्र पुलिस का दस्ता पहुँचा और मेरा घर किधर है, लोगों से पूछा जाने लगा कि मेरा चचेरा भाई वहाँ से दौड़ा और चार मील लगातार दौड़ता हुआ सैदपुर में यह सम्वाद सुनाया। मुझे बड़ा अचरज हुआ, किन्तु तुरत ही मैंने समझ लिया, हो-न-हो, उस डकैती केस में ही मुझे गिरफ्तार किया जाएगा। संयोगवश मैं उस दिन पटना से गैर हाजिर था, जिस समय डकैती हुई, मैं सोनपुर में था, पुलिस को मेरे फँसाने के लिए ये बातें अनायास मिल गईं। हज़ारीबाग़ जेल की फोटोवाली घटना मेरी आँखों के सामने नाचने लगी।

मैंने वहाँ से टल जाना ही उचित समझा। हो सकता है, बेनीपुर से वे लोग यहाँ आवें। बगल के गाँव के एक मित्र के घर चला गया।

उधर बेनीपुर में अजीब दृश्य रहा। ज्योंही एक बुजुर्ग सज्जन से पुलिस अफसर ने पूछा, मेरा घर किधर है, वह ताड़ गए। उन्होंने कहा, वह तो अब पटना ही रहते हैं, यहाँ उनका घर कहाँ ? कभी-कभी तो आते होंगे ? आते तो हैं, हाल ही आए थे, आते हैं, तो क्या हम लोग उनके परिवार के नहीं हैं ! कभी किसी घर में, कभी किसी के घर में ठहर गए ! पुलिस अफसर भौंचक। किन्तु उसका आश्चर्य तो बढ़ गया, जब कि हर पूछे जानेवाले से वह यही उत्तर सुनता। बच्चे तक यही कहते।

तब पुलिस का दस्ता गाँव में घूमने लगा। अचानक एक जगह उन्होंने देखा, एक बक्स उठाकर कोई लिये जा रहा है। झट उस आदमी को रोक दिया। वह बक्स मेरा था, पुराने कागज-पत्र थे उसमें। उस बक्स के सहारे मेरे घर की तलाशी लेने को वे बढ़े। किन्तु तलाशी के लिए कोई गवाही चाहिए, कोई भी गवाह बनने को तैयार नहीं हुआ। तब उन्होंने चौकीदार को खबर भेजी—उसकी बीवी ने कहा, वह बाहर चले गए हैं। गाँव का रुख देखकर चौकीदार भी छुप गया था।

पुलिस बड़ी पशोपेश में पड़ी। किन्तु फिर तो पुलिस—मेरे घर की तलाशी ली, कुछ मिला नहीं, कुछ पुराने पत्र उठा ले गई और गुस्से में मेरे गाँव के दो आदमियों पर मुक़दमे चलाए !

पीछे मुकदमे में उनकी रिहाई हुई। मैं सैदपुर हूँ, इसकी भनक भी पुलिस को नहीं लग सकी।

जब बड़ी रात तक वे लोग सैदपुर नहीं पहुँचे तो मैं वहाँ आया। डॉक्टर से बातें कीं, कि यदि डकैती का मुक़दमा चल जाए तो बचाव का कोई रास्ता निकल सके। डॉक्टर सज्जन पुरुष थे, मैंने जैसा कहा, उन्होंने कर दिया।

कल ही पटना आदमी भेजा। वहाँ से खबर आई, 'युवक' के दो लेखों के लिए सरकार ने पहले अंक को जब्त कर लिया है और मुझ पर राजद्रोह के अभियोग में वारंट निकाला है। यही नहीं, अब वह मुझे फरार घोषित करने जा रही है। वकीलों ने राय दी है, मैं तुरत आकर हाजिर हो जाऊँ। हाँ, मुझे इस तरह आना चाहिए कि बीच में गिरफ्तार नहीं हो जाऊँ। क्योंकि तब पुलिस दावा करेगी, मैं भागा जा रहा था, उसने पकड़ लिया। फिर जमानत मिलने में दिक्क़त होगी।

मैं बचते-बचाते पटना पहुँचा। मेरे वकील बाबू बलदेव सहाय मुझे अपनी गाड़ी पर लेकर जिला मजिस्ट्रेट के बँगले पर पहुँचे। पुलिस ने उनके कान मेरे खिलाफ भर रखे थे, किन्तु वह थे सज्जन आदमी; फिर बलदेव बाबू का व्यक्तित्व ! पाँच हजार की जमानत पर मैं छोड़ा गया।

एक विशेष अदालत में मुकदमा चला। सरदार भगतसिंह और उन दो साथियों की फाँसी पर मैंने 'इन्क़लाब जिन्दाबाद' शीर्षक से एक लेख लिखा था। अपनी चीज भी अपने को कितना आश्चर्यचकित कर देती है, यह तब पाया जब अदालत में सरकारी वकील ने उस पूरे लेख को पढ़कर सुनाया। पूरी अदालत में निस्तब्धता छा गई—शब्द-शब्द से जैसे बम का धड़ाका निकल रहा था !

एक और भी आपत्तिजनक लेख था—वह लेख जापान से श्री आनन्दमोहन सहाय ने भेजा था ! नेताजी सुभाषचन्द्र बोस ने जब पूर्व एशिया में 'आजाद हिन्द सरकार' क़ायम की, तो सहाय उस मन्त्रिमंडल के प्रमुख सदस्य थे। आजकल वह भारत सरकार के राजदूत हैं।

सरकार का कहना था, मेरे लेख से हिंसा के लिए उत्तेजना फैलती है। इन्क़लाब शब्द को ही वह हिंसा से सराबोर समझती थी। हमारी ओर से बर्नार्ड शॉ का एक कथन पेश किया गया था, जिसमें ब्रिटिश आम चुनाव को भी इन्क़लाब कहा गया था।

"लेकिन इन्क़लाब सदा जिन्दा रहे, इसका मतलब !"

बलदेव बाबू की हाजिरजवाबी मशहूर है; उन्होंने मुँहलगे कहा—"इसका मतलब यह कि जहाँ आप बैठे हैं, वहाँ कोई गांधीटोपीवाला हाकिम बैठा होगा, जहाँ सरकारी वकील हैं, वहाँ मैं होऊँगा, किन्तु मेरा मुवक्किल उन दिनों भी अभियुक्त के कटघरे में ही होगा, जिसमें वह आज खड़ा है।" अदालत अट्टहास से गूँज उठा। किन्तु बाद में उनकी भविष्यवाणी कितनी सार्थक हुई ! कांग्रेसी सरकार में भी मुझे जेल जाना पड़ा और बलदेव बाबू उस सरकार के एडवोकेट जनरल बनाए गए !

मुझे डेढ़ साल की सजा हुई। हाई कोर्ट ने उस सजा को बहाल रखा। हाई कोर्ट का चीफ जटिस्ट सर कुटनी टरेल था। उसने स्वयं इस मुकदमे को देखा था। अपने स्वभाव के कारण उन दिनों वह 'मिस्चीफ जस्टिस' के नाम से प्रसिद्ध था। पीछे एक मानहानि के मुक़दमे के सिलसिले में उसकी भिड़न्त पं. मोतीलाल नेहरू से हुई थी। मोतीलालजी ने उसके छक्के छुड़ा दिए थे !

हाई कोर्ट के फैसले के बाद मैंने तुरन्त अपने को जेल में भेज दिए जाने के लिए अदालत के सामने उपस्थित किया। डर था, पुलिस कोई बहाना लगाकर मेरे जमानतदारों को कहीं तंग न करे। किन्तु तब तक अदालत में हाई कोर्ट का फैसला नहीं आया था। भलेमानस मुसलमान नाजिर ने कहा—तब तक आप घर से हो आइए, मैं जरूरी कार्रवाई कर देता हूँ, आप पन्द्रह

दिनों के बाद आइएगा !

घर गया, बुखार हो गया, कर्णमूल सन्निपात में वह परिणत हो गया ! वह पीड़ा, वह जीवन-मरण के बीच झूले में झूलना ! किन्तु उसके वर्णन के लिए यह स्थान नहीं है। उसे अन्यत्र कलमबन्द किया है।

मुजफ्फरपुर के अस्पताल में भरती हुआ। पेरोल की दरखास्त पड़ी, वह मंजूर हुई। मैं धीरे-धीरे अच्छा हो रहा था कि उसी समय राउंड टेबुल कॉन्फ्रेंस से गांधीजी वापस आए—गांधी-इरविन पैक्ट हवा में उड़ गई, नेताओं की गिरफ्तारियाँ शुरू हुईं, कांग्रेस गैर कानूनी संस्था करार दी गई। मेरा पेरोल तोड़ दिया गया; उस अशक्त अवस्था में ही मैं पटना को रवाना हुआ।

इस समय सरकार ने बड़े जोरों से कांग्रेस पर झपट्टा मारा था। काश, वह जान पाती, कांग्रेस की जड़ कितनी नीचे चली गई है। ज्यों ही कांग्रेस के दफ्तर पर कब्जा हुआ, अस्पताल में मेरे बिस्तरे के नीचे रात भर साइक्लोस्टाइल चला करता !

पटना जाते समय रास्ते में ही बुखार ने फिर मुझे दबोच लिया। अब पटना जनरल हास्पिटल में। वहाँ पथ्य खाया नहीं कि पटना जेल में—"फिर वही कुंजे-कफ़स, फिर वही सैयाद का घर।"

वे ही जंजीरें, वे ही दीवारें। तब तक सत्याग्रहियों की फौज की कई टुकड़ियाँ वहाँ पहुँच चुकी थीं। जंजीरें फिर बोल रही थीं, स्वयं तुलकर हमें तौल रही थीं !

लेकिन हममें एक क़ैदी ऐसा भी था, जिसने एक विचित्र स्थिति में हथकड़ियों की स्वयं माँग की। वह आज ही आया था, संध्या हुई कि श्यामनन्दन बाबा के निकट जाकर फूट-फूटकर रोने लगा—मेरे लिए हथकड़ियाँ मँगा दीजिए ! हथकड़ियाँ—यहाँ किसलिए ? पता लगा, वह बेचारा एक भयानक बीमारी का शिकार है। कभी-कभी रात में उसे ऐसी कामोत्तेजना होती है कि वह सुध-बुध खो देता है। गाँव में था, तो इधर-उधर निकल जाता, यहाँ क्या होगा ? कहीं किसी पर टूट पड़े, तो ? पाँच हाथ का दैत्याकार वह जवान ! जहाँ गिरेगा, अनर्थ कर डालेगा। श्यामनन्दन बाबा—हरफनमौला ! विश्वास मानिए, उन्होंने बड़ी मुश्किलों से उसे काबू में रखा !

एक और क़ैदी वहाँ मिले—जिन पर जंजीरें और दीवारें बेतरह हावी थीं। पता चला, यहाँ एक क्रान्तिकारी क़ैदी हैं, जो अनशन कर रहे हैं; एक काम से अस्पताल गया, तो उन्हें देखा। पता चला, आप हज़ारीलाल हैं। हज़ारीलाल का नाम सरदार भगतसिंह के केस में आया था, वह फ़रार थे। पटना सिटी में पकड़े गए और इस जेल में डाल दिए गए। जेल में आने पर उन्हें बेड़ी-हथकड़ी पहनाकर सेल में रख दिया गया। इसके विरोध में उन्होंने अनशन शुरू कर दिया है, फलतः अस्पताल में ले आए गए हैं ! वह बड़ी शान से हथकड़ी-बेड़ी को झनझनाते अस्पताल के एक कमरे में घूम रहे थे और गीत भी गुनगुनाते जाते थे ! डॉक्टर ने कहा, जरा इनसे कहिए, अनशन छोड़ दें—हमारा क्या क़सूर है, हम तो सरकार की आज्ञा का पालन करनेवाले हैं ! किन्तु हज़ारीलालजी तो सत्याग्रहियों से नफरत करते थे। हाँ, मेरा नाम सुन रखा था, इसलिए शिष्टता दिखलाई—किन्तु अड़े रहे, जब तक ये जंजीरें नहीं कटतीं, मैं अनशन छोड़ नहीं सकता !

जब पटना जेल में ही था, एक दिन एक जमादार ने कहा, बाबू, उस बमवाले बाबू के पास रात में बहुत लोग आते हैं, खुफियावाले भी आते हैं, क्या बात है बाबू ? और क्या बात है, थोड़े ही दिनों के बाद पता चल गया—हज़ारीलालजी दूसरे लाहौर षड्यन्त्र केस के मुखबिर बन गए ! जब उनके बयान पत्रों में छपने लगे, बार-बार उनकी वह शान मेरी आँखों के सामने

नाच उठती !

जंजीरों ने उन्हें कैसा तौला ? कितने भारी-भरकम दीखते थे—तुला पर चढ़े कि पंख से भी हलके साबित हुए, एक ही फूँक में उड़ गए !

नई नीति

दूसरी बार जब पटना जेल से हज़ारीबाग़ जेल भेजा गया, वहाँ नया ही समाँ देखा ! न वह रेल-पेल, न वह औज-मौज। सरकार ने इस बार एक नई नीति अपनाई थी। उसने देखा, अपर डिवीजन देने से लोग जेल से नहीं डर रहे हैं; इसलिए उसने तय किया, कम-से-कम लोगों को ही अपर डिवीजन दिया जाए। बिहार भर से सिर्फ चार-पाँच आदमियों को 'ए' डिवीजन में रखा गया था। प्रोफेसर बारी साहब तथा बाबू रामदयालुसिंह ऐसे आदमियों को भी उसने 'सी' क्लास में रखा था।

एक दूसरी नीति थी, सजा से अधिक जुर्माना करो और उसके लिए तुरन्त जब्ती-कुर्की कार्रवाई की जाए। सरकार की यह नीति सफल हो रही थी, यह मज़े में कहा जा सकता है। जब घर से हाथी-घोड़े, बैल-गाय, जेवर-गहने आदि की ज़ब्ती की खबरें आतीं, बड़े-बड़े अगड़धत्तों के होंठ सूख जाते !

कम ही लोग थे, अतः सब को बाबू वार्डों में ही रखा गया था, बल्कि उनमें भी कई वार्ड खाली पड़े थे।

इस बार सरकार की ओर से ही कार्रवाई शुरू हुई थी। लार्ड इरविन चले गए थे, लार्ड विलिंग्टन वायसराय होकर आए थे। उनका दावा था, वह कांग्रेस को कुचल डालेंगे। कांग्रेस ही गैर कानूनी संस्था क़रार नहीं दी गई थी, कांग्रेस के फंड को भी जब्त कर लिया गया था। नौकरशाही कैसी अंधी हो गई थी इसका सबूत था ब्रजकिशोर प्रसादजी की गिरफ्तारी। ब्रजकिशोर बाबू गठिए से परेशान थे, चलने-फिरने में बिलकुल अशक्त। तो भी उन्हें गिरफ्तार किया गया और तमाशा यह कि उन्हें 'बी' डिवीजन दिया गया था।

बाबू ब्रजकिशोर प्रसाद—गांधीजी ने अपनी 'आत्मकथा' में उनकी बड़ी मधुर चर्चा की है। उन्होंने ही गांधीजी को चम्पारण बुलाया था। बड़े चतुर, बड़े कर्मठ। एक पीढ़ी तक बिहार की राजनीति का सूत्र उनके हाथों में था। संगठन की अद्‌भुत क्षमता थी उनमें। जो वह चाहते, वही होता। सदाक़त आश्रम के किसी कोने के किसी कोने में एक पंगु आदमी बैठा है और वहाँ से बैठे-ही-बैठे पूरे बिहार के कोने-कोने के कांग्रेस संगठन मे जब जहाँ—जिसको चाहे, बैठाता, उठाता, दौड़ाता है ! राजेन्द्र बाबू गद्दी पर दीख पड़ते हैं, किन्तु प्रान्त का बच्चा-बच्चा जानता है, शासन की बागडोर किसके हाथ में है ! चाणक्य और चन्द्रगुप्त की जोड़ी पटना में फिर लौट आई हो, जैसे ! हाँ, ब्रजकिशोर बाबू की यह खूबी थी कि यश का सारा सेहरा तो वह राजेन्द्र बाबू के सिर पर रखते, हलाहल स्वयं पी जाते ! कैसी विचित्र बात ! बिहार अपने इस सपूत को इतना जल्द भूल गया !

मैं इस बार वार्ड नं. 6 में रखा गया था। संयोग से मैं उसी सेल में था, जिसमें हमारे जिले के नेता मौलवी सफ़ी साहब 1921 में रखे गए थे। एक पुराने जमादार ने बताया, किस तरह सफ़ी साहब 1921 की 31 दिसम्बर को बारह बजे रात तक जगे रहे थे, इस आशा में कि जेल का फाटक अवश्य खुलेगा, क्योंकि गांधीजी ने घोषणा कर रखी थी कि एक वर्ष में स्वराज्य जरूर मिल जाएगा ! वह बेचारे क्या जानते थे कि उनका एक मामूली स्वयंसेवक उसके

बारह वर्ष बाद उस सेल को सुशोभित करेगा और वह साम्प्रदायिकता के बवंडर में फँसकर कभी कांग्रेस को गालियाँ देते फिरेंगे, कभी लन्दन जाकर राउंड टेबुल कॉन्फ्रेंस में अंग्रेजों की कठपुतली का पार्ट अदा करेंगे !

सरकार की नई नीति जेल के नियमों की कड़ाई के सम्बन्ध में भी है। पिछली बार स्वराजी क़ैदी स्वयं खानपान की निगरानी करते थे—जो सामान मिलता था, उनसे मनमाने व्यंजन बनवाते, खाते। इस बार जो कुछ बनवाकर भेज दिया जाता है, खाना पड़ता है। कभी हलवा कच्चा होता है, कभी भात गीला पक जाता है। कपड़ों के बारे में भी सख़्ती—'बी' डिवीजनवालों को सरकारी कपड़ा ही पहनना होगा और 'ए' डिवीजनवालों को भी नियम के वृत्त के बाहर नहीं जाना होगा। जब जेल के अन्दर लोग घुसने लगते हैं, पूरी नंगाझोरी कर ली जाती है। 'बी' डिवीजनवालों को अपने कपड़े वहीं उतार देने होते हैं, वहीं से सरकारी पोशाक उन पर मढ़ दी जाती है।

अभी एक मैथिल सत्याग्रही आए हैं—पूरे श्रोत्रिय। ज़िन्दगी में साँची धोती के सिवा कभी दूसरी पोशाक नहीं पहनी। उनके सुथने का इज़ारबन्द रह-रहकर खुल जाता है—बेचारे परेशान-परेशान हैं ! इस विचित्र पोशाक में शौचादि से कैसे निवृत्त हुआ जाता है, यह भी नहीं जानते !

किताबों के बारे में तो और भी सख़्ती। सिवा धार्मिक ग्रन्थों के और कोई भी पुस्तक नहीं दी जा सकती। मैं अपने साथ बुक ऑफ नॉलेज ला रहा था, बच्चों के लिए कुछ पुस्तकें लिखने की इच्छा थी। उसे भी रोक लिया गया है। कहा गया है, एक दिन सुपरिन्टेंडेंट उसके पन्ने उलट रहा था, तो उसमें उसने देखा, ताले कैसे बनते हैं, इस पर छोटा सा लेख है ! बड़ी खतरनाक पुस्तक—इसे पढ़कर तो क़ैदी ताले खोलने की कला जान जाएँगे और भाग निकलेंगे ! भला ऐसी पुस्तक को जेल के अन्दर जाने दिया जाए !

एक चर्चा है, श्रीबाबू ने राजेन्द्र बाबू को सम्वाद भेजा है कि यदि यह स्थिति रही तो मुझे अनशन करना होगा—बिना पुस्तक के मैं रह नहीं सकता।

लेकिन नया सुपरिन्टेंडेंट पूरा अकड़ खाँ है—हिन्दोस्तानी है; किन्तु वैसा हिन्दोस्तानी, जिसमें अंग्रेजों की वफादारी करना एक धर्म बन गया है। हाथ में एक डंडा लेकर घूमता है, उसे हिलाता-चलता है, कभी-कभी बातें करते समय उसे ऐसा उछालने लगता है कि लगता है, बात करनेवाले के सिर पर अभी दे मारेगा।

बीमारी का असर अभी तक मुझ में है। दुर्बलता अभी गई नहीं है। चलता हूँ तो पैर डगमगाने लगते हैं। उस दिन कबड्डी हो रही थी, मैं भी शामिल हो गया, जब दौड़ा, भहराकर गिर पड़ा। अचानक आँखों के सामने अंधकार छा गया था।

उस दिन किसी ने सुपरिन्टेंडेंट से कहा, इनके लिए खास भोजन का प्रबन्ध कर दीजिए, हँसकर बोला—मैं डॉक्टर हूँ, मैं जानता हूँ, यहाँ जो भोजन दिया जाता है, वह स्वास्थ्य के लिए आदर्श भोजन है। उसकी हँसी में विष था। मैंने उस सज्जन को डाँटा, क्यों आपने मेरे बारे में इस बदमाश से कुछ कहा। यों ही एक दिन एक सज्जन ने उससे कहा—मुझे डिस्पेसिया की शिकायत है। झट उसने व्यवस्था दे दी—कुछ लाल मिर्च खाइए ! डिस्पेसिया में लाल मिर्च ?—उसने कहा, डॉक्टर मैं हूँ या आप ? एक बड़े आदमी ने एक दिन उसे सुझाया, यह डंडा भाँजते चलना अच्छा नहीं लगता। उसने कहा—आपको हमेशा याद रखना चाहिए, आप जेल में हैं ! सरकार भी कैसी चतुर है, जब जैसी नीति होती है, उसी के अनुसार अफसर भी चुन भेजती है।

न अब वे जलसे हैं; न उत्सव; न हा हा-हू हू ! लोग बहुत कम हैं, जो हैं, वे ऐसे ऊँचे

तबके के हैं, जो किसी तरह निभा ले जाने में ही शराफत समझते हैं।

जंजीरें चुप हैं किन्तु बन्धनों से सारा शरीर जकड़ा है। दीवारें कुछ नीची लगती हैं, किन्तु दम घुटा जा रहा है !

इस प्रकार का जीवन जी रहा था कि एक दिन हमें मालूम हुआ सरहदी गांधी खान अब्दुल गफ्फार खाँ साहब और उनके भाई डॉक्टर खान साहब इस जेल में भेजे गए हैं और वे दोनों 'छोकरा क़िता' में रख गए हैं ! उनके बारे में वार्डरों और जमादारों के मुँह से बहुत कुछ सुनने को मिलता है। दोनों भाइयों को बड़ी शान से रखा गया है—वे नजरबन्द हैं, एक बड़ी रकम उन्हें यहाँ खर्च करने को मिलती है, परिवारवालों के लिए भी बड़ी-बड़ी रकमें भेजी जाती हैं। छोकरा-क़िता तो उनकी रुचि के अनुसार सुधारा-सँवारा जा रहा है। टहलने के लिए पगडंडियाँ बन रही हैं, खेलने को कोर्ट बन रहे हैं, फूलों के पौधे लग रहे हैं, कई पेड़ भी उन्होंने अपने हाथ से लगाए हैं। खाने-पीने की चीजों की इतनी इफरात कि जो उस क़िता में गया, बिना मुँह मीठा किए नहीं लौटा। एक दिन उन्होंने जेल अधिकारियों से इजाजत माँगी, कुछ चीजें बनाकर वे हम लोगों के पास भेज सकें। सुपरिन्टेंडेंट ने इजाजत नहीं दी। कहा—आप चाहें, तो फूल भेज सकते हैं ! कभी-कभी थाल में फूल सजाकर भेज देते हैं।

बड़ी इच्छा होती है उन्हें देखने की। एक दिन सरहदी गांधी जेल गेट पर किसी काम से जा रहे थे, हमने दूर से ही उन्हें देखा। एक दिन एक नींबू का पौधा लेकर वह अस्पताल की ओर से लौट रहे थे, हमने उस दिन भी उन्हें देखा। वे अधिकांश अपने क़िते में ही रहते, जब-जब बाहर निकलते, जेल में हलचल मच जाती। जेल गेट पर उनके पार्सलों का ताँता लगा रहता।

उन दिनों दोनों भाई भारतीय स्वातन्त्र्य युद्ध के प्रतीक समझे जाते थे। आज वे हमसे कितनी दूर हैं—एक गद्दी पर; एक जेल में ! ज़माना भी क्या-क्या कराता है ?

जेल में इतनी सख्ती है, किन्तु एक हैं हमारे साहूजी, जो इस सख्ती को कम करने पर तुले हैं। एक प्रतिष्ठित खानदान के। जब गांधीजी चम्पारण आए थे, तभी से उनके भक्त। जब-जब आन्दोलन होता है, पहली कतार में ही पहुँच जाते हैं। लखपति आदमी, तो भी उन्हें 'बी' डिवीजन में ही रखा गया है। जब यहाँ पहुँचे, हमारे वार्ड में ही उन्हें भेजा गया। आते ही कहने लगे, बड़ा अनर्थ है, ससुरों ने जेल गेट पर पूरी नंगाझोरी की है। लेकिन, क्या करेंगे साले ? इस सुथने में ही 'कुछ' लपेट-सपेटकर ले ही आया हूँ। फिर मुसकराते हुए कहा—यह कोई बुरा काम नहीं है, जेल बिना तिकड़म के नहीं कटता; हम लोग क्या गांधी बाबा हैं ? यह कहकर पूरी बत्तीसी चमका दी।

खैर, 'कुछ' ले तो आए, लेकिन उसका उपयोग क्या ? 'बी' डिवीजन को तो सरकारी राशन पर ही रहना है। किन्तु साहूजी ने इसके लिए भी एक दिन रास्ता निकाल लिया। जब सुपरिन्टेंडेंट आया, अपने कलेजे पर आह-ऊह करते हुए हाथ फेरने लगे। उसने पूछा, क्या शिकायत है। बोले, पुरानी बीमारी है, इसे हमेशा सेंक देनी होती है, गरम पानी का ही प्रयोग करना पड़ता है, आदि-आदि। जब तक सुपरिन्टेंडेंट कुछ दवा बताए, सलाह दे दी—कुछ नहीं, एक दिन का चूल्हा, थोड़ा कोयला और एक पानी औटने का बरतन भेज दीजिए, फिर हम सेंक-साक कर लिया करेंगे। वह चकमे में आ गया और ज्यों ही चूल्हा आया, साहूजी का अखंड जलपान-यज्ञ शुरू हो गया। खाने से भी अधिक खिलाने का शौक ! मैं बीमारी से उठा हूँ, मुझ पर तो खास मेहरबानी। भोर-भोर गरमागरम हलवा बनाकर कहते हैं, कलेजे पर यह जरा गरम पुलटिस रख लीजिए और एक कप दूध ले लीजिए, दिन भर मिजाज मस्त रहेगा !

एक दिन अजीब बात हुई। देखा, साहूजी अँगनाई के अमरूद के पेड़ के निकट

ताबड़-तोड़ मिट्टी खोदते जा रहे हैं। क्या है साहूजी, मैंने पूछा। रुआँसा होकर बोले—मार लिया किसी साले ने, मार लिया ! साहूजी ने उसके निकट 'कुछ' गाड़ रखा था, न जाने किसकी बुरी नजर पड़ी। मैंने समझा, अब सारा खेल खत्म हुआ, लेकिन ऐसा कहते ही साहूजी की आँखें चमक उठीं—बबुआ, बनिए का बेटा इतना कच्चा सौदा नहीं करता। साहूजी का यज्ञ अखंड चलता रहा, चलता रहा !

किन्तु अफसोस, उस यज्ञ की हवि सदा पाने का मेरा ही सौभाग्य समाप्त हो गया। एक दिन खबर आई, मेरा डिवीजन भी तोड़ दिया गया है और मुझे तुरन्त ही कैम्प जेल भेजा जानेवाला है !

यहाँ के जीवन से मैं भी ऊब उठा। चूँकि बीमारी से उठा था, पथ्य के रूप में 'बी' डिवीजन का सहूलियतें ले रहा था, किन्तु सदा लगता था, मैं आदर्श-भ्रष्ट हो रहा हूँ। मेरा कोई साथी भी यहाँ नहीं था, अम्बिका आदि सभी मित्र कैम्प जेल में ही थे। पढ़ने-लिखने का भी कोई सिलसिला नहीं था। गीता कभी छुई नहीं थी, धार्मिक साहित्य देखकर ही मेरे मन में कुढ़न होती। इस तरह मेरी मानसिक भूख भी शान्त नहीं हो पाती थी। फिर एक ही जगह रहते-रहते और कुछ ही लोगों के चेहरे देखते-देखते मन ऊब उठा था ! अतः इस समाचार को मैंने वरदान ही की तरह लिया—यद्यपि मेरे हितैषी चाहते थे, मैं कुछ और दिन यहाँ रह जाता, तो मेरी तन्दुरुस्ती के लिए अच्छा होता !

एक दिन पाँच वर्षों के लिए इस हज़ारीबाग की पथरीली दीवारों को सलाम करके पटना कैम्प जेल के लिए रवाना कर दिया गया !

कैम्प जेल

उसका सनकी सुपरिन्टेंडेंट कहा करता—पहले हिन्दुस्तान में दो चीजें देखने की थीं, हिमालय और ताजमहल। अब तीसरी चीज भी जुड़ गई है, वह है हमारा कैम्प जेल।

1920-'32 के आन्दोलन में देश में कई कैम्प जेल खुले। अन्य कैम्प जेलों के बारे में मुझे जानकारी नहीं। पहले कह चुका हूँ, सब जेल एक-से होते हैं। लेकिन इस कैम्प जेल की कुछ विशेषताएँ थीं, जिनमें सबसे बड़ी विशेषता थी, उसका यह सुपरिन्टेंडेंट !

विचित्र आदमी था वह। वह कब क्या कर बैठेगा, कोई ठिकाना नहीं। कब तिकटी पर चढ़ा देगा, हथकड़ी डाल देगा और कब पीठ सहलाएगा, दुलारेगा, जो भी आवश्यकता होगी पूरी कर देगा—यह कहा नहीं जा सकता था !

सफाई से उसे विचित्र स्नेह था। इतने बड़े कैम्प जेल में उसने ऐसी व्यवस्था कर रखी थी कि कहीं आप एक भी मक्खी और मच्छर नहीं पा सकते थे। पटना तो मच्छरों की राजधानी है। उसी पटना के एक कोने में उसने एक ऐसी पुरी बना रखी थी, जहाँ मच्छर का नामोनिशान भी नहीं था और इसके लिए उसने जो प्रबन्ध किया था, वह महज़ मामूली था—जादू ही समझिए !

हर आदमी को वह 'जवान' कहकर पुकारता—चाहे कोई बूढ़ा ही क्यों न हो ? इस 'जवान' शब्द को जबान पर लेकर ही लोग कैम्प जेल से लौटते !

पटना से पश्चिम, फुलवाड़ी स्टेशन के निकट यह कैम्प जेल बनाया गया था। चारों ओर काँटों से घेर दिया गया था। कोई दीवार नहीं। काँटेदार तारों से इस प्रकार बैरिकेड बना दिया गया था कि कोई भाग नहीं सकता था। और भागता भी कौन ? यहाँ तो स्वेच्छा से लोग

जेल आते थे। दीवारें नहीं होने के कारण बाहर के दृश्य लोग देखा करते। बाहर हल चल रहे हैं, ट्रेन जा रही है, मोटरें दौड़ रही हैं, अपने बैरिक में बैठे-बैठे देखा कीजिए।

जब मुलाकाती आते, विचित्र दृश्य होता। मुलाकाती काँटे के घेरे के बाहर खड़े हैं, आप भीतर हैं और बातचीत हो रही है। एक ही साथ दो-चार सौ क़ैदी मुलाकात कर रहे हैं। थोड़ी-थोड़ी दूर पर सिपाही खड़े हैं कि कहीं कोई चीज उछालकर बाहर से भीतर या भीतर से बाहर फेंक न दी जाए, बस !

आन्दोलन जब सघन हो चला था, साढ़े चार हजार क़ैदी इसमें रखे गए थे। यह आबादी आन्दोलन के रुख पर घटती-बढ़ती रहती। प्रतिदिन कुछ लोग आते, कुछ लोग जाते। संसार के आवागमन का दृश्य यहाँ प्रत्यक्ष दिखाई पड़ता।

काँटों के अन्दर इस विस्तृत क्षेत्र में लगभग सौ वार्ड बने थे। कुछ वार्डों में रसोई होती, कुछ वार्डों को अस्पताल में परिणत किया गया था, दो वार्डों को सेल का रूप दे दिया गया था, बाकी में हम राजबन्दी रहते ! एक वार्ड में चालीस-पचास क़ैदी रखे जाते थे।

ये वार्ड लोहे की चादरों से बने थे—चादरों की दीवारें, चादरों के छप्पर, चादरों के किवाड़। खिड़कियों के नाम पर जहाँ-तहाँ छोटे-छोटे छेद। गरमियों में ये चादरें इतनी तप जातीं, कि वार्ड भट्ठी बन जाते—तपिए, तड़पिए। जाड़े में इतनी ठंडी हो जातीं कि बाहर से भी अधिक इनके अन्दर जाड़ा लगता—ठिठुरिए, ठुड्डी हिलाइए और घुटनों में मुँह सटाकर लम्बी रातें काटिए। बरसात में तो और भी दुर्गत। गच तो बनाई नहीं गई थी, सिर्फ मिट्टी डाल दी गई थी। जब घनघोर वर्षा होती, मिट्टी नीचे की ओर धँसने लगती। जगह-जगह से पानी भी निकल आता। फिर दीवारों के छेदों से भी फुहारें आतीं। कहावत है, बरसात में सियारों की दुर्गत होती है—हम बरसात की रातों में सियारों की ही तरह वार्ड में इधर-उधर कोंकों-काँकाँ किया करते !

कई बार साँप भी निकले थे; बिच्छुओं की भी कमी नहीं थी। किन्तु इन सबके बावजूद लोग बड़े मग्न रहते। राजबन्दियों की इतनी बड़ी जमात तो भाग्य से ही एकत्र होती है। राजबन्दी भी तरह-तरह के। प्रोफेसर अब्दुल बारी और बाबू रामदयालुसिंह जैसे लोग थे तो लंगड़ों, बहरों और अंधों की भी कमी नहीं थी। सरकार पागल हो गई थी और लोग पागल थे ही। अच्छी जोड़ी बनी थी—जिसके मन में खब्त हुई, झंडा लेकर नारे लगाने लगा ! तो दूसरी ओर जो भी मिला, उसे ही गिरफ्तार कर लिया गया, सजा दे दी गई। बहुत से लोग थे, जिन्होंने अपना अंटसंट नाम बता दिया था। इतने लोग थे कि जेल अधिकारी कहाँ तक पहचानते। जिन्हें छोटी सजा थी, वे खोजते-फिरते ऐसी लम्बी सजावालों को, जो घर जाना चाहें। 'क' के बदले 'ख' रिहा हो जाता—'ख' की सजा 'क' भुगत लेता।

बिहार के हर जिले के लोग आए थे, प्रायः एक जिले के लोग एक साथ रहते; किन्तु कुछ वार्ड 'इन्टरनेशनल' थे ! ऐसा ही वार्ड था, वार्ड नं. 2। कई जिलों के लोग उसमें थे, मैंने उसी में अपना अड्डा जमाया। अम्बिका, गंगा, श्यामनन्दन, रामचन्द्र—मन के ही लोग थे। इस वार्ड के ठीक सामने सदर गेट था, जेल से निकलने और उसमें घुसनेवालों की झलक घर बैठे ही पा जाते और बगल में ही सेलवाला वार्ड था—जहाँ कुछ लोग सदा बेड़ी-हथकड़ी झनझनाते रहते। जिस दिन सुपरिन्टेंडेंट गश्त पर आता, सेलवाला वार्ड जरूर ही भर जाता।

कैम्प जेल में गवैए थे, कवि थे, चित्रकार थे—कलाकारों ने भी अपने को देश के लिए अर्पित किया था ! लोकगीतों से लेकर शास्त्रीय गीत की टाँग तोड़नेवाले गवैए तक थे। प्रायः ही गवैयों की मजलिस जुटती—गला तो था ही, रही बात साज़ की ! सो ऐसे-ऐसे उस्ताद कि लोहे के तवे पर तबले का स्वर निकालते, नाक से ही सारंगी बजा लेते, कुछ कटोरे इकट्ठे कर जलतरंग बना लेते ! कवियों की भी भरमार थी—बाबा नरसिंह दास उनमें खूब जनप्रिय थे।

कुछ हलके-फुलके कहकर लोगों को खूब हँसाते ! हमारे सरदार रामसिंह अकाली जब खड़े हो जाते, तब उनकी जबान रुकने का नाम ही नहीं लेती और चित्रकार मिट्टी के ढेले से, ईंट के टुकड़े से तरह-तरह के चित्र बात-बात में बना देनेवाले अपने हाथ का कमाल दिखाने से नहीं चूकते।

लफंगों की कमी नहीं थी, तो रईसों की आबादी भी कम नहीं थी। उन रईसों के बाजाब्ता दरबारी थे, दरबार लगते थे। एक रईस दूसरे रईस के वार्ड में जाते, तो खातिरदारी की धूम मच जाती। पकौड़े बने, चाय छनी, पान के बीड़े लगे। ये चीजें यहाँ कैसे पहुँचीं—मत पूछिए। हमारा सुपरिन्टेंडेंट कहा करता, खैरियत है कि हमारे वार्डर की जेब में आदमी नहीं समा सकता नहीं तो तुम लोग अपनी बीवियों को भी जेल में बुला लेते।

तरह-तरह के सम्मेलनों की धूम थी। कवि सम्मेलन, किसान सम्मेलन, आर्यसमाज सम्मेलन, ब्राह्मण सम्मेलन—कौन-कौन से सम्मेलन नहीं होते। किन्तु एक बार जो बेवकूफ सम्मेलन हुआ, उसने सारे सम्मेलनों को मात दे दी। कूड़ा-गाड़ी पर बिठलाकर हमने सभापति का जुलूस निकाला, झाडुओं के चँवर डुल रहे थे उन पर। इस सम्मेलन में ऐलान किया—होशियार लोगों के चलते ही दुनिया रसातल की ओर जा रही है; एक मुट्ठी होने पर भी वे लोग हमें नचाया करते हैं। अतः दुनिया के बेवकूफो, सावधान ! देखो, स्वराज्य आनेवाला है, कहीं ये होशियार लोग गद्दी को कब्जे में न कर लें ! "बेवकूफ राज कायम करेंगे, इसके चलते जो कुछ हो"—इस नारे से सारा कैम्प जेल गूँज उठा था।

दिन-ब-दिन का जीवन भी बड़ा ही रंगीन था।

सवेरे ही वार्ड खुल जाते। वार्ड खुलते ही लोग पाखानों की तरफ टूटते, जिसमें साफ पाखाने मिल जाएँ। कुछ लोग आदत से भी लाचार थे। एक पाखाने में बैठा है, दूसरा मग लिये खड़ा है। कहीं-कहीं बाजाब्ता क्यू लग गया है। फिर पानी-कल के निकट भीड़ जमी—मग-से-मग टकरा रहे हैं। कोई नहा रहा है, कोई कपड़े फींच रहा है। उसके बाद कोई पूजा पर बैठ गया, कोई टहलने निकला, किसी ने आसन लगाया। कोई डंड पेल रहा है, कोई कुश्ती खेल रहा है। कुछ एकड़ जमीन के अन्दर चार-पाँच हज़ार लोगों की ये हलचलें—ओहो, कैसी दिलचस्प लगतीं !

फिर जलपान आया—पारी-पारी से चना, मूँगफली और चिउड़ा। चिउड़े के लिए तो जेल अधिकारियों से बाजाब्ता संघर्ष हो चुका था। 'चना के बदले चिउड़ा लेंगे, भगतसिंह का बदला लेंगे।' यह अनोखा नारा था उसका ! भगतसिंह का बदला चिउड़े के रूप में।—आप हँसिए नहीं, जेल में आदमी का दिमाग बहुत कम काम करता है।

दिन में भात-दाल-तरकारी, रात में रोटी-गुड़-तरकारी ! मेरे ऐसे भी लोग थे, जो दोनों जून भात-दाल ही पसन्द करते। यों ही दोनों जून रोटी खानेवाले भी थे। यह आपस के प्रबन्ध से ठीक हो जाता। जिसे एकाध प्याज मिल जाता, वह बड़भागी। कुछ लोग इसके लिए सादा तिकड़म में जुटे रहते। एक प्याज को महीन काटकर भात में सान लेते और थोड़ा-थोड़ा प्रसाद की तरह बाँटकर किस प्रेम से खाते ! जेल में मामूली चीजों की कीमत भी कितनी बढ़ जाती है !

किसका तवा कितना साफ रहता है, किसके कपड़े कितने बगाबग होते हैं, चटनी का बन्दोबस्त कौन कर पाता है—इन छोटी-छोटी चीजों पर भी प्रतिद्वन्द्विता होती। कपड़े में तो हमारा गंगा सदा बाजी मार लेता। भोर से ही अपना भारी-भरकम बदन लिये वह नल के निकट कपड़ों को पटकता रहता। कभी-कभी मुझ पर भी दया कर दिया करता।

मैं स्वभावतः ही देर से उठता। तब तक पाखाने और नल पर धक्कम-धुक्की खत्म हो

गई होती। निश्चिन्त से नहा-धोकर चना-चबेना, जो कुछ बचा रहता, फाँकता। फिर लिखने-पढ़ने बैठ जाता। अम्बिका एक ग्रन्थ ले आया था—आधुनिक सामाजिक विचारधाराओं पर बड़े अच्छे ढंग से प्रकाश डाला गया था। सोशलिज्म, कम्युनिज्म, फासिज्म, डेमोक्रेसी आदि विषयों पर ब्योरे के साथ प्रामाणिक ढंग से विचार किया गया था। उसमें कम्युनिस्ट मैनिफेस्टो भी था; उसका अनुवाद किया। कुछ कहानियाँ भी लिखीं—'कहीं धूप, कहीं छाया' मेरी पहली कहानी थी। 'चन्द्रगुप्त' पर एक नाटक लिखा, जिसे बड़े शानदार ढंग से वहीं खेला गया था। न जाने उसकी प्रति कहाँ खो गई। एक जेलर से दोस्ती हो गई थी—उन्होंने कागज़ और किताबों का अच्छा प्रबन्ध कर दिया था। मुझे जो चीजें चाहिएँ, उनके क्वार्टर में पहुँचा दिया जाता, वह अवसर पाकर कभी पहुँचा देते। दुपहरिया के बाद मैं अन्य वार्डों में घूमता। हम लोगों ने बिहार सोशलिस्ट पार्टी की स्थापना कर रखी थी—बारी साहब उसके अध्यक्ष थे। मैं वार्ड-वार्ड में जाकर समाजवाद पर लोगों को समझाता। बिहार में समाजवाद की नींव कैम्प जेल में ही पड़ी, दावे के साथ कह सकता हूँ।

कैम्प जेल में ही बिहार की किसान समस्या से अवगत हुआ। हर जिले के किसानों से मिलता, उनसे जमींदारी-जुल्मों के बारे में पूछताछ करता और नोट तैयार करता जाता। इस सम्बन्ध की कुछ किताबें भी पढ़ीं। मैं इस निष्कर्ष पर पहुँचा कि जमींदारी प्रथा का अन्त किए बगैर न तो बिहार की आर्थिक स्थिति सुधर सकती है, न यहाँ की जनता की सुख-समृद्धि में वृद्धि हो सकती है। इस बार जब मैं जेल से लौटा, किसान सभा में जबरदस्त भाग लेने लगा। अपने लेखों और भाषणों के द्वारा जमींदारी प्रथा उठाए जाने के लिए घनघोर आन्दोलन करने लगा। जेल से लौटते ही 'बिहार के किसान' नामक एक विस्तृत लेख 'विशाल भारत' में दिया और 'जमींदारी क्यों उठा दी जाए ?' शीर्षक लेख 'प्रताप' में ! एक युग तक मेरे ये दो लेख किसान सभा के लिए दीपस्तम्भ का काम करते रहे।

रात होते ही कैम्प जेल में जिन्दगी का एक नया पहलू शुरू होता। पहले प्रार्थना होती; फिर किसी का किसी विषय पर प्रवचन होता। प्रवचन के बाद कहीं व्याख्यानों की झड़ी लगती, कहीं गीत की कड़ी फूट पड़ती ! कहीं बिरहा, कहीं बिदेशिया, कहीं लोरकाइन, कहीं आल्हा ! मेरे बगल के वार्ड में सारन जिले के लोग थे। एक लड़के का स्वर बहुत मीठा था। जब रात के सन्नाटे में वह बिरहा और बिदेशिया की तान छोड़ता, किस सरस हृदय में तरंगें नहीं उठने लगतीं ! कहीं-कहीं से शास्त्रीय संगीत की ताना-रीरी भी सुनाई पड़ती। पीछे के वार्ड में गया के बच्चा बाबू थे, पुराने रईस, शास्त्रीय संगीत के शौकीन ! जब-तब वह भी गा उठते—समाँ बँध जाता !

मेरे वार्ड में एक स्वामीजी थे; बोलने का उनको रोग था। जब हम लोग सोने का उपक्रम करते, स्वामीजी से हम बोलने का आग्रह करते। स्वामीजी तो सदा तैयार ! वह उठकर खड़े हो जाते ! हम लोग रोशनी गुल कर देते, स्वामीजी बोलना शुरू करते। न जाने वह कब तक बोलते जाते—हम तो नींद में खुर्राटें लेते होते !

कैम्प जेल—वह एक ही साथ चिड़ियाघर और अजायबघर था। तरह-तरह के जानवर; तरह-तरह के लोग ! यहाँ दीवारें नहीं थीं, हाँ, कभी-कभी नींद टूटती तो बगल के सेलवार्ड से जंजीरों की आवाज़ अवश्य सुनाई पड़ती, जब हाथ-पैर जकड़ा हमारा ही कोई साथी करवटें बदलता होता।

वह संध्या !

ऊपर से हम अपने को भुलाने के लिए जो भी खेल-खेलवाड़ रच लेते हों, गा-बजा लेते हों, किन्तु इस कैम्प जेल में भीतर-भीतर पुराने घाव की तरह कुछ बह रहा है, कुछ सड़ रहा है। कभी-कभी उसकी दुर्गन्ध से नाक फटने लगती है।

सुपरिन्टेंडेंट बहुत मुस्तैदी दिखाता है, हमें मच्छरों और मक्खियों से बचाता है, सफाई पर बहुत ध्यान रखता है, रोगियों के लिए यथासम्भव प्रबन्ध करता है, खाने-पीने पर भी देखभाल रखता है। किन्तु जहाँ चार-पाँच हज़ार आदमी हों और उन्हें इस तरह लोहे की चादरों के घरों में रखा जाए, लाख कोशिश करने पर भी भोजन, पानी, हवा को दूषित होने से कौन बचा सकता है ? 'सी' क्लास के भोजन के आदी कितने लोग थे ? गोरस का पूरा अभाव। नतीजा यह हुआ कि बीमारियों की संख्या दिन-दिन बढ़ने लगी, अस्पताल में रेल-पेल मची। अस्पताल भी कैसा—कोई विशेष दवा-दारू या पथ्य का प्रबन्ध नहीं। कुछ ही दिनों में लोग मरने भी लगे। कोई सप्ताह ऐसा नहीं आता, जब कुछ अरथियाँ इस गेट से बाहर नहीं जातीं।

पहले कुछ लोग मरे तो बड़े सम्मान के साथ हमने उनकी अरथियाँ बाहर जाने दीं, किन्तु जब यह आएदिन का व्यापार हुआ तो फिर कहाँ तक फूल-आरती-चन्दन सँजोए जाएँ। यही नहीं, प्रत्येक मृत्यु जीवित लोगों के मन में दहशत पैदा करने लगी।

डिसेन्टरी के मारे तो आधे लोग परेशान थे। रात चार बजे से भोजन बनने लगता, तो बारह बजते-बजते उस भोजन की क्या दुर्गत हो जाती रहती होगी, कल्पना कीजिए। फिर बारह बजे से जो बनना शुरू होता, तो सात बजे सन्ध्या तक उसकी दुर्गत हो जाती। उस अधपके, बासी, बेस्वाद भोजन पर दो-चार महीने हँसी-खुशी से काट दिए जा सकते थे, किन्तु साल-दो साल में तो फौलाद की अँतड़ियाँ भी खराब हो जा सकती थीं ! और डिसेन्टरी की दवा क्या—घोल पीजिए या साबूदाने की लपसी चाटा कीजिए। घोल—जिसकी दही सड़ चुका हो ! लपसी—जिससे अजब ढंग से बदबू आती ! न्यूमोनिया, टायफायड का भी दौरा चलने लगा। गरमियों में कुछ मृत्यु लू के कारण भी हुईं।

उधर आन्दोलन की गति धीमी हुई तो जेल की सख्तियाँ भी बढ़ने लगीं। ऐसा करो, वैसा करो। चक्की पीसो, नहीं तो भोजन में रोटी नहीं मिलेगी। अमुक समय वार्ड से मत निकलो; रात में शोर मत मचाओ। खाना-तलाशी के लिए समय-कुसमय वार्डों पर धावे होने लगे और जिनके पास कोई अवैध चीज मिली—कोई पुस्तक, कागज, ब्लेड, एकाध प्याज़ या लालमिर्च—तुरत उसे हथकड़ी-बेड़ी पहनाकर सेलवार्ड में भेज दिया जाता। जिस दिन सुपरिन्टेंडेंट मुआइने में आता, हंगामा मच जाता। हर आदमी सोचता, न जाने आज किसके सिर वज्र गिरेगा ! —सनकी वह, कोई कैफियत तो सुननेवाला नहीं था, जिसको पाया, सेलवार्ड की तरफ सीधे मार्च करा दिया।

सबसे बुरी बात यह हुई कि उसने वहाँ पहुँच गए कुछ नेताओं से सम्पर्क स्थापित कर लिया और उन पर उसका जादू भी चल गया। जब लोग विरोध में आवाज उठाते, नेता लोग उसका समर्थन करते—बेचारा क्या करे, सरकार ने उसके भी हाथ-पैर बाँध रखे हैं, यह तो बड़ा भला आदमी है ! नेताओं के ये तर्क जले पर नमक का काम करते। कैदियों के सामने तो सरकार का मूर्त रूप यह सुपरिन्टेंडेंट ही था। किसने इसको कहा था कि हाथ-पाँव बँधवा लो। हम मर रहे हैं, रोगों से छटपटा रहे हैं और इसे जेल की डिस्प्लिन सूझी है ! जब बिस्तरे पर पैर रगड़-रगड़कर ही मरना है, तो इसकी भलमनसाहत से हमें क्या फायदा ? ऐसा हुआ कि नेताओं और अनुयायियों के बीच दीवार खड़ी हो गई। कुछ नेताओं के लिए उसने भोजन-दवा

आदि का खास प्रबन्ध करा दिया था; लोगों ने मान लिया, हमारे नेता एक पाव दूध, दो अंडे और विटामिन की चार गोलियों पर बिक गए।

एक दिन मैं किसी वार्ड से लौट रहा था, देखा, एक नेताजी की गरदन में जेल की अंगोछी लपेटकर दो आदमी उनकी दुर्गत करने पर तुले हैं। मुझे देखते ही वह सहम गए, नेताजी की जान-में-जान आई।

ऊँट की पीठ का आखिरी तिनका हुआ, यह हुक्म कि अब कैदियों को सूर्यास्त के पहले ही अपने वार्डों में बन्द हो जाना पड़ेगा। अब तक आठ-नौ बजे तक हम बाहर टहलते-घूमते रहते थे। वार्ड बन्द होते-होते दस बज जाते थे, थके-थकाए हम सो गए ! शाम के ये तीन-चार घंटे उस अंध-गुफा में किस तरह हम काट सकेंगे। वार्ड के अन्दर पाखाने और पेशाबखाने की कोई समुचित व्यवस्था नहीं थी। इतनी देर तक उसके भीतर रहने के कारण तो हम दुर्गन्ध से ही मर जाएँगे।

एक रात एक विचित्र घटना हो चुकी थी। भोजन में न जाने क्या हो गया था कि ज्यों ही वार्डबन्दी हुई, लोगों के पेड गुड़-गुड़-गड़-गड़ करने लगे। हर आदर्मा ने समझा, मेरे ही पेट में कुछ गड़बड़ है—आँखें मूँदकर सोने की चेष्टा करने लगा। किन्तु यह छलावा कितनी देर तक ? हमने नियम बना रखा था, रात में वार्ड में कोई पाखाने का इस्तेमाल, जहाँ तक सम्भव हो, नहीं करे। उस रात इस नियम के बावजूद एक-एक कर लोग उठते और पाँव सँभालते पाखाना जाते। किन्तु यह लुका-चोरी कब तक ? हर वार्ड में कुहराम मच गया—दुर्गन्ध के मारे नाक फटने लगी। तब लोग अपने-अपने तवों से लोहे की दीवारें पीटने लगे। एक वार्ड से यह तवा-पीटन-कांड शुरू हुआ, तो कोने-कोने में फैल गया। शोर सुनकर जेल अधिकारी दौड़े। वार्ड खोले गए। बाहर के पाखाने में भी उतनी जगह कहाँ ? जगह-जगह गड्ढे खोद दिए गए। पानी का कल चालू किया गया। दवाएँ दी जाने लगीं। रात भर यह सिलसिला रहा ! खैरियत यही हुई कि कोई मरा नहीं। जेल में मुश्किल से बीस-तीस आदमी होंगे, जो इससे बचे होंगे। आश्चर्य, उनमें एक मैं भी था।

और अब जब सूर्यास्त से पहले ही हम बन्द कर दिए जाएँगे, तो क्या होगा ? क्या लोहे की चादरों का घर प्रतिदिन कुम्भीपाक नहीं बन जाएगा, जिसमें हम सड़ते रहेंगे, दुर्गन्ध में मरते रहेंगे।

चार-साढ़े चार हज़ार बन्दियों में हलचल मची थी। वार्ड-वार्ड में सभा होने लगी। सबने तय किया, हम यह सब अब अधिक दिनों तक बरदाश्त नहीं करेंगे। हमने अपनी माँगों की फेहरिस्त बनाई—वार्डों में खिड़कियाँ, पक्की गच, पाखाने-पेशाब की पक्की व्यवस्था की माँग, भोजन में अधिक सब्जी और दही-दूध की माँग, अस्पताल में फल, दूध, दवा, डॉक्टरों की संख्या में वृद्धि की माँग, पढ़ने के लिए पुस्तकालय और अखबारों की माँग, मुलाकात के समय निकट से बातें करने के प्रबन्ध की माँग आदि-आदि। उन माँगों के लिए हम लड़ेंगे, लड़ने के लिए एक युद्ध समिति बनी, मैं उस समिति का अध्यक्ष चुना गया। जेल अधिकारियों के पास माँगों की लिस्ट भेज दी गई। इस माँग पर सुपरिन्टेंडेंट आगबबूला हो गया, वह हमारी सामूहिक माँग पर विचार कर नहीं सकता, कैदियों का क्या संगठन...जिसे कहना हो, व्यक्तिगत रूप से कहे।

युद्ध का रूप क्या हो ? बस, हम सूर्यास्त के पहले बन्द होने की हुक्मअदूली करेंगे। कुछ लोगों ने अनशन करने का सुझाव दिया, मैंने उनकी मुखालफत की। मैंने प्रायः देखा है, अनशन से मामला सुलझता नहीं, उलझता ही है। जब फैसला करना है, तो तुरन्त फैसला जिससे हो जाए, उस रास्त को अपनाओ। वार्ड में बन्द होने से इनकार करना जेल का सबसे बड़ा अपराध है—जेल अधिकारियों के शब्द में यह 'म्यूटनी' है, बगावत है। हम बगावत का ही रास्ता

पकड़ेंगे। लाठी चार्ज होंगे, गोलियाँ चलेंगी। जो होना है, होगा। पैर रगड़-रगड़कर मरने से गोली की मौत कहीं अच्छी। दो-चार-दस मरेंगे—फैसला हो जाएगा। पचासों लाशें निकल चुकी हैं, एकाध दर्जन और निकलें—खून से लथपथ।

सुपरिन्टेंडेंट साम-दाम-दंड-भेद—सब नीतियों का प्रयोग कर थक गया। अन्ततः जिस दिन से सूर्यास्त के पहले बन्द होना था, उस दिन उसने जेल को युद्ध शिविर में परिणत कर दिया।

भोर से ही कैदियों को इधर-उधर जाने से रोक दिया गया। हर मोड़ पर सिपाहियों को लट्ठ लेकर खड़ा कर दिया गया। दोपहर के बाद दानापुर से फौज के नौजवानों को बुलाकर काँटों के उस पार जेल के चारों ओर कतार में खड़ा कर दिया गया ! उनकी बन्दूकों की संगीनें चमकने लगीं। आज कुछ होकर रहेगा, सबने निश्चित रूप से मान लिया।

मेरा वार्ड ठीक गेट के सामने था। जो कुछ होगा, उसकी शुरुआत मेरे ही वार्ड से होगी ! मेरे वार्ड के सामने ही जेल अधिकारियों के क्वार्टर थे। उन क्वार्टरों की खिड़कियों से कुछ मासूम आँखें हम लोगों की ओर करुण दृष्टि से देखतीं। बच्चे बरामदों पर खड़े कभी हम लोगों की ओर, कभी उन चमकती संगीनों की ओर भय से आश्चर्य से देखते।

आज भोजन सवेरे ही आया। भाई, आज स्नेह से अन्न-देवता को ग्रहण करें, न जाने, ईसा की तरह, किस-किस के लिए यह 'लास्ट सपर'—अन्तिम रात का भोजन हो। खा-पीकर हमने प्रार्थना कर ली और फिर वार्ड के बाहर कतार में बैठ गए। पहले तय हो चुका था, ज्योंकि सिपाही हमें उठाकर वार्डों में ले जाना चाहें, हम एक-दूसरे की बाँहों को इस तरह पकड़ लेंगे कि वे इसमें सफल न हो सकें। मरना है, तो साथ ही मरें !

वार्डबन्दी की घंटी बजते ही जमादार वार्डरों के साथ पधारा और हमसे बन्द होने को कहा। हमने इनकार किया। जमादार इसकी रिपोर्ट करने को चला, वार्डर खड़े रहे। वार्डरों की आँखें क्या कह रही हैं ? जेल अधिकारियों को भी इन वार्डरों पर कहाँ विश्वास है ? यदि विश्वास होता, तो फौजी जवान क्यों बुलाए जाते ?

सुपरिन्टेंडेंट जेल से बाहर था; हम उत्सुकता से जेल गेट को देख रहे हैं। किन्तु वहाँ कोई हलचल नहीं। तूफान के पहले की निस्तब्धता हम अनुभव कर रहे हैं। धुँधलका क्षण-क्षण सघन होता जा रहा है। मौत और जिन्दगी के बीच की रेखा क्षीणतर हो रही है !

दिमाग में तरह-तरह के विचार उठ रहे हैं। हृदय में तरह-तरह की भावनाएँ तरंगें ले रही हैं। आँखों के सामने तरह-तरह की तसवीरें बन रही हैं, बिगड़ रही हैं ! सामने खड़े फौजी जवान वहीं गोली चलाएँगे। हममें से कई ढेर हो जाएँगे, कुछ की लाशें तड़पेंगी, कुछ के मुँह से चीखें निकलेंगी। कुछ पत्नियाँ विधवा होंगी, कुछ माताएँ निपूती बनेंगीं, कुछ बच्चे अनाथ होंगे, कुछ बापों का बुढ़ापा दूभर बन जाएगा। तुरन्त मैं बेनीपुर पहुँच जाता हूँ—'अरे, रानी की यह दशा।' किन्तु दिमाग कहता है मूर्ख, तूने क्या सोचकर इस रास्ते पर कदम रखा ? मौत को कौन रोक सकता है ? जीवन को कौन रौंद सकता है ? यदि मरना लिखा है तो अस्पताल की मौत से यह रणभूमि की मौत कहीं श्रेयस्कर ! दवा की बेकार गोलियों से रायफलों की ये गोलियाँ कहीं अधिक शान्तिदायिनी होंगी !

कि जेल-गेट पर टन-टन की आवाज—यह घंटा सुपरिन्टेंडेंट की अवाई की सूचना में बजा है। सबकी नजरें उस ओर। सुपरिन्टेंडेंट जेल में प्रवेश करता है और सीधे हमारे वार्ड में आ जाता है।

—गंगा, गंगा, यह क्या हो रहा है ? गंगा कहता है—जो कुछ पूछना हो, बेनीपुरी से पूछिए ? पहले से तय था, जिससे भी जेल अधिकारी पूछेंगे, सब लोग मेरा ही नाम बताएँगे। युद्ध में एक ही सेनापति होता है न ? 'बेनीपुरी'—चिल्लाता हुआ वह मेरे पास आ जाता है

और अपने पूर्व स्वभाव के अनुसार, मुझे झकझोर देता हैं। बन्द हो जाओ—देखो, इतने लोगों की जान लेने का पाप अपने सिर मत लो। देखो, उन फौजी जवानों को देखो, मैंने हुक्म दिया कि उन्होंने गोलियाँ चलाईं ! मैंने स्थिरता से सिर्फ यह कह दिया—हमारी माँगे जब तक मंजूर नहीं होंगी, हम बन्द नहीं होंगे !

माँग ! माँग की ऐसी-तैसी, बन्द होना होगा—वार्डर, इन्हें बन्द करो। वार्डर मेरी बाँह पकड़ते हैं, किन्तु यहाँ तो चालीस बाँहों की जंजीर बन चुकी है। अच्छा हम देखेंगे—कहकर सुपरिन्टेंडेंट तमककर चल देता है। उसी के साथ जमादार और वार्डर भी चल देते हैं।

हाँ, गोलियों के लिए जमीन खाली कर दी गई। अब हम उत्सुकता से उसकी प्रतीक्षा कर रहे हैं। थोड़ी देर में सुपरिन्टेंडेंट को जेल गेट से बाहर जाते देखते हैं। अब गोलियाँ चलेंगी ही, शायद उसकी रस्म-अदायगी हो रही है।

किन्तु अरे यह क्या ? जेल-गेट पर कुछ गांधीटोपियाँ बिजली के प्रकाश में जगमगा उठीं। ये कौन हैं ? हम यहीं से पहचानने की कोशिश में हैं। और थोड़ी देर में ही यह खबर कि उन आगत अतिथियों के आग्रह पर एक जिले के वार्ड बन्द हो चुके। तो इसीलिए ये आए हैं। ये गद्दार ! गद्दार !! गांधी बाबा, काश तुम जान पाते, तुम्हारे नाम पर कुछ लोग क्या-क्या करते-कराते हैं ? हमारे गुस्से का क्या कहना ?

एक नायब जेलर आए, आपको गुमटी पर अमुक बाबू बुला रहे हैं। जाओ, उनसे कह दो, मैं नहीं जाता। पहले सभी वार्ड बन्द करवा लें, तब हमसे बातें करें। किन्तु कुछ मित्रों की राय हुई—नहीं, तुम्हें जाना चाहिए, कम-से-कम अपनी माँग और विरोध तो कह दो, न जाने लोगों ने क्या-क्या कहा हो ?

गुमटी पर राउंड टेबुल कॉन्फ्रेंस। आप लोगों की सब माँग जायज़ हैं। जो जेल अधिकारी कर सकते हैं, कल से ही शुरू कर देंगे। जो सरकार को करना है, हम उसके लिए दबाव डालेंगे और विश्वास रखिए, हम तब तक चैन नहीं लेंगे, जब तक कि वे पूरी नहीं कर दी जाएँ। इसकी अवधि क्या रहेगी—बस, दो-तीन सप्ताह !

और वह दो-तीन सप्ताह कभी पूरे नहीं हुए। हाँ, शहादत का एक मौक़ा हम पर व्यंग्य कसता हुआ चला गया—

यह रुत्बए बलन्द मिला जिसको, मिल गया,
हर मुद्दई के वास्ते दारोरसन कहाँ ?

आचार्य

यह रामदयालु बाबू की प्रतिभा का फल था कि कैम्प जेल में एक संगठन बन सका। जहाँ कैम्प जेल में बड़े-बड़े नेता बेभरम हुए, इज्जत खोई, वहाँ रामदयालु बाबू ही ऐसे थे, जिन्होंने अपनी शान निभाई। वह न तो कभी सुपरिन्टेंडेंट से मिलते, न अपने लिए जेल से कोई सुविधा ही माँगते। भक्त-प्रकृति के आदमी तो थे ही, चुपचाप कोई धार्मिक ग्रन्थ पढ़ते होते या जो कोई उनके निकट पहुँचता, उससे धार्मिक बातें किया करते। जेल में जो राजनीति चल रही थी, नेतृत्व के लिए होड़ा-होड़ी मची थी, उससे अपनी को पूर्णतः पृथक् रखते।

जेल में जब बड़ी अव्यवस्था फैली, लोगों की तकलीफें बढ़ने लगीं, तो उन्होंने एक रचनात्मक संगठन बनाने के लिए प्रयत्न किया। हर जिले से चुनकर प्रतिनिधि आए, जिनसे

एक जेल कमिटी बनाई गई। इस जेल कमिटी ने खास-खास कामों के लिए एक-एक व्यक्ति पर जिम्मेवारी सौंपी। गंगाशरण इस कमिटी के अध्यक्ष चुने गए, मेरे जिम्मे शिक्षा का काम सौंपा गया। सफाई के लिए, भोजन के लिए, व्यायाम के लिए, अस्पताल के लिए, अलग-अलग लोगों को जिम्मेवार चुना गया।

जेल में एक नियमित राजबन्दी-महाविद्यालय खोल दिया गया, जिसका आचार्यत्व मुझे दिया गया था। मैंने उस विद्यालय को सुचारु रूप से चलाने की कोशिश की। चार-पाँच सौ लोग उसमें नियमित रूप से शिक्षा ग्रहण करते। बीसेक अध्यापक थे, जो भिन्न-भिन्न विषयों तक के शिक्षा देते। अक्षरारम्भ से लेकर सैद्धान्तिक विचारों तक के शिक्षण का प्रबन्ध किया गया। विद्वानों की वहाँ कमी नहीं थी, अतः जिस पर जिस विषय के अध्यापन का भार दिया गया, उसने बड़ी लगन और मुस्तैदी से अपना उत्तरदायित्व निबाहा।

जीवन में पहली बार मैंने अध्यापन का कार्य किया। उस समय बिहार और उड़ीसा एक ही प्रदेश था। उड़ीसा के लोगों को हिन्दी पढ़ाने के लिए मैंने विशेष प्रबन्ध किया। हमारे उड़िया भाई बड़ी लगन से पढ़ते। मुझे आचार्य की पदवी उन्होंने ही दे डाली। जब मेरे सामने मेरे उड़िया विद्यार्थी आते, बड़े अदब से घुटनों के बल झुककर, चरण छूकर प्रणाम करते।

उनमें से एक विद्यार्थी को मैं भूल नहीं सकता। अभी बच्चा ही था। एक इंसपेक्टर पुलिस का बेटा था; बाप से विद्रोहकर सत्याग्रही बना था। पढ़ने की बड़ी धुन थी उसमें। मेरे वार्ड में भी प्रायः आया करता—उसका गोरा, मासूम चेहरा, उसकी प्रेमल आँखें, अभी भी नहीं भुलाई जा सकी हैं। इस बेचारे की कैम्प जेल में ही मृत्यु हो गई ! बुखार हुआ, निमोनिया हो गया, दो-तीन दिन के अन्दर ही चल बसा ! जब तक उसका पिता खबर मिलने पर आवे, गंगा किनारे उसकी अन्त्येष्टि भी हो चुकी थी।

कैम्प जेल में शहीद हो जानेवालों की मैंने एक लिस्ट बनाई थी, उनका संक्षिप्त परिचय भी संकलित किया था। संयोग कि वह कागज कहीं खो गया। सोचता हूँ, क्या हम लोगों की अपनी सरकार का एक यह भी कर्तव्य नहीं है कि जेलों में शहीद हो जानेवालों की सूची उन दिनों के कागज़ात से एकत्र कर संकलित कराए ?

खैर, मैं अपने उस राजबन्दी-महाविद्यालय की बात कर रहा था। संयोग से सेठ नागरमल मोदी उसी जेल में थे। हमने उनसे पुस्तक, स्लेट, कागज, पेंसिल के लिए प्रार्थना की, उन्होंने काफी संख्या में अपने पैसे से मँगवा दिए। हम लोगों के पास भी कुछ पुस्तकें थीं ही; उन्हीं को एकत्र कर विद्यालय का एक अच्छा पुस्तकालय भी तैयार हो गया था।

भोर और शाम को तीन-तीन घंटे के लिए क्लास बैठते। शिक्षक और विद्यार्थी समय पर आते, पढ़ते-लिखते। विद्यालय को सांस्कृतिक कार्यों का भी केन्द्र बना दिया गया था। भिन्न-भिन्न विषयों पर व्याख्यानमालाएँ आयोजित की जाती थीं। वाद-विवाद प्रतियोगिता के भी आयोजन किए जाते थे। लोग बड़ी संख्या में आते। कैम्प जेल के जीवन में इस विद्यालय ने अपने लिए एक खास स्थान बना लिया था।

1930-'31 का आन्दोलन जन आन्दोलन था। घोर देहात के बूढ़े, जवान, बच्चे राष्ट्रीयता की तरंग में बहकर वहाँ आ पहुँचे थे। हमने अपने विद्यालय में बहुत से बूढ़ों को भी अक्षरारम्भ कराया था और थोड़े ही दिनों में उन्होंने पढ़ना-लिखना अच्छी तरह सीख लिया था। नौजवानों को तो यह संस्था बड़ी प्यारी थी। अब भी बिहार में सफर करता हूँ, तो यदा-कदा उन लोगों से भेंट हो जाया करती है, जिन्होंने इस विद्यालय में ज्ञानार्जन किया था। वे अब भी आचार्य की ही तरह मेरी आवभगत करते हैं। मैंने अपने इस विद्यालय को दलबन्दी से सदा बचाने की कोशिश की; अतः इसे सबका स्नेह प्राप्त था।

इस प्रकार मेरा जेल का जीवन सरल गति से समाप्त हो रहा था। इस विद्यालय ने मुझे बड़ी मानसिक शान्ति दे रखी थी। मेरा स्वास्थ्य भी मेरा साथ दे रहा था। मुझे कभी अस्पताल जाने की जरूरत नहीं पड़ी। नियमित रूप से आसन और व्यायाम करना मैं नहीं भूलता था। रामदयालु बाबू ने ही आसन और सूर्यनमस्कार में मुझे दीक्षित किया था। अब जब स्वास्थ्य कुछ धोखा-सा दे रहा है, कभी-कभी सोचता हूँ, सूर्यनमस्कार और आसन फिर से प्रारम्भ करूँ ! किन्तु कई बीमारियों ने भीतर-ही-भीतर ऐसा दबोच रखा है कि हिम्मत नहीं होती।

मुझे डेढ़ साल की सजा हुई थी—एक वर्ष की सजा और ढाई सौ रुपए जुर्माना, जिसे नहीं देने पर छः महीने की सजा और। जेल के नियमानुसार एक वर्ष में लगभग दो महीने की छूट मिल जानी चाहिए थी। जब दस महीने पूरे हो गए, तो मेरी रानी ने जुर्माने के रुपए जमा करवा दिए। उस बेचारी ने मुझे बीमारी में ही जेल जाते देखा था, उसे दिन-रात मेरे जीवन की चिन्ता थी। इसके लिए उसे अपने गहने बेच देने पड़े थे। तब से फिर उसके शरीर पर गहने नहीं चढ़े। किन्तु वह बेचारी क्या जानती थी कि उसे दो महीने और इन्तजार करने पड़ेंगे। एक नायब जेलर ने एक दिन आकर मुझे सूचना दी, वार्डबन्दी के खिलाफ आन्दोलन करने के अपराध में मेरी दो महीने की छूट रद्द कर दी गई है।

मेरे श्वसुरजी मुझे लेने को पटना आए थे, उन्हें निराश लौट जाना पड़ा। किन्तु मुझे इस घटना से विशेष हर्ष-विषाद नहीं हुआ। मैंने सदा इसे खेल का एक अंग माना है—जब मेरी पारी थी, जो कुछ हो सका मैंने किया; अब तुम्हारी पारी है, तो मैं क्यों शिकायत करूँ कि तुमने ये क्या किया ?

मुझे दो महीने तक और भी अध्यापन का मौका मिल गया। हमारे देहात के ये भाई कितने अज्ञान में थे और ज्ञान की कैसी तीव्र पिपासा उनमें जग गई थी। भूगोल, इतिहास, गणित, विज्ञान का साधारण ज्ञान भी उनमें नहीं था। यह पृथ्वी क्या है, कैसे बनी, इस पर जीव कैसे आए, कैसे उनका विकास हुआ, मनुष्य का अवतार कैसे हुआ, कैसे उनसे उन्नति की—आदि बातें सुनते समय उनकी उत्कंठा जग जाती। फिर इस पृथ्वी पर अपना देश कहाँ है, क्या उस की विशेषता है, उसकी प्राचीन गरिमा कैसी थी, क्यों वह गुलाम हुआ और किस प्रकार हम आजाद होंगे, उस आजादी का क्या नक्शा होगा—ये प्रसंग उन्हें कितने रोचक लगते ! पृथ्वी के अन्य देशों के लोगों की जानकारी की भी उनमें उत्सुकता थी और विज्ञान के करिश्मों की कथा सुनते हुए वे अघाते नहीं थे। हिसाब-किताब की ओर भी उनकी रुचि थी। बड़े-बूढ़े स्लेट पर कुछ लिख रहे हैं, बिना पढ़ा आदमी अब अपने हाथ से लिखकर घर पर चिट्ठी भेज रहा है, नौजवान लोग आधुनिकतम ज्ञान में गोते लगाने में तल्लीन हैं। हाँ, बच्चे कुछ डरते हैं। अभी उस दिन दो बच्चे इस ओर आ रहे थे। एक ने कहा, उस ओर मत जाओ, बेनीपुरी पकड़कर पढ़ा देगा।

आज भी देहातों की तो वही अवस्था है। बच्चों के पढ़ाने का तो प्रबन्ध है, किन्तु वयस्क शिक्षा की तो कागजी कार्रवाई ही चला करती है। क्या यह अच्छा नहीं होगा कि कुछ चलते-फिरते विद्यालय खोले जाएँ। शिक्षकों का एक दल शिक्षा के साधनों से लैस होकर एक-एक गाँव में जाए, यहाँ चार-छः महीने रहकर अक्षरज्ञान के साथ विज्ञान, इतिहास, भूगोल, स्वास्थ्य आदि की कामचलाऊ जानकारी गाँववालों को देकर आगे बढ़ता जाए। शिक्षकों की ऐसी सेना तैयार करने से शिक्षितों की बेकारी की समस्या भी हल हो जाएगी। मेरा दृढ़ विश्वास है, हमारे देहात के भाइयों में ज्ञान के लिए बड़ी तीव्र पिपासा है। आवश्यकता यह है कि हम शिक्षण की कोई ऐसी प्रणाली निकालें, जिसके द्वारा अपने कामकाज में लगे हुए भी फुरसत के समय वे ज्ञान की उपलब्धि कर सकें।

दो महीने भी जैसे-तैसे बीत गए, मेरे शिष्यों की राय ली जाती, तो मेरी सजा बढ़ा देने की ही सिफारिश करते। कैम्प जेल से मैं किसी स्नेह और श्रद्धा के साथ बिदा किया गया ! किन्तु जब मैं जेल गेट से बाहर होकर सुपरिन्टेंडेंट के ऑफिस में आखिरी रस्मअदाई के लिए आया तो उसने कड़ककर कहा—देखो, फिर इस जेल में मत आना, मैं तुम्हें पूर्णिया भेज दूँगा। पूर्णिया—जहाँ अफसरों की भी बदली होती, तो वे समझते, उन्हें कालापानी भेजा जा रहा है।

वह बेचारा क्या जानता था, अभी कई बार मेरी-उसकी भेंट होगी और अन्ततः वह मुझे पहचान सकेगा और मुझसे दोस्ती करने लगेगा।

नया विधान

चार वर्षों के विराम के बाद फिर मैं दीवारों के अन्दर बन्द हूँ। दीवारें—गुमसुम। अभिशापों की तरह काली ! काली, कठोर, अलंघ्य ! चीखते रहो, कराहते रहो, तुम्हारे लिए दिशाओं के द्वार बन्द हो गए !

अभी एक घंटा पहले हम कहाँ थे ? इस समय कहाँ है ?

1937, पहली अप्रैल। आज ही भारत में नए विधान का श्रीगणेश हुआ है, जो विधान तीन-तीन राउंड टेबुल कॉन्फ्रेंसों के बाद छः साल में तैयार हुआ है, उसी विधान की धज्जियाँ कुछ क्षण पहले हम पटना की गली-गली में उड़ा रहे थे !

इस विधान के अनुसार नया चुनाव हुआ। सात प्रान्तों में कांग्रेस का बहुमत आया। किन्तु विधानतः जब गवर्नर ने कांग्रेसदल के नेताओं का आह्वान मन्त्रिमंडल बनाने के लिए किया तो उन्होंने अस्वीकार कर दिया। क्योंकि इस विधान में गवर्नरों को इतने अधिकार दिए गए थे कि जनता द्वारा चुने गए मन्त्रिमंडल को भी जब चाहें भंग कर दे सकते थे, उन्हें अपनी उँगलियों के इशारे पर नाचने को मजबूर कर सकते थे। महात्मा गांधी के नेतृत्व में कांग्रेस ने तय किया है कि जब तक गवर्नर अपने विशेषाधिकार का प्रयोग नहीं किए जाने का आश्वासन नहीं दें, कांग्रेसजन मन्त्रित्व की जिम्मेवारी नहीं स्वीकार करें।

गवर्नरों ने ऐसा आश्वासन देने से अस्वीकार किया, फलतः उन सात प्रान्तों में अल्पमत का मन्त्रिमंडल बनाया गया है, जिसने आज शासन का सूत्र अपने हाथों में लिया है। बिहार में मि. यूनुस की सरकार बनी है। मन्त्रिमंडल क्या है—गवर्नर के हाथ का खिलौना ! कहीं की ईंट, कहीं का रोड़ा; भानमती ने कुनबा जोड़ा !

मैं पटना शहर कांग्रेस कमिटी का अध्यक्ष था। हमने तय किया, हम इसका जबरदस्त विरोध करेंगे, दिखला देंगे, इस मन्त्रिमंडल को हम बरदाश्त नहीं कर सकते !

एक सप्ताह से शहर की गली-गली में सभाएँ हो रही थीं—पहली अप्रैल को ऐसी शानदार हड़ताल करो कि सड़कों पर कहीं एक चींटी भी चलती नहीं दिखाई पड़े। दिन भर हड़ताल, शाम को जुलूस, अन्त में सभा। सारा शहर हमारे साथ। जिन्हें उन्होंने अपने वोट दिए, चुनाव जिताया, जो गद्दी के जायज हकदार थे, उन्हें उस पद से वंचित कर अंग्रेजी सरकार ने हम सबका एक ही साथ अपमान किया है। इस अपमान को हम पी नहीं जाएँगे। हड़ताल करो, ऐसी शानदार हड़ताल कि पटना ने कभी नहीं देखी हो और सचमुच आज ऐसी ही हड़ताल हुई है; प्रिंस ऑफ वेल्स के स्वागत-बहिष्कार के बाद पटना ने ऐसी हड़ताल कभी नहीं देखी थी !

किन्तु यह बद दिमाग़ सरकार ! कल अचानक इसने 144 धारा के अनुसार हम पर

एक नोटिस जारी कर दी—मुझ पर, जयप्रकाशजी तथा अन्य साथियों पर। पहली अप्रैल को तुम हड़ताल कराने के लिए सड़कों पर मत निकलो, न जुलूस निकालो ! क्या हम इस नोटिस को मान सकते थे ? यह नोटिस नहीं, यह तो चुनौती है—हमने चुनौती स्वीकार कर ली !

भोर से ही सड़कों पर घुड़सवार पल्टन गश्त लगा रही है ! वाह ! नए विधान का कैसा अच्छा रूप। पटना के मुख्य बाजार में मुसलमानों की अधिकांश दुकानें हैं। सरकार ने मि. यूनुस को गद्दी पर बिठलाकर सोच रखा था, मुसलमान उसका साथ देंगे। किन्तु उसका भ्रम दूर हुआ, जो लोग कुछ हिचक में थे, इस घुड़सवार पल्टन ने उनको भी फैसले पर मजबूर किया—हड़ताल, मुकम्मिल हड़ताल, शानदार हड़ताल ! दानापुर से सिटी तक कहीं एक दुकान खुली नहीं ! हमें किसी से जाकर कहने की जरूरत भी नहीं पड़ी !

अब जुलूस ! यदि हम जुलूस निकालने की घोषणा कर दिए होते, हमें तुरन्त गिरफ्तार कर लिया गया होता ! फिर क्या मज़ा ? हमने सारा प्रबन्ध गुपचुप किया। कुरते के नीचे कमर में झंडे खोंसे और हाथ में पतली-पतली छड़ी लिये हम लोग ठीक चार बजे पटना कॉलेज के निकट पहुँचे और पीपल के पेड़ के चबूतरे पर खड़े होकर झट झंडे को छड़ी में लगाकर उसे हिलाते हुए नारा दिया—इन्क़लाब जिन्दाबाद, नया विधान तोड़ दो ! नारे सुनते ही पटना कॉलेज से विद्यार्थी निकल पड़े, इधर-उधर खड़े नागरिक आ जुटे और वहाँ से जुलूस पश्चिम रुख अदालत की ओर चल पड़ा !

मुश्किल से दस आदमियों ने पहले नारे लगाए थे, चन्द मिनटों के अन्दर न जाने कहाँ से लोग उमड़ आए। अस्पताल तक पहुँचते-पहुँचते तो चारों ओर नरमुंड-ही-नरमुंड थे ! सच्ची बात है, हमने भी ऐसे जन सहयोग की कल्पना नहीं की थी।

मैं बीच में था; एक ओर जयप्रकाशजी, एक ओर बसावन ! मैं नारे देता जाता था, लोग दुहराते जाते थे। सारा वायुमंडल प्रकम्पित हो रहा था। मैंने चाहा था, जयप्रकाशजी ही इस जुलूस का नेतृत्व करें, किन्तु उन्होंने पटना कांग्रेस के अध्यक्ष की हैसियत से, मुझे ही नेतृत्व करने की सलाह ही दी।

जब हमारा जुलूस मुरादपुर पहुँचा, उधर से पुलिस की लॉरियाँ आ पहुँची और हमें गिरफ्तार कर लिया गया। हमारी गिरफ्तारी और शहर में जैसे दावानल फैल गया। जैसा कि जयप्रकाशजी ने अपने बयान में कहा था—उस सन्ध्या को नया विधान पटना की गलियों से पनाह माँगता फिर रहा था। जो जहाँ था, वहीं से उसने जुलूस निकाल दिया। आधी रात तक सारे शहर में हो-हल्ला मचता रहा। कुछ लोग यूनुस साहब की कोठी को घेरकर लगातार नारे लगा रहे थे—गद्दी छोड़ दो; नया निजाम तोड़ दो।

गिरफ्तार कर हमें पीरबहोर थाने में लाया गया। वहाँ राजेन्द्र बाबू हमसे मिलने आए। थाने से हमें सिटी जेल में लाकर रखा गया।

अभी-अभी हम यहाँ आए हैं। कितना छोटा जेल है यह। कोई जेलर भी नहीं, बस जमादार ही सब कुछ। जमादार का होश उड़ा जा रहा है, ऐसे अतिथियों का वह किस प्रकार का आदर-सत्कार करे। वह जयप्रकाशजी के सामने दस्तबस्ता खड़ा है। जयप्रकाशजी उसे आश्वस्त करते हैं, आप हमारी चिन्ता न करें, अभी हम विचाराधीन कैदी हैं, हमारा प्रबन्ध बाहर से ही होगा। बस, आप वार्ड आदि धुलवा दें।

हर जेल से न जाने एक कैसी गन्ध निकलती रहती है। जितना ही छोटा जेल, उतनी तीखी गन्ध। कितना धोया-धाया गया, गन्ध में मारे उस रात नींद ठीक से नहीं आई।

जयप्रकाशजी के साथ यह पहली बार जेल आने का मौका मिला था। 1929 में वह अमेरिका से लौटे थे, 1930 में उनका कार्यक्षेत्र प्रयाग था, 1932 में बम्बई। 1932 में वह

गिरफ्तार हुए थे मद्रास में, रखे गए नासिक में। 1932 में बिहार में काम करना शुरू किया। वह कांग्रेस सोशलिस्ट पार्टी के जनरल सेक्रेटरी थे, देश में दौरे करते, किन्तु अपना हेड क्वार्टर पटना ही रखा था और हम लोगों के साथ सोशलिस्ट पार्टी, किसान सभा, मजदूर संघ आन्दोलन में सक्रिय भाग ले रहे थे। अभी तक हमने नेता जयप्रकाश को ही मुख्यतः देखा था, यहाँ मानव जयप्रकाश का रूप निखरने लगा—अरे यह आदमी कितना स्नेही, कैसा साथी, किस कोटि का यार है। हाँ यार !

सिटी कोर्ट में हमारा मुकदमा हुआ। मुकदमे को देखने राजेन्द्र बाबू, अनुग्रह बाबू, बलदेव बाबू आते। बलदेव बाबू की राय थी कि इस मुकदमे को बाजाब्ता लड़ा जाए, वह हमारे स्थायी वकील थे ही। किन्तु जयप्रकाशजी ने इस सलाह को सादर अस्वीकार कर दिया। हाँ, मुझे जिरह करने का आदेश किया। थोड़ी जिरह में ही पुलिस अफसर के पैर उखड़ जाते—हमें मज़ा आता। सचमुच बलदेव बाबू ने पैरवी की होती तो मुकदमा हवा में उड़ जाता, किन्तु हमने तो अपने को सत्याग्रही मान लिया था—गांधीजी ने सत्याग्रह नियम के अनुसार चलना चाहते थे। पैरवी क्या, वकालत क्यों ?

मेरी जिरह की वकील दोस्ती ने बड़ी तारीफ की। बचपन में मैं सोचा करता था कि वकालत करूँगा—वकील बनने की साध पहली और अन्तिम बार इस रूप में पूरी हुई !

हमने दो बयान दिए। एक मैंने, पटना शहर कांग्रेस कमेटी के अध्यक्ष के रूप में, दूसरा जयप्रकाशजी ने, कांग्रेस सोशलिस्ट पार्टी के अन्यतम नेता के रूप में। जयप्रकाशजी का वह बयान इंगलैंड के पत्रों में भी छपा था। यही नहीं, उनकी तसवीर और पोस्टरों के साथ लन्दन की 'इंडिया लीग' के द्वारा 'इंडिया हाउस' के सामने प्रदर्शन भी किया गया था।

हमें तीन-तीन महीने की सजा हुई। सजा होने पर हम सिटी जेल से जिला जेल में भेज दिए गए। उस दिन और भी कुछ लोगों को गिरफ्तार किया था, जिन्हें जिला जेल में ही रखा गया था। सभी साथियों से भेंट हुई। कुछ दिन वहाँ जो कटे, कितने आनन्द में। फिर हम चार व्यक्तियों को हज़ारीबाग़ जेल में भेज दिया गया—जयप्रकाशजी को, मुझे, अब्दुल बारी साहब को और फुलवारी के शाह साहब को। दो. हिन्दू, दो मुसलमान—यूनुस साहब की मिनिस्टरी ने एक ही झटके में बिहार के दस प्रतिशत मुसलमानों को जेल भेज जाने में पचास प्रतिशत का रुतबा दे दिया।

हज़ारीबाग़ जेल में हमें उस वार्ड में रखा गया था, जहाँ खान अब्दुल गफ्फार खाँ और डॉ. खान साहब को रखा गया था। खान बन्धुओं के लगाए बहुत से फूल के पौधे अभी जिन्दा थे। इस जेल की भूमि गुलाब और बेले के पौधों के लिए बड़ी ही अच्छी है। ऐसे गुलाब और इतने गुलाब शायद ही कहीं फूलते हों—एक ही डाल में एक ही साथ दर्जन-दो दर्जन गुलाब एक साथ फूलते हुए आप यहीं देख सकते हैं। बेले भी खूब आते हैं। तीन-चार वर्षों की असावधानी के कारण बहुत से पौधे उजड़ गए थे; कुछ अधमरे खड़े थे। हमने सबसे पहले उन्हीं पर ध्यान दिया। हज़ारीबाग़ में जो इस समय जेलर थे, अयूब साहब, वे बड़े ही शरीफ आदमी थे। सुपरिन्टेंडेंट भी बड़े ही नेक थे। उन्होंने हम लोगों के साथ बड़ा ही अच्छा बरताव किया। खाने-पीने, रहने-सहने का पक्का बन्दोबस्त। हमारे कहने पर कुछ कैदी इन फूलों को सींचने के लिए दे दिए। बेले और गुलाब का यही मौसम था। थोड़ी सिंचाई और देखभाल से ही वे लहलहा उठे।

जब हम इस जेल में ही थे, एक दिन यूनुस साहब पधारे। हमारे प्रांत के मुख्यमन्त्री ने इतनी तो कृपा की कि जेल भेजकर भी हमारी सुध लेते रहे। जब वह आए, बारी साहब ने उन्हें कुछ सख्त-सुस्त सुनाना चाहा, किन्तु जयप्रकाशजी ने उन्हें मना कर दिया। बस,

शिष्टाचार के साधारण दो-चार शब्द ! मुख्यमन्त्री सदल-बल आए और चले गए।

सारी सुविधाएँ और तीन ही महीने तक रहना। किन्तु हज़ारीबाग़ तो हमारी इस जेल यात्रा को अमर बना देना चाहता था। इस छोटे से अरसे के दरम्यान दो ऐसी घटनाएँ हो गईं, जिन्होंने मेरी और जयप्रकाशजी की भावनाओं को इतना उभार दिया कि मैं तो उनका अनन्य अनुरक्त ही नहीं, भक्त बन गया। मीरा ने कहा है—अँसुअन जल सींचि-सींचि प्रेम बेलि बोई। हम दोनों ने इतने आँसू बहाए कि दुई की दीवार ढह गई, मैंने अपने को उनके साथ विलीन कर दिया। आज लगता है, जैसे वह अलग खड़े हैं, मैं अलग खड़ा हूँ, बीच-बीच में ऐसे और भी अवसर आए हैं, किन्तु जहाँ तक मेरा अपना प्रश्न है—क्या चाहकर भी अपने को उनसे अलग रख सकता हूँ ?

अँसुअन जल सींचि-सींचि

हज़ारीबाग़ सेन्ट्रल जेल का इस बार का जीवन बड़ा ही दिलचस्प, काम-काजू और आनन्दप्रद था।

हम सवेरे ही उठते। शौच से निवृत्त होकर टहलने निकल जाते। खान बन्धुओं के टहलने के लिए छोकरा क़िता के चारों एक पगडंडी बना दी गई थी। एक तरफ ऊँची, काली, कठोर, अलंघ्य दीवारें—पत्थर की दूसरी ओर बेले की क्यारियाँ, जो इस मौसम में कलियों और फूलों से लदी थीं। उनकी भीनी मीठी-मीठी सुगन्ध। हम लम्बे-लम्बे डग से, लम्बी साँस लेते हुए टहलते, टहलने का वैज्ञानिक तरीका यही है न ? खूब टहल लेने के बाद हम वार्ड में आ जाते और उसके बरामदे पर व्यायाम शुरू कर देते। जयप्रकाशजी के पैर शरीर के अनुपात में बहुत पतले थे, अपनी टाँगों पर उन्हें अफसोस था ! अतः ऐसी कसरतों पर वह विशेष ध्यान देते, जिनसे टाँगों पर कुछ गोश्त चढ़े, कुछ उभाड़ आए। यों ही उनके शरीर की छाती से ऊपर का हिस्सा आगे की ओर झुका हुआ था। कहते थे, अमेरिका में इसे सीधा करने के लिए वह स्प्रिंग का भी इस्तेमाल कर चुके थे। कसरत में, टहलने में, यहाँ तक बैठने में भी वह इस पर ध्यान देते। तेल की मालिश भी कसरत का एक अंग था।

कसरत के बाद हम लोग स्नान करते। बड़े प्रेम से स्नान करते—एक सेल को हमने स्नानघर में परिणत कर दिया था। साबुन लगा-लगाकर, तौलिए से मल-मलकर शरीर को इतना स्वच्छ कर लेते कि स्वयं अपने शरीर पर गर्व होता ! फुरसत और पानी की कमी थी नहीं। खूब चुभका कीजिए !

तब नाश्ता। जयप्रकाशजी को भोजन बनाने का कितना शौक है, यहीं देखा ! नाश्ते की सारी चीजें तैयार होतीं, तो भी झटपट एकाध चीज अपने हाथों बना ही लेते। नाश्ते के बाद कुछ पढ़ना-लिखना। मैंने एक छोटी सी अवधि में ही बच्चों के लिए दो-तीन पुस्तकें लिख डालीं। पढ़ना तो खूब ही होता—जयप्रकाशजी की संगति का लाभ को उठाना ही था। अपनी बाजाब्ता शिक्षा के अभाव की पूर्ति का ध्यान जेल में सदा ही रखता।

भोजन तैयार होने से पहले जयप्रकाश फिर रसोईघर में जाते और कोई नई चीज बना लेते। कभी-कभी तो वह अपना पूरा समय रसोईघर में ही दे देते। 'ईटिंग हम्बुल पाई'—यह मुहावरा पढ़ रखा था। किन्तु यह 'पाई' क्या है, जयप्रकाशजी की ही कृपा से जाना। एक दिन सब्जी में कुम्हड़ा आया, उसी की पाई बनाई उन्होंने। उसके लिए एक खास ढंग का चूल्हा भी बनाना पड़ा। फिर तो पाई की कई किस्में तैयार करते रहे। खिचड़ी, खीर, भात, रोटी—सबमें

एक नयापन पैदा कर देना उनके बाएँ हाथ का खेल था। खिलाने का शौक अत्यधिक। अपने हाथों परोसते और भोजन की बारीकियों पर ध्यान दिलाते। मेरी जीभ भोजन की बारीकियाँ ग्रहण करने में सर्वथा असमर्थ रही है। एक दिन मैंने उनसे कह भी दिया, आप किसे बारीकियाँ समझा रहे हैं—मेरे बाप-दादे मडुआ और अलुआ (गरीबों के भोजन) पर जीते रहे, मैं उनका सपूत हलवा तक पहुँच गया, यही क्या बहुत नहीं है ? वह खूब हँसे ! किन्तु हमारे दो मुसलमान दोस्त खाने के कद्रदान थे—खूब सराहते ! मैं सिर्फ हाँ मिलाता जाता !

भोजन के बाद विश्राम; फिर चाय। कभी-कभी एकाध हाथ ताश जम जाता या शतरंज की बिसात बिछ जाती। सन्ध्या को बैडमिंटन के कोर्ट में हम उतरते। मैं खेलना तो जैसा-तैसा ही जानता था, उछल-कूद में कोई कसर नहीं रखता। उसके बाद फिर वही टहलना—बेले की कुछ कलियाँ भी चुन लेता, जिसे तश्तरी में सजाकर पानी से तरकर रख देता, आधी रात को वे जब खिलतीं तो वह गीत बरबस याद आ जाता—'बेला फूले आधी रात, गजरा केकरे गले डारूँ !' भोर में कुछ गुलाब के फूल तोड़कर इन बेलों के बीच सजा दिए जाते—बीच में गुलाब चारों ओर बेले ! कुन्द के बीच कमल खिला है—कैसी अपूर्व शोभा ! तश्तरी में थोड़ा पानी रख देते, वह नन्हा सा तालाब बन जाता।

रात को वार्डबन्दी के बाद कुछ गप्पें होतीं। शाह साहब सुनते कुछ कम थे, इसलिए 'किस्सा साढ़े तीन यार' को हम चरितार्थ करते। हममें से हर एक को कुछ कहना पड़ता। उसी समय मैंने जयप्रकाशजी से उनके अमेरिका प्रवास की घटनाएँ खोद-खोदकर पूछ लीं, जिन्हें उनके जीवनचरित में मैंने इस्तेमाल किया। जयप्रकाशजी की प्रवास कथा से उत्तेजित होकर बाकी साहब ने ईरान प्रवास की कथा सुना दी—ऐसी-ऐसी बातें कहीं कि हम बाग-बाग हो रहे !

चिड़िया पालने का हमें शौक हुआ। जेल के एकान्त में चिड़िएँ घोंसले बनाने की बड़ी सुविधा पाती है। कभी-कभी घोंसले से उनके बच्चे गिर जाते। मैंने एक कबूतर पाल लिया, शाह साहब ने एक बगला और जयप्रकाशजी ने एक गौरैया। मेटरलिंक की एक पुस्तक मेरे पास थी, जिसका नायक था 'टिलटिल' नामक एक बच्चा। इस गौरैया के बच्चे को हमने 'टिलटिल' नाम दे रखा था। अहा ! हम अपने पालतुओं को किस स्नेह से खिलाते, पिलाते, रखते, जयप्रकाशजी तो अपने 'टिलटिल' को सदा हथेली पर लिये रहते।

एक रात हम सोए थे कि बगल में जामुन के पेड़ से अजीब आवाज आने लगी—बड़ी डरावनी। यह क्या हो सकता है ? अजीब कराह थी उसमें, जो उस सन्नाटे में रोंगटे खड़ी कर देती। हम लोग सब जग गए। थोड़ी देर में आवाज बन्द हो गई। दूसरे दिन हमने वार्डरों से दरयाफ्त किया। एक पुराने वार्डर ने बताया, वह कोई चिड़िया है, बड़ी अशुभ है; जब-जब वह बोलती है, कोई-न-कोई शोकजनक घटना होती है। कई कहानियाँ सुनाईं उसने। मुझे बचपन की बात याद आ गई। एक प्रकार की चिड़िया जब पेड़ों पर बोलती तो लोग समझते, गाँव में महामारी होगी। हम दिन-भर ढेले लेकर उसे खोजते और गाँव से बाहर करके ही दम लेते।

और यह लीजिए, एक दिन जयप्रकाशजी का टिलटिल मरा पाया गया ! शोक की घटना तो आ घटी। जयप्रकाशजी को बड़ा दुख हुआ, हम भी उदास थे। काश, यदि यहीं तक रह जाती। अरे, यह तो शोक की शुरुआत थी।

एक दिन गेट से बुलाहट हुई। प्रभावतीजी आई थीं, गंगाशरण आए थे। जयप्रकाशजी पहले चल गए, मैं बाद में गया। वहाँ गया तो जाते ही गंगाशरण से मैंने अपने घर का हालचाल पूछा। इधर मेरे घर से एक भी पत्र नहीं आया था। मैंने कई पत्र लिखे थे। क्या बात है ? गंगा ने कहा, मैं तुम्हारे घर जानेवाला हूँ। भला अब क्या होना था ? इधर-उधर की बातें होने

लगीं। स्वभावानुसार मैं खूब हँस रहा था, खिलखिला रहा था, पर मैंने अनुभव किया, जयप्रकाशजी कुछ उदास हो चले हैं। प्रभाजी तथा गंगाशरण भी उखड़े-उखड़े लग रहे थे।

जब गेट से हम वापस आए, खाने-पीने के बाद, हम सान्ध्य भ्रमण को निकले। मैं टहल रहा था कि देखा, जून की झुलस ने बेलों की कितनी ही कलियों को कुम्हला रखा है। मैंने बाकी साहब से कहा—ओहो, इन कलियों को देखो—"हसरत इन गुंचों पे है जो बेखिले कुम्हला गए।"

मेरी इस बात से बाक़ी साहब सहमे। बोले—क्या बोल रहे हो बेनीपुरी ? मैं और भी बोलता गया। वार्ड में जाने के पहले जयप्रकाशजी ने चर्चा चलाई—न जाने क्या बात है, जब-जब मुलाकाती आते हैं, कोई बुरी खबर ही लाते हैं। इसके पहले जब प्रभावतीजी आई थीं, उन्होंने बताया था, उनके किसी प्रियजन को टी.बी. हो जाने की आशंका है। मैंने समझा, ऐसी ही कोई बात होगी, जयप्रकाशजी के मन को हलका करने के लिए मैंने इधर-उधर की बातें चला दीं। किन्तु इस तरह की आँख-मिचौनी कब तक ?

जब हम वार्ड में बन्द हो गए, किस्से की बारी आई। आज मुझे ही कहना था। मैंने एक मजेदार कहानी कहकर यारों को हँसाना चाहा। किन्तु कोई हँस नहीं रहा है। बनावटी हँसी होंठों तक आ-आकर टूक-टूक हो जाती है। अन्त में बाकी साहब ने यह तिलस्म तोड़ा। उन्होंने पूछा—बेनीपुरी, तुम्हारे कितने लड़के हैं। मैंने बताया, तीन। उसमें सबसे अधिक प्यारा कौन है ? कैसी बेवकूफी की बात करते हो, बाप के लिए सब बच्चे समान। लेकिन मँझला लड़का कुछ विचित्र प्रतिभाशाली है। और मैं कहूँ कि वह नहीं रहा तो···मैंने हँसने की चेष्टा करते हुए कहा—ऐसी बात मत कहो। अब जयप्रकाशजी उठे और हाथ में एक पत्र रख दिया। यह पत्र मेरे चचेरे भाई का लिखा हुआ था और सचमुच उसमें मँझले लड़के की दुखद मृत्यु का समाचार था।

उफ़, आज बीस वर्षों के बाद भी जब उस रात की अपनी स्थिति की कल्पना करता हूँ, रोम-रोम खड़े हो रहे हैं, आँखें तर हो रही हैं ! दो-तीन मिनट तक मैं स्तब्ध हो रहा, फिर उस लड़के की सूरत-शक्ल, प्रतिभा, सहज ज्ञान आदि की चर्चा करने लगा। मैं चाहता था, नहीं रोऊँ, जो हो चुका, उसके लिए रोना क्या ? मैं अपने को भुलाना चाहता था। इतने में अनुभव किया, जैसे समूचे शरीर का खून सिर की ओर दौड़ रहा है—मैं मूर्च्छा का मरीज। झट मैं बिछावन पर लेट गया और मशहरी गिरा दी। किन्तु यह क्या, लगा जैसे हृदय का कोई संजीवन-सूत्र अचानक टूट गया ! और लीजिए—मैं हिचकियों-पर-हिचकियाँ लेकर रो रहा हूँ ! आँसुओं का ऐसा प्रवाह शुरू हुआ, जो सात दिनों तक रोके नहीं रुकता था !

मेरे सभी साथी सन्न ! जयप्रकाशजी की कुछ नहीं पूछिए। चुपचाप मेरे बिस्तरे की बगल में आकर बैठते। जब कभी मैं शौचादि के लिए बाहर जाता, सदा पीछे लगे रहते ! मुझे धीरज दिलाने को उन्होंने आँसुओं को रोक रखा है, किन्तु उसकी सुर्ख आँखें, गीली बरौरियाँ, भर्राया चेहरा, मूक-मौन वृत्ति—ये सब डंका पीट रहे हैं, कि—

शक़ न कर मेरी खुश्क आँखों पर,
यों भी आँसू बहाए जाते हैं !

मैं कह सकता हूँ, अपने जीवन में इस तरह शोक-विह्वल कभी नहीं हुआ था। उसके कई कारण थे। एक तो मैं उस लड़के को बहुत प्यार करता था। बड़ा ही सुन्दर, भोला और प्रतिभाशाली बच्चा था वह। विलक्षण उसकी वृत्ति और प्रवृत्ति थी। फिर संयोगवश, उसके आगमन की सूचना 1930 में इसी जेल में मुझे मिली थी और यहीं उसके प्रयाण का समाचार

सुनना पड़ा। यों तो यह भोला था, किन्तु कभी-कभी अजीब जिद कर बैठता। एक बार उसकी जिद से उत्तेजित होकर उसे एक चाँटा जड़ दिया था। चाँटा लगते ही उसके गोरे शरीर पर लाल ददोरे उग आए थे। लगता था, जैसे वह बार-बार मुझे उन ददारों को दिखा रहा था। फिर जब रानी की याद आती, कलेजा मुँह को आ जाता। वह बेचारी कैसे होगी ? अभी विक्टर ह्यूगो का 'नाइन्टी थ्री' समाप्त किया था। उसमें एक माता के रुदन का ऐसा मार्मिक वर्णन ह्यूगो ने किया है कि पत्थर का कलेजा भी पिघल जाए ! मैं उस रुदन के आईने में अपनी रानी की तसवीर देखता ! एक बात और ! मुझे अपने सुकर्मों पर बड़ा विश्वास था, सोचता था, मुझे शोक कभी नहीं होगा—आज जैसे मेरा आत्माभिमान चूर-चूर हो गया ! अरे, बड़ा जिन्दादिल बना था मैं—वही मैं किस तरह बिलख रहा हूँ—आत्मग्लानि से भी मैं मरा जा रहा था।

एक विचित्र बात हुई। उस शोकाभिभूत दशा में ही मैंने उस बच्चे पर लिखना शुरू कर दिया। उसे हम 'गांधी' कहकर पुकारते थे। धीरे-धीरे एक 'गांधीनामा' तैयार हो गया। मेरा दिल कुछ हलका हुआ। मैंने मान लिया, कलम सिर्फ तलवार ही नहीं है, ढाल भी है ! वह प्रहार ही नहीं करती, बचाती भी है। मेरी कलम ने मुझे एक गाढ़े वक्त में बचा लिया था, आज भी मैं उसका अत्यन्त अनुगृहीत हूँ !

उस दिन वह चिड़िया बोली थी; कहा गया था, उसका बोलना अशुभ है। हमने उस दिन उस कथन को मूढ़ धारणा समझा था; किन्तु कौन जानता था, सचमुच वह शोक का पैगाम देने आई थी !

किन्तु यदि वह अशुभ सूचना इतने से भी पूरी हो जाती ! एक दिन जयप्रकाशजी को गेट पर बुलाया गया। वहाँ से वह लौटे तो सिर नीचा किए, अजब ढंग से आए और कुरसी पर बैठते ही उनकी आँखों से लगातार आँसू बहने लगे ! अरे, यह क्या ? उसके पीछे ही जमादार उनका सामान लेने आया; एक नायब जेलर भी साथ था। उसी से पता चला, जयप्रकाशजी के पिता की मृत्यु हो गई है, अभी ट्रंक टेलीफोन आया था कि उन्हें रिहा कर दिया जाए ! थोड़ी ही देर में जयप्रकाशजी तो चले गए, मुझे अथाह शोक-सागर में रख गए !

मैं बार-बार सोचता, यह क्या हुआ ? इन तीन महीनों में ही ये दो-दो दुर्घटनाएँ ! उनके पिताजी चल बसे, मेरा बेटा चल बसा। उनके प्रेमल पिताजी की बार-बार याद आती। नहर विभाग में एक मामूली कर्मचारी थे तो भी बेटे को पढ़ने के लिए अमेरिका भेजा—कर्ज किए, जमीन बेची। क्या-क्या न आशा लगाए हुए होंगे इस बेटे से। किन्तु बेटे ने आकर ऐसा पथ पकड़ा जो पग-पग काँटों से बिछा था। तो भी उन्हें जरा भी विषाद नहीं हुआ; अपने बेटे की कीर्ति को देखकर वह फूले नहीं समा रहे थे। जब कभी हम उनके निकट जाते, अपने बेटे के साथी समझ, हम पर भी पुत्र-स्नेह उँड़ेल देते ! बेचारे अन्त समय में इस बेटे के लिए कितना छटपटाते होंगे ! यह तो पीछे पता चला, उनकी मृत्यु जयप्रकाशजी के पहुँचने के बाद हुई ! जेलवाले सुनने में थोड़ी गलती कर गए थे।

जयप्रकाशजी से मेरी तदात्मता इन शोक घटनाओं के कारण हुई—सचमुच हमने आँसुओं के जल से अपने मैत्रीभाव को अभिषिक्त किया !

मैं तीन महीने की अवधि पूरी करके छोड़ा गया। मैं जिस बस से हज़ारीबाग़ से लौट रहा था, वह एक स्थान पर ठहरी, तो पता चला, यूनुस साहब की मिनिस्टरी खत्म हो चुकी है, आज श्रीबाबू गर्वनर से शासन-सूत्र लेने राँची जा रहे हैं। हमारी बस वहीं खड़ी थी कि श्रीबाबू की मोटर तिरंगा लहराती हुई वहाँ आई, मुझे देखकर उन्होंने गाड़ी रुकवाई, कुशल पूछी ! मैंने हँसते-हँसते कहा—मैं बड़ा बदबख्त आदमी हूँ, तीन महीने की यूनुस की मिनिस्टरी

हुई, तो भी मुझे जेल में ही रहना पड़ा, कहीं ऐसा न हो…। श्रीबाबू हँस पड़े, पटना में मिलने को कहा, उनकी मोटर भागी, मेरी बस भी रवाना हुई।

कौन जानता था, श्रीबाबू के राज्य में भी फिर मुझे इन जंजीरों और दीवारों के दर्शन करने पड़ेगे ? अपना-अपना भाग्य !

हड़ताल

यदि हम चाहते हैं कि किसान और मजदूर राष्ट्रीय आन्दोलन में भाग लें और उसकी सफलता के बाद देश में समाजवादी राज्य कायम हो तो हमें मजदूरों और किसानों के संगठन पर ध्यान देना होगा, उनके दिन-ब-दिन के संघर्ष में सम्मिलित होना पड़ेगा, हमारी यह धारणा हो चुकी थी। बिहार में किसान आन्दोलन तो बड़े जोरों से चल रहा था, अब हमने मजदूरों के आन्दोलन और संगठन पर ध्यान दिया। सबसे पहले बसावन ने डालमिया नगर के मजदूरों को संघबद्ध किया और वहाँ एक शानदार हड़ताल चलाकर मजदूरों को जीत दिलवाई। मैं किसान आन्दोलन में अपना हिस्सा ले ही रहा था; अब मजदूरों की समस्या की ओर अनुरक्त हुआ।

'जनता' निकल चुकी थी; मैं उसका सम्पादक था। अतः स्वभावतः ही मेरा कार्यक्षेत्र पटना से बाहर नहीं हो सकता था। किन्तु पटना कोई औद्योगिक शहर तो है नहीं। हाँ, तीन छोटी-छोटी मिलें पटना सिटी में चल रही थीं, जिन में लगभग एक हज़ार मजदूर काम कर रहे थे। उन्हीं मजदूरों में काम शुरू किया गया और थोड़े ही दिनों में एक अच्छी खासी यूनियन कायम हो गई—पटना सिटी मजदूर यूनियन के नाम से।

और जहाँ यूनियन बनी, हड़ताल अनिवार्य हो गई। हमारे पूँजीपति नहीं चाहते कि मजदूर संगठित हों, अतः ज्यों ही मजदूरों की यूनियन बनाइए, उसे तोड़ने की फिक्र में वे लग जाते हैं। अच्छे यूनियन कार्यकर्ता को मिल से निकालने की तरकीबें वे सोचने लगते हैं। इधर ज्यों ही संगठन हुआ, मजदूरों में अपने बल का अनुभव हुआ, अपने पर किए गए अन्यायों को दूर करने के लिए वे उतावले हो उठते हैं। इन दोनों की ओर से खिंचाव से हड़ताल अनिवार्य हो जाती है। एक बार की सफल हड़ताल के बाद ही स्वाभाविक सम्बन्ध स्थापित हो सकता है—यद्यपि देखा यह गया है कि हमारे देश में हड़तालों की एक लम्बी कड़ी बनती ही जाती है। यहाँ के पूँजीपति अब तक इतने बुद्धिमान नहीं हुए हैं कि मजदूर की उपयोगिता समझ सकें।

हमारी यूनियन ने माँगों की एक सूची बनाई और मिल मालिकों से उसकी पूर्ति के लिए अनुरोध किया। सूची देखते ही वे आगबबूला हो गए। बार-बार याद दिलाने पर भी उन्होंने उस पर विचार करना उचित नहीं समझा। इधर मजदूरों का संगठन दृढ़ होता गया, यूनियन का बाजाब्ता ऑफिस खुल गया। वहाँ मजूदरों का अक्षरारम्भ से लेकर मजदूर संगठन की बुनियादी सिद्धान्तों की शिक्षा दी जाने लगी। मजदूरों का एक वरदीधारी स्वयंसेवक जत्था भी तैयार कर लिया गया। वरदी पहनते ही नौजवांनों मजदूरों में जैसे नई जान आ गई। एक वाचनालय भी खोल दिया गया। मैं वहाँ प्रायः जाता, कामों में निगरानी करता, मजदूरों में आत्मविश्वास भरने की कोशिश करता। थोड़े ही दिनों में मजदूरों का जबरदस्त संगठन बन गया। कई बार उन्होंने जुलूस निकाले, मजदूरों के नारों से शहर गूँजने लगा। जुलूसों में लाल वरदीधारी मजदूर स्वयंसेवकों की उपस्थिति और भी शान बढ़ा देती। कई सभाएँ हुईं, इन सभाओं ने शहर के नागरिकों की सहानुभूति मजदूरों के पक्ष में कर दी। पूँजीपतियों की बेरुखी

देखकर अन्ततः हड़ताल के लिए अल्टिमेटम भेज दिया गया।

और एक दिन हड़ताल होकर रही। पहले एक ही मिल में हड़ताल की गई। इसमें सहूलियत यह रही थी कि बाकी दो मिलों में काम करनेवाले मजदूर अपने हड़ताली भाइयों की आर्थिक सहायता भी करते रहे। हड़ताल मुकम्मिल रही। हाँ, कुछ बाबू लोग दफ्तर में जाते रहे। इंजीनियरिंग स्टॉफ के लोग भी हिचक में पड़े रहे। उन्हें कैसे रोका जाए; पिकटिंग शुरू की गई।

कांग्रेसी मन्त्रिमंडल था। हमने समझा था, इस जायज़ हड़ताल की ओर मन्त्रिमंडल की स्वाभाविक सहानुभूति होगी। किन्तु यह क्या—एक दिन पुलिस ने जबरदस्त लाठीचार्ज कर दिया। मैं जनता ऑफिस में था। घटनास्थल पर योगेन्द्र शुक्लजी थे। उनके साथ भी बंदतमीजी की गई। शुक्लजी तुरन्त जेल में छूटकर आए थे; उन्हीं को लेकर मन्त्रिमंडल ने इस्तीफा तक दिया था। जब उनके साथ ऐसा सलूक, तो फिर दूसरों की क्या बात ? लाठीचार्ज के बाद पुलिस ने हड़ताली मजदूरों में से बहुत से लोगों को बस में चढ़ाकर शहर से बहुत दूर पर छोड़ दिया। सन्ध्या का समय था। हड़तालियों में बहुत सी मजदूरिनें भी थीं। उन्हें इस प्रकार शहर से दूर, सुनसान जगह में छोड़ आना—न इसमें नैतिकता थी, न मानवता। सारा शहर खलबला उठा !

हम डेपुटेशन लेकर मुख्यमन्त्री से मिलने गए। दोपहर से प्रतीक्षा करते-करते अन्त में सन्ध्या को बुलाहट हुई। संयोगवश पुलिस सुपरिन्टेंडेंट मन्त्रिमंडल के प्यारे लोगों में थे। इन्हीं सज्जन ने शुक्लजी के मुकदमे में एक प्रमुख अभियुक्त को मुखबिर बनाने का यश लूटा था। न जाने उन्होंने क्या-क्या कह रखा था, मुख्यमन्त्री भरे हुए थे। बातों ने ऐसा रुख लिया कि हम बैरंग वापस आए। अब तो मजदूरों की ताकत पर ही सब कुछ निर्भर करता था। हड़ताल जारी रहे, पूर्ण शान्ति का पालन किया जाए, किन्तु ऐसी स्थिति ला दी जाए कि मिल की चिमनी बन्द हो जाए।

यह तभी सम्भव था, जब इंजीनियरिंग विभाग के लोग साथ दें। वे सहानुभूति तो प्रदर्शित करते थे, किन्तु कदम बढ़ाने से डरते थे। मैं दूसरे दिन सिटी गया और उन्हें मिल से दूर, एक सज्जन के मकान पर बुलाया। सबके सब आए। बातें प्रायः तय हो चुकी थीं कि ये भी हड़ताल में सम्मिलित हो जाएँगे, किन्तु मैं वहाँ से चलनेवाला ही था कि पुलिस ने घर को घेर लिया और मुझे गिरफ्तार कर लिया। न मैं पिकेटिंग कर रहा था, न कोई कानून तोड़ रहा था—फिर मुझ पर यह वार क्यों ? यह किससे, कौन पूछे ?

मुझे गिरफ्तार कर मैजिस्ट्रेट के बँगले पर ले जाया गया। मैजिस्ट्रेट सज्जन पुरुष थे। उन्होंने मुझसे कहा, इस समय जेल में भोजन का कोई प्रबन्ध नहीं हो सकेगा, इसलिए यदि आपको उज्र नहीं हो तो यहीं खाइए और आराम कीजिए, सन्ध्या में आपको जेल पहुँचवा दूँगा। उन्होंने पुलिस को वहाँ से रवाना कर दिया। मुझे मेहमान की तरह रखा। बड़ी आवभगत की। रह-रहकर उनका टेलीफोन बज उठता, कुछ बातें होतीं। उन्होंने ही बताया, आज सन्ध्या में एक बड़ी सभा हुई है, उसमें जयप्रकाशजी बोले हैं—बहुत गरम भाषण था उनका। जब धुँधलका हुआ, अपनी मोटर पर लेकर उन्होंने मुझे पटना जेल पहुँचा दिया, कहा, सिटी जेल में आपको तकलीफ होगी !

फिर वही जंजीरें, वही दीवारें। सरकारें आती हैं, जाती हैं। किन्तु ये अपनी जगह पर जहाँ-की-तहाँ रहती हैं ! क्रोपाटकिन का अराजकतावादियों साहित्य पढ़ा था। उनका कहना था, जब तक सरकारें रहेंगी, तब तक जंजीरें और दीवारें रहेंगी। यदि इनसे मुक्ति पाना चाहते हो तो सरकारों को ही खत्म करो। मानव पर मानव का शासन ही अस्वाभाविक है; मानव में स्वतः

ऐसी सद्वृत्तियाँ हैं कि वह शासन मुक्त समाज में भी सुख और शान्ति से रह सके। क्रोपाटकिन के कथन की सत्यता समझ में आ रही है। इस कांग्रेसी शासन की स्थापना के लिए हमने कितना किया था ! गाँव-गाँव, गली-गली घूमे, किसानों से, मजदूरों से कांग्रेस को वोट देने के लिए अपील की। पैदल चले, बैलगाड़ी पर चले, साइकिल से गए—मोटरें तो कम ही नसीब हुईं। यही नहीं, तीन-तीन महीने की जो सजाएँ भुगतीं, वह इसी कांग्रेसी शासन की स्थापना के लिए ही न ? और कैसा तमाशा, कांग्रेसी शासन के कुछ महीने ही गुजरे हैं और मैं जेल में हूँ।

जंजीरें फिर खनक रही हैं, बोल रही हैं, स्वयं तुलकर हमें तौल रही हैं और दीवारें गुमसुम—वैसी ही काली, कठोर, अलंघ्य हमें चारों ओर से घेरकर खड़ी हैं !

भोजन मैजिस्ट्रेट साहब के ही घर हो चुका था। यहाँ एक वार्ड में मेरा डेरा डाला गया। सोने के समय मेरा खाट बाहर रख दिया गया था। रात में जेलर साहब साहब बेले की एक माला दे गए थे। उसी की सुगन्ध में तरह-तरह के सपने देखता कब सो गया, पता नहीं। कौए की काँव-काँव से नींद टूटी तो दिन के प्रकाश में 1930-'32 की पुरानी स्मृतियाँ आँखों के सामने नाचने लगीं।

शौच, स्नान से निवृत्त हो जलपान कर रहा था कि गेट पर बुलाहट हुई। वहाँ जाकर देखता हूँ तो हमारे सुपरिचित सुपरिन्टेंडेंट साहब खड़े हैं। मुसकराते हुए बोले—मेरे साथ चलिए। मैंने कहा—कहाँ ? जहाँ मैं ले चलता हूँ—कहकर हाथ पकड़ लिया और मुझे अपनी मोटर पर बिठलाकर उसे स्टार्ट कराया, मोटर स्टेशन की ओर मुड़ी। तो क्या मुझे नजरबन्द कर फिर हज़ारीबाग़ भेज रहे हैं ? किन्तु स्टेशन से फिर उनकी मोटर सेक्रेटेरियट की ओर मुड़ी। क्या सेक्रेटेरियट में ही मेरा मुकदमा करेंगे ? सेक्रेटेरियट के निकट पहुँचकर गाड़ी उसके बाएँ बाजू से चलती रही और बाबू अनुग्रह नारायण सिंह के बँगले पर रुकी !

अनुग्रह बाबू—हमारे नए वित्तमन्त्री और श्रम एवं उद्योगमन्त्री भी। उसी सुपरिचित मुसकान से मिले। उनके कमरे में एक ओर मिल मालिक बैठे हुए थे, एक ओर सिटी मैजिस्ट्रेट। सरकारी लेबर अफसर भी वहाँ थे। बाजाब्ता एक राउंड टेबुल कॉन्फ्रेंस बैठी। अनुग्रह बाबू ने कहा, अच्छा बताइए, आप लोगों की माँग क्या है ? मैंने कहा—पहले मैं जान लेना चाहता हूँ, मैं कैद हूँ या आजाद ? उन्होंने उसी मुसकान में कहा—क्या मेरे घर को भी आपने जेल समझ रखा है ?

बातें शुरू हुईं। तय हुआ; मिल मालिक यूनियन के सभापति और लेबर अफसर की एक पंचायत बोर्ड बना दी जाए, ये लोग जो निर्णय देंगे, यूनियन और मिल, दोनों को मान्य होगा। लेबर अफसर पुराने क्रान्तिकारी थे। अतः मैंने यह स्वीकार कर लिया। मिल मालिक और मैंने दस्तखत कर दिए; अनुग्रह बाबू ने श्रममन्त्री की हैसियत से उस पर स्वीकृति के हस्ताक्षर कर दिए। फिर उन्होंने सिटी मैजिस्ट्रेट को कहा—अब इन्हें जयप्रकाशजी के पास पहुँचा दीजिए, जिसमें ईंट-से-ईंट बजने की नौबत नहीं आए। रास्ते में सिटी मैजिस्ट्रेट ने कहा, कल जयप्रकाशजी ने मिल और सरकार को चुनौती देते हुए कहा था, हम ईंट-से-ईंट बजा देंगे। अनुग्रह बाबू का व्यंग्य उसी ओर लक्ष्य करता था।

मित्रों ने पीछे बताया, उन्होंने ऐसा तेज भाषण जयप्रकाशजी के मुँह से कभी नहीं सुना था, जैसा कल सन्ध्या को उन्होंने दिया। मेरी रिहाई की खबर से ही जयप्रकाशजी के घर पर साथियों की भीड़ लग गई। हँसी-खुशी में यह शानदार हड़ताल समाप्त हुई और एक ही दिन के लिए सही बलदेव बाबू ने इन्क़लाब की जो परिभाषा की थी और मैंने जो श्रीबाबू से अपनी रिहाई के दिन हज़ारीबाग़ के रास्ते पर हँसते-हँसते आशंका प्रकट की थी, वह पूरी हुई !

नेपाल

दूसरा महायुद्ध शुरू हो गया। कांग्रेसी मन्त्रिमंडल ने इस्तीफा दिया। इसके बाद ही 26 जनवरी को जो स्वतन्त्रता दिवस आया, उसके सिलसिले में मुझे फिर जेल जाना पड़ा।

अब मैं पटना शहर कांग्रेस कमिटी का अध्यक्ष नहीं था। मुझे इस पद से हटाने के लिए कांग्रेस मन्त्रिमंडल की स्थापना होते ही, तरह-तरह की चालें चली गईं। क्रांग्रेस में नए-नए लोगों की पैठ हुई। सदाकत आश्रम में मोटरों का ताँता लग गया। गांधीटोपी ने खाजा-मार्का टोपी का नाम धारण किया। कांग्रेस चुनाव में थैलियाँ खोली जाने लगीं; सरकारी सूत्रों का भी प्रयोग किया जाने लगा। हम समाजवादी थे; समाजवादियों को कांग्रेस संगठन से निकालकर ही दम लेने की प्रतिज्ञा हुई।

पर ज्यों ही कांग्रेस मन्त्रिमंडल हटा, यह भानमती का कुनबा आप-ही-आप टूटने लगा। भारत रक्षा कानून की पहली किश्त आई। तब हमारे मन्त्रियों के बँगलों पर कीमती मोटरों की कतारें लगी रहतीं, अब उनके चढ़ने के लिए फोर्ड की कार भी मुहाल हो गई। बेताल फिर पीपल की डाल से जा लटका।

गवर्नरी शासन था। हुक्म हुआ, स्वतन्त्रता दिवस पर कोई जुलूस नहीं निकाले। शहर कांग्रेस कमिटी ने घुटने टेक दिए। किन्तु हम किस प्रकार इसे सहन कर सकते थे ! हम सदा जुलूस निकालते रहे हैं, उस साल भी निकालेंगे।

जुलूस निकला, शानदार ढंग से निकला। मुझे ही नेतृत्व करना पड़ा। जुलूस से कोई छेड़छाड़ नहीं की गई। किन्तु बाद में मुझ पर वारन्ट निकला। फिर गिरफ्तारी, फिर मुकदमा, फिर सजा। बड़ी दया दिखाई गई—इतना जुर्माना दो, नहीं तो इतने दिन के लिए जेल भुगतो। इस मुकदमे की अपील चल ही रही थी कि फिर गिरफ्तारी।

मेरा जहाँ लालन-पालन हुआ, वह गाँव जिस सब-डिवीजन में है, उसकी सीमा नेपाल से मिलती है। नेपाल के निकटतम कस्बे में मैंने बहुत दिनों तक पढ़ा-लिखा था। मेरे कुछ कुटुम्ब भी नेपाल के थे। जब-जब जनकपुर जाता, नेपाल की भूमि में कुछ दिन गुजारता। इस प्रकार नेपाल से निकट सम्पर्क बचपन से ही रहा। जब 'बालक' निकाला था, उसमें पहला लेख नेपाल पर ही था। संसार में एकमात्र स्वतन्त्र हिन्दू राज्य नेपाल का ही है, इसका भी कुछ गर्व था। नेपाल सम्बन्धी बहुत सा सुलभ-दुर्लभ साहित्य पढ़ डाला था। गोरखा सैनिकों की बहादुरी की भी अनेक कथाएँ पढ़ चुका था। बहुत दिनों से इच्छा थी कि नेपाल पर एक अच्छी पुस्तक लिख डालूँ। उसके लिए सामग्रियाँ भी एकत्र कर ली थीं। एक बार काठमांडू जाऊँ और बची-खुची सामग्रियाँ जुटा लाऊँ, यह भी सोचा करता। किन्तु इधर राजनीति में इतना गर्क हो चुका था कि इसके लिए समय नहीं निकाल पाता था।

जब 'जनता' निकाली, चाहा कि उसमें नेपाल सम्बन्धी समाचार और लेख दूँ। कोई ऐसा व्यक्ति नहीं मिल पाता था, जो इसके लिए बराबर कुछ सामग्री दिया करे। नेपाल में सब कुछ ठीक नहीं जा रहा है—नेपाल-नरेश प्रायः बन्दी का जीवन व्यतीत कर रहे हैं, राणाओं का बोलबाला है, देशसेवकों पर अन्धाधुन्ध दमन चक्र चल रहा है—इन बातों की भनक कानों में पड़ती थी। किन्तु जब तक कुछ प्रामाणिक चीजें नहीं मिलें, कैसे लिखा जाए ?

एक बार घर गया। मेरे पड़ोस के गाँव में एक सज्जन हैं। डिप्टी कलेक्टर थे, अब पर्यटक का जीवन अपना रखा है। कई बार कैलास और मानसरोवर की यात्रा कर आए हैं। गंगोत्री, यमुनोत्री, आदि दुर्गम यात्राएँ भी की हैं। उन्हीं से मिलने उनके गाँव पर गया। वह अभी-अभी नेपाल से लौटे थे। नेपाल की कुछ ताजा खबरें सुनाईं और बड़ी सावधानी से छिपाकर लाए

हुए कुछ कागज-पत्र दिए। नेपाल में अंधेर मचा है; कोई अखबार सच्ची खबरें छापने को तैयार नहीं। राणाओं ने उनके मुँह या तो सोने से या लोहे से बन्द कर रखे हैं। आप नेपाल की स्वतन्त्रता का पक्ष लीजिए, इन कागज-पत्रों का उपयोग कीजिए—उन्होंने अनुरोध किया और कुछ सूत्र बताए जिनसे नेपाल सम्बन्धी खबरें सदा मिला करेंगी।

मैं यही तो चाहता था। उनसे प्राप्त हुईं सूचनाओं और कागज-पत्रों को लेकर मैंने नेपाल सम्बन्धी एक लेखमाला 'जनता' में शुरू की। उसके पहले लेख से ही सनसनी फैली जनता में; और दूसरा, तीसरा लेख छपते ही जैसे आग लग गई। एक ओर नेपाल से सामग्रियाँ पहुँचने लगीं, दूसरी ओर 'जनता' की प्रतियाँ नेपाल की सीमा कस्बों में बड़ी संख्या में बिकने लगीं। वहाँ से बाँस के चोगे में, कोट के अस्तर में रख-रखकर 'जनता' की प्रतियाँ नेपाल के प्रमुख शहरों में जाने लगीं। एक आने की प्रति इन स्थानों में जाकर मुहरों में बिकती थी।

तब तक कांग्रेसी मन्त्रिमंडल था ही। एक दिन सी.आई.डी. विभाग से मेरी बुलाहट हुई और उसके बड़े अंग्रेज अफसर ने मुझसे कहा कि लेख छापना बन्द कर दीजिए। नेपाल हमारा मित्र राज्य है, नेपाली सेना पर ही युद्ध की विजय निर्भर करती है। यही नहीं, उन्होंने मित्रराष्ट्र सम्बन्धी कुछ कानून भी दिखलाए, जिनके अनुसार ऐसे लेख छापना कानूनी दृष्टि से जुर्म है। मैंने स्पष्ट कह दिया, यह कांग्रेसी राज्य है, जो कुछ कहना होगा, मुझसे हमारे मुख्यमन्त्री कहेंगे, आप कौन होते हैं हस्तक्षेप करनेवाले ? किन्तु ज्यों ही कांग्रेसी मन्त्रिमंडल ने इस्तीफा दिया, एक दिन 'जनता' का कार्यालय घेर लिया गया, कोने-कोने में सर्च की गई, उन प्रतियों को उठा ले गए, जिनमें वे लेख थे। हाँ, मूल प्रति या नेपाल से भेजे गए कोई कागज-पत्र नहीं प्राप्त कर सके।

हमारी लेखमाला शुरू ही रही। अन्ततः एक दिन 'जनता' के उन अंकों को जब्त करने की घोषणा हुई जिनमें वह लेखमाला छपी थी और 'जनता' तथा 'जनता प्रेस' से पाँच हजार की जमानत माँगी गई। उसी के साथ हमारे प्रेस में छपी एक नोटिस के कारण मुझ पर गिरफ्तारी का वारन्ट निकला। इसका अर्थ यह हुआ कि जनता को बन्द कर देना पड़ा। पाँच वर्षों तक 'जनता' बन्द रही, फिर 1946 में, जेल से लौटने पर किसी-न-किसी प्रकार से फिर प्रकाशित करना प्रारम्भ कर सका।

जिस समय मुझ पर और 'जनता' पर यह प्रहार हुआ, उसके पहले ही जयप्रकाशजी जमशेदपुर में एक युद्धविरोधी भाषण के कारण गिरफ्तार हो चुके थे। सरकार की धारणा थी, 'जनता कार्यालय' क्रान्ति का घोंसला है, उसे उजाड़ ही देना चाहिए। युद्ध दिन-दिन विकराल रूप धारण कर रहा था, मित्रराष्ट्रों की हर मोरचे पर हार हो रही थी। हमारी पार्टी ने तय किया था, इस युद्ध का उपयोग हम अपने देश की स्वतन्त्रता के लिए करेंगे। क्रान्ति की एक योजना भी हमने बना रखी थी। उधर पिछले युद्ध के अनुभवों के आधार पर गांधीजी भी तब तक सरकार को मदद देना नहीं चाहते थे जब तक कि वह स्वतन्त्रता के प्रश्न पर कांग्रेस से समझौता नहीं कर ले। जब उसने समझौते की बात अस्वीकार कर दी, कांग्रेसी मन्त्रिमंडलों ने इस्तीफा दिया। अब अगला कदम क्या हो, इसके लिए रामगढ़ कांग्रेस फैसला करनेवाली थी। किन्तु बिहार में होनेवाली इस कांग्रेस के पहले ही उसने पार्टी पर प्रहार कर दिया—उसके नेता को गिरफ्तार किया, उसके मुखपत्र को बन्द किया, मुझ पर वारन्ट निकाला।

किसी प्रकार इस वारन्ट की खबर मुझे लग गई। नेपाल पर इस लेखमाला का प्रकाशन शुरू होते ही नेपाल के कुछ युवक मुझसे आकर मिलने लगे थे। मैंने उन्हें सलाह दी थी कि अन्य देशी राज्यों की तरह वे लोग भी अपने देश में प्रजा परिषद् की स्थापना करें और इसके लिए प्रारम्भिक बैठक रामगढ़ में ही वे करें। रामगढ़ में भारत के नेताओं से मिलकर नेपाल

की यथार्थ स्थिति पर उनसे बातें करने का भी तय हुआ था। मैंने सोचा, चलो, रामगढ़ में यह काम करके ही गिरफ्तार होऊँगा।

लुक-छिपकर मैं रामगढ़ पहुँचा। किन्तु वहाँ तो दूसरी ही धूम मची थी। सुभाष बाबू ने कांग्रेस से विद्रोह कर रखा था। सभापतित्व के चुनाव में हमने सुभाष बाबू का पक्ष लिया था। किन्तु हम चाहते थे कि जब कांग्रेस स्वयं आगे बढ़ रही है, तो उसके नेतृत्व में ही स्वातन्त्र्य युद्ध छिड़े। रामगढ़ में हमारा अधिक समय इसी प्रपंच में बीता। उधर नेपाल की स्थिति इतनी गम्भीर बन गई थी कि वहाँ से लोग आ नहीं सकते थे। हाँ, उन लोगों ने वहीं मिल-जुलकर प्रजा परिषद् की स्थापना की। इस परिषद् के संचालकों को कितनी मुसीबतें झेलनी पड़ीं, कितने फाँसी पर लटकाए गए, कितने जेलों में सड़कर मरे, कितनों ने लम्बी-लम्बी सजाएँ भुगतीं। चार आदमियों को फाँसी हुई थी, उनमें एक हमारे प्रमुख संवाददाता थे और एक का अपराध यही था कि 'जनता' के एक लेख की प्रतिलिपि उनके पास निकली थी।

रामगढ़ से लौटकर मैं पटना में गिरफ्तार हुआ। मुकदमा चला। एक साल की सख्त कैद की सजा हुई। फिर वही पटना जेल, फिर वही हज़ारीबाग़ जेल।

इस बार हज़ारीबाग़ में हमें क्रान्तिकारी कैदियों के लिए हाल ही में बनाए एक नए वार्ड में रखा गया। जमशेदपुर से सजा पाकर जयप्रकाशजी पहुँच चुके थे; स्वामी सहजानन्द सरस्वती भी आ गए थे। प्रान्त के कई हमारे प्रमुख साथी भी पहुँच चुके थे।

हम लोग अधिक नहीं थे, किन्तु इस बार एक विचित्र स्थिति थी। वामपक्ष के ही लोग अब तक पहुँचे थे, उनमें तीन स्पष्ट दल थे। कुछ लोग कम्युनिस्ट बन चुके थे, स्वामीजी ने सुभाष बाबू का साथ दिया था, सोशलिस्ट पार्टी के हम लोग थे। सब में बड़ा तनाव। स्वामीजी तो हम लोगों से बोलना भी नहीं चाहते थे। जयप्रकाशजी चाहते थे, सैद्धान्तिक मतभेद भले हो, जेल में हमें एकजुट रहना चाहिए। कम्युनिस्टों से उनकी बड़ी वितृष्णा हो चली थी, तो भी सामाजिक व्यवहार में उस भाव को नहीं आने देते थे। बड़ी समस्या थी स्वामीजी की। किस प्रकार उनसे स्नेह सम्बन्ध स्थापित हो, इसकी चेष्टा में लगे। स्वामीजी एक सुरिया आदमी थे। किन्तु यह जयप्रकाशजी का ही धैर्य था कि इस नारियल का ऊपरी छिलका छेद सके। स्वामीजी 'मीमांसा' के बड़े पंडित थे। जयप्रकाशजी ने उनसे 'मीमांसा' पढ़ने का आग्रह किया। वह राजी हो गए। अध्ययन-अध्यापन ने कटुता दूर की। किन्तु कम्युनिस्टों को यह पसन्द नहीं था। वह इस प्रपंच में सदा लगे रहे कि स्वामीजी को हमसे दूर ही रखा जाए। उसके एक सदस्य ने हद कर दी; वह दिन-रात स्वामीजी की सेवा में इस तरह लगा रहता, जैसे उसने कोई देवता पा लिया हो।

उन दिनों उन्होंने एक विचित्र प्रचार कर रखा था—स्वामीजी का चित्र स्टालिन के कमरे में टँगा रहता है।

सिगरेट तो मैंने पच्चीस वर्षों से नहीं छुई थी, इधर पान भी छोड़ दिया था। जयप्रकाशजी ने एक दिन कहा—हमें इस बार सात वर्ष रहना है। हमें कुछ ढीले-ढाले ढंग से रहना चाहिए कि अन्तर्मन में तनाव नहीं आवे। वहीं मैंने सिगरेट पीना शुरू किया, फिर पान खाने लगा। जयप्रकाशजी के कहने पर कुछ खेलकूद में भी मन देने लगा। ताश, कैरम, बैडमिंटन, वालीबॉल आदि में भी हिस्सा लेने लगा। बाहर आने पर और सब तो छूट गए, यह कमबख्त सिगरेट नहीं छूटी। पान तो पुराना साथी रहा ही है।

मित्र कहा करते हैं, सिगरेट क्यों नहीं छोड़ देते ? मैं उनसे कैसे बताऊँ कि मेरी सिगरेट मेरे उन दिनों की जिन्दगी की निशानी है। कभी-कभी इसमें ज़ंजीरों की झनझनाहट और दीवारों की खामोशी एक साथ मैं महसूस करता हूँ। बहुत प्यारी चीज है यह ! जंजीरों के फौलाद

को इसने प्रायः पिघलाया है; दीवारों की कालिमा को इसने प्रायः कम किया है। इसे छोड़ूँ तो कैसे ?

आँख-मिचौनी

एक दिन मुझे जेल गेट पर बुलाकर कहा गया, आप पर एक मुक़दमा और भी है; उसके लिए आपको सीवान (सारन) जाना होगा।

जब पटना में मुझ पर मुकदमा चल रहा था, मैजिस्ट्रेट ने बतलाया था, आप पर एक मुकदमा और है। तब से उसकी कोई चर्चा नहीं हुई। मैंने समझ रखा था, यह बात यों ही कहीं सड़-गल गई। अब जब वारन्ट देखा तो पता चला, यह कोई सरकारी मुकदमा नहीं है। एक ज़मींदार ने 'जनता' में प्रकाशित एक समाचार के लिए मुझ पर मानहानि का मुकदमा चलाया है।

1937 के बाद बिहार में बड़े जोरों से बकाश्त सत्याग्रह चला था। सारन जिले के अमवारी गाँव के ज़मींदार के खिलाफ भी बकाश्त सत्याग्रह हुआ था, जिसका नेतृत्व राहुलजी ने किया था। ज़मींदार के एक कारिन्दे के डंडे से राहुलजी का सिर फूट गया था। बहुत खून बहा। फिर उनकी गिरफ्तारी हुई। उन पर किए गए इस डंडा प्रहार और उनकी इस गिरफ्तारी के विरुद्ध 'जनता' द्वारा मैंने जबरदस्त आन्दोलन किया था। 'जनता' किसान आन्दोलन का मुखपत्र था। ज़मींदार उसके नाम से काँपते थे; सरकार की भी कड़ी नजर थी। फलतः उसके ज़मींदार ने संघर्ष में हुई अपनी हार पर परदा डालने के लिए अब यह नई कार्रवाई की थी।

किन्तु इस मुकदमे से मुझे लाभ-ही-लाभ हुआ। बार-बार हज़ारीबाग़ से सीवान जाना पड़ता। रास्ते में दोस्तों से भेंट होती, बातें होतीं। बाहर के आन्दोलन की गतिविधि का पता चलता और भीतर हम क्या सोच रहे हैं, क्या चाहते हैं, किस साथी को क्या करना चाहिए, आदि की सूचनाएँ भी उन्हें देते जाते। इस महायुद्ध के अन्दर चाहे जिस प्रकार देश को आज़ाद कराना ही है, यह हमारा निश्चय था। फलतः शान्ति नीति पर विश्वास रखते हुए भी उसके अन्दर जहाँ तक जो भी किया जा सके, उस हद तक जाने में हम हिचक नहीं रखते थे।

जयप्रकाशजी ने जेल में ही कई लेख लिखे, जो बाहर के पत्रों में प्रकाशित होते रहे, एक छद्म नाम से। किन्तु सब कोई जानते थे कि ये लेख किसके हैं। एक तो उनकी अपनी शैली—फिर कानोंकान यह बात फैल चुकी थी।

फिर हज़ारीबाग़ जेल से ही उन्होंने पंडित नेहरू, आचार्य नरेन्द्रदेवजी तथा सुभाष बाबू के नाम पत्र भेजे। इन पत्रों में तुरन्त-से-तुरन्त मुक्ति आन्दोलन शुरू किए जाने के लिए अनुरोध और आग्रह होते। उस समय भी हम ऐसा सोचा करते कि यदि वैसा मौक़ा आया तो हम जेल से भाग जाने की भी कोशिश करेंगे। इन लेखों, पत्रों और योजनाओं को यथास्थान पहुँचा देने में मेरे इस मुकदमे ने बड़ी सहायता की। जेल से बाहर होते ही मैं गया, पटना और छपरा के मित्रों को सूचना कर देता, वे लोग रास्ते में मिलते। यदि एक जगह समय पर सूचना नहीं पहुँची तो दूसरी जगह तो कोई-न-कोई साथी मिल ही जाते। बड़े-बड़े जंक्शनों पर गाड़ी बदलनी पड़ती। बहुत समय लग जाता; इसके दरम्यान भी मित्रों को बुला लेता। यह कोई मुश्किल काम नहीं था।

रास्तें में कोई-न-कोई परिचित व्यक्ति मिल ही जाते। उन्हीं के द्वारा तार करा देता या उन्हीं के द्वारा लोगों को बुलवा देता। पुलिसवाले भी मदद करते। वे भी अंग्रेजी सरकार से

प्रसन्न नहीं थे। गरीबी के कारण गुलामी के जुए में जुते थे, किन्तु उसका मन भी आजादी के साथ था। कुछ आर्थिक लाभ भी उन्हें हो जाता। जो मित्र आते, वे मेरे साथ उन्हें भी खिलाते-पिलाते। इस तरह मेरे और उनके खाने के पैसे जो मिलते थे, बच जाते ! कोई परिचित नहीं मिला और काफी समय रहा, तो उन्हीं में से कोई जाकर मित्रों को बुला लाता। इसका मेहनताना उन्हें अलग से मिल जाता। एक बार तो वे इस पर भी राजी को गए कि मैं रात भर अपने डेरे पर जाकर रहूँ, भोर की ट्रेन से हम चलेंगे। कम-से-कम सिनेमा तो देख ही लीजिए—यह उनका आग्रह था। किन्तु मैं जानता था, पटना में व्यक्ति-व्यक्ति मुझे पहचानता है, ये बेचारे संकट में पड़ जाएँगे। फिर अपनी सुख-सुविधा के लिए ऐसा करना मुझे उचित नहीं जँचता। हाँ, अपने आदर्श और उद्देश्य की पूर्ति के लिए जितना सम्भव था, उनका उपयोग करने में मैं नहीं हिचकता !

लेकिन लगता है, सरकार को भनक लग गई। अन्तिम दिनों एक बार जब हज़ारीबाग़ से चला, एक ऐसा नौजवान दारोगा साथ में दिया गया, जो छाया की तरह मेरे पीछे लगा रहता। ट्रेन में या स्टेशन पर कोई परिचित मिलते तो ऐसा रुख लेता कि उनसे कुछ कहा नहीं जा सके। उस यात्रा में मैं कुछ बहुत जरूरी काग़ज़ ले जा रहा था; पटना तक मैं किसी को देने में समर्थ नहीं हुआ।

पटना स्टेशन पर प्रोफेसर बारी साहब खड़े दीख पड़े। बड़ी ललक से आए और मुझे स्टेशन के रेस्तोराँ में जलपान कराने को ले चले। दारोगा ने मुँह बनाया, किन्तु बारी साहब तो अक्खड़। उन्होंने उसको डाँट दिया। लेकिन रह-रहकर वह कुछ कह बैठता, बारी साहब ने बिगड़कर कहा—अभी मैं आई.जी. को फोन करता हूँ, तू मेरे साथ गुस्ताखी करता है, जानता है, मैं कौन हूँ ? उसकी सिट्टी गुम ! किन्तु बारी साहब जब चले गए, मैंने रुद्र रूप धारण किया। मैं अब तुम्हारे साथ नहीं जाता; तुमने बारी साहब का अपमान किया है; जो मन में आए, करो—ऐसा कहकर मैं वेटिंगरूम की बेंच पर बिस्तरा फैला दिया और चादर तानकर सो गया।

अब बूढ़े जमादार की बारी थी। उसने मुझे उठाया और आरजू के साथ कहा, दारोगाजी नए हैं, यह नहीं जानते कि आप लोगों के साथ कैसा व्यवहार होता है। अब ऐसी बात नहीं होगी ! दारोगा चुपचाप खड़ा था। मैंने देख लिया, अब वह डिमॉरलाइज हो चुका है। वहाँ से चला।

सोनपुर तक बात ठीक रही। वहाँ कुछ मित्र आ पहुँचे। वेटिंगरूम में फिर चकल्लस मचा। दारोगा बोलता तो नहीं, किन्तु हर मिनट चौकन्ना रहता। मैंने सोचा, गाड़ी की भीड़-भाड़ में ही कागज-पत्र दे दूँगा। मैंने आँखों-ही-आँखों में इशारा किया। ट्रेन आई, हम सब चढ़े। एक मित्र मेरे ही डब्बे में चढ़ गए। सोनपुर से छपरा तक भीड़-ही-भीड़ रहती है; लेकिन दारोगा मुझसे सटकर बैठ गया था। क्या किया जाए, छपरा स्टेशन आ रहा था। एक बात सूझ गई। जब ट्रेन छपरा स्टेशन के निकट पहुँचने को हुई, मैं झट बाथरूम में चला गया और उसी में कागज-पत्र रख आया। ज्यों ही बाथरूम से मैं निकला, वह मित्र घुसे, क़ागज-पत्र सँभाल लिया और स्टेशन पर पहुँचते ही झट से बाथरूम से निकलकर ट्रेन से उतर नीचे की भीड़ में विलीन हो गए !

उसके बाद दारोगा का चेहरा देखने लायक था—किन्तु तब तक चिड़िया उड़ चुकी थी; अब पछताए होत क्या ?

सीधे जेल से वार्डरों के द्वारा भी हम बाहर से सम्पर्क रखते थे। जयप्रकाशजी के व्यक्तित्व के कारण कुछ जेल अफसर भी हमारा काम यदा-कदा कर दिया करते थे।

जेल में एक कहावत प्रचलित है, जेल न कटे, जब तक तिकड़म न हो। तिकड़म में स्वयं एक आनन्द है; काम हो जाता है, वह अलग। कोई किताब आई, सी.आई.डी. ने उसे आपत्तिजनक करार दिया; वह जेल की आलमारी में रख दी गई, जब क़ैदी छूटेगा उसे यह किताब वापस कर दी जाएगी। सी.आई.डी. यही समझ रहा है, वह बेचारा क्या जानता है कि वह आलमारी से टहलकर कैदी के पास पहुँच चुकी है और बड़े ध्यान से पढ़ी जा रही है ! होली आ गई, कुछ भंग-बूटी छननी चाहिए, कुछ रंग-अबीर उड़ना चाहिए। नियमानुसार ये सब चीजें आ नहीं सकतीं। किन्तु होली के दिन भंग-बूटी भी छनी, रंग-अबीर भी उड़ा। जमादार साहब की सफेद दाढ़ी भी रंगी, जेलर साहब का काला चेहरा भी लाल बना ! यह कैसे सम्भव हुआ ? यह तिकड़म है ! जेल के अधिकारी अच्छी तरह जानते हैं। कैम्प जेल के उस ख़ब्ती सुपरिन्टेंडेंट ने सच ही तो कहा था—मेरे वार्डरों की जेब बड़ी नहीं हुई, नहीं तो तुम जेल में अपनी बीवियों को भी बुला लेते !

और जब कदाचित् जेल से बाहर जाने का मौका मिले, तो कुछ तिकड़म नहीं किया जाए तो फिर हम क़ैदी क्या हुए ? पीछे एक ऐसे तिकड़मी साथी मिले, जो कहा करते थे कि यदि जेल से बाहर जाने का मौका मिले तो अपने लिए पेरोल पर छूटने का बन्दोबस्त नहीं कर लिया जाए और पेरोल पर छूटे तो रिहाई न करा ली जाए तो समझो, ऐसे आदमियों को सदा जेल में ही रखा जाना चाहिए। अभी तो हमने शुरुआत ही की थी; एक दिन हमारे कुछ साथी इसी तिकड़म के बल पर इन अलंघ्य दीवारों को भी लाँघ जाएँगे। जंजीरें जेल गेट पर ही लटकती रह जाएँगी, क़ैदी स्वतन्त्र रूप से विचरेंगे।

जेल की यह मेरी पाँचवीं बार थी; मैं इन तिकड़मों में रस लेने लगा था। स्वभावतः मैं गन्दे कामों से सदा अपने को बचाता रहा हूँ। किन्तु कभी अहसास ही नहीं होता था कि यह भी कोई बुरा काम है। हमारे दुश्मन ने हमें पकड़ लिया है, वह हमें कष्ट देना चाहता है, बाहर की दुनिया से हमें अलग-अलग रखना चाहता है। उसके इस गर्हित अभिप्राय को हम जहाँ तक छिन्न-भिन्न कर सकें, उतना ही अच्छा ! और जिन्दगी कोई सपाट चीज तो नहीं। रोमांस और एडवेंचर के लिए भी तो इसमें जगह है। हमें उससे वंचित किया गया है। तो जहाँ तक सम्भव हो, इस पाषाणपुरी में भी आँख-मिचौनी होती रहे, होती रहे !

मानहानि

पहली बार हमें हज़ारीबाग़ से सीधे सीवान जेल ले जाया गया। उस छोटे से जेल को, जिसमें मुझे सिर्फ एक रात रहना पड़ा, मैं क्या कभी भूल सकता हूँ ?

मैं सन्ध्या को वहाँ पहुँचा। मूसलाधार वर्षा हो रही थी। मुझे देखकर ही जमादार साहब घबरा गए। उन्होंने समझ रखा था, कोई साधारण कैदी होगा। यह ट्रंक, यह बिस्तरा, किताबों के ये बंडल। मुझे कहाँ रखा जाए, कैसे रखा जाए ? उन दिनों सब-जेलों में जेलर नहीं होते थे, स्थानीय मेडिकल अफसर ही सुपरिन्टेंडेंट होता था। मुझे ऑफिस में ही बिठाकर जमादार साहब अपने सुपरिन्टेंडेंट से पूछने गए। कोई अलग जगह थी नहीं। 'रंडी क़िता' में सिर्फ दो औरतें थीं; उसी समय किसी-किसी प्रकार उन्हें जमानत पर छोड़ा गया। फिर एक अटपटी खाट डालकर मेरा अड्डा वहाँ जमाया गया। ऑफिस में ही बाज़ार से पूड़ी-मिठाई लाकर मुझे खिला दी गई थी।

वह घर; वह खाट; वह रात; वह वर्षा ! घर चूता था, सैकड़ों कबूतरों ने उसे दरबा

बना रखा था। उनकी बीट की अजीब दुर्गन्ध आती थी। खाट को इधर से उधर कीजिए, हर जगह पानी टप-टप टपकता रहा और थोड़ी देर में ही खाट से हजारों खटमल निकले। जहाँ करवट बदलिए, सैकड़ों लुबुध गए। अंग-अंग में ददोरे निकल आए। रास्ते की थकावट थी, आराम करना चाहता था। किन्तु आराम उस रात के लिए मेरे भाग्य में बदा नहीं था। आकाश में जैसे छेद हो गए थे, धुआँधार पानी बरसता जाता था ! हवा जोरों से साँय-साँय कर रही थी। ऊपर से ही नहीं टपकता था, पानी के झकोरे तेज हवा के कारण, भीतर, एक कोने से दूसरे कोने तक, पहुँच जाते थे। सचमुच मेरी हालत आषाढ़ के सियार की जैसी थी उस रात !

बगल के कमरे में साधारण कैदी रखे गए थे। छोटा सा जेल, चालीस आदमियों की जगह और सौ से अधिक आदमी ठूँसे गए थे। उनके कोलाहल के मारे अलग कान फटे जा रहे थे। पीछे पता चला, सीवान का यह इलाका डकैतियों के लिए बदनाम है। ऐसे-ऐसे खतरनाक कैदी आते रहते हैं कि जेलवाले भी उनसे डरते हैं। कभी-कभी डकैतों के दो गिरोहों जेल में ही मार-पीट हो जाया करती है—लोहे के तवों से एक-दूसरे की कपाल-क्रिया की जाती है !

कभी बैठता हूँ, कभी टहलता हूँ—खाट पर सोने की हिम्मत हो नहीं सकती ! टहलता हूँ, तो पैरों के नीचे पानी छपछप करता है। कभी-कभी बिजली चमक उठती है। सामने नीम का पुराना पेड़ है। उसकी काली-काली डालियाँ कितनी भयानक लगती हैं। कभी भूत-प्रेत नहीं माना, आज वहाँ चुड़ैलों का अट्टहास स्पष्ट सुनता हूँ। सच कहता हूँ, जब हवा के झोंके डालों को झकझोरते और बिजली के चमकने से चंचल क्षणिक प्रकाश उन हिलती-डुलती डालों पर पड़ते, तो लगता, अनेक चुड़ैलें नंगे नाच रही हैं, अट्टहास कर रही हैं !

बेचैनी में, बेकली में, बदहवासी में किसी तरह रात काटी। भोर में सुपरिन्टेंडेंट आए। पुराने परिचित आदमी निकले। जेल में ही मिले थे, जिस समय बेचारे स्वयं कैदी थे। एक हत्या के केस में बेतरह फँसा दिए गए थे। प्रिवी कौंसिल से बेचारे का उद्धार हुआ। बड़े भलेमानस। मैंने अपनी विपता कही—वह बोले, मैं क्या करूँ ? घर अच्छी तरह धुलवा देता हूँ, भोजन मेरे घर से ही आएगा, लेकिन इसके आगे तो मेरा कोई वश नहीं। आप एस.डी.ओ. से कहिए, जिनके यहाँ आपका मुकदमा है।

जो एस.डी.ओ. थे, वह आजकल मेरे प्रान्त के मुख्यसचिव हैं। उन दिनों भी अच्छे अफसर के रूप में उनकी ख्याति थी। जब उनके कोर्ट में उपस्थित हुआ, अपनी रात की विपता उनसे कही। उन्होंने हुक्म दिया, इन्हें या तो स्थानीय अस्पताल में, डाकबँगले में या थाने में रखा जाए।

उसके बाद के मज़े की बात मत पूछिए ! इन तीनों जगहों में जहाँ खाली जगह मिलती, मुझे रखा जाता। किसी मित्र के घर से खाना आ जाता। पान-सिगरेट की भी कमी नहीं रहती। मित्र भी आकर मिलते—दिन-रात चंडाल-चौकड़ी जुटी रहती। शाम-सुबह को मैं बाहर निकलता—बस, एक सिपाही साथ रहता। लगता, कोई अर्दली पीछे-पीछे चल रहा है। एक दिन एक सज्जन से भेंट हुई, मुझे इस प्रकार टहलते देख वह चकित हुए। हिचकते हुए पूछा—सुना, आप जेल में हैं। हाँ, जेल में ही तो हूँ, मैंने हँसते हुए पीछे चलनेवाले सिपाही की ओर उँगली उठाई। वह दंग रह गए। सुनते हैं, स्थानीय पुलिस ने एक दिन एस.डी.ओ. से जाकर अर्ज की—हजूर, बेनीपुरीजी क्रान्तिकारी हैं, कहीं···भाग न जाएँ—यही आप कहना चाहते थे न ? मैं भी बेनीपुरी को जानता हूँ, वह क्रान्तिकारी हैं, किन्तु पैर के नहीं, कलम के। एस.डी.ओ. साहब ने कहा, ऐसा मुझे बतलाया गया था।

एक और व्यवस्था हुई। मुझे हज़ारीबाग़ से सीधे सीवान नहीं लाया जाए, बल्कि मुझे

छपरा उतारकर वहीं के जिला जेल में रखा जाए और ठीक तारीख के दिन मुझे सीवान लाया जाए। इससे दोहरा लाभ हुआ। छपरा जेल में सारन के साथियों से घनिष्ठता बढ़ी। छपरा जेल के अनुभव भी कम दिलचस्प नहीं रहे।

वहीं एक प्रसिद्ध डाकू से भेंट हुई; वहीं पहली बार अपनी आँखों से एक मुजरिम को फाँसी पर चढ़ते देखा; वहीं पता चला, योगेन्द्र शुक्लजी ने इस जेल से भागने का कैसा प्रबन्ध किया था; सबसे दिलचस्प तो था वहाँ का औरत किता, जो मेरे वार्ड से सटा हुआ था।

'पतितों के देश में' का दूसरा भाग लिखना चाहता था। उसके लिए सामग्री ढूँढ़ रहा था। पता चला, यहाँ एक ऐसा डाकू है, जो सारन जिले का आतंक समझा जाता है। मैंने उससे मिलने का प्रबन्ध किया। पाँच हाथ का जवान, अच्छा-खासा पहलवान-सा दीखता, देखने में भी सुन्दर ! क्या ऐसा आदमी डाकू हो सकता है ? बातें भी बड़े सलीके से करता। पीछे जब धीरे-धीरे अपने जीवन के पृष्ठ खोले, तो आश्चर्य हुआ ! कई हत्याएँ कर चुका है। कहता था, आदमी को मार डालना बड़ा आसान है, बस, थोड़ी हिम्मत चाहिए। आदमी का मारना किसी बकरे के मारने से भी सरल काम है—यह मुलायम जानवर, एक हाथ भी सफाई से लग जाए, तो इसका सिर धड़ से साफ अलग हो जाता है। फिर यह जानवर बहुत बुज़दिल है। बस, डटकर खड़े हो जाइए, एक-दो को घायल कर दीजिए, बड़े-से-बड़ा झुंड भाग खड़ा होता है। आठ-दस आदमी का प्रचंड गिरोह सारे गाँव को लूट सकता है। किन्तु हम तो सिर्फ धनियों पर ही धावा करते हैं। हम जान लेना नहीं चाहते हैं। हाँ, धन लेने में जान लेने की जरूरत पड़े, तो हम क्यों हिचकें ?

और जो एक बार डाकू हुआ, वह सदा के लिए डाकू बना। थोड़े प्रयत्न से ही धन-प्राप्ति की लालच, साहसिकता की भावना, गिरोह के लोगों का सदा प्रतिपालन करते जाने की प्रवृत्ति, बदला चुकाने की प्रबल आकांक्षा—और पकड़े जाने पर पुलिस और न्याय का आतंक; डाकू को फिर साधारण जीवन नसीब कहाँ ?

इस जेल में भी डाकू की चाँदी थी। बड़ी शान से रहता। जिले के अधिकारी उससे डरते। उनका मुँह भी वह मीठा किए रहता। जेल से भी वह पैसे बटोर रहा था। घोषणा की थी, वह स्वीकारोक्ति करेगा। जब वह कचहरी ले जाया जाता, बड़े-बड़े लोगों को खबरें भेजता, इतना रुपया अमुक आदमी के पास पहुँचाइए, नहीं तो मैं आपका नाम भी जोड़ दूँगा। यह भी उसी ने बताया, जब तक कुछ सफेदपोश लोग उनके गिरोह में न हों, डकैती छिप नहीं सकती। ये भलेमानस डकैती में नहीं जाते, हाँ, लूट का माल छिपाते, फरार को बचाते, वक्त जरूरत पर डाकू और उनके परिवार की आर्थिक सहायता करते हैं। उसने अपने जिले के बड़े लोगों के नाम लिये, जिनमें कुछ नामी वकील भी थे, जो उसके गिरोह से सम्बद्ध थे। भगवान जाने, बात कहाँ तक ठीक थी, किन्तु वह बोलता था बड़ी निर्द्वन्द्वता से। विश्वास करने को जी चाहता था।

मेरा वार्ड फाँसी के चबूतरे के निकट ही था। शाम-सुबह हम वहाँ तक टहलने जाते। एक दिन देखा, चबूतरे की सफाई हो रही है, खम्भे फिट किए जा रहे हैं। एक बोरे में बालू भरकर, उसके गले में रस्सा बाँधकर उसे बार-बार फाँसी के गड्ढे में झुलाया जा रहा है। पता चला, किसी को फाँसी होनेवाली है। मैं वैसे कैदी को देखना और उससे कुछ बातें करना चाहता था। उसका भी किसी तरह प्रबन्ध कर लिया गया।

वह पटना जिले का था; छपरा में उसकी ससुराल थी। राज का काम करता था। एक बार वह ससुराल आया, उसकी बीवी भी यहीं थी। यहाँ उसको सन्देह हुआ, उसकी बीवी एक नौजवान राज से फँसी हुई है। एक दिन उसने बहाना किया, उसका सिर जोरों से दर्द कर

रहा है। उसकी बीवी को सेवा-शुश्रूषा के लिए छोड़, उसके ससुराल के सभी लोग काम करने चले गए। रह गई उन दोनों के अतिरिक्त एक छोटी सी बच्ची, जो उसकी साली लगती थी। जब सब लोग चल गए, घर के बाहर जाने के दरवाजे की कुंडी उसने भीतर से लगवा दी और अपनी बीवी पर टूट पड़ा। बड़ी निर्दयता से उसकी हत्या की। तरकारी काटने के हँसुए से उसकी गरदन रेत दी, फिर एक चक्की उसे सिर पर पटककर सिर को भुरता-भुरता बना दिया और चलता बना। बहुत दिनों तक फरार रहा। अन्त में पकड़ा गया। मुकदमा चला, उस छोटी बच्ची की गवाही पर ही उसे फाँसी की सजा हुई।

वह बहुत प्रसन्न था। ऐसा कहता था कि उसने पुण्य का काम किया है, क्योंकि इस औरत के चलते उसका खानदान खराब हो जाता। दिन-रात 'जयशिव, जयशिव' जपता रहता। फाँसी के दिन भोर-भोर जब वह फाँसी को ले जाया जा रहा था, जोर से वह 'जयशिव, जयशिव' जप रहा था। फाँसी के तख्ते पर चढ़ने से पहले उसने जेल अधिकारियों को अलग-अलग सलाम किया। फिर 'जयशिव, जयशिव' चिल्लाते-चिल्लाते ही फाँसी के फँदे के साथ गड्ढे में झूल गया। जमादार कहते थे—बाबू बड़ा दिलेर आदमी था, शेर था, शेर। कभी उसके चेहरे पर हमने जरा भी उदासी नहीं पाई ! 'शिव-शिव' कहते मरा है, कैलासधाम उसको मिला होगा, बाबू !

शुक्लजी इसी जिले के मलखाचक गाँव में गिरफ्तार किए गए थे। पुलिस को न जाने कैसे सुराग मिल गया। छपरा से एक स्पेशल ट्रेन से वे लोग मलखाचक गए। जब शुक्लजी सोए हुए थे, उन पर टूट पड़े। अपने तकिए के नीचे छिपाई पिस्तौल उन्होंने पकड़नी चाही, किन्तु एक सिपाही ने झटका दिया, पिस्तौल दूर गिर गई। उन्हें सूअर की तरह अंग-अंग कसकर, एक बाँस में लटकाकर, स्पेशल ट्रेन तक लाया गया, वहाँ से टाँग-टूँगकर जेल में। छपरा जेल में उन पर कड़ी निगरानी रखी गई थी। तो भी उन्हें छुड़ाकर ले जाने की दुस्साहसिक चेष्टा हुई। एक दिन दीवार पर सीढ़ी तक लगा ली गई थी; किन्तु बाहर-भीतर की यह चेष्टा भी व्यर्थ गई ! शुक्लजी को सदा डंडा-बेड़ी में जकड़कर रखा जाने लगा, जिससे उनकी आँखें खराब हो गईं !

हमारे वार्ड की बगल में ही औरत क़िता—जेल के शब्दों में रंडी-क़िता था। उफ, रात-दिन उस क़िते में कोलाहल ही मचा रहता। तरह-तरह की फूहड़ गालियाँ, तरह-तरह के अश्लील गाने। कभी-कभी वहाँ से 'बिदेशिया' की टेर भी सुनाई पड़ती। लगता, भिखारी ठाकुर के गीत इन्हीं बहकी-वहशी औरतें की मनोव्यथा के गीत हैं। एक दिन आधी रात को उनमें से किसी कोकिलकंठी के गले से वह गीत सुना, जिसकी गूँज लिखते समय भी अनुभव कर रहा हूँ।

कभी-कभी उन औरतों के कुछ प्रेमी भी हमारे वार्ड की तरफ निकल आते। पानी बहने के लिए दीवार में एक छेद था। दीवार के आर-पार प्रेमी-प्रेमिका खड़े हो जाते, इस छेद से बातें ही नहीं करते, प्रेमोपहार भी लेते-देते। जेल में सबसे बड़ी चीज है—बीड़ी। बीड़ी का एकाध टुकड़ा अपनी प्रेमिका को देकर प्रेमी अपने को कितना कृतार्थ समझता। कभी-कभी उस किते से पिटाई की आवाज भी आती। औरतें आपस में लड़तीं या जमादारिन उन्हें डंडों से पीटती। थोड़ी देर तक आह, कराह; फिर हँसी के फव्वारे।

छपरा जेल की एक और मजेदार बात थी। छपरा जेल से सटा हुआ रंडियों का मोहल्ला है। अपने छज्जे से रंडियाँ जेल को देख सकती हैं और जब वे अपने छज्जे पर खड़ी हो जाएँ, जेलवाले देख सकते हैं। कुछ बिगड़े दिल नवाब जेल में आ गए थे; इशारों से ही वे उन रंडियों के प्रति प्रेम प्रदर्शित करते। कभी-कभी इनको लक्ष्य कर, उधर कोठे से संगीत की धारा भी फूट निकलती !

सीवान का यह मानहानि का मुकदमा बहुत दिनों तक चला। कई बार मुझे हज़ारीबाग़

से आना-जाना पड़ा। बीच में एस.डी.ओ. साहब की बदली हो गई। अतः फिर से मुकदमा शुरू किया गया। नए एस.डी.ओ. भी बड़े नेक थे। उन्होंने मुझे रिहा किया। यही नहीं, उन्होंने जो फैसला दिया, वह बहुत ही महत्त्वपूर्ण था। उनका कहना था—'अपने देश में मुकदमा बड़ा खर्चीला होता है, जिसके चलते गरीबों पर जुल्म होते रहते हैं, और वे बरदाश्त करते जाते हैं। इधर अखबारों के कारण एक सहूलियत हुई है। गरीब लोग तीन पैसे खर्च करके अपना दुखड़ा अखबारों में भेज देते हैं और अखबारवाले उसे छाप देते हैं। इस तरह उन बेचारों का दुख-दर्द दुनिया के सामने आता है—सरकार उस पर ध्यान देती है, जुल्म करनेवाले लोग भी डर जाते हैं। इस दृष्टि से देखिए, तो अखबारों के सम्पादक एक बड़ा ही उपयोगी सामाजिक कार्य करते हैं, जिसके लिए उन्हें प्रशंसा और पुरस्कार मिलना चाहिए। इसके बदले उन पर मुकदमा चलाया जाता है, उन्हें तंग किया जाता है। यह सर्वथा अनुचित है। मानहानि मे असली चीज है—मंशा। सम्पादक की मंशा गरीब किसान की दशा की और सरकार का ध्यान आकृष्ट करना रहा है, क्योंकि इस लेख का शीर्षक ही है, 'क्या सरकार इस ओर ध्यान देगी।' अतः मैं सम्पादक को छोड़ता हूँ, उन्हें कष्ट हुआ, इसका मुझे दुख है और चाहता हूँ कि पुलिस इस मामले की जाँच घटनास्थल पर जाकर करे और मेरे सामने रिपोर्ट पेश करे।'

यों मैं इस मुकदमे में सम्मान के साथ रिहा किया गया। बार-बार आने-जाने की जो सुविधा मिली, वह फाव में !

मैं कभी-कभी इस मुकदमे के दौरान में अपने परिवार को भेंट करने के लिए बुला लेता। भेंट प्रायः स्टेशनों पर ही कर लेता। एक बार छपरा के 'वेटिंग रूम' में भेंट कर रहा था; रानी थीं, बच्चे थे। मैंने देवेन्द्र से कहा—कोई गाना सुनाओ, बेटे ! वह गाने लगा—'पिया मिलन को जाना।' अभी तुरत एक फिल्म आई थी, उसी का गाना था। जब उसने आगे की कड़ी कही—'मन का नेह, जग की लाज दोनों को निभाना।' तब अचानक मेरे मुँह से अट्टहास फूट उठा ! लड़का शरमा गया। रानी ने कहा—इसे जरा भी अक्ल नहीं है ! क्या सचमुच लड़के में अक्ल नहीं थी ?

एक बार रानी फिर मुझसे मिलने सीवान आई; किन्तु मुझसे भेंट नहीं हो सकी। मुझमें कुछ ऐसी भावना उमड़ी कि 'कैदी की पत्नी' नाम से एक उपन्यास ही लिख डाला ! यों यह मानहानि एक पुस्तक भी दे सकी।

जेल ! जेल ! जेल !

एक वर्ष की सजा काटकर हज़ारीबाग़ जेल से छूटा। मेरे पहले जयप्रकाशजी छूट चुके थे। हमें विश्वास था कि जेल गेट पर ही हम नजरबन्द कर लिये जाएँगे। आश्चर्य हुआ, सरकार ने ऐसा क्यों नहीं किया ?

जेल से छूटकर मैं घर पहुँचा ही था कि अवधेश्बर और रज़ी पहुँचे। उन लोगों ने सूचना दी, किसान सभा में फूट पड़ गई है। स्वामीजी हमसे अलग हो गए हैं। हम लोगों ने प्रान्तीय किसान सभा का अध्यक्ष तुम्हें बनाया है; यही नहीं, तुम्हारे प्रान्तव्यापी दौरे का यह कार्यक्रम है। चलो, घूमो, क्रान्ति का बिगुल फूँको ! घर की आर्थिक अवस्था अच्छी नहीं थी। सोचा था, इस सम्बन्ध मे कुछ कर-धर लूँ। किन्तु कहाँ क्रान्ति, कहाँ घर ? मैं बेनीपुर से रवाना हो गया।

हम लोग कांग्रेस में थे। कांग्रेस का आदेश था, सभी कांग्रेस जन व्यक्तिगत सत्याग्रह में भाग लें। मैंने अपने प्रान्त के कांग्रेस अध्यक्ष श्रद्धेय राजेन्द्र बाबू को एक पत्र लिखा कि

मुझे व्यक्तिगत सत्याग्रह से बरी किया जाए और किसान सभा के अध्यक्ष की हैसियत से काम करने की इजाजत दी जाए। स्वामी सहजानन्दजी कम्युनिस्टों के प्रपंच में पड़ गए थे, अब वह इस युद्ध को जनयुद्ध समझ रहे थे। इस युद्ध में सरकार की मदद करने का वचन देकर वह समय से पहले छूटे थे। प्रान्त के किसानों को बरगला रहे थे। किसानों पर उनका प्रभाव था। कांग्रेस के सिद्धान्त के हित में भी यह उचित था कि मुझे उनके प्रभाव जाल को तोड़ने का अवसर दिया जाए। मेरे पत्र का सारांश यह था।

उस पत्र के उत्तर में राजेन्द्र बाबू का एक लम्बा पत्र मिला। उन्होंने मुझे सत्याग्रह से मुक्त कर दिया, किसान सभा में काम करने की इजाजत दी। किन्तु उस पत्र में कहा, स्वामी के व्यक्तित्व के खिलाफ कुछ नहीं किया जाए—न जाने देश को कब किसकी आवश्यकता पड़ जाए ? राजेन्द्र बाबू की इस उदारता और दूरदर्शिता का मुझ पर बहुत प्रभाव पड़ा।

मेरा तूफानी दौरा शुरू हुआ। जहाँ जाता, वहीं क्रान्ति का वातावरण पाता। सोशलिस्ट पार्टी के जो कार्यकर्ता निष्क्रिय हो चले थे, उनमें भी न जाने कहाँ से एक नया जोश आ गया ! लगता था, अपनी बाँबी में सोए हुए गेहुअन साँप किसी अज्ञात मदारी की बीन की तान सुनकर निकल पड़े हों और फन काढ़कर मस्ती में झूम रहे हों ! वह बीन क्रान्ति की थी, मैं तो सिर्फ बजानेवाला था।

कभी पटना, कभी गया; कभी मुंगेर, कभी भागलपुर; कभी सारन, कभी चम्पारण—दिन-रात प्रान्त के कोने-कोने में घूमता और बड़ी-से-बड़ी सभाओं में बोलता ही रहता। मेरे पीछे सदा सी.आई.डी. के रिपोर्टर लगे रहते। एक बार एक सी.आई.डी. रिपोर्टर ने, जो इंसपेक्टर के पद पर था, मुझसे कहा, आप आग-आग ही तो उगलते हैं, किन्तु ऐसी सावधानी से बोलते हैं कि यदि बेईमानी नहीं की जाए तो आप कानून के शिकंजे में नहीं आ सकते ?

किन्तु क्या अपने देश में बेईमानों की कमी है ? हाजीपुर के एक गाँव में दिए गए एक भाषण पर मैं गिरफ्तार कर लिया गया ! हाजीपुर का जेल—अपने जिले का एक सब-जेल ! बस, सीवान सब-जेल के नमूने का। कुछ ही घंटों के बाद मैं जमानत पर रिहा किया गया। मेरे द्वारा जिन जेलों के दर्शन हो चुके हैं, उनकी गिनती में एक इजाफ़ा हुआ—पटना जेल, हज़ारीबाग़ जेल, पटना सिटी जेल, कैम्प जेल, सीवान जेल, छपरा जेल और अब यह हाजीपुर जेल—सात पूरे हुए। किन्तु अभी तो इनमें पाँच का इजाफ़ा और होनेवाला है—पूरे एक दर्जन जेलों के दर्शन का सौभाग्य प्राप्त कर चुका हूँ !

जो थोड़ी देर वहाँ रहा, इस जेल को उत्सुकता से देखा किया। क्या जानता था कि थोड़े दिनों के बाद ही, अगस्त क्रान्ति में, इस जेल का फाटक खुल जाएगा, सभी कैदी भाग जाएँगे, कई दिनों तक यहाँ सिर्फ कौए काँव-काँव करते रहेंगे।

बहुत दिनों तक यह मुकदमा चलता रहा। मेरे वकील थे पटना के जनाब रफीउद्दीन बलखी साहब और बलखी साहब नहीं रहे ! किन्तु मैं उनके अहसानों को नहीं भूल सकता। इस मुकदमे में तो शानदार पैरवी की ही, जहाँ-जहाँ बाद में मुझ पर मुकदमे चले, अपने खर्च से जाते रहे और विचित्रता यह कि सब जगह कानून के शिकंजे से छुड़ाते रहे !

वकालत क्या चीज है, जिरह की क्या कीमत है, इसी मुकदमे में जाना। इस ढंग से जिरह की कि सरकारी गवाहों से ही मेरे पक्ष की सारी बातें निकाल लीं। साबित किया, या तो ये गवाह वहाँ हाजिर नहीं थे, वहाँ सभा ही नहीं हुई, किसी दूसरी जगह भले ही हुई हो, जहाँ ये लोग गए हों। 'अंग्रेजी राज बरबाद'—मैंने यह नारा दिया था, यह सरकारी पक्ष का कहना था। तो यह कौन सा जुर्म हुआ, 'बरबाद' फारसी शब्द है, 'बर-बाद' का अर्थ है हवा पर ! अंग्रेजी राज अब वायुयान पर अपनी शान दिखा रहा है, इसका यह भी तो अर्थ हो

सकता है ! हम लोग इस अर्थ पर खूब हँसे !

सरकारी पक्ष से वकील थे मौलवी सफी साहब; मेरे जिले के 1921 के असहयोग युग के नेता ! इन्हीं की पुकार पर मैंने पढ़ना-लिखना छोड़ा था। अब मुसलिम सम्प्रदायवाद की चपेट में थे, जिले के पब्लिक प्रोसिक्यूटर थे। हम लोग एक ही डाकबँगले में ठहरे थे। मैंने आदाब किया, तो शरमा गए। बोले—तुम पर मुक़दमा है, यह मुझे मालूम नहीं था, नहीं तो किसी और वकील को भेज देता ! जब सरकार की ओर से बहस करने लगे, तो मानो पुरानी बात याद हो आई हो; कहा—कानून का सिर्फ टेकनिकल भंग हुआ है, अतः सजा कड़ी हो, मैं यह माँग नहीं करता। उनकी इस नरमी पर बलखी साहब ने समझा, कहीं जुर्माना करके या दो-एक हफ्ते की सजा देकर न छोड़ा जाए, जिससे अपील की गुंजाइश भी न रह जाए। उन्होंने माँग की, या तो मेरे मुवक्किल हो छोड़ा जाए या बड़ी सजा दी जाए, क्योंकि मेरा विश्वास है, मैं अपील से उन्हें छुड़ा लूँगा। शायद बलखी साहब से चिढ़कर ही, मैजिस्ट्रेट ने छः महीने की सख्त सजा कस दी।

मैं कचहरी से थाना लाया गया और वहाँ से सीधे मुजफ्फरपुर जेल भेज दिया गया। अपने जिले का जिला जेल देखा। कैसा तमाशा, अपने घर के जेल से अभी तक वंचित ही था। फिर यह जेल—भारत के प्रथम बमकांड के अभियुक्त खुदीराम बोस को इसी जेल में फाँसी हुई थी न ? इस तरह स्वतन्त्रता आन्दोलन में जिसका गौरवपूर्ण स्थान रहा है, उसे अब तक न देखना एक दुर्भाग्य की ही बात थी। कई दिन वहाँ रहा; जज ने मेरी जमानत मंजूर की फिर अपील की सुनवाई पर उन्होंने मुझे मुक्त कर दिया—बलखी साहब की टेक रह गई।

किन्तु अभी अपील सुनी भी नहीं गई थी, मैं जमानत पर ही था कि फिर मेरी गिरफ्तारी हो गई।

अखिल भारतीय किसान सभा के संगठन में भी फूट पड़ी। नई अखिल भारतीय किसान सभा की बैठक लखनऊ में हुई। मैं उसकी बैठक में शामिल होने जा रहा था कि फैजाबाद में कम्युनिस्ट पार्टी के मन्त्री श्री पी.सी. जोशी से भेंट हुई। जोशी से मेरी मित्रता थी। जब फरार थे, तब भी पटना आने पर मेरे घर पर ठहरते। अपनी पार्टी के गुप्त सरकुलर में 'जनता' और मेरी बड़ी तारीफ की थी—किन्तु सारी सोशलिस्ट पार्टी को मेन्शेविक बतलाया था। तभी से जयप्रकाशजी को कम्युनिस्टों से घृणा हुई। जब स्टेशन पर मुझे देखा, तो ललककर आए। मैंने कहा, क्या हालचाल है ? बोले—बेनीपुरी, एक साल के अन्दर सारा भारत लाल हो जाएगा ! पन्द्रह साल हो गए, भारत लाल कहाँ तक होता, जोशी साहब कहाँ है, कहाँ तक लाल हैं, दूर-दूर से देखकर हँसता हूँ।

किसान सभा के अध्यक्ष नरेन्द्रदेवजी पहले से ही थे, उपाध्यक्षों में मेरा नाम भी रखा गया। तय हुआ, बिहार में किसान सभा का अखिल भारतीय सम्मेलन किया जाए।

मैंने अपने गाँव के निकट बेदौल में सम्मेलन करने का निश्चय किया। उसकी तैयारी में जी-जान से जुट गया। प्रान्त के कुछ प्रमुख साथी भी आ गए। गरमियों के दिन थे, तो भी गाँव-गाँव दौड़ा फिरता। कार्यकर्ताओं में उत्साह था, जनता के उत्साह का भी क्या कहना ? कहाँ धूप, कहाँ लू ! हम दिन-रात एक किए रहते। यहाँ पानी की कमी होगी, इसलिए सीतामढ़ी से कुछ ट्यूबवैल का प्रबन्ध करने मैं बस से रवाना हुआ। देखा, वही इंसपेक्टर साहब अगली सीट पर बैठे हैं, जिन्होंने मुझे हाजीपुर में गिरफ्तार कराया था। बड़े भक्त, हमेशा राम-राम जपते रहते ! मुझे देखकर बड़ी प्रसन्नता प्रकट की, अपनी बगल में बिठाया। रास्ते भर राम-राम के बीच मुझसे खोद-खोदकर पूछते जाते; सीतामढ़ी में कब तक रहूँगा, कहाँ ठहरूँगा आदि-आदि। वह थाने के निकट उतर गए, मैं डॉ. रामाशीश ठाकुर के दवाखाने की ओर बढ़ा।

और यह लीजिए, मैं यहाँ मुँह-हाथ भी नहीं धो सका था कि पुलिस का एक दस्ता पहुँच गया और मैं गिरफ्तार कर लिया गया। डॉक्टर साहब एम.एल.ए. थे, वह एस.डी.ओ. से मिले कि मुझे जमानत पर छोड़ा जाए, किन्तु यहाँ तो जैसे पहले से ही साँठ-गाँठ थी, मुझे जेल में बन्द कर दिया गया !

जेल में मुझे भी 'सी' क्लास में रखा गया ! डॉक्टर साहब ने लाख कहा कि मुझे सदा अपर डिवीजन में रखा गया है, मेरी सामाजिक प्रतिष्ठा और रहन-सहन के अनुसार मुझे अपर डिवीजन में ही रखा जाता रहा है, रखा जाना चाहिए, किन्तु कौन सुनता है ? ऐसा लगता था कि मुझसे यहाँ की पुलिस और एस.डी.ओ. को कोई बप्पावैर हो। हद तो यह हो गई कि जिस दिन मेरा मुकदमा खुला, जेल से ले जाकर मुझे कचहरी के लॉकअप में बन्द कर दिया गया। वहाँ चारों ओर थूक-खखार और बदबू-बदबू थी ! मैं समझ नहीं पाता, ऐसा क्यों किया जा रहा है ? एक दिन साप्ताहिक परिदर्शन के लिए एस.डी.ओ. जेल में आए, जब मैंने उनसे पूछताछ की कि क्यों मेरे साथ ऐसा व्यवहार किया जा रहा है, तो बोले—अभी क्या हो रहा है ? आप पर एक डकैती केस चलनेवाला है, जिसमें हत्याएँ भी हुई हैं, तब देखिएगा।

खैर, वह डकैती केस तो हवा में ही रह गया, शायद एस.डी.ओ. के दिमाग का ही वह फितूर था। मुकदमा चला तो बलखी साहब फिर आ गए। फिर उनकी जिरह का कमाल देखा। यहाँ तो डेढ़ वर्ष की सजा ठोंक ही दी गई; किन्तु अपील में उन्होंने छुड़ा दिया !

किन्तु जब तक मैं छूटूँ, मधुबनी से वारन्ट आ गया। सीतामढ़ी जेल से ही मैं मधुबनी जेल के लिए रवाना कर दिया गया।

किन्तु अभी सीतामढ़ी कांड पर कुछ कहना रह ही गया। मुझे सबसे बड़ी चिन्ता थी कि बेदौल सम्मेलन का क्या होगा ? एस.डी.ओ. ने मेरे लड़के को भी मुझसे मिलने की इजाजत नहीं दी थी। तब मैंने तिकड़म का आसरा लिया और शायद पाठकों को भी विश्वास नहीं हो, वहाँ मेरे मुलाकाती बराबर मुझसे मिलते रहे, किन्तु गेट पर नहीं, उन्हें मैं जेल में ही बुला लेता, वे घंटों रहते, गपशप करते, धीरे-धीरे एकाध गाना भी सुना जाते। यहाँ के वार्डर की जेब बहुत बड़ी हो गई थी; यदि मेरी पत्नी चाहतीं, तो एकाध सन्ध्या को वह भी भीतर पहुँच सकती थीं !

जंजीरें फौलाद की होती हैं, दीवारें पत्थर की। किन्तु यह मानव कुछ ऐसी धातु का होता है कि इसके स्पर्श से फौलाद मोम बन जाती है, दीवार मक्खन। मनु के बेटे के कमाल का क्या कहना ?

बेदौल का सम्मेलन ऐसा सफल रहा जैसी कल्पना भी नहीं की गई थी। श्रीबाबू ने उद्‌घाटन किया; अपने भाषण में मेरी गिरफ्तारी और मेरे साथ जेल में हुए दुर्व्यवहार की भी चर्चा की। आचार्यजी बीमार पड़ गए, दमे ने उन्हें बेतरह दबोच रखा था। उनकी अनुपस्थिति में भाई मेहर अली ने बम्बई से आकर उसकी अध्यक्षता की। कार्यकर्ताओं की बैठक में उन्होंने आगामी क्रान्ति में कार्यकर्ताओं से जान पर खेल जाने, किन्तु गिरफ्तार न होने की ताकीद की। उनकी बात का कितना असर पड़ा, इसका सबूत यह है कि बेदौल के आसपास के जितने थाने थे, अगस्त क्रान्ति में उन पर कब्ज़ा कर लिया गया था; कुछ दिनों तक अंग्रेजी राज्य सचमुच हवा पर था !

सीतामढ़ी के अपने मुकदमे में मैंने अपना जो बयान दिया था उसमें उस इंसपेक्टर और एस.डी.ओ. के दुर्व्यवहारों की चर्चा की थी और अन्त में उर्दू का वह सुप्रसिद्ध शेर जड़ दिया था—

'करीब है यार रोज महशर छिपेगा कुश्तों का खून क्योंकर।
जो चुप रहेगी ज़ुबान-ए-खंजर लहू पुकारेगा आस्तीं का।।'

मैं क्या जानता था, मेरी तनिक भी ऐसी मंशा नहीं थी, कि यह शेर भविष्यवाणी के रूप में मैं कह रहा हूँ। अगस्त क्रान्ति में एस.डी.ओ. और इंसपेक्टर, इन दोनों की हत्या हो गई—उत्तेजित जनता ने उन्हें बुरी तरह मारा, बोटी-बोटी काट दी और नदी मे फेंक दिया। उनकी लाशें भी उनके परिवारों को नहीं मिल सकीं ! जब हज़ारीबाग़ जेल में यह खबर मिली, मुझे बहुत दुख हुआ और तब से सोचता हूँ, किसी दुश्मन को भी कोई बद्दुआ नहीं देनी चाहिए !

विप्लव की धमक

अभी-अभी नया-नया बना, नए मॉडल का मधुबनी का यह छोटा सा जेल। इसके दरवाजे पर भी जंजीरें लटक रही थीं, किन्तु इसकी दीवारों पर कालिमा नहीं थी, भूरा-भूरापन था, अच्छा लगता था !

एक तो अपर डिवीजन का राजबन्दी, फिर गाँव के निकट का ही एक वार्डर मिल गया। मुझे कोई कष्ट नहीं था।

सीवान जेल की तरह इस जेल में भी डकैतों की भरमार थी। ये लोग भारत-नेपाल सीमा पर डकैतियाँ करते। नेपाल में डकैती करके भारत भाग आते, भारत में डकैती करके नेपाल में जा छिपते। जब कभी नेपाल में गिरफ्तार होते, बड़ी दुर्गत होती इनकी। खैरियत यह थी कि वहाँ की पुलिस उतनी सजग नहीं थी। भारत में गिरफ्तार होने पर मुकदमे में छूट जाने की सदा सम्भावना रहती। डकैतियाँ रात में होतीं, शिनाख्त में ही अधिक लोग बच निकलते। जो नामी डाकू थे, उन्हें पहचान करते लोग डरते थे। कदाचित् वे छूट गए तो क्या जान भी बचने देंगे ? एक तो धन गया, अब जान पर भी कौन खतरा ले ?

जेल में थोड़ी जगह थी, अधिक लोग थे। चौबीस घंटे कोलाहल मचा रहता। इसलिए मैं दफ्तर में प्रायः आ जाता। जमादार शरीफ आदमी थे। मुझे हर प्रकार से आराम देने की चेष्टा करते।

जब मैं जेल के भीतरी गेट से दफ्तर में जाता, प्रायः बगल के औरत वार्ड के छेद से दो आँखें चमक उठतीं ! मैंने कई दिन ऐसा लगातार देखा ! एक दिन मेरे पड़ोसी नौजवान वार्डर ने हँसते हुए कहा—भाईजी नागिन है, नागिन ! इसकी आँखों से कितनों को डंसा है, देखिएगा, बचकर रहिएगा।

और एक दिन उस नागिन को प्रत्यक्ष देखा, जब वह औरत वार्ड से निकालकर कचहरी ले जाई जा रही थी। मिथिला का सारा सौन्दर्य उसे मिला था, फिर उस पर "बाँके नैना मैथिलानी के।" ऐसी सुन्दरी और ऐसे बीभत्स जीवन में फँसी है ! उफ, सच कहता हूँ, बहुत दिनों तक उसकी आँखें मेरे सामने भूत-सी मँडराती रहीं ! इस समाज के मूल में ही कोई त्रुटि है—बिना आमूल परिवर्तन किए यह समाज सभ्य-सुसंस्कृत जीवन का प्रतीक नहीं बन सकता।

एक नौजवान मैजिस्ट्रेट के इजलास में मेरा मुकदमा चला। मैंने उनसे अर्ज़ किया, मुझे दरभंगा जेल में रखा जाए और मुकदमे के दिन यहाँ बुला लिया जाए। उन्होंने मेरा निवेदन स्वीकार कर लिया।

अब फिर सीवानवाली स्थिति हुई। मैं दरभंगा जेल में रखा जाता। वहाँ से आता, तो डाकबँगले में ठहराया जाता। पेशी के बाद फिर दरभंगा भेज दिया जाता।

फिर मित्रों का ताँता। फिर बाहर से सम्पर्क। 'जंगल में मंगल' की कहानी नए रूप में चरितार्थ होने लगी।

क्रिप्स आकर लौट चुके थे। गांधीजी की अन्तःप्रेरणा में 'भारत छोड़ो' की बात आ चुकी थी। वह अपने इस नारे को समझाते हुए लेख-पर-लेख, वक्तव्य-पर-वक्तव्य दे रहे थे। वे लेख, वे वक्तव्य सभी पत्रों में प्रमुखता से छप रहे थे। उनके लेखों और वक्तव्यों से स्पष्ट हो जाता कि गांधीजी अपने जीवन का अन्तिम युद्ध छेड़ने जा रहे हैं। यह कोई आन्दोलन नहीं होगा, खुला विद्रोह होगा। 'करो या मरो', इसका नारा होगा। हाँ, करो या मरो। यह नारा हम पर किस तरह लागू होगा, जो जेलों में बन्द हैं। हमें दरभंगा जेल के जिस सेल में रखा गया था, उसमे सामने ही जेल की दीवार थी और उसके निकट ही फाँसी का चबूतरा था। उस चबूतरे पर बैठकर कभी हम दीवार की ओर देखते, कभी इसके नीचे के कुंड की ओर ध्यान करते, जहाँ गले में रस्से लपेटे आदमी ऐंठ-ऐंठकर दम तोड़ता है। हमें करो, उस दीवार में दीखती, मरो इस कुंड में।

मेरे साथ जेल में एक क़ैदी ऐसा था, जो राजनीतिक उद्देश्य से डकैती करते हुए पकड़ा गया था। एक बम की आजमाइश में उसका एक हाथ उड़ गया था। वह भी मेरे साथ आकर बैठ जाता। बड़ा फितूरी था वह। कहता, आप निश्चिन्त रहिए, ज्योंही गांधीजी ने बिगुल फूँकी, हम लोग इस दीवार के उस पार होंगे। वह तरह-तरह की योजनाएँ बना चुका था—जेलर को गिरफ्तार करने से लेकर दीवार फाँदने तक की।

उधर जयप्रकाशजी बम्बई में गिरफ्तार हो चुके थे। वहाँ से देवली कैम्प में भेजे गए। देवली जेल से कुछ कागजात वह बाहर भेजना चाहते थे, किन्तु ऐन मौक़े पर कागजात पकड़ लिये गए। उन कागजात को सरकार ने छपवा दिया था। सरकार का उद्देश्य था जयप्रकाश को बदनाम करना। किन्तु गांधीजी ने जयप्रकाश का पक्ष लिया। सरकार का उद्देश्य तो सफल नहीं हुआ, हमारे साधारण कार्यकर्ता को भी मालूम हो गया, इस सरकार को उलटने के लिए हम सब कुछ कर सकते हैं।

धीरे-धीरे अगस्त निकट आ रहा था, बम्बई में कांग्रेस कमेटी की बैठक होने जा रही थी, जिसमें गांधीजी 'भारत छोड़ो' का प्रस्ताव रखने जा रहे थे। वातावरण क्षुब्ध से क्षुब्धतर होता जा रहा था। गांधीजी के लेखों से भी चिनगारियाँ निकलती थीं। मैं जेल के वार्डरों से, अन्य जेल अधिकारियों से बातें करता कि उनकी प्रतिक्रिया क्या है ? जब मधुबनी ले जाया जाता, पुलिस के सिपाहियों से, साथ के यात्रियों से भी बातें करता। स्थिति डाँवाँडोल है, कुछ भी हो सकता है, यह स्पष्ट दिखाई पड़ता था। किन्तु डर यह था कि कहीं योग्य नेतृत्व के अभाव में सारा आन्दोलन बिखरकर शान्त न हो जाए।

उसी समय जयप्रकाशजी एक लम्बे अनशन के बाद देवली से हज़ारीबाग़ जेल वापस भेज दिए गए थे। मुझे सजा तो मिलेगी ही; क्यों न हज़ारीबाग में उनसे मिलकर बातें कर आऊँ ?

दरभंगा के सुप्रसिद्ध वकील स्वर्गीय बाबू धरणीधर मेरे मुकदमे में दिलचस्पी ले रहे थे। मेरे मुकदमे की पैरवी तो बलखी साहब ही हस्बमामूल कर रहे थे; तो भी धरणीधर बाबू तारीख पर आ जाया करते। उन्होंने कहा, यदि सजा हुई तो दरभंगा में जज से अपील कर तुम्हें जमानत पर छुड़ा लूँगा। तब तक सीतामढ़ी की सजा को बलखी साहब मुजफ्फरपुर के जज से रद्द करवा चुके थे। मैंने ऐसी योजना बनाई कि सजा होते ही मैं मधुबनी से ही हज़ारीबाग़ भेज दिया

जाऊँ और जब वहाँ पहुँच जाऊँ तब धरणीधर बाबू जज के पास अपील करें और जमानत करा दें। जमानत का आर्डर जब तक हज़ारीबाग़ पहुँचेगा, तब तक मैं जयप्रकाशजी से सारी बातें कर लूँगा और वहाँ से लौटकर उनके आदेश के अनुसार कार्रवाइयाँ की जाएँगी। गांधीजी सरकार को एक महीने का अल्टिमेटम देनेवाले थे, अतः कोई आन्दोलन सितम्बर के पहले शुरू नहीं होगा, ऐसा विश्वासपूर्वक समझा जाता था।

अगस्त के शुरू में ही मुझे सजा मिली। मैंने मैजिस्ट्रेट से कहा, मुझे सीधे हज़ारीबाग़ जेल भेज दीजिए, क्योंकि दरभंगा में भी अपर डिवीजन का कोई इन्तजाम नहीं, जिससे मुझे कष्ट होता है। मैजिस्ट्रेट ने इसे तुरन्त स्वीकार कर लिया। इस बार मैं मधुबनी जेल में ही ठहरा था। जब मैं अपने सामान लेने मधुबनी जेल में गया, मेरे पड़ोसी नौजवान वार्डर ने कहा, भाईजी, आप कहाँ जा रहे हैं। यही रहिए, आन्दोलन शुरू होते ही यह जेल टूटकर रहेगा ! डकैत कैदियों ने कहा, हम इस जेल को तोड़कर रहेंगे और आप जहाँ चाहेंगे, पहुँचा देंगे, जो कहिएगा, करेंगे। देशसेवा का एक मौका हमें भी तो दीजिए ! जब स्टेशन पर पहुँचा, बहुत से साथी इकट्ठे हो गए और अफ़सोस करने लगे कि आप हमें छोड़कर कहाँ जा रहे हैं, हम तो आपको जेल से निकाल ही लेते। ये सारी बातें खुल्लमखुल्ला की जातीं—खुला विद्रोह होने जा रहा है न ? फिर दुराव-छिपाव कैसा ?

जो जमादार मुझे हज़ारीबाग़ पहुँचाने जा रहा था, उसका रूप तो और भी विचित्र था। उनसे मुझसे साफ कहा—आप भागना चाहें, तो जहाँ से चाहे, भगा दूँगा। आपको भगाकर मैं भी फरार हो जाऊँगा और आन्दोलन में भाग लूँगा—इस बार तो 'करो या मरो' की बाजी है। यही नहीं, मुजफ्फरपुर पहुँचकर तो वह बार-बार मुझे भाग जाने को प्रेरित करता रहा। मैं अपनी योजना कैसे बताता—सिर्फ यही कहता, अभी थोड़ा सब्र रखना चाहिए, नहीं तो समय से पहले क्रान्ति करने से 1857 की तरह हमें असफलता भी मिल सकती है।

जब गया पहुँचा, मैं जिस डब्बे में था, कई फौजी अफसर आ गए। वे कुमाऊँ के थे, पूर्वी मोरचे पर भेजे जा रहे थे। अब गाड़ी चली, धीरे-धीरे बातें होने लगीं। मैंने कहा, आप लोगों को बंगाल में इसलिए भेजा जा रहा है कि क्रान्ति होने पर आप वहाँ की क्रान्ति को कुचल दें। यदि ऐसी बात हो, तो आप क्या करेंगे ? 1930 में पेशावर में गोली चलाने से इनकार करनेवाले ठाकुर चन्दनसिंह के उदाहरण की भी उन्हें याद दिलाई। बड़े साफदिल आदमी थे। वे बोले—देखिए, सब कुछ निर्भर करता है आप लोगों पर। सैनिक पहले से नहीं सोचता कि वह किस मौके पर क्या करेगा ? समय पर जो हो जाता है, वह हो जाता है।

मुझे ट्रॉट्स्की की 'रशियन रेव्युलूशन' की बातें याद आ रही थीं। भोर में जो सैनिक चलाने को तैयार थे, वे ही शाम होते-होते ऐसे पिघले कि मजदूरों से मिल गए। हाँ, हाँ, सब कुछ निर्भर करता है हम लोगों पर। हमारी क्रान्ति की प्रखरता कैसी होती है, हम पर गोली चलाने के लिए खड़े सैनिकों के प्रति हमारा व्यवहार कैसा होता है, हम उनके हृदयों को कहाँ तक पिघला सकते हैं, क्रान्ति की सफलता का उन पर कैसा विश्वास होता है—सैनिकों को क्रान्ति के पक्ष में आने के कई ऐसे पहलू हैं। सचमुच अभी से कुछ कहा नहीं जा सकता।

मैं हज़ारीबाग़ पहुँचा, तो बाबू वार्ड में रखा गया। जयप्रकाशजी छोकरा किता में थे। किन्तु जमादार ने हमें तुरन्त मिला दिया। अनशन के कारण जयप्रकाशजी बहुत दुबले हो गए थे। साइटिका की पीड़ा उन्हें परेशान किए हुए थी। प्रति सप्ताह गांधीजी का पत्र आता था और उसी के अनुसार वह प्राकृतिक चिकित्सा कर रहे थे। मैंने सारी बातें बताईं। जनता का रुख, कार्यकर्ताओं का रुख, पुलिस का रुख, सैनिकों का रुख। यदि योग्य नेतृत्व नहीं मिला तो आन्दोलन बिखर सकता है या गलत दिशा में चला जा सकता है, अपनी यह आशंका भी

प्रकट की। मैं तो जमानत पर शीघ्र चला जाऊँगा, क्या यह अच्छा नहीं होगा कि आप भी क्रान्ति के अवसर पर बाहर रहें ? जयप्रकाशजी का रोम-रोम क्रान्ति की भावना में डूबा हुआ था। वह जान पर खेल जाने को तैयार थे। क्रान्ति के समय वह बाहर अवश्य रहना चाहते थे, किन्तु यह किस प्रकार सम्भव होगा ? मैं बाहर जाकर अभी से इसके लिए चेष्टा करूँ या क्रान्ति के समय के हो-हल्ले के लिए प्रतीक्षा की जाए—आदि बातों पर हम कई दिनों तक विचार-विमर्श करते रहे।

जयप्रकाशजी का विश्वास था, जब क्रान्ति शुरू होगी, यहाँ के जेल अधिकारियों को वह क्रान्ति के पक्ष में ला सकेंगे। इस सम्बन्ध में कुछ अफसरों से उन्होंने बातें भी की थीं। किन्तु उनका भी विश्वास था, सब कुछ क्रान्ति की व्यापकता और प्रखरता पर ही निर्भर करता है। क्या बिहार के इस एकान्त स्थान में क्रान्ति वैसा रूप धारण कर सकेगी कि यहाँ के जेल अधिकारी भयभीत हो जाएँ या उन्हें क्रान्ति पर विश्वास हो जाए ? तो क्यों नहीं कुछ पहले निकल भागा जाए ? किन्तु तब गांधीजी पर क्या प्रभाव पड़ेगा ? अच्छा हो कि हम प्रतीक्षा करें, तैयारी करें, ज्यों ही क्रान्ति शुरू हो, हम चाहे किस प्रकार हो, जयप्रकाशजी को बाहर कर लें। इसके कौन-कौन तरीके हो सकते हैं ? हम सोचा करते—योजना-पर-योजना बनाई और मिटाई जा रही थी !

7 अगस्त से ही हमारे शरीर हज़ारीबाग़ जेल में थे, कान बम्बई पर लगे थे। अख़बार तो मिलते थे ही, जेल अफसर रेडियो पर सुनी खबरें भी हमें बता जाते। क्या होगा, क्या होने जा रहा है—सारे देश का ध्यान बम्बई पर टँगा था।

इस बार या तो जंजीरें टूटेंगी, दीवारें ध्वस्त होंगी या वे पुकार उठेंगी, चिंघाड़ उठेंगी—दोनों में कौन सा सम्भाव्य है, कौन बताए ?

इन्क़लाब जिन्दाबाद

9 अगस्त। हम लोग सन्ध्या को इस प्रतीक्षा में थे कि रेडियो की कौन सी खबर जेल का कोई अधिकारी पहुँचा जाता है। दिन भर वर्षा हो रही थी; अभी बूँदा-बूँदी खत्म नहीं हुई थी। कि देखा, जेल गेट की ओर से अपनी लम्बी सफेद दाढ़ी लिये, धीरे-धीरे पग उठाते, हज़ारीबाग़ के नेता बाबू रामनारायण सिंह पधार रहे हैं ! अरे, यह क्या बात हुई ? क्या रामनारायण बाबू हमसे मिलने आ रहे हैं ? या वह गिरफ्तार कर लिये गए हैं ? पीछे एक कैदी अपने सिर पर उनका सामान लिये आ रहा था। हम जान गए, बम्बई में बिगुल बज चुका !

रामनारायण बाबू ने बताया, किस प्रकार उनकी गिरफ्तारी हुई। हमने पूछा, इस बार गिरफ्तार होने की बात नहीं थी, 'करो या मरो' की बात थी। उन्होंने कहा—जब पुलिस इंसपेक्टर आया, मैं भी कुछ पशोपेश में रहा, गिरफ्तार होऊँ या नहीं। ऐसी सहूलियत भी थी कि मैं भीतर जाकर पिछले दरवाजे से खिसक जा सकता था; किन्तु मुझे यह उचित नहीं जान पड़ा। सोचा, देखें, क्या होता है ?

अब तो यह निश्चय हो चुका कि मैं जमानत पर रिहा नहीं किया जा सकता। पटना से जिन लोगों को जहाँ भी हों, गिरफ्तार करके जेल में नजरबन्द कर देने की जो पहली लिस्ट निकली थी, उसमें एक नाम मेरा भी था।

धीरे-धीरे, दो-तीन दिनों के अन्दर ही, छोटा नागपुर के हर जिले के प्रमुख कांग्रेस नेता पकड़कर हज़ारीबाग़ जेल में ले आए गए।

उनके मुँह से, अखबार से, जेलवालों द्वारा रेडियो से जो समाचार हम प्राप्त कर सके, उनसे पता चल गया, देश ने अपने को क्रान्ति के हवन-कुंड में झोंक दिया है। क्रान्ति की ज्वाला देश भर में धू-धू जल रही है ! बम्बई ने ही रास्ता दिखाया है। आवागमन के सारे साधन ठप्प हो चुके हैं। देश में जगह-जगह रेल की पटरियाँ उखड़ रही हैं, तार-टेलीफोन का सम्बन्ध-विच्छेद हो चुका है। थानों पर कब्जा किया जा रहा है। कचहरियाँ वीरान हो रही हैं। धुआँधार गोलियाँ चल रही हैं। सड़कों पर बैरिकेड बन रहे हैं। स्टेशन घर लूटे जा रहे हैं। जो एकाध गाड़ियाँ चल पाती हैं, वे क्रान्तिकारियों की मरजी से। नेताओं ने जो सोचा हो, देश की जनता ने 'करो या मरो' के गांधीपाठ को अच्छी तरह हृदयंगम कर लिया है।

सरकार ने नृशंस रूप धारण कर लिया है। कोडरमा से एक डॉक्टर आए। उन्होंने बताया, किस तरह वहाँ अन्धाधुन्ध गोलियाँ चलाई गईं। घायलों की चिकित्सा को वह आगे बढ़े तो उन्हें भी गिरफ्तार कर लिया गया। जिस बस पर घायलों को लाया गया, उसी पर डॉक्टर को भी रख लिया गया। रास्ते भर घायल तड़पते रहे, पानी-पानी करते रहे, न उन्हें पानी दिया गया, न डॉक्टर को ही बार-बार के आग्रह पर उनकी सेवा करने का मौका दिया गया ! डॉक्टर रो रहे थे, उनकी आँखों से आँसू जारी थे ! एक घायल तो रास्ते में ही मर गया। तमाशा हुआ जेल गेट पर ! पुलिस कहती थी, इस लाश को भी रख लीजिए, जेलवाले कहते थे, हम लाश क्यों लें ? पुलिसवाले का कहना था, हमें हुक्म हुआ था, इतने लोगों को जेल पहुँचा आओ; रास्ते में मर गया, अब हम उसे कहाँ ले जाएँ ? रात भर वह लाश जेल गेट पर ही पड़ी रही।

लोगों की वीरता और सरकार की नृशंसता की ऐसी खबरें आ रही थीं कि रोंगटे खड़े हो जाते थे। पटना के विद्यार्थियों ने कमाल किया। वे सेक्रेटेरियट पर कब्जा करने चले। वहाँ फौज और सशस्त्र पुलिस का जमघट जुटा था। विद्यार्थियों की टेक थी—कम-से-कम हम इस पर झंडा तो फहराएँगे ही। कशमकश बढ़ती गई, गोलियाँ चलीं, कई विद्यार्थी वहीं ढेर हो गए; किन्तु अहा ! सामने देखिए, झंडा लहरकर रहा ! न जाने किस तरह एक विद्यार्थी ऊपर चला गया, झंडा लहरा दिया। सामने जो विद्यार्थी दम तोड़ रहे थे, उन्हें इस झंडे को देखकर कितनी प्रसन्नता हुई होगी !

छोटे-छोटे बच्चे बेधड़क तार और टेलिफोन के लम्बे खम्भे पर चढ़ जाते और उसमें लगे उजले डब्बे को तोड़कर तार-टेलीफोन की लाइन खराब कर देते। रिक्शेवालों ने तो और कमाल किया। घरेलू नौकरों ने तुरन्त अपना संगठन बनाया और यातायात को अवरुद्ध कर देने का जिम्मा अपने ऊपर लिया। पेड़ों की मोटी-मोटी डालों को काटकर, घर की फालतू चीजों को सड़कों पर अम्बार लगाकर, उन्होंने रास्तों जाम कर दिया। एक ओर से सड़कें साफ की जातीं कि पीछे से न जाने कौन लोग कब आकर फिर बैरिकेड बना देते। 'शूट ऐट साइट'—देखते ही गोली मारो का स्थायी आर्डर हथियारबन्द पुलिस और सैनिकों को दे दिया गया था। किन्तु किसको इसकी परवाह थी !

सड़कों को खोद डालने और पुलों को तोड़ने के भी व्यापक प्रयत्न हुए। साधारण कुदाल, गैंती, हथौड़ा, छेनी से वह कमाल किया गया कि देखनेवालों को आश्चर्य होता। क्या बिना किसी खास औजार के आदमी यह कर सकता है, यह प्रश्न बार-बार उठाया जाता !

कितने रेलवे गोदाम लुट गए; कितनी राइफलें छीन ली गईं। देहातों में तो और भी घनघोर हुआ; पुलिस वरदी फेंककर पनाह माँगती फिरती थी। जिन्होंने हेठी दिखलाई, जलते हुए थाने की भट्टी में उन्हें भी झुलसना पड़ा !

हाँ, यह इन्क़लाब है। 'बम्बई से आई आवाज—इन्क़लाब जिन्दाबाद।' न जाने किसने

यह नारा दिया, जो देश के कोने-कोने में फैल गया !

बाहर इन्क़लाब हो रहा और हम जेल में बैठे हलवा-पूड़ी उड़ाते रहे ! हम छटपटा रहे थे ! जयप्रकाशजी की बेचैनी का क्या कहना ? हम लोग प्रतिदिन सोचते; तुरत-से-तुरत कुछ किया जाना चाहिए।

उन दिनों भारत पर जापान की चढ़ाई निकटतम समझी जाती थी। राँची को सुरक्षा की दूसरी पाँत—सैकेंड लाइन ऑफ डिफेंस—बनाया जा रहा था। दिन-रात वायुयान हमारे सिरों पर गड़गड़ाते रहते। सेना के डिविजनों को वहाँ एकत्र किया जा रहा था। एक दिन सन्ध्या को भारी मोटरों के जाने की जो गड़गड़ाहट शुरू हुई, तो वह रात भर तक चालू रही। राँची से फौज की टुकड़ियाँ पटना भेजी जा रही हैं, हमने तुरन्त समझ लिया। इसका क्या अर्थ ? हम रात भर छटपटाते रहे। ये टुकड़ियाँ पटना पहुँची नहीं कि क्रान्ति को शस्त्रबल से कुचल दिया जाएगा। पटना और राँची के बीच दामोदर पर एक पुल है। बाढ़ आई हुई थी, यदि उस पुल को उड़ा दिया जाता या तोड़ दिया जाता तो फौज का उस तरफ भेजना कुछ समय के लिए दुष्कर कार्य हो जाता। अभ्रक की खानों के लिए उस तरफ विस्फोटक पदार्थों की कमी नहीं थी। थोड़ी सूझ की बात थी; नेतृत्व की आवश्यकता थी। अरे, योग्य नेतृत्व के अभाव में क्रान्ति कहीं बिखर नहीं जाए, दबा नहीं दी जाए !

नहीं, अब हमें निकल ही जाना चाहिए। कैसे निकलें ? शुक्लजी ने एक साहसिक कार्यक्रम रखा ! भोर में जो क़ैदी बगान में जाते हैं, वे दोपहर को लौटते हैं। उनके साथ बैलगाड़ी होती है, जिस पर बागान से शाक-सब्जी आती है। यों साधारणतः जेल का एक ही फाटक एक बार खोला जाता है। किन्तु बैलगाड़ी को प्रवेश देने के लिए बाहर और भीतर दोनों के फाटक एक साथ खोल दिए जाते हैं। हम से कुछ लोग पहले से ही जेल गेट चले जाएँ, ऑफिस के काम का बहाना करके। ज्योंही दोनो फाटक खुलें, कुछ लोग दोनों फाटकों पर चले जाएँ और चाबियों के गुच्छे गेट वार्डर से छीन लें। कुछ लोग सुपरिन्टेंडेंट और जेलर के ऑफिसों में घुसकर टेलीफोन की लाइन तोड़ दें। तब तक भीतर हमारे साथी गेट के निकट तैयार रहें और हल्ला बोल दें। अगले गेट से निकलकर हम मैगज़ीन पर छापा मारें। कुछ राइफलें तो बाहर ही खड़ी करके रखी जाती है। उन्हें उठा लें और दो-चार फायर करके जेलवालों को भयभीत कर दें। फिर मैगज़ीन लूटकर हम निकल भागें। आगे जो होना होगा, देखा जाएगा !

बड़ा साहसिक था यह कार्यक्रम। किन्तु हममें भी साहस की कमी नहीं थी। हर मोरचे के लिए साथियों का चुनाव भी कर लिया गया। करो या मरो—फिर डरना क्या ?

किन्तु जयप्रकाशजी कहते हैं, हम तो निकल जाएँगे, पर उन लोगों को क्या होगा, जो निछछ सत्याग्रही हैं। क्या यह उनके साथ अन्याय नहीं होगा कि हम तो बाहर चले जाएँ, और उसके चलते होनेवाली मुसीबतें उन्हें मुफ्त में झेलनी पड़ें ? उचित तो यह होगा कि उनमें से कुछ विश्वस्त लोगों को पहले से ही चेतावनी दे दी जाए। हममें से कुछ को यह नैतिकता की पराकाष्ठा मालूम हुई, किन्तु जयप्रकाशजी की बात कौन टाले ! अपने जानते कुछ विश्वस्त आदमियों को ही चुनकर उन्होंने बुलाया, जेल में पड़े रहने की व्यर्थता बताई और धीरे-धीरे यह भी चर्चा कर दी कि किसी तरह हम लोगों को यहाँ से निकल जाना चाहिए। जब उनमें से एक ने इसका उपाय पूछा तो इस योजना की भी एक झलक दे दी ! कुछ लोगों ने तो वहीं इससे अस्वीकृति बताई, लेकिन वे सबके सब इस बात को गुप्त ही रखेंगे, ऐसा तो विश्वास कर ही लिया गया।

आश्चर्य ! महान आश्चर्य ! हमने पाया, दूसरे दिन से ही लोगों को जेल गेट पर आने-जाने से मना कर दिया गया है। लीजिए, यह योजना व्यर्थ गई !

तब दूसरी योजना बनी। हममें से छः आदमी जेल-दीवार को लाँघकर पार कर जाएँ। उन छः में एक मैं भी रखा गया था। जेल की दीवार की ऊँचाई मालूम कर ली गई। नीचे एक टेबुल रखकर जब उस पर दो आदमी—एक के कन्धे पर दूसरा—इस तरह खड़े हो जाएँ, तो दीवार की आखिरी छोर को पकड़ सकते हैं। तब तीसरा आदमी टेबुल और इन दोनों के शरीर को जीना बनाकर चढ़े और दीवार को लाँघ जाए। दीवार के उस पार दीवार का सहारा लेता हुआ, इस तरह गिरे कि गिरने का शब्द नहीं हो और न पैर में चोट आए। जो आदमी उस ओर गिरे, उसकी कमर से धोतियों को ऐंठकर बनाई एक मोटी रस्सी का एक छोर इस ओर हो, जिसे एक आदमी ने सावधानी से पकड़ रखा हो। उसके बाद तो इस रस्सी के सहारे ही लोग दीवार लाँघते जाएँगे।

दीवार कहाँ पर लाँघी जाए, इसका भी निर्णय हो गया और दीवार लाँघनेवालों ने एक सेल में इसका अभ्यास भी शुरू कर दिया।

कि फिर भद्रा आ पड़ी। एक दिन जेल की दीवारों के पीछे भी सशस्त्र सैनिकों का पहरा पड़ने लगा। यह क्या हो गया—क्यों हो गया ? जेल में चर्चा होने लगी, कांग्रेस कार्य समिति के सदस्यों को यहाँ ले आया जाएगा। उनके लिए एक वार्ड भी खाली कराया जा रहा है, इसकी भी खबर हुई। हम लोगों से पृथक् साधारण कैदियों का एक वार्ड था, उसकी सफाई होने लगी। अब तो भागने का यह प्रयास भी व्यर्थ गया, हमने जान लिया।

कांग्रेस कार्य समिति के सदस्य नहीं आए, जमशेदपुर के विद्रोही पुलिस दस्ते वहाँ लाकर रखे गए। उनके नेता थे रामानन्द तिवारी। जेल में पहुँचने पर तिवारीजी का कितना स्वागत हुआ ! तिवारीजी पुलिस के साधारण सिपाही थे, लेकिन प्रारम्भ से ही गांधीजी के भक्त। चरखा कातते, खादी पहनते, गांधीजी के लेखों को ढूँढ़-ढूँढ़कर पढ़ते। जमशेदपुर में लोहे का सबसे बड़ा कारखाना था। सरकार उसको सुरक्षित उसको सुरक्षित रखना चाहती थी। किन्तु तिवारीजी के नेतृत्व में सिपाहियों ने दमनात्मक कार्रवाइयों में भाग लेने से इनकार कर दिया। फलतः वे गिरफ्तार किए गए और यहाँ लाकर अलग-अलग रखे गए।

इन लोगों के साथ साधारण कैदियों का-सा बरताव किया जाने लगा। यही नहीं, बहुत से लोग गिरफ्तार करके इस जेल में ठूँस दिए गए थे। उनमें से अधिकांश के साथ भी साधारण कैदी सा व्यवहार किया जा रहा था। हमने इसके प्रतिवाद में आवाज उठाई। पहले तो ऐसा लगा कि कांग्रेस के अधिकांश नेता इस सम्बन्ध में हम लोगों के साथ हैं; किन्तु धीरे-धीरे उनमें दो दल हो गए। एक दल ने हम लोगों के साथ साधारण कैदियों का ही भोजन लेना शुरू कर दिया। 1930 की घटना फिर 1942 में दुहर गई।

उधर 1942 का अगस्त इन्क़लाब धीरे-धीरे दम तोड़ रहा था। बिहार के कोने-कोने में गोरे सैनिक भेज दिए गए थे। वे गाँवों में आग लगाते, जहाँ भी सन्देह होता, गोलियाँ चला बैठते; किरचों, बूटों और ठोकरों का मनमाना प्रयोग करते। मेरा गाँव चारों ओर से पानी से घिरा हुआ था; उसकी क्षतिपूर्ति उन्होंने बेदौल के दो आदमियों की जान लेकर की। जो लोग जेलों में लाए गए, उन पर लम्बी-लम्बी सजाएँ थीं। ऐसे भी बूढ़े लोग थे जिनकी कुल सजाएँ मिलकर साठ-सत्तर साल तक जाती थीं। यानी इस सजा को पूरा करने के लिए फिर जन्म धारण कर जेल जाना पड़ता। जेल में कितने लोग आए, जिनके शरीर पर गोलियों और किरचों के बड़े-बड़े जख्मों के ताज़ा निशान थे। बिहार के एक मिनिस्टर श्री जगलाल चौधरी के बेटे की जान उनके घर में घुसकर ली गई; उनके भतीजे के शरीर में जख्मों के चिह्न-ही-चिह्न थे। हम लोग चेष्टा कर भी नहीं भाग सके, किन्तु ऐसी चेष्टाएँ कई जेलों में की गईं। मधुबनी जेल से एक-एक कैदी निकल भागे, भागलपुर जेल में तो एक महाकांड ही हो गया। लोगों

ने भागने की चेष्टा की तो ऐसी अन्धाधुन्ध गोलियों की वर्षा की गई कि अनेक साधारण कैदी भी मारे गए। हाजीपुर जेल से भी सभी कैदी निकल गए। अन्य कई जेलों से लोग भागे और ऐसा भी हुआ कि लोगों ने पुलिसवालों को भी पकड़कर कई दिनों तक कैदी बना रखा। लेकिन अब सारा मामला ठंडा पड़ता जा रहा था।

हाँ, ज्योति की रेखा यह थी कि हमारे कुछ साथी बाहर थे जो भी सम्भव था, इस विप्लव की धूनी का जलाते रहने के लिए कर रहे थे। अच्युत, लोहिया, अरुणा, बसावन आदि सैकड़ों साथियों की वीरतापूर्ण कार्रवाइयों की खबर हम में आनन्द ही नहीं, छटपटाहट भी पैदा करती। मैं उन दिनों 'जोश' की कविताओं का अध्ययन कर रहा था; 'शिकस्ते ज़िन्दाँ का ख्वाब' मैं गुनगुनाया करता—

'लो हिन्द का ज़िन्दाँ काँप उठा और गूँज रही हैं तकबीरें।
उकताए हैं शायद कुछ कैदी और तोड़ रहे हैं जंजीरें।।'

ओ जंजीरों ! तुम कब टूटोगी ? ओ दीवारों ! तुम कब ढहोगी ? हम ढहेंगे, हम टूटेंगे--मुझे अहसास होता है, वे कह रही हैं। मैं प्रायः झूम-झूमकर गा उठता।

महापलायन (क)

बुद्ध ने घर छोड़कर, उस आधी रात को जो अद्भुत यात्रा की बौद्ध साहित्य में उसे महाभिनिष्क्रमण का नाम दिया गया है। हमारे साथियों ने 9 नवम्बर की रात में, जेल की अलंघ्य दीवारों को पारकर, जो पलायन किया उसे महापलायन का नाम क्यों नहीं दिया जाए ?

दोनों में एक महान आदर्श काम कर रहा था। दोनों में एक संदिग्ध भविष्य पर अपने को अर्पित किया जा रहा था। दोनों में संसार के सारे माया-मोह को पीछे छोड़ा जा रहा था। दोनों के मूल में यह निश्चय था—करो या मरो। वैसा ही घोर अंधकार—किन्तु सिद्धार्थ कुमार घोड़े पर जा रहे थे, ये छः जो रात को चले, उनके पैरों में जूते तक नहीं थे।

तिवारीजी ओर उनके साथियों पर मुकदमा चला, सजा हुई, वे हज़ारीबाग़ से अलग-अलग जेलों में भेज दिए गए। जेल की दीवारों के बाहर पर पहरा उठा दिया गया। अब जेल के जीवन में ऊपर-ऊपर स्वाभाविकता दीखती थी।

हम 'सी' क्लास का भोजन लेते। जयप्रकाशजी बीमार थे ही, इस भोजन ने उन्हें और भी दुर्बल कर दिया, मेरी मूर्च्छा की बीमारी बढ़ती गई; तो भी हम बड़े आनन्द और उत्साह का जीवन व्यतीत करते। जेल में पार्टी का एक कंसोलिडेशन बनाया गया, मैं उसका मन्त्री था। पार्टी के मेम्बरों के शिक्षण की ओर सबसे अधिक ध्यान दिया गया। नियमित बैठकें होतीं, क्लास होती। जो लोग नए-नए आए थे, उन्हें पार्टी में शामिल करने की चेष्टा होती। पार्टी के सदस्यों की संख्या बढ़ती जाती। जयप्रकाशजी ने मार्क्सवाद पर एक क्लास शुरू की। उसमें कांग्रेस के अच्छे-अच्छे नेता भी शामिल होते। हम लोगों के अनुकरण पर कुछ गांधीवादी नेताओं ने क्लास में आना शुरू किया; किन्तु यथार्थ बात तो यह है कि गांधीवाद के सैद्धान्तिक पहलू का बाजाब्ता अध्ययन उनमें से किसी ने नहीं किया था। चरखा चला लेने को ही वे गांधीवाद का परम लक्ष्य मानते थे। अतः उनके क्लासों में कोई बौद्धिक तत्त्व नहीं मिल पाता था। वे क्लास आप-से-आप बन्द होते गए।

राजेन्द्र बाबू पटना जेल में ही रखे गए थे। दमे ने उन्हें परेशान कर रखा था। डॉक्टरों

ने उन्हें हज़ारीबाग़ नहीं भेजे जाने की सलाह दी थी। कांग्रेस कैम्प के नेता श्रीबाबू और अनुग्रह बाबू थे—हाँ, उनके चेलों में कुछ अदल-बदल चल रहा था। इनके चेले उनके पास, उनके चेले इनके पास—ताश के पत्ते नए ढंग से पीसे जा रहे थे !

खेल-कूद का सिलसिला चलने लगा। ताश, शतरंज, वालीबॉल, बेडमिंटन की प्रतियोगिताएँ चलने लगीं। मैंने 'तूफान' नाम से एक हस्तलिखित पत्रिका निकालना शुरू किया। 'कैदी' से भी अधिक शानदार यह 'तूफान' निकलने लगा। एक तरह से जेल में यह पार्टी की मुख्य पत्रिका थी। यों दूसरे लोग भी लिखते थे।

किन्तु इस स्वाभाविक जेल जीवन के अन्दर हममें एक कसमसाहट जारी थी। ज्यों ही बाहर का पहरा हटा, फिर जेल से निकल जाने की छटपटाहट शुरू हुई। जयप्रकाशजी किसी भी तरह, किसी भी कीमत पर, बाहर जाना चाहते थे। दीवार के उस पार जाना तो कोई मुश्किल काम नहीं था, सवाल यह था कि घोर जंगल होकर किस तरह पचास-साठ मील की दूरी पार की जा सकेगी। सड़क पकड़कर जाने से खतरा था। हाँ, यदि मोटर मिल जाए, तो यह खतरा भी लिया जा सकता है।

क्या मोटर मिल सकती है ? एक अफसर जेल में प्रायः आया करते। कभी वह युवक संघ के सदस्य थे। क्यों न उन्हीं से कहा जाए ? लेकिन वह क्यों आफत मोल लेना चाहेंगे ? जयप्रकाशजी का सहज उत्तर था—क्या हुआ, यदि उन्हें नौकरी खोनी पड़ी। स्वराज्य होने पर हम क्षतिपूर्ति कर देंगे। किन्तु यदि उनमें इतना आत्मबल होता तो उन्होंने नौकरी ही क्यों कर ली है ?

इतने ही में कटक में जाकर पकड़े रामनन्दन इस जेल में लाए गए। उन्होंने बाहर के गुप्त संगठन पर प्रकाश डाला और बताया, यदि जयप्रकाशजी बाहर चले जाएँ तो फिर एक बार बड़े पैमाने पर, किन्तु संगठित रूप से क्रान्ति की जा सकती है। गांधीजी जेल में चुपचाप नहीं रहेंगे, वह कोई महान कदम उठाएँगे ही और वही मौका होगा, जब हम फिर क्रान्ति शुरू कर देंगे। उसके लिए एक देशव्यापी संगठन का जाल भी बिछाया जा रहा है। चलो, भागो !

फौलाद गलती है, पत्थर पसीजता है। जंजीरें टूटती हैं, दीवारें गिरती हैं ! कब तक ये जंजीरें ? कब तक ये दीवारें ? हम इन जंजीरों को तोड़ेंगे, इन दीवारों को लाघेंगे !

दीवार फाँद जाएँ—इसके लिए तो हम अभ्यास भी कर चुके हैं। अब इस शान्त वातावरण में उसका प्रयोग सर्वथा सम्भव है। किन्तु इस प्रयास की परिणति एक और हो सकती है, जिके प्रतीक रूप में बाबा सुच्चासिंह इस समय हम लोगों के बीच में हैं। हम सहम उठते हैं, काँप उठते हैं !

बाबा सुच्चासिंह—पाँच हाथ का लम्बा-तगड़ा शरीर। सफेद दाढ़ी-मूँछ। नुकीली नाक। ओजपूर्ण मुखमंडल। जब हँसते, उनके घिसाए-घिसाए दाँत से दूध चू पड़ेगा, ऐसा लगता। बच्चों-सा भोलापन। विनम्रता की मूर्ति। हाथ में सुमरनी—सदा 'जपजी' का पाठ किया करते। कौन कह सकता था, यह साधु-स्वभाव सज्जन कभी गदर पार्टी में था, अंग्रेजी राज्य के खिलाफ क्रान्ति का झंडा बुलन्द करने चला था, पकड़ा गया, कालेपानी की सजा पाई थी; हज़ारीबाग़ जेल में लाया गया था और फिर इसकी इस ऊँची दीवार को पारकर अपने प्रान्त में पहुँच गया और वहाँ बीस वर्षों तक छद्मवेश में साधु जीवन व्यतीत करता हुआ, अपने भोलेपन से फिर यहाँ आ पहुँचा है और अब फिर इस पंजाबी सेल में तब तक उसे रखा जानेवाला है, जब तक उसकी मृत्यु न हो जाए ! हाँ, उसकी टिकट पर यही लिखा हुआ है।

1915 के असफल विद्रोह के समय सुच्चासिंह फौज में थे। वह घुड़सवार पल्टन में

थे। गदर पार्टी के लोगों से इनका सम्पर्क बढ़ा, इन्होंने अपने को क्रान्ति के लिए न्योछावर किया। तय हुआ था, अमुक तारीक को पंजाब से बंगाल तक एक ही साथ क्रान्ति का बिगुल बज उठेगा। उस दिन सुच्चासिंह अपने साथियों सहित छावनी से निकलकर अमुक स्थान पर क्रान्तिकारियों से जा मिलेंगे। वह बिगुल तो नहीं बज सका, एक दिन पहले ही उसके सारे नेता पकड़ लिये गए, किन्तु यह खबर सुच्चासिंह को नहीं मिल सकी। पूर्व निश्चय के अनुसार वह अपने साथियों सहित छावनी से भाग चले। निश्चित स्थान पर पहुँचे तो कोई नहीं मिला। बात क्या हुई ? साथियों ने कहा, हम छावनी लौट चलें; कोई बहाना बना देंगे। किन्तु सुच्चासिंह अपने कदम को पीछे नहीं धर सकते थे। अपने घोड़े को छोड़ दिया, खुद फरार की जिन्दगी बिताने लगे और प्रतीक्षा करने लगे, क्रान्ति की दूसरी लहर आएगी ही।

वह लहर नहीं आई, नहीं आई। फरार हालत में कभी-कभी अपने घर जाया करते, किन्तु पिता ने मना कर दिया, मत आओ, तुम्हारे कारण सारा परिवार संकट में जा पड़ेगा। अब क्या हो ? किन्तु इस उत्तर की भी उन्हें अधिक दिनों तक प्रतीक्षा नहीं करनी पड़ी। इनाम के लालच में इनके सगे-सम्बन्धियों ने ही गिरफ्तार करा दिया। आजीवन कालेपानी की सजा हुई। किन्तु कालेपानी में तो जर्मन गोताखोर एमडन ने तूफान मचा रखा था। अतः अनेक पंजाबी क्रान्तिकारियों के साथ सुच्चासिंह को हज़ारीबाग़ जेल में लाकर रखा गया।

हज़ारीबाग़ जेल में जहाँ बंगाली बाबू कैदियों को सभी सुविधाएँ प्राप्त थीं, वहाँ इन पंजाबी राजबन्दियों के साथ अमानुषिक व्यवहार किया जाने लगा। बाबू वार्ड के नाले में घी बहता, पंजाबी सेल में सूखी रोटी तक मुहाल थी। इन लोगों ने इस व्यवहार के खिलाफ आवाज उठाई। जेलवालों ने प्रतिहिंसा का रुख लिया। जेल की ऐसी कोई सजा नहीं थी, जो इन्हें नहीं मिली हो। अन्ततः ऊपर के अधिकारियों का ध्यान गया, इनके साथ थोड़ी रियायत शुरू हुई।

किन्तु यह रियायत कब तक ? इन लोगों ने तय किया, चलो, हम भाग चलें। सेलों में हवा आने के लिए छत के निकट गोल छेद थे। उन्हीं छेदों से होकर दो छरहरे जवान एक रात को निकल आए और पहरे के वार्डर का मुश्क बाँधकर लिटा दिया। फिर उस वार्डर से चाबियों का गुच्छा लेकर एक-एक सेल को खोलने लगे। अँधेरी रात, भागने की हड़बड़ी—एक-एक गुच्छे में छब्बीस-छब्बीस चाबियाँ। किस ताले की कौन सी चाबी है, इसका निर्णय करना कठिन। तो भी लगभग पन्द्रह साथियों को वे निकाल सके। इतने ही में जेल का जमादार गश्त पर आ गया। उसने हल्ला किया। सेलों से निकले कैदी दीवार तड़पकर भागने लगे।

इनका कार्यक्रम था कि सभी पंजाबी कैदियों को छुड़ाकर बाबू वार्ड के कैदियों को भी छुड़ा लेंगे। फिर जेल का सदर दरवाजा तोड़कर बाहर निकलेंगे, मैगजीन पर कब्जा करेंगे और सशस्त्र होकर जंगल में लुकते-छिपते लड़ते-मरते अपने प्रान्त की ओर रवाना हो जाएँगे।

यह नहीं हो सका ! दीवार से फाँदते समय कइयों के पाँव टूट गए, वे निकट के खेतों में जा छिपे। कुछ लोग दीवार के इस पार ही पकड़ लिये गए। जो लोग भाग सके, उनमें कई इधर-उधर बिखर गए। सुच्चासिंह का दल जंगल-जंगल भागता मुगलसराय तक गया, फिर लोग अलग-अलग होकर रेलगाड़ी से अपने गन्तव्य स्थान की ओर चले।

सुच्चासिंह अपने दल की दुर्गत बताते थे। रास्ते में कई बार शेरों की गुर्राहट सुनाई पड़ी, कई बार हाथियों के झुंड मिले। कभी-कभी पानी मिलना भी मुहाल हो जाता। पेड़ों से लस्सा लेकर इन्होंने अपनी दाढ़ियाँ नोंच डालीं। एक जगह आग मिली तो उसी से अपने बाल और बची-खुची दाढ़ी-मूँछ जला लिये।

खैर, ये लोग तो किसी कदर बच निकले, जो पकड़े गए, उनकी बड़ी दुर्गत की गई। जो लोग बिखर गए थे, उनमें से दो-तीन आदमी एक पुल के नीचे जा छिपे थे। उन्हें वहीं गोलियों से भून दिया गया और पैर में रस्से लगाकर, सूअर की तरह जमीन पर घसीटते हुए जेल गेट तक लाया गया था।

हज़ारीबाग़ से पंजाब लौटकर सुच्चासिंह ने साधु का बाना पकड़ा। नाम बदल लिया, एक कुटिया बना ली। जब 1937 में कांग्रेसी मन्त्रिमंडल कायम हुआ, कांग्रेसी प्रान्तों के राजबन्दी छोड़े जाने लगे। सुच्चासिंह ने सोचा, वह भी अपने को क्यों नहीं प्रकट कर दें ? किन्तु पंजाब में कांग्रेसी मन्त्रिमंडल तो था नहीं ! निकट के एक पुलिस अफसर से वह मिले और अपना परिचय और अभिप्राय बताया। उस दुष्ट ने उन्हें गिरफ्तार करके फरार को पकड़ने का इनाम पाया। सुच्चासिंह अपनी सजा भुगतने और भागने की सजा पाने को हज़ारीबाग़ भेज दिए गए। उनके टिकट पर लिखा है—खतरनाक क़ैदी; इस मृत्युपर्यन्त तनहाई सेल में रखा जाए !

कहीं हमारे इस महापलायन की भी यही गत हुई तो ? लेकिन चाहे जो कुछ हो, जयप्रकाशजी निकल भागने का तय कर चुके थे ! कोई भी आशंका या भय उन्हें रोक नहीं सकता था ?

एक नई योजना बनाई गई। जेल लगभग आठ बजे बन्द होता था। ज्यों ही अंधेरा हो, हममें से छः आदमी दीवार लाँघकर निकल जाएँ। साथ में एक स्थानीय व्यक्ति हो, जो इन्हें किसी विश्वस्त गाँव में कुछ दिनों तक छिपाकर रखे। जब मामला ठंडा पड़े या किसी शीघ्रगामी सवारी का प्रबन्ध हो जाए तो ये लोग कलकत्ता चले जाएँ। कलकत्ता पहुँचकर ये एक अमुक पुस्तक किसी के नाम से जेल में भेजेंगे, तब हम समझ जाएँगे, वे लोग सुरक्षित पहुँच गए ! जब लोग निकल भागें तो जेल में कुछ ऐसा समाँ बना दिया जाए कि वार्ड बन्द होने तक किसी को कुछ भनक भी नहीं मालूम पड़े। इस काम की जिम्मेवारी मुझ पर रखी गई।

एक स्थानीय विश्वस्त व्यक्ति भी मिल गए। बाहर से कुछ नकद पैसे भी मँगा लिये गए। दीवार फाँदने का गुप्त अभ्यास भी चलने लगा।

इतने ही में विजयादशमी आ गई। हम लोगों ने सोचा यदि पर्व के नाम पर कुछ देर बाद वार्ड-बंदी की जा सके, तो भागनेवालों को अधिक सुविधा होगी। मैं दौड़ा-दौड़ा कांग्रेस नेताओं के पास गया और उनसे कहा कि आज हम उत्सव मनाएँगे, देर से बन्द होंगे। आप लोग जेल अधिकारियों को कह दीजिए, नहीं तो गड़बड़ होगी। उनके निकट बैठे हुए कुछ कांग्रेसियों ने भी मेरी बात का समर्थन किया—जेल में कौन ऐसा आदमी है जो थोड़ी देर अधिक सेल से बाहर रहना पसन्द न करे ! नेताओं ने मुसकरा दिया, हमने उसे सहमति मान ली और उस रात ग्यारह बजे तक हम एक-दूसरे से मिलते-जुलते रहे।

लेकिन यह क्या ? इस सुविधा से कोई अन्य ही सज्जन आज ही फायदा उठाना चाह रहे हैं। अगस्त की आँधी में कुछ ऐसे लोग भी आ गए थे, जिनका चरित दूषित था। उन लोगों ने आज निकल भागना चाहा। कुछ नए वार्ड बन रहे थे, जिनके लिए सीढ़ियाँ लाई गई थीं। हम लोग देख रहे हैं, न जाने कैसे एक सीढ़ी जेल के आखिरी दीवार के नीचे पड़ी है। अब क्या होगा ? एक तो हमें सजग रहना है कि आज कोई भाग नहीं सके, नहीं तो सारा गुड़ गोबर हो जाएगा। फिर सीढ़ी को भी वहाँ से हटा देना है, क्योंकि यदि जेलवालों ने सीढ़ी देख ली, तो भी गड़बड़ होकर रहेगी। किन्तु सीढ़ी हटाई कैसे जाए ? कहीं हटानेवाले को ही अपराधी घोषित कर दिया गया ! उफ, हमारी परेशानी ! शुक्लजी की सूझ ने काम

किया, बड़ी-बड़ी मुश्किलों से हम वहाँ से सीढ़ी हटा सके !

अब तय कर लिया गया कि दीवाली को हमारे छः साथी निकल भागेंगे। क्योंकि उस दिन हम वार्ड-बंदी में और भी देर करा दे सकेंगे और पूरी अँधेरी रात रहने से लुक-छिपकर भागना भी आसान रहेगा।

वार्ड-बंदी के समय क़ैदियों की गिनती ली जाती है। अतः उस समय भंडाफोड़ होकर रहेगा, यह हमारा विश्वास था। हम क्या जानते थे कि इस महापलायन के अगले दिन की दुपहरिया तक हम इस रहस्य को सफलता से गुप्त रख सकेंगे ?

महापलायन (ख)

आज दीवाली है। भोर से ही मैं वार्ड-वार्ड घूम रहा हूँ और कह रहा हूँ, रात में हम ऐसा नाटक प्रस्तुत करेंगे कि आप जिन्दगी भर भूल नहीं सकेंगे। लोग उत्सुकता से पूछ रहे हैं, बताओं भाई, कौन सा नाटक खेलने जा रहे हो ? पोशाक कहाँ से आएगी ? परदे भी रहेंगे क्या ?—मैं कह रहा हूँ, सब रहेंगे, देख लीजिएगा !

जेल हुआ, तो क्या ? पर्व का आनन्द तो सबके दिलों में है ही। लोग भी खाने-पीने की तरह-तरह की तैयारियाँ कर रहे हैं। एक-दूसरे से मिलने को इधर-उधर जा रहे हैं।

जयप्रकाशजी ने दस दिनों से दाढ़ी बनाना बन्द कर दिया है। कहते हैं, जरा देख रहा हूँ, इस शक्ल में कैसा दीख पड़ता हूँ ? लोग मुँह बनाते हैं—ऐसे सुन्दर चेहरे को क्यों जंगल बना रहे हैं ? वह हँसते हैं--दाढ़ी मेरी बड़ी कड़ी है, कुछ दिनों तक हजामत नहीं बनाने से शायद मुलायम हो जाए ! वह आज सवेरे से ही लोगों से हिल-मिल रहे हैं, कहीं ताश के हाथ जमे, कहीं शतरंज की चालें हो गईं। सन्ध्या को एक कांग्रेस नेता के साथ उनकी बैडमिंटन की बाजी है—लोग उत्सुकता से इस मैच को देखने की प्रतीक्षा में हैं।

शुक्लजी बार-बार मेरे पास आते हैं और कहते हैं, वह कविता सुनाओ, वही—'टूट रही हैं जंजीरें !' जब मैं गाने लगता हूँ, वह मस्त हो जाते हैं और बड़ी उपेक्षा से जेल की दीवार को देखने लगते हैं ! कई बार, कई जेलों से उन्होंने भागने की चेष्टा की थी--आज उनकी चिर-संचित अभिलाषा पूरी होने जा रही है न ?

रामनन्दन के चेहरे पर भी उमंग है—यह नई धुन तो उन्होंने ही लगाई है ! हँसते-हँसते चिकोटी काट लेने से बाज़ नहीं आते।

सूरज का क्षत्रियत्व जाग उठा है। गुलाली ने इतने दिनों तक इसी दिन के लिए तो कसरत की है। शालिग्राम को पथप्रदर्शन करना है। नए खिलाड़ी हैं, अपने उत्तरदायित्व का अनुभव कर रहे हैं।

हमें चिन्ता हो रही है, कहीं जयप्रकाशजी के पैर का साइटिका का दर्द नहीं उभर आवे ! किन्तु शुक्लजी आश्वासन देते हैं, कोई बात नहीं, बाहर तो निकल जाने दो—मैं उन्हें कन्धे पर ढोकर सात मील पहुँचा दूँगा। हाँ, वह गाँव, जहाँ इन्हें ठहरना है, यहाँ से सात मील पर ही है ! और सूरज तथा गुलाली के कन्धे भी तो मजबूत हैं।

मगर किसी उपाय से कोई सवारी का प्रबन्ध हो पाता, तो क्या कहना ?

दोपहर को हमने सुना, निकट के ही एक राजवन्दी छूटने जा रहे हैं। उनसे मेरी बड़ी पटती थी। जयप्रकाशजी ने मुझसे कहा, जरा उनसे बातें कीजिए न, कहीं सवारी का प्रबन्ध कर सकें तो बहुत बड़ी झंझट दूर हो जाए। किन्तु डर हो रहा है, कहीं वह भंडाफोड़ न

कर दें, पर ऐसा डर निरर्थक है, कम-से-कम उनकी सज्जनता तो हम जानते हैं। मैं उनसे मिला, वह बिस्तर सँभाल रहे थे। उन्होंने पहले तो विस्मय प्रकट किया, किन्तु इत्मीनान दिलाया, वह इस बात को गुप्त ही रखेंगे और आज तो सम्भव नहीं, एक दो-दिन के अन्दर कोई प्रबन्ध कर सकेंगे ! भागनेवालों में से कोई उनसे अमुक स्थान पर मिले; एक संकेत भी तय कर लिया गया।

तब तक खेलने का समय हो गया था, जयप्रकाशजी मैच खेलने लगे, मैं अपने नाटक में लगा !

अरे, महानाटक तो यह महापलायन था; सिर्फ एक ऐसा खेल रचाना था, जिसमें लोग कुछ देर तक बहलें रहें।

एक थाल में आरती सजाई जाए, जिसमें बयालीस दीपक जलें। उस थाल को एक खूबसूरत लड़का लेकर आगे-आगे चले। उन दिनों एक फिल्मी गीत बहुत प्रचलित था—'दीवाली फिर आ गई सजनी !' इसी गीत को सामूहिक रूप में गाते हम वार्ड-वार्ड में घूमें और प्रत्येक राजबन्दी से मिठाइयाँ वसूल करें ! छः वार्डों में खचाखच लोग भरे हैं, घूमते-घामते हम तीन-चार घंटे काट ही लेंगे। तब तक तो हमारे साथी उस गाँव में पहुँच ही जाएँगे, फिर जो होना होगा, होगा। अभी हम उसके बारे में क्यों सोचें ?

जयप्रकाशजी 'छोकरा कि़ता' में रहते थे। वहीं से भागना था। एक जगह दीवार पर निकट के पेड़ की छाया पड़ती थी। हमने उसी स्थान को पसन्द किया था, जिसमें दीवार लाँघते समय निकट के प्रहरी नहीं जान सकें। ज्योंही अँधेरा होने लगता था, दीवार के किनारे थोड़ी-थोड़ी दूर पर वार्डर खड़े कर दिए जाते थे। निकट के वार्डर को किसी तरह दीवार के निकट से हटा लेना था। सुर्ती खिलाने के बहाने उसे हटा लिया जा सकता है, यह परीक्षा करके देख लिया गया था।

मैच खेलने के बाद जयप्रकाशजी ने हम लोगों से मन-ही-मन बिदा ली। हम लोग भी भर आए थे; किन्तु फूलनजी से नहीं रहा गया। उनके मुँह से एक बात निकल गई, जिसमें जयप्रकाशजी की बीमारी और दुर्बलता की चर्चा थी। जयप्रकाशजी का चेहरा लाल हो उठा, वे भभक पड़े—क्या शरीर ही सब कुछ है; स्पिरिट कोई चीज नहीं ! और इस आखिरी वक्त में आपने दुर्बलता की चर्चा क्यों कर दी—क्या मैं रुक सकूँगा ? ऐसा कुछ कहकर वह गुस्से में जल्दी-जल्दी चल दिए।

थोड़ी देर में ही ललित भाई आए और उन्होंने यह शुभ समाचार सुनाया कि सबके सब सकुशल निकल चुके हैं। हाँ, सामान की गठरी इधर ही रह गई, जिसमें जूते, कपड़े, खाने की कुछ सामग्री आदि थे। रामनन्दन को कोट भी छूट गया, जिसमें कुछ रुपए थे। क्या हुआ ? सात ही मील तो जाना है, किसी तरह पहुँच ही जाएँगे।

दीवार फाँदने की क्रिया वही पुरानी थी। दीवार के निकट टेबुल रख दिया गया। उस पर शुक्लजी खड़े हो गए। शुक्लजी के कन्धे पर गुलाली। गुलाली के कन्धे पर चढ़कर सूरज ने दीवार पार कर ली। सूरज की कमर से बँधी धोती के रस्से के सहारे जयप्रकाशजी, शालिग्राम और रामनन्दन गए। फिर गुलाली, अन्त में शुक्लजी। शुक्लजी के बाद रस्से में सामान बाँध दिया गया। किन्तु उस पार से खींचते समय गठरी का बन्धन टूट गया। गठरी इधर ही गिर पड़ी। उस गठरी और टेबुल को हटवाकर ललित भाई हमें खबर देने आए थे।

मैं दौड़ा-दौड़ा फूलनजी को यह सुसंवाद सुनाने चला। देखा, वह नीम के एक पेड़ की छाया में खड़े रो रहे हैं। मैंने उन्हें समझाया, यह क्या कर रहे हैं आप ? वे लोग तो चले गए। जाइए और कांग्रेसी नेताओं के बीच बैठकर ताश खेलिए। अपना चेहरा धो लीजिए

और ऐसी मुद्रा रखिए कि लोगों को मालूम नहीं हो कि कोई अप्रत्याशित घटना घटी है। मैं समझ रहा था कि फूलनजी की मनोव्यथा क्यों है ? जयप्रकाशजी के बालसखा रहे हैं वह—एक ही परिवार के। फिर जाने के समय अचानक यह झड़प हो गई।

उसके बाद मेरा नाटक शुरू हुआ। हमारा यह अभूतपूर्व जुलूस निकला। आगे-आगे वह लड़का, थाल हाथ में लिये। अगल-बगल हम लोग। 'दीवाली फिर आ गई सजनी, दीपक राग सजा ले, हो-हो दीपक राग सजा ले'—से सारा जेल गूँज उठा। इस सेल से उस सेल, इस वार्ड से उस वार्ड। हम लोग निकले थे, दस-पन्द्रह आदमी, अब तो वह पूरा जुलूस था। बूढ़े-से-बूढ़े लोग भी उसमें शामिल हो चुके थे और उनके पोपले मुँह से भी—'हो-हो, दीपक राग सजा ले' निकल रहा था। जेल के वार्डर, जमादार, नायब जेलर—सभी उस जुलूस के साथ घूम रहे थे। बूढ़े बड़े जमादार की दाढ़ी हिल रही थी इस गीत के ताल पर। उन्होंनें बड़ी प्रसन्नता में मुझसे कहा—ओहो, इतने दिनों में जेल की नौकरी करता आया हूँ, किन्तु ऐसा दृश्य कभी नहीं देखा ! कमाल किया है, आपने कमाल ! मैंने बड़ी उमंग से कहा—न देखा था और न देख सकिएगा जमादार साहब ! इसका गूढ़ार्थ वह बेचारे क्या समझते ?

हम जानबूझकर देर कर रहे थे। जगह-जगह रुकते, मिठाई के लिए जिद करते, हँसी-तफ़रीह करते। एक जगह तो बाजाब्ता लाठीचार्ज हो गया। एक खब्ती स्वागीजी वहाँ थे; वह सो गए थे। हमने उन्हें जबरदस्ती सेल में घुसकर जगा दिया। वह अपनी लाठी लेकर हम पर टूट पड़े—भगदड़ मची, बड़ा मज़ा आया। वह महाराष्ट्र के थे। जब पीछे यह रहस्य खुला, तो बड़े स्नेह से कहने लगे—अब समझा, बदमाश लोगों, तुमने शिवाजी के पलायन का अनुकरण किया था। वह बहुवचन के अनुस्वार पर जोर देकर बोलते थे।

जुलूस की एक अपनी भी मनोवृत्ति होती है। कुछ लोगों ने राय दी, हम छोकरा क़िता चलें और जयप्रकाशजी को यह समाँ दिखलावें और लीजिए, जुलूस उस ओर मुड़ा। अरे, अब क्या होगा ? बड़ी मुश्किल से हम उसका रुख मोड़ सके, यह कहकर कि जयप्रकाशजी की तबीयत अचानक खराब हो गई है, अभी उन्हें नींद लगी है, हम उन्हें तंग न करें।

अन्त में हमने जुलूस को एक सभा में परिणत किया। हमने जेल में एक विनोदी क्लब बना रखा था। हम अंग्रेजी में उसे सी.क्यू. क्लब कहते थे। उसका हिन्दी रूप लिख दूँ, तो शायद अश्लील समझा जाए। क्लब की मेम्बरी परिमित थी। उसकी गुप्त बैठकें होतीं। नए सदस्य को दीक्षा लेने के लिए एक अच्छी दावत देनी होती। उस क्लब की चर्चा जेल भर में थी। बड़े-बड़े लोग उसके सदस्य थे। मैंने उस क्लब की खुली बैठक की घोषणा की।

लोगों में उत्साह आ गया। कुछ देर तक उसकी शानदार बैठक अट्टहासों के बीच चलती रहीं।

मैं बीच-बीच में जुलूस से गायब हो जाता था। अब हमारा प्रयत्न हुआ कि वार्ड-बंदी के समय भी यह रहस्य न खुल सके, तो और अच्छा हो। भागनेवालों के अतिरिक्त अभी तक पाँच-छः व्यक्ति ही इस रहस्य को जानते थे—पार्टी के सदस्यों से भी यह गुप्त रखा गया था। लेकिन अब आवश्यकता थी कि कुछ लोगों की और सहायता ली जाए।

जयप्रकाशजी छोकरा क़िता के जिस वार्ड में रहते थे, उसमें सिर्फ पाँच राजबन्दी थे, जिनमें तीन भाग चुके थे—जयप्रकाशजी, शुक्लजी और सूरज। गुलाली अपने वार्ड से अकेला भागा था। मेरे वार्ड से, बाबू वार्ड में नं. 1 से, दो भागे हैं, रामनन्दन और शालिग्राम। क्या ऐसा नहीं किया जा सकता कि इन लोगों के अभाव में भी वे सब वार्ड बन्द कर दिए जाएँ ?

दिक्कत थी जयप्रकाशजी के वार्ड के लिए क्योंकि उस वार्ड में सिर्फ पाँच आदमी थे,

जिनमें तीन भाग चुके थे। किन्तु यह दिक्कत आसानी में परिणत हो गई। उसके एक राजबन्दी को शाम से ही पेट में दर्द हो रहा था। कालिक का दर्द था; कई बार डॉक्टर आए-गए थे। बीमार राजबन्दियों के वार्ड खुले रखे जाते थे। भागे हुए तीन व्यक्तियों के बिछावन को तकिए के सहारे ऐसा सजा दिया गया कि जैसे वे चादर तानकर सोए हों और ऊपर से मशहरियाँ गिरा दी गईं। एक व्यक्ति को एटन्डेंट के रूप में दरवाजे पर बिठला दिया गया। ज्यों ही उसने जमादार को वार्ड-बन्दी के लिए आते देखा, दबे पाँव आगे बढ़कर इशारा किया, शोर मत कीजिए, बीमार की तुरन्त आँख लगी है। जमादार बेचारा वहीं से लौट गया।

गुलाली के वार्ड में बहुत लोग थे, उस आधी रात को कहाँ तक गिनती की जाए, ललित भाई ने आगे बढ़कर कह दिया, इतने कैदी हैं—उसने चुपचाप बन्द कर दिया।

भद्रा आ पड़ी मेरे ही वार्ड में। हमने यहाँ भी मशहरी आदि ठीक कर दी थी, किन्तु रामनन्दन के सेल में घुसकर देखा और जमादार चिल्लाने लगा, इसके बाबू कहाँ हैं ?

हम लोग सन्न ! अब क्या हो ?—जदुभाई ने कह दिया, शोर मत कीजिए, हम यहाँ खेल रहे हैं। अभी जल्दी क्या है ?

झट ताश लेकर हम खेलने लगे।

कृष्णवल्लभ बाबू, सारंगधर बाबू, जदुभाई, मुकुटधारी, अवधेश्वर और मैं—छः जने हाथ में ताश लेकर पटकते जा रहे हैं, उस उत्तेजना में खेल क्या होगा ? जमादार आता है, हमें खेलता देखकर लौट जाता है। किन्तु यह आँख-मिचौनी कब तक चलाई जाएगी ? सारंगधर बाबू 6 नं. वार्ड में रहते थे, यहाँ चले आए थे। उन्होंने कहा—मैं रामनन्दन के सेल में चला जाता हूँ। लेकिन कहीं आपके सेल में आपको गैरहाजिर पाया जाए तो ? अरे, किसकी हिम्मत जो मेरे सेल में जाकर झाँके ? सारंगधर बाबू थे शानदार आदमी। किन्तु क्या उन्हें इस खतरे में डालना उचित होगा ? मैं तो मन-ही-मन उनकी वीरता पर मुग्ध हो रहा था, पर उचित यही समझा गया कि अभी थोड़ा और विलम्ब किया जाए।

कृष्णवल्लभ बाबू का जेल में बड़ा रोब था। वह हज़ारीबाग़ के नेता थे, जेल के सभी आदमी उन्हें जानते थे। पिछली मिनिस्टरी में पार्लियामेंटरी सेक्रेटरी रह चुक थे। इसलिए किसी जमादार की हिम्मत नहीं होती थी कि हम खेल रहे हैं, तो उसमें बाधा डालें। सोच-विचार कर तय किया गया कि जब तक इस जमादार की ड्यूटी बदल नहीं जाती है, हम खेलते ही रहें। जब नया जमादार आएगा तो देखा जाएगा। हो सकता है, वह रामनन्दन के सेल को यों ही बन्द कर दे।

हम ताश के पत्ते-पर-पत्ते पटकते जा रहे हैं। किन्तु हमारे दिमाग तो कहीं और हैं। उन लोगों का क्या हुआ होगा ? क्या वे उस गाँव तक पहुँच चुके होंगे ? रास्ते में कहीं कोई बाधा नहीं आई हो ? कहीं वे पकड़ गए हों, तब तो अनर्थ होकर रहेगा। लेकिन अभी तक नहीं पकड़े गए हैं, यह निश्चित है—क्योंकि ऐसा होता, तो जेल में कुहराम मच गया होता।

हम जिस सेल में बैठकर ताश खेल रहे थे, उससे सटे वार्ड नं. 2 में एक नौजवान रहता था। बेचारे को शायद नींद नहीं आ रही थी—भला, इस त्योहार के दिन किसे नहीं घर-बार याद आए ? जिसे हमारे यहाँ 'सुख-रात्रि' कहते हैं, वह रात कोई सेल में गुजारे—यह भी कोई बात हुई ! नौजवान गुनगुना रहा था। फिर उसका कंठ फूटा। वह एक फिल्मी गीत गाने लगा—

'पंछी उड़ जा अपने देश !
हौले-हौले उड़ जाना। नन्हे-नन्हे पर न थकाना।'

अरे, यह क्या गा रहा है ? हम सब लोग एक-दूसरे का मुँह देखने लगे। जदुभाई ने कहा—यह शकुन का गीत है। कोई झंझट नहीं हुई, इससे यही सूचित होता है। हम लोगों ने भी मान लिया—यही मानने में तो जी को शान्ति मिल सकती थी न ?

जेल गेट पर घंटा बजा, जमादार चला गया। नया जमादार आया। कुछ दूर पर हममें से एक आदमी ने जाकर उससे इधर-उधर की बातें की और कह दिया, सभी लोग सो गए हैं, बस चार-पाँच आदमी हम खेल रहे हैं, आप धीरे-धीरे बन्द करके आइए।

तब तक हमने रामनन्दन के सेल को और भी दुरुस्त कर दिया था। उसने उस सेल को बन्द कर दिया। जब शालिग्राम के सेल की बारी आई, हमारी घबराहट बढ़ी, क्योंकि वह सेल हम लोगों के निकट था। किन्तु मुकुट की सूझ से वह सेल भी बन्द हो गया।

बला टली। सारंगधर बाबू अपने वार्ड में चले गए। अपनी सफलता पर हमें गर्व हुआ। यह जोर देकर कहा जा सकता है कि यदि कृष्णवल्लभ बाबू, सारंगधार बाबू और जदुभाई ने मदद नहीं की होती तो उस रात में ही भंडा फूट जाता और तब यह भी सम्भव है कि भागे हुए लोग गिरफ्तार कर लिये जाते, क्योंकि वे लोग उस गाँव का रास्ता भूलकर जंगल-जंगल रात भर भटकते फिर रहे थे।

जंजीरें लटकती रह गईं, दीवारें खड़ी ताकती रहीं और लो, बंदी बाहर हो गए ! बाहर ! बाहर !!

महापलायन (ग)

क्या उस रात उन्हें नींद आ सकी होगी, जो इस महापलायन की जानकारी रखते थे और जेल के भीतर इसे गुप्त रखने में हिस्सा बाँट चुके थे !

मैं तो सो नहीं सका। आज भोर-भोर जब जयप्रकाशजी से मिलने गया था, उनके वार्ड के सामने एक विचित्र दृश्य देखा था। न जाने किस तरह रात में एक सियार जेल में चला आया था। वार्डरों ने उसे खदेड़कर मार डाला था और उसकी लाश को घसीटकर जयप्रकाशजी के वार्ड के सामने रख दिया था। जयप्रकाशजी से बढ़कर और कौन ऐसा विशिष्ट व्यक्ति इस जेल में था जिसे वे लोग अपनी वीरता और शिकार-प्रियता का सबूत दिखलाते !

उस सियार को देखकर मैं काँप उठा था—उसका शरीर क्षत-विक्षत था, जगह-जगह खून के धब्बे थे, उसका मुँह खुला था, जीभ बाहर निकल आई थी, दाँत घिनौने लग रहे थे ! उसके पिछले पैर में अब तक वह रस्सा लगा था, जिससे घसीटकर वह यहाँ तक लाया गया था ! अरे, आज जयप्रकाशजी को भागना है—भोर-भोर यह कैसा दृश्य ?

बाबा सुच्चासिंह के साथियों की लाशें इसी दुर्गत से जेल गेट पर लाई गई होंगी ! क्या यह सियार फिर वैसी ही घटना की सूचना देने को आज जेल के अन्दर घुस आया था ?

मेरी तबीयत इधर खराब थी; वही मूर्च्छा की शिकायत ! इसलिए मेरा सेल कई दिनों से बन्द नहीं किया जाता था। भेद खुलने पर कहीं मुझ पर ही सारा शक न किया जाए ?

किन्तु इस समय अपनी चिन्ता क्या की जा सकती थी ! बार-बार मेरा ध्यान उस क्षत-विक्षत सियार की लाश की ओर जाता; फिर सुच्चासिंह के साथियों की दुर्गत आँखों के सामने नाच उठती और उसके बाद···प्रतिक्षण लगता, कुछ वैसी ही लाशें जेल गेट पर आ

चुकी हैं। अब पगली घंटी बजेगी; जेल अधिकारी दौड़कर आएँगे, कोलाहल मचेगा, हाहाकार और चीत्कार से सारा जेल काँप उठेगा ! जयप्रकाश पर कुछ हो जाए तो बिहार में ऐसा कौन आदमी है जो रो न उठेगा।

बार-बार रोमांच हो आता है; बार-बार सिहर उठता हूँ। नींद से बेझिल आँखें जरा झपकती हैं, तो लगता है, जैसे पगली घंटी गरज उठी ! चौंककर उठता हूँ, तो पता चलता है, जेल गेट पर समय-सूचक घंटे बजे रहे हैं--एक, दो, तीन ! यह कमबख्त शीघ्र पाँच क्यों नहीं बजाता ?

और पाँच भी बजे। जेल गेट से दर्जनों बूटों की धमक इस ओर बढ़ने लगी—जमादार, वार्डर, जेलर सबके सब आ रहे हैं। जमादार वार्डों को खोलेंगे, जेलर को गिनती देंगे। जेलर लिखेंगे, इतने कैदी खुले ! क्या इस समय भंडाफोड़ नहीं होगा ? नहीं, नहीं, यह आशंका व्यर्थ है। भोर में कब गिनती होती है, जो आज होगी ? यहाँ तो मान लिया गया है, ये सभ्य भद्र राजबन्दी भागनेवाले नहीं ! भला ये भागेंगे ?—बिना गिनती के ही खानापूरी कर दी जाती है।

सेलों से निकलकर हम बाहर आए। अवधेश्वर मुझे लेकर टहलने और धीरे-धीरे बातें करने लगे। बोले--कुछ सोचा है, अब क्या होगा ? जो होना होगा, होगा—सोचना क्या है ? मैंने कहा। गम्भीरता से उन्होंने समझाया, कुछ देर में तो भंडा फूटेगा ही। कांग्रेसी लोगों पर भगाने का शक तो नहीं होगा। पार्टीवालों पर ही बीतेगी ? पार्टी में अब हम तीन ही प्रमुख व्यक्ति रह गए हैं—फूलनजी, तुम और मैं। फूलनजी का सम्बन्ध ऐसे-ऐसे बड़े लोगों से है कि उन पर अधिक ज्यादती की नहीं जा सकती। मेरी हालत यह है कि एक अच्छा-खासा तमाचा जड़ दिया जाए तो बस इतने में ही में मेरा हार्ट फेल हो जाएगा, किस्सा खत्म ! मुझे चिन्ता तुम्हारी है, रात भर परेशान रहा हूँ। तुम तो सूअर हो, किसी अस्त्र से कितने भी प्रहार किए जाएँ, जब तक नहीं मरोगे जब तक मोटे सूए से तुम्हारा कलेजा नहीं छेद दिया जाता। ज्यों ही भेद खुलेगा, तुम अपने को राँची के मिलिटरी सेल में पाओगे और वहाँ तुम्हारी कचूमर निकाली जाएगी ! अवधेश्वर की इन बातों को सुनकर मैंने मुसकरा दिया...अरे, कमबखत मेरी चिन्ता न कर; मेरे पास भी एक रामबाण नुस्खा है। वह है यह मूर्च्छा—कमजोर आजकल हूँ ही; ज्यों ही अधिक कष्ट हुआ, यह जीवनसंगिनी आ पहुँचेगी और फिर उस मिलिटरी सेल में मेरी लाश ही वे पा सकेंगे, मुझे नहीं !

इस बातचीत के बाद मैं सबसे पहले छोकरा किता गया। जयप्रकाशजी के वार्ड में जो दो सज्जन रह गए थे, उनमें से एक बड़े बुजुर्ग थे; नामी क्रान्तिकारी रह चुके थे। मैंने उनसे सारी बातें कह दीं और जयप्रकाशजी की ओर से क्षमा माँग ली। उन्होंने प्रसन्नता ही प्रकट की और कहा—आगे मैं समझ लूँगा, आप ऐसा प्रयत्न कीजिए कि कुछ देर तक यह बात और छिप सके। ललित भाई वहाँ थे ही; अतः मुझे वहाँ अधिक चिन्ता नहीं हुई। फिर बाबू वार्डों की ओर आया और अपने कुछ विशिष्ट साथियों से सारी बातें कह दीं और उन्हें बता दिया कि भेद खुलने पर उन्हें क्या करना चाहिए। भेद खुलने पर सख्तियाँ होंगी, उन सख्तियों से लोगों में पस्तहिम्मती नहीं आने पावे, खासकर कांग्रेसी नेताओं पर बुरा प्रभाव नहीं पड़ने पावे, इस पर सदा ध्यान रखना है।

जयप्रकाशजी प्रतिदिन भोर में क्लास करते थे। इसके बाद क्लास में सम्मिलित होनेवालों को सूचना कर दी कि आज उनकी तबीयत खराब है, क्लास नहीं होगी और लोगों का ध्यान दूसरी ओर आकृष्ट करने के लिए अपने वार्ड में वालीबॉल के मैच की घोषणा कर दी। मैच सन्ध्या को ही होते थे, किन्तु जेल में तो मनोरंजन के लिए सभी व्याकुल रहते

हैं। सभी लोग मैच देखने को दौड़ पड़े; किसी ने सोचा भी नहीं कि इस असमय के मैच का क्या मानी ?

हमारे वार्ड में मैच हो रहा है; जो लोग जानकार थे, उनके हाथ से गेंद उछाल देखने लायक थी, कभी इधर चली जाती, कभी उधर। लोग खूब हँसते। आकाश में थोड़ा-थोड़ा बादल छाया था। कभी-कभी हवाई जहाज उड़ता दिखाई पड़ता। शंका होती, कहीं उन लोगों की खोज में ही तो ये नहीं उड़ रहे हैं। किन्तु यह तो यहाँ की रोजाना बात थी, राँची के मिलिटरी-बेस से प्रायः ही हवाई जहाज आते-जाते रहते थे। किन्तु मन का भय तो भूत का रूप धारण कर ही लेता है !

मैच खत्म हुआ, हम जलपान आदि से निश्चिन्त हुए। उसी समय एक जमादार कृष्णवल्लभ बाबू को जेल गेट से बुलाने आया। फिर हमारी आशंका बढ़ी ! किन्तु बात दूसरी ही थी। इस जेल के लिए एक नए सुपरिन्टेंडेंट आए थे। कृष्णवल्लभ बाबू की ही कृपा से उन्हें यह स्थान मिला था। अतः जेल के संचालन में उनसे सहायता की आशा रखते थे। कृष्णवल्लभ बाबू ने उसने से क़ह दिया—आप श्रीबाबू, अनुग्रह बाबू से मिलिए, वे ही नेता हैं, उनसे ही आपको मदद मिलेगी। लेकिन सुपरिन्टेंडेंट साहब को कृष्णवल्लभ के सामने ही एक सज्जन ने सलाह दी, पहले आप जयप्रकाशजी से मिलिए, क्योंकि जो लोग जेल में गड़बड़ कर सकते हैं, वे तो जयप्रकाशजी के ही प्रभाव में हैं। सुपरिन्टेंडेंट को यह सलाह पसन्द आई ! कृष्णवल्लभ बाबू चुप रह गए; सुपरिन्टेंडेंट छोकरा किता की ओर बढ़े, कृष्णवल्लभ बाबू ने लौटकर हमें चेतावनी दी—अब भंडा फूटने ही जा रहा है, सँभल जाओ।

वहाँ जाकर जयप्रकाशजी को नहीं पाकर सुपरिन्टेंडेंट किसी को जयप्रकाशजी की खोज में इधर भेजेगा, यह अनुमान कर मैं हर वार्ड के एक-एक साथी को झट समझा आया कि ज्यों ही कोई आवे तो वह उसे बरगला दें कि जयप्रकाशजी को अमुक ओर जाते देखा है। कुछ समय तो इसमें भी लग ही जाएगा। थोड़ी देर में बड़ा जमादार आता दिखाई पड़ा। उसे देखते ही मैंने हँसकर पूछ लिया—कहिए, जमादार साहब, क्या बात है, आपके पैर बड़ी तेजी से उठ रहे हैं—क्या नए सुपरिन्टेंडेंट साहब बहुत अच्छे हैं ! जमादार ने खींसे निपोड़ दीं और कहा—साहब जयप्रकाशजी को बुला रहे हैं, उधर लोगों ने कहा है, इसी वार्ड में आए हैं।

मैंने कहा—अभी तक तो मुझे दिखाई नहीं पड़े हैं, उधर पूछिए। समूचे वार्ड में जिस-तिस से पूछता रहा। ज्योंही मेरे वार्ड से निकला, एक ने पूछ लिया, किसकी खोज हो रही है जमादार साहब ? और ज्योंही उसने जयप्रकाशजी का नाम लिया, उस आदमी ने कहा, उन्हें तो अस्पताल की ओर जाते देखा है। जमादार अस्पताल से लौटा तो इसी प्रकार एक-एक वार्ड में हमारे लोग उसे बरगला कर भेजते रहे।

देर होती देख, एक नायब जेलर आया, फिर बूढ़ा जेलर आ पहुँचा। जेलर अनुभवी; उसे तुरत शक हुआ। जमादार से चुपके से कहा, शुक्लजी को खोजो। शुक्लजी भी नहीं मिले। वह दौड़ा-दौड़ा सुपरिन्टेंडेंट के पास पहुँचा; और कहते हैं, रो पड़ा ! सर्वनाश—वे लोग भाग गए ! जल्दी ऑफिस चलिए।

अपने वार्ड से ही हमने देखा, उन लोगों का दल दौड़ता हुआ ऑफिस की ओर जा रहा है।

और फिर पगली घंटी गनगना उठी !

यों जेल के नियमानुसार पगली घंटी का रिहर्सल थोड़े-थोड़े अरसे पर होने ही चाहिएँ, किन्तु हम राजबन्दियों के आते ही रिहर्सल बन्द हो जाया करता था। बहुत दिनों के बाद

अचानक पगली घंटी की आवाज सुनकर जेल भर में हलचल मच गई। सब लोग अपने-अपने वार्ड के फाटक पर आ गए और पूछताछ करने लगे। इतने में टावर की घंटी टूटकर गिर पड़ी। बहुत दिनों से उसका प्रयोग नहीं हुआ था, लकड़ी सड़ गई थी, इस अचानक विपुल प्रयोग से वह अरराकर नीचे आ रही ! लोगों ने अट्टहास लगाया। तब तक कुछ नायब जेलर पहुँच चुके थे; उनसे मालूम हुआ, जयप्रकाशजी भाग गए हैं !

जयप्रकाशजी भाग गए हैं—ये जेलवाले पागल हो गए हैं क्या ? जयप्रकाशजी और भाग जाएँ—असम्भव ! लोगों ने इसे मखौल समझा। चारों ओर से जयप्रकाशजी भाग गए हैं; जयप्रकाशजी भाग गए हैं, की व्यंग्यपूर्ण ध्वनि निकलने लगी। श्रीबाबू अधिकतर पढ़ने में ही व्यस्त रहते थे। सेल या उसके सामने के बरामदे के इधर-उधर भी मुश्किल से जाते थे। किन्तु उत्सुकता उन्हें भी वार्ड के गेट तक खींच लाई थी। उन्होंने हमसे पूछवाया—जदुभाई ने कहा, हजूर, ये लोग कहते हैं, जयप्रकाशजी भाग गए हैं ! इस साल अब तक न अंडी मिली, न बंडी—यहाँ रहकर जाड़े में मरते, अब हम लोग भी भागेंगे ! हर साल जाड़ा पहुँचते ही अंडी की चादर और ऊनी बंडी मिल जाती थी, इस साल अब तक नहीं मिली थी। जदुभाई का इसी ओर व्यंग्य था। लोगों ने अट्टहास लगाया, श्रीबाबू मुसकराकर लौट गए !

अब वार्ड-वार्ड में गिनती और खोज शुरू हुई। थोड़ी देर में शोर मचा, जयप्रकाशजी के साथ शुक्लजी और सूरज भी भाग गए हैं। फिर गुलाली का नाम आया और अन्त में रामनन्दन और शालिग्राम के नाम भी लिये गए। यह क्या हो गया, कैसे हो गया, लोगों को आश्चर्य होने लगा !

कुछ देर बाद पुलिस सुपरिन्टेंडेंट आए। वह वार्ड नं. 1 में आकर हम से कहने लगे, आप लोगों ने यह दिल्लगी की है—अच्छी दिल्लगी रही; किन्तु अब इसे खत्म कीजिए, जयप्रकाशजी को कहिए, बाहर आवें ! जयप्रकाश हों, तब न आवें ! फिर एक बार खोज हुई—पेड़-पेड़ पर, पाखाने-पाखाने, चूल्हे-चूल्हे तक में। सब लोग खोज-ढूँढ़ से थक-थकाकर चले गए ! अब सारे जेल में निस्तब्धता छा गई।

सब वार्डों के फाटक बन्द कर दिए गए, जिनमें एक वार्ड के लोग दूसरे वार्ड में नहीं जाने पाएँ। फाटकों के निकट खड़े होकर बातचीत करने की भी मनाही हो गई। हर वार्ड का राशन जेलवाले ही पहुँचा गए। हर वार्डर का मुँह लटका हुआ, हर जमादार की रोनी सूरत, हर जेलर के सिर पर जैसे वज्र गिर गया हो। यह क्या हो गया ? और अब क्या होगा ?—न जाने इस षड्यन्त्र में किस-किस राजबन्दी को लिपटाया जाएगा, न जाने कौन-कौन वार्डर, जमादार और जेलर इसके कारण नौकरी खोएगा ! बड़े जेलर और सुपरिन्टेंडेंट तो बेचारे गए ही; उन्हें कौन बचा सकेगा ? कोई साधारण कैदी नहीं भागा है, कोई एक कैदी नहीं भागा है ? जयप्रकाश भाग जाएँ, छः राजबन्दी भाग जाएँ—जेल की कुव्यवस्था का ऐसा बुरा सबूत और कहाँ मिलेगा ?

अपने वार्ड के हम पाँच जानकार प्रायः इस पर सोचते-विचारते। सबने मान लिया, पहला प्रहार मुझी पर होगा। क्योंकि मैं ही जेल में पार्टी का मन्त्री था। उसके बाद अवधेश्वर और फूलनजी की बारी आएगी। किन्तु हम क्या जानते थे कि यह सरकार देहाती सियार की कथा को चरितार्थ करेगी, 'पकड़े के गोड़, न पकड़ लेलम बड़ के सोड़'—पकड़ने थे सियार के पैर तो पकड़ ली बरगद की जड़ें !

प्रतिक्रिया

जंजीरें फुँकार कर रही हैं; दीवारें चिंघाड़ रही है ! प्रतिक्रिया ने प्रतिहिंसा का रूप धारण कर लिया है !

हम लोग न बाहर पत्र भेज सकते हैं, न बाहर के पत्र हमें मिल सकते हैं। तीन महीने के लिए मुलाकात भी बन्द। हम सभी को सामूहिक सजा दे दी गई है। आई.जी. साहब आए हैं; जेल के इंचार्ज एडवाइजर साहब आए हैं। बाहर इनक्वायरी हो रही है, भीतर इनक्वायरी हो रही है। कैसे भगे, कब भगे, किस रास्ते भगे—तरह-तरह की अफवाहें फैल रही हैं। सरकारी विज्ञप्ति में भागने की जो तारीख दी गई है, उसमें और वास्तविक तारीख में एक दिन फर्क है। किस वार्डर से, किस जमादार से, किस जेलर से गफलत हुई, निर्णय करना कठिन हो रहा है। जेल में कुछ नए वार्ड बन रहे हैं, उनके लिए सामान लाने को जेल की दीवार को तोड़कर एक नया फाटक बनाया गया था उसे हटाया जा रहा है, नई दीवार चुनी जा रही है। एक अफवाह यह भी है कि उसी फाटक से लोग निकले होंगे। जेल में नाटक खेला गया, अभिनेताओं के पहनाने के नाम पर वार्डरों से वरदियाँ ली गईं, उन्हीं वरदियों को पहनकर लोग सदर दरवाजे से ही निकल गए—यह अद्‌भुत कल्पना भी प्रसार पा रही है।

थोड़े दिनों बाद ही वह नए सुपरिन्टेंडेंट हटा दिए गए। उनकी जगह पर जो सुपरिन्टेंडेंट आए हैं, वह बर्मा में आई.जी. थे। वर्मा पर जापानी कब्जा हो जाने पर भागकर आए हैं। बड़े अक्खड़ हैं—बड़ी शान से कहते हैं, बर्मा में राजबन्दियों को किस प्रकार उन्होंने कब्जे में रखा था। मिनिस्टरों को उन्होंने तनहाई सेलों में डाल दिया था—हमारे मिनिस्टरों को वह फख्र से सुनाते हैं।

निखालिस कांग्रेसी राजबन्दियों में कुछ कुड़बुड़ाहट फैल रही है—कल तक जयप्रकाशजी की तारीफें करते नहीं अघाते थे, आज कहते हैं, बाहर अब क्या कर लेंगे, भीतर हम लोगों की जान आफत में डाल दी। उफ, घर की चिट्ठियाँ भी नहीं मिलतीं, न किसी से भेंट हो पाती है—घूमना, टहलना, खेल-कूद—सब बन्द। इन कमबख्तों ने मुफ्त में हमें संकट में डाल दिया है। सन्ध्या हो जाते ही हमें सेलों में बन्द कर दिया जाता है।

अभी उस दिन एक विचित्र बात हो गई। सन्ध्या हो जाने पर, वार्ड-बंदी के बाद, बाबू राम नारायण सिंह, कृष्णवल्लभ बाबू और सुखलालसिंह को जेल गेट पर बुलाया गया और उन्हें वहीं से भागलपुर सेन्ट्रल जेल भेज दिया गया। उन्हें अपने कपड़े-लत्ते लाने को भी वार्ड में नहीं जाने दिया गया, वार्डरों के द्वारा वहीं मँगा दिया गया। बदमाशी करें ये सोशलिस्ट; सजा पावें हम कांग्रेसी।

इस घटना से भी हमने फायदा उठाया—बहुत शोर किया, एक दिन का अनशन किया, श्रीबाबू ने गवर्नर को पत्र लिखा ! अब किसी दूसरे पर हाथ उठाने की जल्द हिम्मत हो सकती थी ?

लोगों में उत्साह भरने की हम कोशिशें करते हैं, इधर-उधर की तफरीहों में उन्हें भुलाना चाहते हैं। हमारे साथी बड़े मग्न हैं—उन्हें विश्वास हो चला है, जयप्रकाश बाहर जाकर जरूर कुछ करेंगे, क्रान्ति का दूसरा दौर जरूर आएगा, जरूर आएगा !

किन्तु हर झुंड में कुछ काली भेड़ें आ ही जाती हैं। हमारे एक साथी का रवैया दूसरे दिन ही खराब दीख पड़ने लगा। किसी को वार्ड से बाहर नहीं निकलने दिया जाता था, किन्तु राशन के बहाने वह गोदाम में चले जाते और घंटों गायब रहते। एक दिन जेल के मेट ने हमें बताया, वह गोदाम के पिछले दरवाजे से गेट पर चले जाते हैं और वहाँ कुछ अपरिचित

व्यक्तियों से गुपचुप बातें करते हैं। वह सज्जन इस-उससे पूछते फिरते हैं कि कैसे क्या हुआ ? धृष्टता देखिए, एक दिन हँसते-हँसते मुझी से पूछ बैठे ! अब मेरा सन्देह पक्का हो गया—मैंने उनकी गरदन पकड़ी और ऐसा स्वाँग किया कि उनका गला घोंट देना चाहता हूँ ! लोग दौड़े, बीच-बिचाव किया ! किन्तु थोड़े ही दिनों के बाद उन्होंने अपना तबादला उस जेल से करा लिया ! और आप आश्चर्य करेंगे, वह आजकल एम.पी. हैं; नई दिल्ली में मौज मारा करते हैं !

ऐसे ही एक दूसरे सज्जन निकले—जेल में ही आकर हम से हिले-मिले थे। उनका अक्षर सुन्दर था, इसलिए मैंने 'तूफान' का काम उन्हें दिया था। पता चला, इधर एक नायब जेलर उनसे घुल-मिल रहा है और यह लीजिए, एक दिन एक सेल की तलाशी हुई, जहाँ से 'तूफान' का एक अंक निकला ! एक बार तो उन्होंने मुझे ही फँसाना चाहा। वार्ड के फाटक से हम कहीं बाहर आ-जा नहीं सकते थे; किन्तु जरूरत पड़ने पर दो वार्डों के बीच की दीवार तड़प जाते थे। एक दिन इसी प्रकार अपने वार्ड की बगल के दूसरे वार्ड में चला गया। एक साथी के सेल में बैठकर बातें करता था कि न जाने कहाँ से वह नायब जेलर उस वार्ड में आ पहुँचा, एक साथी की सूझ और हिम्मत ने मुझे बचा लिया, नहीं तो मैं उस वार्ड में पकड़ा जाकर बेइज्जत किया जाता—क्या-क्या होता, क्या बताया जाए ? और फिर आश्चर्य मत कीजिए, वह सज्जन अब भारतीय युवकों के नेता के रूप में अन्तरराष्ट्रीय शिष्टमंडलों में भी स्थान पा जाते हैं !

तो भी हमारा कारवाँ बढ़ता जा रहा है। इतने ही में 26 जनवरी आती है, हम तय करते हैं, इन सारे बन्धनों के बावजूद हम स्वतन्त्रता दिवस शान से मनाएँगे ! स्वतन्त्रता दिवस किसको प्रिय नहीं है ? चन्द कांग्रेसी नेताओं को छोड़कर हमारे इस निर्णय के पक्ष में सारे राजबन्दी हैं ! फिर लोगों में एक जोश जगा है—ये बन्धन अब सबके लिए असह्य हो उठे हैं। सब लोग एक बार जोर आजमाई करके देख लेना चाहते हैं। जेल जीवन में भी ज्वार-भाटे आया करते हैं।

बिना राष्ट्रीय झंडे के स्वतन्त्रता दिवस कैसा ? रंग तो अब आने नहीं देते, झंडे बनेंगे कैसे ? किन्तु हममें कलाकारों की भी तो कमी नहीं। खादी के कपड़े हम सबके पास हैं ही; रसोईघर से हलदी मँगा लेना कौन बड़ी बात है, उसी से केसरिया रंग बना लेंगे और जेल में हरे पत्तों की क्या कमी, उन्हीं का रस चुलाकर हर रंग निकाल लेंगे। धोतियाँ फटने लगीं, कुरते फटने लगे। रँगाई शुरू हुई। सिलाई शुरू हुई। चरखे का साँचा भी बना लिया गया; छपाई शुरू हुई। हर घर के मशहरी में डंडे थे ही। लीजिए, झंडे बन गए ! झंडे के लिए प्रतिस्पर्धा-सी होने लगी—किसका झंडा बड़ा, किसके झंडे का रंग चटकदार ! कौन अभागा है, जो इस पवित्र दिवस को अपने हाथ में झंडा रखना पसन्द नहीं करेगा ?

किन्तु हमारी उस तैयारी की खबर जेलवालों को न लगे, यह असम्भव था ! काली भेंड़ों की तादाद बढ़ गई थी न ? प्रतिक्रिया का सबसे बड़ा अभिशाप तो यही है—वह बड़े-बड़े शेरों को भी भेड़ बना डालती हैं, फिर जो शेर की खाल ओढ़कर अपने नस्ल छुपाएँ हुए हों, उनका भंडाफोड़ करना उसके लिए कौन सा मुश्किल काम है ! जेलवाले चौकन्नी आँखों से हमारी हर कार्रवाई को देखते हैं !

रगड़ से आग पैदा होती है, अब ओदी लकड़ियाँ भी धधक रही हैं। हमें स्वतन्त्रता दिवस नहीं मनाने देंगे—क्या कहते हैं ? उन्हें दिखा देंगे, हम किस धातु के बने हैं !

> रग-रग फड़क रहा है नया रंग देखकर,
> क़ातिल भी है, छुरी भी है, मेरा गला भी है !

हो सकता है, तलाशी हो, हमें झंडे को छिपा देना चाहिए। कोई अपने झंडे को तकिया के गिलाफ में छिपा रहा है; कोई बिस्तरे के खोल में छिपा रहा है। कोई किताब की जिल्द में ही उसे घुसा रहा है। कई झंडे कई जगह रखो, जिसमें एक भी जरूर बच जाए। कितने लोगों बंडी में, कोट में, गंजी में इस तरह झंडे सी लिये कि लाख कोशिश करने पर भी दिखाई न पड़े।

25 जनवरी की सन्ध्या को हम सेलों और वार्डों में बन्द किए। स्वभावतः हम देर से सोते, आज तो हम कल के संघर्ष के चिन्तन में देर से सोए कि अचानक सेल के फाटक पर बूटों की खट-खट की आवाज हुई और यह देखिए, जेल की पूरी पल्टन सामने खड़ी है। एक-एक सेल खोला जाने लगा और तलाशी शुरू की गई। जब तलाशी ही है, तो फिर चुपचाप कैसी ? हमने नारे लगाने शुरू किए। लोग अकचकाकर उठे और फिर तो नारों का वह सिलसिला शुरू हुआ कि इस निस्तब्ध रात्रि में सारा जेल गुँजित, प्रकम्पित होने लगा।

जरूर कुछ झंडे भी उनके हाथ आए; उन्होंने समझा बाजी मार ली। बौखलाहट में कुछ किताबें, कापियाँ भी उठाकर ले गए।

भोर हुई; अरे, यह क्या ? हमारे सेल अभी तक बन्द क्यों हैं ? वार्डरों की प्रतीक्षा कर रहे हैं, फिर जमादार को पुकारते हैं। कोई सामने नहीं आ रहा है। क्या बात है—जेलवालों ने तय किया था, आज किसी को सेल से बाहर ही नहीं होने देंगे, न रहेगा बाँस, न बजेगी बाँसुरी।

किन्तु इस बाँसुरी को बजने से कौन रोक सकता था ? हर सेल में कमोड रहता ही था, एक बालटी पानी भी रखा जाता था। भीतर ही हम शौचादि क्रिया से निवृत्त हो लिये। जलपान बाहर से देने लगे, तो हमने अस्वीकार कर दिया—आज का स्वाधीनता दिवस हम उपवास से ही मनाएँगे। अपनी-अपनी घड़ी देखते, हम आठ बजने की प्रतीक्षा करने लगे, जो कि झंडावंदन का समय सदा से निश्चित था। आठ बजते हैं कि फिर देखिए, सब अपने-अपने सेलों के दरवाजे पर खड़े हैं, मशहरी के डंडों में झंडे लगाकर उन्हें बाहर लहरा रहे हैं और मस्ती में गा रहे हैं—

'झंडा ऊँचा रहे हमारा ! प्रेमिक विश्व तिरंगा प्यारा।'

अहा, वह स्वाधीनता दिवस ! क्या वैसी शान से, वैसी उमंग से हमने कभी स्वाधीनता दिवस मनाया था और क्या आगे कभी मना सकेंगे ? हम सेलों के बन्द थे, एक-दूसरे को देख नहीं पाते थे, किन्तु हमारा स्वर एक था, बुलन्द था। हम जानते थे, इस झंडावन्दन के लिए हमें और भी कष्ट दिए जाएँगे, हो सकता है, इसी समय जेलवाले सदल-बल पहुँचे और झंडे छीनना, सेलों में घुसकर पिटाई करना शुरू कर दें—किन्तु हमारा उत्साह कुछ ऐसा था, हमारे स्वर की हुँकार कुछ ऐसी थी कि किसकी हिम्मत जो हमारे सामने आए ! बड़ी देर तक, एक-एक पंक्ति को कई-कई बार दुहराते, नारे लगाते, हमने प्रातःकाल का झंडावंदन सम्पन्न किया।

हम में से कुछ लोग सोचते थे, अब हमें सेलों से बाहर कर दिया जाएगा, जब विधि पूरी कर ली गई तो फिर हमें वे क्यों बन्द रखेंगे ? किन्तु यह तो खामखयाली थी। हमें पूरा दिन बन्द रखा गया। चार बजे हमने फिर हस्बमामूल झंडावंदन किया, नारे लगाए। तब भी हमें बाहर नहीं आने दिया गया। हाँ, एक-एक सेल को खोलकर कमोड की सफाई अवश्य करा दी गई। रात भर हम बन्द ही रहे, फिर कहीं दूसरी भोर में जाकर सेलों के दरवाजे खोले गए।

भूखे शेर को जैसे पिंजड़े से बाहर किया गया हो। सेलों के खुलते ही सब लोग अपने-अपने वार्ड के गेट पर पहुँचे और झंडे उड़ाते हुए नारे लगाने लगे। कुछ ऐसा जोश था, सुरूर था कि कोई फाटक से हटने का नाम ही नहीं लेता था। जेलर दौड़े आए; सुपरिन्टेंडेंट आए—उनको देखना था कि लोगों के तन-बदन में जैसे आग लग गई ! यह सब कुछ इस नए सुपरिन्टेंडेंट की शैतानी है, उसका नाम ले-लेकर 'गो बैक' चिल्लाने लगे। कोई-कोई 'बर्मा का भगोड़ा' 'देशद्रोही' आदि नामों से भी उसे पुकारने लगे। झट उसने वार्डरों को कतार में खड़ा करा दिया, कुछ लोग बन्दूक लिये खड़े, कुछ लोग लाठी लिये ! आज कुछ होकर रहेगा—कैम्प जेल की 1932 की सन्ध्या मुझे याद आने लगी। कुछ देर तक तो सुपरिन्टेंडेंट फुफकारता रहा, किन्तु अन्त में उसे होश आया। वह श्रीबाबू के वार्ड में गया, वहाँ नेताओं से बातें की। सत्यनारायण भाई निकले और नेताओं की ओर से निवेदन करने लगे कि हम लोग अब फाटक छोड़कर वार्डों में जाएँ। किन्तु जब तक हथियारबन्द सिपाही खड़े हैं, हम नहीं हटेंगे, यह थी हमारी शान। वे हटाए गए, हम भी वार्डों में गए, किन्तु यह स्वाधीनत दिवस हमारे हृदयों में सदा के लिए सोने के अक्षरों में अंकित हो रहा।

कुछ ही दिनों में वह अकड़ खाँ सुपरिन्टेंडेंट बदल दिया गया। जेल में एक विचित्र बात होती है, जिसके कार्यकाल में कोई बड़ी घटना हुई कि वह अफसर बदल दिया गया। इसीलिए जेल के अफसर कैदियों से मिलकर रहना चाहते हैं। हर जेल में बदमाश कैदियों की एक सूची होती है, जो नया अफसर आएगा, उन कैदियों से जरूर मिलेगा—बड़े-बड़े डाकुओं को मैंने जेल में औज-मौज से रहते देखा; उसका कारण यही है।

नया सुपरिन्टेंडेंट एक गोरा आई.सी.एस. था। अभी नौजवान ही था। पहले एस.डी. ओ. के पद पर था। उसने आते ही लोगों से मेल-जोल प्रारम्भ किया। श्रीबाबू से बड़े तपाक से मिला और अपना सौभाग्य बताया कि जब श्रीबाबू मुख्यमन्त्री थे, और वह एस.डी.ओ. था तो उनकी मोटर हाँकने का सौभाग्य उसे मिला था।

मुझसे भी उसका हेल-मेल हो गया। उसी ने बातचीत के सिलसिले में कहा कि युद्ध के बाद लेबर पार्टी का राज्य होकर रहेगा। क्योंकि हमें अपने देश का जो नवनिर्माण करना पड़ेगा, उसके लिए चर्चिल का नेतृत्व उपयुक्त नहीं होगा। हम उस समय ऐसी बात भी नहीं सोच सकते थे। हमें आश्चर्य हुआ !

मैं इस धूमधाम, लड़ाई-झगड़े से निवृत्त होकर अब साहित्य रचना की ओर मुड़ा। तब तक बागवानी से मेरा स्नेह हो गया था। अपने सेल के सामने मैंने एक छोटा सा बगीचा लगा लिया था, बीच में आम एक छोटी सी बिटपी। चारों ओर गुलाब और बेले के पौधे। आम के पेड़ को केन्द्र बनाकर एक चबूतरा बना लिया था। उस चबूतरे को पत्थर के नाना प्रकार के टुकड़ों से ऐसा जड़ दिया था कि लगता मोजाइक का चबूतरा है। उसी चबूतरे पर बैठकर मैंने 'अम्बपाली' लिख ली, 'माटी की मूरतें' पूरी कर दी, 'रोज़ा लुकजेमबुर्ग' नाम से एक अंग्रेजी जीवनी के आधार पर एक नई पुस्तक ही तैयार कर दी। 'नया आदमी' वहीं शुरू किया, ओ आज तक अधूरा ही पड़ा है।

मैंने समझा लिया था कि अब यहाँ का जीवन शान्त ही रहेगा। जयप्रकाशजी ने 1940 में ही कहा था, इस बार हमें सात साल जेल में रहना पड़ेगा। मैं 1947 तक का अपना साहित्यिक कार्यक्रम बनाकर उसी की पूर्ति में लीन हो गया।

किन्तु यह मेरा भ्रम था। जेल का जीवन शान्त हो नहीं सकता। यह कुत्ते की पूँछ है। खींचकर पकड़े रहिए, तो सीधी रहे, ज्यों ही हाथ ढीला पड़ा कि पूँछ फिर टेढ़ी-की-टेढ़ी।

एक दिन नए अंग्रेज सुपरिन्टेंडेंट ने मुझे एकान्त में ले जाकर कहा, अफसोस है, अब

आप हमारे साथ नहीं रह सकेंगे। आपका डिवीजन तोड़ दिया है, 'सी' क्लास कर दिया गया है और आपको गया सेन्ट्रल जेल में तबादला कर दिया गया है। इसमें मेरा कोई कसूर नहीं—आई.जी. ने स्वयं हुक्म दिया है और वह आई.जी. कौन थे—वही बर्मा से वापस आए हुए सज्जन, जो हमारे सुपरिन्टेंडेंट थे। ओहो, तो उन्होंने मुझसे बदला चुकाया। खैर, यही सही। जब मालूम हुआ, मेरे साथ मुकुट को भी वहाँ भेजा रहा है, तो आनन्द हुआ; चलो एक से दो तो हुए। किसी तरह कट ही जाएगा !

गया की झुलस

मैं गया जा रहा हूँ—मुकुट के साथ। जेल गेट से निकलकर ज्यों ही हमें बस पर बिठलाया गया, मेरे पूर्व-परिचित मुसलमान पुलिस जमादार ने मुझसे कहा—"बाबू बात क्या है ?—जेलवालों ने कहा था कि हथकड़ी लगाकर ले आओ। भला, आप लोगों को हथकड़ी।—मैंने कहा दिया; ले जाने की जिम्मेवारी मुझ पर है—आप चिन्ता नहीं करें। क्या इनसे आप लोगों का कोई झगड़ा हो गया है, बाबू ?" बेचारा जमादार कुछ समझ नहीं पा रहा था।

बस बड़ही में कुछ देर तक ठहरती है। सन्ध्या होने जा रही थी, मैंने सोचा, शौचादि से यहीं निवृत्त हो लूँ। जमादार से कहा, उसने अपने सिपाही से पानी मँगा दिया और बोला उन झाड़ियों में चले जाइए, यहाँ के पाखाने गन्दे होते हैं। मैं लोटा लेकर झाड़ियों की तरफ बढ़ा। जब जेल से चलने लगा था, एक मित्र ने कान में कहा था, अवसर देखिए तो आप भी भाग जाइएगा—जयप्रकाशजी आपकी प्रतीक्षा में होंगे। क्या भागने के लिए इससे भी अच्छा अवसर आएगा ? क्यों नहीं लोटा लिये दूर निकल जाऊँ और झाड़ियों में छिप रहूँ—थोड़ी देर में ही रात हो जाएगा, अंधकार में कौन पकड़ सकेगा ?

किन्तु तुरत उस शरीफ़ मुसलमान जमादार की ओर ध्यान जाता है। बेचारे ने हम पर इतना विश्वास किया है; क्या उसका सिला हम इस रूप में देंगे ? फिर मेरे बिस्तरे में मेरी नई रचनाओं की पांडुलिपियाँ हैं। क्या मैं दुहराकर फिर 'अम्बपाली' और 'माटी की मूरतें' लिख सकूँगा ? और मेरे भाग जाने पर क्या मुकुट की कम दुर्गत होगी। नहीं, नहीं; मुझे ऐसा नहीं करना चाहिए। शौच से निवृत्त हो मैं लौट जाता हूँ।

बड़ही में एक नौजवान उस बस में चढ़ आता है और मेरे और मुकुट के बीच में बैठ जाता है। वह कहता है, अगले हाल्ट पर आप दोनों भाग जाइए, मैं जमादार-सिपाही को देख लूँगा। अगले हाल्ट पर गाड़ी रुकती है, हम तीनों बस से बाहर आ जाते हैं, जमादार-सिपाही भीतर ही बैठे हैं। अब गया जिला शुरू हो रहा है, उन दिनों गया सैनिक वायुयानों का अड्डा था—पूर्वी भारत का सबसे बड़ा अड्डा। जहाँ-तहाँ ऊँचे-ऊँचे दीप-स्तम्भ—वहाँ से बिजली की बड़ी तेज रोशनियाँ चारों ओर घूम रहीं, फैल रहीं। भला यहाँ से क्या भागा जा सकता है ? और बस में निश्चिन्त बैठे जमादार का वह मासूम चेहरा जो दिखाई दे रहा है। हम फिर बस पर आ चढ़े।

और वह गया का सेन्ट्रल जेल, जिसकी पृष्ठभूमि में प्रेतशिला नामक छोटी पहाड़ी है। प्रेतशिला की बगल में इस जेल को क्यों बनाया गया है ? गया जेल में ज्यादातर दामुली क़ैदी रखे जाते हैं। क्या इसलिए कि इन्हें सदा याद दिलाया जाए कि मृत्यु के बाद तुम्हें ज्यादा दूर नहीं जाना होगा ! प्रेत बनाकर इस प्रेतशिला पर धूनी रमाना—फिर कहीं तुम्हारे

खानदान में कोई योग्य सन्तान हुई तो यहाँ पिंडदान देकर तुम्हारा उद्धार कर देगी।

रात जैसे-तैसे बीती। भोर में ही पता चला, यहाँ तो वही हमारा पगला सुपरिन्टेंडेंट है, जो कैम्प जेल में था। जब दूसरे दिन उससे भेंट हुई, बड़े प्रेम से मिला, जैसे सारी पुरानी बातें भूल गया हो। फिर कहने लगा, तुम तो बीमार दीखते हो, चलो, तुम्हें देखें और आले से इधर-उधर देखकर बोला, ओहो, तुम्हारा तो सारा शरीर रोगों का पुंज है। फिर उसने मेडिकल ग्राउंड पर मेरे सोने के लिए खाट, गद्दे, तकिए आदि का इन्तजाम करा दिया और भोजन के लिए दूध, दही, फल अंडे की ऐसी सूची बना कि मुझे कहना पड़ा—इतना सारा क्या होगा ? उसने मुसकराकर कहा—तुम्हारे कितने साथी है और कितने बच्चे हैं, क्यों उन्हें छोड़कर तुम अकेले खाना पसन्द करोगे ? मैं तो चकित ! कहाँ कोई बीमारी है मुझमें—यह सब उसने मुझे आराम से रखने के लिए प्रपंच रचा है। क्या इसलिए कि कहीं मैं उसे फिर तंग नहीं करूँ ? या उसके पागलपन ने दूसरा रुख लिया है।

समूचा गया जेल राजबन्दियों से भरा है। जिन्हें भी लम्बी सजाएँ मिली हैं, प्रान्त भर से उन्हें यहीं भेज दिया गया है। गया जिले के सभी प्रमुख कार्यकर्ता तो यहीं पड़े हुए हैं। बसावन बड़ी ललक से मिले। आई.जी. ने सोचा होगा, गया जेल में भेजकर इसे नरक भुगाऊँगा—वह क्या जानता था, मेरे लिए अभिशाप भी वरदान बनकर बरसते आए हैं।

प्रान्त भर के लम्बी सजावाले राजबन्दियों से जो बातें हुईं तो अपने लोगों की वीरता और सरकार की क्रूरता का सही अन्दाजा मिल सका। सचमुच बिहार के कोने-कोने में गांधीजी का 'करो या मरो' का जादू छा गया था। लम्बी सजावालों में ऐसे बहुत कम लोग थे, जो पहले से देश का काम करते आए हों। अपनी घर-गृहस्थी में लगे हुए लोग, इस जादू ने उनके सिर ऐसे घुमा दिए कि संसार की सारी माया-ममता भूलकर वे अंग्रेजी राज को सदा के लिए नष्ट करने पर तुल गए। क्या-क्या असम्भव न सम्भव कर दिया उन्होंने ? उनमें बूढ़ों और बच्चों की भी बड़ी तादाद थी। उन्होंने गोलियों की गरज में भी थानों पर झंडे लहराए, उन पर कब्जा किया। साधारण हथौड़े और छेनी से लोहे के पुलों को तोड़ दिया। गृहस्थी की कुदाल से कंकरीट की सड़कें खोद डालीं। बाँस के डंडों को घुसाकर रेल की पटरियाँ उखाड़ दी। स्टेशनों को, पोस्टऑफिसों को, सरकारी गोदामों को लूट लिया। लूट के माल प्रायः जला दिए—नोटों के बंडल आग में धू-धू में पलक लगते राख बन गए !

सरकार ने क्रूरता में भी हद की। शरीफ लोगों को गधे पर चढ़ाकर, गले में जूतों की माला पहनाकर, सड़कों पर घुमाया। राष्ट्रभक्तों को टाँग में रस्से बाँधकर, रस्से को ट्रक से बाँध दिया और उसे स्टार्ट करा दिया, बेचारे सड़कों पर लहूलुहान घसीटे जाते रहे ! रास्ते में जिसे इधर-उधर देखा, उसी पर गोलियों की बौछार कर दी। गाँव-के-गाँव जला दिए। टॉमियों ने देहात में अँधेर मचा दिया, किसी बहू-बेटी की इज्जत सुरक्षित नहीं थी। हम जिस एस. डी.ओ. की हत्या की चर्चा कर चुके हैं, वह कहा करता था—हमने टॉमी बुला दिया है, अब लोगों को गोरे नाती-पोते देखने को मिलेंगे। क्या ऐसे आदमी की हत्या भी पाप है ? एक नौजवान अपनी बीवी के साथ सोया था, घर में घुसकर उसे गिरफ्तार किया गया, उसे पीटकर बेदम बना दिया गया और घर की इज्जत धूल में मिला दी गई ! जो सजा पाकर आए थे, उनके शरीर पर जख्मों के अनेक चिह्न थे। कोई सजीला जवान लंगड़ा बन गया था, कोई सुन्दर लड़का काना बन चुका था, कोई वृद्ध-वसिष्ठ अंग-अंग की पीड़ा से दिन-रात कराहता रहता। उफ़, उन्हें देख-देखकर उनके मुँह से अत्याचार की कहानियाँ सुन-सुनकर खून खौल उठता।

कुछ ही दिन गुजरे थे कि एक दिन आई. जी. साहब आ धमके। हम लोगों से मिले।

मुझे देखकर, शायद व्यंग्य में पूछा–यहाँ कोई कष्ट तो नहीं। फिर बोले, कोई कष्ट हो तो सीधे लिखिएगा, मैं देखूँगा, आपका कष्ट शीघ्र दूर हो। उन्होंने ये बातें चाहे व्यंग्य में ही कही हो, जेल अफसरों पर मेरा रोब बढ़ गया। अब तो मेरा सुपरिन्टेंडेंट मेरे लिए सब कुछ कर सकता था–जेलर, जमादार सब अदब से पेश आने लगे !

यों शारीरिक और मानसिक सुविधाएँ प्राप्त हो गईं किन्तु इस गया की गरमी को क्या किया जाए ? दुपहरिया हुई नहीं कि लू चलने लगती, जो आठ-दस बजे रात तक झुलसाती रहती। गरमी में जेल के कुएँ सूख गए, तो बाहर से पानी का प्रबन्ध किया गया। दिन में तीन बार स्नान करता, तो भी झुलस नहीं जाती। दिन में सेल भट्टी बन जाते, तो सामने के सघन वट-वृक्ष के नीचे बैठ जाता। किन्तु रात में तो सेल में जाना ही था। उसे अच्छी तरह धुलवाता, परदे को गीला करा देता, तो भी पसीने से सारा शरीर भीग जाता, साँस रुकने-सी लगती !

और एक दिन वही हुआ, जिसकी आशंका थी।

प्रतिदिन की तरह आठ बजे रात को सेल में बन्द किया गया। खाट को पीछे कर, दरवाजे के सामने खुली गच पर बैठकर, लिखने-पढ़ने लगा। गच को धुलवा देने से वह ठंडी हो जाती थी। मैं पढ़ता-लिखता रहा, बगल के सेलों के मित्र एक-एक कर सो गए। अचानक बड़ी गरमी महसूस की, लगा गच बहुत गरम हो उठी है। खाट आगे खींच ली और उसी पर लेट गया। सेल की गरमी बढ़ती गई, साँस लेने में कठिनाई अनुभव करने लगा। लालटेन की रोशनी बहुत धीमी कर दी–यहाँ बिच्छू बहुत निकलते थे, इसलिए लालटेन एक दम गुल करना उचित नहीं समझा। फिर खाट पर पड़ गया कि एक विचित्र अनुभव हुआ। जैसे, समूचा सेल आवा बन गया है, मैं कच्चे घड़े की तरह उसमें झुलसा जा रहा हूँ। साँस भी बन्द हुई जा रही है। क्या करूँ ? क्या चिल्लाऊँ ? किन्तु अरे, क्या मैं चिल्ला भी सकता हूँ–जीभ तालू से सट गई है, गला रुँध गया है। मैं छटपटाने लगा। आदमी में जीने की कितनी बड़ी अभिलाषा होती है ! उसी समय कान में कुछ चरमर की आवाज आई। मैं सारा बल लगाकर चिल्ला पड़ा–चिल्लाहट तो मुँह से निकली नहीं, कंठ से घड़घड़ाहट की आवाज हुई। वार्डर दौड़ा हुआ आया, मेरे सेल के निकट खड़ा हुआ और मेरी यह हालत देखकर जमादार को पुकारने लगा।

जमादार आए, मेरा सेल खुला, मैं आधा बेहोश; उठा-पठाकर मुझे हस्पताल ले गए। अस्पताल में रात भर मेरे शरीर पर बर्फ मलते रहे; तब कहीं नींद पड़ी। नींद टूटी तो पाता हूँ, सारा शरीर काला हो गया है, जैसे किसी ने अंगारे से झुलस दिया हो।

इस सेल में कुछ हमारे समाजवादी साथी वार्डर बन गए थे। जेल की आबादी बढ़ने पर वार्डरों की जरूरत हुई, उन पर वारन्ट थे या संगीन जुर्म था, उन्होंने दरखास्त दी, उस धरम-धकेल में कहाँ तक छानबीन होती, वे भरती कर लिये गए। अब वे नौकरी भी करते और हमारे लिए बाहर-भीतर के दूत भी थे। जेल का भी हमारा संगठन अच्छा था। बुलेटिन के लिए हम जेल से लेख भी भेज देते। कभी-कभी जेल प्रेस से कागज भी बाहर भेज दिया जाता। एक बार यहाँ तक सोचा गया क्यों नहीं, हम जेल प्रेस में ही अपना बुलेटिन छपवा लिया करें। जेल प्रेस में कैदी ही काम करते, उन्हें मिला लेना था। किन्तु इस खतरनाक काम से बचे रहने में ही हमने अच्छा समझा। पुलिस नेता रामानन्द तिवारी यहीं रखे गए थे। उनके कारण जेल के साधारण वार्डरों पर भी हमारा अच्छा प्रभाव था।

यहीं जेल में खबर मिली, जयप्रकाशजी नेपाल चले आए हैं और मित्रों की राय है कि मुझे और बसावन को चाहे जिस तरह हो सके, जेल से भाग आना चाहिए। भाग जाने का

एक प्रोग्राम भी बाहर के साथियों ने बनाकर भेजा।

गया जेल की जो दीवार प्रेतशिला की ओर थी, उससे सटे हुए ही हमारे सेल थे। जेल से ही हम एक छोटा सा बेल (बिल्व) का वृक्ष देखते, जो दीवार के उस पार था। एक रात हमारे साथी मोटर लेकर उस बेल के पेड़ के निकट आवेंगे; ठीक उस दिन, जिस दिन हमारे किसी वार्डर साथी की ड्यूटी सेल के लिए पड़ेगी। दीवार के उस पार से पत्थर का एक छोटा टुकड़ा फेंका जाएगा। हमारा वार्डर साथी उसके जवाब में इधर से एक टुकड़ा फेंककर हम दोनों के सेलों को खोल देगा और हमारे ही साथ वह भी फरार हो जाएगा।

किन्तु इतनी चूलें मिलाना क्या आसान था ? जिस दिन उस तरफ मोटर आई, मैं बीमार होकर हस्पताल में पड़ा था, बसावन का सेल खोला भी गया, किन्तु उन्होंने मुझे छोड़कर जाना उचित नहीं समझा। उन्होंने कह दिया, अमुक दिन फिर कोशिश करना—मैं भैया को अस्पताल से बुलाकर रखूँगा पर जब मैं अस्पताल से आया, तब तक जेल की हालत बदल गई थी।

न जाने क्या बात हुई, पहरे सख्त पड़ने लगे। पता चला, बाहर भी जेल की दीवारों पर पहरे डाल दिए गए हैं ? क्या हमारे भागने की मंशा की उन्हें खबर हो गई ? उस समय एक अफवाह यह भी उठी थी कि जयप्रकाश का आजाद दस्ता हर जेल पर चढ़ाई करके अपने साथियों को छुड़ाएगा। किन्तु बसावन का खयाल था, भीतर के ही अमुक कांग्रेस नेता ने यह प्रपंच किया है, इस डर से कि कहीं ये लोग भाग गए तो यहाँ जो औज-मौज मिल रहा है, उसमें खलल पड़ जाएगा।

रामानन्द तिवारी छूटकर जानेवाले थे। हमारी उनसे बातें हुईं। तय हुआ, तिवारीजी दिन में ही मोटर लेकर आवें और फन्दे के सहारे हम दीवार तड़पकर निकल भागेंगे—हाँ, भागना ही है, तो दिन दहाड़े सही। गया जेल में एक कुष्ठ वार्ड था। कुष्ठ रोग के कैदी वहाँ रखे जाते थे। वह एक छोर पर था। उस तरफ कोई नहीं जाता था। एक दिन दुपहरिया में हम उसे देख आए। वह जेल के पिछले भाग में पड़ता था। तिवारीजी मोटर लेकर आवें, मोटर सड़क पर खड़ी रखें। फिर फन्दे लेकर दीवार के निकट पहुँचें। हम लोग इधर तैयार रहेंगे। तिवारीजी अब कब आवेंगे, इसकी सूचना किसी वार्डर के मारफ़त कोड-शब्द में मिल जाएगी। ज्यों ही तिवारीजी उस ओर फन्दे फेंकेंगे, हम उसी से सहारे दीवार पार कर लेंगे, फिर नौ दो ग्यारह···

ओहो ! जेल में कल्पना कितनी दौड़ती है। किन्तु जेल की कल्पना और बाहर की परिस्थिति में कितना अन्तर होता है। हम दिन-रात तिवारीजी की प्रतीक्षा में रहे, उधर मेरा तीन महीने का गया प्रवास समाप्त होने को आया। बसावन से बिदा ली, दीवारों को ललचाई नजरों से देखा, फिर हमारी बस सरसर-फुरफुर भागती चली !—उड़ती चली !

शान्ति

गया जेल से लौट आने पर देखा, हज़ारीबाग़ में शान्ति का वातावरण छा रहा है। महापलायनजनित तनाव भी बहुत कुछ कम हो गया है। गोरे सुपरिन्टेंडेंट ने कुछ ऐसी व्यवस्था स्थापित कर दी है कि अंग्रेज जाति की शासनपटुता की जैसे डोंडी पिट रही है। उसने लोगों को मिलने-जुलने, खूलने-कूदने की सारी सुविधा दे दी है। उसे जब मालूम हुआ, मैं साहित्यिक हूँ, वह मुझसे खूब बातें करता। एक दिन उसने पूछ लिया—आप लोग हम लोगों पर नाराज़

क्यों रहते हैं ? मुझे गुस्सा आ गया—मैं अंग्रेजों के अत्याचारों की गिनती पेश करने लगा। उसने कहा, जो बातें हुईं, उनके पक्ष-विपक्ष में बहुत कुछ कहा जा सकता है, लेकिन मैं एक बात कह देता हूँ, ज्योंही लड़ाई खत्म हुई, इंगलैंड में लेबर पार्टी का राज होगा, आप भी स्वतन्त्र हो ही जाएँगे, यह विश्वास रखिए। आवश्यकता से अधिक एक मिनट भी हम आपके देश में नहीं रहेंगे—यह ज़ोर देकर वह बोला।

उसका वह कथन कितना सत्य निकला। किन्तु क्या उस समय हमने उस पर उतना विश्वास किया था। हम समझते थे एक और लड़ाई हमें लड़नी पड़ेगी।

मैंने अपना साहित्यिक कार्यक्रम शुरू कर दिया। 'अम्बपाली' को फिर से देखकर प्रेस कापी तैयार कर ली। 'रोजा लुकजेमबुर्ग' की प्रेस कापी भी तैयार हुई। 'क्वाइट फ्लोज़ द डोन' का संक्षिप्त रूपान्तर 'दोन के किनारे' नाम से गया जेल में ही शुरू कर दिया था। उसे पूरा कर फिर एक महाग्रन्थ की ओर टूटा—ट्रॉट्स्की की 'रशियन रेव्युलूशन' का संक्षिप्त रूपान्तर करने लगा। बड़ी मेहनत करनी पड़ती, किन्तु बड़ा आनन्द मिलता। ट्रॉट्स्की एक क्रान्ति नेता ही नहीं, महान लेखक भी था। उसकी कलम से निकलकर रूसी क्रान्ति की कथा कितनी सजीव बन गई थी ! अपने रूपान्तर का उर्दू अनुवाद भी साथी रेयासत साहब ने तैयार कराता जाता।

फिर कविताओं की ओर टूटा। कवीन्द्र रवीन्द्रनाथ ठाकुर के गीत तो हिन्दी में आ चुके थे, उनकी कविताओं की ओर उतना ध्यान नहीं दिया गया था। उनकी पचास प्रमुख कविताओं का रूपान्तर 'रवीन्द्र-भारती' के नाम कर दिया। रवीन्द्र के बाद 'इकबाल' की ओर ध्यान जाना आवश्यक था। उनकी चुनी हुई कविताओं की सटिप्पण संकलन कर दिया। फिर 'जोश' की कविताओं की बारी आई। अन्त में अंग्रेजी के रोमांटिक कवियों की चुनी हुई कविताओं का भी रूपान्तर कर दिया, उसका नाम रखा 'टुपलिस' !

लगभग आठ बजे सन्ध्या को हमें सेलों में बन्द कर दिया जाता। उस समय से एक बजे रात तक मैं लिखता-पढ़ता रहता। जब सारे वार्ड में सन्नाटा छा जाता, लिखने में और भी आनन्द आता। मेरे सेल में रोशनी देखकर वार्डर आ जाते और प्रायः कहते, बाबू, सभी लोग सो गए, आप क्या कर रहे हैं ? सो जाइए, कल लिखिएगा। मैं उन बेचारों को क्या समझाता। यह लिखना मेरे लिए सिर्फ मनोरंजन की बात नहीं थी। जब छूटकर जाऊँगा तो अपने साथ कुछ पुस्तकों की तैयार पांडुलिपियाँ रहनी चाहिएँ कि उन्हें भुजाकर मैं अपने परिवार का भरण-पोषण कर सकूँ; इसके लिए दूसरों का मोहताज नहीं बनूँ, यह थी मेरी योजना।

हाँ, परिवार की चिन्ता इधर बढ़ गई थी। जब गया जेल में था, रानी को मिलने के लिए बुलाया था। वह बच्चों के साथ आई थी। कैसे हो गए थे कंकाल उनके शरीर ! कैसे दर्दीले लगते थे उनके चेहरे ! सभी मलेरिया से परेशान थे। रानी सूखकर काँटा बन गई थीं। जित्तिन की खाँसी बढ़ती ही जाती थी। प्रभा को उस समय भी बुखार था। मेरी गैर हाजिरी में ही जो एक नए साहब ने रानी की गोद को सुशोभित किया था, सिर्फ वही किलक रहे थे। यह भी पता चला, मेरे छोटे चचेरे भाई ने रानी को अलग कर दिया है, खेती-गृहस्थी चौपट हो चुकी है। यहाँ बार-बार उन लोगों की याद आती है। एक दरखास्त भी दे दी है कि मुझे कुछ दिनों के लिए परिवार की दवा-दारू कराने के लिए पेरोल पर रिहा किया जाए। किन्तु क्या मुझे पेरोल पर छोड़ा जा सकेगा ?

अतः मन को अनेक कामों में उलझाकर शान्त रखता हूँ। उसी प्रकार हँसता हूँ, गाता हूँ, पढ़ता हूँ, पढ़ाता हूँ। हम लोग फिर बाजाब्ता सैद्धान्तिक क्लास करते हैं, उसमें कांग्रेसी लोग भी आने लगे हैं। कांग्रेसी नेताओं को भी हम क्लास लेने के लिए आह्वान करते हैं।

कांग्रेसी मन्त्रिमंडल के वर्तमान विद्युत और सिंचाई मन्त्री बाबू रामचरितसिंह सुरसंड हाई स्कूल में मेरे मास्टर रह चुके थे। उन्होंने विज्ञान की क्लास ली—बड़े ही अच्छे ढंग से विज्ञान की सारी मुख्य बातें बताईं। भूतपूर्व मन्त्री श्री जगपाल चौधरी तो हम लोगों के क्लास के नियमित अध्येता थे। अहिन्दी-भाषियों को हिन्दी पढ़ाने का सिलसिला भी फिर मैंने शुरू किया।

हम लोगों का काम इसी तरह चल रहा था कि एक दिन अचानक रामनन्दन आ गए। वह लाहौर में गिरफ्तार किए गए थे। उनके पहले शुक्लजी भी गिरफ्तार हो चुके थे। रामनन्दन को लाहौर फोर्ट में बहुत तकलीफ दी गई थी। देखने पर पहचाने नहीं जाते थे। कुछ दिनों तक उन्हें हमसे अलग रखा गया; फिर उन्हें हम लोगों के बीच ले आया गया। उनसे बाहर के रूपोश आन्दोलन की सारी गतिविधि का पता चला, जो धीरे-धीरे छिन्न-भिन्न हो रहा था।

हम हज़ारीबाग़ में ही थे कि गांधीजी का अनशन प्रारम्भ हुआ। एक दिन ऐसी खबर आई कि गांधीजी का बचना अब असम्भव है। सुना गया, होम मेम्बर मि. मैक्सबेल ने उनके जलाने के लिए चन्दन की लकड़ी का भी जुगाड़ कर रखा है। जेल भर में जो बेचैनी थी, उसका क्या कहना ? हम प्रतिदिन प्रार्थना करते। कई लोगों ने भोजन का त्याग कर दिया था—जो लोग खाते थे, क्या उनके कंठ से जल्द अन्न के कौर नीचे जाते थे ? क्या होगा ? यदि अप्रत्याशित घटना घटी, तो हमें क्या करना चाहिए ? हम इसकी उधेड़बुन कर रहे थे। यदि गांधीजी मरे, तो हममें से एक-एक को अनशन करके प्राण देना चाहिए, सरकार भी देख ले, वह कितने लोगों की लाशों पर अपना सिंहासन कायम रख सकती है। मेरा यही मत था; कुछ हुआ रहता, तो हम यही करते, यह निश्चय था।

देश के सौभाग्य से गांधीजी का अनशन पूरा हुआ; वह इस अग्निस्नान से बाल-बाल बच निकले।

उसी समय गांधीजी के वे पत्र प्रकाशित हुए, जो अगस्त क्रान्ति के बाद उन्होंने वायसराय और होम मेम्बर को लिखे थे। उन पत्रों में गांधीजी ने जयप्रकाशजी की भी चर्चा की थी—उसका क्या कसूर है कि शिकारी जानवर की तरह उसकी जान पर पड़े हो ? वह देश को आजाद करना चाहता है, तुरत ही आजाद करना चाहता है—क्या देशभक्ति भी कोई गर्हित अपराध है ? गांधीजी ने जयप्रकाश का कितना अच्छा पक्ष लिया था ! यह भी उस समय प्रचलित बात थी कि होम मेम्बर ने हुक्म दे रखा है, जयप्रकाश को जहाँ पाओ, गोली से घाट उतार दो।

किन्तु गांधीजी के उन पत्रों में कुछ बातें ऐसी भी थीं, जिनसे हमें बहुत दुख हुआ था। मैं तो बहुत दुखित और उत्तेजित हो गया था। फूलनजी ने मुझे शान्त करने की बहुत कोशिश की थी।

उस गोरे सुपरिन्टेंडेंट के बाद कैम्प जेल और गया जेल का वह हमारा पगला सुपरिन्टेंडेंट हज़ारीबाग़ जेल में आ गया। उसके आने से मुझे और भी सहूलियत हो गई। गुमटी पर आते ही वह मेरे वार्ड की ओर मुँह करके 'बैनी' 'बैनी' चिल्लाने लगता और मुझे अपने साथ घुमाता-फिराता। अपने साथियों के लिए मैं उससे कुछ सहूलियतें भी दिलवा देता।

ज्यों-ज्यों दिन बीतते गए, कांग्रेस के कुछ नेताओं में हड़कम्प मचने लगी। उन लोगों ने समझा था, यह खेल तुरन्त समाप्त होगा। अगस्त क्रान्ति के झकोरे से बचने के लिए उनमें से कितने ही लोगों ने अधिकारियों से कह-सुनकर अपने को गिरफ्तार करा लिया था ! वे समझते थे, बाहर रहने पर न जाने क्या हो; चलो, चुपचाप जेल में चले चलें, फिर कुछ ही दिनों में छूट ही जाएँगे। ज्यों-ज्यों दिन बीतते गए, वर्षों का भी सिलसिला शुरू हुआ तो उनकी

बेचैनी बढ़ी। किसी का पेट बिगड़ा तो किसी का दिल धड़कने लगा; किसी के कलेजे में दर्द तो किसी की कमर में दर्द ! अब बीमारी ही उन्हें छुड़ा सकती थी। इधर उन्होंने दवा लेना शुरू किया, बाहर अखबारों में उनकी जिन्दगी के लिए चिन्ता प्रकट की जाने लगी। और यह लीजिए, उनमें से एक-एक करके लोग छूटते जा रहे हैं !

एक और सिलसिला शुरू हुआ। हर छः महीने पर सी.आई.डी. का डी.आई.जी. दो सिविल अफसरों के साथ आता और लोगों को गेट पर बुलाकर मिलता। वे लोग छँटाई करके कुछ लोगों को छोड़ने लगे। वे यह भी पूछते कि अगस्त आन्दोलन के बारे में आपकी क्या राय है और बाहर जाकर आप क्या करेंगे ? जिन्होंने आन्दोलन की निन्दा और अपने को घरेलू कामों में ही लगे रहने का वचन दिया, उनकी रिहाई तुरत कर दी जाती। बहुत से बड़े-बड़े लोग इस बछिया की पूँछ पकड़कर वैतरणी पार करने लगे।

मुझे भी बुलाया गया। मेरे पूर्वपरिचित मि. जौन्सन ने मुझे देखते ही नाक-भौं सिकोड़ लिया। उसके सामने एक ऊँची फाइल पड़ी थी, जिस पर मेरा नाम था। उसने बस इधर-उधर की दो-एक बात पूछ ली और मुझे वापस कर दिया ! वह इस फाइल-रूपी मेरी जन्मपत्री को देखकर ही घबरा गया था ! और सच बात है, मुझे भी लगा, जब तक यह ऊँची फाइल है, मैं जेल की दीवार पार नहीं कर सकता !

कांग्रेसी नेता प्रायः कहा करते, आप लोगों ने सारा सत्यानाश कर दिया। आप लोगों ने ऐसा तूफान खड़ा किया कि अब स्वराज्य की बात तो दूर पड़ गई, फिर हमारा मन्त्रिमंडल भी वे नहीं होने देंगे ! आप लोग देश को घसीटकर बहुत पीछे ले गए—उनका हम पर यह इलजाम होता। हम मुसकरा पड़ते और जोर देकर कहते—देख लीजिएगा, लड़ाई खत्म हुई नहीं कि अंग्रेज सचमुच भारत छोड़कर चले जाएँगे या हम उन्हें खदेड़ देंगे ! हमारी इस बात पर उनकी खीज बढ़ जाती ! अंटसंट बकने से भी नहीं चूकते !

एक बड़े नेता ने एक दिन श्री जगपाल चौधरी को बुलाकर बहुत डाँटा। चौधरीजी ने अगस्त क्रान्ति में सक्रिय भाग लिया था। उनके बेटे को, उनके घर में घुसकर, गोली मार दी गई थी। उस बच्चे की तसवीर वह सदा अपने रखते और प्रतिदिन उस पर फूल चढ़ाते। उनकी इस भावना का भी खयाल नहीं किया गया और कहा गया, आपने मन्त्री होकर भी ऐसा किया कि आपके चलते हम सबके सब बदनाम हो गए ! चौधरीजी विशुद्ध गांधीवादी थे, उन्होंने अपने कामों की सफाई पेश की, किन्तु सुनता कौन है ? बेचारे रुआँसे होकर उस नेता के पास से लौटे थे !

बाहर का रूहपोश आन्दोलन भी शान्त हो रहा था, एक-एक करके लोग पकड़े जा रहे थे ! एक दिन यह भी सुनने को मिला, जयप्रकाशजी भी पकड़ लिये गए ! उन्हें लाहौर किले में तरह-तरह के कष्ट दिए जा रहे हैं, यह भी खबर फैली। सूरज आदि की भी गिरफ्तारी के समाचार मिले। क्रान्ति के चढ़ाव-उतार के नियम होते हैं। अब हमारी चीजें उतार की ओर जा रही थीं।

अचानक एक दिन रानी भेंट करने को पहुँच गई। जेल गेट पर जब उससे मिलने गया, देखा, देवेन्द्र भी है। रानी बीमार ही थी। उसे देखकर बहुत दुख हुआ। किन्तु अपने दुख को दबाकर उसे ढाढ़स देने के लिए कह दिया—घबराती क्यों हो ? अब तो लोग छूटने भी लगे हैं। बस यही कह देना है कि अगस्त क्रान्ति गलत थी और मैं सदा तुम्हारे आँचल के साए में रहूँगा—इसी पर रिहाई मिल जाएगी ! बगल में सी.आई.डी. का अफसर बैठा था। वह मेरे व्यंग्य को समझ गया। किन्तु रानी की आँखों से पानी झरने लगा ! फिर तमककर बोली—ऐसी बात मत कीजिए, मैं ही अकेली विपदा में नहीं हूँ; कितनी औरतों के पति आपके

ही ऐसे जेलों में हैं। जो सबकी हालत होगी, मेरी भी होगी। जिन्दगी भर का पुण्य आप इस तरह बरबाद करेंगे ? पाप की बात सोचनी भी नहीं चाहिए। मेरी तो सिट्टी गुम, सी.आई.डी. अफसर भी चकित ! मैंने हँसकर उसे बताना चाहा कि मैंने तो दिल्लगी में यह बात कही थी; किन्तु वह रोती रही !

फिर कुछ शान्त होकर बोली—यदि आप मेरे लिए चिन्तित हैं, तो एक बात कीजिए। देवेन्द्र की शादी कर दीजिए, कम-से-कम एक पतोहू तो सेवा-शुश्रूषा को पास में रहेगी ! और एक लड़की का पता भी दिया। एक सज्जन 'जनता' के कार्यालय में काम करते थे; उन्हीं की बहन है वह—जिसे देवेन्द्र भी चाहता है ! जब देवेन्द्र चाहता है, तो फिर क्या सोचना था ? हाँ, मैं एक जगह के लिए अवधेश्वर से वचनबद्ध था; अवधेश्वर ने मुझे वचन से मुक्त कर दिया और बीमारी के कारण जब वह छूटें, तो उन्होंने ही यह शादी सम्पन्न कराई।

अहा ! वह भी कोई सन्ध्या थी। उधर पटना में देवेन्द्र की शादी हो रही होगी, इधर जेल में हम लोग एक जगह बैठकर उसका उत्सव मना रहे थे। गानेवाले मित्रों ने तरह-तरह के गाने गाए; बधाई देनेवाले मित्रों ने बधाइयाँ दीं, कुछ मित्रों ने मिठाइयाँ भी बाँटी। दो-तीन घंटे तक आनन्द-ही-आनन्द रहा।

किन्तु जब हम सेलों में बन्द किए गए—मैं बार-बार दरवाजे से उन काली, अलंघ्य, गुमसुम दीवारों को देखता, जो यहाँ से इस अंधकार में, सर्पाकार दैत्य-सी दीख पड़तीं और क्या मेरे कानों में जंजीरों की चीख सुनाई पड़ रही थी ? जंजीरें खनकती हैं, बोलती हैं, स्वयं तुलकर लोगों को तौलती हैं ! क्या उस समय मेरी तौल नहीं हो रही थी ?

रिहाई

सलाम, ओ पत्थर की दीवारो ! सलाम, ओ फौलाद की जंजीरो ! लो, मैं तुम्हें छोड़कर चला। कब तक के लिए ? अभी तो कहा गया है, सिर्फ साठ दिनों के लिए; किन्तु क्या मैं फिर लौटकर तुम्हारी छाया के नीचे खड़ा हो सकूँगा ? तुम्हारी पकड़ में आ सकूँगा ?

क्या मैं सोचता था कि मैं इतना जल्द छूट सकूँगा ? अभी उस दिन प्रान्त के नए गवर्नर आए थे। हर राजबन्दी से मिले, हर आदमी से बातें कीं। कभी पुलिस विभाग में थे; साफ-साफ बातें कीं। मैंने कहा, मुझ पर आरोप क्या है ? मैं तो अगस्त के पहले आया था ! मुसकराए, बोले—आप नहीं जानते ? तो सुनिए, आपने जयप्रकाश को भगा दिया ! मैंने बनावटी गुस्से में कहा—यह कहकर आप मुझे या तो बुज़दिल बतला रहे हैं या बेवकूफ ! उनको भगाना था तो मैं क्यों नहीं भाग जाता ? और क्या मुझे इतनी भी अक्ल नहीं है कि समझ सकूँ कि उनको भगाकर मैं अपने को संकट में फँसा रहा हूँ। वह फिर मुसकराए, बोले—रिहाई के अलावा आपके लिए क्या किया जा सकता है ? मैं क्या माँगता, चल दिए।

तब से मैं निश्चिन्त हो चला था। लिखने-पढ़ने की गति तीव्र कर दी। कुछ मुरगियाँ पोस लीं, उनके बच्चों को खिलाने में मुझे कितना आनन्द आता ! बच्चों से मेरा स्वाभाविक स्नेह—इस स्नेह को मैंने मुरगी के बच्चों पर आरोपित कर दिया था। फूलों से भी सदा शौक रहा है—अपने वार्ड के गुलाब और बेलों के पौधों को तरह-तरह की खाद देकर मैंने कितना हरा-भरा कर दिया था !

जुलाई का महीना। छोटा नागपुर में वर्षा शुरू हो गई थी। बेले की ऋतु समाप्त हो रही थी, किन्तु गुलाब औज पर थे। मैं भोर-भोर सेल से बाहर निकला, तो देखा कितने सारे

फूल एक साथ ही खिल उठे हैं। इधर किसी की रिहाई नहीं हुई थी—रिहा होनेवाले तो एक-एक कर निकल चुके थे ! रिहा होनेवालों को हम मालाएँ पहनाकर बिदा करते थे। मैंने कहा—कमबख्त कोई अब रिहा भी नहीं होता, इन फूलों का क्या करूँ ? इच्छा होती है, आज स्वयं इन फूलों की माला बनाकर पहन लूँ और चल दूँ।

बगल में एक नौजवान खड़ा था; उसी को सुनाकर मैं यह कहे जा रहा था कि उसने टोक दिया—देखिए, आप ऐसी बात नहीं सोचिए। आप भी चले जाएँगे, तो मैं उस डाल में फाँस लगाकर झूल जाऊँगा—उसने सामने के नीम के पेड़ की ओर इशारा किया ! मैं मुसकरा पड़ा, उसे ढाढ़स देने को हलकी-फुलकी बातें करने लगा कि गुमटी से किसी ने पुकारा—लीजिए बेनीपुरीजी, आप रिहा हो रहे हैं !

और मन्द-मन्द गति से किंचित मुसकराहट के साथ जमादार साहब हाथ में एक पुरजा लिये पधारे—हाँ, बेनीपुरीजी, आप छूट रहे हैं ! चलिए गेट पर, साहब आपका इन्तजार कर रहे हैं।

सभी साथी एकत्र हो गए—अरे, यह असम्भव किस तरह सम्भव हो गया ! सभी चकित, मैं भी चकित !

अभी कुछ दिन पहले मैंने अपनी सौभाग्यवती पतोहू को एक पत्र लिखा था जिसमें उसे समझाया था, तुम्हें कष्ट भी हो तो बरदाश्त करना, मैं जब छूटकर आऊँगा तो कोशिश करूँगा, तुम्हें आराम से रखूँ। उस पत्र के उत्तर में उसने एक पत्र भेजा था—उसने बताया था, उसे कोई कष्ट नहीं, किन्तु सरकारजी (मेरी रानी) की हालत दिन-दिन खराब होती जा रही है; सारे बदन में दर्द उठता है, फिर मूर्च्छा आ जाती है; कभी-कभी इतनी देर तक मूर्च्छा रहती है कि हम लोगों को आशा नहीं रहती कि फिर साँस लौटेगी। जब-जब मूर्च्छा टूटती है, होश में आते ही, आपकी खोज करने लगती हैं; तब तो हमारे कलेजे टूक-टूक होने लगते हैं। इस बात को उस लड़की ने बड़े विस्तार से लिखा था। उस चिट्ठी के ऊपर रानी में अपने टेढ़े-मेढ़े कैथी अक्षरों में इतना ही लिखा था—"अब हम जइछी। हमर बात हमरे मन में, अहाँ के बात अहीं के मन में। माफ कैल जाई। परनाम।"

मैंने इस चिट्ठी को अंग्रेजी रूपान्तर के साथ गवर्नर को भेज दिया था और सिर्फ यह माँग की थी कि मुझे पुलिस के पहरे में एक बार उस मुमूर्षु को देखने के लिए मेरे गाँव भेजा जाए। तब तक जर्मनी की हार हो चुकी थी, जापान की ही लड़ाई जारी थी, वहाँ भी शत्रु सेना पीछे हट रही थी। मैंने इस ओर भी उनका ध्यान आकृष्ट किया था और यह भी आश्वासन दिया था, मैं कई बार इस जेल से उस जेल में ट्रांसफर किया गया हूँ, कभी नहीं भागा—इस बार भागने की कोशिश करूँगा, ऐसा आप क्यों समझें ? आपकी इस कृपा का दुरुपयोग नहीं करूँगा, आप विश्वास रखें।

किन्तु गवर्नर को यह पत्र भेजे तो तीन दिन भी नहीं हुए—इतनी जल्दी रिहाई का आर्डर कैसे आ गया ? निस्सन्देह अभी साठ दिनों के लिए ही पेरोल पर छोड़ा जा रहा हूँ; किन्तु इतनी शीघ्र यह कैसे सम्भव हो सका।

इस बार जेल की अवधि में ही मेरे पिता-तुल्य मामाजी और मेरी पूजनीय सौतेली माँ की मृत्यु हो चुकी थी, किन्तु बार-बार लिखने पर भी मुझे पेरोल पर नहीं छोड़ा जा सका था। बेटे की शादी के अवसर पर भी पेरोल की दरखास्त नामंजूर की जा चुकी थी। अतः वह पत्र गवर्नर को भेजकर मैं उसे नतीजे की ओर से निश्चिन्त ही था। यह तो पीछे मालूम हुआ कि मेरा वह पत्र पाते ही गवर्नर ने सीधे मेरे जिले के सी.आई.डी. अफसर से इनक्वायरी कराई—फोन से ही आर्डर दिया, फोन पर ही रिपोर्ट ली और सत्यता की सूचना मिलते ही

मेरी रिहाई का आर्डर फोन से ही हज़ारीबाग़ को दिया। पुलिस गवर्नर ने सारा काम पुलिस के ही ढंग पर किया।

अरे, तो मैं छूट रहा हूँ। मैं अपने कागज-पत्र सँभाल रहा हूँ, मेरे मित्र बेले और गुलाब क़ी मालाएँ तैयार कर रहे हैं।

और लो, ओ दीवारो, ओ जंजीरो, अब तुम्हारी छाया से अलग, तुम्हारी पहुँच के परे, मैं बाहर खड़ा हूँ !

अभी-अभी सभी साथियों से एक-एक कर मिल आया हूँ, सभी प्रसन्न हैं, खुश हैं कि मैं बाहर जा रहा हूँ, खासकर उस समय जब मेरी पत्नी बीमार है, मेरी उपस्थित और सेवा की उसे जरूरत है। किन्तु यह क्या—सबकी आँखें सजल हैं, सबकी पपनियाँ गीली हैं। एक छोटे से अरसे को बाद दीजिए, तो हम पाँच वर्षों तक साथ रहे, हँसे, खेले—बड़े-बड़े खेल खेले ! फिर बिछुड़न के समय हृदय में एक हलकी सी हूक क्यों नहीं पैदा हो ?

सबसे अधिक कसक हुई श्री जगपाल चौधरीजी से मिलकर। बोले—'जाइए, घर पर बीमार हैं, आपको जाना ही चाहिए। किन्तु एक बात—जब आप ठहाके लगाते थे, ये पत्थर की दीवारें हिलती-सी मालूम होती थीं; आज से ये पत्थर सचमुच पत्थर बन जाएँगे।'

अरे, सीधे-सादे आदमी के मुँह से यह कविता कहाँ से फूट निकली ? आदमी भी कैसा विचित्र प्राणी है—ऊपर की खाल या व्यवहार से ही आदमी को तौलना कितना गलत साबित होता है !

इसी जेल में एक और विचित्र बात देख चुका हूँ। इधर कुछ दिनों से सन्ध्या समय मैं तुलसीकृत रामायण की सव्याख्या पाठ मित्रों को सुनाया करता था। बात यों हुई कि फूलनजी अंग्रेजी में एक पुस्तक लिखने की तैयारी कर रहे थे—'एपिक्स आफ द वर्ड' (संसार के महाकाव्य)। मैंने उनसे कहा—उसमें तुलसीकृत रामायण को भी स्थान मिलना चाहिए। उन्होंने हिन्दी कम पढ़ी है। बोले, तो आप सुनाइए। चाँद बाबू भी वहीं थे। फारसी-अरबी के विद्वान—उन्होंने भी रामायण सुनने की इच्छा प्रकट की। जब चर्चा फैली, सत्यनारायण भाई ने कहा, तुम पाठ करो, नैवेद्य का प्रबन्ध मैं करूँगा। अब क्या है, लीजिए, मैं पूरा कथावाचक बन गया। कुछ दिनों के बाद तो जेलर, नायब जेलर, जमादार आदि भी कथा सुनने को आने लगे।

जब राम वन गमन की चर्चा आई, सत्यनारायण भाई की आँखों से आँसू की धारा बहने लगी। सत्यानारायण भाई साहित्यिक प्रवृत्ति के हैं, यह तो जानता था; किन्तु उनका हृदय इस तरह पसीजने लगेगा, यह आशा क्या कभी की थी ? सचमुच आदमी विचित्र प्राणी है।

अपने जेल जीवन में सदा पाँच पुस्तकें मैं साथ रखता—तुलसीकृत रामायण, कालिदास की शकुन्तला, रवीन्द्रनाथ की संचयिता, शेक्सपीयर की ग्रन्थावली और इक़बाल की 'बांगेदिरा' ! इन पाँचों पुस्तकों ने जेल जीवन की कठोरता और हृदयहीनता को कितना कोमल, कितना सरस बना दिया था। जब मेरा शरीर जंजीरों से जकड़ा, दीवारों से घिरा होता, मेरा मस्तिष्क कभी जनकपुर की पुष्पवाटिका में विहार करता, कभी मालिनी के तट पर चक्कर काटता, कभी स्वर्ग में उर्वशी का नृत्य देखता होता, कभी वेनिस की मायापुरी में विचरता तो कभी हिमालय की चोटी पर चढ़कर पुकार उठता—

'ऐ हिमालय ऐ फसीले क़िस्वरे हिन्दोस्ताँ,
तेरी पेशानी को झुककर चूमता है आस्माँ।'

यही नहीं, अपने को सदा साहित्य रचना में भी डुबोए रखता। जब छूट रहा था, ढाई-तीन हजार पृष्ठों की पांडुलिपियाँ मेरे पास थीं। मैंने सोच लिया था, बाहर जाते ही इन्हें बेचकर आठ-दस हजार रुपए जरूर बना लूँगा। मैं क्या जानता था कि इनमें से सिर्फ सौ पृष्ठों की 'माटी की मूरतें' ही इससे पंचगुनी, सतगुनी रकम दे देगी।

तो मैं इन पत्थर की दीवारों के साए से दूर खड़ा हूँ। किस ललक से इन दीवारों को देख रहा हूँ। लोग कहा करते थे, आदमी हर चीज को सपने में देखता है, जेल का सपना कभी नहीं देखता। मैं सच कहता हूँ, जेल जीवन के दस साल हो गए, प्रायः ही मैं सपने देखा करता हूँ—फिर हज़ारीबाग़ जेल में हूँ, अमुक सेल में हूँ, अमुक पेड़ के नीचे हूँ, कभी मुरगी के बच्चों को दाने चुगा रहा हूँ, किसी बेले या गुलाब के पत्तों और कलियों से लदे पौधे को एकटक देख रहा हूँ।

यद्यपि मैं जान रहा हूँ, मैं सिर्फ साठ दिनों के लिए पेरोल पर जा रहा हूँ, किन्तु मन हो रहा है, अब शायद फिर नहीं देख सकूँगा, इन दीवारों को और उन जंजीरों को, जो यहाँ से भी झलक रही हैं !

इच्छा होती है, इन दीवारों से कुछ बातें करूँ; उन जंजीरों से कुछ बातें करूँ, इन काली, कठोर अलंघ्य दीवारों से पूछूँ, तुम्हारी अपनी ऊँचाई तो कायम ही है, कुछ मेरी ऊँचाई या छुटाई की माप ली है ? और ओ फौलादी जंजीरो, तुम मुझे तौल सके, कहो, पलड़ा किसका भारी रहा, तुम्हारा या मेरा ? हाँ, हाँ, आज कुछ गर्व अनुभव कर रहा हूँ। कबीर की वाणी याद आ रही है—

> यह चुनरी सुर-नर-मुनि ओढ़े ओढ़ के मैली कीनी चदरिया।
> दास कबीर जतन से राखी जस के तस धर दीनी चदरिया।

'बस छूट जाएगी—क्या सोच रहे हैं ?' बूढ़े जमादार ने कहा और लीजिए—बस, रेल, जहाज, फिर रेल, बस और मैं बेदौल से पैदल ही बेनीपुर की ओर लम्बी डग भरता जा रहा हूँ।

बेनीपुर; वह छोटा सा गाँव ! यही सत्तर-अस्सी घरों का गाँव। छोटे-छोटे किसानों, गरीब मजदूरों का गाँव ! जिसने कभी पक्का मकान नहीं देखा। फूस के, खपरैल के छोटे-छोटे मकान यहीं से झाँकते दिखाई पड़ते हैं। क्या आकर्षण है इस गाँव में ? जिस विशाल पीपल के वृक्ष को देखकर दूर से ही इस गाँव की गरिमा का बोध बचपन में करता था, उसे भी बाढ़ ने समाप्त कर दिया। उजड़ा-उजड़ा-सा लगता है यहाँ से। तो भी किस ललक से बढ़ रहा हूँ ?—क्यों बढ़ रहा हूँ ?

'ओहो आप।' और यह देखिए, सारा गाँव दौड़ पड़ा है—'जो जैसे-तैसे उठि धावा।' राम बनने की जुर्रत कहाँ, किन्तु राम के अयोध्या लौटने के दृश्य की एक छोटी सी झाँकी पा रहा हूँ। अपनी अयोध्या के लिए हर आदमी राम है न ?

यह रानी, यह दुलहिन; यह प्रभा, यह देवेन्द्र; यह जित्तिन, यह महेन्द्र। यह मौसी, राजकुमार, जवाहर, पन्ना। यह सरयू भैया, हिरदे, जगदीश ! चुल्हाई काका, गोपालजी भाई, बहादुर भाई। ओ फौलाद की जंजीरो, तुम कहाँ गल गईं ? ओ पत्थर की दीवारो, तुम कहाँ धँस गईं ? अब मैं फिर अपनों के बीच हूँ। अपने घर में हूँ। तुम्हें सलाम—सदा के लिए सलाम ! क्या सचमुच सदा के लिए ?

जेल के वे दिन[1]

लम्बी, मोटी, काली चाबियों का कम-से-कम आधे सेर का गुच्छा जब एक बार ही झन-झन कर उठा और दस मन वजन का इस्पाती फाटक जब हड़-हड़-किट्-किट् करके खुला और बन्द हुआ तो मैंने देखा, जिन्दगी में पहली बार, 1930 की 15 अप्रैल को मैं जेल के आँगन में हूँ और मेरे चारों ओर अठारह फ़ीट ऊँची दीवारें खड़ी हैं।

वे काली-कलूटी दीवारें—बाहर रहकर आप समझ नहीं सकते कि ये क्या चीज हैं ? बर्नार्ड शॉ ने कहा है—फाँसी की तरह जेल की भी क्षतिपूर्ति नहीं हो सकती। फाँसी दे दी गई, आदमी मर गया, फिर उसकी क्षतिपूर्ति क्या हो सकती है ? लेकिन लोग समझते हैं, सजा काटने के बाद जब क़ैदी छोड़ दिया गया, तो किसी-न-किसी रूप में उसकी क्षति-पूर्ति की जा सकती है। आजकल हमारी स्वराज-सरकारें हमारे देशभक्तों को उनके जेल जाने के उपलक्ष्य में कुछ क्षतिपूर्ति करने की कोशिश कर रही हैं—उन्हें जमीन मिल रही है, नौकरियाँ मिल रही हैं। यों ही हमारे नेता-मिनिस्टर, स्पीकर या पार्लियामेंट सेक्रेटरी बन गए हैं, समझा जाता है, यह उनके जेल जीवन की क्षतिपूर्ति है। लेकिन यह धारणा बिलकुल गलत है। बर्नार्ड शॉ ने बिलकुल सही कहा है—जेल की क्षतिपूर्ति हो नहीं सकती ! उनसे छोटे लोगों की बात छोड़िए, पं. जवाहरलालजी के स्वभाव में जो आप जब-जब आकस्मिक विस्फोट होते देखते हैं; या सरदार पटेल साहब के जीवन में आप जो इस्पातपन पाते हैं, उसका कितना अंश इन काली दीवारों से मिला है। यदि इसका मनोवैज्ञानिक विश्लेषण किया जाए तो संसार के इस सर्वश्रेष्ठ कलाकार के कथन की सच्चाई आप समझ सकें।

अपराध सदा होते आए हैं—बाबा आदम ही जब नहीं बचे, तो हम उनके बाल-बच्चों का क्या पूछना ? और अपराध के लिए सजाएँ भी सदा मिलती आई हैं ! किन्तु सजा के लिए जिसने इन दीवारों की पहले-पहल सृष्टि की, वह मानवता का कितना बड़ा शत्रु था ! जंगली जानवरों के बीच में रख दीजिए, किसी सुदूर सुनसान द्वीप में डाल दीजिए, यह अच्छा। किन्तु आदमी के बीच में रखकर आदमी से इतनी दूर कर देना ! उफ़—ये अठारह फीट ऊँची दीवारें—और वह भी शुरू के दिनों तक ! मालूम होता है, साँस घुट रही है, आपको दो पाटों के बीच में पीसा जा रहा है !

लेकिन हम तो राजबन्दी के रूप में गए थे—इसलिए होंठों पर हँसी रखना ही था ! दिन भर साथियों की गप-शप में समय कट भी जाए, लेकिन रात ! और वह भी पटना की गरमियों की रात अठारह फीट ऊँची दीवारों के अन्दर !

छोटा सा हमारा खटाल और बड़ी सी हमारी तादाद। ऊपर से मच्छरों के धावे, नीचे से खटमल की चढ़ाई ! सारे जेल में गिनती का कुहराम—'एक, दो, तीन, चार, पाँच, छः···जंगला-बत्ती ठीक है, फाटक-ताला ठीक है, गिनती करो···नम्बर !' नाना तरह के स्वर—अजब ढंग के चढ़ाव-उतार। रह-रहकर जमादारों के बूट का चरमर—पसीने की बू, अपच भोजन की बू, पेशाबखाने की बू, फिर घर की याद, मित्रों की याद, अधूरे कामों की याद, दिए गए वादों की याद। दिमाग में वह कुहराम, जो जेल के इस कुहराम को भी मात कर दे और शाम को जो काली-काली रोटियाँ आई थीं और घास के डंठलों का साग—दो कौर भी आप खा सके थे ? इसलिए पेट में अलग कुहराम—रात भर क्या सो सकते थे आप ?

---

1. बेनीपुरीजी की पुस्तक 'हवा पर' में एक लेख है—'जेल के वे दिन'। जेल जीवन से सम्बद्ध होने के कारण इस लेख को 'जंजीरें और दीवारें' के साथ ही रखा जा रहा है।—सम्पादक

काश, भोर में आप अपना चेहरा देख सकते ? अच्छा हुआ कि आईना तक गेट पर ही रख लिया गया था !

घंटी बजी, गिनती हुई, फाटक खुला। बेड़े में बन्द मानव पशु बाहर निकले। पाखाने में कोई परदा नहीं–पाँत में बैठ जाइए। आप बैठे हैं और कुछ बेचारे आपके सिर पर खड़े हैं–प्रकृति का जोर जो उन्हें परेशान किए है। अब यहाँ से नंगे निकलकर दूर के उस नल पर आबदस्त लीजिए। फिर हाथ-मुँह धोने का स्वाँग करके खिचड़ी खाइए–जेल की वह खिचड़ी, जिसे भिखारी ठाकुर के प्रेमगान में अन्दर का स्थान मिला है ! पिल्लू तैर रहे, कोई मुजायका नहीं–निगल जाइए ! दिन में भात मिलेगा–बिहारी तबियत उछल रही है ! यह भात–इसका रंग ! और जरा ग़ौर से देखिए–भात में कंकड़ है या कंकड़ में भात। एक मित्र धोती का फेंटा सँभाल रहे हैं। यह क्या भाई ? जरा इस तसले में डुबकी लगाकर देखना चाहता हूँ कि कमबख्त दाल कहाँ जा बैठी है ? सब हँसते हैं ! हाँ भाइयो, हँसो, हँसो, खूब हँसो। हम नहीं हँसेंगे तो ये काली दीवारें हमें लील जाएँगी, शरीर बच भी जाए, आत्मा तो बच नहीं सकती !

यह रोटी नहीं खाएँगे, यह दाल नहीं खाएँगे, यह साग, यह भात–नहीं, नहीं ! तसले फेंके जा रहे हैं–सजाएँ भुगती जा रही हैं। आज अपने उन बहादुर साथियों की याद आँखों में आँसू ला देती है, जिन्होंने तरह-तरह की सजाएँ भुगतकर–लाठीचार्ज, पेनल डायट, गनी-क्लौथ, खड़ी हथकड़ी, बेंत, कोड़े सब बरदाश्त कर जेल के भोजन और रहन-सहन में सुधार कराया। जेल का साधारण क़ैदी भी आज रोएँ-रोएँ से उन्हें आशीर्वाद दे रहा होगा !

किन्तु मैं तो बड़े लोगों की टोली में था। दो सप्ताह की झंझट रही, फिर ऊपर दर्जे का राजबन्दी बनकर हज़ारीबाग़ पहुँचा।

हज़ारीबाग़ का वह गोरा, लंगड़ा सुपरिन्टेंडेंट–जिसने अपने बच्चे की जीभ काट डाली थी, जिसने अपने हाथ पर साँप की तसवीर गुदवा रखी थी और जिसने बाबू राम नारायण सिंह एम.एल.ए. को गनी क्लॉथ पहनाकर, खड़ी हथकड़ी देकर टाँग दिया था।

मालूम होता था, हमसे ठनकर रहेगी कि हमारे सौभाग्य और गया जेल के राजबंदियों के दुर्भाग्य से उसकी बदली हो गई। गया में उसने जुल्म की हद कर दी और एक दिन वह अपने कमरे में मरा हुआ पाया गया–कहा गया उसने आत्महत्या कर ली है।

उसके बाद हज़ारीबाग़ 'हज़ारीबाग' हो गया और हमेशा बना रहा। बासमती का चावल, मूँग की दाल, तरह-तरह की तरकारियाँ, मेवे और दूध, मांस-अंडे, पलंग-गद्दे ! बेचारा यतीन्द्रनाथ दास अनशन में मरकर जरूर ही स्वर्ग में होगा, क्योंकि हमें जिन्दा ही स्वर्ग सुख उसने दे दिया ! कहीं ताश, शतरंज–कहीं गीता और कैपिटल ! प्रान्त के सभी बड़े लोग एकत्र हुए वहाँ ! स्वर्गीय बाबू दीपनारायण सिंह का वह शाही दरबार, जिसे देखकर इन्द्र देवता भी ललचा जाएँ। स्वर्गीय रामदयालु सिंह का वह ऋषि-जीवन ! प्रतिदिन राजेन्द्र बाबू जेल के कारखाने में पहुँचकर नीवार बुनते···जेल में भी तो हम प्रजा का अन्न खाते हैं, इसलिए कुछ काम कर देना जरूरी है ! लेकिन श्रीबाबू को पुस्तकों से कहाँ छुट्टी और हमें तो वहाँ हज़ार काम करने थे···अखबार निकालना, कवि सम्मेलन करना, परेड कराना, तरह-तरह के उत्सवों का आयोजन करना और कुछ पढ़ना-लिखना भी ! इस धूमधाम में छः महीने की सजा किस तरह कट गई; मालूम नहीं हुआ।

बाहर आकर अपने 'युवक' का पहला अंक ही निकाल पाया था कि जेल का परवाना फिर मिल गया और जब-तब हमारे नेता 1932 के सत्याग्रह में जेल पहुँचें, उसके पहले ही डेढ़ साल की सजा पाने का सौभाग्य मुझे प्राप्त हो चुका था !

इस बार थोड़े दिनों तक हज़ारीबाग़ के मजे लूटे थे कि मेरा डिवीजन तोड़कर मुझे पटना कैम्प जेल भेज दिया गया।

पटना कैम्प जेल। हमारा सुपरिन्टेंडेंट कहा करता था, पहले हिन्दुस्तान में दो चीजें देखने की थीं–हिमालय और ताजमहल ! किन्तु आज तीन हैं और यह तीसरी है मेरा यह कैम्प जेल ! उफ़्, बिहार के चार हज़ार बददिमाग़ों की वह अजीब बस्ती–न दीवारें, न मकान। चारों ओर काँटे का घेरा···भीतर टीन की छोलदारियाँ। गरमी में टीन इतना गरम हो जाता कि हम झुलस जाते, जाड़े में इतना ठंडा हो जाता कि हम सिकुड़ जाते और बरसात में कीचड़, साँप, बिच्छू–सबके मज़े एक साथ। किन्तु इस कैम्प को कई अंशों में दर्शनीय बना रखा था हमारे सुपरिन्टेंडेंट ने। पटना में रहते हुए भी इस कैम्प में न आप एक मच्छर पा सकते थे, न एक मक्खी। हमारे सुपरिन्टेंडेंट को न कुदाल चलाने में शरम, न पाखाना साफ करने में हिचक। वह कब हमें प्यार करेगा और कब तिकटी पर चढ़ा देगा इसका भी कोई ठिकाना नहीं था। हम बददिमाग़ थे तो वह बददिमाग़ों का बादशाह था।

दमन का ऐसा अन्धाधुन्ध था कि काने, खोड़े, कुबड़े की क्या बात, कोढ़ी, बहरे और अंधे तक इसमें ठूँस दिए गए थे। न इसमें साधुओं की कमी थी, न लफंगों की। कोई ऐसी कला नहीं, जिसके कलाविद् यहाँ न पहुँचे हों। बिदेशिया के नाच से लेकर गीता के प्रवचन तक होते ! कहीं कवि सम्मेलन, कहीं संगीत समारोह; कहीं कुश्ती, कहीं परेड ! दिन भर जलसे होते रहते, रात भर नाच-गान होता रहता। तरह-तरह के जलसे–एक दिन हम लोगों ने बेवकूफ सम्मेलन भी किया, जिसके सभापति का शानदार जुलूस कूड़ा गाड़ी पर निकाला गया था और उन पर झाड़ुओं के चँवर डुलते थे !

यह विलिंगटनशाही की बदहवासी ही थी कि बाबू रामदयाल सिंह, प्रोफेसर अब्दुल बारी और भाई विनोदानन्द झा ऐसे आदमियों को भी उसने इस कैम्प जेल में 'सी' क्लास का कैदी बनाकर भेज दिया था। बिना बाहों के धारीदार कुरता और बिना छोरी के जाँघिया में वे लोग कैसे फबते थे–इसकी कल्पना कीजिए। यहीं स्वर्गीय बाबू रामदयाल सिंह का नेतृत्व देखा–इन चार हज़ार बददिमाग़ों को एक संगठनसूत्र में बाँध देना उनका ही काम था। जेल भर में चुनाव कराके एक बाजाब्ता मन्त्रिमंडल उन्होंने कायम करा दिया था, जिसमें शिक्षामन्त्री की हैसियत से मैं एक राजबन्दी-महाविद्यालय का संचालन करता। वहीं बहुत से उड़िया भाइयों को मैंने हिन्दी सिखाई। जिन्दगी में पहली बार और आखिरी बार कहीं मैं मास्टर साहब, आचार्य-मोशाय, गुरुजी आदि नामों से पुकारा गया !

जेल से छूटा, तो बिहार का भूकम्प; फिर नए विधान के अनुसार चुनाव आदि। किसी तरह चार साल की छुट्टी रही।

1937 की पहली अप्रैल–फूल्स डे को जब मि. युनूस की अन्तरिम मिनिस्टरी बनी, तो उसके विरोध में प्रदर्शन करने के कारण साथी जयप्रकाश के साथ फिर मुझे सिटी जेल, पटना जेल और हज़ारीबाग़ जेल की हवा खानी पड़ी। हज़ारीबाग़ में हम इस बार उसी वार्ड में रखे गए थे, जहाँ 1932 में सरहदी गांधी अपने भाई डॉ. खान साहब के साथ नजरबन्द किए गए थे। खान बन्धुओं ने अपने हाथों से मोतिए और गुलाब के जिन पौधों को लगाया था; उन्होंने पाँच साल के बाद हमें कितना आनन्द दिया। मालूम होता, हम कहीं चमनिस्तान में रखे गए है। इस मजे को दुगना कर देता जयप्रकाशजी के हाथ का बनाया तरह-तरह का खाना। वहीं जिन्दगी में मैंने 'पाई' खाई–'Eating humble pie' का क्या मतलब, तब समझ में आया। लेकिन आखिरी दिन बहुत बुरे गुज़रे। मेरे मझले लड़के की मृत्यु की खबर मिली, फिर जयप्रकाशजी के पिता की मृत्यु की। उफ़् जेल में किसी प्रियजन की मृत्यु की

खबर किसी को नहीं मिले। ऊँची काली दीवारों से घिरी इस सँकरी जगह में शोक कितना सघन हो जाता है, वह मर्म की किस तह तक पहुँच जाता है, इसे कोई भुक्तभोगी ही जान सकता है।

जिस दिन मैं हज़ारीबाग़ से छुटकर आ रहा था, श्रीबाबू गवर्नर से मिनिस्टरी लेने राँची जा रहे थे। रास्ते में भेंट हुई। मैंने हँसते हुए कहा—तीन महीने की युनूस सरकार ने भी मुझे अछूता नहीं छोड़ा, देखना है आपकी मिनिस्टरी में···। और मैं क्या जानता था, यह भी होकर रहेगा। कांग्रेस मन्त्रिमंडल के राज्य में भी एक हड़ताल के सिलसिले में मुझे एक रात के लिए जेल की मेहमानी मंजूर करनी पड़ी—हाँ, मेहमानी ही थी वह। सुस्वाद भोजनों से पेट भरकर, जेल की अँगनाई में, चाँदनी से धुली और बेलों के गजरों की सुगन्ध बसी शय्या पर रात भर मधुर सपनों की नींद लेता रहा; और भोर में ही छुट्टी मिल गई !

द्वितीय विश्व युद्ध 1938 में शुरू हुआ और जैसे जेल जाने की स्थायी दावत मुझे मिल गई। सिटी सब-जेल, पटना जिला जेल, हज़ारीबाग़ सेन्ट्रल जेल, सीवान सब-जेल, छपरा जिला जेल, हाज़ीपुर सब-जेल, मुजफ्फरपुर जेल, सीतामढ़ी सब-जेल, दरभंगा जिला जेल, मधुबनी सब-जेल, हज़ारीबाग़ सेन्ट्रल जेल, गया सेन्ट्रल जेल भ्राम्यभान् विविधान लोकान्। जिधर जाता, वारन्ट पीछे लगा रहता। मेरे सौभाग्य पर रश्क खाकर ही एक मित्र ने कहा था—तुमने तो जानोर्खव को भी छका दिया। कहा जाता है, जारशाही के जमाने में उसके पीछे भी इसी तरह वारन्ट घूमा करता था।

छपरा जेल का वह सेल, जहाँ से बिहार के शेर श्री योगेन्द्र शुक्ल ने भागने का इन्तजाम किया था। सीवान का गुलजार सिंह नामक डाकू, जो आदमी को मारना मच्छर मारने के समान समझता और खून के फव्वारे निकलते देखकर आनन्दोन्मत्त हो उठता; मुजफ्फरपुर का वह स्थान, जहाँ बम के प्रथम पुजारी खुदीराम बोस को फाँसी हुई थी; दरभंगा जेल का वह पाकड़ का पेड़, जिसके नीचे बैठकर 1942 की क्रान्ति में जेल में क्या करना होगा, इसकी योजनाएँ बनाता; सीतामढ़ी जेल का वह फूलों से भरा आँगन, जहाँ चुप-चोरी सन्ध्या को अपने बेटे को बुलाकर गाना सुनता; मधुबनी जेल का वह जनाना क़िता, जिसकी किवाड़ के छेद से दिखाई पड़नेवाली एक मासूम आँख आज भी भुलाए नहीं भूलती और गया जेल का फाँसी का वह तख्ता, जिस पर बिहार का प्रथम शहीद बैकुंठ शुक्ल उछलकर चढ़ गया था—इन सबकी याद आज हुजूम बाँधकर सामने आ खड़ी है; किसको छोड़ूँ, किसको लूँ ? कई कोड़े खानेवालों की चीख इस समय भी रोंगटे खड़े कर रही हैं और जिन तीन आदमियों को अपनी आँखों फाँसी पर चढ़ते देखा, वे क्या जिन्दगी भर भूल सकेंगे !

फाँसी···उफ़ ! सबसे बुरी बात यह होती है कि सजा के बाद क़ैदी को एक अलग सेल में रखा दिया जाता है और उस पर फाँसी की तख्ती टाँग दी जाती है। बेचारा सबसे अलग होकर दिन-रात मौत की घड़ियाँ गिनता रहा है। कितना भयंकर मानसिक उत्पीड़न। तो भी कुछ लोग किस शान से मरते हैं। जिन तीन की मौत मैंने देखी, तीनों साधारण मुजरिम थे। एक ने डायन समझकर अपनी सास की हत्या की थी···आदिवासी था; वह धाड़ मारकर रो रहा था, उसे घसीटकर फाँसी के तख्ते पर चढ़ा दिया गया। दूसरा एक खुशेहाल किसान था, खेत के लिए झगड़ा हुआ, खून हो गया। बड़ी शान्ति से फाँसी चढ़ गया और तीसरे ने अपनी बीवी की हत्या की थी उसे कुलटा समझकर, वह फाँसी पर इस तरह चढ़ गया, जैसे उसने एक महान पुण्य-कार्य किया हो !

मैं हज़ारीबाग़ में ही था कि जयप्रकाशजी जेल से भाग गए। इस सम्बन्ध में बहुत कुछ लिखा-पढ़ा गया। उनके भागने के बाद हम समाजवादी समझ रहे थे कि वे लोग तो

गए, अब बेभाव की पड़ेगी हम पर। किन्तु यह क्या ? एक रात जब हम लोग खा-पीकर सोने की तैयारी कर रहे थे कि बाबू राम नारायण सिंह, बाबू कृष्णवल्लभ सहाय और बाबू सुखलाल सिंह को चुपचाप बिना किसी सरोसामान के भागलपुर जेल भेज दिया गया। इसी को देहात में कहते हैं—पकड़े के गोड़, न पकड़ लेलम बड़ के सोड़ !

जयप्रकाशजी के भागने के बाद वहाँ जो सुपरिन्टेंडेंट आए, वह पहले बर्मा में आई. जी. थे। जापानी कब्जा होने पर भागकर आए थे। बड़ी अकड़; बड़ी शान। लेकिन भूल गए थे यह बर्मा नहीं, हिन्दुस्तान है और उसमें भी बिहार। हाँ, बिहार का जेल राजबन्दियों की सुख-सुविधा और इज्जत-प्रतिष्ठा के लिए विख्यात रहा है। उनकी अकड़ हमारे बुजुर्गों ने तो बरदाश्त की, लेकिन हमें अखर गई। कुछ-कुछ आँच-मिचौनी चल ही रही थी कि वह साहब आई. जी. होकर चले गए और इधर स्वाधीनता दिवस आ गया ! नए आई.जी. साहब ने तय किया कि जेल में स्वाधीनता दिवस नहीं मानने देंगे। वह हज़ारीबाग़ आकर बैठे। हम लोगों के गुप्तचर भी जेल अफसरों पर लगे रहते थे, हमें जब यह खबर मिली, तो हमने भी पूरी तैयारी शुरू की। जेल में ही झंडे बनाए गए; प्रतिज्ञा पत्र की कापियाँ तैयार की गईं और सब लोगों ने उन्हें बाँट दिया गया। किन्तु यह क्या ? 25 जनवरी की रात में ही कमरे-कमरे की तलाशी शुरू हुई। कुछ झंडे मिले, वे खुश-खुश चले गए। जैसे-तैसे रात कटी, किन्तु भोर में कमरों के दरवाजे नहीं खुल रहे हैं। आज दिन भर कमरों में ही बन्द रखा जाएगा हमें—अच्छी बात !

पर आई.जी. साहब का सारा इन्तजाम फिजूल गया। जब आठ बजे कमरे-कमरे से महसरी के डंडों में लगकर झंडे बाहर लहरा रहे थे और लोग एक स्वर में 'झंडा ऊँचा रहे हमारा' गा रहे थे ! शाम के पाँच बजे फिर कमरों में ही स्वतन्त्रता की प्रतिज्ञा एक स्वर से दोहराई गई। ईनाम में हम रात भर और बन्द रहे ! भोर में सींखचों से बाहर किए गए, तो हमारी हालत भूखे शेर की थी। आई.जी. साहब अपने कोट के छेद में गुलाब का एक फूल लगाए, शान से मुआइने में आ रहे थे कि लोग फाटक की ओर दौड़ गए और सरेआम झंडा उड़ाकर गीत गाने और नारे लगाने लगे। आई.जी. साहब की हेकड़ी भूल गई। हमारे नेताओं से मिले तो उनके कहने पर मामला शान्त हुआ।

लेकिन आई.जी. इसे क्षमा नहीं कर सकते थे। उन्होंने मेरा डिवीजन तोड़कर गया जेल के रौरव-नरक में मुझे भेज दिया।

हाँ, बिहार के जेलों में कोई रौरव-नरक है, तो गरमियों में गया सेन्ट्रल जेल। प्रेतशिला का नंगा पहाड़ उनकी बगल में है, जो गरमियों में इस जेल को जलता हुआ आवा बना देता है। वहाँ रात में भी लू चलती है ! एक रात को मैं सेल में ही बेहोश हो गया ! प्रान्त के कुछ छोटे-छोटे बदमाशों को वहाँ इकट्ठा कर दिया गया था। बस, यही तो चाहिए—जहाँ दस-पाँच छँटे पहुँच गए तो कहाँ रौरव, कहाँ नन्दन-कानन ! गया में भी ऐसी कटने लगी कि हज़ारीबाग़ भी मात !

जैसा मैं कह चुका हूँ, जेल जीवन को मैं मानवता का अभिशाप मानता हूँ। यह तो हमारा राजनीतिक आदर्शवाद था कि इसे हमने हँस-हँसकर स्वीकार किया था। तो भी वहाँ हमारी कमजोरियाँ कितनी जल्द और किस वेग से बाहर आ जाती थीं। वहाँ एक बीड़ी, एक प्याज, एक बूँद तेल के लिए साधारण कैदी कौन से कुकर्म नहीं करते हैं ? तो हम भी एक पैकिट सिगरेट, पाव भर दूध या एक नाजायज़ चिट्ठी या मुलाकात के लिए कितना नीचे उतर सकते हैं—यह जेल में ही आप देख सकेंगे। जेल के अफसर इन मानवी कमज़ोरियों को मानते हैं। फलतः उन्होंने हमारे बड़े-बड़े अगड़धत्तों की नाक में नकेल देकर वे नाच नचाए, जिनकी

कल्पना आज भी हमें शर्म में डाल देती हैं !

एक दर्जन दफा जेल में जाने और एक दर्जन जेलों की सैर करने के बाद मेरा यह अनुभव है कि पहला साल जेल, जेल रहता है, दूसरे साल सेल हो जाता है और तीसरे साल हेल ! हाँ, तीसरे साल बिलकुल नरक। और उसके बाद ? उसके बाद जेल की दीवारों और जेल के क़ैदियों में कोई अन्तर नहीं रह जाता—वे दीवारों की ही तरह निर्जीव, निष्प्राण, हृदयहीन, भावनाहीन बन जाते हैं ! जिस समाज में जेल हो, मैं उस समाज को सभ्य समाज कह नहीं सकता ! फाँसी की तरह ही जेल की भी क्षतिपूर्ति हो नहीं सकती। वह हमारे चरित्र पर ऐसी खराश, ऐसी खरोंच पैदा कर देता है, जो कभी भरती नहीं, मिटती नहीं। हमारी पूरी पुश्त पर इस जेल जीवन की छाप है और हम जो प्रायः ही अस्वाभाविक ढंग से काम कर बैठते हैं, सो इस छाप के ही कारण ! फाँसी आदमी को मारती है, जेल आदमियत को !

कुछ मैं, कुछ वे

(क) राजनीति के तूफान में

मेरी ज़िन्दगी में राजनीति का स्थान तूफान जैसा ही रहा है। राजनीति को मैंने अपने जीवन का ध्येय नहीं माना था, साहित्य द्वारा ही देशमाता की पूजा करने की आकांक्षा रही है। लेकिन अपनी जड़ द्वारा जमीन से जीवन रस लेता और अपनी डालियों, पत्तियों को हिला-हिलाकर अपनी मस्ती संसार पर प्रकट करता हुआ पीपल का वृक्ष जिस तरह अचानक, अप्रत्याशित तूफान के झोंके में पड़ जाता, कभी डाल-पात खोता और कभी मूल भी गँवा देता या जल की तरंगों पर रंगरलियाँ करती, अपने पाल के पंखों पर उड़ती-सी नाव जिस तरह आँधी के झोंके में पड़कर या तो डूब जाती या किसी अनबूझे, अनसोचे किनारे पर जा लगती है—मेरी हालत भी ठीक वैसी ही हुई। मैंने जड़ नहीं खोई; मैं डूबा नहीं—लेकिन मेरी सूरत तो इस तूफान ने बदल ही दी, मुझे इस आँधी ने ऐसे घाट पर तो लगा ही दिया, जिसकी मैंने कल्पना भी नहीं की थी और इस तूफान में पड़कर, आश्चर्यजनक घटना यह हुई कि मैं खुद भी तूफान का एक अंश बन गया; खुद तूफान बन गया और अपने झोंके में कितने ही पुराने वृक्षों की जड़ तक झकझोर डाली और कितनी ही नई नावों को पाल उतारने और औघट घाट पर लगने को लाचार किया।

जिस समय मैं होश सँभाल रहा था, संसार में बड़ी-बड़ी घटनाएँ हो रही थीं। पिछला जर्मन महायुद्ध हो रहा था—देशों की सीमाएँ टूट रही थीं, अट्टालिकाएँ भहरा रही थीं, ताज गिर रहे थे। अपने देश के कुछ दीवाने नौजवान मातृभूमि को आज़ाद करने के लिए जमीन-आसमान के कुलाबे मिला रहे थे ! किन्तु मैं इनके असर से बेलाग एक ऐसे देहात में था जो रेल-तार से काफी दूरी पर था। हाँ, एक दिन जब मैं अपनी मकई के खेत में मचान पर बैठा था तो पड़ोस के गाँव के एक सज्जन आए थे। उनके हाथ में एक लम्बे-चौड़े कागज का ढद्दर था—जिसे मचान पर फैलाकर उन्होंने देहातों में भी मशहूर जर्मन की लड़ाई की कुछ खबरें सुनाईं और यह बताया कि पिछली रात जब भोर के पहले शौचादि को निकले थे तो गांधी जैसी आवाज उन्होंने सुनी थी और तारे जैसा चमकता एक 'जेपलीन उड़ा जा रहा था', उसे देखा था। उस समय हवाई जहाज 'जेपलिन' नाम से ही मशहूर था। फिर जब घोर देहात से निकलकर एक देहाती कस्बे में पढ़ने को गया तो वहाँ सुना 'एमडन' एक पनडुब्बी जहाज बंगाल की खाड़ी में कोहराम मचाए हुए है। यह 'एमडन' और 'जेपलिन' इतना मशहूर हो रहा था कि हमने अपने दो साथियों का नाम ही 'एमडन' और 'जेपलिन' रख दिया था। एक और साथी का नाम 'होमलेस बेल्जियम' रखा था, वह बेचारा घर-द्वार से हीन सर्वहारा था। हमारे एक मास्टर साहब ने उसे यह नाम देकर अपनी विज्ञता और दयालुता का परिचय दिया था। यों ही एक बार अखबारों में निकला था कि कुछ सिख अमेरिका से आ रहे थे, वे क्रान्तिकारी थे, कलकत्ता में जहाज से उतरते समय उन्होंने जमकर पुलिस से लड़ाई ली, गोलियाँ चलाईं, बहुत तो मारे गए, कुछ भाग निकले। यह तो पीछे पता चला कि 'कामागातामारू' के ये सिख कौन थे और इसके नायक गुरुदत्त सिंह के साथ तो बाद में छः महीने तक भूकम्प सहायता (1934) में काम करने का मौका मिला।

इस कस्बे (सुरसंड, मुजफ्फरपुर) में पढ़ते समय ही देश की राजनीति से कुछ-कुछ परिचय होने लगा। जब मुजफ्फरपुर शहर में पढ़ने आया, तो उससे निकटता और बढ़ गई, लेकिन मैं राजनीति से करीब-करीब दूर ही रहता था—अपने लिए साहित्य को ही जीवन का सर्वेसर्वा

जानता था, उसी में लीन रहता। स्कूल की पढ़ाई से वक्त निकाल-निकालकर साहित्य में ही लगाता। उस समय (1915-1920) की राजनीतिक चीजों की छाप मेरे दिल पर है, वह यों है—

बिहार के नौजवानों के दिल में देशभक्ति की भावनाएँ जड़ पकड़ रही थीं। ये भावनाएँ कई मूलस्रोतों से खुराक पा रही थीं। स्वामी सत्यदेव अमेरिका से आए थे। उनके व्याख्यानों का असर नौजवानों पर बहुत ही होता था। अमेरिकी प्रजातन्त्र की स्वतन्त्र आबोहवा में शिक्षित-दीक्षित होकर वे लौटे थे। अपने को अमेरिकी नागरिक मानते थे। 'मनुष्य के अधिकार' पर जब वह बोलने लगते, श्रोता विमुग्ध हो जाते। नौजवानों पर उनका सबसे बड़ा जादू था। विद्यार्थी उनके नाम से ही उत्साहित, उमंगित हो जाते थे। अमेरिका पर लिखी उनकी पुस्तकों का भी नौजवानों में बहुत ही चलन था, किन्तु किताब की दृष्टि से मैथिलीशरणजी की 'भारत-भारती' और माधव शुक्लजी की 'हिन्दी गीतांजलि' ने नौजवानों को देशभक्ति की ओर ज्यादा प्रेरित किया था। हर सार्वजनिक सभा का श्रीगणेश शुक्लजी के गीत से ही होता था—

'ये दिल में आता है, उठ खड़े हों, समय हमें अब जगा रहा है'

जब यह गाना गाया जाता तो सचमुच मालूम होता खून में बिजली दौड़ गई। यह स्पष्टतः अनुभव होता कि 'जमाना यह इन्कलाब का है।' यों ही गुप्तजी की 'भारत-भारती' का पाठ गीता-रामायण की तरह होता। 'भारत-भारती' के अध्याय-के-अध्याय नौजवानों को याद थे और हर वक्ता अपने भाषण के आदि-अन्त में इस अपूर्व भारती के कुछ पद्य जरूर ही पेश करता था।

अखबारों में 'प्रताप' (साप्ताहिक) बिहारी नौजवानों का प्यारा पत्र था। बिहार के विद्यार्थियों के हृदय में देशप्रेम पैदा करने में प्रयाग के 'विद्यार्थी' (मासिक) का भी कम हिस्सा नहीं है।

संस्थाओं में दो की बड़ी चलती थी। 'बिहारी छात्र सम्मेलन' बिहार के छात्रों के जीवन पर छाया हुआ था। इसके वार्षिक अधिवेशन धूमधाम से होते, जिनकी सदारत देश के बड़े-बड़े लोग करते। गांधीजी, सरोजिनी नायडू, प्रफुल्लचन्द्र राय, कवीन्द्र रवीन्द्र, ऐनी बेसेन्ट आदि इसके जलसों को अपनी उपस्थिति से सरफराज कर चुके थे। हर शहर में इसी शाखाएँ थीं, जो विद्यार्थियों में हमेशा काम करतीं। लिखने-बोलने की प्रतियोगिता, निरक्षरता निवारण, सामाजिक कुरीतियों का सुधार आदि इसका प्रोग्राम था। दूसरी संस्था थी 'सेवा समितियाँ'। उस समय बिहार के हर कोने में सेवा समितियाँ थीं, जिनके स्वयंसेवक मेले-ठेले में यात्रियों की सुविधाओं का प्रबन्ध करते, सभा-सम्मेलनों में आगतों के स्वागत का जिम्मा लेते, कोई आकस्मिक संकट आने पर लोगों की मदद पहुँचाते। इनकी केसरिया पगड़ी और खाकी वरदी के सामने पुलिस की सारी ठाट-बाट पड़ी रह जाती। सोनपुर में साल में एक बार इनका बड़ा जमाव होता। ये दो संस्थाएँ बिहार के नौजवानों को क्रियात्मक शिक्षा देकर योग्य नागरिक बनने के प्रशस्त पथ पर अग्रसर कर रही थीं।

गांधीजी के चम्पारण आगमन ने बिहार की राजनीतिक जिन्दगी पर बहुत असर डाला था। मेरी फूआजी की ससुराल चम्पारण में है। मैं उनके गाँव नरकटिया (ढाका, चम्पारण) प्रायः जाया करता। वहाँ निलहों का राज था—इसे राज कहिए या नादिरशाही। जब जिसे चाहा; पीट दिया, उजाड़ दिया, लूट लिया। कानून इनके हाथ में। शोषण और उत्पीड़न का बाजार गरम। कोई उन अनाथ किसानों का पुछवैया नहीं। एक बार जब मैं स्कूल की छुट्टी में घर आया तो नरकटिया का एक आदमी मेरे गाँव पर आया था। उसी से मालूम हुआ,

चम्पारण में कोई गांधी नामक आदमी आए हैं और उन्होंने निलहों से लड़ाई छेड़ दी है। सौगात की तरह से वह एक छपा हुआ गीत लाया था, जिसके दो पंक्तियाँ आज भी मुझे याद हैं–

पधारे आज चम्पारण मे मोहनदास गांधीजी
मदनमोहन, तिलक, लाला, बनर्जी, शास्त्री, अय्यर,
सबों की शान से बढ़कर है तेरी शान गांधीजी।

अखबारों में भी गांधीजी की चर्चा होने लगी। स्वामी सत्यदेव, प्रोफेसर कृपलानी आदि के पहुँचने से और भी सनसनी फैली थी। उस प्रसंग पर काफी लिखा जा चुका है, दुहराने की जरूरत नहीं। हाँ, मैंने उस जमाने में गांधीजी को जिस रूप में देखा, उसके उल्लेख का लोभ में संवरण नहीं कर सकता।

गांधीजी चम्पारण में विजयी हो चुके थे। उनकी एक संक्षिप्त जीवनी मैंने पढ़ ली थी। अफ्रीका के जेल जीवन का उनका लिखा अनुभव भी पढ़ा था। बड़ी लालसा थी, उन्हें देखूँ। मैं अब मुजफ्फरपुर पढ़ रहा था। एक दिन मैं स्कूल जा रहा था, स्वभावानुसार 'लेट' होने के कारण पैर तेजी से बढ़ाए जा रहा था कि सरैयागंज में एक परिचित 'नेताजी' को देखा। उन्होंने मुझे तेजी से जाते देखकर, मेरे प्रणाम के जवाब में पूछा कि क्या मैं स्टेशन पर गांधीजी को देखने नहीं चल सकता हूँ ? मैं झट राजी हो गया। किताबों को लिये ही उसी तेज चाल से मैं स्टेशन पहुँचा। वहाँ गाड़ी आ चुकी, कोई भीड़भाड़ नहीं थी। एक थर्ड क्लास डब्बे के सामने कुछ लोग जरूर खड़े थे। उस डब्बे के भीतर एक आदमी की ओर 'नेताजी' ने इशारा किया, वहीं गांधीजी थे। मैंने प्रणाम किया।

गांधीजी की वह सूरत मुझे आज तक याद है। मैंने गांधीजी के जो फोटो देखे थे, उनमें वे पगड़ी बाँधे हुए थे। मैं पगड़ी का ही तलाश में था। लेकिन गांधीजी के सिर पर पगड़ी की जगह टोपी थी। यही आजकल की 'गांधीटोपी' की 'माँ' समझिए ! उसमें आजकल की तरह की सुधराई नहीं थी। हाँ, 'कट' वही था। शरीर में कुरता था कालरवाला। जिसका विकसित रूप आजकल का 'जयप्रकाश कुरता' है। कमर में धोती थी और पैर बिलकुल खाली। चेहरे पर संयम और कठोर जीवन की रुखाई–वह तेज और लाली नहीं, जो पीछे उनके चेहरे की खास चीज बन गई। उनके हाथ में उर्दू की एक प्रारम्भिक किताब थी, जिसे वह बगल में बैठे एक भव्य-दिव्य बुजुर्ग मुसलमान से पढ़ रहे थे। कभी-कभी उनसे कुछ बातें पूछी जातीं, जिनका जवाब वह संक्षेप में ही देकर फिर पढ़ने लगते। उन सवालों में एक सवाल था, कि श्रीमती गांधी भी तो आनेवाली थीं न ? उन्होंने जवाब दिया, वह दूसरी राह से वहाँ गई हैं।

गांधीजी के इस चम्पारण यात्रा के सिलसिले में श्रद्धेय बृजकिशोर बाबू, राजेन्द्र बाबू, धरणी बाबू, गोरख बाबू आदि के नाम हम बच्चों की जबान पर भी आ गए।

बिहार के नौजवानों के एक छोटे, किन्तु पुरअसर तबके पर क्रान्तिकारी आन्दोलन की भी छाप थी। आज इस आन्दोलन को जिस तरह आतंकवाद का गलत नाम दिया जाता है, उसी तरह 'अनार्किस्ट' 'अराजकवाद' का गलत नाम उस समय प्रचलित था। मुजफ्फरपुर में खुदीराम बोस को फाँसी हो चुकी थी। मैं जिस प्राईवेट होस्टल में रहता था, उसमें पुलिस के एक सिपाही आया करते थे। वह हमें बताया करते थे कि वह कितना खूबसूरत लड़का था, किस तरह गीता पढ़ता रहता था, फाँसी की सजा होने पर सिपाहीजी उसके पहरे पर जाया करते थे, किस तरह उन्होंने उसे छुपाकर आम खिलाया था आदि आदि। जिस रास्ते

से हम स्कूल जाया करते थे, उसी रास्ते पर एक बूढ़े वकील साहब को हम श्रद्धा से देखा करते थे। कहा जाता था, उन्होंने ही खुदीराम की तरफ से वकालत की थी—उनका नाम 'काली बाबू' मुझे याद है।

मैं गंडक के किनारे एक होस्टल में रहता था। एक दिन खबर फैली कि गंडक के उस पार, अखाड़ा घाट के घटवारों के डेरे से एक क्रान्तिकारी पकड़े गए हैं, जिनका नाम सुखदेव था। अब, बाद में, यह पता चला है कि वह बाबू रामविनोद सिंह के भाई थे।

एक दिन यह सनसनीखेज खबर हमें मिली कि कल्याणी चौक के नजदीक 'अनार्किस्टों' के एक अड्डे पर छापा मारा गया। पुलिस और उन लोगों में हाथापाई भी हुई। तीन आदमी पकड़े गए हैं। एक दिन जब उन पर मुकदमा चल रहा था, मैं कुछ साथियों के संग कचहरी गया और मेरे आश्चर्य की सीमा न रही, जब मैंने पाया कि वे तीनों हम लोगों की तरह छोटे-छोटे बंगाली बच्चे थे।

मेरे गाँव के नजदीक ही रून्नी नामक गाँव है। रून्नी के साहू लोगों की जमीन मेरे गाँव में भी थी, इसलिए हम बच्चे भी उन्हें जानते थे। साहू परिवार के दो नौजवान जब नजरबन्द किए गए तो हमारे देहात में भी बड़ी खलबली मच गई थी।

लेकिन राजनीतिक हलचलों के इन किन्हीं अंगों से मेरा कोई भी ताल्लुक नहीं था। सभाओं में शामिल हो जाता था, व्याख्यान सुन लेता था, क्रान्तिकारियों की कहानियाँ मन को भाती थीं, उनके दर्शन की उत्सुकता भी कम नहीं रहती थी; बड़े-छोटे नेताओं के भी दर्शन कर लेता था, लेकिन मैं सोचता था कि मेरा यह क्षेत्र नहीं, मेरे लिए इसमें जगह नहीं। एक-दो बार मित्रों के आग्रह से सेवा समिति की वरदी पहनी थी जरूर—लेकिन मुझे जो वरदी ईष्ट थी; मैं जिस रंग में अपने को रँगना चाहता था, वह तो साहित्य से सम्बद्ध था। देश की गुलामी की पीड़ा थी, राष्ट्रीय अपमान की कहानियाँ दिल में कसक पैदा करती थीं। हम स्वतन्त्र हों, उस स्वतन्त्रता की प्राप्ति में मेरा भी हिस्सा हो—यह कामना भी थी। किन्तु मैं सोचा करता था कि देशसेवा का साधन मुझे अपनी लेखनी को ही बनाना चाहिए। साहित्य क्या नहीं कर सकता ? हमारा देश आज इसीलिए पतित है, क्योंकि हमारे यहाँ जागृति का मंच देनेवाला साहित्य नहीं। उस साहित्य के प्रणयन में ही मेरी शक्तियों को लगना चाहेंगे। उस समय का एक दोहा पढ़ा था—

'बनना चाहो वीर जो करना गौरव मान।
या कर धारी लेखनी या विकराल कृपाण।।'

मैं सोचता, मेरी यह दुबली सी कलाई कृपाण के लिए नहीं बनाई गई है, ये मेरी पतली अंगुलियाँ लेखनी ही पकड़ेंगी और कमाल कर दिखलाएँगी। अगर 'भूषण' नहीं होते तो शिवाजी की शूरता हम क्या पाते ? अगर 'लाल' नहीं होते, तो 'छत्रसाल' की शत्रुसालता तुम क्या देख सकते ? लेखनी का तलवार से कम महत्त्व नहीं। मैं दिखा दूँगा, लेखनी द्वारा भी देश और समाज के लिए क्या किया जा सकता है ? इस तरह के विचारों से मैं अपने मन को सन्तोष दे लिया करता था और उसके लिए तैयारियाँ करता था। जब मैं हाई स्कूल के थर्ड क्लास (आज के नौ क्लास) में पढ़ता था, तभी मैंने साहित्य सम्मेलन की 'विशारद' परीक्षा पास कर ली थी, मेरी कविताएँ प्रतिष्ठित पत्रों में छपने लगी थीं। स्थानीय साहित्यिक क्षेत्र में मेरा प्रवेश हो चुका था। मैं उन दिनों की उत्सुकतापूर्वक प्रतीक्षा कर रहा था जब पढ़ना समाप्त कर मैं धड़ल्ले के साथ साहित्य द्वारा मातृभूमि की पूजा-अर्चना में जुट जाऊँगा।

किन्तु 1919 से ही देश में कुछ ऐसी घटनाएँ घटने लगीं, जिनसे चारों ओर उत्तेजना

का वायुमंडल दृष्टिगोचर होने लगा। लड़ाई समाप्त होते ही जहाँ भारतीय सैनिकों की बहादुरी और भारतीय जनता द्वारा पूर्ण सहयोग मिलने के उपहार में अंग्रेजों से 'स्वराज्य' प्राप्त करने का सुख-सपना देखा जा रहा था, वहाँ जब 'रौलेट ऐक्ट' नसीब हुआ तो देश एकबारगी ही विक्षुब्ध हो उठा। उन दिनों जो 'गरम' नेता समझे जाते थे, उनकी बात दूर रखिए, 'नरम' नेताओं की गरमी भी हमें पसीने-पसीने कर रही थी। गांधीजी नरमों में ही थे। उस ऐक्ट के विरोध का 'सविनय प्रतिरोध' करने की बीड़ा उन्होंने उठाया, जिसके परिणामस्वरूप पंजाब हत्याकांड हुआ। पंजाब हत्याकांड के जो वर्णन छपते, जो तसवीरें छपतीं, वे किस भारतीय का खून नहीं खौला देतीं ? मुझे अच्छी तरह याद है, एक दिन जब मैं स्कूल जा रहा था, सिकन्दरपुर के नजदीक कुछ अंग्रेज बच्चों को आते देखकर मेरा एक साथी उन्हें घूर-घूरकर देखता और दाँत पीसकर कह रहा था, घूम लो, टहल लो, एक दिन तुम्हारे ही खून से हम जलियाँवाला बाग के शहीद बालक मदन का बदला चुकाएँगे। यह तो गांधीजी की ही महिमा थी कि उन्होंने इतनी बड़ी प्रतिहिंसा की भावना के अहिंसात्मक असहयोग के रूप में बदलकर बहुत बड़े खून-खराबे से देश को बचा लिया।

हत्याकांड के बाद असहयोग की चर्चा चली। अखबारों के शीर्षकों में आग रहते थे तो व्याख्यानदाताओं की जबान से अंगारे झड़ते थे। अब सभाओं की धूम हो रही थी। हफ्ते में दो-चार सभाएँ जरूर होतीं और हम उनमें शामिल होते। खिलाफत के प्रश्न ने मुसलमानों को भी उत्तेजित कर दिया था। सभाओं में हिन्दू-मुसलमानों की सम्मिलित उपस्थिति होती। पंडितजी और मौलाना साहब एक मंच से दहाड़ते। असहयोग के प्रोग्राम पर कलकत्ता में कांग्रेस का विशेष अधिवेशन करने की बात ही चल रही थी कि लोकमान्य तिलक की मृत्यु हो गई। तिलकजी की मृत्यु का शोक हिन्दू-मुसलमानों ने समान रूप से मनाया। हम लोग स्कूल नहीं गए, दिन भर में हड़ताल रही, शाम को तिलकजी अरथी बनाकर जुलूस निकला, जिसमें मुसलमानों के भी कन्धे थे। शाम को इतनी बड़ी सभा हुई, जिसकी कल्पना भी नहीं की जा सकती थी। धीरे-धीरे एक मुसलमान वकील इस आन्दोलन में प्रमुख बनते जा रहे थे—वह थे मौलवी शफी साहब। उनकी वकालत बड़ी चली हुई थी। उनकी 'शफी मंजिल' एक अच्छी आरामगाह समझी जाती थी। पीछे तो शफी साहब असहयोग के जमाने में फकीर बन गए और उनकी 'शफी मंजिल' 'स्वराज्य आश्रम' हो गई।

इन सभाओं के व्याख्याताओं और अखबारों के वक्तव्यों और लेखों से मेरे दिल में उथल-पुथल मची हुई थी। कलकत्ता कांग्रेस में असहयोग का जो प्रस्ताव पास हुआ, उसने तो अब चुनौती दे दी कि आजादी पसन्द करते हो या गुलामी ? आजादी चाहते हो तो 'गुलाम ढालने के इन कारखानों'—स्कूलों और कॉलेजों—से अपने को अलग करो। विद्यार्थी स्कूल-कॉलेज छोड़ो; वकील-मुख्तार कचहरी-अदालत छोड़ें; खिताबवाले खिताब छोड़ें। सरकार से पूर्ण असहयोग किया जाए।

मेरे लिए परेशानी की एक खास बात थी। मैं घर का गरीब था। बड़ी मुश्किल से पढ़ता था। पढ़ने में काफी तेज था—हमेशा फर्स्ट आता। मास्टर लोग प्यार करते थे घरवाले बड़ी-बड़ी उम्मीदें बाँधे हुए थे। घर में मेरी पढ़ाई को लेकर ही कलह हुआ था—मेरे चाचा अलग हो चुके थे कि पढ़ाई में फिजूल खर्च होता है। उन्हीं घरवालों को मैं मँझधार में कैसे छोड़ सकता था ! उनकी मनःस्थिति का ध्यान आता, बार-बार अपनी पत्नी की याद आती—जो सब तरह की तकलीफ उठाकर सोच रही थी कि मेरी पढ़ाई खत्म होते ही उसके अच्छे दिन आएँगे। खासकर मामाजी को मेरी पढ़ाई छोड़ने से क्या सदमा होगा, इसकी कल्पना से ही काँप उठता था। अपना बेटा न होने के कारण पूरा पुत्र स्नेह उन्होंने मुझे ही दिया था।

मुख्यतः उन्हीं की कृपा से मैं पढ़ रहा था—बिना उनकी राय लिये कैसे उन्हें अपना मुँह दिखाऊँगा ?

फिर अपने कल्पना-महल को देखता। वकालत पास करूँगा; खूब पैसे कमाऊँगा; गाँव में प्रेस खोलूँगा, अखबार निकालूँगा, किताबें लिखूँगा—उफ, चारों ओर मेरे नाम की, यश की धूम मच जाएगी। क्या यह कल्पना-महल माया-महल सिद्ध होने जा रहा है ? ∴ बड़ी गरीबी से पढ़ रहा था—न मिठाइयाँ खाता, न पान खाता, न सिगरेट-तम्बाकू छूता, पैर में प्रायः जूते नहीं होते, गरम कपड़ा किसे कहते हैं, जानता न था। अपने लकदक में रहनेवाले साथियों को देखकर मन-ही-मन कहता, मौज कर लो, बाप-दादे की कमाई पर गुलछर्रे उड़ा लो—एक दिन आएगा, तुम मारे-मारे फिरोगे, मैं मौज करूँगा ! अगर पढ़ाई छोड़ दी तो इसका मतलब हो सकता था कि मैं ही जिन्दगी भर मारा-मारा फिरूँ ? हाय रे ! क्या मेरी जिन्दगी के सभी अरमान व्यर्थ ही जाएँगे ?

एक तरफ, यह मानसिक स्थिति थी तो दूसरी ओर, वातावरण में अजीब उत्साह, उमंग, जोश और जवानी लहरें ले रही थीं। मूलम होता था, पैर के नीचे की जमीन हमेशा काँप रही है तो सिर के ऊपर का आसमान गूँज रहा है। लोगों के चेहरे बदले हुए मालूम होते थे। सड़कों पर, गलियों में, दुकानों पर, स्कूलों में, क्लासों में—सब जगह एक बिजली-सी दौड़ती-फिरती मालूम होती थी। उस बिजली ने विचार पर मुख्यता डाल दी थी, भावना को भड़का दिया था। 1920 के पिछले आधे का हिन्दुस्तान भावनाओं का, हृदय मन्थन का हिन्दुस्तान था। अचानक हिमालय के निकली गंगा कितने ही ऐरावतों के पैर उखाड़ रही थी तो मेरे नन्हे-से पाँवों की क्या हस्ती ? एक दिन मैंने उस गंगा की तरंगों पर अपने को भँसता हुआ पाया !

जब मेरे इस निर्णय की खबर हेड मास्टर साहब को मिली, शाम को वह मेरे डेरे पर आए। गंडक के उस पार वह रहते थे, इस पार मैं। गया जिले के थे, बाबू तपेश्वर सिंह नाम था। रंग काला था, लेकिन शरीर बहुत ही सुडौल। नियमित व्यायाम करते, संयमित जीवन रखते। मेरी उन पर बड़ी श्रद्धा थी। आकर समझाने लगे, कहने लगे, यह आँधी तुरत खत्म हो जाएगी, उतावलापन मत दिखलाओ, तुम तेज लड़के हो, तुम्हें स्कॉलरशिप जरूर मिलेगी, नहीं विश्वास हो तो मुझसे हैंड नोट करा लो आदि, लेकिन मैं टस-से-मस न हुआ—उनसे गुस्ताखी से बातें कीं। दूसरे दिन स्कूल खाली हाथ ही गया, असहयोग करने की एक पुरजोश दरखास्त लिये हुए। वहाँ मेरे गाँव के निकट के एक मुख्तार साहब दौड़े-दौड़े आए। मेरे जबार में उनकी बड़ी धाक थी। मेरे गाँव के लोग उनकी बड़ी कद्र करते थे। मेरे पिताजी, पितामहजी आदि के नाम ले-लेकर उन्होंने मुझे समझाना शुरू किया। उन्हें भी मैंने गुस्ताखी से ही जवाब दिए। आज भी उन गुस्ताखियों को याद कर शर्म आती है। लेकिन उन दिनों की बात मत पूछिए। उन दिनों सौ खून माफ थे।

मैंने स्कूल छोड़ दिया ! जिन्दगी की नाव की पतवार और डाँड, दोनों नदी में फेंककर मैं तरंगों पर खेलवाड़ करने चला !

पीछे, मेरे आदरणीय हेड मास्टर साहब और श्रद्धेय मुख्तार साहब भी उसी धारा में बह गए ! हकीम खुद बीमारी की चपेट में आ गए ! मेरा यह स्कूल (भूमिहार ब्राह्मण कॉलेजियर स्कूल) राष्ट्रीय स्कूल में परिणत हुआ। हेड मास्टर ने कुछ दिनों तक राष्ट्रीय स्कूल की भी हेड मास्टरी की, फिर जब स्कूल, सरकार से सम्बद्ध हुआ, तो छोड़कर वकालत पास की और आजकल गया में वकालत कर रहे हैं। यों ही एक दिन मेरे बूढ़े मुख्तार साहब ने मुझे अपने गाँव पर बुलाया—देखा कि सिर से पैर तक खादीपोश हो चुके हैं और मदिरा निषेध पर उन्होंने

एक नाटक भी बनाया है, जो उस दिन मुझे सुनाया।

स्कूल और कॉलेज से लड़के पढ़ना-लिखना छोड़ रहे थे। कचहरियों के वकील और मुख़्तार तथा कारपर्दाज हट रहे थे। मौलवी शफी ने उनकी रहनुमाई की। पीछे बिन्दा बाबू, जनक बाबू और अन्ततः रामदयालु बाबू ने भी कचहरी छोड़ी।

स्कूल छोड़ने के थोड़े दिनों बाद ही मुझे खबर मिली कि मेरे श्वसुरजी (बाबू महादेव शरण सिंहजी) गिरफ्तार कर लिये गए हैं। बिहार में सबसे पहले आदमी थे, जो सरकारी दमन के शिकार हुए थे। उनके मुकदमे का वर्णन उस समय के सुप्रसिद्ध अंग्रेजी पत्र 'इंडिपेंडेंट' में छपा करता था। बात यों हुई कि यद्यपि चम्पारण के निलहे खत्म हो चुके थे, किन्तु मुजफ्फरपुर ने उनकी कई कोठियाँ बाकी थीं। उनमें एक बेलसंड की थी। असहयोग शुरू होते ही गोरे निलहों के खिलाफ जनता ने आवाज उठाई। बेलसंड के खिलाफ जो आवाज़ उठी, उसके सरगना मेरे श्वसुरजी थे। अपने जबार में उनकी बड़ी धाक थी। इस आवाज को शुरू में ही कुचल देने के लिए उस निलहे साहब ने सीतामढ़ी के एस.डी.ओ. से फरियाद की। मिस्टर ली एस.डी.ओ. थे। तुरन्त विलायत से आए थे। पक्के साहब थे। विलायती कपड़ा जलाने के अपराध में उन्होंने मेरी ससुराल में गिरफ्तारियाँ कीं। अजीब हलचल मच गई। सीतामढ़ी ने नेता ठाकुर रामनन्दन सिंह ने इस मामले को हाथ में लिया। मैं जब दौड़ा-दौड़ा सीतामढ़ी पहुँचा, ठाकुर साहब ने मुझे इस निलहे कोठी के खिलाफ हुए आन्दोलन में लगा दिया।

गाँव-गाँव में कई साथियों के साथ दौड़ता रहा। एक ओर जनता का असीम उत्साह था तो दूसरी ओर, निलहे साहबों के कर्मचारियों की धाँधलियाँ थीं। हमारे आदमियों को पकड़ लेते, पीट देते। जोश में आकर जनता भी उन्हें पीटने को तैयार हो जाती तो हम उन्हें रोकते। जन आन्दोलन क्या चीज है और जन सेवा का क्या अर्थ है, मैंने समझा। दिन-रात पैदल दौड़ना, न खाने-पीने का ठिकाना, न रहने-सोने का। पैरों में छाले, कंठ में खुश्की, शरीर में थकावट, लेकिन लोगों में ऐसा उत्साह दिखाई देता कि यह सब भूल जाता। हर सुबह में फिर नई ताज़गी आ जाती।

जिस दिन उसकी मुकदमे की तारीख थी, सीतामढ़ी में जो हलचल थी, उसका क्या कहना ? मजिस्ट्रेट ने जमानत मंजूर की, किन्तु जमानत पर छूटने को तैयार कौन था ? ठाकुर साहब की तूती बोल रही थी। जो वह कहते, वही होता।

कुछ दिनों तक मैं सीतामढ़ी में ही रहा। सीतामढ़ी तूफान का केन्द्र हो चला था। ठाकुर साहब के आसपास नवयुवकों का एक खासा अच्छा गिरोह था—उनके प्रयत्न से गाँव-गाँव में असहयोग की बिगुल बज रही थी। मिस्टर ली ने खुलकर दमन शुरू किया। कई कर्मचारियों की गिरफ्तारियाँ हुईं। उस समय ली के बारे में एक कहावत प्रचलित थी कि एक बार उसने एक आदमी से कहा था कि स्वराज लोगे, यह हो नहीं सकता। तुम स्वराज लोगे तो हम क्या करेंगे ? देखो, मेरी दो पिस्तौलें—इनकी एक दर्जन गोलियों से एक दर्जन को मारकर तक मैं आत्मसमर्पण करूँगा। अन्त में ली ने ठाकुर साहब को भी गिरफ्तार किया और तारीख के दिन भीड़ न हो, इसलिए नेपाल तराई की ओर घोर देहात में उनके मुकदमे की पेशी रखी, लेकिन भोर होते-होते उस देहात के बगीचे में जैसे मेला लग गया। जहाँ देखिए, नरमुंड-ही-नरमुंड !

ली की एक और करतूत ने देशव्यापी ख्याति प्राप्त की। एक दिन ली मुजफ्फरपुर से लौट रहा था कि उसने खनुआ घाट (मेरे घर के नजदीक) पर एक सभा होते देखी। मोटर रोककर वह दनदनाता हुआ सभा स्थल पर पहुँचा। सभा में मंच पर चढ़ गया। मालाएँ तोड़

दीं। झंडे नोंच दिए और वक्ता (बाबा नरसिंह दास) के गाल पर थप्पड़ जमाई। ज्यों ही उसने थप्पड़ मारा, बाबा नरसिंह दास ने ईसा की तरह दूसरा गाल बढ़ा दिया और कहा, इस पर भी मार लो, लेकिन जनता में तो यह ईसा सुलभ क्षमा और अहिंसा थी नहीं। वह उत्तेजित हुई, लेकिन बाबा ने उसे रोक दिया, इधर उत्तेजना देख, ली कायर की तरह भागकर मोटर पर आया और उड़ चला।

अभी असहयोग के बाद मैं घर नहीं गया था, पर घर जब खबर मिली कि मैंने पढ़ना छोड़ दिया है और सीतामढ़ी में हूँ, तब मेरे चचेरे भाई साहब मेरी ससुराल पहुँचे और मुझे सिर्फ दो दिनों के लिए आरजू करके मेरे घर पर लिवा लाए। घर पर कुहराम मचा हुआ था। मेरी मौसी ने खाना-पीना छोड़ रखा था। मेरी रानी दिन-रात रोती रहती थी। पूरे परिवार पर मातम छाया था। गाँववाले भी उदास थे। मुझे किसी ने न डाँटा, न उलाहना दी—किन्तु जो जबानों से न निकली, उन्हें आँखों ने बताया। रानी का तो चेहरा ही बदल चुका था। उस रात मुझे बिलकुल नींद नहीं आई। मैं अपने को अक्षम्य अपराधी मानने लगा और किसी ने डाँटा होता तो शायद वह पश्चाताप नहीं होता।

लेकिन जिस तूफान ने मेरे पैर उखाड़ दिए थे, उसके झोंके ने उन आँसुओं को भी सुखा डाला और पश्चातापों को भी उड़ा ले गया। मैं फिर मुजफ्फरपुर पहुँचा और राजनीतिक कामों में लग गया।

मुजफ्फरपुर की दो घटनाएँ कभी नहीं भूलेंगी—एक, गांधीजी का आगमन, दूसरी, स्वदेशी प्रदर्शनी। कलकत्ता के विशेष अधिवेशन के बाद गांधीजी मुजफ्फरपुर पहुँचे थे। तीन वर्षों में ही गांधीजी और उनके प्रभाव में कितना अन्तर आ चुका था। जहाँ पहली बार स्टेशन पर एक दर्जन से ज्यादा आदमी मैंने नहीं देखे थे, वहाँ इस बार इतनी भीड़ थी कि स्टेशन पर उन्हें देख भी नहीं पाया। असंख्य और अस्तव्यस्त भीड़ में वे किस तरह ट्रेन से उतारे गए, किस तरह लोग उनके पाँव छूने को लपके, कैसे लोगों को रोककर उन्हें सवारी पर बिठाया गया, किस तरह रास्ते भर पुष्प-वर्षा होती रही, किस मुश्किल से उन्हें 'शफी मंजिल' में टिकाया गया, इसका वर्णन भी आज असम्भव है। लोग उनके पैरों पर यों टूटते थे कि छूते-छूते ही पैरों को लोगों ने घायल कर दिया था। गांधीजी की वेशभूषा में कोई अन्तर नहीं था—हाँ, अब उनकी वाणी में जैसे युग बोलता था। उस दिन मुजफ्फरपुर के तिलक मैदान में एक लाख से कम की भीड़ न थी, उस समय लाउड स्पीकर का चलन नहीं था तो भी जब वह बोलने लगे, ऐसी निस्तब्धता छा गई कि उनका शब्द-शब्द दूर-दूर तक सुनाई पड़ा।

'शफी मंजिल' के स्वयंसेवकों में मैं भी था। वहाँ गांधीजी को निकट से दर्शन करने का मौका मिला। बार-बार दिमाग कहता, यह छोटा सा मामूली आदमी किस तरह लोगों को आराध्यदेव बन गया—यह जरूर ही अवतार है ! मैं उस समय पूरा आस्तिक था। सिवा इस आस्तिकता के गांधीजी के इस प्रभाव की व्याख्या का मेरे लिए कोई जरिया ही नहीं था। हाँ, गांधीजी के इस मामूली व्यक्तित्व को रंगीन बनाते थे मौलाना शौकत अली साहब। सचमुच, जैसा वह कहा करते थे, गांधीजी को वह अपनी जेब में रख सकते थे। लम्बे, तगड़े शरीर की ऊँचाई को उनकी खास ढंग की पाशानुमा ऊँची टोपी और बढ़ा देती थी। रोयेंदार काली टोपी पर का चाँद बहुत ही भव्यता से चमकता था। उनकी पोशाक थी—एक काला लबादा, जो उनके विशाल शरीर पर गरदन से घुटने के नीचे तक झूलता था। खाने के वक्त मैंने जो उनकी बड़ी थाल देखी तो मुझे आश्चर्य नहीं हुआ !

तिलक मैदान में जो सभा हुई, उसमें मैंने एक कविता पढ़ी। मैं उस समय कवि था। कविता में पंजाब और खिलाफत सम्बन्धी अन्यायों का जिक्र था। कविता लोगों ने बड़ी पसन्द

की थी। गांधीजी ने अपने भाषण में भी उसकी चर्चा की। मुझे ऐसा मालूम होता था कि मुझे पंख लग गए हैं, मैं उड़ा जा रहा हूँ। मेरे गाँव के जो लोग सभा में गए थे, उन्होंने मेरी इस सफलता पर अपने को धन्य समझा। उनका गम दूर हो गया।

स्वदेशी प्रदर्शनी 1921 के मध्य में हुई थी—राष्ट्रीय बन गई। कॉलेजियेट स्कूल के मैदान में वह सजाई गई थी। उसमे गांधीजी के भतीजे श्री मगनलाल गांधी पधारे थे। मगनलालजी ने चरखे और करघे के तरह-तरह प्रदर्शन किए। महीन-से-महीन और रंग-बिरंगी खादी देखकर हमें आश्चर्य और आनन्द, दोनों हुए। इस प्रदर्शनी में एक चीज और रखी गई थी, जिस पर सबकी नजर जाती थी। वह था—छपरा के रामखेलावन मिस्त्री का चरखा। मिस्त्रीजी का दावा था कि इस पर दिन में कई सेर सूत कात लिया जा सकेगा। अभी वह पूर्ण नहीं हुआ था और कभी वह पूर्ण नहीं हुआ। उस समय मिस्त्री के नाम की धूम मच गई थी। किन्तु पीछे उनका दावा गलत साबित हुआ, लोग उन्हें भूल गए।

स्कूलों-कॉलेजों से जो विद्यार्थी निकल रहे थे, उनके अध्ययन की ओर भी ध्यान गया। मुजफ्फरपुर में एक राष्ट्रीय विद्यालय चलने ही लगा था। खबर मिली, पटना में एक राष्ट्रीय कॉलेज भी खुल चुका है, जिसके प्रिंसिपल राजेन्द्र बाबू हैं। इसी कॉलेज के सिलसिले में गांधीजी और मौलाना मुहम्मद अली साहब पधार रहे थे। हम लोग पटना पहुँचे। पहली बार मुहम्मद अली साहब को देखा, आकार में शौकत अली से छोटे, लेकिन वक्तृत्वकला में हिन्दुस्तान के चोटी के लोगों में समझे जाते। पटना में ही मौलाना मजहरुल हक को देखा और उनकी कीर्ति सुनी। उन्हीं की जमीन पर उन्हीं के प्रयत्न से सदाकत आश्रम कायम हो चुका था, जो आज तक बिहार की कांग्रेस का सदर ऑफिस है। क्यों नहीं 'सदाकत आश्रम' को 'हक आश्रम' का नाम देकर उस महान पुरुष की यादगार को ताजा रखें, यह प्रश्न बार-बार मेरे मन में उठता है। हक साहब बिहार की अनुपम विभूतियों में थे।

पटना से लौटकर मैं बंशीपचड़ा गया। बहुत डर रहा था कि न जाने मामाजी क्या कहते हैं ! किन्तु वहाँ जाकर जो देखा, आश्चर्यचकित रह गया। मामाजी खूब गाँजा पीते थे। उनके अगल-बगल चिलम दागनेवालों का एक पूरा गिरोह रहता था। देखा, उन्होंने गाँजा पीना बिलकुल छोड़ दिया है। उस समय नशा निषेध पर भी बहुत जोर था। मामाजी का यह गाँजा त्यांग मुझे संसार के आठवें आश्चर्य की तरह प्रतीत हुआ। उफ, गांधीजी का यह कितना बड़ा जादू ! 1921 के असहयोग आन्दोलन ने भारतीय समाज को जड़ से झकझोर दिया था। इस दृष्टि से यह आन्दोलन संसार के बड़े-से-बड़े धार्मिक आन्दोलन के साथ स्थान पा सकता है।

असहयोग आन्दोलन ने करोड़ों आदमियों की जीवन धारा ही बदल दी—आत्मशुद्धि के अनुपम उदाहरण देखे गए—गाँजा, शराब की क्या बात—तम्बाकू तक लोग छोड़ने लगे। विदेशी कीमती कपड़ों की होली जलाकर लोग सादी खादी चाव से पहनने लगे। भोजन में, वेश में सादगी का दौर-दौरा हुआ। घरेलू जिन्दगी के अलावा भी एक ऐसी जिन्दगी है, जिसमें आदमी सब कुछ छोड़कर देश के लिए, समाज के लिए अपने को न्योछावर कर सकता है। यह भावना लोगों के हृदय में जगी। बौद्धकालीन भिक्षुकों और प्रारम्भिक ईसाई मिशनरियों की स्पिरिट इस बीसवीं शताब्दी में भी देखी जा सकती है, इस आन्दोलन ने हमें बताया। कृत्रिमता को छोड़ विशुद्ध सरल जीवन की ओर लोगों की प्रेरणा हुई। लकदक पोशाक और लजीज भोजन को लोग घृणा से देखने लगे। माना हमें उस समय स्वराज नहीं मिला, लेकिन हमने अपने को तो पाया ही, वह अपनापन, जो हम खो चुके थे। यों कहिए, हमें 'स्व' मिला; हाँ, 'राज' नहीं मिल पाया।

नागपुर कांग्रेस ने असहयोग के कार्यक्रम को पूर्ण स्वीकार करने के साथ ही तिलक-स्वराज्य फंड में एक करोड़ रुपया इकट्ठा करने, देश भर में कांग्रेस के एक करोड़ सदस्य बनाने और दस लाख चरखे चलाने के प्रोग्राम की ओर हमारा ध्यान आकृष्ट किया। गांधीजी ने घोषणा की कि इतना कर लो, फिर हम स्वराज्य एक वर्ष में ले लेंगे। एक वर्ष में स्वराज्य–हमारे नारे के साथ हम उपर्युक्त प्रोग्राम को पूरा करने के लिए गाँवों में घुसे। रुपए की तो जैसे वर्षा होती थी। खादी का मोटा कुरता और टोपी पहनकर जो जिस तरह निकल जाता, झोली भर लाता। तब तक कांग्रेस का बाजाब्ता संगठन नहीं हुआ था–अतः वर्षा के पानी की ही तरह इन रुपयों में बहुत से गलत जगह पर बह गए ! लेकिन इस प्रोग्राम के कारण हिन्दुस्तान के गाँव-गाँव, घर-घर कांग्रेस का सन्देश तो जरूर ही पहुँचा !

जनता में गांधीजी की अलौकिकता की बेहद अफवाहें उड़ रही थीं। एक दिन आसमान में बादल का एक टुकड़ा शक्लें बदल रहा था। अखबारों तक ने यह छापा कि वह बादल पहले चतुर्भुजी विष्णु बना, फिर गांधी का रूप धारण कर लोप हो गया। गांधीजी को अंग्रेजों ने गिरफ्तार किया, तो वह जेल से अदृश्य होकर बाहर आए–यह तो आम धारणा थी। क्या नेपाल के किसी जंगल में गांधीजी की बहुत बड़ी सेना तैयार है–यह मेरी मौसी ने मुझसे भक्तिभाव से पूछा। पता चला, चूड़ी बेचनेवाली ने उनसे गुप्त रूप में यह कहा है। अफवाह उड़ी कि तम्बाकू के पत्ते पर गाय और सूअर, दोनों के बाल आ गए हैं। तम्बाकू के पत्ते पर उजले-काले रोयें से उग आते हैं, इन्हीं को लक्ष्य कर किसी ने अफवाह उड़ा दी। फिर क्या था ? हिन्दू-मुसलमान तम्बाकू के पेड़ काटकर फेंकने लगे, गाँव-गाँव में बाँस पर लटकाए हुए असंख्य हुक्के दिखाई देते।

गांधीजी ने कहा है, तो एक वर्ष में स्वराज्य होकर रहेगा। इस पर लोगों पर अटूट विश्वास था। मेरे बूढ़े नानाजी उसी साल कार्तिक में मृत्यु शय्या पर पड़े हुए थे। मुझसे उन्होंने कहा, "आह, दो महीने और मैं जी पाता तो स्वराज्य देखकर खुशी से मरता।" वह नहीं बचे, स्वर्गवासी हुए। वह क्या जानते थे कि उनका प्यारा नाती उसके तेईस वर्ष बाद भी, यही आशंका लिये जेल में धूनी रमाता रहेगा। कि 'काश ! अपनी जिन्दगी में स्वराज देख पाता।'

यह विश्वास मेरे अनपढ़ नानाजी का ही नहीं था, हमारे विद्वान मौलवी शफी साहब का भी था। जब वह हज़ारीबाग़ जेल में थे, 1921 की 31 दिसम्बर को आधी रात तक जगे रहे कि ज्यों ही घड़ी बारह का घंटा बजाएगी, जेल का दरवाजा खुल के रहेगा।

खैर, 1921 बीत गया, स्वराज्य न आया। गांधीजी जेल गए, बहुत से नेता जेल गए। सजा पूरी हो, उससे पहले ही वे लोग लौटने लगे। नए-नए प्रोग्राम आए। कौंसिल के प्रवेश की धूम मची–बड़े नेता कौंसिलों में गए, छोटे नेता डिस्ट्रिक्ट बोर्ड और म्युनिसिपलिटी में घुसे। वकीलों में से अधिकांश के कन्धे पर फिर चोगा लटकने लगा। कुछ लोगों ने चरखा पकड़ा, तो कुछ लोग बम की ओर दौड़े। मैं कहाँ जाऊँ–यह बड़ा सवाल मेरे सामने आ खड़ा हुआ !

आँधी आती है, चली जाती है। बाढ़ आती है, निकल जाती है। जब तक आँधी या बाढ़ रहती है, उसकी महत्ता हम पर इस तरह छाई रहती है कि हम दूसरी तरफ ध्यान नहीं देते लेकिन उसके खत्म हो जाने पर जो दृश्य सामने आता है, वह कितना करुण होता है ! बड़े-बड़े वृक्षों के उखाड़े हुए तने, गिरी हुई डालियाँ, घरों के उजड़े हुए छप्पर ! हरी-भरी फसलों की बरबादियाँ, मरे हुए जानवरों और आदमियों की घिन्नाती लाशें, फिर महामारियाँ ! हम चिल्ला उठते हैं, आँधी तेरा बुरा हो। बाढ़, तू फिर सूरत न दिखाना।

1921 के बाद भी यही हालत हुई। मुझे एक ऐसे साथी की याद आज आ रही है, जो क्लास में फर्स्ट आता था, जिसने असहयोग किया, जो जेल गया—किन्तु 1921 के बाद जो प्रतिक्रिया हुई, उसका उसके दिमाग पर ऐसा असर पड़ा कि वह अन्ततः पागल होकर रहा ! खुद अपने हृदय मन्थन की बात याद करता हूँ, तो आश्चर्य होता है, मैं कैसे इस प्रतिक्रिया की लहर में बच गया ! मुझे भी जरूर ही पागल हो जाना चाहिए था !

वकीलों ने चोगा सँभाला, नेताओं ने कौंसिल और बोर्ड देखे, किन्तु मैं कहाँ जाऊँ ? कुछ लोगों ने कहा, फिर स्कूल में जाओ, पढ़ो, पास करो, मौज करो। लेकिन जिसे 'गुलामखाना' कह चुका था, उसी में किस मुँह लेकर घुसूँ ? मानता हूँ, कुछ साथियों ने ऐसा किया और आज उनमें कुछ वकील, कुछ प्रोफेसर, कुछ हाकिम भी हैं, किन्तु अपने शब्दों को आँख मूँदकर पी जाने की ताकत न मुझ में तब थी और न अब है। एक अहम्मन्यता भी थी। जो लड़के मेरे पीछे बैठा करते, मेरी कॉपी देखकर लिखते, वे ही अब मुझसे दो क्लास आगे रहेंगे—उफ़, यह मैं कैसे बरदाश्त कर सकता ! तो क्या करूँ ? घर बैठूँ ? घास छीलूँ, कुदाल चलाऊँ; अपनी सारी महत्त्वकांक्षा भूलकर हल के पीछे टख-टख करूँ ! हाय, मेरे मामाजी की सारी कृपाओं, मेरे परिवारवालों की सारी मनोकामनाओं, मेरी रानी की सारी कल्पनाओं और मेरी अपनी सारी आकांक्षाओं का यही परिणाम होना था ! देशमाता ! अपनी कलम से तुझे सजाने-सँवारने के क्या-क्या न अरमान मैंने रचे थे, वहीं तूने अपने एक ही झोंके में मुझे कहीं का नहीं रहने दिया। अरे, इस जिन्दगी से तो आत्महत्या अच्छी !

आत्महत्या।—सचमुच कई बार इसकी प्रेरणा मुझे हुई थी ! मेरे ऐसे गरीब घर के कितने महत्त्वाकांक्षी नौजवानों ने न जाने उन दिनों इसी तरह से घृणित संकल्प किए होंगे, किन्तु, कौन जाने मेरी ही तरह उनके बचाव की भी कई सूरतें निकल सकी होंगी या नहीं !

कुछ भी हो, लेकिन पीछे न लौटूँगा—यह तो निश्चय था ही। इसी निश्चय के साथ यह भी तय किया कि कुछ करके रहूँगा ! पीछे हटना बुज़दिली है, आत्महनन है ! और आत्महत्या पाप है !! तो आगे बढ़ूँगा। किस दिशा में ? न चरखा पकड़ सकता था, न बम। कौंसिल और बोर्ड की आसमानी दुनिया मेरी पहुँच के परे की चीज थी ही। तो ? तो, बस कलम ! कलम ! असहयोग के दरम्यान ही 'तरुण भारत' में छः महीने रहकर इस बारे में अपनी योग्यता का मैं खुद कायल हो चुका था—शिक्षा की कमी होने के बावजूद मैं इस क्षेत्र में कुछ कर सकता हूँ, इसका पूरा आत्मविश्वास मुझमें हो आया था। मैं कलम लेकर सम्पादन क्षेत्र में जुट गया और छः वर्षों में ही वह कमाल किया कि दोस्तों को भी दाँतों अंगुली काटनी पड़ी। 'बालक' के प्रारम्भिक ढाई वर्ष इसके प्रमाण हैं। मेरे द्वारा सम्पादित उस समय 'बालक' को बँगला, मराठी, गुजराती, उर्दू सभी भारतीय भाषाओं के पत्रों ने भारत का सर्वश्रेष्ठ बालोपयोगी पत्र माना !

1922 से 1928 का मेरा जीवन मुख्यतः साहित्यिक रहा। हाँ, खादी ही पहनता था, स्वदेशी ही व्यवहार करता था—किन्तु यह सोचना भी भूल गया था कि मुझे फिर राजनीति में भी आना पड़ेगा।

किन्तु अलग रहकर भी उस समय की राजनीति को तो देखता ही था और मन-ही-मन खुश था कि मैं इन घृणित प्रतिक्रियाओं से अलग हूँ। परिवर्तनवादी और अपरिवर्तनवादी—इन दो दलों में कांग्रेस बँट गई। सी.आर. दास, पं. मोतीलाल नेहरू और विट्ठल भाई पटेल परिवर्तनवादियों में थे। राजगोपालाचारी, राजेन्द्र बाबू आदि अपरिवर्तनवादियों में। गया कांग्रेस में दोनों दलों की कुश्तमकुश्ती देखी—फिर कांग्रेस दलों में नहीं, टुकड़ों में बाँट गया। परिवर्तनवादियों ने गांधीजी पर यह आरोप लगाया था कि, 'आपने सब गड़बड़ और सत्यानाश

किया।' तो अपरिवर्तनवादी उन्हें कुरसी-गद्दी पसन्द कहकर चिड़काने लगे। उस समय राजगोपालाचारी तो साक्षात् गांधीजी की प्रतिमूर्ति मालूम होते थे। खैर, मौलाना मुहम्मद अली के छूटने के बाद उन्हीं के प्रयत्न से दोनों दलों में समझौते का वातावरण उत्पन्न हुआ और गांधीजी ने जेल से बाहर आने पर परिवर्तनवादी दल को कौंसिल में जाने की इजाजत देकर इस कलह का अन्त किया।

लेकिन कौंसिल और डिस्ट्रिक्ट बोर्ड के इस प्रोग्राम ने जहाँ बंगाल और सी.पी. में द्वैध शासन का चलना कुछ दिनों के लिए जरूर ही नामुमकिन किया, वहाँ इसके चलते बिहार में हमने बड़े बुरे दृश्य देखे। कौंसिल और बोर्डों में किन्हें भेजा जाए, इसको लेकर कांग्रेस में फूट फैली। जातीयता ने सिर उठाया। बिहार में कायस्थ-भूमिहार विवाद का सर्वनाशी तांडव होने लगा। भूमिहारों के नेता बाबू (पीछे सर) गणेशदत्त सिंह थे और उनके प्रमुख प्रचारक स्वामी सहजानन्द सरस्वती। स्वामीजी ने असहयोग के पहले भूमिहारों को संगठित करने में बड़ा काम किया था। असहयोग में वह शामिल होकर जेल भी गए थे। वह राष्ट्रीयता को छोड़कर फिर जातीयता पर जाएँगे—ऐसा किसने सोचा था ! फिर सर गणेश ऐसे प्रतिक्रियावादी के नेतृत्व में काम करेंगे, इसकी तो कल्पना भी नहीं हो सकती थी। लेकिन बाबू गणेशदत्त सिंह या स्वामीजी के किए कुछ न होता, अगर कांग्रेस के अन्दर के नेताओं में इस विवाद ने घर नहीं कर लिया होता। कांग्रेस का नेतृत्व कायस्थों और भूमिहारों की होड़ा-होड़ी में उलझा था। बाकी जाति के लोग इन्हीं दोनों दलों में विभक्त थे। गाँव-गाँव, थाने-थाने, जिले-जिले में जातीयता के आधार पर पार्टियाँ बन रही थीं और आपस में जूती-पैजार चल रही थी।

मेरा सौभाग्य रहा कि शुरू से ही मेरे अन्तरंग मित्र ज्यादातर कायस्थ ही रहे। खुद भूमिहार होने पर भी मैं उन्हीं के साथ रहता, खाता-पीता। मेरे सम्पर्क में जो कायस्थ थे, उनमे मैंने जातीयता की गन्ध भी नहीं पाई। आज भी मैं देखता हूँ कि जिस तरह एक व्यक्ति ने मुझे सबसे ज्यादा प्रोत्साहित किया है, बढ़ाया है, मैं आज जो कुछ हूँ, वह बनाया है, तो वह व्यक्ति एक कायस्थ ही है—मेरा मतलब भाई शिवपूजनजी (प्रोफेसर शिवपूजन सहाय) से है। मैं भाई शिवपूजन के चरणों पर कितने ही बड़े भूमिहारों को न्योछावर कर सकता हूँ ! मुजफ्फरपुर में मेरे सबसे बड़े दोस्त भाई रामधारी प्रसाद थे। जब कभी कायस्थ-भूमिहार विवाद चलता, मैं अपने जाति-भाइयों को उनकी धारणा की गलती बताता। आखिर शायद चिढ़कर उन्होंने मुझे 'कायस्थाइज्ड भूमिहार' कहना शुरू किया।

उस समय की राजनीति में दो हस्तियाँ ऐसी थीं, जिन्होंने इस गृहदाह के लिए पानी का काम किया—एक थे, पूज्य राजेन्द्र बाबू और दूसरे, श्रद्धेय बाबू श्रीकृष्ण सिंह। हमेशा इन दोनों ने अपने को जातीयता से परे रखा—लेकिन दुष्ट लोग कहते, ये छिपे रुस्तम हैं। मेरा अपना खयाल है कि इन्हीं दोनों के चलते यह भीषण दावाग्नि उतना संहार नहीं कर सकी और अन्ततः खत्म हुई। इस प्रसंग में एक घटना की याद मुझे है। समस्तीपुर में भूमिहार ब्राह्मण सभा हो रही थी—कहीं जातीयतावादी कुछ अनर्थकारी प्रस्ताव न पास करा लें, इसलिए हममें से कुछ लोग वहाँ गए थे। श्रीबाबू भी वहाँ थे। मुझे अच्छी तरह याद है, प्रमुख भूमिहारों का एक प्रतिनिधिमंडल उनसे मिला था। उसने उनसे कहा था कि वे भूमिहारों का नेतृत्व करें, राजेन्द्र बाबू उन्हें ठग रह हैं, उन्हीं के चलते जाति की उन्नति रुक रही है, आदि आदि। लेकिन श्रीबाबू ने उन्हें फटकार बताई और कहा कि राजेन्द्र बाबू की शिकायत मुझसे न कीजिए, उन्हें मैं अपना पूज्य मानता हूँ।

जातीय कलह के साथ ही साम्प्रदायिक कलह भी जोरों पर था—हिन्दू-मुसलमानों में

खुलकर छुरे चल रहे थे। देश में कितनी ही जगह पर भीषण दंगे हो रहे थे। कोहाट के दंगे के कारण गांधीजी ने उनतीस दिनों का अनशन किया था। थोड़े दिनों तक लगा दोनों के दिल फिर मिले। लेकिन देश का दुर्भाग्य इतने सस्ते छोड़नेवाला न था। मर्ज बढ़ता गया ज्यों-ज्यों दवा की। बिहार में इस साम्प्रदायिक कलह के दुष्परिणामों से एक था—मौलवी शफी साहब का कांग्रेस से अलग हो जाना। शफी साहब का चुम्बकीय व्यक्तित्व था। अपने सहकर्मियों को बहुत ही प्यार करते—उनसे भाईचारे का व्यवहार रखते। उनके त्याग का भी क्या कहना ? उनके घर में कई शाम तक मकई की रोटियों पर ही गुजारा करने की बात हम जानते थे। उनके मन में साम्प्रदायिकता का लेश भी नहीं था, लेकिन इस प्रतिक्रिया की लहर में उनके ऐसे त्यागी तपस्वी आदमी के पैर भी स्थिर नहीं रह सके। कांग्रेस से अलग होकर उन्होंने कांग्रेस के खिलाफ जेहाद शुरू किया। मुसलिम कांग्रेस नाम की संस्था कायम की और सरकार की ओर से मुसलमानों के रहनुमा मुकर्रर किए जाने पर राउंड टेबुल कॉन्फ्रेंस में भी गए। मौलवी शफी साहब का कांग्रेस से हटने में हिन्दू कांग्रेस नेताओं की साम्प्रदायिक और संकुचित मनोवृत्ति का बहुत बड़ा हाथ था।

कांग्रेस की जगह अब हिन्दू सभा का दौरदौरा था और मालवीयजी, भाई परमानन्द, डॉक्टर मुंजे की बातें हिन्दू बहुत ध्यान से सुनते। मुसलमानों के बावजूद भी हम स्वराज हासिल कर सकते हैं, इस झूठी शानवाली बात को हिन्दू युवक गर्व से दुहराते !

विशुद्ध भाव से देशसेवा करने की भावना लोगों में दिन-दिन कम हो रही थी। देशभक्ति की निर्धूम दीया बहुत ही कम नौजवानों के दिल में जल रहा था। चारों ओर धुआँ-धुआँ था, जिसमें आदमी का साँस लेना भी मुश्किल हो रहा था !

लेकिन यह धुआँ कब तक ? धुएँ के बाद चिनगारियाँ चमकती ही हैं, भाटे के बाद फिर ज्वार आता ही है। प्रतिक्रिया के दौर का अन्त होना ही था। स्वभावतः ही नौजवानों के दिलों में पहले पहल नवजागरण की शक्ति-संचारित हुई। देश में युवक आन्दोलन की सरगर्मियाँ दिखाई पड़ने लगीं। 'हिन्दुस्तानी सेवादल' के नाम से कांग्रेस का स्वयंसेवक आन्दोलन डॉ. हार्डिकर के नेतृत्व में विकास पाने लगा। चरखा संघ भी अब एक जीवित जाग्रत आन्दोलन हो चला था। पहले कह चुका हूँ, कुछ नौजवानों ने चरखे की जगह बम पकड़ा। तीन-चार वर्षों में ही इनके अस्तित्व और विश्वास का पता चलने लगा। यों ही कुछ नौजवान समाजवाद की ओर आकृष्ट हो मजदूरों का क्रान्तिकारी संगठन करने लगे। इन्हीं को लेकर युक्त प्रान्त में दो मुकदमे ऐसे चले, जिसने युवकों का ध्यान तुच्छ साम्प्रदायिक भावना की सतह से उठाकर जाँनिसारों और बलिदान की ओर आकृष्ट किया। उनमें पहला था, काकोरी षड्यन्त्र केस और दूसरा मेरठ षड्यन्त्र केस। काकोरी केस के दो प्रधान अभियुक्त थे—रामप्रसाद बिस्मिल और अशफाकउल्ला। कहाँ हिन्दू-मुसलिम का झगड़ा ? ये सब फिज़ूल चीजें हैं। अब नवयुवकों का एक तराना था—

'सरफरोशी की तमन्ना अब हमारे दिल में है
देखना है जोर कितना बाजु-ए-क़ातिल में है।'

मेरठ के केस ने नवयुवकों का ध्यान समाजवाद की ओर आकृष्ट किया। उधर पं. मोतीलाल नेहरू के नेतृत्व में केन्द्रीय असेम्बली की स्वराज्य पार्टी ने भी सरकार के छक्के छुड़ाने शुरू किए—असेम्बली के प्रेसिडेंट श्री विट्ठलभाई पटेल की रूलिंग ने भी देश में कम जोश नहीं पैदा किया। बारदौली का सत्याग्रह इन सबसे ऊपर रहा। अहिंसा के आधार पर निर्भर रहनेवाली 'सीधी चोट' की लड़ाई कितनी कमाल कर सकती है, लोगों ने यह इस सत्याग्रह

में देखा। नवजागरण के साथ ही एक नई आशा की तरंग भी देश में हिलकोरे लेने लगी।

इसी मौके पर मैं फिर राजनीति में आया। 'बालक' से मेरा हटना एक नाटकीय घटना-सा रहा। 'युवक' निकालने के उद्देश्य से मैं पटना आया। क्रियात्मक राजनीति में न पड़कर लेखनी द्वारा ही इस नवजागरण के संचार में हाथ बँटाना चाहिए, यही सोचा गया था, लेकिन थोड़े दिनों में ही देखा गया, हमने जिस रास्ते पर पैर रखा है, वह आज या कल हमें घसीटकर क्रियात्मक राजनीति तक ले ही जाएगा।

'युवक' निकालने के बाद तीन सनसनीखेज घटनाएँ हुई–(1) साइमन कमीशन का आगमन (2) असेम्बली में बम-विस्फोट और (3) यतीन्द्रनाथ दास की शहादत। तीनों ने चूल्हे पर चढ़े हुए कड़ाह में जैसे उफान ला दिया। देश की राजनीतिक स्थिति फिर वहाँ पहुँच गई, जहाँ से फिर एक नए तूफान का अन्दाजा लगाया जा सकता था।

'युवक आश्रम' पटना कॉलेज के सामने था। कॉलेज के विद्यार्थियों और नौजवानों का वह अड्डा-सा बन रहा था। साइमन कमीशन के बहिष्कार का दारमदार विद्यार्थियों के रुख पर निर्भर था। हमसे विद्यार्थी पूछते तो हम बहिष्कार पर जोर देते। लेकिन राजनीति में सलाह सिर्फ वाचिक नहीं हो सकती। आप कहते हैं, तो आपको आगे भी बढ़ना होगा। पहला कदम राजनीति की ओर हमारा इसी प्रसंग में हुआ !

साइमन बहिष्कार ! उफ, भारतीय राजनीति में इसने कितनी जागृति पैदा की। पटना में साइमन आमगन के पहले एक प्रान्तीय राजनीतिक कॉन्फ्रेंस हुई थी, जिसके स्वागताध्यक्ष डा. सच्चिदानन्द सिन्हा थे। सिन्हा साहब नरम राजनीतिकों में थे, लेकिन साइमन बहिष्कार में नरम दलियों में भी जोश आ गया था। इस कॉन्फ्रेंस में मौलाना मुहम्मद अली साहब भी पधारे थे, जो संयोगवश उस दिन पटना आए हुए थे। मुहम्मद अली साहब कांग्रेस से फिरंट हो चुके थे–लेकिन, उस दिन उन्होंने जो भाषण दिया, उसने सिद्ध किया कि नीचे अब भी चिनगारी बाकी है। हाल में ही वे मुसलिम देशों से लौटे थे। इब्न सऊद का दिया हुआ ऊँट की खाल का कीमती चोगा उनके कन्धे से पैर तक लटक रहा था। बड़ी शान से वे मंच पर आए। सिन्हा साहब को अरबी ढंग से मंच पर ही चूमा। फिर बोलने लगे–एक-एक शब्द में अंग्रेजों से घृणा टपकी पड़ती थी। एकता पर जोर देते हुए कहा–"अगर हम सब मिलकर (एक साथ) थूक दें, तो उसी थूक के समुन्दर में ये सारे फिरंगी डूब जाएँ।"

साइमन बहिष्कार में ही लखनऊ में पं. जवाहरलाल नेहरू पर लाठी बरसी और लाहौर में लाला लाजपत राय के सीने पर ऐसी चोट दी गई कि अन्ततः वह स्वर्गवासी हुए। पटना के अधिकारियों ने बुद्धिमानी की। प्रदर्शन में कोई दुर्घटना न हो, इसके लिए कांग्रेस से उन्होंने समझौता कर लिया। हार्डिंग पार्क में हम लोगों के लिए उन्होंने जगह दी, जिसके सामने ही कमीशन की स्पेशल ट्रेन लगती थी और वे उसी से होकर मोटर से जानेवाले थे। भोर में ट्रेन आती थी–लेकिन उस रात पटना में कोई सोया नहीं। समूचे सूबे से लोग आए हुए थे। आधी रात से ही नौजवानों की टोलियाँ गली-गली में घूमने लगीं, यह गाते हुए–

> उठो, भारत के वीरों, सबेरा हुआ।
> उठो, साइमन भगाने का बेरा हुआ।

झुंड-के-झुंड लोग आधी रात से ही पार्क में एकत्र होने लगे और तब वहाँ तिल धरने की जगह नहीं बच रही थी। बहुत लोग अगल-बगल में खड़े थे, कितने पेड़ों पर चढ़े थे। काले झंडों की भरमार–सबकी जबान पर–'साइमन गो बैक'। जाड़े की रात थी–लोगों की आवाज फैल रही थी, लेकिन चिल्लाना कहाँ बन्द होनेवाला। जब ट्रेन आई, शब्दों का तूफान

आया–काले झंडे हिलाए जा रहे, 'गो बैक' के नारे सुनाए जा रहे। कमीशन के सदस्य कुछ चेहरे पर खीज लिये और कुछ बनावटी मुसकराहट–वहाँ से गुजरे ! साइमन आए और गए; जाते-जाते हिन्दुस्तान के नवजागरण का प्रथम दूत भी बन गए !

साइमन की हलचल खत्म भी नहीं हुई थी कि एक दिन अचानक लोगों ने अखबारों में पढ़ा–असेम्बली में बम फूटा। असेम्बली में बम ! किस तरह होम मेम्बर टेबुल के नीचे घुस गए, किस तरह असेम्बली हॉल में भगदड़ मच गई, किस तरह बम फेंकनेवाले नौजवानों ने 'इन्कलाब जिन्दाबाद' और 'साम्राज्यशाही नाश हो' के नारे लगाए, पर्चे गिराए और बहादुरी के साथ आत्मसमर्पण किया–आदि कहानियाँ घर-घर में फैल गईं। दोनों नौजवानों–भगतसिंह, बटुकेश्वर दत्त–के नाम तो बच्चे-बच्चे की जबान पर आ गए। थोड़े दिनों में ही उनके फोटो हिन्दुस्तान के गाँव-गाँव और गली-गली में आप पा सकते थे। उनके सुन्दर, रोबीले चेहरे, असेम्बली और कचहरी में उनका निर्भीक व्यवहार, उनके ओजस्वी और वीरतापूर्ण वक्तव्य, मजिस्ट्रेट से उनकी चुहलें–इन सबने उन दोनों को भारत के बच्चे-बच्चे का प्यारा बना दिया। अन्त में जब भगतसिंह को फाँसी हो गई, तब तो पूछिए मत। घोर देहात के लोगों ने भी उनके नाम पर आँसू गिराए और न जाने किस कंठ से निकलकर यह गीत उस समय जो बच्चों, जवानों, बूढ़ों की जुबानों पर चढ़ा, सो आज भी उतरा नहीं है–

'आजादी का दीवाना था, मस्ताना भगत सिंह,
बम केस में पकड़ा गया, मस्ताना भगत सिंह।

यह मजे में कहा जा सकता है कि गांधीजी और जवाहरलाल के नाम के बाद सबसे अधिक जनप्रिय नाम भगतसिंह का ही था और लोगों ने 1930 के सत्याग्रह में हँसते-हँसते जो बलिदान किए उनकी प्रेरणा उन्हें इस नौजवान से कम नहीं मिली थी, यद्यपि उसकी और उनकी लड़ाई के तरीके में जमीन-आसमान का फर्क था।

यहाँ बटुकेश्वर दत्त की चर्चा भी प्रसंगवश कर देना अनुचित न होगा। उन्हें कालेपानी की सजा हुई थी और कांग्रेस मन्त्रिमंडल के वक्त उन्हें छुड़ाने के लिए मैंने 'जनता' द्वारा बहुत आन्दोलन किया। उनके भाई बिहार के किसी बैंक में नौकर थे, अतः उन्हें बिहारी मानकर बिहार मन्त्रिमंडल पर उन्हें बिहार बुलाने पर जोर डाला। वह बिहार लाए गए। लेकिन इसे छोड़े हुए बटुकेश्वर दत्त और उस भगतसिंह के साथी बटुकेश्वर दत्त में कितना अन्तर। न वह चेहरा, न वह व्यक्तित्व, आह और न वह कर्तृत्व ही। किसी गौरवमय क्षणों में आदमी की मृत्यु होना कितना बड़ा वरदान है ! लेकिन ऐसी मृत्यु किसी भगतसिंह को ही नसीब होती है !

भगतसिंह की शहादत पर अपने 'युवक' में लेख लिखने के कारण पीछे, मुझे डेढ़ साल की सजा भी भुगतनी पड़ी थी।

असेम्बली बम कांड के बाद ही लाहौर षड्यन्त्र केस चला, जिसमें लाहौर के डिप्टी सुपरिन्टेंडेंट मि. सान्डर्स की हत्या करने के अभियोग में भगतसिंह भी शामिल थे। लाला लाजपत राय पर साइमन बायकाट के अवसर पर स्कॉट नामक एक पुलिस अफसर ने लाठी चलाई थी, जिसकी चोट से उनकी असामयिक मृत्यु हुई। इसके प्रतिशोध के लिए कुछ नौजवान तुल गए और एक दिन स्कॉट के धोखे में उन्होंने सान्डर्स को उसके ऑफिस के सामने ही दिन दहाड़े मार डाला। इसी केस में भगतसिंह को सुखदेव और राजगुरु नामक दो युवकों के साथ–फाँसी की सजा हुई थी। जब यह मुकदमा चल रहा था, राजबन्दियों के साथ साधारण अभियुक्त का व्यवहार न होकर खास शरीफाना ढंग का व्यवहार होना चाहिए, इस पर उस

केस के अभियुक्तों ने अनशन शुरू किया ! सारे देश में हलचल मच गई। भगतसिंह के नाम पर चार चाँद लग गए। लेकिन कुछ दिनों के बाद एक और व्यक्ति का नाम अचानक सबकी जुबान पर नाचने लगा। वह था यतीन्द्रनाथ दास। वह भी इस केस में अभियुक्त था। उसने भी अनशन किया था। अनशन के सिलसिले में ही तिरसठ दिनों के बाद उसकी जेल में मृत्यु हो गई ! मृत्यु हो गई—नहीं, वह अमर हो गया ! जिस ठाट से उसकी लाश लाहौर से कलकत्ता (जहाँ उसका घर था) लाई गई, वह किसी बादशाह को भी कहाँ नसीब होगी ! वह स्पेशल ट्रेन—हर स्टेशन पर फूलों की वर्षा, जय-जयकार, अपार भीड़, कलकत्ते में शाही जुलूस ! जो दो महीने पहले एक अज्ञात युवक था, वह अब सुविख्यात शहीद हो चुका था !

यतीन्द्र दास की शहादत ने सरकार का सिंहासन हिला दिया। उसी समय से कैदियों के लिए 'ए' 'बी' 'सी' डिवीजनों की सृष्टि हुई। हम उसी की शहादत के हलवे-माँड़े उड़ाते हैं। हाँ, सरकार ने हमारी कमजोरी से लाभ उठाकर उसकी शहादत का पूरा फल भी हमें नहीं चखने दिया। लेकिन यह प्रसंग तो अभी अलग रहे।

यतीन्द्रनाथ दास की मृत्यु पर शहर-शहर में जुलूस निकले, सभाएँ हुईं, भगतसिंह द्वारा असेम्बली में दिए गए 'इन्कलाब जिन्दाबाद' साम्राज्यशाही मुर्दाबाद' के नारे हिन्दुस्तान की गली-गली में गूँजने लगे और इन्हीं नारों ने मुझे प्रथम बार, फिर क्रियात्मक राजनीति के क्षेत्र में घसीट लिया।

जिस समय 'युवक' निकला, उस समय हिन्दुस्तान में युवक आन्दोलन का दौरदौरा था। उस आन्दोलन के नेता पं. जवाहरलाल नेहरू थे। बम्बई में श्री नारीमेन और मेहर अली का भी इस सम्बन्ध में बड़ा नाम था। किस तरह बम्बई के एक नौजवान बैरिस्टर ने कुछ नौजवानों को लेकर एक नए किस्म की जीती-जागती संस्था कायम कर ली है, जो बम्बई के सार्वजनिक जीवन में बड़ा हाथ बँटा रही है—यह कहकर मेहर अली की तारीफ होती। जवाहरलाल तो नौजवानों की आँखों के तारे थे। जब 'बालक' मैंने छोड़ दिया और 'युवक' का प्रारम्भ किया, मैं बिहार के नौजवानों से बिहार में भी युवकों की एक संस्था कायम करने के लिए जोर देने लगा। इसी उद्देश्य से मैं मोतीहारी में हुए 'बिहारी छात्र सम्मेलन' में शामिल होने गया। वहीं कुछ लोगों से बातें हुईं और एक अस्थायी 'बिहार युवक संघ' कायम किया गया, जिसके मन्त्री प्रोफेसर ज्ञान साहा बनाए गए। ज्ञान बाबू बिहार ज्ञानपीठ में रहते थे, जो 'सदाकत आश्रम' में ही कायम थी। प्रान्तीय राजनीति की जातिगत दलबन्दी के लिए सदाकत आश्रम बदनाम था, कहीं उसकी छाप इस संस्था पर भी न पड़ जाए, ऐसी लोगों की आशंका थी। फिर कुछ लोग यह भी कहते थे कि क्या बिहार में कोई योग्य युवक नहीं, जो हम एक बंगाली को अपनी संस्था का मन्त्री बनाएँ ! बिहार में बिहारी-बंगाली विवाद की यह भ्रष्ट सबूत थी। खैर, युवक संघ का जो उद्देश्य और विधान निश्चित किया गया वह बहुत ही अच्छा और उपयुक्त था। एक शर्त यह मानी गई थी कि युवक संघ के वे ही सदस्य हो सकते हैं, जो राजनीति में जाति और धर्म को तरज़ीह न दें।

किन्तु बिहार युवक संघ की अपेक्षा 'पटना युवक संघ' ज्यादा कार्यशील और तत्पर संस्था सिद्ध हुआ। उसके मन्त्री थे मणीन्द्र नाथ राय। मणि बाबू भी बंगाली थे, किन्तु उनका चरित्र इतना निष्कलंक था कि कोई बंगाली-बिहारी का सवाल ही नहीं उठा सकता था। व्यक्तिगत चुम्बकत्व के अतिरिक्त उनमें कार्य करने और लेने की अद्‌भुत क्षमता थी। थोड़े दिनों में ही पटना युवक संघ बिहार की राजधानी की सर्वप्रमुख संस्था बन गया। कांग्रेस, खादी आदि का काम भी उसी के द्वारा होता। प्रोफेसर जयचन्द्र विद्यालंकार और श्री अम्बिका

कान्त सिंह (जो क्रमशः बिहार विद्यापीठ के प्रोफेसर और 'सर्चलाइट' के मैनेजर थे) का पूर्ण सहयोग उसे प्राप्त था। हम लोगों के प्रिय साथी फूलन प्रसाद वर्मा भी पटना युवक संघ के उच्च नायकों में से थे। बिहार युवक संघ शुरू से ही शिथिल था। पैदा होने के पहले ही मुर्दा बन चुका था, अतः मैं पटना युवक संघ की ओर, खासकर भाई अम्बिकाकान्त के आग्रह से आकृष्ट हुआ और उसमें दिलचस्पी लेने लगा था।

जिस दिन यतीन्द्रनाथ दास की मृत्यु की खबर फैली, मैं राँची में 'युवक' के काम से गया हुआ था। उस दिन राँची में जुलूस निकला था और एक सार्वजनिक सभा हुई थी, जिसमें मैं भी शामिल था। जुलूस और सभा में 'इन्कलाब जिन्दाबाद' और 'साम्राज्यवाद मुर्दाबाद' की खूब नारे लगाए गए थे।

यतीन्द्रनाथ दास की मृत्य की इस खबर को पाकर, मैं उस सभा के बाद ही पटना के लिए रवाना हुआ। एक तो देखना था कि पटना में क्या हो रहा है, दूसरा, 'युवक' में यतीन्द्रनाथ दास सम्बन्धी लेख और चित्रों का प्रबन्ध करना था। जब पटना आया तो सुनकर मैं अवाक् रह गया कि यहाँ न तो सभा हुई, न जुलूस निकला। जुलूस नहीं निकला, क्योंकि पुलिस ने 'इन्कलाब जिन्दाबाद' और साम्राज्यवाद मुर्दाबाद' के नारों पर रोक लगा दी है। इस रोक पर 'पटना युवक संघ' में विचार हो रहा था और इसी से सभा भी रुकी हुई थी।

उन दिनों पटना युवक संघ के सभापति बाबू कृष्णावल्लभ सहाय थे। संघ ने बहुमत से मत तय किया कि नारों पर प्रतिबन्ध लगाने के विरोध में जुलूस निकालना रद्द कर दिया जाए और धूमधाम से सभा ही की जाए। शाम को सभा हुई।

बहुत बड़ी सभा। मैं भी सभा में पहुँचा। मैं 'युवक' के काम में फँसा था। सभा के पहले मुझे संघ के निर्णय की खबर लग चुकी थी। मुझे बड़ा गुस्सा आया। 'नारों पर प्रतिबन्ध लगाने के विरोध में जुलूस नहीं निकाला जाए'—यह क्या निर्णय ? क्या हम शहीद यतीन्द्र की स्मृति इसी तरह मना सकते हैं कि सरकार के प्रतिबन्ध से डरकर जुलूस निकालना ही छोड़ दें ? जो नारे गवर्नर की कोठी के सामने राँची में लगाए जा सकते हैं, उन्हें पटना की सड़कों पर क्यों रोका जाए ? यह तो सरासर पुलिस की ज्यादती और धाँधली है। हम इस ज्यादती के सामने सिर झुकाकर एक ओर उस शहीद-शिरोमणि का अपमान करते हैं, तो दूसरी ओर, पुलिस को ऐसे कुकर्मों के लिए प्रोत्साहित करते हैं। नहीं, यह निर्णय ठीक नहीं। मैंने ऐसा सोचा और सभा में जब बोलने की आज्ञा मिली तो मैंने अपने विचार रखे। मेरा भाषण समाप्त होने के पहले ही सभा मेरे पक्ष में थी—जोश उबला पड़ता था, 'हम जुलूस निकालेंगे' की आवाज़ें चारों ओर से आ रही थीं। सभापति कृष्णवल्लभ बाबू ने कहा कि चूँकि संघ का निर्णय जुलूस नहीं निकालने का है, अतः वैधानिक रीति से उसके निर्णय के खिलाफ, उसकी बुलाई गई सभा में कोई प्रस्ताव पेश नहीं किया जा सकता। हाँ, और आप दूसरा प्रस्ताव पास करना चाहते हैं, तो मैं इस सभा को भंग करता हूँ, मैं सभापति पद से हट जाता हूँ। आप लोग नया सभापति चुनकर कोई निर्णय कर लें। कृष्णवल्लभजी हट गए। श्री अम्बिकाकान्त सभा के सभापति चुने गए। मैंने जुलूस निकालने का प्रस्ताव रखा, वह सर्वसम्मति से पास हुआ।

प्रस्ताव पास हो गया, तय हुआ कल जुलूस जरूर निकाला जाए। दूसरे दिन भोर में हम लोगों ने सोचा कि सम्भवतः गिरफ्तारियाँ हो सकती हैं और लाठीचार्ज की सम्भावना तो है ही। प्रान्त की राजधानी में कोई बात हो और हम राजेन्द्र बाबू को खबर तक नहीं करें, यह ठीक नहीं। अतः हम लोग सदाकत आश्रम में पहुँचे। वहाँ हम राजेन्द्र बाबू के सामने सारी बातें रख ही रहे थे कि ब्रजकिशोर बाबू वहाँ पधारे। उन्होंने आते ही हमें डाँटा और

कहा कि चूँकि ये नारे बम विस्फोट के साथ लगाए गए थे, अतः ये हिंसा से सम्बद्ध हैं और राजेन्द्र बाबू ऐसे अहिंसक के लिए इन नारों से सम्बन्ध रखने का प्रश्न भी नहीं उठ सकता। हमने उनके सामने रखा कि आखिर 'वन्देमातरम्' का गान और नारा भी तो हिंसात्मक आन्दोलन को आधार बनानेवाली पुस्तक 'आनन्दमठ' से लिया गया है ! जब 'वन्देमातरम्' में हम हिंसा नहीं मानते, तो फिर 'इन्कलाब जिन्दाबाद' में हिंसा का सवाल क्यों उठाया जाए ? लेकिन ब्रजकिशोर बाबू ने हमसे बहस करना भी फिजूल समझा और उनका रुख देख हमें राजेन्द्र बाबू के पास से हट जाना पड़ा। हम लौटे, मगर हाँ, यह कहते हुए कि आप जरा शाम को जरूर पधारिए—सिर्फ यह देखने के लिए कि हम किस अहिंसात्मक तरीके से शान्तिपूर्वक लाठियाँ खा सकते हैं और गिरफ्तार हो सकते हैं।

यहाँ बिहार की राजनीति में ब्रजकिशोर बाबू के स्थान के समुचित उल्लेख की जगह नहीं। मैं देख रहा हूँ, उन्हें लोग भूले जा रहे हैं। किन्तु 1915 से 1935 के बीच—बीस वर्षों तक बिहार की राजनीति उनकी राजनीति रही है। प्रथम श्रेणी के संगठनकर्ता, आत्मत्याग के ज्वलन्त उदाहरण। अपने को पीछे रखकर राजेन्द्र बाबू को उन्होंने आगे बढ़ाया। उन्होंने ही गांधीजी को चम्पारण बुलाया, 1921 के आन्दोलन में उनका बहुत बड़ा हिस्सा था और 1930 के सत्याग्रह आन्दोलन का बिहार में उन्होंने ही संचालन और संगठन किया। अपनी योग्यता पर उन्हें बड़ा विश्वास था, इसी के चलते उनमें हम जब-तब एकाधिपत्य की प्रवृत्ति भी पाते थे। जब उन्होंने 'ना' कह दिया, बिहार कांग्रेस में 'हाँ' कहने की कोई हिम्मत नहीं कर सकता था।

खैर, वहाँ से लौटकर मैंने अपने नाम से जुलूस निकालने की आज्ञा के लिए एक दरखास्त सुपरिन्टेंडेंट के नाम तैयार की और उसमें लिख दिया कि ये दोनों नारे 'इन्कलाब जिन्दाबाद' और 'साम्राज्यवाद का नाश हो'—भी लगाएँ जाएँगे। जिस समय मैं यह दरखास्त लेकर, लॉन के सामने के पुलिस लाइन में गया, वहाँ बड़ी सरगर्मी दिखाई पड़ी। सिपाहियों को वरदी पहनाई जा रही थी। बन्दूकें भी सँभाली जा रही थी। मेरी दरखास्त देखकर सुपरिन्टेंडेंट ने कहा कि दरखास्त बयालीस घंटे पहले आनी चाहिए। लोगों की भीड़ लॉन में इकट्ठी हो रही थी। जुलूस आज नहीं निकालने से लोग हतोत्साह हो, मुझे भला-बुरा कहें, इसकी सम्भावना भी थी तो भी मैंने दो दिन तारीख और बढ़ा दी क्योंकि मैं नहीं चाहता था लोग जल्दीबाजी का दोष मुझ पर लगाएँ। शाम को फिर गुलाब बाग में सभा हुई। मैं सभा में बोल रहा था कि किसी ने आकर कहा, राजेन्द्र बाबू सभा के बाहर खड़े हैं, आपको बुला रहे हैं। व्याख्यान को अधूरा ही छोड़ मैं सभा के बाहर आया। आज भी राजेन्द्र बाबू का वह चेहरा याद आ रहा है। चिन्ता और गम्भीरता की रेखाएँ उस पर स्पष्ट खिंची थीं। उन्होंने कहा, मैं वहाँ रहूँ और तुम लोग अकेले जुलूस निकालों, मार खाओ, गिरफ्तार हो, यह मुझसे बरदाश्त नहीं हो सकता। मैं भी जुलूस में शामिल रहूँगा। लेकिन मेरी एक लाचारी है। 'इन्कलाब जिन्दाबाद' के बारे में मुझे ऐसा लगता है कि उसमें हिंसा की बू है, इसलिए मैं हिचक रहा हूँ। हाँ, 'साम्राज्यवाद नाश हो' के नारे में मुझे कोई उज्र नहीं। अगर सिर्फ 'साम्राज्यवाद नाश हो' के नारे लगाओ, तो कैसा हो ? मेरे लिए सबसे बड़ी बात थी राजेन्द्र बाबू की यह सहानुभूति और प्रीति—मैंने हाँ कर दिया। सभा में आकर मैंने यह खबर सुनाई—कुछ साथियों को एक नारा छोड़ देना बुरा लगा, लेकिन ज्यादा लोगों ने बड़े उत्साह से इसका समर्थन किया। राजेन्द्र बाबू ने एक शर्त और रखी थी—कम-से-कम पाँच सौ ऐसे नौजवान तैयार रखो, जो बिना उत्तेजित हुए सब तरह की मार-पीट बरदाश्त करें। हम बाकी दो दिनों में पटना में घूम-घूमकर सत्याग्रह के प्रतिज्ञा पत्र पर दस्तखत कराते

रहे—इससे उत्साह और भी बढ़ गया, गली-गली में सन्देश पहुँच गया।

परसों होकर शाम को जुलूस की तैयारियों में लगा था कि सोचा, पुलिस से लाइसेंस ले आऊँ। देखूँ, वह क्या हुक्म देती है। जब मैं सुपरिन्टेंडेंट के पास पहुँचा, उसने कहा, लाइसेंस तो चला गया। मैंने कहा, दरखास्त मैंने दी थी, लाइसेंस मुझको मिलना चाहिए था, अभी तक नहीं मिला। उसने बतलाया, एक दूसरी दरखास्त पड़ी थी। मुझे बड़ा गुस्सा आया, कहा, मेरी दरखास्त पर आपने क्या किया, वह मुझे बताएँ ? वह मुसकराया, बोला—जाकर अपने नेताओं से पूछिए ! मुझे धक्का-सा लगा। दौड़ा-दौड़ा खादी डिपो में आया, जहाँ राजेन्द्र बाबू आदि नेता एकत्र थे—ब्रजकिशोर बाबू भी थे। मैंने राजेन्द्र बाबू से पूछा, तो पता चला, लाइसेंस मिल गया है। यह लाइसेंस कैसे मिला, किसने दरखास्त दी, उसमें क्या शर्तें हैं ? यह पूछने पर ब्रजकिशोर बाबू आगबबूला हो गए। उनका यह रुख देख मुझे तो इतना गुस्सा आया कि मेरी आँखों से पानी झर-झर झरने लगा। राजेन्द्र बाबू ने मुझे आश्वासन देना शुरू किया। जुलूस का वक्त हो चुका था। चलने का हल्ला हुआ। सब लोग चले। राजेन्द्र बाबू ने मुझसे चलने को कहा, कुछ डग चलकर मैं फिर लौट आया। शाम को जुलूस निकला, खूब शान से। 'सर्चलाइट' में लम्बी-चौड़ी रिपोर्ट छपी। राजेन्द्र बाबू के नाम के साथ पटना के सभी वकीलों के नाम थे—जनमत की विजय की डींग थी। लेकिन जिस कमबख्त के चलते यह सब कुछ हुआ, उसकी खोज कौन लेता ? और इन वकीलों ने इसके बीच में जो 'वकालत' की उसकी और कौन ध्यान देता ?

मैं आज तक राजनीति से दूर-दूर ही था। व्यक्तिगत रूप से जो, जब बन पड़ा, कर दिया। कांग्रेस का चवनिया मेम्बर बन जाता था, लेकिन उसकी कमिटी से मेरा कोई वास्ता नहीं था। इन कमिटियों में जो नेतृत्व के लिए खींच-तान होती थी, उसका ध्यान भी मुझे नहीं था। फिर एक बड़े नेता के पीछे अनेक छोटे नेताओं का—महारुद्र के चारों ओर द्वादश रुद्रों का जो जमघट लग जाता है और ये रुद्र उस महारुद्र के नाम पर जो तांडव नृत्य किया करते हैं, उसकी मुझे जानकारी नहीं थी। जब कोई इस बारे में मुझसे कुछ कहता, मैं उपेक्षा करता या डाँट देता। हमारे नेताओं के आसपास इस तरह षड्यन्त्र चलते होंगे, बढ़नेवालों को रोका जाता होगा, अपने लोगों को घसीट-घसीटकर ऊपर बढ़ाने की कोशिशें होती होंगी, तरह-तरह की व्यक्तिगत ईर्ष्याओं और द्वेष-जलन का वहाँ दौरदौरा होगा—इसकी कल्पना भी मैं नहीं कर सकता था। अपने प्रान्त से ही मुझे ज्यादा सम्बन्ध रहा। मुझे अपने बिहार पर नाज़ था। बिहार के नेता राजेन्द्र बाबू पर नाज़ था। आज जब उन्हीं राजेन्द्र बाबू के आसपास मैंने पहली बार यह दृश्य देखा तो मेरी आँखें आँसू गिराने से नहीं रुक सकी ! रह गई अखबारों की एकांगी रिपोर्ट—लेकिन उसका मज़ा तो मुझे आगे-आगे और चखना पड़ेगा।

थोड़े दिनों के बाद मणीन्द्र बाबू गिरफ्तार हो गए—वह शहर कांग्रेस कमिटी के मन्त्री भी थे। उनकी जगह भाई अम्बिका को मन्त्री बनाया गया। अब मैं अम्बिका के बहुत ही नजदीक आ गया था। यहाँ तक कि अब उसी के साथ रहता भी था। अम्बिका जैसा साथी मिलना मुश्किल है। आज अम्बिका नहीं है, वह शहादत पा चुका है (हाँ, मैं उसकी मृत्यु को शहादत ही मानता हूँ। देश के नाम पर अपने को भिखमंगा बनाकर, घातक बीमारी के बावजूद देश की सेवा में ही अपने को लगाए रखकर, देश के लिए ही अपने पल-क्षण देकर और इन्हीं कारणों से अन्त में अपाहिज की तरह घुल-घुलकर पटना के जनरल अस्पताल के बिछावन पर मरकर भी वह शहीद है—अमर शहीद है)। लेकिन एक जमाना था, जब वह बिहार में कई नए विचारों का अग्रदूत मालूम पड़ता था। उसी के चलते मेरे मन से छूत-छात, जात-पात, धर्म-सम्प्रदाय आदि की भावनाएँ दूर हुईं। उसी ने मेरी लम्बी चुटिया काटी उसने

मेरे जनेऊ का अन्तिम संस्कार किया ! मैं अम्बिका का चिरअनुगृहीत हूँ, उसे भूल नहीं सकता ! खैर, जब वह शहर कांग्रेस कमिटी का मन्त्री बना, मैं भी उसके कामों में दिलचस्पी लेने लगा। जुलूसवाली घटना ने जो ठेस पहुँचाई थी, अम्बिका के व्यवहार ने उसे धीरे-धीरे दूर कर दिया।

थोड़े दिनों के बाद (1929 के आखिरी हिस्से में) मुंगेर में प्रान्तीय राजनीतिक कॉन्फ्रेंस हो रही थी। साथ ही प्रान्तीय युवक सम्मेलन भी वहीं हो रहा था। इन दोनों सम्मेलनों के चलते और युवक के प्रचार के खयाल से भी, मैं वहाँ अम्बिका के साथ गया। राजनीतिक कॉन्फ्रेंस में सरदार पटेल भी आए थे, जो बारदोली विजय के बाद देश के कोने-कोने में प्रसिद्ध हो चुके थे। राजनीतिक कॉन्फ्रेंसों में उन दिनों ज्यादा बाजाब्तगी नहीं निभाई जाती थी। जो कांग्रेसी वहाँ पहुँच जाते, किसी-न-किसी तरह प्रतिनिधि हो जाते। मैं भी प्रतिनिधि हो गया। उस समय देश में पूर्ण स्वतन्त्रता बनाम औपनिवेशिक स्वराज्य का वाद-विवाद जोरों से चल रहा था। 'युवक' द्वारा मैं पूर्ण स्वतन्त्रता के लिए जबरदस्त प्रचार कर रहा था। अतः मेरे लिए यह स्वाभाविक था कि मैं इस कॉन्फ्रेंस में पूर्ण स्वतन्त्रता के ध्येय के लिए प्रस्ताव करूँ। मैंने प्रस्ताव पेश किया—मुझे यह देखकर आनन्द का ठिकाना नहीं रहा, प्रान्त के सभी युवकों ने एक स्वर से इस प्रस्ताव का समर्थन-अनुमोदन किया। इस प्रस्ताव के पक्ष में यह वातावरण देखकर नेता लोग घबराए। राजेन्द्र बाबू सभापति थे। उनकी तबियत खराब थी। वे न बोले। लेकिन सरदार पटेल से लेकर स्वामी सहजानन्द तक सभी छोटे-बड़े नेता इसके विरोध में बोले। पं. प्रजापति मिश्र प्रान्तीय युवक सम्मेलन के सेनापति बनाए गए थे। युवकों के सभापति ने भी अपने युवकों को मझधार में छोड़ दिया। लेकिन युवकों को अपनी भुजाओं पर विश्वास था। जब वोट लिये गए, युवकों की नाव किनारे पर थी। पूर्ण स्वतन्त्रता का प्रस्ताव पास हो गया—युवकों ने आनन्द ध्वनियाँ कीं। उसी आनन्द के सुरूर में हम मुंगेर से लौटे।

मुंगेर से लौटकर जब मैं पटना पहुँचा, देखा, 'देशभक्त' अखबारों में मेरी ओर लक्ष्य करके अजीब-अजीब बातें छप रही हैं—ये नौजवान, जो ईश्वर तक पर विश्वास नहीं रखते, जिनमें तहज़ीब नहीं, तमीज़ नहीं—ये नेता बनने की धुन में पागल, जिनके रहन-सहन और शिक्षा-दीक्षा का ठौर-ठिकाना नहीं, ये बदबख्त लोग त्यागी-तपस्वी, महान, विद्वान नेताओं के सिर पर नाचना चाहते हैं। लोगो, इनसे होशियार—इनके लिए कोई जगह नहीं। यह जेहाद देखकर मैं तो भौंचक रह गया, अरे लोगो ! यह क्या बोल रहे हो ? हाँ, मैं एक गरीब किसान का बेटा हूँ। हाँ, मैंने गांधीजी की आज्ञा पर पढ़ना-लिखना छोड़ दिया और फिर न तो स्कूल-कॉलेज का दरवाजा खटखटाया, न बड़े लोगों की फर्श पर नाक रगड़ी। हाँ, मुझे ईश्वर नामक उस जाली चीज पर विश्वास नहीं, जिसके नाम के परदे में दुनिया भर के अनर्थ किए जाते हैं। हाँ, तहज़ीब और तमीज़ के नाम पर मैं अपने हृदय की भावना छिपा नहीं पाता—आप एक किसान के बेटे से इसकी आशा भी नहीं कर सकते। हाँ, ये सब आरोप मुझ पर आप लगा सकते हैं, मुझे कोई उज्र नहीं। लेकिन नेताओं के सिर पर नाचने का आरोप मुझ पर मत लगाइए, भगवन ! एक निर्धन, निरक्षर नौजवान के हृदय में नेताओं की बगल में बैठने की भी हिम्मत कहाँ तक हो सकती है ? सिर पर नाचने की क्या बात ?

एक तरफ, ये कड़वे तजुर्बे, दूसरी ओर, देश की बदली हुई परिस्थिति। लाहौर कांग्रेस में मैं नहीं गया—कुछ झिझककर, कुछ नाराज़ होकर। कौन जाए, इन नेताओं के दर्शन करने ! लेकिन लाहौर ने समूचे देश में एक नई गरमी भर दी। औपनिवेशिक स्वराज्य हमेशा के लिए दफना दिया गया। यद्यपि गयासुर की तरह एक युग के बाद भी, उसकी लाश रह-रहकर हिल उठती है और मालूम होता है, जैसे वह जिन्दा हुई, हुई ! लाहौर कांग्रेस ने पूर्ण स्वराज

का ध्येय कबूल किया। 31 दिसम्बर की आधी रात के बाद रावी के तट पर स्वतन्त्रता का झंडा उड़ाकर जवाहरलाल ने देश के नौजवानों के साथ भावावेश में जो पागल नृत्य किया, वह देश के कोने-कोने में, हर जवान की रक्त शिरा में ध्वनि-प्रतिध्वनित होने लगा। जिस 'इन्कलाब जिन्दाबाद' के नारे में श्रद्धेय राजेन्द्र बाबू को उस दिन हिंसा की बू मालूम पड़ती थी, उसी 'इन्कलाब जिन्दाबाद' के नारे के साथ उन्होंने अपना राष्ट्रपतित्व का भाषण समाप्त किया था। लाहौर की हरारत कम भी नहीं हुई थी कि 'स्वाधीनता दिवस' की सरगर्मी सिर पर आ गई। 26 जनवरी, 1930—एक सप्ताह पहले से ही गली-गली फेरी लगाकर झंडे बेचे जा रहे थे, मोहल्ले-मोहल्ले में सभाएँ करके इस दिवस को शान से मनाने का आयोजन किया जा रहा था। मैं खुले हृदय से अम्बिका का साथ दे रहा था। वह 'सर्चलाइट' का मैनेजर था, मैं 'युवक' का सम्पादक। दिन भर तो हम ऑफिस में रहते। शाम-सुबह हमारी कांग्रेस काम में जाती। पटना युवक संघ के नौजवानों का क्रियाशील, उत्साही और जोशीला जत्था हम लोगों के साथ होता। स्वाधीनता दिवस हमने खूब शान से मनाई।

और जब आजादी की घोषणा आप करते हैं, तो उसका आवश्यक अंग यह हो जाता है कि आप घोषणा को मूर्त रूप देने के लिए संघर्ष करें। हाँ, संघर्ष। क्योंकि बिना संघर्ष के आज़ादी मिल नहीं सकती। भीख से क्या आज़ादी मिली है ? भीख से मिली आज़ादी क्या आज़ादी है ?

दस वर्ष के बाद फिर हम गांधीजी में वह चीज देखने लगे, जिसे 1920-'21 में देखा था। फिर उनकी वाणी में बिजली थी, फिर उनके अक्षरों में जादू था। लेकिन इस बार का आयोजन बहुत छोटा दीखता था। नमक कानून का तोड़ना। नमक कानून तोड़ने से क्या होगा ? मुझे याद है, पटना में नमक कानून तोड़ने के सिलसिले में की गई एक सभा में आचार्य कृपलानी को हम लोग ले गए थे। सभा से लौटते समय, मोटर में हमने उनसे पूछा कि इस महान मन्त्र का यह छोटा सा तुच्छ प्रारम्भ क्यों ? जब संघर्ष ही करना है तो बड़े पैमाने पर होता। उन्होंने भी हमारी बातों पर हामी भरी, लेकिन यह कहा कि वह बड़ा जादूगर है, जो कहता है, करते चलो, देखो, चीजें कहाँ तक जाती हैं। इसी से कोई बड़ी चीज जरूर निकलेगी। और सचमुच यही हुआ।

नमक कानून तोड़ने के लिए, अपने साबरमती आश्रम के अठहतर सत्याग्रहियों को लेकर गांधीजी अहमदाबाद से समुद्र तट के डांडी नामक स्थान को चले। डांडी की ओर बढ़ाया गया उनका एक-एक कदम समूचे देश को स्पंदित-अनुप्राणित करने लगा। दिन-दिन देश का पारा गरम होता गया। बिहार में भी नमक कानून तोड़े जाने की खबरें आने लगीं। ये सब खबरें राजधानी के नौजवानों के दिलों में जोश भरने लगीं। वे भी कुछ करने को छटपटाने लगे। अम्बिका ने भी तय कर लिया कि वह इस यज्ञाग्नि में अपना ईंधन डालेगा ही। 'युवक' के संचालन की दृष्टि से उसने मुझे इसमें शामिल होने से मना किया। मैं भी जिम्मेवारी के बोझ से दबा जा रहा था, लेकिन दिल मानता न था। जिस स्वाधीनता के लक्ष्य के लिए कल तक जमीन-आसमान के कुलाबे मिलता था, जब उसी स्वाधीनता की लड़ाई शुरू हो, तब अलग रहूँ, यह कैसे हो सकता है ? लेकिन अम्बिका की तैयारी, मेरी बेचैनी और पटना के नौजवानों का जोश किसी काम का नहीं था, जब तक पटना शहर कांग्रेस कमिटी में जिन वकीलों की भरमार थी, वे सत्याग्रह की आज्ञा नहीं दे देते। वे खुद तो जेल जाना ही नहीं चाहते थे, पटना में कुछ हो, यह भी नहीं चाहते थे। अम्बिका ने पटना शहर कांग्रेस कमिटी की बैठक बुलाई—बहुमत ने फैसला दे दिया कि शहर में कुछ होना असम्भव है, इसलिए यहाँ कुछ न हो। हाँ, जो सत्याग्रह में शामिल होना चाहें, वे मुफस्सिल के जत्थों में शामिल

हो जाएँ। जब इस निर्णय की खबर मिली, मैंने कम-से-कम एक दर्जन नौजवानों को अपने सामने रोता हुआ पाया। वे दो सप्ताह से पढ़ना-लिखना छोड़कर, पागल की तरह शहर के कोने-कोने में काम कर रहे थे। उन्होंने लोगों में गरमी पाई थी। उस गरमी ने उनके दिल की गरमी को और बढ़ा दिया था। आज उस सात्त्विक, त्यागमयी, तपस्यामयी गरमी पर अचानक सौ घड़े ठंडा पानी डाल दिया गया। उनका काँच-सा दिल क्यों न टूक-टूक हो जाए, उनकी आँखों से क्यों न भाप की बूँदें बाहर हों !

अम्बिका है, मैं हूँ—कई दर्जन नौजवान हमें घेरे हुए हैं। उनके मुँह से आवाज़ नहीं निकल रही—लेकिन उनके चेहरे चीख-चीखकर पूछ रहे हैं, अब हम क्या करें ? आप हमें क्या कह रहे हैं ? उसी समय मेरे दिमाग में एक बात घुस गई। क्यों न हम राजेन्द्र बाबू के सामने यह परिस्थिति रखें ? राजेन्द्र बाबू प्रान्त के डिक्टेटर थे। सत्याग्रह का आखिरी निर्णय उन्हीं पर था। अखबार में देखा था, उस दिन वह मुजफ्फरपुर आनेवाले थे। क्यों न मुजफ्फरपुर जाकर उनसे मिला जाए ? अम्बिका ने, नौजवान साथियों ने 'हाँ' की। मैं उसी समय मुजफ्फरपुर के लिए रवाना हो गया। संयोग देखिए, मुजफ्फरपुर स्टेशन पर ही राजेन्द्र बाबू से भेंट हो गई। देखते ही उत्सुकता से उन्होंने पटना का हाल पूछा। मैंने सारी बातें बताईं। उनका चेहरा गम्भीर बन गया। सामने के डब्बे में घुए गए और एक पुर्जे पर कुछ लिखने लगे। उन्होंने उसमें लिखा, 'जहाँ कहीं भी शान्तिपूर्ण सत्याग्रह का वातावरण हो, वहाँ बिना मुझसे पूछे भी, सत्याग्रह शुरू कर दिया जाए—जोर सिर्फ शान्ति पर रहे।' उन्होंने मुझसे कहा कि लो, इसे 'सर्चलाइट' में भी छपने को देना। जाओ, सत्याग्रह करो। मेरे आनन्द की सीमा नहीं थी। मैंने उनसे पटना के लिए एक खास सन्देश देने को कहा—बिहार के प्राचीन गौरव की याद दिलाते, अशोक-चन्द्रगुप्त के नाम पर उन्होंने राजधानी के लोगों से सत्याग्रह को शानदार बनाने की अपील की। यों तो राजेन्द्र बाबू को मैंने कई गम्भीर परिस्थितियों में देखा है—लेकिन उस दिन के राजेन्द्र बाबू कुछ और ही थे। शाम हो रही थी। चैत महीने की शाम की सुनहली धूप उनके साँवले चेहरे पर पड़ रही थी। उस प्रकाश में उनका चेहरा दिप रहा था। उनके भीतर की वीरता, दृढ़ता, बलिदान करने और कराने की निश्चयशीलता, एक-एक उनके उस चेहरे पर स्पष्ट पढ़ी जा सकती थी। राजेन्द्र बाबू की गम्भीरता, संकोचशीलता, विनय आदि देखने के ही जो आदी हैं, वे उस दिन उनके चेहरे को देख पाते !

सामने ही पटना लौटनेवाली गाड़ी खड़ी थी। मैं स्टेशन से बाहर भी नहीं गया। वहीं से उसी ट्रेन से लौट आया। रेल की पटरी पर गाड़ी के वेग से जो खट-खट हो रही थी, और मेरे खादी के कुरते के भीतर जो छाती धड़क रही थी—दोनों में किसकी चाल तेज थी, कौन बताए ! कैसा हर्षोत्साह छाया था ! जब महेन्द्रू घाट उतरा, देखा, उस आधी रात को भी कुछ नौजवान खड़े मेरी प्रतीक्षा कर रहे हैं !

बात तय हो गई, दिन तय हो गया—अम्बिका पटना सिटी में कानून को तोड़कर नमक बनाएँगे। 'युवक' के काम से मुझे अभी सन्तोष करने को कहा गया। हृदय अधीर हो रहा था, तबियत मचल रही थी। लेकिन क्या करता, मित्रों का आग्रह, जिम्मेवारी का बोझ। उन दिनों पटना में जुलूस निकालने की मनाही कर दी गई थी। यह भी तय हुआ था कि सत्याग्रही बांकीपुर से चलेंगे और पैदल ही सिटी तक जाकर वहाँ नमक बनाएँगे। यदि पुलिस छेड़खानी करे, तो करे। सत्याग्रही उसके हुक्म पर, मरजी पर तो निर्भर करेंगे नहीं। हम तो कानून ही तोड़ने चले हैं। जिसकी परिणति कानून तोड़ने में है, उसका प्रारम्भ कानून मानकर कैसे हो सकता है ?

अप्रैल का महीना था। चैत की प्रातःकालीन सूर्य रश्मियों में रंगीनियाँ थीं। हवा में

मतवालापन। मैं और अम्बिका साथ-साथ मीठापुर में रहते थे। सवेरे उठकर अम्बिका तैयार हुआ। हम उसे लिये-लिये बांकीपुर चले। जिला कांग्रेस कमिटी के भवन में उसकी बिदाई करनी थी। वहाँ लोगों की भीड़ पहले से एकत्र थी। उसमें महिलाओं की संख्या भी काफी थी। अम्बिका देशबन्धु सी.आर. दास के साढ़ू, सी.सी. दास के परिवार से बहुत घुल-मिला रहता था। वह उनके परिवार का ही व्यक्ति मालूम पड़ता था। दास साहब उसे बहुत मानते—बेटे की तरह। उनकी पत्नी श्रीमती श्रीमाधुरी देवी अपनी बेटियों के साथ राजनीति में दिलचस्पी रखतीं। उनके चलते अम्बिका की पैठ बंगाली परिवारों में बहुत थी। श्रीमाधुरी देवी अपनी बेटियों और बंगाली परिवार की बहुत सी लड़कियों के साथ वहाँ पहुँची थीं। अम्बिका के सिर में विजय कुमकुम उन्होंने ही लगाया—बंगाली महिलाओं ने 'उलू ध्वनि' की। हमने जय-जयकार किया। अम्बिका लगभग दो दर्जन सत्याग्रहियों का जत्था लेकर चले। हम उनके साथ हो लिये। हाँ, हमने यह बड़े दुख के साथ महसूस किया कि पटना के वकील देशभक्तों की बिदाई सभा में बहुत ही कमी थी।

आगे-आगे अम्बिका का सत्याग्रही जत्था था। अगल-बगल और पीछे एक छोटी सी भीड़। भोर की उस सुनसान सड़क पर हम जा रहे थे। बाकरगंज पीछे छूटा, मुरादपुर भी हम पार कर गए। ज्यों ही पटना कॉलेज के सामने आए कि देखा, सामने कुछ लॉरियाँ खड़ी हैं और उनके आगे पुलिस के सिपाही लाठियों का घेरा बनाए खड़े हैं। घेरे के आगे कुछ पुलिस के अफसर हैं। पुलिस को देखते ही जोरों से जय ध्वनियाँ होने लगीं। रुककर सत्याग्रहियों को भीड़ से अलग कर दिया, भीड़ को समझा दिया कि आप लोग भी कुछ भी उत्तेजना न दिखलाएँ, न सत्याग्रहियों में मिलें, पहले देख लें कि सत्याग्रहियों पर क्या होता है ? हमने यही सोचा था, ज्यादा-से-ज्यादा यही होगा कि सत्याग्रहियों को यहीं गिरफ्तार करेंगे, लेकिन नहीं, ज्यों ही आगे-आगे अम्बिका बढ़ा और पुलिस की लाठियों के बाड़े के नीचे से निकल जाने की कोशिश की, त्यों ही हमने देखा, एक गोरे सरजेंट ने उसकी बाँह पकड़ ली और उसकी पीठ पर अपने 'बैटन' से कई डंडे लगा दिए। फिर क्या था ? अब तो बाजाब्ता पुलिस ने लाठियाँ चलाना शुरू कर दिया। इन लाठियों की बौछार में ही उन्होंने कब अम्बिका को गिरफ्तार किया और जेल भेज दिया, यह हम मालूम भी नहीं कर सके।

गरमी के कारण पटना कॉलेज की पढ़ाई भोर में ही होती थी। विद्यार्थी अपनी किताबें लिये कॉलेज जा रहे थे। पास-पड़ोस के लोग भी तो हल्ला सुनकर सड़क पर चले आए थे। उन सब पर पुलिस दनादन लाठियाँ चला रही थी और जो आगे बढ़ना चाहते थे, उन्हें लाठियों से पीछे धकेल रही थी। एक अजीब गुत्थमगुत्था मचा हुआ था। किसी के सिर से खून का फव्वारा छूट रहा था, तो किसी के दाँत टूटकर गिर रहे थे। कन्धों पर, पीठों पर लाठियों की धमाधम सुनाई पड़ती थी। लेकिन इन लाठियों के बावजूद पुलिस न तो लोगों को तितर-बितर कर पा रही थी, न पीछे धकेलने में समर्थ हो रही थी। भीड़ आगे बढ़ते-बढ़ते साइंस कॉलेज के सामने पहुँच चुकी थी। वहाँ कुछ इमारतें बन रही थीं, जिसके लिए कुछ ईंटें पड़ी हुई थीं। मैंने देखा, उत्तेजित लोगों में से कुछ लोग ईंट की ओर दौड़े जा रहे हैं। यदि किसी ने ईंट चला दी, तो अनर्थ हो जाएगा। एक तो, पुलिस को गोली चलाने का मौका मिलेगा, दूसरा, हमारे 'नेता' जो इस समय घरों में बैठे हैं, हम पर 'हिंसा' का दोष मढ़ देंगे। मैं अब तक भीड़ से अलग था, उन लोगों की ओर दौड़ा और उनमें से कई के हाथ से ईंट छीनी और डाँटा। मेरी डाँट काम कर गई। वहाँ कुछ विश्वस्त लोगों को खड़ाकर मैं सी. आई.डी. के इंसपेक्टर मि. खैर के नजदीक गया। खैर मियाँ सी.आई.डी. के अफसर थे, लेकिन थे बड़े खुशमिजाज और शायद अपने ही काम से हमसे घुल-घुलकर मिला करते। मैंने उनसे

कहा कि आप लोग यह क्या कर रहे हैं ? क्या गोलियाँ चलाए बिना आप लोगों को सन्तोष नहीं ? उन्होंने भी अपनी लाचारी दिखाई—खैर, वह सुपरिन्टेंडेंट से मिले। तय हुआ कि लाठीचार्ज बन्द करके सत्याग्रहियों और जो जुलूस निकालना चाहते हैं, उन्हें पकड़कर जेल ले जाएँ। पुलिस की लॉरियों का दरवाजा खोल दिया गया—लोग उसमें खचाखच भर गए। उन्हें लेकर लॉरियाँ चलीं—लेकिन क्या जेल की ओर ? नहीं शहर से बहुत दूर, उन्हें कितने मीलों पर जाकर छोड़ दिया गया।

इसी मौके पर प्रोफेसर बारी साहब पहुँचे। बारी साहब ने हमें उत्साह दिलाया, पुलिस की ज्यादतियों की निन्दा की और सलाह दी कि अब हम लोग चलें। फिर विचार कर जैसा मुनासिब समझा जाएगा, वह शाम को किया जाएगा। लेकिन बाकी लोग किसी तरह रुकने को तैयार नहीं थे। मैंने देखा, मामला फिर तूल पकड़ रहा है। झट मैं वहाँ खड़ी एक प्राइवेट लॉरी की छत पर चढ़ गया। लोगों से हर हालत में शान्ति रखने को कहा और जो लोग सत्याग्रह करना चाहते हैं, उनके नाम माँगे। नाम झट-झट आने लगे। उन्हें मैंने कई जत्थों में बाँट दिया। हर जत्थे का एक-एक नायक बना दिया। निश्चय हुआ कि जिन लोगों ने सत्याग्रहियों में नाम नहीं लिखाए हैं, वे जत्थे के साथ नहीं चलेंगे। हर जत्था चार-पाँच मिनट पर निकला करेगा। मैं पहला जत्था लेकर रवाना हुआ।

मैं जेल के लिए तैयार होकर नहीं आया था—बदन पर सिर्फ एक गंजी थी, उस पर एक चादर। ज्यों ही मैं रवाना हुआ, किसी ने गले में माला पहना दी। तब तक तो बूढ़ा पटना जाग चुका था, सड़कों पर जिन्दगी और जवानी लहरा रही थी, बीच-बीच में हमारा जत्था चल रहा था, दोनों ओर, हमसे हटकर लोगों की भीड़ उमड़ी चली जा रही थी, जगह-जगह आरती होती, मालाएँ मिलतीं। यही नहीं, अब तक नेताओं की नींद भी टूट चुकी थी। उनमें से कुछ के दर्शन सवारियों पर भी हुए। सब शाबासी दे रहे थे। धूप तेज हो रही थी, हम तेजी से आगे बढ़ रहे थे। जब सिटी कोर्ट के सामने पहुँचे, देखा हमारे सामने आगे से एक लॉरी आकर खड़ी हुई और उससे खैर साहब की तुर्की टोपी निकली। खैर मियाँ ने जुलूस तोड़ने को कहा, मुझे 'युवक' की जिम्मेवारी की भी याद दिलाई, उनकी आँखों में मैंने सहृदयता की नमी भी पाई, लेकिन अब तो डाँड छोड़कर नाव को धारा में छोड़ चुका था। मुसकराकर अपनी दृढ़ता जाहिर की। लाचार, उन्होंने गिरफ्तार किया, लॉरी पर चढ़ाया और ले चले पटना जेल की ओर। रास्ते में एक जगह लॉरी रोककर शरबत पिलाने और पान खिलाने से भी नहीं चूके।

पीछे तो पटना का यह छोटा सा कांड महाकांड के रूप में परिणत हो गया। समूचे सूबे का ध्यान इस ओर आकृष्ट हुआ। जुलूस-पर-जुलूस निकलते रहे। प्रोफेसर बारी साहब पर घुड़सवारों ने चाबुक फटकारी, श्रद्धेय राजेन्द्र बाबू की भी तौहीन की गई—पटना के सुप्रसिद्ध बैरिस्टर और एक समय के कांग्रेस के प्रेसिडेंट हसन इमाम साहब तक सरकार की इस हरकत से आगबबूला हो गए और पूरे परिवार के साथ कांग्रेस का साथ देने लगे। अन्त में पुलिस को झुकना पड़ा। राजेन्द्र बाबू और कृपलानी जेल में आकर हमसे मिले, हमारे काम को सराहा। बिना लाइसेंस के जुलूस निकालने के अपराध में हम लोगों को 143 के अनुसार छः-छः महीने की सजा दी गई। आठ-दस दिन पटना जेल में रहकर हम हज़ारीबाग़ जेल भेज दिए गए थे, जहाँ अपर डिवीजन के प्रान्त भर के राजबन्दी रखे गए थे। जेल में आने पर अपने को नजदीक से देखा, अपने नेताओं को नजदीक से देखा। जो मीठ-तीते अनुभव हुए, वे अलग लिखे गए हैं।

छः महीने की सजा भुगतकर जब मैं घर गया, 1930 का सत्याग्रह आन्दोनल जारी

ही था। यद्यपि बड़े-बड़े नेता गिरफ्तार कर लिये गए थे, तो भी जो छोटे-छोटे, नए-नए लोग बचे थे, वे सत्याग्रह के सिलसिले को जारी रखे हुए थे। निस्सन्देह इस सत्याग्रह-संचालन का सूत्र बाबू ब्रजकिशोर प्रसादजी के हाथों में था, जो गठिए की बीमारी के कारण गिरफ्तार नहीं किए गए थे, लेकिन जो इस समय अपनी पूरी संगठन शक्ति और कार्यपटुता का प्रयोग इसी सफलता के लिए कर रहे थे। हर जिले में सत्याग्रह के केन्द्र थे, वे स्वयंसेवकों की भरती कर उनसे सत्याग्रह के काम लेते, जिनमें मुख्य रूप से था--विदेशी कपड़ों और शराब की दुकानों पर धरना देना। प्रायः हर जिले से सत्याग्रह बुलेटिन भी निकलते और बाँटे जाते। हर जिले का सरोकार पटना के केन्द्रीय ऑफिस से था। हर जिले से नियमित रूप से डाक आती-जाती। डाक का काम प्रायः छोटे-छोटे लड़के करते। 'वानर-सेना' के ये बच्चे बड़ी हिम्मत और होशियारी का परिचय देते। पुलिस की चौकस आँखों में धूल झोंककर ये एक जिले से दूसरे जिले में और अन्ततः प्रान्तीय दफ्तर में कांग्रेस की डाक पहुँचाते। इनमें से कोई कभी पकड़ा जाता, तो उन्हें बड़ी पिटाई भी सहनी पड़ती। यों तो पिटाई 1930 में प्रायः ही स्वयंसेवकों के हिस्से में पड़ी थी। मुजफ्फरपुर जिला तो इसके लिए सबसे ज्यादा बदनाम था। वहाँ के कुछ पुलिस अफसरों ने पीटने और तकलीफ देने के नए-नए साधन सोच निकालने के लिए बड़ी प्रसिद्धि प्राप्त कर ली थी। बूट की ठोकर और डंडे की मार तो साधारण चीज हो रही थी। जाड़े की रात में पानी से नहला देना और कपड़े छीनकर यों ही छोड़ देना, दंड-बैठक कराते-कराते हाथ-पैर का खून जमा देना, तलहथी में काँटे चुभोना तथा सिर के बाल नोचना जैसे उत्पीड़नों की भरमार थी और जिले में भी उत्पीड़नों की कमी नहीं थी। बिहपुर (भागलपुर) में एक लड़के के कान में मोटर के ट्यूब से हवा देनेवाले औज़ार से इतना हवा दे दी गई थी कि उसके कान की झिल्ली ही नहीं फट गई, दिमाग का एक हिस्सा ही खराब हो गया था। यों ही सारन जिले के भोरे थाने में एक स्वयंसेवक को पीटते-पीटते बेहोश कर दिया गया था और बेहोशी में पानी देने के बदले एक नदी के बालू में उसे दबा दिया गया था, जिससे वह घुट-घुटकर मर गया। कई दिनों के बाद इसका पता लग पाया था।

जब जेल में ही था, मन-ही-मन तय कर लिया था कि जब तक इस सत्याग्रह युद्ध का कोई निर्णय नहीं हो जाता, मैं पत्रकार जीवन में प्रवेश नहीं करूँगा। यह भी सोचा था कि शहरों में रहने की अपेक्षा किसी देहात में आश्रम बनाकर स्वाधीनता की यज्ञाग्नि को प्रज्वलित किए रहना कहीं अच्छा है। फलतः घर पहुँचकर अपने गाँव से लगभग डेढ़ मील पर मैंने एक आश्रम बनाने का तय किया। मुफ्त में जमीन मिल गई, आश्रम बनाने के समान भी जुट गए और लगभग एक दर्जन स्वयंसेवक भी मिल गए। यही नहीं, उसके आसपास के पचास गाँवों ने धन-जन सब तरह से मेरी मदद करने का आश्वासन दिया। यह आश्रम मेरे जिले की सबसे प्रसिद्ध नदी बागमती के किनारे बनाया गया था, इसलिए इसका नाम मैंने 'बागमती आश्रम' रखा। 'साबरमती आश्रम' से तुक मिलाने की जुर्रत मैं कहाँ कर सकता था भला ?

लगभग चार महीने तक यह आश्रम चल पाया होगा कि हमें सत्याग्रह की विजय की खबर मिली। गांधी-इरविन समझौता हो गया। संसार की सबसे बड़ी साम्राज्यशाही को निहत्थी जनता के बलिदान के सामने संसार के इतिहास में पहली बार झुकना पड़ा।

1930 का सत्याग्रह आन्दोलन हिन्दुस्तान के इतिहास का एक गौरवमय पृष्ठ समझा जाएगा। 1921 के आन्दोलन में हम जहाँ सिर्फ जीवन-ही-जीवन देखते थे, वहाँ 1930 में हमने उस जीवन में संयम और संगठन भी देखा। संगठन का हाल यह था कि अखिल भारतीय नेताओं की कौन कहे, प्रान्त, जिले और थाने के नेताओं को भी सरकार ने गिरफ्तार करने

से नहीं छोड़ा था। लेकिन ऊपर से नीचे तक, अखिल भारतीय कांग्रेस कमिटी से लेकर थाना कांग्रेस कमिटी तक—एक नेता के गिरफ्तार होते ही दूसरा नेता न जाने कहाँ से आकर उसका स्थान ले लेता और कार्य का संचालन उसी शान से करता। उदाहरण के तौर पर मैं अपने थाने को ही लेता हूँ। जिस समय मैं बाहर हुआ, प्रायः थाने के सभी प्रमुख कांग्रेसी जेल में थे। लेकिन तो भी मेरे थाने में ही पाँच-पाँच आश्रम चल रहे थे। बावजूद इसके कि इन आश्रमों में प्रायः ही पुलिस और घुड़सवार फौज के धावे होते थे। मैंने थाने के कार्यकर्ताओं की एक सभा बुलाई थी, तो उसमें सौ से ज्यादा कार्यकर्ता थाने के कोने-कोने से बीस से तीस मील पैदल चलकर आए थे। वे प्रायः ही किसानों के नौजावन बेटे थे, जिनमें से अधिकांश पढ़ना-लिखना छोड़कर त्याग और बलिदान की कफनी सिर पर बाँध ली थी। उनके चेहरे और आँखों से उनका दृढ़ निश्चय टपकता था ! आज चौदह वर्ष के बाद भी उस घोर देहात की एक राम मड़ैया में एक धुँधले चिराग के चारों ओर मशाल की तरह जल रही आँखों की याद मुझे कँपा देती है। मुजफ्फरपुर जिले के कटरा थाने की जो हालत थी, वही हिन्दुस्तान के ढाई सौ जिलों के लगभग पाँच हजार थानों की थी। वे थाने अभागे रहे होंगे, जो 1930 में ऐसे एक सौ नौज़वान देशमाता की बलिवेदी के लिए आगे करने में असमर्थता बोध करते होंगे !

सत्याग्रह के जिला ऑफिस प्रायः शहरों में रहते थे। वहाँ हमारे संगठन और सरकार के संगठन की प्रायः ही जोर आजमाइश हुआ करती थी। इतने वेतनखोर अफसरों, पुलिस के जवानों और सी.आई.डी. के गुर्गों के रहते भी सरकार को प्रायः ही हमारे संगठन के सामने मुँह की खानी पड़ती। इस मोहल्ले, उस मोहल्ले, इस घर, उस घर पुलिस छापा मारा करती। लेकिन ठीक समय पर प्रभात फेरियाँ निकल ही जातीं, स्वयंसेवक पिकेटिंग की जगहों पर पहुँच ही जाते, खास अवसरों पर जुलूस भी निकल ही जाते और सभाएँ भी हो ही जातीं। हज़ार पाबन्दी होने और लाख पुलिस के सिर पटकने के बाद भी दिल्ली में कांग्रेस का वार्षिक अधिवेशन होकर ही रहा दिल्ली में; और हाँ, अंग्रेजी सरकार की राजधानी में और वहाँ के सबसे प्रमुख स्थान, चाँदनी चौक पर। सभी राष्ट्रीय अखबारों को प्रायः सरकार ने बन्द कर दिया था। उन अखबारों की जगह ले ली थी सत्याग्रह बुलेटिनों ने। प्रायः हर जिले से नियमित समय पर ये बुलेटिनें निकलकर अपने ग्राहकों और पाठकों के पास पहुँच जातीं—पुलिसवालों की लाख कोशिशों के बावजूद इनका छपना और बँटना नहीं रुक सका। कहाँ से साइक्लोस्टाइल की मशीन आती है ? कहाँ से उनके लिए कागज-रोशनाई आदि सामान आते हैं ? वे कहाँ छपते हैं, उन्हें कौन लिखता और बाँटता है—ये सवाल सरकारी अफसरों के लिए बुझौवल से हो चले थे।

संगठन के साथ संयम की भी कमी नहीं थी। धरसना और पेशावर में भारतीय जनता ने खून खौलनेवाली परिस्थिति में भी जिस संयम का परिचय दिया, वह तो संसार के इतिहास में उल्लेख की चीज समझा जाएगा। इलाहाबाद में पं. जवाहरलालजी की पूजनीय माता पर मार पड़ने के बावजूद लोगों ने जो आत्मदमन और संयम का परिचय दिया, क्या वह कभी भुलाया जा सकता है ! बिहार में भी पुलिस ने क्या कम उत्तेजना दी ? प्रो. अब्दुल बारी पर पटना में कोड़े फटकारे गए, जिसकी चर्चा हो चुकी है। हद तो कर दी गई, बिहपुर, भागलपुर में। बिहपुर के आश्रम पर पुलिस ने कब्जा कर लिया था। स्वयंसेवक जत्थे बनाकर आश्रम में घुसने की कोशिश करते। उन्हें गिरफ्तार तो कम किया जाता, उन पर भीषण डंडेबाजी की जाती। पुलिस की इस नृशंसता की खबर पाकर पूज्य राजेन्द्र बाबू कुछ लोगों के साथ—जिसमें बाबू बलदेव सहाय (पीछे एडवोकेट जनरल) और प्रो. बारी साहब भी थे—वहाँ

गए। हस्बमामूल उस दिन भी स्वयंसेवकों का जत्था आश्रम की ओर चला। राजेन्द्र बाबू अपने साथियों सहित अलग खड़े यह देख रहे थे कि पुलिस के कुछ सिपाहियों को उनकी ओर हुलका दिया गया और वे वहाँ पहुँचकर ताबड़तोड़ लाठी चलाने लगे। राजेन्द्र बाबू ऊँचे कद के हैं, इसलिए उन्हें लक्ष्य कर चलाई गई एक लाठी न जाने उस दिन हम कौन सी विपत्ति ढा चुकी होती, अगर एक स्वयंसेवक ने उछलकर वह लाठी अपने ऊपर नहीं ले ली होती। तो भी राजेन्द्र बाबू, बलदेव बाबू, बारी साहब आदि घायल हुए। कहते हैं, जब पुलिस की इस उद्दंडता की खबर वहाँ के कलक्टर मिस्टर डी.पी. शर्मा को लगी तो उन्होंने सरकार से इस्तीफा देने की धमकी दी। इस घटना से मर्माहत होकर, उनके चचेरे भाई पटना के प्रमुख रईस और जनसेवक स्व. बाबू श्यामनारायण सिंह ने कौंसिल की मेम्बरी से इस्तीफा दे दिया।

नेताओं को तो लाठियाँ ही लगीं, किन्तु जनता पर तो खुलेआम गोलियाँ चलाई गईं। बिहार में भी कई जगहों पर गोलियाँ चलीं, जिसमें सैकड़ों हताहत हुए और कितनों की जानें गईं। लेकिन इतने बड़े आन्दोलन में, इतनी बड़ी उत्तेजना के वायुमंडल में जब पुलिस खुलेआम खून की होली खेल रही थी, तो भी समूचे हिन्दुस्तान में इस सत्याग्रह के सिलसिले में एक पुलिस तक की जान नहीं गई और न किसी सरकारी अफसर को कोई सख्त चोट आई। जहाँ दस साल पहले चौरीचौरा में इतना बड़ा कांड हो चुका था, वहाँ दस साल में ही जैसे जनता ने शान्ति और संयम को पूर्णतः हृदयंगम कर लिया था। लोगों ने हँसते-हँसते छाती पर गोलियाँ खाईं, जाने दे दीं, लेकिन शान्ति और संयम नहीं खोया। यह ऐसा अपूर्व, अद्भुत दृश्य था, जो किसी के भी हृदय को द्रवित कर सकता था। जो घोर अपमान पर भी उत्तेजित होकर होश नहीं खोए, जो अमानुषिक दमन से भी न विचलित हो, न जोश कम करे—सत्याग्रही के उस बलिपंथी हृदय को कौन पराजित कर सकता है भला ?

गांधी-इरविन समझौते के बाद, तुरत ही कराची कांग्रेस हुई। दो घटनाओं ने इस कांग्रेस में बड़ी उत्तेजना और उदासी ला दी थी। एक थी भगतसिंह की फाँसी और दूसरी श्रद्धेय गणेशशंकर विद्यार्थी की शहादत। गणेशजी 'प्रताप' (कानपुर) के प्रतापी सम्पादक थे, हिन्दी संसार में उनकी बड़ी धाक थी, युक्तप्रान्त में उनके प्रभाव का मुकाबला सिर्फ जवाहरलाल ही कर सकते थे। भगतसिंह की फाँसी के दूसरे ही दिन कानपुर में हिन्दू-मुसलिम दंगा शुरू हो गया। इस दंगे को शान्त करने के लिए विद्यार्थीजी खाली हाथ, लोगों के लाख मना करने के बावजूद, समझा-बुझाकर अपने मुसलमान भाइयों को मना लेने की गरज से मुसलमानों के मोहल्ले में गए। वहाँ गए, लेकिन लौटे नहीं। बड़ी मुश्किल से उनकी अधजली लाश मिल पाई। इस घटना ने सारे देश के साथ कराची कांग्रेस पर भी मातम ढा दिया ! विद्यार्थीजी का बलिदान अपूर्व था, अलौकिक था। हाल में ही किसी लेखक ने लिखा है, जब-जब देश में हिन्दू-मुसलिम दंगे की खबर मिलती है, गांधी बार-बार गणेशशंकरजी की याद करते हैं—जब तक कुछ लोग ऐसे नहीं निकल आएँगे, जो अपनी जान को हथेली पर लेकर हँसते-हँसते अपने भाइयों के पागलपन की वेदी पर अपने को कुरबान कर दें—तब तक शायद साम्प्रदायिकता की राक्षसी की यह रक्त-पिपासा शान्त नहीं होगी।

किन्तु कराची कांग्रेस का हमेशा स्मरण किया जाएगा, वहाँ पास हुए मौलिक अधिकारों के प्रस्ताव के कारण। लाहौर में हमने पूर्ण स्वाधीनता का प्रस्ताव पास किया था। इस पूर्ण स्वाधीनता की प्राप्ति में, 1930 में जनता ने जो त्याग और बलिदान किए थे, उसकी स्वीकृति स्वरूप कराची कांग्रेस ने मौलिक अधिकार के प्रस्ताव में बताया कि उन्हें पूर्ण स्वाधीन भारत में कौन-कौन सी आर्थिक सहूलियतें मिलेगीं। इस प्रस्ताव द्वारा कांग्रेस ने राजनीति के क्षेत्र से कदम बढ़ाकर आर्थिक क्षेत्र में रखा।

करांची कांग्रेस के बाद ही 'युवक' फिर निकलने लगा और फिर हम पटना में 'युवक आश्रम' की जिन्दगी बिताने लगे। इस बार स्वभावतः ही हमारा ध्यान भी राजनीति के साथ आर्थिक क्षेत्र की ओर गया। हमने देखा कि कराची कांग्रेस ने जो कदम बढ़ाया है, वह सही दिशा में, सही मौके पर बढ़ाया गया कदम जरूर है। लेकिन जिस तरह अंग्रेजी साम्राज्यशाही से हुई हमारी लड़ाई का लाजिमी नतीजा है—पूर्ण स्वाधीनता की प्राप्ति, उसी तरह आर्थिक क्षेत्रों में प्रवेश करने की भी आखिरी मंजिल है—समाजवाद की स्थापना। हमने समझा कि अब मौका आ गया है कि बिहार में एक ऐसी पार्टी बनाई जाए, जो समाजवाद के सिद्धान्तों के प्रचार और उन सिद्धान्तों पर कार्य करने के लिए सतत उद्योग करे। फलतः हमने बिहार सोशलिस्ट पार्टी की नींव डाली, जिसका ऑफिस 'युवक आश्रम' में ही रखा गया। उसके सभापति थे प्रो. अब्दुल बारी और प्रारम्भिक मन्त्रियों में सर्वश्री फूलन प्रसाद वर्मा और गंगाशरण सिंह, अवधेश्वर प्रसाद सिंह, स्वर्गीय अम्बिकाकान्त सिंह, मैं और कुछ और साथी भी कार्य समिति थे। जब पार्टी के निर्माण की खबर पत्रों में छपी, पहले तो नौजवान कांग्रेसजनों ने उसका खुद स्वागत किया। लेकिन जब प्रान्तीय कांग्रेस कमिटी की बैठक में श्री ब्रजकिशोर बाबू ने इस पार्टी में शामिल होने से ही गंगाशरण सिंह को सहकारी मन्त्री चुने जाने के प्रस्ताव का विरोध किया, तो बहुतों के होश ठंडे हो गए।

पर इस विरोध का असर हम पर क्या होता भला ? हमने पार्टी का काम जारी रखा। इसी पार्टी के घोषणा पत्र के सिलसिले में हमारा परिचय जयप्रकाश नारायणजी से हुआ जो उस समय अखिल भारतीय कांग्रेस कमिटी के मजदूर विभाग के इंचार्ज थे। घोषणा पत्र जयप्रकाशजी ने ही लिखा और उसे जवाहरलाल से भी दिखला लिया। पार्टी के जन्म के साथ ही हमने यह नियम रखा था कि जो कांग्रेस के मेम्बर होंगे, वही इस पार्टी के मेम्बर हो सकेंगे। इस घोषणा पत्र में इस बात पर काफी रोशनी डाली गई थी कि क्यों एक गुलाम देश के समाजवादी को सबसे पहले राष्ट्रप्रेमी होना जरूरी है और समाजवाद की स्थापना के लिए गुलामी का अन्त करना उसका सबसे पहला फर्ज है। इसलिए उसी आजादी की संस्था कांग्रेस में रहना और कार्य करना महज लाजिमी है। यही बिहार सोशलिस्ट पार्टी थी, जो पीछे चलकर अखिल भारतीय कांग्रेस समाजवादी पार्टी की जननी सिद्ध हुई।

यहाँ यह बता देना भी अप्रासंगिक नहीं होगा कि समाजवाद की ओर मेरी प्रवृत्ति किस तरह हुई।

जब तक मैं गाँव में रहा, धनी-गरीबी का सवाल मेरे मन में कभी नहीं उठा। गाँवों में धनी भी, गरीब भी—मेरा परिवार औसत किसान का था। मैं अमीरी और गरीबी पर या तो ज्यादा ध्यान नहीं देता था या उसे भगवान की मरजी पर छोड़ दिया करता था। किन्तु जब मैं पढ़ने के लिए शहर में आया, तब धीरे-धीरे इस ओर मेरा ध्यान जाने लगा। सबसे पहले मैंने वहाँ यह अनुभव करने का मौका मिला कि मैं ही कितना गरीब हूँ। मेरे क्लास के लड़के जहाँ रेशमी और ऊनी कपड़ों की चमक-दमक से चारों ओर चकाचौंध किए रहते, वहाँ सूती कपड़े भी मेरे पास काफी नहीं रहते। मेरे साथी मलाई और मिठाइयाँ उड़ाते, मुझे कभी-कभी भूँजे पर ही गुजारा कर लेना पड़ता। मुझे सबसे ज्यादा अखरती यह बात कि मैं क्लास में सबसे तेज लड़का होकर भी इस तरह फटेहाली में रहूँ और ये बोदे, कुन्दजहन और बहुत अंशों में शोहदे लड़के इस तरह मौज उड़ावें। अगर भगवान हैं, तो क्या उनकी यह बेइनसाफी नहीं है ? लेकिन फिर सोचता, नहीं, भगवान अन्यायी नहीं हो सकते, पूर्वजन्म की कमाई अभी भोग रहे हैं। मेरा जन्म खराब था, इस जन्म में मुझे तपस्या करनी चाहिए। उस बचपन में भी मैं तपस्या के नाम पर खूब पूजा-पाठ, सन्ध्या-वन्दना आदि करता।

इसी समय रूस की क्रान्ति हुई। किन्तु उस क्रान्ति की पूरी खबर मुझे दो साल बाद मालूम हुई। 'प्रताप' और 'प्रभा' में इस सम्बन्ध में लेख निकलने लगे। रूस की क्रान्ति पर एक पुस्तिका भी वहीं से प्रकाशित हुई। मेरी जैसे आँख खुलने लगीं। अरे, एक ऐसा भी समाज कायम किया जा सकता है, जिसमें धनी-गरीब का भेद न हो, जहाँ योग्यता ही सबसे कीमती चीज समझी जाती हो। अमीरों की दुर्गत की जो कहानियाँ उसमें छपती, वे मुझे खूब पसन्द आतीं। उसी ऑफिस से समाजवाद पर एक छोटी पुस्तिका भी छपी। उसे भी मँगाकर पढ़ा। मेरे विचार इस सम्बन्ध में दृढ़ होता गया।

1921 के असहयोग आन्दोलन के बाद कुछ उत्साही नौजवान रूस पहुँचे। उन्हीं में एक शौकत उस्मानी थे। वहाँ से लौटकर उन्होंने रूस की यात्रा पर एक पुस्तक लिखी जो 'प्रताप' ऑफिस से ही निकली। उस पुस्तक को पढ़कर रूस को मैं इस पृथ्वी पर ही स्वर्ग समझने लगा और उसके दोनों नेताओं, लेनिन और ट्रॉट्स्की को ईश्वर का अवतार ! उन दिनों स्टालिन की कोई चर्चा भी नहीं थी। इन दोनों की जीवनियाँ भी पढ़ीं। मेरठ षड्यन्त्र के बाद तो समाजवाद की चर्चा आम हो गई। लेकिन समाजवाद को सबसे अधिक जनप्रिय बनाया पं. जवाहरलाल नेहरू ने। समाजवाद सिर्फ कुछ सिरफिरे नौजवानों की खब्त न रहकर, एक अनुकरणीय सिद्धान्त बन गया। 'बालक' से हटकर जब मैंने 'युवक' का श्रीगणेश किया। 1929 में, तो उसके पहले अंक में ही मैंने समाजवाद पर एक लेख छापा। 'युवक' में तब से समाजवाद सम्बन्धी लेख लगातार निकले। अब बिहार सोशलिस्ट पार्टी कायम होने के बाद तो मानो 'युवक' समाजवादियों का ही मुख्य पत्र हो गया।

यों हम बड़े जोशोखरोश से 'युवक' और 'पार्टी' के काम में लगे थे कि सरकार ने अचानक हम पर धावा बोल दिया–इस अनभ्र बज्रपात के लिए हम तैयार नहीं थे। सरकार ने 'युवक' का पहला अंग ज़ब्त कर लिया और मुझ पर 124 (राजद्रोह) की दफा में वारन्ट निकाला। मैं उस दिन अपने घर बेनीपुर गया हुआ था। मेरे दूसरे लड़के को सख्त चोट आ गई थी, उसी को लेकर गाँव के निकट के अस्पताल में था कि मेरा चचेरा भाई दौड़ता हुआ पहुँचा कि सारे गाँव को सशस्त्र पुलिस ने घेर रखा है और उनके अफसर मेरी तलाश कर रहे हैं। गाँवों में पहले जहाँ किसी पुलिस की लाल पगड़ी से ही खलबली मच जाती थी कि वहाँ आज कैसा अजीब परिवर्तन हो चुका था। मेरे गाँववालों ने अपूर्व दृढ़ता और वीरता दिखाई। पुलिस के डी.एस.पी., इंसपेक्टर, तीन दारोगा और एक दर्जन से ज्यादा बन्दूकधारी नौजवान एक बच्चे से भी यह पता नहीं पा सके कि मेरा घर कौन है और मैं कहाँ हूँ ! वे हारकर के चलते बने। हाँ, खिसियानी बिल्ली खम्भा नोंचे की तरह गाँव के दो नौजवानों पर 183 के अनुसार मुकदमा चलाया, जो पहली पेशी में ही डिसमिस हो गया।

खैर, यह खबर पाकर मैं पटना में हाजिर हुआ। मुकदमा चला। एक वर्ष की सख्त कैद और ढाई सौ रुपए जुर्माने की सजा हुई। इस मुकदमे की पैरवी श्री बलदेव सहायजी ने बड़ी मुस्तैदी और योग्यता से की। एक तरह से केस मुकदमे का सारा भार उन्होंने अपने ऊपर ले लिया था और काफी आर्थिक क्षति सहकर उन्होंने इस काम को किया। मैं उनके इस अहसान को कभी भूल नहीं सकता ! उनकी सारी कोशिशों को बावजूद हाई कोर्ट ने भी यह सजा बहाल रखी।

हाई कोर्ट के फैसले के बाद मैं जेल जाने की तैयारी ही कर रहा था कि सख्त बीमार पड़ा और मुजफ्फरपुर अस्पताल में भरती हुआ। उफ़, उस बीमारी की कल्पना से भी आज काँप उठता हूँ। कर्णमूल सन्निपात हो गया था। जोरों का बुखार–प्रायः ही बेहोश–कान में लगता, कोई लगातार भाले से प्रहार से कर रहा हो। मौत को बहुत नजदीक से देखा और

देखी दुनिया की क्षणभंगुरता ! इस बीमारी से कुछ मित्रों की मेहरबानी से ही बच पाया, जिसमें भाई चक्रधर शरण की स्नेह सेवा को तो मैं जिन्दगी भर नहीं भूल सकता। उन दिनों चक्रधर मुजफ्फरपुर कांग्रेस कमिटी के प्रमुख संचालक थे, बाद में वह श्रद्धेय राजेन्द्र बाबू के प्राइवेट सेक्रेटरी हुए।

मैं मुजफ्फरपुर के अस्पताल में ही पड़ा था कि लार्ड बिलिंग्डन की सरकार ने गांधी-इरविन समझौते को रद्दी की टोकरी में फेंककर एक ही सख्त वार में कांग्रेस के संगठन को चूर-चूरकर देने की कोशिश की। एक ही साथ एक दर्जन के लगभग आर्डिनेंस जारी कर दिए गए। कांग्रेस कमिटियों को ग़ैरकानूनी करार दिया गया, कांग्रेस के फंड को ज़ब्त कर लिया गया, कांग्रेस कमिटियों पर पुलिस का कब्जा हुआ और सभी प्रमुख कांग्रेसजनों को एक-एक कर गिरफ्तार कर लिया गया। इस चहुँमुखी प्रहार के बावजूद कांग्रेस जिन्दा रही और लार्ड विलिंग्डन की नीति पूरी तरह असफल हुई—इतिहास ने तो इसे पीछे सिद्ध कर दिखाया, किन्तु मैंने तो सरकार की असफलता बीमारी के बिस्तरे पर पड़े-पड़े उस दिन देख ली। अस्पताल के जिस बिस्तरे पर मैं पड़ा था, ठीक उसके नीचे चारों ओर से कम्बल लगाकर रात भर साइक्लोस्टाइल चलती रहती और भोर से ही कांग्रेस बुलेटिन शहर के कोने-कोने में पहुँचकर यह खुशखबरी लोगों को देने लगी कि कांग्रेस इस भीषण प्रहार के बावजूद भी जिन्दा है, उसका काम रुक नहीं सकता। हमें 1930 की ही तरह इस बार फिर सरकार को झुकाकर ही दम लेना है।

1930 की ही तरह 1932 में भी देश ने संगठन और संयम के अपूर्व दृश्य दिखलाए, लेकिन इस बार हम सरकार को झुका नहीं सके। क्यों नहीं झुका सके, हममें कौन सी कमजोरी रही, उन कमजोरियों को हम कैसे दूर कर सकते हैं, जिसमें अगली लड़ाई में हम फिर पराजित न हो सकें, हम विजयी बनें, हमारा देश स्वाधीन हो, आदि प्रश्न हर देशभक्त के दिल में उठने लगा। नौजवानों ने, देश की प्रगतिशील ताकतों ने इस हृदय मंथन के बाद जिस निष्कर्ष को अपनाया, उसका मूर्त रूप था अखिल भारतीय कांग्रेस सोशलिस्ट पार्टी। लेकिन अभी मैं आगे बहक गया। बीच की एक कड़ी छूटी जा रही है।

1933 के मार्च में पूरी सजा भुगतकर मैं छूटा। जब जेल में ही था, दरभंगा-महाराज ने एक यूनाइटेड पार्टी कायम कर ली थी। यह पार्टी आगामी असेम्बली चुनाव को लक्ष्य कर बनाई जा रही है, यह बात साफ थी। लेकिन इस पार्टी की सफलता के लिए आवश्यक यह था कि किसानों को कुछ दे-दिलाकर खुश कर लिया जाए। फलतः पार्टी ने बिहार काश्तकारी कानून में संशोधन के लिए एक बिल तैयार कराकर बिहार की कौंसिल में पेश कराया गया था और कुछ तथाकथित किसान नेता खड़े कर उनसे समर्थन भी ले लिया था। बिहार सरकार भला जमींदारों की इस पार्टी को हर तरह की मदद क्यों नहीं देती ? उसने उन किसान नेताओं को कौंसिल में नामजद कर दिया था और यों किसानों के नाम पर यह बिल कानून का रूप पकड़ने जा रहा था।

जमींदार और सरकार के इस सम्मिलित षड्यन्त्र का भंडाफोड़ करना जरूरी था। लेकिन उसके साथ ही जरूरी यह था कि किसानों का ध्यान इस मौके पर उनके मौलिक प्रश्नों की ओर आकृष्ट किया जाए। बिहार प्रान्तीय किसान सभा का संगठन कई साले पहले हो चुका था। किन्तु वह सिर्फ चूँचूँ का मुरब्बा था, उसका कोई निश्चित ध्येय नहीं था। उसकी धुरी थी काश्तकारी कानून सम्बन्धी कुछ सुधार। कुछ जमींदारों के अत्याचार के खिलाफ भी आवाज उठाई जाती थी—लेकिन बहुत धीमे से ! कानूनी दाँव-पेंच का खयाल करके या व्यक्तिगत मैत्री या शत्रुता के आधार पर मैंने जेल में ही बिहार के किसानों की आर्थिक दशा के सम्बन्ध

में काफी अध्ययन कर लिया गया था। कैम्प जेल में हर जिले के किसान आए हुए थे, उनसे बिहार के जमींदारों के जुल्मों, अत्याचार, धाँधलियों के बारे में भी काफी जानकारी हासिल कर ली थी। पुस्तकों और किसानों के वास्तविक जीवन के अध्ययन से मैं इस नतीजे पर पहुँच चुका था कि बिहार के किसानों का उद्धार तब तक नहीं हो सकता, जब तक कि जमींदारी प्रथा को जड़मूल से उच्छेद नहीं कर दिया जाए एवं उन पर जो भारी कर्ज है, उसे बिलकुल मंसूख नहीं कर दिया जाए। बिहार बैंकिंग कमिटी की रिपोर्ट के आँकड़ों से ही यह स्पष्ट था कि बिहार के किसानों पर कर्ज का इतना बड़ा बोझ है, जिसे न तो वह ढो सकते हैं, न स्वयं उतार सकते हैं। एक ही उपाय है कि सारे कर्ज को मंसूख कर दिया जाए !

जेल से बाहर आते ही इस सम्बन्ध में मैंने कई लेख लिखे, जो 'विशाल भारत', 'प्रताप', 'विश्वमित्र' आदि में छपे। इन लेखों से काफी सनसनी मची। लेकिन सिर्फ अखबारों में लिखकर ही मुझे सन्तोष कहाँ था ? मैं तो उसे किसानों के सामने रखना चाहता था। संयोग से उसी समय मुजफ्फरपुर जिला किसान सम्मेलन, सकरा में हो रहा था। मैं अवधेश्वर के साथ वहाँ पहुँचा और जमींदारी प्रथा के उठा देने एवं किसानों के कर्ज को मंसूख कर देने का प्रस्ताव वहाँ पेश करना चाहा। लेकिन मेरे आश्चर्य की सीमा नहीं रही, जब देखा कि सम्मेलन के सभापति स्वामी सहजानन्द सरस्वती सिर्फ मेरे इस प्रस्ताव को नापसन्द ही नहीं करते, बल्कि उसे सम्मेलन में पेश भी नहीं करने देना चाहते ! उनके इस रुख से मुझे बहुत गुस्सा हो आया। मैं तुरन्त ही लौट जाना चाहता था, किन्तु अवधेश्वरजी ने बीच-बिचाव किया। कुछ शब्दों का हेर-फेर करके यह प्रस्ताव पेश करने की उन्होंने इजाजत दी। प्रस्ताव पेश हुआ और पास हुआ।

अब तक भी वह दृश्य अच्छी तरह याद है। सम्मेलन में लगभग दो हज़ार किसान थे। किसानों के अलावा जिले के कांग्रेस कमिटी की भी वहाँ भरमार थी। उस समय तक जो कोई चाहता, सम्मेलन की प्रतिनिधि बन जाता। हमारे ये कांग्रेस कर्मी भ्रातृवृंद दावत तो खा रहे थे वहाँ के सुप्रसिद्ध जमींदार मनियारी महंत की और किसान सम्मेलन में माननीय प्रतिनिधि बने थे किसानों के। इन लोगों ने इस प्रस्ताव की सख्त मुखालफत की। उनमें से एक ने तो यहाँ तक कह डाला कि यदि यह प्रस्ताव पास हुआ तो यहाँ खून की धारा बह जाएगी। सम्मेलन में जहाँ-तहाँ महंतजी के लठैत भी खड़े थे। स्वामीजी ने पहले ही घोषणा कर दी थी कि वह इस प्रस्ताव से तटस्थ हैं। प्रस्ताव पर काफी बहस हुई। संयोग से रामानन्दन मिश्र भी वहाँ पहुँचे हुए थे। उन्होंने मेरे प्रस्ताव का जबरदस्त समर्थन किया। बहस होते-होते शाम हो गई, दूर-दूर से किसान आए थे, लेकिन तो भी वे डटे रहे। इस प्रस्ताव ने उनकी आँखों में चमक ला दी थी, उनके चेहरे पर नवजीवन-सा खेल रहा था। मानो, बहुत दिनों पर उन्होंने अपनी बीमारी की सच्ची दवा पाई हो ! हमारे कांग्रेस नेताओं की लंतरानियों और महंतजी के लठैतों की लाठियों की ओर उनका न ध्यान था, न परवाह थी ! आखिर काफी रात बीतने के बाद जब वोट लिये गए, तो यह प्रस्ताव बहुत बड़े बहुमत से पास हो गया।

इसी समय से हमारा प्रवेश किसान सभा में हुआ और धीरे-धीरे उसकी प्रान्तीय किसान कौंसिल में बिहार सोशलिस्ट पार्टी के समर्थकों का बहुमत हो गया। बहुमत होने पर मैंने जमींदारी और कर्ज मंसूखीवाला प्रस्ताव वहाँ पेश किया और वह पास हो गया। लेकिन स्वामीजी ने किसान सभा छोड़ देने की धमकी दी तो मैंने पास हुआ प्रस्ताव वापस कर लिया ! उसके लगभग एक वर्ष बाद हाजीपुर में प्रान्तीय किसान सम्मेलन में यह प्रस्ताव, सो भी स्वामी के चलते शब्दों के हेर-फेर के साथ, कहीं पास हो पाया। हाँ, उसके पहले मेरे सभापतित्व

में पटना जिला किसान सम्मेलन ने भी यह प्रस्ताव पास कर दिया था और मुंगेर जिला किसान सम्मेलन ने भी। मैं 'योगी' द्वारा भी इसके लिए काफी जनमत तैयार कर चुका था !

खैर, मैं फिर कुछ आगे बढ़ गया। मुजफ्फरपुर जिला किसान सम्मेलन के बाद मैं 'लोकसंग्रह' के सम्पादन के सिलसिले में मुजफ्फरपुर में ही रहने लगा। अवधेश्वरजी और मैं अब साथ ही रहते थे। किसान सभा में हम अपना क्षेत्र बढ़ाना ही चाहते थे कि 1934 का प्रलंयकर भूकम्प आया। 1934 की 15 जनवरी को पाँच मिनट के अन्दर ही क्या-से-क्या न हो गया ? अट्टालिकाएँ धूल में मिल गईं, हज़ारों आदमी उनके नीचे दब मरे, जमीन से फूटकर पानी निकला, नदियाँ कुछ मिनट के लिए सूखकर फिर बाढ़ से भर गईं, कुएँ बालू से भर गए, तालाब सरज़मीन हो गए, सड़कें लापता हो गईं, पुल टेढ़-मेढ़े होकर नष्ट-भ्रष्ट हो गए। हाँ, पाँच मिनट के अन्दर ही उत्तरी बिहार एवं मुंगेर, भागलपुर जिलों का नक्शा ही बदल गया ! मैं और अवधेश्वरजी संयोग से बचे ! दोपहर के बाद यह दुर्घटना हुई थी। ज्यों ही भूकम्प खत्म हुआ, हम सहायता के काम में लग गए। चक्रधर, अवधेश्वर और मैं कुछ लोगों के साथ बालूघाट के आश्रम में उन दिनों रहते थे। कुछ विद्यार्थियों को लेकर दूसरे दिन भोर से ही हमने व्यापक रूप से सहायता का कार्य शुरू कर दिया। हम लोग शहर के कुछ कांग्रेस नेताओं से मिले कि वे भी हमारी मदद करें, किन्तु सब अपनी ही विपदा सुना रहे थे। हाँ, यह दूसरी बात है कि जब तक मुर्दा उठाने-ढोने की बात थी, तब तक हम कुछ सिर फिरे लोग लगे रहे और जब बाहर से आए रुपए बाँटने का वक्त आया, सब लोग टूट पड़े !

थोड़े दिन मुजफ्फरपुर में ही सहायता कार्य करके पीछे मैं अपने घर के नजदीक बेदौल में सहायता केन्द्र स्थापित कर काम करने लगा। इस सहायता केन्द्र में मुख्यतः कलकत्ता सहायक समिति के द्वारा सहायता वितरण होता था। 'कामागातामारू' के बाबा, गुरुदत्त सिंह, कलकत्ता ट्रौपिकल इंस्टिच्यूट के डॉक्टर सोफ्ट और हिन्दी संसार के सुपरिचित श्री सत्यदेव विद्यालंकार आदि प्रसिद्ध व्यक्तियों की अनुपम सेवा प्राप्त करने का सौभाग्य हमारे लोगों को प्राप्त हुआ। इस समय हमने भरथुआ चौर के उद्धार का प्रश्न अपने हाथों में लिया। पार्लियामेंट के मेम्बर मि. हेल्स, स्विट्जरलैंड के डॉक्टर सैरेसोल आदि के अतिरिक्त आचार्य नरेन्द्रदेव, पुरुषोत्तमदास टंडन, श्रीमती सन्नो देवी, आचार्य कृपलानी आदि देश के बड़े-बड़े गण्यमान्य महानुभावों ने ही नहीं, स्वयं महात्मा गांधी ने इसी दौरे के सिलसिले में मेरे गाँव बेनीपुर को अपनी चरणधूलि से पवित्र किया। गांधीजी का वहाँ आना था कि चौर के आसपास बसनेवाले पचास गाँवों के भाग्य खुल गए। पीछे लाट साहब भी पधारे, बिहार सरकार के मन्त्री, रिलीफ कमिश्नर, मिनिस्टर, चीफ इंजीनियर कौन-कौन न आए और एक वर्ष के अन्दर ही लगभग पचास हजार रुपया खर्च करके सरकार ने ही उसका उद्धार कर दिया। मैं अपनी जिन्दगी की सफलताओं में एक इस प्रयत्न को भी मानता हूँ। और कहीं स्वराज्य हुआ हो या नहीं, इस चौर के उद्धार के कारण पचास गाँवों में बसनेवाले लगभग तीस हजार आदमियों को आर्थिक स्वराज्य तो जरूर प्राप्त हुआ !

सहायता का कार्य चल ही रहा था कि हमें खबर लगी कि इस विपत्ति में भी कुछ जमींदार किसानों को तंग कर रहे हैं। पटना में प्रान्तीय किसान कौंसिल की बैठक हुई, तो ऐसी जगहों में जाँच करने के लिए एक कमिटी बनाई गई, जिसके सदस्य अवधेश्वर और मैं बनाए गए। हम लोगों ने अपने जिलों के सुरसंड और दरभंगा की जमींदारियों में जाँच की। गरमी का ज़माना था, कड़ी धूप, तेज हवा, खेतों में भूकम्प के निकले बालू के झोंके और बैलगाड़ी पर चढ़े हम इस गाँव से उस गाँव मारे-मारे फिर रहे। इस दुर्दशा की हालत

में भी किसानों से जबरदस्ती मालगुजारी वसूल की जा रही थी, न देने पर उन पर लात-जूते पड़ रहे थे। बालू के लिए कर्ज में मिले रुपए हड़प लिये जाते थे, घर बनाने के लिए किसानों को उनकी अपनी जमीन में से बाँस और लकड़ी नहीं काटने दी जाती थी। हमने एक बड़े जमींदार की एक गश्ती चिट्ठी, जो अमलों के नाम भेजी गई थी, हासिल की भी, जिसमें मालगुजारी के लिए सख्ती किए जाने की तारीफ की गई थी। अपनी रिपोर्ट के साथ यह चिट्ठी भी हमने अखबारों में छपवाई। खैर, जमींदारों के जुल्म तो रुक गए, लेकिन मेरे एक सम्बन्धी को, जो उस रात अमलों में से थे, इसीलिए नौकरी से बर्खास्त कर दिया गया कि हो न हो, यह चिट्ठी उन्होंने ही मुझे दी होगी। और यह घटना है, सुरसंड राज की, बाबू चन्द्रेश्वरप्रसाद नारायण सिंह की जमींदारी की !

भूकम्प के सहायता कार्य के चलते बिहार में 1932 का सत्याग्रह आन्दोलन बन्द हो ही चुका था। अपने बिहार के समय सहरसा से गांधीजी ने सत्याग्रह बिलकुल बन्द कर देने का वक्तव्य दिया। उस समय डॉ. अंसारी और डॉ. विधानचन्द्र राय अखबारों में यह छपा रहे थे कि सत्याग्रह बन्द कर फिर स्वराज्य पार्टी को पुनर्जीवित करना चाहिए और असेम्बली आदि में वैधानिक लड़ाई लड़ना चाहिए। इन्हीं बातों पर विचार करने के लिए अखिल भारतीय कांग्रेस कमिटी की बैठक पटना में बुलाई जा रही थी। उन दिनों जयप्रकाशजी नासिक जेल से छूटकर पटना आ गए थे। बिहार सोशलिस्ट पार्टी को हम लोगों ने फिर जीवित कर दिया था। प्रान्तीय किसान सभा में भी हम लोगों का ही बोलबाला था। नासिक जेल में ही जयप्रकाशजी ने अखिल भारतीय कांग्रेस सोशलिस्ट पार्टी के कायम करने के बारे में एक योजना तैयार कर ली थी, उसी आधार पर बम्बई में श्री मसानी ने बम्बई प्रान्तीय कांग्रेस सोशलिस्ट पार्टी कायम की थी—जिसमें सर्वश्री अच्युत पटवर्द्धन, मेहर अली, कमलादेवी आदि शामिल थे। पटना में अखिल भारतीय कांग्रेस कमिटी की बैठक के समय ही हम लोगों ने अखिल भारतीय समाजवादी सम्मेलन बुलाया—बिहार सोशलिस्ट पार्टी की 'कौंसिल ऑफ ऐक्शन' ने तय किया और तदनुसार ही हमने वक्तव्य प्रकाशित किया और निमन्त्रण पत्र भेज दिए। यह सम्मेलन आचार्य नरेन्द्रदेवजी के सभापतित्व में हुआ। सम्मेलन ने कांग्रेस को वैधानिकता की ओर कदम बढ़ाने से होनेवाली भयानक प्रतिक्रियाओं से आगाह किया, 'सीधी चोट' की राह को ही स्वतन्त्रता की सच्ची राह बताया और देश के नौजवानों को प्रतिक्रिया के भँवर में न पड़कर, किसानों और मजदूरों में काम करने के लिए आह्वान किया। अखिल भारतीय कांग्रेस सोशलिस्ट पार्टी का संगठन करने को भी तय हुआ और उसके प्रधानमन्त्री जयप्रकाश नारायण चुने गए। कांग्रेस सोशलिस्ट पार्टी ने अपनी दस साल की जिन्दगी में जो कुछ किया है, वह इतिहास के सामने है और वह उसकी स्थापना के औचित्य का सबसे बड़ा प्रमाण है !

उन दिनों भरथुआ चौर के चलते उपज आदि नहीं होने से मेरे घर की हालत बहुत खराब थी। इधर लगभग चार वर्षों से जेल आदि की ही झंझटों में रहने से हालत ऐसी हो गई थी कि मेरे लिए कुछ पैसा कमाना लाज़िमी हो गया था। अतः मैं खंडवा 'कर्मवीर' में चला गया। वहाँ छः महीने रहा। 'कर्मवीर' में रहते हुए भी मैंने वहाँ थोड़ी-बहुत जनसेवा करने की कोशिश की। एकाध बार देहाती कस्बों में भी गया। लेकिन मैंने पाया कि बिहार की अपेक्षा वहाँ जन जागृति बहुत ही कम है। शहर में नेतागिरी के लिए आपसी तू-तू-मैं-मैं है, लेकिन देहातों में कोई जानेवाला नहीं। जहाँ कांग्रेस की ही यही हालत, वहाँ किसानों, मजदूरों के संगठन की क्या चर्चा ! कपास के भाव गिर जाने से बेचारे किसानों की हालत बड़ी खराब थी, उस पर भी शहर के दलाल उन्हें लूट रहे थे। किन्तु उनकी हालत पर ध्यान

देनेवाला कोई नहीं !

नव संगठित बिहार सोशलिस्ट पार्टी की 'कौंसिल ऑफ ऐक्शन' में ये लोग थे–प्रोफेसर अब्दुल बारी, सर्वश्री जयप्रकाश नारायण, फूलन प्रसाद वर्मा, बी.पी. सिन्हा, गंगाशरण सिंह, अम्बिकाकान्त सिंह, अवधेश्वर प्रसाद सिंह, किशोरी प्रसन्न सिंह और मैं। नव संगठित पार्टी के मन्त्रित्व का भार भी मुझे कुछ दिनों तक उठाना पड़ा, लेकिन मुझे लाचार होकर बिहार छोड़ना पड़ा। बिहार प्रान्तीय किसान कौंसिल में भी हममें से अधिकांश लोग थे और उसका मन्त्रित्व श्री अवधेश्वर प्रसाद सिंह को सौंपा गया, जिन्होंने तब से लगातार उसकी जिम्मेवारी निभाई है।

'कर्मवीर' में मैं कुल छः महीने रहा। फिर 'योगी' में आ गया। 'कर्मवीर' में ही था कि बम्बई कांग्रेस हुई और पार्टी का द्वितीय सम्मेलन भी। इस सम्मेलन में अखिल भारतीय पार्टी की जो कार्य समिति बनाई गई, उसका मुझे भी सदस्य चुना गया।

'योगी' के सम्पादन के सिलसिले में मैं फिर पटना में रहने लगा। उस समय बिहार में किसान आन्दोलन की धूम मची हुई थी। जयप्रकाशजी स्थायी रूप से पटना में ही रहने लगे थे, इसलिए समाजवादी आन्दोलन का केन्द्र भी पटना बन रहा था। मैं 'योगी' ऑफिस में ही रहता था–काफी बड़ा मकान था उसका। किसान सभा और सोशलिस्ट पार्टी की बैठकें प्रायः वहाँ ही हुआ करतीं। 'योगी' ऑफिस उस समय प्रान्त की प्रगतिशील ताकतों के सम्मेलन और विचार-विमर्श का सर्वप्रमुख स्थान हो चला था। 'योगी' के सम्पादन के अतिरिक्त किसान सभा पार्टी और कांग्रेस के कामों में भी मैं काफी हिस्सा लेता। यहाँ रहते हुए ही मैं हाजीपुर के प्रान्तीय किसान सम्मेलन में शामिल हुआ और वहाँ जमींदारी उठाने और कर्ज मंसूख करने का प्रस्ताव किया। स्वामीजी तब तक भी इतनी कड़वी घूँट गले के नीचे उतारने को तैयार नहीं थे। इसलिए फिर अवधेश्वरजी के ही बीच-बिचाव से इस प्रस्ताव को यह रूप दिया गया कि "किसान सभा सरकार और किसानों के बीच किसी शोषकवर्ग के अस्तित्व के खिलाफ है।" खैर, मैंने यह समझौता मान लिया। उसके बाद बीहपुर में प्रान्तीय किसान सम्मेलन श्री जयप्रकाश नारायण के सभापतित्व में हुआ। वहाँ सीधे-सादे शब्दों में जमींदारी प्रथा उठाने का प्रस्ताव पास हुआ। उस सम्मेलन में मैंने एक प्रस्ताव यह भी रखा कि किसान सभाओं में राष्ट्रीय झंडे के साथ लाल झंडे भी फहराए जाएँ। इस प्रस्ताव को लेकर बहुत कशमकश रही। गोगरी के श्री सुरेशचन्द्र मिश्र एक बड़े दल-बल के साथ वहाँ पहुँचे हुए थे। उन दिनों सुरेश मिश्रजी कट्टर गांधीवादी समझे जाते थे। लेकिन लाल झंडे के खिलाफ उन्होंने जो हल्ला मचाया, हंगामा पैदा किया वही साबित कर देता था कि सुरेशजी किस किस्म के गांधीवादी हैं !

उन दिनों बिहार में दो ही युवक कार्यकर्ता थे जिनके आसपास कार्यकर्ताओं की सबसे बड़ी फौज थी। एक, श्री सुरेश मिश्रजी के पास, उनके गोगरी आश्रम (मुंगेर) में और दूसरे, श्री रामनन्दन मिश्र के पास, मगन आश्रम (दरभंगा) में। किन्तु प्रान्त के दुर्भाग्य से ये दोनों ही आश्रम धीरे-धीरे तितर-बितर हो गए, उनके कार्यकर्ता भी इधर-उधर बँट गए। रामनन्दन मिश्रजी राजनीति से अपने को अलग कर महिला विद्यापीठ के संचालन में लग गए। दो-तीन साल तक इस विद्यापीठ की बड़ी धूम रही। किन्तु पीछे विद्यापीठ भी खत्म हो गई और तब तक रामनन्दनजी के साथी कार्यकर्ता इधर-उधर बँट चुके थे। गोगरी आश्रम पीछे चलकर सुरेशजी के व्यक्तिगत मैत्री-शत्रुता के प्रदर्शन का अखाड़ा बन गया और धीरे-धीरे विशृंखलित हो गया। इन दोनों आश्रम का टूटना बिहार की युवक शक्ति के लिए बहुत बुरा हुआ !

किसान सभा के संगठन के बाद दो जवानों ने अपने संगठन शक्ति का बड़ा ही उज्ज्वल

परिचय दिया—गया के पं. यदुनन्दन शर्मा और मुंगेर के श्री कार्यानन्द शर्मा ने। उच्च शिक्षा पाने के बावजूद दोनों ठेठ किसानों ऐसा भेष बनाकर, किसानों में ही दिन-रात दौड़धूप किए रहते। नतीजा यह था कि एक जमाने में इन लोगों के पीछे हजारों किसान कुरबान होने को तैयार थे। किन्तु बाद में इनका रवैया बदल गया। एक कम्युनिस्ट पार्टी में चले गए, दूसरे स्वामीजी की कांग्रेस विरोधी नीति के चक्कर में आ गए। 1942 के बाद इनकी पूरी मिट्टी पलीद हो गई !

अपनी जनसेवा की भावना और संगठन भक्ति के कारण प्रान्त के नौजवानों में दो आदमी और भी इस जमाने में आगे बढ़ रहे थे—एक, गंगाशरण और दूसरा, श्यामनन्दन सिंह। गंगाशरण तो मेरे सबसे पुराने सहकर्मी थे, मेरे साथ 'युवक' में काम कर चुके थे, किन्तु उनमें संगठन शक्ति और कार्यक्षमता कितनी है, उसका पूरा पता तब लगा जब वह सक्रिय राजनीति में आए। थोड़े दिनों में ही वह पटना जिले की कांग्रेस कमिटी के सभापति चुने गए और इस पद को कितने वर्षों तक उन्होंने शानदार ढंग से निबाहा। पीछे तो वह प्रान्तीय कांग्रेस कमिटी की कार्य समिति में भी लिये गए। श्यामनन्दन बाबा को हमने पहले-पहल 1930 में देखा था—एक मुँछउठान नौजवान, सिर पर न टोपी, पैर में न जूते, देह पर कुरता तक नहीं। एक धोती पहने हुए, एक धोती ओढ़े हुए। चेहरे पर इसी उम्र में झुर्रियाँ और दाग। उन्हें देखकर कौन कहता कि यह पटना विश्वविद्यालय के ग्रेजुएट हैं ! एक बार उन्होंने जयप्रकाशजी तक को चकमे में डाल दिया—अपढ़ देहाती वालंटियर बनकर, उनके हुक्म से अपने सिर पर टाईपराइटर तक ढो लाए ! इनकी सेवा भावना देख राजेन्द्र बाबू ने उन्हें गांधी सेवा में लेना चाहा। लेकिन उन्होंने नाही कर दी। पीछे वे बिहार असेम्बली के एम.एल.ए. चुने गए, लेकिन अपनी सादगी नहीं छोड़ी ! धीरे-धीरे वे बिहार के किसानों के बड़े ही प्यारे नेता हो चले !

अवधेश्वरजी की चर्चा हो चुकी है। ग्रेजुएट होकर कॉलेज से निकलते ही राजनीति में कूद पड़े और थोड़े दिनों में ही प्रान्तीय किसान सभा के मन्त्री बन गए—इस सम्बन्ध में ऐसी योग्यता दिखाई कि एक दिन वह भी आया, जब अखिल भारतीय किसान सभा के सभापति तक बनाए गए। किशोरी प्रसन्न सिंह की तत्परता और कार्यशीलता की कुछ ऐसी धाक हम पर थी कि पार्टी में पीछे आने पर भी उन्हें हमने बिहार सोशलिस्ट पार्टी का मन्त्री बनाया और काफी अरसे तक इस पद की जिम्मेवारी उन्होंने निभाई। किन्तु अफसोस अन्त में अपनी जल्दबाजी की प्रवृत्ति के कारण वह भी कम्युनिस्टों के फेर में पड़ गए !

मैं 'योगी' में ही था कि श्री बसावन सिंह अपनी पाँच साल की सजा भुगतकर जेल से लौटे। जेल में ही थे तो सरकार ने उन्हें 'योगेन्द्र शुक्ल के गैंग' के नाम से एक जरायम पेशा जमात में शुमार कर लिया था, जिसके अनुसार, उन्हें हर रविवार को थाने में हाज़िरी देनी पड़ती और रात में अपने घर से कहीं बाहर नहीं जाना होता। इस बन्धन के चलते उन्हें देहात में बड़ी दिक्कत थी, इसलिए हमने उन्हें 'योगी' के ऑफिस में ही बुला लिया और वह मेरे साथ ही रहने लगे। जिस समय वह जेल से आए थे, उनका शरीर ही नहीं, दिमाग भी बहुत कमजोर हो चला था। कहाँ वह पोढ़ा जवान, कहाँ यह दुबला-पतला हड्डियों का ठाट ! फिर जब कोई बात कहिए, जल्द उसे ग्रहण नहीं कर पाते, मुँह बाकर हमारा चेहरा देखने लगते। कई बार जयप्रकाशजी ने भी उनकी हालत देखकर उसाँसें भरी थीं—बसावन ने कुछ दिनों में ऐसी संगठन योग्यता दिखलाई कि हम दाँतों उँगली दबाने लगे।

मैंने ऊपर 'योगेन्द्र शुक्ल के गैंग' का नाम लिया है—हम जरा यहाँ ठहरकर शुक्लजी और इस 'गैंग' के बारे में कुछ जान लें—

मिडिल पास कर जब मैं एंट्रेंस में पढ़ने मुजफ्फरपुर आया और भूमिहार ब्राह्मण कॉलेजियट स्कूल में नाम लिखाया, तो थोड़े दिनों के बाद ही मेरा ध्यान उस स्कूल के एक हट्टे-कट्टे असाधारण विद्यार्थी की ओर आकृष्ट हुआ। खासकर जब फुटबॉल का मौसम आता, तब उनकी चर्चा आम हो जाती, क्योंकि उन्हीं के चलते फुटबॉल मैदान के गुत्थमगुत्था में हमारे स्कूल की टीम बाजी मार ले जाती। अपनी हिम्मत, दबंगपन और निर्भीकता के लिए वह मशहूर थे। मुझे यह बात याद नहीं कि उन्होंने कब स्कूल छोड़ा, लेकिन 1921 के असहयोग आन्दोलन के समय प्रोफेसर कृपलानी की मंडली के साथ हमने उन्हें कई बार देखा था। जब कृपलानीजी ने काशी में गांधी आश्रम नाम से एक खादी केन्द्र खोला, वे उसमें शामिल हो गए। गांधीजी के सत्याग्रह आश्रम, साबरमती में भी वे काफी अरसे तक रहे। मैं उन्हें करीब-करीब भूल ही गया था कि अचानक वह सारे बिहार में भूत की तरह मशहूर होने लगे और जब भगतसिंह आदि का मुकदमा चला तो लोगों ने आश्चर्य से सुना कि श्री योगेन्द्र शुक्ल उस क्रान्तिकारी गिरोह के नेताओं में हैं। लाहौर षड्यन्त्र केस के बाद साथ-साथ और बाद में भी बिहार के कई स्थानों में षड्यन्त्र केस चले और उनसे योगेन्द्र शुक्ल का नाम प्रायः ही आने लगा। वह बहुत दिनों तक फरार रहे और रासबिहारी बोस, चन्द्रशेखर आज़ाद की तरह उनके साहस की कितनी ही सनसनीखेज कहानियाँ प्रचलित थीं ! अन्ततः वे पकड़े गए, जेल में भी अजीब-अजीब कांड हुए, उन पर मुकदमे-पर-मुकदमे चले। कहते हैं, बिहार पुलिस उन्हें फाँसी की सजा का सजावार समझती थी, किन्तु, सबूत के अभाव में सिर्फ बाईस वर्ष के कालेपानी की सजा ही उन्हें मिल पाई। हाँ, एक दूसरे केस में उनके चचेरे भाई श्री बैकुंठ शुक्ल को जरूर ही फाँसी की सजा दी गई। उस समय बिहार में क्रान्तिकारी षड्यन्त्रों की धूम-सी मच गई थी। तिरहुत षड्यन्त्र केस, मौलनिया डकैती केस, फणी मर्डर केस (जिसमें बैकुंठ को फाँसी हुई), हाजीपुर ट्रेन डकैती केस (जिसमें रामदेनी सिंह को फाँसी हुई), पटना षड्यन्त्र केस, छपरा षड्यन्त्र केस, दरभंगा षड्यन्त्र केस, गया षड्यन्त्र केस, भागलपुर षड्यन्त्र केस आदि मशहूर हैं। इन षड्यन्त्रों में दो युवकों को फाँसी हुई और सौ से ज्यादा नौजवानों को लम्बी-लम्बी सजाएँ हुईं। उत्तरी बिहार के षड्यन्त्रों के अभियुक्तों में से लगभग साठ आदमियों को सरकार ने 'योगेन्द्र शुक्ल का गैंग' नाम दिया था और उन्हें जरायम पेशा लोगों (मगहिया डोम आदि) की तरह पुलिस की निगरानी में रहने को मजबूर किया था।

'योगी' ऑफिस में बसावन के कुछ दिनों तक रहने के बाद ही मुझे योगी के सम्पादन से अलग हो जाना पड़ा। इधर पार्टी और किसान सभा का काम कुछ ऐसा बढ़ गया था कि हम एक अलग ऑफिस रखने की बात सोच ही रहे थे। 'योगी' से मेरे हटते ही ऑफिस के लिए एक मकान ले लिया गया और मैं बसावन के साथ उसी में रहने लगा। पार्टी और किसान सभा के काम के अलावा पटना नगर कांग्रेस कमिटी के कार्यों की ओर भी मुझे ध्यान देना पड़ता। मैं उसका सभापति चुना गया था।

जिस समय मैं 'योगी' में ही था, तो कांग्रेस की स्वर्ण जयन्ती मनाई गई। उस साल राष्ट्रपति राजेन्द्र बाबू ही थे। स्वर्ण जयन्ती का कार्यक्रम निकला और उसकी पूर्ति के लिए जोरदार तैयारियाँ होने लगीं। एक अजीब उत्साह देश भर में छाया हुआ था। मैंने दुख के साथ देखा कि उस कार्यक्रम में शहीदों की याद के लिए कोई निर्देश नहीं है। मैंने तुरत ही एक लेख लिखकर (जिसका शीर्षक था 'बे-ठिकाना उनका मज़ार है') पत्रों में प्रकाशनार्थ भेजा और उसकी एक कॉपी, एक व्यक्तिगत पत्र के साथ राजेन्द्र बाबू के पास भेज दी। उस समय वे दक्षिण भारत का दौरा कर रहे थे। मेरा खत और लेख पाते ही राजेन्द्र बाबू

ने स्वर्ण जयन्ती के अवसर पर शहीदों के स्मारक की ओर देश का ध्यान आकृष्ट किया। 'योगी' का जो मैंने 'शहीद अंक' निकाला, उसके लिए भी उन्होंने एक सुन्दर लेख उस तूफानी दौरे के बीच से ही लिख भेजा। जिस दिन यह स्वर्ण जयन्ती मनाई गई थी, मुझे पटना की एक देहात से बुलाहट आई थी। स्वर्ण जयन्ती के उसी समारोह में मेरी पहली मुलाकात अबुलहयात चाँद से हुई, जो पीछे चलकर गाढ़ी मैत्री में परिणत हुई।

देश ने जिस धूमधाम से कांग्रेस की स्वर्ण जयन्ती मनाई, उसी से यह सिद्ध हो गया कि नए विधान के अनुसार जो प्रान्तीय असेम्बलियों का चुनाव होने जा रहा है, उसमें कांग्रेस की पूरी विजय होगी। लेकिन हम चाहते थे कि कांग्रेस इस मौके पर अपनी किसान सम्बन्धी नीति को स्पष्ट कर दे। अतः उसके बाद जो फैजपुर कांग्रेस हुई, उसमें हमने यह सुझाव रखा। मैं अखिल भारतीय कांग्रेस कमिटी का सदस्य था। मैंने जमींदारी प्रथा उठा देने और किसानों के कर्ज मंसूख करने का प्रस्ताव वहाँ रखा। हमारे इस सुझाव और इस प्रस्ताव के चलते उस साल के राष्ट्रपति पं. जवाहरलाल नेहरू ने किसान सम्बन्धी एक तात्कालिक योजना पेश की जो पीछे 'फैजपुर का किसान कार्यक्रम' के नाम से मशहूर हुआ। असेम्बली चुनाव जीतने में इस किसान कार्यक्रम ने कमाल कर दिखाया था। फैजपुर के निर्णय के अनुसार हर प्रान्त में कांग्रेस के द्वारा किसानों की स्थिति की जाँच भी कराई गई थी। हमने प्रान्तीय कांग्रेस की जाँच समिति के सामने किसानों की दुर्गत और जमींदारों के भीषण अत्याचारों की गवाहियाँ प्रान्त भर में दिलवाईं। किसानों को और भी ढाढ़स बँधा कि कांग्रेस उनके दुख दूर करने के लिए सन्नद्ध है, पर अफसोस, कांग्रेस मन्त्रिमंडल कायम होते ही दूसरी हवा बहने लगी—लेकिन अभी यह प्रसंग स्थगित रहे।

चुनाव के समय मेरी सबसे पहली जिम्मेवारी तो पटना शहर की थी, जहाँ का मैं सभापति था। पटना देहात से हमारे दो साथी खड़े थे—श्री श्यामनन्दन सिंह और शीलभद्र याजी। उन देहातों में भी मुझे जाना पड़ता। मेरे घर के चुनाव क्षेत्र से स्वर्गीय रामदयालु बाबू खड़े थे। उनकी कुछ नीति से मैं असन्तुष्ट रहता था। लेकिन जब अपने चुनाव का पूरा भार उन्होंने अवधेश्वरजी पर डाल दिया, तो मेरे लिए कोई चारा नहीं रह गया। वहाँ भी जाकर मुझे काम करना पड़ा। तब तक लाउड स्पीकर का दौरदौरा आज के समान नहीं हुआ था। मैंने पाया, मेरी ऊँची आवाज कोलाहलों में बहुत ही काम कर जाती है ! उफ़ ! उन चुनाव के दिनों में कितना जोश देखा था ! मालूम होता था, भारत की सोई हुई आत्मा जग पड़ी हो। सत्याग्रह के मौकों पर तो सिर्फ राजनीतिक चेतना से जाग्रत लोग ही आगे बढ़कर कुरबानियाँ करते हैं, बाकी लोगों की मूक सहानुभूति ही दिखाई पड़ती है। लेकिन इस चुनाव में तो बच्चा-बच्चा शामिल हो रहा था। गाँव के छोटे-छोटे बच्चे टोलियाँ बनाकर झंडे उड़ाते कांग्रेस उम्मीदवारों को वोट देने की नारे लगा रहे थे। औरतों में भी जोश उमड़ा पड़ता था ! नौजवानों में तो ऐसी मस्ती कभी देखी नहीं गई थी। बिहार के बड़े-बड़े राजे-महाराजे, सेठ-जमींदार अदना कांग्रेस कार्यकर्ताओं से इस तरह घबरा गए कि फिर कांग्रेस के खिलाफ खड़े होने की कभी शायद ही किसी में हिम्मत हो। जवाहरलालजी के तूफानी दौरे ने तो कांग्रेस की सफलता पर पहले ही मुहर लगा दी थी।

पटना का वह दृश्य भूला नहीं है। पं. जवाहरलालजी आनेवाले थे। बिहार की राजधानी में उनका शानदार स्वागत हो, इसके प्रबन्ध में मैं जुट गया। शहर से जो दो उम्मीदवार (एक देवीजी) खड़े थे, उन्होंने काफी पैसे नहीं दिए। रुपए का अभाव भले ही हो, कार्यकर्ताओं का अभाव मेरे साथ नहीं था। उन उत्साही कार्यकर्ताओं को लेकर मैं तुल पड़ा। मुख्य सड़क पर मैंने दो-तीन मेहराबें बना दीं और झंडे लटका दिए। फिर क्या था, जरा सा मेरे कहने

भर की देर थी, सब दूकानदार अपनी-अपनी दुकानों के नजदीक मेहराबें बनाने लगे। शाम होते बांकीपुर लॉन से सिटी के सिमली मोहल्ले तक–छः-सात मील की दूरी तक–कदम दर कदम पर मेहराबें बन गईं। धुँधलका हुआ नहीं कि अनगिनत बत्तियाँ जगमग करने लगीं। समूची राजधानी उस दिन दुलहिन सी लगती थी। पंडितजी शाम को पधारनेवाले थे, लेकिन, वह पहुँचे रात के एक बजे। लगभग सात घंटे तक लोग उनकी प्रतीक्षा में सभा स्थल पर बैठे थे। जाड़े की रात, दाँत कट-कट बोल रहे थे। लेकिन लोग हटे नहीं। हाँ, इसमें मेरी भी कुछ जादूगरी जरूरी थी। कविता से, गान से, व्याख्यान से, बीच-बीच में अब आए, तब आए की आशा दिलाते मैंने लोगों को उलझाए रखा। अब भी 'सर्चलाइट' सम्पादक मुरली मनोहर प्रसाद उस दिन के मेरे उस 'अलौकिक करतब' की याद दिलाते हैं। खैर, आखिर पंडितजी आए और आते ही बोलना शुरू किया; "मैं शानदार आदमी हूँ। यह शान मेरी नहीं, कांग्रेस की है। मैं यह बरदाश्त नहीं कर सकता कि कोई कांग्रेस के खिलाफ खड़े होने की जुर्रत करें ! उफ, उनकी यह कैसी हिम्मत, कैसी हिमाकत ! इस हिमाकत का एक ही जवाब है, आप उन्हें झाड़ू पर उठाकर फेंक दीजिए !" और सचमुच यही हुआ ! बिहार भर में कांग्रेस के मुखालिफ झाड़ू पर उठाकर फेंक दिए गए। आम चुनाव क्षेत्र की सभी सीटें कांग्रेस ने जीत लीं–सिर्फ एक जगह हार हुई, जहाँ के कांग्रेसी आपस में ही लड़ गए।

जिन कई चुनाव क्षेत्रों में खूब कशमकश रही, उनमे एक था दानापुर का चुनाव क्षेत्र। कांग्रेस के खिलाफ खड़े थे, ऑनरेबुल बाबू रंजनधारी सिंह। रंजनबाबू पटना डिस्ट्रिक्ट बोर्ड के चेयरमैन रह चुके थे, अब भी उस पर उनका सोलह आना अधिपत्य था। बिहार कौंसिल के सभापति थे। सरकारी हल्कों में वह बिहार के सबसे चतुर आदमी समझे जाते थे, जिन्होंने कौंसिल के सभापति के चुनाव में डॉक्टर सच्चिदानन्द सिंह को हरा दिया। एक ओर वह थे, दूसरी ओर कांग्रेस की तरफ से खड़े थे हमारे श्यामनन्दन बाबा–खाली पैर, खाली सिर, कम्बल कन्धे पर लिये श्यामनन्दन बाबा ! चुनाव के दिन जिले के पुलिस सुपरिन्टेंडेंट ने जब कांग्रेस के उम्मीदवार को देखने की लालसा प्रकट की और उसे श्यामनन्दन बाबा दिखलाए गए, तो बेचारे को विश्वास तक नहीं होता था ! खैर, श्यामनन्दन बाबा ने बिहार कौंसिल को बुरी तरह पछाड़ दिया ! पीछे जब यू.पी. के चुनाव में काम करने को भेजे गए, तो वहाँ उन्हें 'प्रेसिडेन्ट पछाड़न सिंह' के नाम से लोग व्यंग्य में परिचय कराते।

असेम्बली चुनाव के समय 'वोट का है जमाना सँभल जाइए' नामक एक गीत बिहार के गाँव-गाँव में प्रचलित हुआ–यू.पी. में भी इस गीत की धूम मच गई थी। यह गीत सबसे पहले एक देहाती कवि सम्मेलन में, जिसका मैं सभापति था, सुनाया गया था। मैंने सराहा, श्यामनन्दन बाबा के चुनाव क्षेत्र के लिए इसे छपवाया गया, फिर तो यह बच्चे-बच्चे की जबान पर आ गया ! इसके रचयिता श्यामनन्दन बाबा के ही गाँव के श्री रामचन्द्रजी थे। लेकिन रामचन्द्रजी ने भी यह सपने में भी नहीं सोचा होगा कि उनका गीत ऐसा प्रचार पाएगा और ऐसा कमाल दिखाएगा ! मनुष्य की तरह रचनाओं के भी अपने-अपने भाग्य होते हैं !!

असेम्बली के चुनावों की शानदार सफलता के बाद दिल्ली में 'नेशनल कन्वेशन' बुलाई गई, जिसमें 'अखिल भारतीय कांग्रेस कमिटी' के सदस्यों के अतिरिक्त सभी सफल कांग्रेस एम.एल.ए. बुलाए गए। यह योजना राष्ट्रपति नेहरू की ही थी। 'अखिल भारतीय कांग्रेस कमिटी' के सदस्य की हैसियत से मैं भी दिल्ली गया। सभी एम.एल.ए. और सदस्यों से देशभक्ति की शपथ पर हस्ताक्षर लिये गए। फिर अखिल भारतीय कांग्रेस कमिटी के जलसे

में मन्त्रित्व ग्रहण करने के प्रश्न पर विचार शुरू हुआ। हम लोगों की पार्टी की ओर से मन्त्रित्व ग्रहण के खिलाफ आवाज उठाई गई। उस तरह की बहसें कांग्रेस के इतिहास में शायद ही कभी हुई हों। पक्ष-विपक्ष में दलीलों की भरमार थी। विपक्ष में आचार्य नरेन्द्रदेव, डॉ. पट्टाभि सीतारामैया, श्रीमती विजयलक्ष्मी पंडित, सरदार शार्दुल सिंह, सेठ गोविन्द दास मसानी आदि के जोरदार भाषण हुए। पक्ष में श्री राजेन्द्र बाबू, सरदार पटेल, राजगोपालाचारी आदि कांग्रेस के दिग्गजों के भाषण होते रहे। दो दिनों तक बहस के बाद वोट लिये गए। लगभग पचहत्तर के विरुद्ध लगभग एक सौ पाँच वोटों से मन्त्रित्व के पक्ष में प्रस्ताव पास हुआ। राष्ट्रपति पं. नेहरू भी मन्त्रित्व ग्रहण के खिलाफ थे। इसी बैठक में श्री एम.एन. राय की बड़ी भद्द हुई। उनके प्रस्ताव के पक्ष में मुश्किल से आधे दर्जन हाथ उठे थे। फैजपुर में उन्होंने जो कुछ रुतबा हासिल किया था, वह दिल्ली में सदा के लिए खो गया!

यदि गवर्नर मन्त्रिमंडल के कार्यों में हस्तक्षेप नहीं करने का वादा करें तभी मन्त्रित्व ग्रहण किया जाए, दिल्ली में यही तय हुआ था। साथ ही यह भी तय हुआ था कि चूँकि यह नया विधान भारत पर जबरदस्ती लादा गया है, इसलिए जिस दिन यह शुरू हो उस दिन विरोध में सारे भारत में हड़ताल की जाए। गवर्नर ने हस्तक्षेप नहीं करने का वचन नहीं दिया, फलतः कांग्रेस ने मन्त्रित्व स्वीकार नहीं किया—अतः जगह-जगह 'अन्तरिम' मिनिस्टरियाँ बनाई गईं। बिहार में मिस्टर युनूस ने मिनिस्टरी बनाई। इससे कांग्रेसजनों में काफी गुस्सा था। लेकिन हमने आश्चर्य से देखा कि मन्त्रित्व की ओर उनका ध्यान कुछ इस तरह बँध गया था कि पहली अप्रैल की हड़ताल की जैसे उन्हें सुध ही नहीं रह गई थी। लेकिन हमारी पार्टी इस हड़ताल को हर जगह जोरदार बनाना चाहती थी। पटना की कांग्रेस कमिटी हमारे हाथ में थी, इसलिए हमने पटना में शान से हड़ताल मनाने की तैयारियाँ शुरू कीं।

पटना में सफल हड़ताल मनाने के लिए मुसलमानों का सहयोग सबसे जरूरी है—क्योंकि पटना के प्रमुख बाज़ार मुरादपुर की अधिकांश दुकानें मुसलमानों की हैं। 1921 के उस हिन्दू-मुसलिम एकता के जमाने के पहले पटना में पूरी हड़ताल सिर्फ एक बार 1920 में हुई थी, जब श्री हसन इमाम साहब का रुख कुछ दिनों के लिए सत्याग्रह की ओर हुआ था। उसके बाद कितने दिवस आए और गए, पूरी हड़ताल नहीं हो पाई। संयोग से हमारे पास मुसलमान नौजवानों का एक अच्छा खासा गिरोह हो गया था। हमने उर्दू में नोटिस छपवाकर उन मुसलमान दोस्तों के साथ मुसलमान दुकानदारों के बीच काम करना शुरू किया। हमने देखा, धीरे-धीरे मुसलमान हमारे पक्ष में आ रहे हैं। यद्यपि एक मुसलमान मिनिस्टरी बनने जा रही थी, अतः स्वभावतः ही मुसलमानों को इस हड़ताल से अलग रहना चाहिए था, किन्तु देश की पुकार के सामने इस मुसलिम वज़ारत को भुला दिया। उन्होंने तय कर लिया कि वे भी हड़ताल में शामिल होंगे। तभी से मेरा विश्वास हो गया है कि यदि अच्छी तरह से मुसलमानों में काम किया जाए तो कोई कारण नहीं कि वे हमारे साथ न हो लें।

1937 की पहली अप्रैल (फूल्स डे—बेवकूफों का दिन) को नया विधान जारी होनेवाला था। उसके एक दिन पहले एक इंसपेक्टर साहब हमारे ऑफिस में पधारे और हम पर 144 की नोटिस तामिल कर गए कि हम कल किसी तरह का जुलूस न निकालें, न सड़कों पर किसी किस्म का प्रदर्शन करें। मैं पटना नगर कांग्रेस कमिटी का सभापति था, अतः इसके लिए एक औचित्य भी हो सकता है, लेकिन नोटिस साथी जयप्रकाश नारायण आदि कई और लोगों के नाम से जारी की गई थी। जयप्रकाशजी उस दिन बाहर गए हुए थे। इस नोटिस पर क्या किया जाए, इस सम्बन्ध में विचार करने के लिए मैंने शहर कांग्रेस कमिटी

की बैठक बुलाई। जो हमारे बुजुर्ग नेता थे, वे सबके सब चुपचाप रह जाने की सलाह देने लगे, क्योंकि सत्याग्रह का यह जमाना न था। मुझे बड़ा गुस्सा आया—क्या सरकार हमारी नागरिक स्वतन्त्रता को अकारण छीनती जाए और हम चुपचाप देखा करें ? नहीं, मैं इसे नहीं बरदाश्त कर सकता ! किन्तु, मुझे इस बारे में जयप्रकाशजी से सलाह कर लेना भी जरूरी मालूम हुआ, क्योंकि नोटिस उन पर भी थी। अतः कमिटी से मैंने आज्ञा ले ली कि व्यक्तिगत रूप से इसकी मुखालफत करने की मुझे स्वतन्त्रता है। कमिटी में मेरा बहुमत तो था ही, इसलिए कोई दिक्कत क्या होती भला ?

भोर से ही सड़कों पर घुड़सवार सैनिकों की उछल-कूद शुरू हुई। सरकार के इस रुख ने हमारी और मदद की। पाँच-छः मील लम्बे इस शहर की अजगर-सी सड़कें बिलकुल सूनी थीं। कहीं न एक सवारी, न पान तक की एक दूकान खुली। मुरादपुर की हड़ताल मुकम्मल थी। यहाँ-वहाँ कुछ दर्शक घुड़सवारों की उछल-कूद देख रहे थे। इस हड़ताल के लिए चारों ओर से हमें बधाइयाँ मिल रही थीं, लेकिन हमारा तो मन टँगा था शामवाले जुलूस पर। इधर पुलिस डुगडुगी दे रही थी, खबरदार ! कोई जुलूस नहीं निकालें, कोई प्रदर्शन न करें। करीब नौ बजे की ट्रेन से जयप्रकाशजी आए। हमने स्टेशन पर ही उनसे भेंट की। सब बातें बताईं—पैदल की हम ऑफिस तक आए। बात खत्म होते ही उन्होंने झट कह दिया—"इस सरकारी हुक्म को तोड़ना होगा, आप इसके लिए तैयारी कीजिए।"

हमने जयप्रकाशजी चेहरे पर वही झलक देखी, जो 1930 में राजेन्द्र बाबू के चेहरे पर देखी थी। उनका गोरा चेहरा लाल बन रहा था। जेल जाने की तैयारी में अपने बिस्तरे को वैसे ही बँधा रहने दिया। जब इसकी खबर उनके मित्रों और सम्बन्धियों को लगी तो लोग घबराए हुए पहुँचे और कुछ ने समझाना-बुझाना शुरू किया—कानून तोड़ने से इस समय क्या फायदा ? पुलिस को आपकी मंशा की ज्योंही खबर लगेगी, वह आप लोगों को गिरफ्तार कर लेगी, लोगों में जोश नहीं है, न उमड़ पाएगा—आदि आदि। जयप्रकाशजी ने एक वकील मित्र को लक्ष्य करके कहा—वकालतखाने में बैठकर आप जनता के जोश का अन्दाजा नहीं लगा सकते ! इन बेलौस बातों के बाद क्या कहा-सुना जा सकता था !

चार बजे तक हड़ताल रखने की बात थी और पाँच बजे जुलूस निकालने का कार्यक्रम था। पुलिस ने डुगडुगी देकर जुलूस की मनाही की खबर कर दी थी। अगर हम खबर कर देते हैं कि जुलूस निकालेंगे तो जुलूस के पहले ही पुलिस हमें गिरफ्तार कर लेगी और यों सार्वजनिक प्रदर्शन नहीं हो पाएगा। इसलिए हमने अपनी पूरी तैयारी कर ली और ठीक चार बजे पाँच-पाँच के गिरोह में नौजवानों को प्रमुख सड़कों पर भेज दिया कि वे लोगों को कानोंकान कहते जाएँ कि हम लोग पटना कॉलेज के निकट से जुलूस निकालने जा रहे हैं। सभी कॉलेजों में भी इसकी तुरन्त खबर कर दी गई। नौजवानों के जत्थे इधर ह्विस्परिंग कम्पेन में चले, उधर हम लोग अलग-अलग रास्तों से पटना कॉलेज के सामने पहुँचे। एक साथी बाँस की कुछ लकड़ियाँ लिये वहाँ पहुँच गए थे। अपने-अपने झंडे हमने अपनी जेबों में रख लिये थे। हम लोग अलग-अलग खड़े थे। हमने देखा कि होस्टलों से विद्यार्थी उत्तेजित होकर निकल रहे हैं, सड़कों से भी कुछ लोग वहाँ उत्सुकता में पहुँच रहे हैं। ज्यों ही पाँच बजे, मैंने लपककर एक लकड़ी ले ली और उसमें अपना झंडा लगाकर पटना कॉलेज के सामने जो पीपल के पेड़ के नीचे चबूतरा है, उस पर चढ़कर नारे लगाने शुरू किए। जयप्रकाशजी एवं दूसरे साथी भी झंडे लिये चबूतरे पर आ गए और नारे में शामिल हो गए। राष्ट्रीयता के और नारों के साथ 'नया विधान तोड़ दो !' का नारा हमने दिया। पाँच मिनटों के अन्दर ही वहाँ लगभग पाँच सौ आदमी इकट्ठे हो गए। उनका जुलूस बनाकर हम लोग अदालत

की ओर चले। कदम-कदम पर लोगों की भीड़ बढ़ती गई। जनरल हॉस्पिटल के सामने आते-आते तो उधर पुलिस के अफसर लॉरियाँ लेकर दौड़े और हमें गिरफ्तार कर, पीरबहोर थाने में ले गए और गन्दे, बदबूदार थाने में बन्द कर, फिर भीड़ को सँभालने के लिए दौड़े !

लेकिन क्या अब भीड़ सँभाली जा सकती थी ? लोगों की उमंग सभी- बन्धनों को तोड़कर सहस्त्रमुखी धारा की तरह इधर-उधर—सर्वत्र उमड़ रही थी। समूचा पटना शहर एक विशाल जुलूस में परिणत हो चुका था। सड़कों पर, गलियों में—जहाँ देखिए, वहीं सैकड़ों-हजारों आदमी जुलूस निकालकर 'नया विधान तोड़ दो' चिल्ला रहे हैं। पुलिस की लॉरियाँ दौड़ रही हैं, घुड़सवार दौड़ रहे हैं, लेकिन कौन किसकी सुनता है ! दो-तीन घंटे तक सड़कों पर प्रदर्शन कर, जुलूसों का बड़ा हिस्सा कांग्रेस मैदान में पहुँचा, जहाँ हमारी गिरफ्तारी की खबर सुनकर, बीमार होने पर भी श्रद्धेय राजेन्द्र बाबू पहुँच गए थे। राजेन्द्र बाबू ने हमारे काम को सराहा, हमारी प्रशंसा का प्रस्ताव वहाँ पास हुआ, साथ ही नई मिनिस्टरी के खोखले इस श्रीगणेश की निन्दा की गई। जुलूस का एक हिस्सा साथी अम्बिकाकान्त के नेतृत्व में युनूस साहब के बँगले पर पहुँचा और वहाँ बड़ी देर तक प्रदर्शन करता रहा। वहाँ भी अम्बिका बाबू और कई कार्यकर्ता गिरफ्तार किए गए !

अम्बिका बाबू वगैरह को तो छोड़ दिया गया, किन्तु जयप्रकाशजी, बसावन, फुलवारी शरीफ के शाह अहमद हबीब और अब्दुल बाकी आदि लगभग एक दर्जन साथियों के साथ मुझ पर मुकदमा चलाया गया। इन एक दर्जन में चार मुसलमान थे और एक देवी। मुकदमा खूब ही दिलचस्प रहा। मुकदमा देखने श्रीबाबू, अनुग्रह बाबू, बलदेव बाबू आए। हमने खुद ही जिरह की और सरकारी इलजामों को बेबुनियाद बना डाला। नगर कांग्रेस कमिटी के सभापति की हैसियत से मैंने एवं पार्टी की ओर से जयप्रकाशजी नें बयान पेश किया। "नया विधान अपने शुरू होने के दिन ही पटना की गलियों में बेपनाह ठुकराया जा रहा था।" उनके ये शब्द आज भी कानों में गूँज रहे हैं। मुकदमे की बुनियाद हिल गई थी, लेकिन तो भी हमें सजाएँ दी गईं—तीन-तीन महीने की ! हम चार आदमियों को—जयप्रकाशजी, सैयद साहब और बाकी साहब को तथा मुझे ऊँची क्लास में रखा गया और हमें शीघ्र ही हज़ारीबाग़ सेन्ट्रल जेल भेज दिया गया।

जयप्रकाशजी के साथ एक ही कमरे में, एक ही साथ लगभग तीन महीने रहने का मौका मिला। दोनों मुसलमान साथियों सहित हम यह अवधि हँसी-खुशी में बिता रहे थे कि अचानक मुझे और बाद में जयप्रकाशजी को घर से गमी की खबरें आईं—इन दुखों ने किस तरह हमें और भी निकट ला दिया, इस बारे में यहाँ अधिक लिखने की जगह नहीं। वह पुरदर्द कहानी जेल जीवन की गाथा में आएगी।

जयप्रकाशजी पहले ही जेल से छूट गए थे। जिस दिन मैं छूटकर जा रहा था, हज़ारीबाग़ शहर और स्टेशन के बीच में मेरी मुलाकात श्रीबाबू से हुई। एक शानदार मोटर पर दो बड़े तिरंगे झंडे उड़ाते श्रीबाबू राँची में गवर्नर से मिलने और मन्त्रित्व स्वीकार करने जा रहे थे। हमें देख उनकी मोटर रुकी, उन्होंने अपनी स्वाभाविक वत्सलता से हमारा अभिनन्दन किया, फिर मन्त्रित्व ग्रहण की खबर की। मैंने छूटते ही कहा—"गणेशदत्त सिंहजी की वजारत में बार-बार जेल जाना पड़ा, तीन महीने के लिए युनूस साहब आए, उन्होंने भी जेल में रखा, अब देखना है कि हम कमबख्तों का आपकी वज़ारत में क्या हश्र होता है।" मैंने हँसी-हँसी में यह कहा था, श्रीबाबू भी इसे सुनकर हँस पड़े। उनकी मोटर सरसरा कर आगे बढ़ी—मैं सोचने लगा, मैंने यह क्या कह दिया ? मेरी बात सच निकलेगी, श्रीबाबू की वज़ारत में मुझे जेल जाना पड़ेगा, मेरे सैकड़ों साथियों और हजारों किसान मजदूरों को जेल आना

पड़ेगा—यह तो उस समय कल्पना भी नहीं की जा सकती थी !

जेल से छूटने के बाद मैं बसावन के साथ बेनीपुर गया। बसावनजी की तन्दुरुस्ती और भी खराब हो गई थी। जब हम पटना लौटे तो कांग्रेसी मन्त्रिमंडल ने अपनी हुकूमत शुरू कर दी थी, लेकिन बसावन पर अब भी जरायम पेशावाला कानून लागू था। मैं प्रधानमन्त्री बाबू श्री कृष्ण सिंह से मिला। उन्होंने शीघ्र ही इसे हटा देने का वादा किया। 'जनता' निकालने का निश्चय हम पहले ही कर चुके थे, अतः पटना में होते ही सबसे पहले हमने इसी काम को हाथ में लिया। विजयदशमी, 1937 से 'जनता' धूमधाम से निकलने लगी।

मन्त्रिमंडल कायम होने के बाद पहली बार प्रान्तीय असेम्बली की बैठक होने जा रही थी। स्वामीजी उन दिनों कश्मीर की सैर में थे, तो भी हम लोगों ने तय किया कि उस दिन किसानों का एक जबरदस्त प्रदर्शन होना चाहिए। हमने इसके लिए सूचना निकाली। निश्चित तारीख पर भोर से ही हजारोंहजार किसान पहुँचने लगे। समूचे पटना में जहाँ देखिए, वहाँ किसानों का समूह दिखाई पड़ता था। पटना के लॉन में हमने किसानों की सभा की, उन्हें इस प्रदर्शन का उद्देश्य समझाया, फिर असेम्बली की ओर चले। असेम्बली भवन के सामने किसानों ने अपने नारे लगाए, कुछ किसान उत्साह में आकर असेम्बली भवन पर चढ़ गए, वहाँ झंडे उड़ाए, कुछ मेम्बरों की सीटों पर जाकर भी उस गुलगुले गद्दे का मज़ा लेने लगे। इतना हो-हल्ला मचा था कि कोई किसी की सुन नहीं रहा था। यह अव्यवस्था मुझे पसन्द नहीं आई। मैं सामने खड़े एक किसान के कन्धे पर चढ़ गया और चिल्लाकर किसानों से निकट के बगीचे में चलने को कहा। पाया, किसानों ने तुरन्त इस ओर ध्यान दिया, सबके सब बगीचे में चले गए। वहाँ पर श्रीबाबू को बुलाया गया। किसानों ने उनका अभिनन्दन किया फिर अपनी माँगें उनके सामने रखीं। श्रीबाबू ने असेम्बली के चुनाव में कांग्रेस को जिताने का सारा श्रेय किसानों को देते हुए, उनकी माँगों पर तुरन्त ध्यान देने का वचन दिया। किसान खुशी-खुशी अपने घरों को गए !

हमें पूरी आशा थी कि मन्त्रिमंडल किसानों के हित को अपने लिए सर्वोपरि समझेगा। किसानों के लिए एक बिल भी उसने तैयार कराया, जिसमें कई अच्छी दफाएँ थीं। किन्तु तुरन्त ही हालत बदलती नजर आई। जमींदारों ने एक बड़ा जलसा पटना के सबसे बड़े होटल 'रिजवाँ' में किया। उसमें भाषण देते हुए एक बड़े जमींदार ने कांग्रेस मन्त्रिमंडल को धमकाते हुए यहाँ तक कह डाला कि यदि मन्त्रिमंडल ने हमारे अधिकारों पर हस्तक्षेप किया तो हम प्रधानमन्त्री के खादी के कुरते को खून से रँग देंगे। एक ओर यह धमकी दी गई, दूसरी ओर एक जहाज़ किराया करके गंगाजी में विचरण करते हुए, इन जमींदारों ने मन्त्रिमंडल के सदस्यों को शानदार दावत दी। थोड़े ही दिनों में हमने 'कांग्रेस-जमींदार समझौता' नाम की एक चीज़ देखी और किसानों के लिए जो बिल पेश था, उसकी कितनी ही अच्छी दफाओं को एक-एक कर वापस लेते हुए पाया। यह स्थिति देख, पटना में फिर किसानों के एक प्रदर्शन का आयोजन हमने किया। यह प्रदर्शन पहले प्रदर्शन से भी ज्यादा शानदार था। सौ-सौ मील से पैदल चलकर किसान पहुँचे थे। अखबारों ने उनकी तादाद एक लाख बताई थी ! किसानों के फिर अपनी माँग दुहराई। लेकिन अब तो गंगा उलटी बह रही थी। यहीं से बिहार में मन्त्रिमंडल के दिनों में कांग्रेस और किसान सभा का झगड़ा चला, जिसकी परिणति बकाश्त सत्याग्रह के रूप में हुई।

'जनता' ऑफिस अब बिहार की प्रगतिशील शक्तियों का केन्द्र था। दिन भर मैं अखबार के काम में लगा रहा था या किसी-न-किसी सार्वजनिक आन्दोलन की देख रेख में। कांग्रेसी मन्त्रिमंडल के कारनामों के चलते किसानों में बड़ी जागृति आ गई थी। झुंड-के-झुंड किसान

कार्यकर्ता 'जनता' ऑफिस में रहते। 'जनता' ऑफिस में ही 'प्रान्तीय किसान सभा' और 'बिहार सोशलिस्ट पार्टी' के दफ्तर थे। दम मारने की फुरसत नहीं रहती। पटना सिटी मजदूर संघ का सभापति मुझे चुना गया, मैं मजदूरों का भी काम मुस्तैदी से करने लगा। पटना के विद्यार्थियों के संगठन में भी मुझे काफी वक्त देना पड़ता। काम, काम, काम—कामों की ऐसी भीड़ थी कि जब मेरी रानी पटना आई, मेरी अस्तव्यस्तता देख ऐसी घबराई कि बार-बार मुझे यह सब छोड़-छाड़कर घर चलने को कहती। भला, यों दिन-रात खटने से आदमी कब तक जिन्दा रह सकता है ?—यह थी उनकी दलील ! यह क्या जानती कि कुछ लोगों के लिए लगातार काम ही जीवन होता है ?

हम लोगों ने सोच रखा था कि मन्त्रिमंडल शीघ्र ही राजबन्दियों को रिहा कर देगा, क्योंकि कांग्रेस की चुनाव घोषणा में इसकी चर्चा थी, किन्तु हमने देखा, रिहाई में देर हो रही है। हाँ, राजबन्दियों को कालेपानी से जरूर बुला लिया गया था। थोड़े दिनों के बाद हमें खबर मिली, इन राजबन्दियों ने हज़ारीबाग़ जेल में अनशन शुरू कर दिया है। इस खबर को सुनकर हमने प्रान्त भर में 'राजबन्दी छोड़ दो' के नारे पर आन्दोलन शुरू किया। इस आन्दोलन का केन्द्र पटना था। शाम-सुबह साइकिल पर और पैदल जुलूस निकलने लगे। पटना की हर गली और कूचा 'राजबन्दी छोड़ दो' के नारे से गूँजने लगे। जनता का एक राजबन्दी अंक निकाला गया, जिसमें बिहार के एक-एक राजबन्दी का परिचय एवं देश के छोटे-बड़े राजबन्दियों का परिचय दिया गया था। एक दिन श्री जयप्रकाश नारायण के नेतृत्व में एक डेपुटेशन लेकर हम लोग प्रधानमन्त्री बाबू श्रीकृष्ण सिंह के पास गए। डेपुटेशन ने अपने वक्तव्य में कहा था—या तो चुनाव घोषणा के अनुसार राजबन्दियों को छोड़ दीजिए, या अगर गवर्नर इस बारे में हस्तक्षेप करता है तो इस्तीफा देकर चले आइए। इसी समय से हमारा नारा हुआ : 'राजबन्दी छोड़ दो, नहीं तो इस्तीफा दो'। हमें मालूम हुआ कि खासकर योगेन्द्र शुक्लजी की रिहाई को लेकर गवर्नर से खींचा-तानी चल रही है। आखिर इस सवाल को लेकर बिहार और यू.पी. के मन्त्रिमंडल ने इस्तीफे दे दिए। गवर्नर को झुकना पड़ा—राजबन्दियों की रिहाई हुई, अपनी विजय पर हम फूले नहीं समाए।

मन्त्रिमंडल कायम होने के बाद पहली कांग्रेस हरिपुरा में हुई। हरिपुरा की कांग्रेस के प्रतिनिधियों में चुनाव को लेकर समाजवादियों और गांधीवादियों में अजीब गुत्थमगुत्था हुई। पटना शहर के चुनाव में उम्मीदवार बने समाजवादी प्रतिनिधियों के चुनाव युद्ध का सारा बोझ मुझ पर था। दस बजे से पाँच बजे तक 'जनता' ऑफिस में काम करता। शाम को साइकिल लेकर निकलता तो बारह बजे रात तक लौटता। फिर भोर में छः बजे निकल जाता और दस बजे लौटता। दीघाघाट से फतहपुर तक बारह मील तक फैला यह शहर उन दिनों मुझे अजगर मालूम पड़ता। मेरे पास उत्साही नौजवानों की कमी नहीं थी, लेकिन आने-जाने एवं प्रचार के साधनों का अभाव था। साइकिल या पैदल चलो। पैसे नहीं कि पर्चे तक पूरी संख्या में छपवा सकें। दूसरी ओर मिनिस्टरी की गाड़ियाँ दिन-रात दौड़ा करतीं। मैं जिस चुनाव क्षेत्र से खड़ा हुआ था, उस पर खास नजर थी। मेरे खिलाफ पहले एडवोकेट जनरल बाबू बलदेव सहाय खड़े किए गए थे। पीछे उन्होंने नाम वापस लिया और एक दूसरे सज्जन को खड़ा किया गया। जिस मन्त्रिमंडल के बनाने के लिए असेम्बली चुनाव के दिनों में हमने दिन-रात एक कर दिया था, जिस पर आँच आते देख हमने इतना बड़ा प्रदर्शन कराया और जेल की सजा काटी थी, अब वही मन्त्रिमंडल हमें कांग्रेस में रहने देना भी नहीं चाहता था। मेरे चुनाव क्षेत्र में मिनिस्टर और पार्लियामेन्टरी सेक्रेटरी के व्याख्यान मेरे खिलाफ होते। सदाकत आश्रम के सामने 'लाल झंडे का नाश हो' के नारे लगते। जाति-पाँति का सवाल

उठाया जाता। चुनाव के दिन बोगस वोटों की भरमार की गई। आखिर मैं हार गया। कहते हैं, एक मिनिस्टर साहब जब मुफस्सल से राजधानी लौटे, पटना स्टेशन पर आते ही अपने लोगों से सबसे पहला सवाल यह पूछा कि बेनीपुर हराए गए न ? और मेरी हार की खबर सुन उन्होंने इत्मीनान की साँस ली !

मुफस्सल में तो राजधानी से भी बढ़कर बीभत्स दृश्य हुए। समाजवादियों को हराने के लिए एक भी कुकर्म नहीं उठाया गया। नामज़दगी के पर्चे रद्द किए गए, बोगस वोट दिलाए गए, वोट के बक्सों को तोड़ डाला गया या बदल दिया गया, वोटों की गलत गिनती की गई। यही नहीं, लाठियाँ चलाई गईं, रोड़े और बेल के फल फेंके गए, सिर तोड़े गए, हाथी हुलकाए गए—उफ् ! क्या-क्या न हुआ ! कांग्रेस के जिम्मेदार नेता वोटरों से खुलेआम कहते—यह देवासुर संग्राम है। एक ओर राक्षसी वृत्ति के लोग हैं, दूसरी ओर देवता वृत्ति के ! आम देवताओं को छोड़कर राक्षसों को कैसे वोट देंगे ! और इतने पर भी जो समाजवादियों को वोट देने की कोशिश करते, उनके साथ उपर्युक्त सलूक किए गए। इन चुनावों के खिलाफ मैंने जनता में जबरदस्त आन्दोलन शुरू किया तो प्रान्तीय कांग्रेस कमिटी ने धाँधलियों की जाँच के लिए एक कमिटी बनाई। कमिटी की रिपोर्ट को प्रान्तीय कांग्रेस कमिटी ने प्रकाशित तक नहीं किया और न उस पर कोई कार्रवाई की। कमिटी की रिपोर्ट का सार एक वाक्य में—"अहिंसा की रक्षा जितनी हिंसा से की गई, उस पर धावा भी उतनी हिंसा से नहीं हुआ था।"

मंत्रिमंडल के बाद मजदूरों में भी एक नई जागृति देखी गई। बसावन जब तक बिहार सोशलिस्ट पार्टी के ऑफिस में रहे, हम उनका एक बलिपंथी कार्यकर्ता के हैसियत से ही सम्मान करते थे। वही बसावन मजदूरों के बीच में जाकर अपनी संगठन शक्ति और नेतृत्व चातुरी से हमें चकित विस्मित करने लगे ! उन्होंने अपना घोंसला डेहरी में लगाया, जहाँ सेठ डालमिया के कई कारखाने चल रहे या खुल रहे थे। मजदूरों की पहली शानदार हड़ताल वहीं हुई। सैकड़ों मजदूर और कार्यकर्ताओं के साथ बसावनजी को जेल जाना पड़ा—लेकिन उन्हें अन्ततः विजय मिली। डेहरी के बाद महदौड़ा, सकरी, हरिनगर, बिहटा, जमशेदपुर, गया और पटना सिटी में हड़तालें हुईं। हरिनगर की हड़ताल की खास बात यही रही कि उसमें स्थानीय कांग्रेस ने मिल मालिकों का साथ दिया, जिसके चलते मजदूरों को सफलता नहीं मिल सकी—हाँ, वहाँ भी योगेन्द्र शुक्ल के नेतृत्व में सैकड़ों मजदूरों और कार्यकर्ता जेल गए। अन्त में, जब हड़ताल टूट रही थी, मैं चम्पारण गया और किसी तरह समझौता कराया। जमशेदपुर की तार कम्पनी की हड़ताल बड़ी शानदार रही, हम लोगों की पार्टी के एक साथी सरदार हजारासिंह को कम्पनी की मोटर के नीचे शहीद हो जाना पड़ा, स्वयं जयप्रकाशजी ने इस हड़ताल का नेतृत्व किया, लेकिन वहाँ भी मुख्यतः कांग्रेस नेताओं के चलते हमें सफलता नहीं मिल सकी। शुक्लजी इस हड़ताल में भी जेल गए। पटना सिटी की हड़ताल का संचालक मैं था। इसी हड़ताल के चलते कांग्रेस मन्त्रिमंडल में मुझे भी एक दिन के लिए जेल जाना पड़ा। यह किस्सा भी कम मनोरंजक नहीं।

पटना सिटी में तीन छोटी-छोटी मिलें हैं और वहाँ गल्ले का व्यापार भी खूब होता है। इन सब कामों में लगभग एक हजार मजदूर काम करते हैं। मजदूरों की दुर्दशा की मत पूछिए ! न नौकरी महफूज, न छुट्टी का ठिकाना, न रहने को घर, न बीमारी में दवा। कम-से-कम वेतन—उस पर भी मनमानी कटौतियाँ ! उनकी हालत की जाँच कर हमने मिल मालिकों से माँगे पेश कीं, सरकार को भी खबर दी। न मिल मालिकों ने ध्यान दिया, न सरकार ने खबर ली। लाचार मजदूरों ने हड़ताल कर दी। बड़ी ही शानदार हड़ताल

रही—बिलकुल शान्तिमय। हड़ताल के बीच एक दिन के लिए मुझे दरंभगा जाना पड़ा—शुक्लजी को मैंने नेतृत्व का भार दिया। मैं दरभंगा पहुँचा ही था कि तार मिला कि गिरफ्तारियाँ शुरू हो गईं—लौटिए। मैं भागा-भागा पटना पहुँचा। यहाँ आने पर जो बातें मालूम हुईं, खून खौल उठा। पुलिस ने हड़तालियों पर डंडे बरसाए, उन्हें गिरफ्तार किया—सिर्फ यही नहीं, उसने मजदूरिनों को गिरफ्तार कर मोटर लॉरी में चढ़ा लिया और उन्हें जेल में न ले जाकर शहर से कई मील दूर जाकर उजाड़ जगह में छोड़ दिया। शाम का वक्त था, ओढ़ने-पहनने की चीजों का अभाव, अंधकार में बेचारी महिलाएँ रात भर भटकती रहीं। इन सब बातों का सबूत इकट्ठाकर मैंने प्रधानमंत्री से मिलने के लिए फोन किया। जो वक्त दिया गया, उस पर मैं शुक्लजी के साथ पहुँचा, तो कई घंटे बिना खाए-पिए बैठा रहा, कोई पुरसाहाल नहीं। शुक्लजी तो गुस्से में लौट आए, लेकिन मैं वहीं रहा। लगभग शाम को श्रीबाबू से भेंट हुई। मैं अपनी नाराज़गी कहाँ तक जाहिर करता, मेरे साथ वहाँ गए एक लड़के ने हमारे साथ हुए इस बरताव से नाराज़ होकर कुछ भद्दी बातें किसी से कह दी थीं—जिसकी मुझे खबर तक नहीं थी—उसको लेकर श्रीबाबू मुझ पर ही गुस्सा उतारने लगे। मैं भौंचक रह गया। मेरे साथ अवधेश्वर थे, उन्होंने ही श्रीबाबू को जवाब दिया। खैर, पुलिस ने जो जुल्म किए थे, मैंने उन्हें पहले से ही लिख रखा था, उस कागज को सुपुर्द कर मैं लौट आया और पूरी ताकत लगाकर हड़ताल का संचालन करने लगा।

तीसरे दिन मैं भोजन करने को बैठा था कि इंसपेक्टर साहब वारन्ट लेकर आ धमके और 107 दफा में मुझे गिरफ्तार कर लिया। मुझे भूला नहीं था कि जब 1921 में सरकार ने 107 दफा में 'कांग्रेसमैनों' को गिरफ्तार करना शुरू किया था, तो कानून के आचार्य पंडित मोतीलाल नेहरू ने इसे कानून की आज्ञा का कत्ल किया जाना बतलाया था ! कांग्रेसी मन्त्रिमंडल में वही दफा मुझ पर लगाई जाएगी, मैंने इसकी कल्पना भी कहाँ की थी ! खैर, मैं जेल गया—लेकिन इधर पटना सिटी में जैसे आग लग गई। उस अग्नियज्ञ के अध्वर्यु बने साथी जयप्रकाशजी ! शाम को उन्होंने सिटी की विराट सभा में एक ऐसा व्याख्यान दिया, लोग कहते हैं, वैसे जोशीला व्याख्यान उनका कभी सुनने में नहीं आएगा। उन्होंने मन्त्रिमंडल से साफ कहा—"बस कीजिए, अपने हाथ खींचिए, नहीं तो मैं ईंट-से-ईंट लड़ा दूँगा !"

अब शायद मन्त्रिमंडल की आँख खुलीं कि उसने क्या कर लिया है ? जब मैं भोर में पटना जेल में सोया ही था (मैं कुछ देर से उठा करता हूँ) कि एक नायब जेलर मुझे जेल-गेट के लिए बुलाने गए। गेट पर देखता हूँ कि पुलिस सुपरिन्टेंडेंट, अवधेश्वर कुमार सिंह मेरी प्रतीक्षा में हैं। मुझे उन पर कुछ गुस्सा था—क्योंकि पहले दिन घटना उनके सामने हुई थी। लेकिन मैंने उस गुस्से का इजहार करना फिजूल समझा। उन्होंने बाहर चलने को कहा—मैंने समझा, शायद जल्द-जल्द मुकदमा करके सजा दिलाना चाहते हों। मैं जेल से बाहर तो उनकी मोटर पर बैठा, पर देखता हूँ कि मोटर कचहरी के प्रतिकूल दिशा में जा रही है। यह क्या बात ? थोड़ी देर में पाता हूँ, मैं अर्थमन्त्री अनुग्रह बाबू के बँगले के अहाते में हूँ। अब बातें समझ में आने लगीं, क्योंकि तुरन्त ही बिहारीजी मिल के मालिक को भी वहीं देखा, सिटी मैजिस्ट्रेट को देखा, सूर्यपुरा के राजा साहब भी दिखाई पड़े। कुछ ही देर के बाद अनुग्रह बाबू के कमरे में समझौते की बात चल रही थी, सारा मामला एक पंचायत के सुपुर्द किया गया, जिसमें यूनियन की ओर से मैं, सरकार की ओर से पं. विद्याभूषण शुक्ल और मिल की ओर से कोई एक प्रतिनिधि रहेंगे। सरकार सभी कैद लोगों को छोड़ देगी, यह भी तय हुआ। मैं दस्तखत ही करने जा रहा था कि उसी समय फोन की घंटी

बजी। फोन के उस छोर पर अवधेश्वर थे। वह मुजफ्फरपुर गए थे, मेरी गिरफ्तारी की खबर सुन दौड़े-दौड़े आए थे और अब अनुग्रह बाबू को कह रहे थे कि यदि बेनीपुरी को गुंडा दफा में गिरफ्तार किया है तो मेरी गिरफ्तारी के लिए भी तैयारी कीजिए। अनुग्रह बाबू मुसकराए, बताया कि बेनीपुरी मेरे सामने बैठे हैं। फोन मुझे दे दिया, दो-चार बातें हुईं। फिर अनुग्रह बाबू ने सिटी मैजिस्ट्रेट से कहा—इन्हें ले जाइए, इनके नेता को सुपुर्द कर आइए। वह बड़ी नाराज़गी में हैं। कुछ मिनटों के अन्दर ही मैं जयप्रकाशजी के नजदीक था।

पंचायत में जो फैसला हुआ, वह मजदूरों के लिए बड़े ही फायदे का था। लेकिन हमने थोड़े ही दिनों में पाया कि पूँजीपति अपने दस्तखत की क्या कीमत समझते हैं ? दबाव में आकर उन्होंने जितना करने का तय किया, उतना भी नहीं काम में ला सके। तरह-तरह से उसे तोड़ने लगे। जब मन्त्रिमंडल ने इस्तीफा दिया तो जैसे उन्हें मुँहमाँगी मुराद मिल गई। हमारे एक-एक कार्यशील यूनियन कार्यकर्ता को उन्होंने मिल से एक-न-एक बहाना करके निकाल बाहर किया। लाचार मजदूरों को फिर हड़ताल करनी पड़ी—गिरफ्तारियाँ हुईं। इधर महायुद्ध के चलते ऐसे-ऐसे सवाल उठे कि हम भी उनके बीच नहीं रह सके। 1940 के मई दिवस के तीसरे दिन जो मैं गिरफ्तार किया गया, तब से मजदूरों की सेवा करने का बहुत ही कम मौका मिल पाया है।

(ख) पत्रकार जीवन के पैंतीस वर्ष

(1)

उस दिन अपने साथ के स्कूल में पढ़नेवाले एक लँगोटिया यार से भेंट हुई। बातों-बातों में उसने बताया, किस तरह उस बचपन की उम्र में भी मैं सम्पादक बनने की इच्छा प्रकट करता था, इस बारे में जमीन-आसमान के कुलाबे मिलाने की ख्वाहिश जाहिर करता था; और मित्र ने इस पर मुझे बधाई दी कि कम-से-कम इस इच्छा की पूर्ति में मैंने सफलता प्राप्त की ही ! सफलता प्राप्त हुई कि नहीं, इस बारे में अभी कोई फैसला तो नहीं हो सकता, लेकिन इसमें तो कोई शक नहीं कि सम्पादक जीवन की ओर मैं शुरू से ही आकृष्ट था और इस क्षेत्र में आना मेरे लिए कोई आकस्मिक बात नहीं हुई है। कई क्षेत्रों में—जैसे राजनीति में—तो मैं जबरदस्ती घसीटकर डाल दिया गया, किसी व्यक्ति द्वारा नहीं, परिस्थितियों द्वारा; लेकिन पत्रकार जीवन पर यह बात लागू नहीं है। मैं आज पत्रकार हूँ, तो इसलिए कि शुरू से ही मैं पत्रकार बनना चाहता था, उसके लिए स्कीमें बनाता था, उसकी कला को समझना चाहता था, उसके लिए तैयारियाँ करता था।

ज़रा कल्पना कीजिए, उस लड़के की जो देहाती स्कूलों से मिडिल पास कर अभी-अभी शहर में पहुँचा है। देहाती स्कूलों में ही उसका कुछ पत्र-पत्रिकाओं से परिचय हो चुका था। लेकिन शहर में आते ही तो जैसे वह पत्र-पत्रिकाओं में अपने को लीन कर देना चाहता है। उस समय जो हिन्दी पत्र-पत्रिकाएँ निकलती थीं—सरस्वती, मर्यादा, विद्यार्थी, श्रीकमला, प्रताप, पाटलिपुत्र—उन्हीं से उसे सन्तोष नहीं होता है। वह हर भाषा के उत्कृष्ट पत्रों को देखने की आकांक्षा में अपने जलपान के पैसे काट-काटकर 'मॉडर्न रिव्यू' (अंग्रेजी), 'ज़माना' (उर्दू) 'भारतवर्ष' (बँगला) आदि मासिक पत्र मँगाता है। कहीं से ढूँढ़-ढूँढ़कर पढ़ता है—यद्यपि उस समय उसे अच्छी तरह न तो अंग्रेजी आती, न उर्दू, न बँगला। जब उसके साथी उसकी धृष्टता पर हँसते हैं, वह कहता है—मुझे सम्पादक बनना है, ज़रा देख लेता हूँ, दूसरी भाषाओं में कैसी पत्र-पत्रिकाएँ निकलती हैं !

हाँ, साप्ताहिक या दैनिक पत्रों की अपेक्षा उस समय मेरा झुकाव मासिक पत्रिकाओं की ओर ज्यादा था, शायद इसलिए कि मासिक पत्रिकाओं की छपाई-सुघराई या रंग-बिरंगी तसवीरें मेरे बचपन के मन को अपनी ओर ज्यादा आकृष्ट कर पाती थीं और जिसका सम्पादक बनने की स्कीमें मैं बनाता था, वह मासिक पत्रिका ही थीं। संयोग से एक ऐसी बनी-बनाई स्कीम भी मुझे मिल गई थी। 'सरस्वती' में पं. ज्वालादत्त शर्मा की एक कहानी छपी थी, उसमें वर्णन था कि किस तरह एक नौजवान के दिल में सम्पादक बनने की इच्छा पैदा हुई, उसने वकालत पास की, उस वकालत से पैसे कमाने, उन पैसों से अपने गाँव में एक बगीचा लगवाकर उसी में एक प्रेस बिठा लिया और फिर उसकी मासिक पत्रिका वहीं से निकलने लगी। बस, इससे अच्छी स्कीम क्या हो सकती थी ? मैं दिन में ही सपने देखा करता, मैं पढ़-लिखकर वकील बन गया हूँ, खूब वकालत चली है मेरी, काफी पैसे कमाए हैं मैंने, गाँव के उस अमुक स्थान पर वह मेरी सघन अमराई है, जिसमें खट-खट प्रेस चल रहा है, धड़ाधड़ अखबार निकल रहा है। उसके बाद छुट्टी में जो घर आया, तो अपने भोलेपन में उस जमीन पर जाकर मैंने उसका अच्छी तरह मुआइना भी किया—क्या यहाँ मेरी अमराई और अखबार के लिए काफी स्थान मिल सकेगा ?

लेकिन यह सब होना नहीं बदा था। 1921 में गांधीजी ने जो आँधी देश में असहयोग आन्दोलन के रूप में पैदा की उसके पहले झोंके में ही मेरा कल्पना महल धूल में मिल गया। वकील बनने के बदले देश के लिए भिखारी बना गाँव-गाँव अलख जगाने लगा।

कुछ दिनों तक इसी में लगा रहा, ज्यादातर देहातों में ही रहता। कभी-कभी शहर में आ जाता। एक बार इसी तरह मुजफ्फरपुर आया हुआ था कि मेरे स्कूल के सुप्रसिद्ध अध्यापक पं. मथुराप्रसाद दीक्षितजी से मेरी भेंट हो गई। दीक्षितजी मेरे गुरु थे, साहित्य रसिक थे, मुझे साहित्य की ओर प्रवृत्त करने में उनका बड़ा हाथ था, हमेशा मुझे प्रोत्साहित करते, मुझसे काम लेते, आगे बढ़ाते। उन्होंने भी गांधीजी की पुकार पर स्कूल से असहयोग कर दिया था। कुछ दिनों तक वह भी देहात-देहात में असहयोग का प्रचार करते फिरे—उनका भाषण भी बहुत ओजस्वी होता था। लेकिन अब पटना से निकलनेवाले एक अखबार के सम्पादक थे। उस अखबार का नाम था 'तरुण भारत'। गांधीजी के 'यंग इन्डिया' का अनुवाद उसमें रहा करता था। दीक्षितजी ने मुझे देखते ही 'तरुण भारत' में चलने का आग्रह किया। मेरे सम्पादक बनने के स्वप्न से वह अपरिचित नहीं थे। उनका आग्रह—मुझे तो मानो मुँहमाँगा वरदान मिल गया ! उन्हीं के साथ दूसरे दिन पटना जाकर मैंने 'तरुण भारत' के दफ्तर में प्रवेश किया। उस दिन जो मुझ पर आनन्द छाया हुआ था, क्या आज उसकी कल्पना भी की जा सकती है ?

'तरुण भारत' पटना के महेन्द्रू मोहल्ले के चौधरी टोले से निकलने लगा था। चौधरी टोला, पटना के अखबारनवीसी में खास स्थान रखता था। वहीं के पं. सोनासिंह चौधरी 'पाटलिपुत्र' के सुप्रसिद्ध सम्पादक थे। उन्हीं के भाई श्री रामगोपाल सिंह चौधरी के हाथ में उस समय पटना का एकमात्र अंग्रेजी दैनिक 'एक्सप्रेस' का संचालन सूत्र था। ये दोनों अखबार हथुआ राज्य की ओर से निकलते थे। दोनों की ही बड़ी धूम थी। लेकिन 'तरुण भारत' के संचालक चौधरी घराने से नहीं थे। उन लोगों का परिवार रुतबे में चौधरी लोगों से भी बढ़ा-चढ़ा था। 'तरुण भारत' के संचालक श्री नागेश्वर प्रसाद शर्मा थे, जो 'लालबाबू' के नाम से पुकारे जाते थे। 'लालबाबू' सचमुच लालबाबू थे। उनका चेहरा, गोरा, लाल भभूका था। कसरत करने से गठा हुआ शरीर; बहुत ही सुन्दर दीखते थे। रहन-सहन में भी पूरे लालबाबू—भावना पर काम करते, हमेशा कुछ दरबारी उन्हें घेरे रहते। उनके दो भाई और थे—एक, श्री अम्बिका प्रसाद सिंहजी, जो उन दिनों बड़े लाट की कौंसिल के सदस्य थे। जब पं. मोतीलाल नेहरूजी की स्वराज पार्टी बनी, वह उसमें भी शामिल हुए। छोटे भाई थे, श्री द्वारका प्रसाद शर्मा, जो उस समय आई.सी.एस. पढ़ने विलायत गए हुए थे और पीछे जो मिस्टर डी.पी. शर्मा के नाम से कई जिलों के कलेक्टर रह चुके हैं। यों, देखने पर, तीनों भाइयों के तीन विचार—लेकिन कोई किसी के काम में हस्तक्षेप नहीं करता था।

लालबाबू ने वहीं पर एक अपने मकान में 'तरुण भारत' का दफ्तर जमा रखा था। एक हैंड प्रेस भी खरीद लिया था। 'तरुण भारत' का आकार 'यंग इन्डिया' का ही था, लेकिन उसमें सिर्फ गांधीजी के लेखों का अनुवाद ही नहीं छपता था (यहाँ यह बात ध्यान में रखने की है कि तब तक 'हिन्दी नवजीवन' नहीं निकला था।), बल्कि समाचार और सम्पादकीय लेख और टिप्पणियाँ भी उसमें दी जाती थीं। लालबाबू असहयोगी थे, उन्होंने गांधीजी से मिलकर 'तरुण भारत' के लिए आज्ञा और आशीर्वाद प्राप्त किया था। दीक्षितजी सम्पादक बनाए गए थे, एक स्थानीय सज्जन मैनेजर का काम करते थे। सहकारी सम्पादक की हैसियत से मुझे उसमें स्थान मिला था।

मैं बिलकुल नौसिखा आदमी था। वहाँ जाकर ही प्रफू देखना सीखा। 'यंग इन्डिया' से

अनुवाद प्रायः दीक्षितजी ही करते थे; मेरे जिम्मे समाचारों का संचयन, कभी-कभी सम्पादकीय टिप्पणियाँ लिखना और कविताओं का चुनाव था। अखबार के गेटअप की जिम्मेवारी ज्यादातर मुझ पर ही रहती थी। मैं खूब मन लगाकर काम करता था। उस समय असहयोग की धूम मची हुई थी। लालबाबू पटना के नेताओं में से थे, उनके यहाँ लोगों की भीड़ लगी रहती थी। वह ऑफिस में ही प्रायः रहते। उनके चलते दीक्षितजी भी उसी भीड़भाड़ में फँसे होते। धीरे-धीरे उन्होंने अनुवाद और सम्पादकीय लिखने की जिम्मेवारी भी मुझ पर छोड़ना शुरू किया। हिन्दी साहित्य सम्मेलन की 'विशारद' की परीक्षा में मैंने अंग्रेजी से अनुवाद एक विषय के रूप में लिया था। इसलिए यद्यपि मैं उस समय मैट्रिक भी नहीं था, तथापि अंग्रेजी अनुवाद का थोड़ा अभ्यास मैंने कर लिया था। तो भी अपनी इस विषय की योग्यता पर मुझे विश्वास नहीं था। अतः मैंने उसकी पूर्ति के लिए एक नई राह निकाली। उस समय गुजराती 'नवजीवन' निकल रहा था। उसे मँगाना शुरू किया और एक गुजराती मित्र की सहायता से गुजराती से ही गांधीजी के लेखों का अनुवाद देने लगा। गुजराती से अनुवाद होने पर उसकी भाषा में पूरी रवानी भी होती थी।

'तरुण भारत' एक हैंड प्रेस में छपता था। छपाई साफ हो, इसके लिए कागज को हलके भिगो दिया जाता था। प्रफू उठाने के लिए गेली पर बनात के कपड़े रखकर पैर से दाबा जाता था। टाइप कलकत्ता से मँगाया गया था। हेडिंग के अच्छे टाइप के लिए गुजराती टाइप फाउंडरी से पार्सल मँगाए गए थे। टाइप धरने के लिए केस स्थानीय बढ़ई बना दिया करते थे। उस समय अधिकांश पत्र ऐसे ही प्रेसों से निकलते थे। कटिंग के लिए बड़े-बड़े जल्लादी छुरे व्यवहार में लाए जाते थे। सिलाई के लिए सुई-तागे का व्यवहार किया जाता था।

उस समय बिहार की और देश की अखबारनवीसी की, जिसका बिहार से सम्बन्ध था, क्या हालत थी, जरा उसकी भी एक झलक देखें।

पटना से दो अंग्रेजी पत्र निकलते थे--'एक्सप्रेस' और 'सर्चलाइट'। 'एक्सप्रेस' दैनिक था, लेकिन वह उतार की ओर था, उसकी पुरानी शान और आन नहीं रह गई थी। 'सर्चलाइट' का दबदबा बढ़ रहा था, लेकिन मौलाना मजरुल हक़ ने जो 'मदरलैंड' निकाला, वह उस समय नौजवानों का सबसे प्यारा पत्र हो चला था। उसकी फड़कती हुई भाषा, उसके शीर्षकों की हृदयग्राहिता, उसके लेखों का चयन और सबसे अधिक छपाई-सफाई और सजावट देखने ही लायक थी। 'मदरलैंड' के चलते मौलाना साहब को जेल भी जाना पड़ा। यह मजे में कहा जा सकता है कि 'मदरलैंड' की जगह बिहार की पत्रकारिता में आज भी खाली है। उसके पन्ने-पन्ने से मौलाना मजरुल हक़ साहब का तेजस्वी, ओजस्वी और तपस्वी व्यक्तित्व झलकता था।

असहयोग के कारण 'पाटलिपुत्र' बन्द हो चुका था--उस समय की उग्र राजनीति से क़दम-ब-क़दम मिलाकर चलना हथुआ राज के इस अख़बार के लिए मुश्किल था और उसे नीची सतह पर उतारकर चलाना उसके सम्पादक मंडल को मंजूर नहीं था। उसका इस तरह असहयोग का शहीद हो जाना बिहार के हिन्दी प्रेमियों को बहुत खटका था। 'पाटलिपुत्र' अपने ज़माने में हिन्दी संसार के किसी भी साप्ताहिक पत्र से मुक़ाबला कर सकता था। उग्र राजनीति के कारण 'प्रताप' की धाक बढ़ रही थी ज़रूर, लेकिन जहाँ तक एक अख़बार की हैसियत है, 'पाटलिपुत्र' उससे किसी क़दर भी घटिया नहीं था। विषय की विविधता के खयाल से तो वह कुछ-कुछ बढ़ा-चढ़ा ही रहता था। इसका सारा श्रेय बाबू सोनासिंह चौधरी और उनके योग्य सहकारी पं. पारसनाथ त्रिपाठी को दिया जा सकता है। त्रिपाठीजी को 'पाटलिपुत्र' से इतना मोह था कि सोलह-सत्रह साल बाद उन्होंने उसे आरा से फिर निकाला था। लेकिन त्रिपाठीजी की अचानक मृत्यु ने उसे सदा के लिए दिवंगत कर दिया।

'पाटलिपुत्र' की क्षतिपूर्ति के लिए पटना से 'प्रजाबन्धु' का प्रकाशन पं. जीवानन्दजी शर्मा ने शुरू किया था। 'प्रजाबन्धु' लिमिटेड कम्पनी द्वारा प्रकाशित बिहार का यह पहला हिन्दी पत्र था। जीवानन्दजी 'श्रीकमला' के प्रकाशन द्वारा प्रसिद्धि प्राप्त कर चुके थे। हरफनमौला आदमी थे। कथा कहते, नाटक लिखते, व्याख्यान देते। उन्हें पैसे भी काफी मिले, लेकिन वह 'प्रजाबन्धु' को अधिक दिनों तक नहीं चला सके। प्रजाबन्धु के साथ ही जीवानन्दजी का सम्पादक जीवन भी समाप्त हो गया। बाद में वह कथक्कड़ रह गए और 1934 के भूकम्प में दबकर मर गए। बिहार की सम्पादन कला के प्रारम्भिक दिनों के अग्रदूतों में वह थे, इसमें तो शक ही नहीं। उनकी 'श्रीकमला' जो भागलपुर से निकलती थी, बिहार में 'सरस्वती' के स्थान की पूर्ति करती थी।

'सर्चलाइट' का एक हिन्दी संस्करण निकलता था, जिसके सम्पादन विभाग में श्री हरिवंश सहायजी थे। यही हिन्दी संस्करण पीछे चलकर 'देश' के रूप में परिणत हुआ, जिसे श्री राजेन्द्र प्रसादजी के सम्पादकत्व का भी सौभाग्य प्राप्त हो चुका था। 'देश' इसके बाद एक युग तक बिहार का सर्वश्रेष्ठ पत्र के रूप में निकलता रहा और उसने 'पाटलिपुत्र' के अभाव की अच्छी तरह पूर्ति कर दी थी।

मुजफ्फरपुर का 'तिरहुत समाचार' दरभंगा का 'मिथिलामिहिर' और छपरा का 'नारद' उस समय भी निकलते थे। लेकिन उनका कोई विशेष महत्त्व नहीं था। भागलपुर से पं. अशर्फी शुक्ल ने कुछ दिनों तक एक दैनिक अखबार निकाला था। खड्गविलास प्रेस की 'शिक्षा' मन्थरगति से चलती जा रही थी।

बिहार में मासिक पत्रिकाओं का उस समय भी अभाव था। मुजफ्फरपुर से एक उच्चकोटि का मासिक पत्र 'सत्ययुग' नाम का निकला था। उसके सम्पादन विभाग में पं. नन्दकुमार देव शर्मा और श्री हेमचन्द्र जोशी रह चुके थे। उसके सम्पादक पांडे जगन्नाथ एम.ए., दर्शन केसरी थे। पांडेजी चम्पारण के शिकारपुर के रहनेवाले थे; बड़े ही प्रतिभाशाली व्यक्ति। पटना कॉलेज में संस्कृत के प्रोफेसर थे और इसी हैसियत से 1921 में असहयोग किया था। उनसे बिहार को बड़ी-बड़ी आशाएँ थीं। बड़ा ही चुम्बकत्वमय उनका व्यक्तित्व था। लेकिन उनका सम्पादकत्व भी 'सत्ययुग' को इस घोर कलियुग में स्थायित्व नहीं दे सका था। वह बन्द हो चुका था, हाँ, उसकी फुटकल कापियाँ बिहार के नौजवान साहित्यिकों को प्रोत्साहन ज़रूर देती थीं। 'श्रीकमला' भी स्थिर नहीं रह पाई। वह क्षीरशायी हो चुकी थी। आरा से पं. ईश्वरीप्रसाद शर्मा के सम्पादकत्व में 'मनोरंजन' निकला था, खूब ठाट-बाट से। लेकिन उसे भी स्थायी नहीं बनाया जा सका था। गया से 'लक्ष्मी' नाम की मासिक पत्रिका बहुत दिनों तक निकलती रही। उसके सम्पादक लाला भगवानदीनजी थे। अच्छी साहित्यिक पत्रिका थी। लालाजी उसे सुपाठ्य और दिलचस्प बनाने की पूरी कोशिश करते थे। लेकिन धीरे-धीरे 'लक्ष्मी' भी लुप्त हो गई। 1921 में यों मासिक पत्रिकाओं का क्षेत्र बिहार में बिलकुल सूना था। हाँ, असहयोग करने के बाद श्री शिवपूजन सहायजी ने अपने प्रिय शिष्य श्री हरिद्वार प्रसाद जालान के आग्रह और सहायता पर 'मारवाड़ी सुधार' निकाला था, जो बड़ा ही सुन्दर मासिक था और एक जाति से सरोकार रखने पर भी साहित्यिकता से पूरा लबालब रहा करता था। छपरा से श्री शारदाकुमारी के सम्पादकत्व में निकलनेवाला 'महिला दर्पण' छोटा, लेकिन औरतों के काम का मासिक पत्र था।

भारतीय पत्रों में बिहार में अंग्रेजी के ये दैनिक खूब पढ़े जाते थे—'अमृत बाजार पत्रिका', 'स्टेट्समैन', 'इंगलिशमैन' और 'इंडिपेंडेंट'। 'स्टेट्समैन' का उस समय बायकाट हो रहा था, क्योंकि उसने लोकमान्य तिलक की मृत्यु पर उनकी शान के खिलाफ लेख लिखे थे।

'पत्रिका' पर एक बार सम्पादकीय लिखने पर रोक लगा दी गई थी, तब उसने सम्पादकीय की जगह आलू, टमाटर, बैंगन आदि पर लेख छापना शुरू किया था—वे लेख इतने पुरलुत्फ होते थे कि लोग पढ़कर बाग-बाग हो जाते थे। इन तरकारियों की जीवनी के बहाने राजनीति की सारी बातें कह दी जाती थीं। लेकिन उस समय हरदिल अजीज़ हो रहा था 'इंडिपेंडेंट'। 'इंडिपेंडेंट' पं. मोतीलाल नेहरू का पत्र था और उसके सम्पादक थे सैयद हसन। 'इंडिपेंडेंट' में बिहार की असहयोग सम्बन्धी खबरें खूब सज-सजाकर छपती थीं। पीछे सरकार ने 'इन्डिपेन्डेन्ट' के प्रकाशन पर रोक लगा दी, तब गांधीजी ने अपने बेटे देवदासजी को भेजा, जो उसे साइक्लोस्टाइल से निकाला करते थे।

हिन्दी दैनिक पत्रों में 'भारतमित्र' की बड़ी शान और धाक थी। श्रीबाबू राव विष्णु पराड़कर और श्री लक्ष्मणनारायण गर्दे उसके सम्पादकों में से थे। उसके मैनेजर बिहार के ही श्री अखौरी यशोदानन्दनजी थे। उसकी ज्यादा खपत बिहार में ही थी। उसके सम्पादकीय लेख बड़े ही गम्भीर और निर्भीक होते थे।

किन्तु बाबू शिवप्रसादजी गुप्त ने 'आज' निकालकर तो मानो अंग्रेजी अखबारनवीसी को भी चुनौती दी थी। 'रायटर' की ताजा-से-ताजा ख़बरें, विदेशों से भेजे हुए ख़ास समाचार, उत्तमोत्तम विशेष लेख, विचार-विशद सम्पादकीय, अच्छा क़ागज, शुद्ध और साफ छपाई, एक आना दाम—सब कुछ अंग्रेजी दैनिकों को भी मात करता था। बिहार में इन्हीं दो दैनिकों का प्रचार था।

साप्ताहिक पत्रों में 'प्रताप' का बोलबाला था। फीजी की समस्या लेकर उसने खूब नाम कमाया था। चम्पारण में गांधीजी के आने पर उसने किसानों का जबरदस्त पक्ष लिया था। पं. कृष्णकान्तजी का 'अभ्युदय' भी उस समय ओज पर था। 'कर्मवीर' जबलपुर से निकला था, सम्पादक पं. माखनलाल चुतर्वेदी थे। साप्ताहिक पत्रों में सबसे अधिक साहित्यिकता उसमें पाई जाती थी। पं. सुन्दर लाल ने अपने 'कर्मयोगी' को पुर्नजीवित किया था।

उस समय कलकत्ता और बम्बई—दो छोर से दो हिन्दी साप्ताहिक निकलते थे—'हिन्दी बंगवासी' और 'वेंकटेश्वर समाचार'। दोनों के बिहार में पुराने ग्राहक थे। कितने ही सज्जन जब 'तरुण भारत' के ग्राहक होने के लिए पत्र लिखते, तो लिखते थे, "आप कृपा कर अपना 'तरुण भारत' नामक 'बंगवासी' भेज दीजिए।" उनके नज़दीक अख़बार का मानी ही था बंगवासी। ये दोनों अख़बार बड़ी लम्बी-चौड़ी साइज में निकलते थे—इन्हें बिछाकर दो आदमी मजे से टाँग पसारकर सो सकता था। मानो इसी की प्रतिक्रिया रूप में उस समय के अधिकांश नए अख़बार छोटे साइज में निकलने लगे थे।

'सरस्वती' की मासिक पत्रिकाओं में सबसे बड़ी इज्जत थी। लेकिन प्रताप कार्यालय से निकलकर 'प्रभा' ने, ख़ासकर राजनीतिक क्षेत्र में उसका मुकाबला करना शुरू कर दिया था। 'मर्यादा' प्रयाग से ही, अभ्युदय कार्यालय से निकलती थी। वह भी राजनीति-प्रधान पत्रिका थी। पीछे, 'आज' कार्यालय से ही वह निकलने लगी, पहले से भी सज-धजकर। वहीं से 'स्वार्थ' नामक एक मासिक पत्र निकला, जो किसी भी यूरोपियन विचार-प्रधान मासिक पत्र से टक्कर ले सकता था। उसका स्टैन्डर्ड इतना ऊँचा था, कि सुनते हैं, दो-तीन वर्षों के उसके अस्तित्व में सिर्फ दो-ढाई सौ ग्राहक ही उसके हो सके थे। जबलपुर की 'श्री शारदा' भी एक विविध-विभूषित उच्चकोटि की पत्रिका थी, सेठ गोविन्द दास उसके संचालक थे।

अंग्रेजी की मासिक पत्रिकाओं में 'मॉडर्न रिव्यू' तथा 'इन्डियन रिव्यू' का बोलबाला था। पटना की पत्रकारिता के प्राण श्री सच्चिदानन्द सिन्हा का 'हिन्दुस्तान रिव्यू' भी बड़े चाव से पढ़ा जाता था। सिन्हा साहब एक नामी बैरिस्टर ही नहीं, एक कुशल लेखक, अगाध विद्वान

तथा बिहार के बुद्धिजीवियों के नेता थे।

जिस समय मैंने सम्पादन क्षेत्र में प्रवेश कर काम करना शुरू किया, उस समय बिहार की पत्रकारिता की यही हालत थी। हिन्दी सम्पादन कला घुटनों के बल चलकर अभी खड़ी हुई थी, लेकिन 'होनहार बिरवान के होत चिकने पात' की तरह उसके जबरदस्त भविष्य की सूचना उस समय भी मिलती थी।

(2)

मैं 'तरुण भारत' में ज़्यादा दिनों तक नहीं रह सका। कई कारण थे—एक तो, मुशाहरा बहुत कम मिलता था। सिर्फ बीस रुपए मासिक; शुरू से ही मैं खर्राच तबीयत का रहा, खाने-पीने में ही ज़्यादा खर्च हो जाता। घर के लिए कुछ बचना मुश्किल। फिर, घर में काम-धाम देखनेवाला कोई नहीं था, जो उपज होती, बरबाद हो जाती। एक बँटवारे का मुकदमा भी चल रहा था। अतः घर छोड़कर मुफ्त में इस तरह खटना अच्छा नहीं लगा। इस पर मुजफ्फरपुर के कुछ मित्रों के मन में उमंग थी कि 'सत्ययुग' ऐसा कोई मासिक पत्र निकले। इन मित्रों में प्रमुख थे—भाई रामधारी प्रसादजी, जिनकी अनन्य हिन्दी सेवा की स्वीकृति उन्हें बिहार प्रादेशिक हिन्दी साहित्य सम्मेलन का सभापति बनाकर बिहार के हिन्दी सेवियों ने दी। सोचा, घर रहकर मित्रों से मिल-जुलकर इसके बारे में कुछ काम आगे बढ़ाया जाए। मासिक पत्र निकालने की लालसा, जो बचपन में जमी थी, अब तक हृदय के किसी कोने में जीवित-जाग्रत थी। यह मृगजल इतना प्यारा था कि गंगा का किनारा छोड़कर, साल के अन्दर-अन्दर, फिर अपने घर पर आ गया।

एक ओर घर का काम-काज देखता, दूसरे मुजफ्फरपुर के साहित्यिक जीवन से सरोकार रखता हुआ, मासिक पत्र के लिए कोशिश करता। लेकिन इस सम्बन्ध में निराशा दिन-दिन नष्ट होती गई। फिर घर का काम-काज देखता तो था, लेकिन जैसे दिमाग़ में कोई कीड़ा काटता रहता, साहित्यिक—ख़ासकर पत्रकार जीवन के लिए एक बेचैनी-सी दिन-रात अनुभव करता। उसी समय बँटवारे का जो मुक़दमा चल रहा था, उसकी आखिरी अपील रेवेन्यू बोर्ड, पटना में पेश हुई। उसी सिलसिले में वहाँ जाकर सोचा, आया हूँ, तो जरा लालबाबू से भेंट कर लूँ। चौधरी टोला गया। लालबाबू प्रेम से मिले और आग्रह किया कि मैं 'तरुण भारत' में फिर आ जाऊँ, यही नहीं, खुद ही कहा, अब पैंतालीस रुपए महीने तुम्हें दूँगा और छः महीने में पचास रुपए कर दूँगा। सोचा, घर को कम-से-कम तीन सौ रुपये साल तो दे सकूँगा—और जीवन के आदर्श की पूर्ति तो होगी ही। उन्हें वचन दिया और घर से उठकर फिर 'तरुण भारत' में पहुँचा।

लेकिन 'तरुण भारत' अब पुराना 'तरुण भारत' नहीं था। दीक्षितजी वहाँ से हट चुके थे और अब पं. बटुकदेव शर्माजी की गद्दी वहाँ जमी थी। वहाँ पहुँचने पर मुझसे कहा गया कि प्रबन्ध विभाग को देखो। हिसाब-किताब से हमेशा मैं भागता रहा, लेकिन परिस्थितिवश मुझे उस काम की देख-रेख का जिम्मा लेना ही पड़ा। उस समय असहयोग का दौर खत्म हो चला था और प्रतिक्रिया का दौरदौरा था। जाति-पाति राजनीति में सिर उठाने लगी थीं। भूमिहार और कायस्थ कलह का बीज बोया जा रहा था। लालबाबू भूमिहार ब्राह्मण थे, उन्हें इस बात की कलक थी कि प्रान्तीय राजनीति में उन्हें भूमिहार होने की वजह से वह स्थान नहीं मिल पाता, जिसके वह हक़दार हैं। कुछ लोग उनके कान भरते। पं. बटुकदेवजी ने तो आते ही मानो बारूद में आग लगा दी। अब 'तरुण भारत' में 'उलटी गंगा' बहने लगी और राजेन्द्र बाबू आदि पर भद्दे आक्रमण होने लगे। बटुकजी का दिमाग बड़ा ही उपजाऊ था। नाम का

उपहास करने में तो उन्हें कमाल हासिल था। श्रद्धेय राजेन्द्र प्रसादजी उनके लिए मुंशी ठगेन्द्र प्रसाद हो गए, शम्भूनाथ वर्माजी कुम्भूनाथ वर्मा बने, पांडे जगन्नाथ को पांडे लंठनाथ बना दिया, तो बाबू बलदेव सहाय को खलदेव सहाय और बदरीनाथ वर्माजी को क्षुद्री नाथ वर्मा तथा बाबू अनुग्रह नारायण सिंह को दुराग्रह नारायण सिंह चश्मोनियिल के शुभ नाम मिले। जो ये नाम दे सकता था, वह क्या नहीं लिख सकता और छाप सकता था, यह कल्पना करने की बात थी।

इस वातावरण में मेरा दम घुटने लगा। लेकिन लालबाबू का इतना स्नेह था कि समझ में नहीं आता था, क्या करूँ ? हाँ, कभी-कभी बटुकजी से कहता था, ज़रा संयम से काम लें। यह भी मुझे उम्मीद थी कि धीरे-धीरे लालबाबू से कहकर इन बातों को रोकूँगा। लालबाबू भावुक आदमी थे—वह किसी भी ओर करवट बदल सकते थे। बटुकजी ने इस बात को ताड़ लिया, कुछ महीने के बाद मुझे अजीर्ण हो गया और बीमार हो मैं घर चला गया। जब घर पर ही था, बटुकजी ने लालबाबू को मेरे परोक्ष में समझा-बुझाकर, मुझ पर भी वार कर दिया। मैं तो दंग ! उसी दिन मैं पटना के लिए रवाना हुआ। लेकिन गुस्से में उनके पास न जाकर अपने पुराने परिचित पं. रामबहादुर शर्मा के साथ ठहरा और उन्हें वह अंक दिखलाया। संयोग से उसी शाम को लालबाबू भी वहाँ पहुँचे। भावुकतावश उसी प्रेम से मिले—लेकिन मैं तो अपमान के मारे मर्माहत था। शर्माजी ने बीच-बिचाव किया। खै़र, 'तरुण भारत' के अगले अंक में ही मेरी निर्दोषिता की बात छाप दी गई। लालबाबू ने तो यहाँ तक आग्रह किया कि मैं फिर 'तरुण भारत' में चलूँ, लेकिन मैंने बटुकजी के साथ काम करने से इनकार कर दिया

इस घटना से मैं इतना मर्माहत हुआ था कि सोचा, अब घर पर रहकर खेती-गृहस्थी में ही दिन गुजारूँ—बाज़ आया पत्रकार बनने से। शहरी जीवन पर मुझे अत्यन्त घृणा हुई। आज के दोस्त, कल के दुश्मन—भगवान बचाए इनसे! लेकिन शर्माजी ने मुझे समझाया कि मैं ऐसा निर्णय नहीं करूँ। मुझे बहुत सराहा, मेरी प्रतिभा की तारीफ की। यह प्रतिभा खेत-खलिहान में बरबाद हो जाए, यह देश और समाज के लिए क्या वाँछनीय है ? सिर्फ समझाया ही नहीं; एक योजना भी सामने रख दी। कहा—मैं 'किसान मित्र' नाम से एक अखबार निकालने जा रहा हूँ, आप उसके सम्पादन की जिम्मेवारी लीजिए। मैं उनसे ना नहीं कर सका।

'क़िसान मित्र' निकला—अच्छा निकला। उसके मुखपृष्ठ की तसवीर और ब्लाक मैं कलकत्ते से बनवा लाया। छपाई-सफाई पर भी काफी ध्यान रखा जाता। खेती-बाड़ी सम्बन्धी लेख उसमें अच्छे दिए जाते। सम्पादक की जगह पर शर्माजी के भाई पं. गणेश दीक्षितजी का नाम था, जो छपरा में वकालत करते थे। सब काम मुझे ही करना पड़ता था। हाँ, कभी-कभी सम्पादकीय लेख आदि भेज देते थे।

'किसान मित्र' में ही काम करते समय मुझे दमे ने आ दबोचा। शहर में दवा कराने से फायदा नहीं होता देख, घर चला आया। उस समय पं. शिवचन्द्रजी मिश्र मुजफ्फरपुर के सुप्रसिद्ध चिकित्सक थे। मिश्रजी पं. ब्रजबिहारी चौबे के सर्वश्रेष्ठ शिष्यों में थे। मुजफ्फरपुर में उनकी चिकित्सा की बड़ी धाक थी। सिर्फ चिकित्सक ही नहीं थे, साहित्यिक हृदय भी रखते थे। 'आयुर्वेद प्रदीप' नाम से एक मासिक पत्र भी निकाला था। साहित्यिक व्यक्तियों के लिए उनका दरबार हमेशा खुला रहता था। मुझे बहुत स्नेह की नज़र से देखते थे और 'साहित्यिकजी' कहकर पुकारते थे। मेरी हालत देखकर उन्हें चिन्ता हुई और दवाएँ देने लगे। लेकिन—''मर्ज़ बढ़ता गया, ज्यों-ज्यों दवा की।'' मुझे ज़िन्दगी से निराशा हो गई। जब दमे

का दौरा आता, मृत्यु की आकांक्षा करता और धीरे-धीरे उसके प्रशस्त भवन की ओर बढ़ रहा हूँ, यह तो सोचता ही। कुछ दिनों बाद, दवाओं से चिढ़-सी हो गई। यों, सर्वथा में निराशा हो चुका था कि एक दिन एक खानाबदोश बुढ़िया आई और आठ आने पैसे लेकर एक दवा बना गई। मुझे उसकी दवा पर क्या विश्वास होता ? लेकिन एक बात ने उसे खाने को प्रेरित किया। उस साल आम खूब आया था, सोचता था, मरने के पहले खूब आम खा लेता। लेकिन वैद्यों ने मीठा खाने से साफ मना कर दिया था। बुढ़िया ने कहा, मेरी दवा खाओ और आम और दूध मिलाकर पीओ। इस आम खाने के लोभ से उसकी दवा खाई और देखते-देखते बीमारी हवा हो गई। आम खाने से मैं खूब मोटा-ताजा हो गया।

मैं अब पूरा स्वस्थ हो चुका था। जब शरीर स्वस्थ हुआ तो फिर पत्रकार जीवन के लिए तबीयत तड़पने लगी। जब मैं बीमार ही था तो पता चल गया था कि 'किसान मित्र' बन्द हो गया। कहाँ जाऊँ, क्या करूँ—कुछ समझ में नहीं आता था। मेरी जान-पहचान श्री शिवपूजन सहायजी से थी। उस समय शिवपूजनजी कलकत्ता में रहते थे। हिन्दी संसार में उस समय 'मतवाला' की धूम थी और शिवपूजनजी मतवाला-मंडल के श्रेष्ठरत्नों में से थे। शिवपूजनजी की सहृदयता की मेरे दिल पर गहरी छाप थी। उनसे जब-तब मेरा पत्र-व्यवहार भी होता था। मैंने उन्हीं के पास अपनी मर्मव्यथा लिख भेजी—किस तरह मेरी आत्मा किसी रचनात्मक साहित्यिक कार्य के लिए छटपटा रही है, लेकिन उसके लिए कोई क्षेत्र न पाकर मेरा हृदय किस कदर मुरझाया जा रहा है !

उत्तर की प्रतीक्षा में ही था कि एक दिन एक कार्ड मिला—शिवपूजनजी के सुन्दर स्वच्छ अक्षर अलग ही से चमक रहे थे। उनका हुक्म था, ख़त देखते पटना सिटी में मुझसे मिलो। मैं वहाँ पहुँचा। पाया, एक मारवाड़ी युवक दीनानाथ सिगतिया सिटी से एक व्यंग्य और हास्य-प्रधान पत्र निकालने की फिक्र में हैं और उन्होंने शिवपूजन को एक आदमी देने के लिए आग्रह किया था, जिससे मेरी बुलाहट हुई थी। पत्र का नाम रखा गया 'गोलमाल' और पहले अंक के सभी शीर्षक और लेख शिवपूजनजी ने ही ठीक किया ! मुझे समझा-बुझाकर, तरह-तरह से प्रोत्साहित कर, मुझ में आत्मविश्वास की भावना भर, शिवपूजनजी चले गए। छः महीने तक 'गोलमाल' पटना सिटी से निकलता रहा। 'स्टेट्समैन' तक ने उस पर टिप्पणी की। मित्रों ने प्रशंसा की झड़ी लगा दी, बुजुर्गों ने सराहा। शिवपूजनजी हर अंक के बाद एक खत लिखते, मुझे खूब बढ़ावा देते हुए, नई-नई सलाहें भी देते रहते। तब से ही शिवपूजनजी को मैंने अपना बड़ा भाई माना है, वह नाता आज तक दोनों ओर से निभाया जा रहा है।

सिगतियाजी पूरे गोलमालानन्द थे, आप फिर बोरिया-बँधना लेकर कलकत्ता चले गए। वहाँ जाकर मुझे बुलाया, किन्तु मैं नहीं गया। अपने प्रान्त से मुझ में एक अजीब मोह रहा है। सिवा एक बार, छः महीने के लिए छोड़कर, मैं कभी प्रान्त से बाहर नहीं गया। इस छः महीने की चर्चा पीछे।

अब कहाँ जाऊँ, यह सोच ही रहा था कि तीन जगहों के पैगाम मिले। एक सज्जन ने कहा कि 'देश' में चलिए, राजेन्द्र बाबू उसे फर्स्ट क्लास पत्र बनाना चाहते हैं। मेरे लिए वह सौभाग्य की बात होती, लेकिन मेरे घर की आर्थिक स्थिति ऐसी खराब हो गई थी कि मुझे ज्यादा पैसों की जरूरत थी; जो 'देश' की आर्थिक स्थिति में उनसे पाना सम्भव नहीं था। दूसरा पैगाम बाबू गोकर्ण सिंह का था। वह उत्तर बिहार के स्वर्गीय नेता बाबू रामदयालु सिंह के बड़े भाई थे। उनका गाँव गंगेया, मेरे घर के निकट ही है। गंगेया की एक बारात में वह मेरे गाँव में आए और वहीं बातचीत चलने पर मुझसे कहा कि अब आप खड्गविलास प्रेस में चलिए। मैं अब बूढ़ा हो चला हूँ, एक होनहार नौजवान की तलाश में था ! पैसे के बारे

में चर्चा करते हुए, बताया वहाँ मुशाहरे की कोई बात नहीं—वह तो दरबार है, देखिए, मेरी हालत वहाँ रहते कैसी अच्छी हो गई है। मैंने स्वीकार कर लिया और तय हुआ, वह खत लिखकर मुझे बुला लेंगे। उनका पत्र मुझे नहीं मिला था कि इसी समय हिंदी पुस्तक भंडार, लहेरिया सराय के एक सज्जन मिले। उन्होंने कहा, हिंदी पुस्तक भंडार एक मासिक पत्र निकालना चाहता है, आप वहाँ क्यों न चलिए ? मैंने उनसे कहा कि अगर वे लोग बुलाएँ, तो सोचूँगा। लेकिन जो आर्थिक हालत थी, मैं ज्यादा दिनों तक किसी की प्रतीक्षा नहीं कर सकता था। एक ही दिन मैंने दो खत लिखे—एक खड्गविलास प्रेस में, एक हिंदी पुस्तक भंडार में और निर्णयकर लिया, जहाँ से पहली बुलाहट होगी, वहीं जाऊँगा। सप्ताह के अन्दर ही श्री रामलोचन शरणजी का खत मिला—सादर आमन्त्रण का। और मैं वहाँ जा पहुँचा।

हिंदी पुस्तक भंडार में जो दो महीने मैं रहा, उसका मेरे साहित्यिक जीवन पर एक खास प्रभाव है और मेरे साहित्यिक जीवन का वह एक खास अंग है। लेकिन यहाँ पर मैं 'बालक' के सम्पादक की हैसियत से जो मेरी जिन्दगी रही, सिर्फ उसी की चर्चा करना चाहूँगा।

मेरे आने के पहले ही बाबू रामलोचन शरणजी ने, जो मास्टर साहब कहलाते थे, अपने स्कूली पुस्तकों के सूचीपत्रों में 'बालक' निकालने की सूचना दे रखी थी। मेरे पहुँचने पर उस कल्पना को मूर्त रूप देने का जिम्मा मुझ पर दिया गया। 'बालक' पर वह काफी पैसे खर्च करने को तैयार थे, तो मैं भी उसे हिन्दुस्तान का सर्वश्रेष्ठ बालोपयोगी पत्र बनाने की आकांक्षा रखता था। मैंने जल्दी करना जरूरी नहीं समझा। पहले हिन्दुस्तान भर के बालोपयोगी पत्रों को—और अंग्रेजी के सर्वश्रेष्ठ बालोपयोगी मासिक पत्रों को मँगाकर देखना शुरू किया। दक्षिणात्य भाषाओं को छोड़कर, मराठी, गुजराती, उर्दू, बँगला के मासिक पत्रों को मँगाया। निस्सन्देह बँगला के बालोपयोगी पत्र उनमें सर्वांग सुन्दर थे। अंग्रेजी और बँगला में जो बालोपयोगी साहित्य उपलब्ध हो सकते थे, उनका भी एक बहुत बड़ा संग्रह कर लिया।

एक वर्ष की मेहनत के बाद मैंने 'बालक' के शीर्षक निश्चित किए और उसके रूप का एक खाका तैयार किया। मास्टर साहब तो स्कूली पुस्तकों में दिन-रात फँसे रहते थे। उन्हें इस ओर देखने की फुरसत कहाँ थी—हाँ, जब-तब उनसे सलाहें मैं ले लिया करता था। इधर एक साल के अन्दर प्रकाशन के क्षेत्र में मैंने जो साहित्यिक कार्य कर दिखलाया था, उससे वह काफी प्रभावित थे। अतः, इस बारे में उन्होंने मुझे पूरा स्वायत्त-शासन दे रखा था। अपनी योजना के अनुसार मैंने 'बालक' के प्रथम अंक के लिए लेख भी स्वयं तैयार किए। हाँ, उन लेखों में कुछ दोस्तों के नाम दे दिए। यह क्रम बहुत दिनों तक जारी रखना पड़ा। मुझे इस बात की खुशी है कि उस समय मित्रों के नाम से मैंने 'बालक' में जो लेख दिए, वे उन्हीं के नाम पर आज तक चल रहे हैं, उद्धृत किए जाते हैं, नमूने के रूप में पेश किए जाते हैं।

लेखों को तैयार कर मैं कलकत्ता पहुँचा, जहाँ शिवपूजन भाई रहा करते थे। मैं उनकी सलाह लेना और उनकी देख-रेख में ही पहला अंक छपवाना चाहता था। शिवपूजनजी ने मेरी योजना पूरी-की-पूरी पसन्द की, लेखों को देख गए और मेरे अनुरोध पर एक लेख भी दिया। संयोग से 'बालक' के लिए मुझे एक फर्स्ट क्लास आर्टिस्ट भी मिल गए। वह थे स्वर्गीय रामेश्वर प्रसाद वर्मा। उन्होंने हेडिंग के लिए तसवीरें बना दीं, तिरंगा टाइटिल बनाया। पहला अंक कलकत्ता, वणिक के प्रेस में छपा। छपाई मन के लायक नहीं हुई, लेकिन तो भी जो चीज़ निकली, उसने हिन्दी संसार में धूम मचा दी। उस समय हिन्दी संसार में इन्डियन प्रेस के 'बालसखा' की सर्वश्रेष्ठता थी, श्री गौरीशंकर हीराचन्द ओझाजी ऐसे महान विद्वान ने लिखा कि 'बालक' ने 'बालसखा' को पराजित कर दिया। फिर तो यह आवाज़ चारों ओर से निकलने लगी। लेकिन मुझे इतने ही से सन्तोष नहीं था। मैंने अपनी सफलता तब समझी जब

'अमृतबाजार पत्रिका' ने 'बालक' को 'सन्देश' से भी अच्छा और 'महाराष्ट्र' ने उसे 'आनन्द' से भी सुन्दर और सुपाठ्य माना। भारतीय भाषाओं में बँगला और मराठी उन दिनों अपने साहित्य की श्रेष्ठता के लिए मशहूर थे। जब इन्होंने 'बालक' का श्रेष्ठत्व स्वीकार कर लिया तो दूसरों का क्या कहना ?

दो अंक कलकत्ता में छपे, फिर उसकी छपाई ज्ञानमंडल प्रेस, काशी में होने लगी। ज्ञानमंडल में मेरे मन के लायक छपाई शुरू हुई। उसके मैनेजर श्री माधवराव पराड़कर (श्री बाबूराव पराड़करजी के अनुज) 'बालक' की छपाई सुन्दर बनाने के लिए एक भी उंठा नहीं रखते। एक बार तिरंगे टाइटिल की छपाई हो रही थी। आधा छप चुका था, तो मैं पहुँचा। देखा, तीसरे रंग का इम्प्रेशन अच्छा और सही नहीं आ रहा है। माधवरावजी गए, देखा और जितने कागज छपे थे, सबको रद्दी कर दिया। पचास पौंड का आर्ट पेपर था—तीन हजार छपता था। तो भी इस घाटे को उन्होंने सानन्द बरदाश्त कर लिया।

'बालक' की प्रसिद्धि बढ़ती गई, प्रचार बढ़ता गया। उसके लेखों का अनुवाद मराठी, गुजराती, उर्दू में होने लगा। बँगला पत्र भी जब-तब उससे चीजें लेकर देते। मैं ढाई वर्ष उसका सम्पादक रहा। हर वर्ष उसमें नया-नया परिवर्तन करता। उस दिन 'बालक' की इन ढाई वर्षों की फाइल देख रहा था, पाया, पहले वर्ष के अधिकांश लेख मेरे ही लिखे हुए हैं—भिन्न-भिन्न मित्रों के नाम से। लेकिन दूसरे वर्ष से मुझे योग्य लेखक मिलते गए। हिन्दी के सभी आचार्यों ने अपने लेख से 'बालक' को उन दिनों आभूषित किया था। रायबहादुर गौरीशंकर हीराचन्द ओझा, साहित्याचार्य पं. पद्मसिंह शर्मा, मुंशी प्रेमचन्दजी, पं. अयोध्यासिंह उपाध्याय, लाला भगवानदीन आदि सज्जनों के लेख से 'बालक' का कलेवर भूषित होता था। इन आचार्यों के मन में भी बच्चों के लिए लिखने के लिए मैंने जो प्रेरणा दी, उस पर मुझे आज भी गर्व होता है।

पुस्तक भंडार में मैं जिस समय गया, अवस्था, अनुभव और शिक्षा में अधकचरा ही था। असहयोग में शामिल हो जाने के कारण मैं मैट्रिक भी नहीं कर सका था—यों मेरी बाज़ाब्ता शिक्षा नगण्य ही थी। गरीब घर में पैदा होने के कारण और बचपन में ही माँ-बाप और अभिभावकों को खो देने के कारण नाना तरह की झंझटें मेरी शक्तियों के विकास में बाधक थीं। पत्रकारिता का कोई गहरा अनुभव भी तब तक नहीं प्राप्त कर सका था। किसी की खुशामद करने की कला से तो मैं आज भी अपरिचित हूँ। ऐसी हालत में जो कुछ मैंने उस समय सफलता प्राप्त की, उस ओर ध्यान देने पर मुझमें यदि आज भी आत्मगौरव का बोध हो, तो आश्चर्य क्या ?

'बालक' से मैं जिस तरह अचानक हटा, उसकी कल्पना न मैंने की थी, न मेरे दोस्तों ने। उन दिनों मुजफ्फरपुर में अखिल भारतीय हिन्दी साहित्य सम्मेलन करने की तैयारियाँ हो रही थीं। मैं स्वागत समिति के मन्त्रियों में था। या तो मैं मुजफ्फरपुर रहता, या बाहर चन्दे के लिए जाता। मुजफ्फरपुर में स्वागत समिति को लेकर कुछ लोगों ने ऐसी परिस्थिति पैदा कर दी थी कि वहाँ रहना लाज़िमी हो गया था। बीच-बीच में काशी आकर शिवपूजनजी को 'बालक' के बारे में जिम्मेवारियाँ सौंप जाता (शिवपूजनजी को मैं काशी में ही बुला लाया था, जहाँ से वह पुस्तक भंडार के साहित्यिक प्रकाशन का सम्पादन करते थे।) या लहेरिया सराय जाकर प्रबन्ध विभाग को आवश्यक बातें बता आता था। बीच में क्या-क्या चक्रचाल रची जा रही थी, मुझे खबर ही नहीं थी। एक बार जब मैं लहेरिया सराय पहुँचा, मुझे वहाँ का वायुमंडल अजीब भारी मालूम पड़ा। इधर-उधर से बातें दरियाफ्त कीं, अरे, यहाँ तो पूरा षड्यन्त्र है। मैं अपनी शक्तियाँ इस षड्यन्त्र के खंडन में बरबाद करूँ, यह मुझे मंजूर नहीं

था। मुझे अपने पर अब विश्वास हो चुका था। मास्टर साहब मुशाहरा भी काफी देते थे—सौ रुपए मासिक के अलावा समय-समय पर अतिरिक्त सहायता भी। लेकिन अब रुपए का लोभ भी मुझे नहीं रोक सकता था। मैंने झट निर्णय कर लिया कि मुझे यहाँ से हट जाना है। वहीं इस्तीफा लिखकर दे दिया और रात की गाड़ी से ही, अपने सामान को वहीं छोड़कर, मुजफ्फरपुर के लिए रवाना हो गया।

जिस कलम-दावात से मैंने 'बालक' का इस्तीफा लिखा, उसी से, उसी वक्त 'युवक' नामक एक मासिक पत्र निकालने की सूचना भी मैंने लिख ली। यह 'युवक'—'शक्ति, साहस और सौन्दर्य का मासिक पत्र'—होगा, इसी की व्याख्या उस सूचना में थी। यह सूचना छपवाकर मैंने मुजफ्फरपुर के साहित्य सम्मेलन के अवसर पर बँटवाया।

यहाँ, यह भी कह दूँ कि 'बालक' छोड़ने का मुझ में दुख भी कम नहीं हुआ। 'बालक' के पन्ने-पन्ने में मेरा हृदय-रक्त था। हर आदमी अपनी बालक-सन्तान से जो मनोकामनाएँ—रखता है, इस कागजी 'बालक' से मैंने भी रखी थीं। मैं समझता था, मेरी नाव अब एक किनारे लग चुकी थी, अब उस किनारे पर या तो झोंपड़ी बनेगी या महल—अब फिर नौका-नयन की जाफिसानी मुझे नहीं उठानी पड़ेगी। 'बालक' के बाद ही 'विद्यापति' नाम का एक उत्तम मासिक पत्र भी वहीं से निकालने का विचार कर लिया था और उसी के नाम पर पुस्तक भंडार के प्रेस का नाम विद्यापति प्रेस रखवाया था—मास्टर साहब तो अपने प्रेस का नाम पाठशाला प्रेस तय किए हुए थे। बच्चों के लिए, नौजवानों के लिए, प्रौढ़ों के लिए, महिलाओं के लिए, प्राचीन काव्यग्रन्थों के लिए पाँच-पाँच पुस्तकमालाएँ पुस्तक भंडार से मैंने निकालना शुरू कर दिया था, जिनकी कुछ पुस्तकों ने ही हिन्दी संसार के सामने बिहार का मस्तक ऊँचा कर दिया था। दस साल में ही बिहार साहित्य भंडार को मैं सर्वांगपूर्ण कर दूँगा।—जबकि मास्टर साहब ऐसे उदार प्रकाशक मिले हैं और शिवपूजनजी ऐसे समर्थ सहायक, तो फिर असफलता की क्या बात ! यों तरह-तरह की कल्पनाएँ करता और खुश होता। लेकिन भाग्यदेव कहीं खड़ा मुसकरा रहा था। उसने एक ही झटके में इस कल्पना महल को धूल में मिला दिया।

(3)

खैर, मैं एक आत्मविश्वासी नौजवान की उमंग और उत्साह लेकर 'युवक' के प्रकाशन के प्रयत्न में लगा। श्री गंगाशरण सिंह मेरे पुराने परिचित थे। 'तरुण भारत' के कार्यालय में उनसे जान-पहचान हुई थी। उसके बाद लगभग चार-पाँच वर्षों तक हम लोगों में भेंट नहीं हुई। इसके दरम्यान उन्होंने हिन्दी साहित्य सम्मेलन के 'साहित्यरत्न' की परीक्षा पास कर ली थी और बहुत से पुराने बिहारी कवियों पर अनुसंधान भी किया था। उनके लेख और कविताएँ भी जब-तब देखने को पत्र-पत्रिकाओं में मिल जाती थीं। इस लम्बे अरसे के बाद पटना में उनसे भेंट हुई। जहाँ मैंने एक दुबला-पतला किशोर देखा था, वहाँ अब एक भारी-भरकम साहित्यिक नौजवान पाया। हम में घनिष्ठता बढ़ती गई। 'बालक' के प्रकाशन के सिलसिले में मैं ज्यादातर काशी रहता। गंगाशरण भी वहाँ पहुँच जाते। आज ही की तरह उन दिनों भी, मुझसे उम्र में छोटा होने पर भी, गंगा दुनियादारी को मुझसे ज्यादा समझते थे। जब मैं उनसे यह बताता कि अब तो मेरी जिन्दगी पुस्तक भंडार के साथ नत्थी हो चुकी है, तो वह मुसकरा उठते और कहते—काश, दुनिया की राह इतनी सीधी होती। अब जब टेढ़ी राह सामने आई मुझे उनकी याद आए बिना नहीं रही। मैंने उनसे सब बातें बतलाईं और 'युवक' की स्कीम उनके सामने रखी। उन्होंने सानंद सहायता का वचन दिया।

लेकिन जितना जल्द हम काम शुरू करना चाहते थे, उतना जल्द उसे शुरू नहीं कर सके।

पहले मैं बीमार पड़ा, फिर गंगाशरण। छः महीने से ज्यादा इसी में निकल गए।

आखिर पटना में 'युवक आश्रम' खुल गया और 'युवक' के लिए प्रयत्न शुरू हुआ। कलकत्ता में कांग्रेस होने जा रही थी। निश्चय हुआ कि 'युवक' का पहला अंक इसी अवसर पर निकाला जाए। गंगा ने कुछ रुपयों का प्रबन्ध किया और उसका पहला अंक कलकत्ता में ही वणिक प्रेस में छपा।

आज जब 'युवक' के उन दिनों की याद करता हूँ, आनन्द और उत्साह से हृदय ओत-प्रोत हो जाता है। 'युवक' की पहली सूचना में उसे 'शक्ति, साहस और सौन्दर्य' का मासिक पत्र बताया गया था, लेकिन बाद में सौन्दर्य की जगह हमने साधना शब्द रखा और अपने पहले अंक से ही वह 'शक्ति, साहस और साधना' का मासिक था। इस परिवर्तन का सबसे बड़ा असर हमीं पर हुआ। युवक आश्रम की हम लोगों की जिन्दगी बिलकुल साधना की जिन्दगी थी। 'बालक' में रहते समय मैंने अपने को बिलकुल 'साहित्यिक' व्यक्ति बना लिया था। रेशमी कपड़े पहनता, बड़े-बड़े बाल रखता, मेरे बक्से में दो-चार किस्म के इत्र रहते, जब-तब भंग भी छनती। गंगा एक सम्पन्न घर के सदस्य थे, माँ-बाप के प्यारे, साहित्यरसिक—उनकी भी अपनी ठाट थी। वहीं हम दोनों साइंस कॉलेज के सामने एक खपड़ैल के मकान में रहते, जमीन पर सिर्फ चटाई बिछाकर सोते; सादा खाना खाते, दिन-रात काम में पिले रहते। सोने का, प्रार्थना का, खाने का सबका निश्चित समय था। अपने कपड़े खुद साफ किए जाते; अपनी थाली खुद माँजी जाती। जाड़े में हम दोनों एक ही ओढ़ने के नीचे सो जाते। एक अजीब ढंग के जुनून में हमारे दिन कट रहे थे।

हमारी कठिनाइयाँ भी कम नहीं थीं। गंगा भी घर के मालिक तो थे नहीं, जैसे-तैसे रुपए इकट्ठे करते—समय पर पैसे नहीं होने से बड़ी दिक्कतों का सामना करना पड़ता। 'युवक' के ग्राहक तो मिलते ही गए, इस दृष्टि से वह काफी सफल प्रयत्न था। लेकिन सिर्फ ग्राहकों के बल पर प्रारम्भिक अवस्था में अखबार चलाना कितना मुश्किल है, यह अनुभव होने लगा। ऐसे दिन भी प्रायः आते थे, जब ग्राहकों से मिले रुपए सिर्फ इतने होते थे कि उनसे 'युवक' का डिस्पैच आदि किया जाए और हमें फाका करके रह जाना पड़ता था। उस फाके में भी हम यों मस्त रहते थे कि जो लोग हमारे आश्रम में आते थे, अनुभव भी नहीं कर पाते कि हम भूखे हैं। कुछ ऐसे बड़े लोग थे, जो खूब उत्साह दिया करते थे, किन्तु, जब पैसे की बात आती, सिर खुजलाने लगते। 'युवक' के जमाने में सिर्फ एक सज्जन ने, जो बिहार के बाहर के थे, थोड़ी आर्थिक मदद की। हाँ, कुछ बड़े लोगों के पास दौड़ने में समय और पैसे की बरबादी जरूर हुई।

आज मैं सोचता हूँ, उन्होंने हमारी क्यों मदद नहीं की ? शुरू से ही 'युवक' एक क्रान्तिकारी पत्र माना जाता था, बिहार में सबसे पहले समाजवाद सम्बन्धी लेख उसी में निकले, पीछे बिहार सोशलिस्ट पार्टी का सदर दफ्तर उसी का ऑफिस बना, फिर कोई धनी या यथास्थिति का पोषक हमारी मदद क्यों करता ? एक बात और भी थी—हमने कभी भी किसी खास व्यक्ति की हिमायत नहीं की; किसी खास बड़े आदमी के गुट में अपने को नहीं रखा—अतः वे लोग भी जो अपने प्रभाव से रुपए एकत्र करा सकते थे, मौखिक सहानुभूति भले ही दे लें, हमारी मदद करने को आमदा क्यों होते ? शायद उन्हें इस बात की चिढ़ भी मन-ही-मन रही हो कि हम उनके गुट में शामिल नहीं होकर एक अक्षम्य अपराध कर रहे हैं—अपराधी को सजा मिलनी चाहिए या पुरस्कार।

'युवक' के चलते मैं और गंगाशरण, दोनों काफी कर्ज में फँसे। मैं तो बाद के आठ वर्षों तक कर्ज के चलते परेशान रहा—गंगा को भी काफी परेशानी उठानी पड़ी। इस दलदल

में मैंने ही गंगा को फँसाया था, लेकिन कभी उसकी पेशानी पर शिकन नहीं देखी।

हमें इन कष्टों, तकलीफों में आनन्द इस बात का था कि बिहार के युवकों के हृदय में 'युवक' धीरे-धीरे घर कर रहा था। यों तो उस समय हिन्दुस्तान भर में (1929 की बात है) युवक आन्दोलन की धूम थी, लेकिन बिहार युवक आन्दोलन का केन्द्र हो रहा था। यहाँ युवक आन्दोलन के लिए कोई जवाहरलाल नेहरू नहीं मिले थे, लेकिन छोटे-मोटे युवकों में ही इतनी सम्मिलित ताकत पैदा हो गई थी कि मुंगेर के राजनीतिक कांग्रेस में श्रद्धेय राजेन्द्र बाबू आदि उस समय के सभी प्रान्तीय नेता (जिसमें स्वामी सहजानन्द भी थे।) और सरदार पटेल की उपस्थिति के बावजूद, उनकी इच्छा के खिलाफ, मेरे द्वारा पेश पूर्ण स्वाधीनता का प्रस्ताव पास हुआ।

धीरे-धीरे 'युवक' सफलता की ओर कदम बढ़ा रहा था, उसका पहला वर्ष समाप्त होकर दूसरा वर्ष शुरू हो गया था। अब हर महीने कुछ पिछले वर्ष के निश्चित ग्राहक थे, जिनसे बँधी आमदनी थी। नए ग्राहक भी हमें मिल ही रहे थे। ज्यों ही उसके अंक निकलते कि हाथोंहाथ बिक जाते। जहाँ पहले एक हजार प्रतियाँ छपती थीं, अब ढाई हजार तक जा पहुँची थीं। अनुभव ने हमें हिसाब-किताब से चलने का रास्ता भी बता दिया था। हम समझ रहे थे कि अब क्या है, सफलता की जयमाल हमारे गले में पड़ने ही वाली है कि उसी समय फिर गांधीजी ने एक नई आँधी पैदा कर दी। यह 1930 का सत्याग्रह आन्दोलन था। एक बार फिर इस आँधी ने हमारे पैर स्थिर नहीं रहने दिए। 'युवक' के द्वारा जिस क्रान्ति का गीत हम पन्द्रह महीनों से गा रहे थे, अब जब वह क्रान्ति सामने खड़ी थी, हम उसके स्वागत से कैसे मुख मोड़ सकते थे ? 'युवक' सिर्फ एक साहित्यिक आयोजन न था, बल्कि वह तो बिहार के युवकों की साधना का प्रतीक बन चुका था। जब बिहार के युवक अपनी जान हथेली पर लेकर समर क्षेत्र में कूद रहे थे, 'युवक' के संचालक या सम्पादक कौन सा मुँह लेकर कलम घिस-घिस करते रहते ? कैसी अजीब घटना—'युवक' का जो अन्तिम अंक उस दौरान में निकला, वह 'विप्लव' अंक था। 'विप्लव' अंक बिहार के युवकों के हाथों में पड़ते-ही-पड़ते सचमुच देश भर में विप्लव का दौरदौरा हुआ। बिहार के युवकों के साथ ही उनका प्यारा 'युवक' भी अपने संचालक-सम्पादक के साथ 'कैदी' बन गया।

एक मासिक पत्र की हैसियत से भी 'युवक' का हिन्दी संसार में आशातीत स्वागत हुआ। 'प्रभा', 'मर्यादा', 'स्वार्थ' तीनों मासिक बन्द हो चुके थे, जिन्हें राजनीति से सम्बन्ध था, 'युवक' उनके अभाव की पूर्ति की चेष्टा कर रहा था। 'विशाल भारत' ने उसकी समालोचना में लिखा था—'युवक' की पंक्ति-पंक्ति में ओज है, तेज है, बिजली है ! 'विशाल भारत' की इस सम्मति को सभी पत्र-पत्रिकाओं ने दुहराया था। उसके लेख भी गुजराती, उर्दू, तमिल आदि के पत्रों में अनुवादित किए जाते थे। मद्रास की ओर 'युवक' का प्रचार खासकर बढ़ रहा था। हिन्दी के सभी पत्र-पत्रिकाओं ने विज्ञापन आदि मुफ्त छापकर हमारी मदद की थी।

'युवक' के इस प्रयत्न में दो आदमियों की मदद हमेशा हमें याद रहेगी—एक, जगदीश नारायण की, जो 'युवक' के प्रारम्भिक दिनों में हमारे अंग-से बन गए थे और दूसरे, श्री अम्बिकाकान्त सिंह की। भाई अम्बिकाकान्त उन दिनों 'सर्चलाइट' के मैनेजर थे। दूसरे अंक से ही उन्होंने 'युवक' की छपाई का प्रबन्ध अपने हाथों मे ले लिया था और उनकी मदद के बिना हमें समय पर 'युवक' निकालने में कितनी कठिनाई होती, हमीं जानते हैं। वह प्रबन्ध में भी हमें पूरी मदद करते।

'युवक आश्रम' सिर्फ 'युवक' निकालने का एक ऑफिस मात्र नहीं था, बल्कि वह बिहार के प्रगतिशील साहित्य और राजनीति का केन्द्र भी था। आज जिनकी प्रतिभा से बिहार धन्य

हो रहा है, उनमें श्री 'दिनकर', 'आरसी' और 'केसरी' की प्रतिभा की पहली कली 'युवक' में ही फूटी थी। मनोरंजन का 'कुँअर सिंह' 'युवक' में ही छपा था, 'द्विज'जी की छायावादी सतह के नीचे जो चिनगारियाँ थीं, उनका पता 'युवक' ने ही दिया था। प्रिंसिपल विश्वमोहन की पहली रचना 'युवक' में ही छपी; जनार्दन प्रसाद मिश्र को 'युवक' ने ही लिखने को लाचार किया था। और भी कितने ही बिहारी युवकों को लिखने की प्रेरणा 'युवक' ने दी, वह उसकी फाइल देखने से ही पता चलेगा। राजनीति के तरुण तपस्वियों का तो मानो युवक आश्रम अड्डा ही था। सब तरह के, सब विचार के नौजवानों की धूम मची रहती। नई-नई विचारधाराएँ वहाँ से निकलतीं और बिहार के कोने-कोने में फैल जातीं। जाति-पाँति के खिलाफ, मजहब के खिलाफ, ईश्वर के खिलाफ, पूँजीवाद के खिलाफ, संक्षेप में—समाज और सरकार के खिलाफ—मानो विद्रोह की चहुँमुखी धाराएँ वहाँ से निकल-निकलकर बिहार के घर-आँगन को प्लावित करती रहतीं।

1930 के प्रारम्भ में ही सारे भारत में विप्लव की लहर दौड़ रही थी। 'युवक' का 'विप्लव अंक' निकालने की हमने घोषणा की और कितनी ही अलभ्य सामग्रियाँ जुटाईं। 'विप्लव अंक' धूमधाम से निकला, किन्तु तुरंत ही जिस दिन पटना में नमक सत्याग्रह शुरू हुआ, मैं गिरफ्तार कर लिया गया और मुझे छः महीने की सजा मिली। गंगाशरण पटना जिले के डिक्टेटर की हैसियत से गिरफ्तार हुए और उन्हें प्रान्त में सबसे लम्बी सजा दी गई। मैं हज़ारीबाग़ जेल भेज दिया गया, गंगाशरण को कैम्प जेल में रखा गया। जब पटना जेल में ही था, मालूम हुआ, 'युवक' के 'विप्लव अंक' को सरकार ने ज़ब्त कर लिया है और अब देहात-देहात में उसकी प्रतियाँ खोजी जा रही हैं।

हज़ारीबाग़ आकर भी मेरी पत्रकार प्रवृति रुक नहीं सकी। 'कैदी' नामक एक हस्तलिखित मासिक पत्र वहीं जेल में ही निकलना शुरू किया। उसमें श्रद्धेय राजेन्द्र बाबू भी लिखते थे।

जेल में ही श्री रामनन्दन मिश्रजी से भेंट हुई। रामनन्दन उस समय 'मगन आश्रम' का संचालन कर रहे थे, जहाँ युवकों का एक झुंड गांधीजी के आदर्श पर ग्रामसेवा किया करता था। वह अपने जमाने में बिहार का साबरमती आश्रम था। जब रामनन्दन ने परदा प्रथा के खिलाफ आन्दोलन शुरू किया था, उसी सिलसिले में महात्माजी के भतीजे श्री मगनलाल गांधी आए थे और उनकी मृत्यु पटना में ही हो चुकी थी। उन्हीं के नाम पर वह आश्रम बना था, जिसे गांधीजी का आशीर्वाद और राजेन्द्र बाबू का सहयोग प्राप्त था।

रामनन्दन ने मुझसे यह प्रस्ताव रखा कि मैं भी साथियों सहित मगन आश्रम में शामिल हो जाऊँ और अब 'युवक' उसी के तत्त्वावधान में निकले। गंगाशरण वहाँ नहीं थे, अतः मैं वचन तो कुछ नहीं दे सकता था, लेकिन मैंने यह राय पसन्द की—प्रान्त भर के युवकों की ताकत एक साथ केन्द्रित होकर काम करे, भला इससे अच्छा और क्या हो सकता था ? हाँ, मुझे शक था कि हम लोगों को, जो उग्र विचार के लिए बदनाम थे, मगन आश्रम में लिया जाना राजेन्द्र बाबू आदि को पसन्द होगा या नहीं ? उन्हें राजी करने का जिम्मा रामनन्दन ने लिया।

फलतः, गांधी-इरविन समझौते के बाद 'युवक' को मगन आश्रम से ही निकालने का निश्चय हुआ। उसका ऑफिस पटना में ही रहेगा, लेकिन वह मगन आश्रम की ही संस्था समझा जाएगा, ऐसा निश्चय किया गया। 'युवक' के लिए पैसे का जिम्मा रामनन्दन ने पहले से ही कबूल कर लिया था। पटना में फिर 'युवक आश्रम' खुल गया और नए अंक की तैयारी होने लगी। साथ ही एक प्रेस करने का भी तय हुआ। संयोग से मैं पूर्णिया गया था। वहाँ एक

प्रेस सस्ते में पट गया।

इस बार 'युवक' के आयोजन में श्री अवधेश्वर प्रसाद सिंह भी आ गए थे। हज़ारीबाग़ से जिस दिन मैं छूटा, उसके एक दिन पहले वहाँ वह आए। मैंने उनसे रामनन्दन का परिचय करा दिया और सब बातें बता दीं। हज़ारीबाग़ जेल में ही रामनन्दन से उनकी बात भी तय हो चुकी थी। उन्होंने भी अपना जीवन देश के काम में ही हम लोगों के साथ उत्सर्ग करने का निश्चय कर लिया था। 'युवक' के इस दौर में हम तीनों ही—मैं, गंगाशरण, अवधेश्वर—एक साथ जुट पड़े थे। गंगाशरण प्रबन्धकर्ता थे, अतः ज्यादा पटना में ही रहते, हम दोनों बाहर दौड़धूप करते।

जब हम दोनों रामनन्दन के पास प्रेस और युवक के लिए रुपए लेने गए तब पाया, कठिनाई अब भी हमारा पीछा छोड़ना नहीं चाहती। रामनन्दन ने कहा था कि मैं एकमुश्त पाँच हजार रुपया दे दूँगा, तुम लोग निश्चिन्त होकर 'युवक' चलाना। रामनन्दन ने सोचा था, अपने परिवार से उन्हें इतनी रकम मिल जाएगी—लेकिन परदा विरोधी आन्दोलन के चलते घरवाले उनसे बहुत नाराज थे, उन्होंने साफ नाही कर दी। तब रामनन्दन ने कर्ज लेना तय किया, दो-चार आदमियों के पास दौड़े—लेकिन उनके पिता की ऐसी धाक थी कि कोई उन्हें कर्ज देने को भी तैयार नहीं हुआ, सब मीठी-मीठी बातें करके टाल देते। लेकिन धुनी रामनन्दन को अपने इरादे से कौन टाल सकता था ? हम लोगों सामने ही उसने अपनी पत्नी श्रीराजकिशोरी देवी को बुलाया और उसने कहा कि अपने सभी गहने दे दो। राजकिशोरी बहन 'ना' कह सकती थीं, लेकिन हमने उस समय उनके अन्दर की भी आग देखी ! हँसती हुई गईं और सब गहने निकाल लाईं। वे सोने के गहने, जिनमें कई तो शायद ही एकाध बार पहने गए हों ! रूमाल के ऊपर एक-एक गिनकर देती जा रही थीं, उसी तरह स्वाभाविक हँसी हँसतीं। उन गहनों में उनके उस समय के एकमात्र लड़के 'विजय' के हाथों के सोने के बाले भी थे। मैं बाले के जोड़े को देखकर काँप गया और कहा, कम-से-कम इसे रख लीजिए, लेकिन अब विजय इसे क्या पहनेगा, कहकर उसे भी उन्होंने रख दिया। उनकी आँखें चमक रही थीं और हम दोनों—मेरी और अवधेश्वर की आँखों में नमी थी !

फिर 'युवक' का पहला अंक निकला और प्रेस भी खरीद लिया गया। कुछ रुपए घटे तो श्री हीरालाल शर्राफ से उधार लिये गए। हीरालालजी को तभी से मैं आदर की दृष्टि से देखता हूँ।

'युवक' के निकलते ही फिर ग्राहक धड़ाधड़ बनने लगे और इधर प्रेस भी पूर्णिया से लाकर बिठाया जाने लगा। रामनन्दन ने और रुपए शीघ्र प्रबन्ध करने का वचन दिया। एक बार मालूम होने लगा, अब हमें सफलता अवश्य ही मिलेगी कि दो घटनाएँ बीच में आ पड़ीं। एक तो सरकार ने 'युवक' का यह अंक भी जब्त कर लिया और मुझ पर 124 का वारंट निकालकर मुझे गिरफ्तार किया।

इस अंक में भगतसिंह, सुखदेव और राजगुरु की तसवीर थी, जिन्हें फाँसी हो चुकी थी और उन्हीं पर मेरा लिखा 'इन्क़लाब जिन्दाबाद' शीर्षक लेख था। साथ ही जापान से भेजे गए श्री आनन्दमोहन सहाय के लेख को भी आपत्तिजनक बताया गया था। पाँच हजार की जमानत पर मैं रिहा हुआ और मुकदमा चलने लगा। जब इस मुकदमे को हम लड़ ही रहे थे कि रामनन्दन आए और बताया कि अब 'युवक' की मदद करने से वह लाचार है, क्योंकि कुछ नेताओं को हमारा मगन आश्रम में आना पसन्द नहीं है और यदि हमसे रामनन्दन अलग नहीं हो जाते, तो गांधीजी से मगन आश्रम के लिए जो रुपए उन्हें मासिक मिलते थे, वह भी बन्द हो जानेवाले है। इस दूसरी घटना ने तो हमें स्तब्ध कर दिया। बीच में एक बार राजेन्द्र बाबू

ने मुझे बुलाया था और पूछा था कि समाजवादी होते हुए भी मैं अहिंसा का हिमायती कैसे समझा जाऊँगा ? मैंने जो अपनी स्थिति साफ की थी, उससे मुझे ऐसा लगा था कि राजेन्द्र बाबू सन्तुष्ट हो गए हैं। खैर, उधर सरकार का वह प्रहार, इधर नेताओं की यह बेरुखी—मेरे दिल पर ऐसी चोट लगी कि जिन्दगी में पहली बार आत्महत्या कर लेने की इच्छा हुई। मैं खोया-सा वहाँ से उठा, एक बार दोमंजिले पर जाकर बिजली के तारों की ओर ललचाई नजरों से देखा, लेकिन फिर झट वहाँ से उतर पड़ा और साइकिल लेकर अनिश्चितता में ही निकल पड़ा। इधर-उधर साइकिल मोड़ता मैं आखिर कुम्हरार पहुँचा, जहाँ अशोक के पाटलिपुत्र की खुदाई हुई थी। वहाँ एक पत्थर की लाट पड़ी थी, उसी पर जाकर लेट गया। बहुत देर में जब शान्ति हुई तो फिर लौटा।

आज जब सब किसी को एक ही मुख से समाजवाद का नारा लगाते और अहिंसा की दुहाई देते सुनता हूँ तो उन दिनों की याद कर कितना कुतूहल होता है।

इधर गंगा और अवधेश्वर किसी तरह 'युवक' को जारी रखने के प्रयत्न में लगे रहे, उधर मुझे डेढ़ वर्ष सख्त कैद की सजा हुई। हाई कोर्ट से भी सजा बहाल रही और मैं जेल में आत्मसमर्पण की तैयारी कर ही रहा था कि ऐसा सख्त बीमार पड़ा कि मरते-मरते बचा। इसी दरम्यान 1932 का आन्दोलन छिड़ा और फिर मैं और गंगाशरण, दोनों ही कैम्प जेल की खिचड़ी का मज़ा लेने लगे। 'युवक' फिर इस तूफान की चक्कर में आ गया।

इस बार की 'युवक आश्रम' की जिन्दगी पहले से भी ज्यादा कठिन थी। अन्य कामों के अलावा हम पाखाने की बाहरी सफाई भी खुद ही करते—अवधेश्वर बालटी से पानी देते और मैं झाड़ू से उसकी सफाई करता। उस दिन की याद भी आज मन को मस्त कर देती है। अवधेश्वर बड़े ही नाज़ोअदा में पले थे। हम लोगों के साथ उन्हें भी पटना की उस गरमी में गच पर एक दरी बिछाकर सोना पड़ता—पटना का मच्छर जिन्दा उठा ले जाना चाहता तो चादर से देह लपेट लेते और जब उससे पसीना चूता तो उस सत्रह आनेवाली दरी का रंग देह में चभड़ जाता। भोर में हम सचमुच देखने लायक होते।

(4)

इन बारह वर्षों में, 1921 से 1932 तक, बिहार की और उससे सम्बन्ध रखनेवाली हिन्दुस्तान की एवं हिन्दी की अखबारनवीसी की क्या हालत थी, फिर एक बार हम देख लें।

अब हैंड प्रेसों की सदा के लिए बिदाई हो गई थी। उनसे प्रफू उठाने का ही काम लिया जाता। फ्लैट प्रेसों का चलन हो गया था, जो कहीं-कहीं इंजिन से और प्रायः हाथों से ही चलाए जाते। बड़े फ्लैटों में एक बार में चार आदमी तक काम करते थे। छोटे कामों के लिए ट्रेडिल का चलन हो गया था। कटिंग मशीनें भी जहाँ-तहाँ देखी जाती थीं। स्टिचिंग मशीन ने सिलाई के लिए सुई-तागे को वनवास देना शुरू कर दिया था।

'एक्सप्रेस' हमेशा के लिए बन्द हो गया और 'सर्चलाइट' की प्रसिद्धि और प्रचार बहुत बढ़ गया था। पहले उसके सम्पादक एक मद्रासी सज्जन थे, बाद में श्री मुरलीमनोहर प्रसाद उसके सम्पादक बनाए गए। मुरली बाबू ने अपनी योग्य सम्पादन कला द्वारा यह सिद्ध कर दिया कि अखबारनवीसी के लिए किसी यूनिवर्सिटी की डिग्री की जरूरत नहीं। उसके मैनेजर श्री अम्बिकाकान्त सिंह पर भी यह बात लागू थी। बिहार के नौजवान अपना अखबार आप चला ले जाएँगे—इन दोनों ने यह सिद्ध कर दिया। 'सर्चलाइट' पर पहले लिबरल राजनीतिज्ञों का प्रभाव था, अब धीरे-धीरे वह सोलह आने 'कांग्रेसी' पत्र हो गया। बिहार में बाहर के जिन अंग्रेजी पत्रों की खपत थी, उनमें 'इंडिपेंडेंट' तो बन्द ही हो चुका था, 'इंग्लिशमैन' भी

बन्द हो गया—कुछ दिनों तक साप्ताहिक रूप में ही वह निकलता रहा, पीछे वह भी बन्द हो गया। कलकत्ता से दो पत्र और निकले—एक, 'फारवर्ड' और दूसरा, 'सर्वेंट'। 'फारवर्ड' देशबन्धु दास का पत्र था। अपने जमाने में उसकी शान और धाक ही कुछ और थी। सरकार द्वारा प्रहार होने पर उसे कानूनी चकमा देने के लिए, फिर वह 'लिबर्टी' के रूप में निकला। 'सर्वेंट' श्री श्यामसुन्दर चक्रवर्ती का पत्र था और वह बंगाल में गांधीवादी 'अपरिवर्तनवादी' नीति का प्रतिनिधित्व करता था। अंग्रेजी पत्रों में सिर्फ उसी की कीमत फी कापी आध आना थी। सदा की भाँति अब भी 'अमृतबाजार पत्रिका' खूब मजे में पढ़ी जाती रही।

बिहार के साप्ताहिकों में धीरे-धीरे 'देश' ने अपनी सर्वश्रेष्ठता स्थापित कर ली। उसके सम्पादन विभाग में पं. मथुराप्रसाद दीक्षित और पं. पारसनाथ त्रिपाठी रह चुके थे। उनके बाद राजेन्द्र बाबू के सुपुत्र श्री मृत्युंजय प्रसाद, श्री विश्वेश्वर प्रसाद सिंह (आज के श्री वी.पी. सिन्हा, बार ऐट-ला) और श्री विश्वनाथ सहाय ने काम किया। पिछली दौर में सुरेश्वर पाठक विद्यालंकार और श्री गदाधर प्रसाद अम्बष्ठ ने सम्पादन विभाग को सँभाला। उसके सम्पादक में कुछ दिनों तक स्वर्गीय मथुरा प्रसाद सिंह और श्री मथुरा प्रसादजी के नाम भी छपते रहे। पीछे तो राजेन्द्र बाबू का ही नाम सम्पादक में रहता। पत्र की रीति-नीति की देखभाल आचार्य बदरीनाथ वर्मा करते, प्रायः सम्पादकीय भी लिखा करते। प्रबन्ध की जिम्मेवारी अम्बिका बाबू पर ही थी।

बाबू जगतनारायण लाल ने 'महावीर' नाम का साप्ताहिक पत्र निकाला था, जिसके सम्पादकीय विभाग में श्री विश्वनाथ सहाय और श्री राधाकृष्ण (सुप्रसिद्ध कहानी लेखक) थे। यह हिन्दू संगठन का हिमायती था। स्वामी सहजानन्द सरस्वती ने पटना से 'लोकसंग्रह' निकालना शुरू किया था, जिसमें पं. बटुकदेव शर्माजी पुनः पधारे थे। स्वामीजी ने पीछे 'लोकसंग्रह' को श्री यमुना कार्यी को दे दिया, जो उसे मुजफ्फरपुर ले गए और कुछ दिनों तक वहीं से निकालते रहे। श्री लतीफ हुसैन (अब ललित कुमार) 'नटवर' ने मुजफ्फरपुर से 'आशा' नाम की साप्ताहिक पत्रिका निकाली थी, जो चल नहीं सकी। स्वामी विद्यानन्द का 'किसान समाचार' कुछ दिनों मुजफ्फरपुर से लस्टम-पस्टम चलकर फिर उन्हीं के साथ अज्ञात में मिल गया। दरभंगा से श्री धर्मलाल सिंह ने 'घनचक्कर' निकाला था। मधुबनी से महंतों के पैसे से श्री चन्द्रमाराय शर्मा के सम्पादकत्व में 'धर्मवीर' निकला था। गया से श्री जगेश्वर प्रसादजी 'खलिश', 'नवीन भारत' निकालते थे। वहीं से 'गृहस्थ' भी निकलता था। असहयोग के बाद अखबारों की धूम मच गई थी, बिहार के अन्य जिलों से भी कई पत्र निकले थे, किन्तु वे सब बरसाती घास ही सिद्ध हुए।

मासिक पत्रों में 'बालक' और 'युवक' को छोड़कर कोई अन्य उल्लेखनीय प्रयत्न नहीं हुआ। पटना से 'चैतन्य चन्द्रिका' निकली थी—अच्छी चीज थी, लेकिन कुछ अंक के बाद तुरंत ही बन्द हो गई।

'भारतमित्र' से श्री बाबूराव पराड़कर, श्री गर्देजी के हट जाने के बाद उसकी बड़ी दुर्गत हुई। वह सनातन धर्मवालों का मुखपत्र बना और उसी हैसियत से पंचत्व को प्राप्त हुआ। कलकत्ता से 'कलकत्ता समाचार' नामक एक दैनिक भो निकला था। अच्छा पत्र था, लेकिन वह भी काल कवलित हुआ। श्री अम्बिका प्रसाद बाजपेयी ने 'स्वतन्त्र' नामक उत्कृष्ट श्रेणी का एक दैनिक निकाला था—कुछ दिनों तक उसकी बड़ी धाक थी, लेकिन धीरे-धीरे उसका स्टैन्डर्ड गिरता गया और श्री मूलचन्द्र अग्रवाल ने 'विश्वमित्र' नाम से जो दैनिक बड़े ही छोटे पैमाने पर शुरू किया, वह धीरे-धीरे वट वृक्ष-सा अपनी शाखा-प्रशाखा फैलाता गया। दैनिक का स्टैन्डर्ड तो ऊँचा होता ही गया, 'साप्ताहिक विश्वमित्र' भी अच्छा निकलने लगा

और जब 'मासिक विश्वमित्र' का जन्म हुआ था, मनोरंजक अन्तरराष्ट्रीय विषयों पर लिखे लेख के लिए वह हिन्दी में अकेला मासिक पत्र था। उससे उसके सम्पादक श्री हेमचन्द्र जोशी का हटना, 'मासिक विश्वमित्र' और जोशीजी, दोनों के लिए बुरा हुआ। पीछे पं. जगन्नाथ प्रसाद मिश्रजी ने उसका सम्पादन बड़ी योग्यता से किया।

काशी के 'आज' का वह पुराना स्टैन्डर्ड नहीं रहा। एक आने के पत्र के रूप में वह प्रचार नहीं पा सका, फलतः उसे भी अन्य दैनिकों की तरह अपना दाम आधा आना करना पड़ा, पृष्ठ घटाने पड़े। किन्तु उसके सम्पादकीय विभाग में श्री पराड़करजी के चले आने के कारण विचारपूर्ण सम्पादकीय, उत्तमोत्तम लेख और सुरुचिशील समाचार-चयन के कारण वह हिन्दी का सर्वश्रेष्ठ दैनिक बना ही रहा। काशी से 'सूर्य' नामक एक छोटा सा दैनिक निकलता था, जिसके सम्पादक बिहार के ही श्री हेरम्ब मिश्र थे। 'प्रताप' का दैनिक संस्करण बड़े धूमधाम से निकला था, लेकिन उसे ज्यादा दिनों तक नहीं चलाया जा सका। पीछे श्री गणेशशंकर विद्यार्थी की शहादत के बाद उनकी स्मृति में फिर से 'दैनिक प्रताप' निकाला गया, जो तब से चल रहा है। कानपुर से ही निकलनेवाला 'वर्तमान', 'मनसुखा' के चुटकलों के लिए उन दिनों बहुत ही नामी था। स्वामी श्रद्धानन्दजी के सुपुत्र श्री इन्द्र विद्यावाचस्पति ने दिल्ली से 'अर्जुन' निकाला। बम्बई से भी हिन्दी दैनिक निकालने के दो-एक अधूरे प्रयत्न हुए।

साप्ताहिक पत्रों में गोरखपुर का 'स्वदेश' और आगरा का 'सैनिक', प्रताप के सम्पादकीय विभाग से निकले दो योग्य व्यक्तियों—श्री दशरथ द्विवेदी और श्री कृष्णदत्त पालीवाल—के सुन्दर प्रयत्न सिद्ध हुए। साप्ताहिक रूप में 'प्रताप' की शान बढ़ती ही गई। 'कर्मवीर' जबलपुर से हटकर खंडवा चला गया और अपने योग्य सम्पादक पं. माखनलाल चतुर्वेदी के कारण अपने स्टैन्डर्ड पर कायम रहा। कलकत्ता से साप्ताहिक 'विश्वमित्र' के अलावा एक और उच्चकोटि का साप्ताहिक निकला था 'श्रीकृष्ण सन्देश'। इसके सम्पादक थे श्री गर्देजी और प्रकाशक प्रसिद्ध विज्ञापक डॉ. एस. के. वर्मन। नागपुर से निकला 'प्रणवीर' भी ऊँचे स्टैन्डर्ड का साप्ताहिक था, जिसमें कुछ दिनों तक बिहार के श्री रामजीवन शर्मा थे। लेकिन जिस पत्र ने अपने जमाने में सब साप्ताहिक पत्रों को मात दे दी, वह तो था 'मतवाला' ! मतवाला मंडल में श्री महादेव सेठ, मुंशी नवजादिक लाल, श्री शिवपूजन सहाय और श्री सूर्यकान्त त्रिपाठी 'निराला' थे। पीछे उग्रजी भी उसमें शामिल हो गए थे। 'मतवाला' का स्थान आज भी हिन्दी में खाली है। वैसा उच्चकोटि का हास्यप्रधान पत्र उस समय भारत की किसी भी भाषा में नहीं निकलता था। उसकी देखा-देखी 'मौजी', 'रसगुल्ला', 'गोलमाल', 'हिन्दूपंच' आदि कई पत्र निकले, जिनमें 'हिन्दूपंच' ने अपने हास्यमूर्ति सम्पादक पं. ईश्वरीप्रसाद शर्मा के कारण बड़ा ही नाम कमाया। लेकिन 'मतवाला' की शान ही निराली थी। बाद में सेठजी ने कलकत्ता से हटाकर उसे मिर्जापुर से निकाला, लेकिन न वह बात रही, न वह जिन्दा रह सका।

'चाँद' कार्यालय से श्री सहगलजी ने 'भविष्य' नामक एक सचित्र साप्ताहिक निकाला था, जो थोड़े ही दिनों चला, लेकिन उसने भी हिन्दी संसार में काफी तहलका मचाया। उस कोटि का सचित्र साप्ताहिक आज तक हिन्दी में नहीं निकला। उसका सम्पादन पं. नन्दकिशोर तिवारीजी और श्री त्रिवेणी प्रसादजी करते थे—जो दोनों बिहारी ही थे।

मासिक पत्रों में कलकत्ता से 'विशाल भारत' निकला, जिसके संचालक थे 'मॉडर्न रिव्यू' के सुप्रसिद्ध सम्पादक श्री रामानन्द चट्टोपाध्याय और सम्पादक थे श्री बनारसीप्रसाद चतुर्वेदी। इन दोनों व्यक्तियों के संयोग ने 'विशाल भारत' को जन्म से ही हिन्दी का सर्वश्रेष्ठ मासिक बना डाला था। चतुर्वेदीजी प्रवासी भारतीयों के प्रश्न पर विशेषज्ञ समझे जाते थे, लेकिन

'विशाल भारत' के द्वारा उनकी सम्पादन योग्यता का भी हमें अपूर्व परिचय मिला। 'विशाल भारत' में हमें उसी के लिए लिखे हुए संसार प्रसिद्ध लेखकों के लेखों का अनुवाद पढ़ने को मिला करता था। मासिक 'विश्वमित्र' की चर्चा हो ही चुकी है। कलकत्ता से 'साहित्य' नामक एक मासिक पत्र और निकला था, जिसके सम्पादक पं. छविनाथ पांडेय थे। श्री बैजनाथ केडियाजी 'उपन्यास-तरंग' नामक एक मासिक निकालते थे, जिसके सम्पादक श्री शिवपूजन सहाय थे। 'स्वार्थ', 'मर्यादा' 'प्रभा'—एक-एककर बन्द हो चुके थे। प्रयाग से 'चाँद' मासिक रूप से निकलने लगा था। उसके संचालक सहगलजी को पं. नन्दकिशोर तिवारी ऐसा धुनी सम्पादक मिल गया था। थोड़े ही दिनों में एक उच्चकोटि के मासिक रूप में वह खूब प्रसिद्धि और प्रचार पा गया था। स्त्री-अधिकार का वह जबरदस्त हिमायती था। उसके कई विशेषांकों ने हिन्दी संसार में अभूतपूर्व हलचल मचा दी थी।

लेकिन इस युग में जिस मासिक पत्रिका ने जन्म लेते ही धूम मचा दी थी, वह थी लखनऊ की 'माधुरी'। 'माधुरी' ने तो मानो मासिक क्षेत्र में क्रान्ति ला दी थी। बँगला के 'भारतवर्ष', 'प्रवासी' आदि को देखकर हिन्दीवाले सिहाते थे, इतना सुसज्जित और सस्ता मासिक हिन्दी में कब निकल पाएगा ? 'माधुरी' ने अपनी सज-धज और सस्तापन, सबमें उन्हें मात दी। हिन्दीवालों ने दिल खोलकर उसका स्वागत किया। किन्तु उसके सम्पादक श्री दुलारेलाल भार्गव और संचालक नवलकिशोर प्रेस में अनबन हो गई और 'माधुरी' का विकास रुक गया, यद्यपि बाद में उसे श्री प्रेमचन्दजी ऐसे सम्पादक मिले। दुलारेलालजी ने 'सुधा' निकाली, अपने लिए दुलारे-युग की घोषणा करवाई, लेकिन उन्हें पता नहीं था कि उनका युग 'माधुरी' के सम्बन्ध-विच्छेद के बाद ही समाप्त हो चुका था।

'माधुरी' ने हिन्दी मासिकों को अपना स्टैन्डर्ड ऊँचा करने को बाध्य किया। बूढ़ी 'सरस्वती' भी अपने युवक सम्पादक श्री पदुमलाल पुन्नालाल बख्शी के तत्त्वावधान में नया साज-सिंगार करने लगी। बख्शीजी हिन्दी के उच्चकोटि के सम्पादक रहे हैं। पं. महावीरप्रसाद द्विवेदी के बाद उन्होंने 'सरस्वती' के स्टैन्डर्ड को कायम रखा था और कितनी ही नई चीजों का उसमें अवतरण किया था। उनके बाद 'सरस्वती' जो अपने आसन से खिसकी, सो खिसकती ही चली गई; यद्यपि बूढ़े पं. देवीदत्त शुक्लजी उसे अपना शक्तिमन्त्र बराबर देते रहे।

अजमेर से निकली 'त्यागभूमि' हिन्दी की उच्चकोटि की मासिक पत्रिका थी। सस्ता साहित्य मंडल ने उसे निकाला था और उसके सम्पादक थे पं. हरिभाऊ उपाध्याय। हरिभाऊजी श्रीगणेशशंकर विद्यार्थी की ही तरह पं. महावीरप्रसाद द्विवेदी के योग्य शिष्यों में से थे। गांधीजी की विचार प्रणाली की वह मुख्यतया पोषिका थी। दिल्ली से 'महारथी' नामक एक अच्छा मासिक पत्र निकला था, लेकिन उसका स्टैन्डर्ड फर्स्ट क्लास तक कभी नहीं पहुँच पाया। इस युग में बच्चों के लिए भी कितने मासिक पत्र निकलते रहे, जिनमें मुख्य हैं—'बालसखा', 'बानर', 'शिशु', 'नटखट'। गृहलक्ष्मी कार्यालय से निकलनेवाला 'शिशु' शिशुओं का बड़ा ही सुन्दर मासिक था। 'बानर' पं. रामनरेश त्रिपाठी निकालते थे। 'नटखट' भी अच्छा मासिक था।

इन दस-बारह वर्षों में ही हिन्दी की सम्पादन कला ने कितनी तरक्की कर ली थी, यह सोचकर आश्चर्य होता है। अब उसमें आधे दर्जन अच्छे दैनिक थे, दो दर्जन अच्छे साप्ताहिक थे और एक दर्जन उच्चकोटि की मासिक पत्रिकाएँ। जिस तरह पिछला युग सम्पादन कला का, महावीरप्रसाद द्विवेदी-युग था, उसी तरह यह युग, गणेशशंकर विद्यार्थी-युग था। हिन्दी सम्पादन क्षेत्र में यों तो बड़े-बड़े दिग्गज थे, लेकिन उन सबमें बड़ा व्यक्तित्व गणेशशंकरजी का ही था। उन्हीं से प्रेरणा पाकर, चाहे प्रत्यक्ष या अप्रत्यक्ष, बहुत से नौजवानों ने सम्पादन कला को अपना

जीवन ध्येय बनाया। हाँ, उनकी सम्पादन कला बलिपंथी सम्पादन कला थी, व्यापारिक सम्पादन कला नहीं, जो पीछे चलकर वह हो गई। सम्पादन कला उनके लिए एक आदर्श की साधना थी, रोजी या व्यापार का जरिया नहीं। बड़े-बड़े प्रलोभनों को उन्होंने ठुकराया, बड़े-बड़े संकटों को हँस-हँसकर झेला—लेकिन अपनी साधना पर आँच नहीं आने दी। जिस तरह उनका महान जीवन था, उनकी मृत्यु भी उतनी ही महान हुई। कानपुर के हिन्दू-मुसलिम दंगे के मौके पर अपने को उन्होंने बलिवेदी पर हँसते-हँसते बलि चढ़ा दिया। उनका बलिदान हिन्दी सम्पादन कला का एक महान स्मृति-स्तम्भ समझा जाएगा और आज जब हिन्दी सम्पादन कला व्यापारिक कारोबार बन गई है, बलिपंथी आँखें उस स्तम्भ की ओर बार-बार देखती हैं और इस अधिकार में भी प्रकाश की किरणें ढूँढ़ती हैं।

'युवक' के लेख पर चले इस मुकदमे में मुझे एक वर्ष की कैद की सजा और दो सौ रुपए जुर्माना हुआ था, जिसके बदले छः महीने की सजा और थी। पूरी सजा भुगतकर जिस समय मैं निकला, 1932 का सत्याग्रह चल ही रहा था, अतः, 'युवक' को पुनर्जीवित करने की चेष्टा नहीं की जा सकती थी। हाँ, उसी समय दरभंगा महाराज की चेष्टा से काश्तकारी कानून सम्बन्धी एक बिल बिहार कौंसिल में पेश था, जिसके कारण किसानों में बड़ी हलचल थी। किसान सभा के सभापति स्वामी सहजानन्द सरस्वती थे। उन्होंने मुझसे आग्रह किया कि किसानों की हितरक्षा के लिए उनका 'लोकसंग्रह' फिर निकलने जा रहा है, मैं उसके सम्पादन का जिम्मा लूँ। उन्होंने बिहार सोशलिस्ट पार्टी से किसान सभा के बारे में समझौता कर लिया था, हम लोगों का ही बहुमत किसान सभा में हो चला था, अतः मैंने उनके आग्रह को क़बूल कर लिया। हाँ, मैंने अपना नाम सम्पादक की जगह पर देना मुनासिब नहीं समझा। मुजफ्फरपुर में रहकर मैं 'लोकसंग्रह' का सम्पादन कार्य सँभाल ही रहा था कि 1934 का वह प्रलयंकर भूकम्प मचा। 'लोकसंग्रह' भी उस भूकम्प के मलबे के नीचे दब गया। छः महीने तक भूकम्प पीड़ितों की मदद में गाँव-गाँव दौड़ता रहा। जब रिलीफ का प्रारम्भिक काम खत्म हुआ, मेरे सिर पर फिर पत्रकार जीवन की खब्त सवार हुई। घर की हालत भी बुरी थी, कुछ पैसे कमाना जरूरी था। मैं घर से चला कि कलकत्ता की ओर जाऊँ, लेकिन मुजफ्फरपुर में ही श्री जयप्रकाशजी की चिट्ठी मिली, जिसमें लिखा था, पं. माखनलाल चतुर्वेदी आपको 'कर्मवीर' में रखना चाहते हैं, मेरी भी राय है, आप वहाँ जाइए। पटना से पूरब न जाकर मैं दक्षिण-पश्चिम की ओर रवाना हुआ।

'कर्मवीर' (खंडवा) में मैं छः महीने रहा। यह पहली बार था, जब मैं बिहार के बाहर जाने को बाध्य हुआ। लेकिन सौभाग्य की बात थी कि मैं 'कर्मवीर' में एक वैतनिक सम्पादक नहीं था, बल्कि पं. माखनलालजी चतुर्वेदी के परिवार में शामिल हो चुका था। चतुर्वेदीजी अपने प्रान्त के राजनीतिक नेता थे, सुप्रसिद्ध सम्पादक थे, लेकिन इससे बढ़कर वह एक सरस हृदय कवि थे। अपनी कवि-सुलभ उदारता, अपनापा से ही उन्होंने मुझे अपना अनुचर बना लिया। यहाँ तक कि वह आग्रह करने लगे कि यहाँ परिवार सहित आ जाओ और बस जाओ। राजनीति के लिए भी यहाँ व्यापक क्षेत्र बताया, वहाँ के दृश्य भी मेरे मन को काफी आकृष्ट कर चुके थे। लेकिन मेरा हृदय जैसे बिहार के लिए हाहाकार कर रहा था—यहाँ के प्रिय साथी की बलिपंथी राजनीति, यहाँ का घराऊ वातावरण—जैसे मुझे चैन ही नहीं लेने देता। अतः छः महीने के बाद जब मैं खंडवा से लौटा, फिर चाहकर भी बिहार से बाहर नहीं जा सका। चतुर्वेदीजी को जो इसका दुख हुआ, उन्होंने कई पत्रों में इसकी चर्चा की, मुझे उनकी संगति और सेवा से वंचित हो जाना बड़ा ही खलता रहा।

'कर्मवीर' के सम्पादक की जगह बदस्तूर चतुर्वेदीजी का नाम छपता रहा, सम्पादक की

जिम्मेवारी उन्होंने पूरी-की-पूरी मुझ पर छोड़ रखी थी। वह कट्टर गांधीवादी थे, मैं समाजवादी था। मेरा विचार भी वह जानते थे, तो भी उनकी यह उदारता रही और मैंने भी उस उदारता का कभी दुरुपयोग नहीं किया। सम्पादकीय लिखते समय हमेशा अपने को उनका प्रतिनिधि समझता और उस प्रतिनिधित्व को सही-सही निभाने की कोशिश करता। उनका गांधीवाद क्रान्तिकारी गांधीवाद था, अतः मुझे उस स्थिति में अपने को रखने में ज्यादा दिमागी परेशानी नहीं होती थी। उस समय 'कर्मवीर' 'विनोबा की वाणी' करके चतुर्वेदीजी श्री विनोबा भावे की सूक्तियाँ दिया करते थे। यही विनोबाजी गांधीजी के व्यक्तिगत सत्याग्रह के प्रथम सत्याग्रही और अब भूदान के प्रथम पुरोधा बनकर विश्वविश्रुत हो गए हैं। 'कर्मवीर' में मैंने कई नए शीर्षक शुरू किए, जिन्हें लोगों ने खूब पसन्द किया। चतुर्वेदीजी ने मुझे इस सम्बन्ध में स्वाधीनता दे रखी थी।

'कर्मवीर' से मैं छुट्टी लेकर घर आया था और फिर वहाँ लौट रहा था कि वहाँ से निकलनेवाले 'योगी' के संचालक बाबू नारायणप्रसाद सिंह से मेरी भेंट पटना में हुई। नारायण बाबू के साथ मैं 1930-'32 में जेल में रह चुका था। उनकी लेखनी का मैं कायल था। उन्होंने मुझसे आग्रह किया कि मैं 'योगी' में रह जाऊँ। घर छोड़ते मुझे पीड़ा हो ही रही थी, मैंने तार द्वारा चतुर्वेदीजी से क्षमा माँगी और योगी में रह गया। उसके सम्पादक की जगह नारायण बाबू का ही नाम छपता था मैं चाहता था कि उन्हीं का नाम रहे, क्योंकि अपना नाम सिर्फ अपने द्वारा निकाले हुए पत्र के लिए ही अब मैं रिजर्व रखना चाहता था। लेकिन कुछ दिनों के लगातार आग्रह के बाद खासकर, जब मैं प्रथम बिहार प्रान्तीय सम्पादक सम्मेलन का सभापित चुना गया, मुझे लाचार अपना नाम उसके सम्पादक की जगह देना पड़ा। मेरे नाम से 'योगी' को फायदा हुआ, उसके ग्राहक बढ़े, प्रचार बढ़ा। लेकिन मेरे नाम के साथ तो एक अभिशाप भी जुड़ा था। मैं सरकार के घर में बदनाम था। उसकी खुफिया टीम 'योगी' कार्यालय के इर्द-गिर्द चक्कर काटने लगी। अखिल भारतीय कांग्रेस समाजवादी पार्टी का जन्म हो चुका था। बिहार प्रान्तीय किसान सभा की धूम थी। जयप्रकाश नारायण पटना में ही रहते थे। पार्टी, सभा और जयप्रकाश बाबू का 'योगी' ऑफिस सदर मुकाम-सा बना हुआ था। बसावन सिंह सात वर्ष की सजा काटकर जब आए, उन्हें भी अपने साथ ही मैं रखने लगा। भला, सरकार इसे कब बरदाश्त करती ? उसे एक मौका मिल गया। कांग्रेस की जब स्वर्ण जयन्ती मनाई जा रही थी, मैंने 'योगी' का शहीदांक निकाला। अपने जानते, एक-एक लेख बड़ी छानबीन के बाद मैंने लिखा। लेकिन इसका नाम जो शहीदांक था—सरकार ने अंक जब्त कर लिया और 'योगी' से पाँच सौ रुपए की जमानत माँगी। जब्ती और जमानत में कैसी धाँधली हुई थी, इसका एक सबूत यह है कि श्री अम्बिकाकान्त का 'जिन्दा शहीद' नामक लेख भी आपत्तिजनक माना गया था, जिसमें कहा गया था कि सिर कटाने के लिए उतावला होने की जरूरत नहीं, देशभक्त को जिन्दा रहकर अपना हर क्षण देश के काम में लगाना है। मैं 'योगी' से हट गया।

(5)

कांग्रेस सोशलिस्ट पार्टी का आदर्श शहर और देहात के नौजवानों, कांग्रेस कार्यकर्ताओं और किसान-मजदूरों में घर करता जा रहा था और किसान सभा का संगठन पार्टी के योग्य निर्देश में, दिन दूना रात चौगुना बढ़ रहा था। इनके लिए योग्य साहित्य तैयार करने की ज़रूरत सभी साथी महसूस कर रहे थे। मैंने 'जन साहित्य संघ' नाम की एक संस्था की स्कीम तैयार की और जयप्रकाशजी के सामने रखा। तय हुआ कि 'जनता' नामक एक साप्ताहिक और 'युवक'

नामक एक मासिक पत्र इस संस्था से निकाला जाए और बाद में इसके द्वारा हिन्दी-उर्दू की अन्य पुस्तकें भी प्रकाशित करने का यत्न हो। इसके लिए एक अपील भी तैयार की गई और सर्वश्री आचार्य नरेन्द्रदेव, जयप्रकाश नारायण, सीताराम सेक्सरिया, माखनलाल चुतर्वेदी, फरीद अंसारी और मेरे नाम से वह प्रकाशित कर दी गई। इस अपील का अच्छा स्वागत हुआ। सप्ताह के अन्दर ही काशी से बाबू शिवप्रसाद गुप्तजी का तीन सौ रुपए का चेक श्री जयप्रकाश नारायण के नाम से, एक प्रोत्साहक पत्र के साथ पहुँच गया। देश भर से हितैषियों और मित्रों ने भी इसमें सब तरह मदद देने के पत्र भेजे। संघ की बाज़ाब्ता कार्रवाई शुरू कर दी गई।

काम आगे बढ़ ही रहा था कि अप्रैल 1937 आ गई। पहली अप्रैल को नए शासन विधान के खिलाफ जो हिन्दुस्तान भर के प्रदर्शन हुए, उसमें पार्टी का बहुत बड़ा हाथ था। पटना में जो प्रदर्शन हुआ, उसमें जयप्रकाशजी के साथ मैं भी गिरफ्तार हुआ। तीन महीने की हमें सजा मिली। इस गिरफ्तारी से काम कुछ रुका, इसके शक नहीं, लेकिन, जयप्रकाशजी के सान्निध्य से मुझे लाभ भी कम नहीं हुआ। मैंने पाया कि जन साहित्य संघ के लिए जयप्रकाशजी मुझसे कम उत्सुक या चिन्तित नहीं हैं। जब भी कोई नई मुलाकाती आता, जयप्रकाशजी संघ के लिए साथियों को ताकीद भेजा करते। खैर, हम लोग जेल से छूटे। जिस दिन मैं जेल से छूट रहा था, रास्ते में ही बाबू श्रीकृष्ण सिंह से भेंट हुई, जो गवर्नर से मिलकर मिनिस्टरी स्वीकार करने राँची जा रहे थे। जब तक मैं गाँव से दस-पाँच दिन रहकर पटना लौटूँ, कांग्रेस मिनिस्टरी का राज सूबे भर में छाया हुआ था।

जयप्रकाशजी से बातें हुईं और तय हुआ कि शीघ्र ही तब तक 'जनता' निकाल दी जाए। प्रारम्भिक खर्च के लिए पैसे एकत्र करने को हम कलकत्ता गए और श्री सीताराम सेक्सरिया के घर पर ठहरे। सेक्सरियाजी गांधीवादी होने पर भी प्रगतिशील विचारों के पोषक थे। सादगी और सज्जनता की तो मूर्ति ही समझिए। जयप्रकाशजी के व्यक्तित्व और सेक्सरियाजी के सहयोग के समिश्रण से दो-तीन दिनों में अन्दर ही हग दो हजार रुपए एकत्र कर सके। उन रुपयों से टाइप और कागज खरीदकर मैं पटना लौटा और 'जनता' के प्रकाशन की सूचना पत्रों में दे दी। 1937 ई. की विजयादशमी को जनता का पहला अंक धूमधाम से निकला।

हाँ, धूमधाम से ! पहला अंक हमने दो हज़ार छपवाया था, जो दो दिनों के अन्दर ही हाथोंहाथ बिक गया और जगह-जगह से कापियों के लिए तार-पर-तार आने लगे। लाचार होकर हमें पहले अंक का दूसरा संस्करण कराना पड़ा। यह संस्करण तीन हजार का हुआ और दूसरे अंक से ही 'जनता' पाँच हज़ार की तायदाद में छपने लगी। एक ही हफ्ते के अन्दर, किसी अखबार के पहले अंक का यों दो संस्करण होना हिन्दी सम्पादन कला के लिए निस्सन्देह अभूतपूर्व घटना थी।

'जनता' के लिए एक अच्छा सा मकान भाड़े पर ले लिया गया था। उसका ऑफिस भी अप-टु-डेट रखा गया था। मैटर का कम्पोज अपने यहाँ कराते थे, लेकिन उसे छपवाते थे एक दूसरे प्रेस में। प्रबन्ध के लिए पहले तो मैंने एक वैतनिक आदमी रखने का सोचा था, लेकिन खर्च का ज्यादा बोझ न बढ़ जाए, इसके लिए साथियों में से ही किसी के कन्धे पर यह बोझ रखने का तय हुआ। अवधेश्वर आगे बढ़े। जिस काम में लग गए; मन और मुस्तैदी से करने का स्वभाव अवधेश्वर का था। उन्होंने इस जिम्मेवारी को अच्छी तरह निभाया। 'जनता' के हिसाब-किताब की ज़िम्मेवारी राजवंशी पर थी, जो अब बिहार को-आपरेटिव फेडरेशन के संचालक हैं। छः महीने के अन्दर-ही-अन्दर 'जनता' साढ़े सात हज़ार तक छपने लगी। गाँवों में, शहरों में, 'जनता' की धूम थी। 'जनता' ने समाजवादी विचारधारा को गाँव-गाँव, गली-गली में पहुँचा दिया। किसान सभा के संगठन में भी तेजी आई। 'जनता' के

बल पर हमने पटना में किसानों के ऐसे दो प्रदर्शन किए जिनकी जोड़ की चीज़ पटना ने देखी नहीं थी। उसी समय बिहार असेम्बली में काश्तकारी बिल पेश था। उसमें किसानों के हित सम्बन्धी धाराएँ रखवाने के लिए 'जनता' ने घनघोर आन्दोलन शुरू किया। किसानों के झोंपड़ों तक में 'जनता' की पैठ हो गई। 'जनता' बिहार के दुर्बल किसानों को कमर सीधी करके खड़ा होने में मदद देनेवाली उनकी प्यारी लाठी बन गई।

जन साहित्य संघ के स्थायी सदस्य भी काफी बन रहे थे, ग्राहकों की तो कमी थी ही नहीं। लेकिन तीन रुपए सालाना में हम जो मैटर दें रहे थे, उनकी छपाई, कागज आदि ही ग्राहकों के रुपए में पूरे नहीं पड़ते थे, इसलिए हर ग्राहक का बढ़ना कुछ घाटे का बढ़ना था। इस कमी को चंदे से पूरा किया जा सकता था या विज्ञापन से। 'जनता' के नाम से बिहार के जमींदार काँपने लगे थे। मजदूर हड़तालों में 'जनता' का जबरदस्त समर्थन मिलने से पूँजीपति भी उससे डरने लगे। काश्तकारी बिल में संशोधन कराने की 'जनता' की माँग के कारण कांग्रेस मिनिस्टरी भी उससे आगबबूला हो रही थी और उसके इशारे पर नाचनेवाले कांग्रेस कार्यकर्ता भी 'जनता' को ख़त्म कर देने के लिए कम लालायित नहीं थे। 'जनता' किसानों और मजदूरों का पत्र था—उनके पास सालाना तीन रुपए देने के अलावा पैसे कहाँ थे ? इस तरह चन्दे का दरवाजा बन्द ही था। हाँ, कुछ आदर्शवादी सज्जन जब-तब कुछ सहायता कर देते थे। लेकिन उससे काम सँभलता नहीं था। विज्ञापन कुछ मिलने लगा था, लेकिन उस दरवाजे को रोकने का भी एक इन्तजाम किया गया। बिहार असेम्बली में एक सवाल पुछवाया गया कि बिहार के कौन-कौन से अखबार कितना-कितना छपते हैं ? मिनिस्टरी की ओर से सब अखबारों की मनमानी तायदाद बता दी गई, लेकिन 'जनता' के बारे में चुप्पी साध ली गई। जिन्होंने सरकार की ओर से यह जवाब दिया, वह 'जनता' ऑफिस के सामने ही रहते थे। हमसे व्यक्तिगत मित्रता भी रखते थे। मिनिस्टरी के चहेते अख़बारों ने उस जवाब को छपवाकर विज्ञापनदाताओं के पास भेजवाया। उसमें 'जनता' का तो नाम तक नहीं था।

लेकिन इस गर्हित उपाय से भी 'जनता' में विज्ञापन नहीं रोका जा सका। उसे विज्ञापन मिले, लेकिन उसमें देर तो लगी ही।

अवधेश्वर ने प्रबन्ध विभाग एक दूसरे मित्र को देकर, सिर्फ एक काम अपने जिम्मे लिया, जिसमें उन्होंने कमाल दिखाया। वह काम था विज्ञापन का। वह कलकत्ता में जाकर विज्ञापन के लिए कोशिशें करने लगे और उसमें सफल भी हुए। उन्हीं के प्रयत्न से 'जनता' के लिए प्रेस भी खरीद लिया गया, यद्यपि इस प्रेस के लिए जयप्रकाशजी और श्यामनन्दन बाबा को एक बैंक से कर्ज़ भी लेना पड़ा।

'जनता' की मदद की बात याद आते ही दो आदमियों की सूरतें तुरत आँखों के सामने नाच उठती हैं। एक हैं हमारे श्यामनन्दन बाबा और दूसरे शिवधारी भाई। दोनों ही बिहार असेम्बली के मेम्बर थे। इस मेम्बरी से भत्ते या मुशाहरे के रूप में जो कुछ मिलता, वे 'जनता' को दे देते। शिवधारी भाई 'जनता' के ही ऑफिस में रहते, एक शाम सस्ते होटल का खाना और एक शाम चना-मकई के भूँजे पर रहते, लेकिन ज्यों ही बिल भुनता, नोटों के बंडल हमारे हाथों में सुपुर्द कर देते। श्यामनन्दन बाबा का रहन-सहन भी वैसा ही था—हाँ, उन्हें सिनेमा देखने का शौक था, जो चार आनेवाली सीट में पूरा करते। बाकी पैसे ही 'जनता' को नहीं दे देते, जरूरत पर उसके लिए कर्ज तक करने में उन्हें झिझक नहीं होती।

राजबन्दियों की रिहाई के सम्बन्ध में 'जनता' ने ऐसा घनघोर आन्दोलन मचाया था कि मिनिस्टरी को, कम-से-कम इस बारे में, सक्रिय होना ही पड़ा। बिहार के एक-एक राजबन्दी, जो पुराने क्रान्तिकारी थे, छोड़ दिए गए। बिहार के राजबन्दियों के अतिरिक्त श्री बटुकेश्वर

दत्त और कमलनाथ तिवारी के, जो पंजाब सरकार के बन्दी थे, छुड़ाने में भी 'जनता' ने बहुत बड़ा हिस्सा लिया था। राजबन्दियों के लिए 'जनता' ने एक खास अंक भी निकाला था, जिसमें उस समय के हिन्दुस्तान के राजबन्दियों के बारे में विस्तृत प्रकाश डाला गया था। 'बिहार के शेर—श्री योगेन्द्र शुक्ल' शीर्षक लेख का ऐसा असर पड़ा कि छूटकर आने के बाद शुक्लजी का उपनाम ही 'बिहार का शेर' पड़ गया।

विजयादशमी 1937 को 'जनता' का प्रकाशन शुरू हुआ और मेरी गिरफ्तारी और पाँच हज़ार रुपए की जमानत माँगे जाने के कारण 1940 की मई में उसे स्थगित कर देना पड़ा। इन ढाई वर्षों की अवधि में 'जनता' ने जो कुछ किया, वह बिहार के नौजवानों, किसानों और मजदूरों के हृदयों में अंकित है; उसे लिखना आत्मप्रशंसा के अनुचित क्षेत्र में प्रवेश करना होगा। संक्षेप में इतना ही कहा जा सकता है कि बिहार में आज जो कुछ वामपक्षी वातावरण है, यहाँ की राजनीति में जो कुछ तेजस्विता और उग्रपंथिता है, पिछले खुली बगावत के आन्दोलन में यहाँ के नौजवानों, किसानों और मजदूरों ने जो कुछ कर दिखाया है, उसके श्रेय में 'जनता' का कुछ हिस्सा है ही।

'जनता' ने एक और आन्दोलन शुरू किया, जिसकी ओर किसी नेता या अखबार ने कभी ध्यान नहीं दिया था। वह था—नेपाल की प्रजा के कष्टों एवं वहाँ की राज्यपद्धति की बुराइयों के बारे में लोगों का ध्यान आकृष्ट करना। 'जनता' के लेखों के चलते नेपाली प्रजा में बड़ी सनसनी थी—बिहार की सीमा पर के शहरों में दूर-दूर से नेपाली आते और 'जनता' की प्रतियाँ मुँहमाँगे दाम में खरीद ले जाते। नेपाल-सरकार ने 'जनता' का पढ़ना या रखना जुर्म करार दे दिया था। वे चुराकर ले जाते, पढ़ते, सौगात की तरह एक-दूसरे के पास भेजते। 'जनता' से सम्पर्क रखने के लिए कितनों को सन्देह में ही दस-दस बरस तक की सजा हुई। 'जनता' से सम्पर्क रखने के अभियोग में ही दो नौजवानों को काठमांडू में खुली फाँसी हुई। नेपाल सरकार ने हमें भी प्रलोभन और धमकियाँ दीं। अन्त में उसने अंग्रेजी राज की शरण ली, जिसने नेपाल सम्बन्धी लेखों को जब्त किया और मुझे सेक्रेटेरियट में बुलाकर डराया-धमकाया गया। लेकिन हम अपनी अड़ पर कायम रहे—'जनता' ने अपनी आवाज़ सदा बुलन्द रखी। हमसे जो पाँच हजार की जमानत माँगी गई थी; उसका कारण नेपाल सम्बन्धी हमारा आन्दोलन प्रमुख था।

'जनता' सम्बन्धी कुछ अन्य बातों का उल्लेख भी आवश्यक है।

जन साहित्य संघ को हम एक रजिस्टर्ड संस्था की तरह रजिस्टरी करा लेना चाहते थे। उसके लिए जयप्रकाशजी बम्बई से विधान बनवा लाए थे। उसकी सदस्यता दो किस्म की थी—एक दस वर्ष के लिए; दूसरी जिन्दगी भर के लिए। दस वर्षवालों को पच्चीस रुपए एक मुश्त देना था और सौ रुपए या उससे अधिक देनेवाले उसके आजन्म सदस्य होते। संघ ने सदस्यों को इतनी कीमत का साहित्य भी धीरे-धीरे देने का निश्चय किया था। इन्हीं सदस्यों के वोट से कार्य समिति का चुनाव होता। इस संस्था को सिर्फ बिहार की संस्था न बनाकर, हिन्दी संसार की संस्था बनाने की आकांक्षा थी। इसी से इसकी प्रारम्भिक अपील में ही आचार्य नरेन्द्रदेवजी (यू.पी.), श्री सीताराम सेक्सरिया (कलकत्ता) और पं. माखनलाल चतुर्वेदी (सी.पी.), श्री फरीद अंसारी (दिल्ली) के नाम थे। 'जनता' का प्रारम्भ भी, जैसा वर्णन हो चुका है, बिहार के बाहर के ही पैसे से हुआ था। संघ की जो पहली कार्य समिति बनी थी, उसके मन्त्री श्री गंगाशरण चुने गए थे।

यों तो 'जनता' की जिम्मेदारी हम सभी पर थी, लेकिन उसकी आर्थिक जिम्मेदारी मुख्यतः जयप्रकाशजी ने अपने ऊपर ले ली थी या हमने उन पर लाद दी थी। जब-जब पैसे की कमी

होती, वह बिहार या बाहर से कभी-कभी कर्ज लेकर भी पूरी करते। यदि जयप्रकाशजी नहीं होते तो 'जनता' का जन्म और संचालन दोनों ही असम्भव था, इसमें तो कोई शक ही नहीं। लेकिन इस तरह आर्थिक जिम्मेदारी लेने पर भी जयप्रकाशजी ने कभी 'जनता' को व्यक्तिगत चीज समझने की कल्पना न की—अपनी स्वाभाविक उदार प्रवृत्ति के कारण हम सबका 'जनता' के बारे में बराबरी का अधिकार और उत्तरदायित्व मानते थे। स्वामी सहजानन्दजी ने भी 'जनता' में हमारी अच्छी मदद की थी।

(6)

इस अरसे के दरम्यान की पत्रकारिता का हम फिर एक बार सिंहावलोकन कर लें। 'सर्चलाइट' की प्रतिष्ठा और प्रसिद्धि दिन-दिन बढ़ती ही गई। 1930-'32 के सत्याग्रह आन्दोलन में कांग्रेस के आदर्श को अन्त तक उसने निभाया। पं. जवाहरलाल नेहरू तक पर 'सर्चलाइट' का ऐसा अच्छा प्रभाव पड़ा था कि एक बार उन्होंने कहा था कि देश के सभी पत्रों में 'सर्चलाइट' ही सही माने में कांग्रेस के आदर्श का पालन करता है। जब 'इन्डियन नेशन' दैनिक रूप में निकलने लगा, 'सर्चलाइट' भी दैनिक हुआ। लेकिन दैनिक के बोझ को 'सर्चलाइट' का संचालक मंडल बरदाश्त नहीं कर सका और अब हफ्ते में फिर तीन बार ही निकालकर 'सर्चलाइट' की शान की रक्षा नहीं की जा सकती थी। फलतः, 'सर्चलाइट' को 'बिड़लाओं' के सुपुर्द करना पड़ा। बिड़लाओं की ओर से श्री पारसनाथ सिंह उसके प्रबन्ध के जिम्मे रहे। 'सर्चलाइट' का अपना मकान हुआ, अपनी रोटरी मशीन हुई और यद्यपि उसके आकार-प्रकार में खास इजाफा नहीं हुआ, तो भी उसके ऑफिस की चमक-दमक तो बढ़ ही गई। लेकिन इन सबके बावजूद 'सर्चलाइट', वह पुराना आदर्श-प्रवण 'सर्चलाइट' नहीं रह गया इसमें तो शक ही नहीं। जैसे किसी तपस्वी के शरीर में किसी व्यापारी की आत्मा बैठी हो, ऐसा लगने लगा।

महाराज दरभंगा ने 'इन्डियन नेशन' नाम से एक दैनिक निकाला। महाराजा जब राउंड टेबुल कॉन्फ्रेंस में विलायत गए, अपने साथ एक प्रसिद्ध अंग्रेज अखबारनवीस को भी ले आए और 'इन्डियन नेशन' को वैसी शान से निकाला कि मालूम होता था, कुछ दिन में यह ऐंग्लोइन्डियन अखबारों के भी कान कतर लेगा। लेकिन वह शान कायम नहीं रह सकी। सब चीज में किफायत करके, एक साधारण हिन्दुस्तानी दैनिक की तरह 'इन्डियन नेशन' भी निकलने लगा। जमींदारों के हित की रक्षा करना और कुछ अवसरों को छोड़कर हमेशा सरकार की हाँ-में-हाँ भरना 'इन्डियन नेशन' की उस समय की नीति हुई। 'इन्डियन नेशन' के प्रेस से ही पहले 'जनक' नामक दैनिक निकला, जो बाद में 'आर्यावर्त' के नाम से मिलने लगा। 'आर्यावर्त' एक पैसे का पत्र होने की वजह से उन दिनों काफी प्रचार पा रहा था।

'योगी' की चर्चा हो चुकी है। अपने द्वारा स्थापित योरियाकोठी हाई स्कूल के विद्यार्थियों को लेकर नारायण बाबू ने इसे शुरू किया। अपने पर काफी आर्थिक झंझट लेते हुए भी उसे निकालते रहे। जब मैं वहाँ से हट गया तो उन्होंने संचालक की हैसियत से भी अपना नाम हटा लिया। पीछे उन विद्यार्थियों में से एक श्री ब्रजशंकर ने अच्छी प्रतिभा दिखलाई और वही उसे चलाने लगे। 'योगी' ने कभी पार्टीबन्दी में अपने को नहीं रखा। प्रगतिशील विचारों का उसने यथासाध्य समर्थन ही किया। श्री राजेन्द्र शर्मा का सहयोग 'योगी' के लिए बहुत ही उपयोगी सिद्ध हुआ।

बिहार के पत्रकार संसार में देवव्रतजी को भी लोग नहीं भूल सकेंगे। पहले आपने 'नवशक्ति' साप्ताहिक निकाली, फिर 'राष्ट्रवाणी' दैनिक। प्रान्त के कांग्रेसी नेता और कांग्रेस मिनिस्टरी का इस काम के लिए उन्होंने खूब उपयोग किया। 'जनता' के कारण जमींदारों और

पूँजीपतियों में जो हड़कम्प मचा, उससे भी फायदा उठाने से ये नहीं चूके। डिस्ट्रिक्ट बोर्ड आदि से भी उन्हें प्रचुर सहायता मिली। नतीजा यह हुआ कि 'नवशक्ति' और 'राष्ट्रवाणी' को अपनी जमीन, अपना मकान, भारी प्रेस आसानी से प्राप्त हो गए।

पटना की यूनिवर्सिटी प्रेस (बर्मन कम्पनी) से पहले 'आलोक' और पीछे 'बिजली' नाम से एक अच्छा सा मनोरंजक साप्ताहिक निकला था। मुंगेर का 'प्रभाकर' एक स्कूली पुस्तक प्रकाशन का आयोजन रहा, जिसका सम्पादन बहुत दिनों तक पं. सुरेश्वर पाठक विद्यालंकार करते रहे। चम्पारण से श्री रामधारी प्रसादजी के सम्पादकत्व में एक अच्छा साप्ताहिक निकला था, लेकिन उसे भी बन्द हो जाना पड़ा। 'मिथिलामिहिर' और 'तिरहुत समाचार' की कायापलट की भी चेष्टाएँ हुईं। आरा से पं. पारसनाथ त्रिपाठी ने 'पाटलिपुत्र' को पुनर्जन्म दिया था, लेकिन त्रिपाठीजी के अकाल निधन से वह भी अकाल मृत्यु को प्राप्त हुआ। 'अग्रदूत' नामक एक अच्छा साप्ताहिक वहाँ से निकला, लेकिन कुछ अंकों के बाद ही बन्द हो गया। बाबू कृष्णवल्लभ सहाय ने हज़ारीबाग़ से 'छोटा नागपुर दर्पण' निकाला—जो झारखंड का अकेला साप्ताहिक था। गया से 'चिनगारी' नामक एक उच्चकोटि का साप्ताहिक निकला। उसके संचालक कुमार बदरी नारायण सिंह थे और उसके सम्पादक श्री श्याम बर्थवार। श्याम बाबू ने अपने को जन्मजात पत्रकार सिद्ध किया। कई बार गया से कई अन्य पत्र निकालने की कोशिशें भी हुईं, किन्तु उनमें टिकाऊ कोई नहीं हो सका। पूर्णिया से श्री लक्ष्मीनारायण 'सुधांशु' के सम्पादकत्व में एक पत्र निकला था। पटना से 'देश' नामक एक पत्र निकला, किन्तु इस 'देश' का राजेन्द्र बाबू से कोई सरोकार नहीं था। वह भी ज्यादा दिनों तक नहीं चल सका। कांग्रेस मिनिस्टरी के अनुकूल वातावरण में पत्रों की बाढ़ तो आई, लेकिन इस मिनिस्टरी की ही तरह उनमें से अधिकांश क्षणिक सिद्ध हुए।

पं. छविनाथजी पांडेय के प्रयत्न से बिहार प्रादेशिक हिन्दी साहित्य सम्मेलन की ओर से 'साहित्य' नामक एक त्रैमासिक पत्र निकला—अच्छा आलोचनात्मक पत्र था, लेकिन अर्थाभाव के कारण उसे बन्द कर देना पड़ा। भागलपुर से 'बीसवीं सदी' नाम की अच्छी मासिक पत्रिका निकली, लेकिन वह भी चल नहीं पाई। श्री प्रफुल्लचन्द्र ओझा 'मुक्त' की 'आरती' कुछ दिनों तक हिन्दी मन्दिर को जगमग करती, आखिर अर्थाभाव की आँधी की शिकार हुई। श्री भुवनेश्वर सिंह 'भुवन' ने 'लेखमाला' और 'वैशाली' नाम की पत्रिकाएँ निकाली थीं, जिनकी भी गत वही हुई। बिहार में एक सर्वांगपूर्ण मासिक पत्र का स्थान आज भी खाली है। हाँ, पं. रामदहिन मिश्रजी का 'किशोर, 'बालक' के प्रतिद्वन्द्वी के रूप में अच्छा निकला।

बिहार में खपनेवाले अंग्रेजी पत्रों में कलकत्ता के दैनिकों का ही बोलबाला रहा। जब श्री सुभाषचन्द्र बोस और जे.एस. दास गुप्ता में झगड़ा हुआ, दासगुप्ता साहब की ओर से 'एडवांस' निकला। 'एडवांस' कुछ दिनों तक 'विश्वमित्र' संचालक श्री मूलचन्द्र अग्रवाल की देखरेख में भी निकला। लेकिन 'लिबर्टी' और 'एडवांस' दोनों धीरे-धीरे क्षीण होते, अन्त में मृत्यु को प्राप्त हुए। 'अमृतबाजार पत्रिका' का खूब बोलबाला रहा। पीछे उसके प्रतिद्वन्द्विता करने को 'हिन्दुस्तान स्टैन्डर्ड' मैदान में आया। 'स्टेट्समैन' बिहार के सरकारी हुक्कामों का प्यारा पत्र बना हुआ था।

युक्तप्रान्त के अंग्रेजी दैनिकों में 'नेशनल हेरल्ड' ने 'इंडिपेंडेंट' का स्थान लिया। बिहार के पश्चिमी हिस्से में उसका काफी प्रचार हुआ। 'लीडर' भी रेलवे बुक स्टालों पर रहा।

कलकत्ता के हिन्दी दैनिकों में सबको पराजित कर 'विश्वमित्र' का एकछत्र राज हुआ। अब तो दैनिक 'विश्वमित्र' बम्बई और दिल्ली से भी निकलता है। 'आज' में एक अजीब परिवर्तन हुआ। बाबू शिवप्रसाद गुप्त के उत्तराधिकारी ने 'आज' के पुराने स्टाफ को बिलकुल

अगल कर दिया। पराड़करजी, बलदेवदासजी आदि ने मिलकर वहीं से 'संसार' निकाला। 'वर्तमान' (कानपुर), 'भारत' (इलाहाबाद), 'प्रताप' (कानपुर), 'अर्जुन' (दिल्ली), 'मिलाप' (लाहौर), 'हिन्दोस्तान' (दिल्ली)–हिन्दी के ये प्रसिद्ध दैनिक पत्र थे। जबलपुर से और नागपुर से कई बार दैनिक निकालने की कोशिशें हुईं; लेकिन, सी.पी. का मैदान उन दिनों खाली ही था। बिहार की 'राष्ट्रवाणी' और 'आर्यावर्त' की चर्चा हो चुकी है।

हिन्दी के साप्ताहिकों में (बिहार को छोड़कर) तीन उल्लेखनीय इजाफ़े हुए–साप्ताहिक 'आज', 'देशदूत' और 'संघर्ष'। 'संघर्ष' के सम्पादक मंडल में आचार्य नरेन्द्रदेवजी, श्री मोहनलाल गौतम और बी.पी. सिन्हा थे। 'संघर्ष' का हिन्दी साप्ताहिकों में सर्वोत्तम स्थान रहा, यह मजे में कहा जा सकता है। 'देशदूत' अपने चित्रों के लिए मशहूर था और साप्ताहिक 'आज' विविध विषयक लेखों के लिए। 'प्रताप', 'कर्मवीर' और 'सैनिक' का स्थान पूर्ववत् रहा। हाँ, गणेशशंकरजी के उठ जाने से 'प्रताप' में वह जान न रह गई, जिस पर हिन्दी संसार कुरबान था। 'कर्मवीर' के सहकारी सम्पादक श्री आगरकरजी ने उससे हटकर खंडवा से ही 'स्वराज्य' निकाला। 'राजस्थान' के पुराने पत्रकार और योद्धा पथिकजी ने आगरा से एक अखबार निकालकर पुनः इस क्षेत्र में प्रवेश करना चाहा, लेकिन उन्हें सफलता नहीं मिल सकी। साप्ताहिक 'विश्वमित्र' का प्रचार दिन-दिन बढ़ता गया। मासिक 'विश्वमित्र' से हटकर डॉ. हेमचन्द्र जोशी ने 'विश्ववाणी' नाम की एक अच्छी साप्ताहिक पत्रिका निकाली थी, लेकिन वह ज्यादा दिन चलने नहीं पाई। श्री रामनाथ लाल 'सुमन' के सम्पादकत्व में 'नवीन राजस्थान' भी उच्चकोटि का साप्ताहिक था।

मासिक पत्रों की इन दस वर्षों में न जाने क्यों उन्नति रुक गई। सबका स्टैन्डर्ड धीरे-धीरे खराब होने लगा। पं. बनारसीदास चतुर्वेदी 'विशाल भारत' छोड़कर ओरछा नरेश की सेवा में जो लगे। उनके बाद पं. श्रीराम शर्मा ने गौ, गंगा और गांधी की त्रिवेणी 'विशाल भारत' में बहाई। पं. जगन्नाथ प्रसाद मिश्र ने मासिक 'विश्वमित्र' के स्टैन्डर्ड को क़ायम रखने की कोशिश की, किन्तु उनके हट जाने के बाद उसकी विशेषता भी क़ायम नहीं रखी जा सकी। श्री प्रेमचन्दजी के 'हंस' ने पाँच-छः वर्षों तक काफी प्रसिद्धि प्राप्त की–वह हिन्दी में अखिल भारतीय साहित्य का योग्य प्रतिनिधित्व करता रहा। किन्तु उनकी मृत्यु के बाद उसकी भी शान वह नहीं रह गई। बख्शीजी के हटने से 'सरस्वती' का गौरव जाता रहा–इन्डियन प्रेस की सुन्दर, नयनाभिराम छपाई भी समीक्षकों की नजरों में उसकी जगह क़ायम नहीं रख सकी। 'चाँद' का तो पूरा कोलैप्स हुआ। श्री रामरख सिंह सहगल के हाथों से हटकर 'चाँद' अपना प्रकाश बिलकुल खो चुका। लाहौर से 'भारती' नाम की अच्छी पत्रिका निकली, जिसकी कुछ दिनों अच्छी धूम रही। शान्ति निकेतन से पं. हजारीप्रसाद द्विवेदी के सम्पादकत्व में निकली 'विश्व भारती' हिन्दी में रवीन्द्र की कला का योग्य प्रतिनिधित्व करती थी।

अब प्रेसों में पूरी तरह यान्त्रिकता का राज्य स्थापित हो चुका था। बिजली ने छपाई की गति में क्रान्ति ला दी। अब न छोटे प्रेसों की कोई पूछ थी, न छोटे अखबारों की। पत्रकारिता पर बड़ी पूँजी का प्रभाव बढ़ रहा था। अब कोई अच्छा अखबार निकालने और चलाने के लिए किसी बड़े पूँजीपति की शरण में जाना या कोई बड़ी कम्पनी खड़ी करना लाजिमी हो गया। विज्ञापनों ने पत्रकारिता को अपने काबू में कर लिया। इन विज्ञापनों के कारण भी पत्रकारिता को पूँजीपतियों की शरण में जाने को लाचार होना पड़ा।

(7)

एक वर्ष की सजा काटकर जब 1941 में मैं लौटा तो सारे भारत में भारत रक्षा कानून की धूम थी। उन दिनों यह सम्भव नहीं था कि नए सिरे से अखबार निकाला जाए। 'जनता' का प्रेस पुराने क़र्जे में बिक चुका था। कोई भी प्रेस यह हिम्मत नहीं कर सकता था कि हमारी युद्ध विरोधी भावनाओं को छापकर अपने ऊपर संकट मोल ले।

मैं अधिक दिन बाहर रह भी नहीं सका। बिहार प्रान्तीय विधान सभा के अध्यक्ष के नाते प्रान्त के किसानों को आगामी क्रान्ति के लिए संगठित कर रहा था कि गिरफ्तार कर लिया गया। कई जगहों से वारंट निकले, कई सजाएँ दी गईं। इस जेल से उस जेल; फिर हज़ारीबाग़ भेज दिया गया।

हज़ारीबाग़ पहुँचा ही था कि गांधीजी का 'अंग्रेजों भारत छोड़ों' आन्दोलन प्रारम्भ हुआ। सजाएँ चल ही रही थीं, नजरबन्दी का हुक्म भी कर दिया गया। बस, निश्चिन्त होकर जेल में पड़े रहो।

इस आन्दोलन के प्रारम्भ होते ही हज़ारीबाग़ में प्रान्त के कोने-कोने से राजबन्दी आकर भर गए। फिर मेरी पत्रकारिता की भावना जगी। 1930 में हस्तलिखित 'कैदी' निकाला था; अब 1942 में 'तूफान' निकालने लगा।

'तूफान' के अंक 'कैदी' से भी अधिक शानदार निकलते। जेल में न लेखकों की कमी थी; न कवियों की। सुन्दर अक्षर लिखनेवाले भी कई मिल गए थे। ऐसे ही लोगों में ओंकार शरद थे, जो पलामू से गिरफ्तार होकर आए थे। उन दिनों का वह लजालू लड़का, जो मुश्किल से मुँह खोल पाता, कभी अच्छे लेखक और प्रकाशक की हैसियत से नाम कमाएगा, क्या मैं उन दिनों सोच सकता था ?

गांधीजी ने अपना 'भारत छोड़ो' आन्दोलन प्रारम्भ करते समय राष्ट्रीयता के पोषक पत्रों से अपने-अपने अखबार बन्द कर देने की प्रार्थना की थी। बहुत से अखबारों ने उनके आदेश का अनुसरण किया था। कुछेक अखबारों ने ही यह पैज निबाही। किन्तु थोड़े दिनों के बाद सबकी कलई खुलने लगी। उसका प्रधान कारण हुआ सरकारी विज्ञापन। विज्ञापन के रूप में सरकार हर अखबार को थैलियों-पर-थैलियाँ पहुँचने लगी। इस लोभ को संवरण करना कठिन था। सरकारी विज्ञापनों और सूचनाओं से भरे हुए अखबार देखने ही लायक होते थे।

बिड़ला ने 'सर्चलाइट' खरीद लिया था। 'सर्चलाइट' बिहार की राष्ट्रीयता की शान समझा जाता था। उसके सम्पादक श्री मुरलीमनोहर प्रसाद हमारे ही साथ जेल में नजरबन्द थे। उधर 'सर्चलाइट' में 1942 के विद्रोही देशभक्तों को 'गुंडों' के रूप में चित्रित लम्बे-लम्बे सचित्र विज्ञापन निकलते थे। विधि का विधान इसे ही कहते हैं। यह विधि-विधान प्रायः सभी पत्रों पर लागू था। 'सर्चलाइट' का नामोल्लेख तो मैंने एक ज्वलन्त उदाहरण के रूप में किया है।

सरकारी विज्ञापनों के अलावा कागज के कोटे ने भी अखबारों की नैतिक रीढ़ तोड़ दी। अधिक ग्राहक संख्या बताकर अखबारों के मासिक कागज का बड़ा-बड़ा कोटा अफसरों से करा लेते और बचे हुए कागज की चोरबाज़ारी करते। जनता चोरबाज़ारी से परेशान थी; उसकी रक्षा कौन करे—जो स्वयं अपना मुँह काला कर चुका है, वह किस प्रकार दूसरे के कुकर्म की ओर उँगली उठाए। हाँ, कभी-कभी चोरी और सीनाज़ोरी का नज़ारा भी देखने को मिल जाता।

जेल में मैं यह सब देखता, सुनता और मन-ही-मन कुढ़ता। हिन्दी पत्रों की भी यही दशा थी। जिस प्रेस से 'जनता' निकला करता था, उसी प्रेस से छापकर एक ऐसा साप्ताहिक

निकल रहा था, जो देशभक्तों को इसी प्रकार खुलेआम गालियाँ देता था। मैं प्रायः सोचा करता, हिन्दी पत्रकारिता के जिस सिंहासन को कभी महावीरप्रसाद द्विवेदी की तपस्या और शहीद शिरोमणि श्री गणेशशंकर विद्यार्थी की तेजस्विता सुशोभित कर चुकी है, उस पर यह कौन सी अर्थ-पिशाचिनी आ बैठी है ?

1942 की क्रान्ति ज्यों ही धीमी पड़ी, जेल अधिकारियों का ध्यान 'तूफान' की ओर गया। जब जयप्रकाशजी जेल से भाग निकले, उनकी त्यौरियाँ और चढ़ीं। बार-बार 'तूफान' के अंकों के लिए तलाशियाँ होतीं। अन्ततः उसे बन्द कर देना पड़ा।

उन्हीं तलाशियों में एक बार जेल अधिकारियों के हाथ 'तूफान' का एक अंक लग गया था। वह अंक अभी कुछ दिन हुए, बिहार के मुख्यमन्त्री ने, बिहार राष्ट्रभाषा परिषद् के मन्त्री के पास भिजवा दिया है। उन तलाशियों में सबके सब अंक न जाने क्या हो गए; बस, यही एक अंक इस प्रकार बच पाया। कभी-कभी बुराई भी भलाई में परिणत हो जाती है न ?

1945 की जुलाई में मैं पेरोल पर रिहा किया गया। लड़ाई चल ही रही थी। किन्तु पत्र-पत्रिकाएँ अपनी स्वाभाविक गति से प्रकाशित हो ही रही थीं। 'जनता' को पुनर्जीवित करने की बात तो सोची भी नहीं जा सकती थी। हाँ, जेल से ही मैं एक नए ढंग की मासिक पत्रिका का खाका अपने दिमाग में लाया था। उसका नामकरण भी कर लिया था। किन्तु बाहर आने पर देखा, उस नाम से एक पत्रिका निकल रही है। खैर, नाम की क्या कमी ? हाँ, उसे प्रकाशित कौन करे, यही प्रश्न था।

जेल से निकलते ही पुस्तक भंडार की पटना शाखा के संचालक श्री जयनाथ मिश्र से मैं मिला था। वह मेरी पुस्तकों को छापने तथा इस पत्रिका को प्रकाशित करने को उत्सुक दिखे। भाई शिवपूजन सहायजी का सम्बन्ध पुस्तक भंडार से फिर दृढ़ हो गया था। उनसे भी बातें हुईं। दिनकरजी उन दिनों सरकारी प्रचार विभाग में थे। अप्रत्यक्ष रूप में उनका भी पूर्ण सहयोग प्राप्त हुआ और अन्ततः शिवजी तथा मेरे सम्पादकत्व में 'हिमालय' का प्रकाशन प्रारम्भ हुआ।

'हिमालय' हिन्दी मासिक साहित्य में अनोखा प्रयोग था। सौ पृष्ठ, बढ़िया कागज, सुन्दर छपाई, पक्की जिल्द, एक-एक अंक एक स्वतन्त्र पुस्तक-सा लगता था। फिर भीतर जो सामग्री हम प्रस्तुत करते थे, वह भी अनूठी होती थी। हिन्दी संसार ने उसे दिल खोलकर अपनाया। पहला अंक हमने तीन हज़ार छपवाया था; तुरंत ही उसका दूसरा संस्करण करवाना पड़ा। हिन्दी के मासिक साहित्य के लिए यह एक अभूतपूर्व घटना थी।

'हिमालय' को लेकर जब हम नए-नए सपने देखते थे कि फिर भद्रा आ पड़ी। पुस्तक भंडार के अध्यक्ष ने पहले तो दिल खोलकर इस प्रयत्न को अपनाया, किन्तु थोड़े ही दिनों में उनका रुख कुछ ऐसा हुआ कि जयनाथजी को, मुझे और शिवजी को एक-एक करके पुस्तक भंडार से सम्बन्ध-विच्छेद कर लेना पड़ा। हमारे अभाव में भी 'हिमालय' को कुछ दिन चलाया गया, किन्तु जो होना था, वही हुआ। 'हिमालय' तिरोहित हो गया।

जब लड़ाई समाप्त हुई, जयप्रकाशजी रिहा हुए, फिर 'जनता' का प्रकाशन प्रारम्भ हुआ। तब से 'जनता' निकल ही रही है; कभी सम्पादक में मेरा नाम रहा है, कभी नहीं भी रहा है, किन्तु मैं स्वीकार करूँगा, 'जनता' का वह ओज और तेज फिर नहीं देखा जा सका। कारण क्या है—इसके विश्लेषण के लिए यह स्थान नहीं।

एक बात स्पष्ट है। जेल में मैं साहित्य के रस-सागर में कुछ ऐसा डूबा कि प्रचारात्मक साहित्य की ओर मेरी पूर्व-सी प्रवृत्ति नहीं रही। फिर पार्टी के पत्र कुछ ऐसी साझेदारी की खेती बन जाते हैं कि कोई अच्छी फसल नहीं की जा सकती। कोई कहता है, गेहूँ बोओ तो

कोई चने के बीज लिये खड़ा हो जाता है और ज्यों ही अंकुर उगे नहीं कि फसल काटने के लिए मारा-मारी मच जाती है !

गत चुनाव के समय 1951 में 'जनता' को दैनिक रूप दिया गया। उसके लिए मैं जयप्रकाशजी के साथ कई बार कलकत्ता गया। बड़ी-बड़ी मुश्किलों से पैसे इकट्ठे किए गए। किन्तु गत चुनाव में पार्टी को ऐसा धक्का लगा कि उसके मलबे के नीचे दैनिक 'जनता' बेचारी दब गई।

मेरे मन में रह-रहकर 'बालक' की याद आती थी और 'हिमालय' की याद तो ताजा थी ही। एक बच्चों का मासिक और एक साहित्यिक मासिक निकालने के लिए मन छटपटाता रहता था। 1950 में एक साथ ही इसके लिए संयोग घटित हुआ। पं. जयनाथ मिश्रजी ने, पुस्तक भंडार से हटकर, अजन्ता प्रेस कायम किया। उस प्रेस से मेरे सम्पादकत्व में 'चुन्नू-मुन्नू' का प्रकाशन प्रारम्भ हुआ। उधर राजा राधिकारमण प्रसाद सिंह के सुपुत्र श्री उदयराजसिंहजी ने अपने अशोक प्रेस से एक मासिक पत्र निकालने का निर्णय किया और मुझसे बातें शुरू कीं। फलतः 'नई धारा' का जन्म हुआ। मेरे जीवन के लिए 1950 की रामनवमी एक ऐसी तिथि रही है कि उसे कभी भूल नही सकता। इसी शुभ तिथि को 'नई धारा' और 'चुन्नू-मुन्नू' मेरे सम्पादकत्व में निकले।

1951 में इंगलैंड में 'फेस्टिवल ऑफ ब्रिटेन' नामक एक महामेला लगा। उस मेले को देखने के लिए भारतीय भाषाओं के छः पत्रकारों की बुलाहट हुई। न जाने कैसे उसमें मेरा नाम भी आ गया। एक दिन मैं अभी सोया हुआ ही था कि मेरे प्रिय मित्र श्री ब्रजनन्दन आजाद मेरे घर के किवाड़ खटखटाने लगे और उठने पर बताया—विलायत जाने की तैयारी करो। मैं भौंचक। फिर उन्होंने एक तार दिखलाया। मैं पत्रकार की हैसियत से इंगलैंड, फ्रांस और स्विटजरलैंड की यात्रा भी कर आया।

अब 'चुन्नू-मुन्नू' का पूरा भार जयनाथजी ने ले लिया है। किन्तु 'नई धारा' अपनी पुरानी गति से जा रही है। इधर 'जनता' पर भी ध्यान देना पड़ रहा है।

द्वितीय महायुद्ध के बाद पत्रकारिता ने एक नया रूप ले लिया है। वह बिलकुल व्यावसायिक वस्तु बन गई है। बड़े-बड़े पूँजीपतियों ने अखबारों की लम्बी कड़ियाँ जोड़ ली हैं। कौन उनसे मुकाबला कर सके ! साप्ताहिक पत्रों की पूछ नहीं रह गई—जब तक वे चित्रों से जगमग नहीं हों। मासिक पत्रों का स्टैन्डर्ड भी दिन-दिन गिरता ही जा रहा है। परिमाण बढ़ रहा है, गुण घट रहा है। सरस्वती को लक्ष्मी ने ऐसा दबोच रखा है कि बेचारी का दम घुट रहा है। द्विवेदी-विद्यार्थी-युग समाप्त हुआ, डालमिया-बिड़ला-युग सिर पर नाच रहा है।

किन्तु क्या आदर्श की यज्ञाग्नि बुझाई जा सकी है ? यह बुझती रही है, बलती रही है, धधकती रही है—नई समिधा, नई वायु और नया होता और नया मन्त्र पाकर !

पैंतीस वर्षों का यह मेरा पत्रकार जीवन ! कितना संघर्षपूर्ण, कितना उलझन भरा, कितना आनन्दप्रद, कितना गौरवमय ! हाँ, मैं अपने पत्रकार जीवन को भी अपने लिए गौरवमय समझता हूँ। मैं मानता हूँ, मैं गौरव के उस शिखर तक नहीं पहुँच सका, जहाँ पहुँचने के लिए मैं सदा प्रयत्नशील रहा, आज भी छटपटाता हूँ, किन्तु मुझ अशिक्षित से, अकिंचन से जो कुछ भी बन पड़ा उस पर मुझे गर्व अवश्य है।

यात्रा संस्मरण

पैरों में पंख बाँधकर

[1952 ई.]

(क) उड़ता चल, कबूतर

पटना—दिल्ली

19 अप्रैल, 1951

यह देखिए, मेरे पैरों में पंख लग गए, उड़ रहा हूँ। हाँ, मेरे पैरों में पंख बँध गए हैं, मैं उड़ रहा हूँ, उड़ा जा रहा हूँ।

यह मैं इस एरोड्रम के ऊपर हूँ। वह ताड़ अब मेरे बहुत नीचे है। धरती की सीमाएँ जैसे सिमटी जा रही हैं। अब वे छिट-पुट खेत नहीं, एक मुसल्लम धारीदार चादर है। वह गंगा का कछार। तेज धूप की तिलमिलाहट में ऐसा लग रहा है कि हिमालय की सीढ़ी का पहला जीना हो वह।

नीचे की सारी चीज़ें छोटी होती जा रही हैं। ताड़-खजूर, आम-नीम—सब मिलकर झरबेरी की छोटी-छोटी झुरमुटें ऐसी। पृथ्वी अब शतरंज की एक लम्बी बिसात लगाती है—किसी अनसिखुए की बनाई—धारियाँ टेढ़ी-मेढ़ी, खाने छोटे-बड़े। किन्तु शतरंज की बिसात की तरह ही लुभावनी। जहाँ-तहाँ के गाँव उसकी गोटियाँ हैं कोई शाह, कोई किश्ती, कोई प्यादा।

यह सोनभद्र—यहाँ से उसकी धारा हमारी पुरानी धार बागमती की पतली धारा ही-सी तो मालूम पड़ती है।

ज्यों-ज्यों ऊँचे चढ़िए, भेदभाव मिटते जाते हैं। सीमाएँ नष्ट होती जाती हैं। एकरूपता बढ़ती जाती है।

किन्तु मैं दर्शन की ओर कहाँ बहका जा रहा हूँ ? चेतना झटका देती है, स्मृतियाँ पीछे पटक देती हैं !

पैरों में पंख बाँधना कौन नहीं चाहता ? बचपन से ही तो उड़ने की कोशिश कर रहा हूँ। शारीरिक असमर्थता जागृति में जिसे रोकती रही, अंतर्मन ने स्वप्न में उस साध को कितनी बार पूरा किया !

मेरे गाँव के निकट के ही एक भलेमानस का एक हाथी था। ननिहाल जाते समय मेरे बाबा ने मेरी सवारी के लिए एक बार उसकी मँगनी की थी। मैं उस पर चढ़ा था। ऊँचे आसन पर झूमते हुए जाने में कम आनन्द नहीं आया था; किन्तु वह हाथी बाहरी मन को जितना आनन्द नहीं दे पाया, अंतर्मन में वह उतना ही भय बिठा गया।

प्रायः ही स्वप्न में उस हाथी को देखता—और भी भयंकर रूप में—कई सूँड, कितने बड़े-बड़े दाँत ! वह अपने पैरों तले कुचलने के लिए मुझे खदेड़ता। मैं भागता। मेरे नन्हे पैर; कहाँ तक भगते ? किन्तु यह क्या ? अचानक मेरे पैरों में पंख फूट आते, मैं उड़ने लगता—सर-सर-सर !

अंतर्मन ने बहिर्मन को ऐसा अभिभूत किया कि मन में उड़ने की साध दिन-दिन बलवती होती गई। जब विज्ञान ने साधन जुटाए, तब तो और भी छटपटी बढ़ी !

कई बार सोचा, क्यों न दस-पाँच रुपए लगाकर पटना शहर पर एक चक्कर देकर उसे पूरा ही कर लूँ। मित्रों के भी बार-बार आग्रह हुए।

किन्तु कलाकार का हौसला ! अरे, कौआ-उड़ान भी कोई उड़ान है ? खाएँगे गेहूँ, नहीं

तो रहेंगे ऐहूँ।

कि 1947 में आचार्य नरेन्द्रदेव ने लिखा, मैं यूरोप यात्रा में जा रहा हूँ, साथ चलिए, पासपोर्ट लीजिए।

तो बस ले लिया पासपोर्ट और ले लिया पासपोर्ट संसार भर का। जब पासपोर्ट के अफसर ने संसार के सारे देशों के नाम दरखास्त में देखे, तो वह मुसकराया।

और मुसकराते रहे मेरे दोस्त और संयोगवश जब वह यात्रा न हो सकी, तो उनकी मुसकराहट परिहास में परिणत हो गई।

किन्तु, मैं तो बर्नार्ड शॉ का हामी। उसने अंग्रेजों के बारे में एक जगह लिखा है–इस कौम के दिल में कोई इरादा जगता है, तो यह इस तरह उसे छुपाए-दबाए रखती है कि एक दिन यह इरादा एक ज्वलंत विश्वास में परिणत हो जाता है और इस विश्वास की अखंड ज्योति उसमें इतनी शक्ति पैदा कर देती है कि वह जो चाहती है, करके ही दम लेती है।

मित्र हँस रहे थे, पासपोर्ट की लिखावट धीमी पड़ती जाती थी, उसमें चिपकाए फोटो के चेहरे से भी अपने चेहरे में फर्क पाने लगा था ! किन्तु इरादा दिन-दिन पुष्ट होता जाता था। चर्चाएँ बन्द; विश्वास की आग अब धुएँ के बदले चिनगारियाँ चमकाती थी।

कि यह क्या हुआ ?

अभी उस दिन भोर-भोर–मेरी भोर आठ बजे के बाद होती है–बैठा था कि भाई ब्रजनन्दन आज़ाद पहुँचे और हाथ में एक तार रखते हुए बोले–विलायत जाने की तैयारी करो।

यह तार ब्रिटिश इन्फॉरमेशन सर्विसेज का था, जो छः भारतीय पत्रकारों को अपने खर्च से विलायत भ्रमण को ले जा रही थी।

यह 3 अप्रैल की बात है और आज 19 अप्रैल है। ये सोलह दिन–कैसे कटे ?

'कैसे जा सकेंगे आप ? आप पर यह जिम्मेवारी, वह जिम्मेवारी।'

'जरूर जाओ भाई, कोई ऐसा मौक़ा भी छोड़ता है ?'

दूसरी बात कहनेवाले बहुत लोग थे; किन्तु पहली बात दो ही व्यक्ति ने कही–तो भी उन दोनों की बात का उल्लंघन क्या मैं आसानी से कर सकता था ?

मना करनेवालों में एक थे जयप्रकाशजी, जिन्हें दैनिक 'जनता' की चिन्ता थी और चिन्ता थी आगामी आम चुनाव की। रानी कहती थी, साढ़े सात साल तुम जेल में रहे, मैंने काट दिए, क्योंकि परिवार छोटा था। अब यह बोझ मुझसे दो महीने भी नहीं ढोया जा सकता ?

करीब एक सप्ताह अपने ही मन में बारी-बारी से उठनेवाले हाँ-ना के बीच झूलता रहा ! किन्तु अचानक एक दिन विश्वास की धूनी जोरों से धधक पड़ी–तय कर लिया, मैं जाऊँगा !

और, आज जा रहा हूँ !

आज जा रहा हूँ–पैरों में पंख बाँधे उड़ा जा रहा हूँ। यह देखिए, हमारा हवाई जहाज तेज़ी से बढ़ा जा रहा है–मैं उसके साथ उड़ा जा रहा हूँ ! कहाँ आरा छूटा; कहाँ बक्सर गया !

किन्तु यह क्या ? शरीर आगे बढ़ता जा रहा है, मन पीछे खिंच रहा है ?

आज एरोड्रम पर का दृश्य ! मेरा सारा परिवार–मेरी सारी मित्रमंडली ! किससे मिलूँ, कैसे मिलूँ ?

यह मन्न बार-बार गले से लिपट रहा है और तुतली बोली में जो कह रहा है, उसकी भाषा न समझूँ, भाव तो रोम-रोम में व्याप्त हो रहे हैं। मेरे गले की मालाओं को इशारे से

उतरवाकर अपने गले में डलवाता है और न जाने क्या सोचकर फिर अपने गले से निकलवाकर मेरे गले में डलवाता और किलक पड़ता है !

उधर लल्लन अपनी फरमाइशें कहता जा रहा है और चाहता है कि मन्न को गोद से हटाकर मैं उसे गोद में ले लूँ।

प्रभा चहल-पहल देखकर कभी चहक उठती है, कभी उदास विषण्ण बन जाती है। महेन्द्र खोया-खोया-सा लग रहा है और हर जगह मेरे पीछे लगा फिरता है।

देवेन्द्र मेरे सामानों को बुक कराने में व्यस्त है। तीन-चार दिनों से दिन-रात एक कर रखा है इस नौजवान ने ! होंठों पर पपरी, चेहरे पर हवाई, किन्तु दौड़धूप से जैसे थकता नहीं। वाह बेटे !

यह दुलहिन हैं—दो बच्चों की माँ होकर भी बच्ची। शान्ति और उर्मिला के साथ, उनकी माँ भी आई हैं—मेरी समधिन ! न जाने घूँघट के भीतर उनके चेहरे पर कौन फूल खिल रहे हैं ?

मित्रों की भीड़। मालाओं की भीड़। किन्तु इन सारी भीड़भाड़ में मेरी आँखें बार-बार जहाँ जाकर अटकती और सजल बन जाती हैं, फलतः मैं वहाँ से उन्हें तुरत मोड़ देता हूँ, वह......

वह रानी खड़ी है !

उसे घेरकर स्त्रियों को एक झुंड। वे तरह-तरह की बातें कहकर उसे बहला रही हैं। वह सुनती है, गरदन हिलाती है, कभी होंठों पर हास्य की रेखा भी लाती है। किन्तु इस हास्य रेखा के पीछे क्या है, मैं जानता हूँ, जानता हूँ।

अब चलिए, प्लेन रवाना हो रहा है !

सारी भीड़ प्लेन के सामने। प्रोपेलर ज़ोरों का हवा दे रहा है। दो आदमी सीढ़ी पकड़े उसे हटाने को आतुर खड़े हैं। फिर मालाएँ; फिर अभिवादन। कोई चरण छू रहा, कोई गले मिल रहा। कमान्डर जल्दी करने को कह रहा; किन्तु आखिरी बार रानी से मिले बिना—

भीड़ चीरकर मैं रानी के निकट गया। उसकी आँखें अश्रु-प्रवाह को न रोक सकीं। मैंने उसकी बाहें पकड़कर थपथपा दीं, हँसते-हँसते मूक वाणी में ही ऐसा कहा कि घबराना नहीं...! फिर जल्द-जल्द सीढ़ी के जीनों को पार कर...

'जरा एक मिनट।' कैमरे में क्लिक की आवाज़। हवाई जहाज सरक रहा है !

हड़-हड़-हड़-हड़। साँय-साँय, साँय-साँय ! एक धचका, फिर सर-सर-सर !

प्लेन उड़ा और यह उड़ा जा रहा है। वर्तमान ने भूत को फिर पीछे छोड़ दिया !

चिलचिलाती धूप में नीचे देखता हूँ, कहीं हरियाली नहीं। क्या बिहार की सीमा पीछे छूट गई है ?

अरे, अब तो हमारा प्लेन नीचे उतर रहा है ! हमारे चारो ओर बस्तियाँ हैं, पेड़ हैं, ज़मीन है, जहाँ खेतों की टेढ़ी-मेढ़ी मेड़ें हैं। यह लीजिए, यह मैदान, यह जली-अधजली दूब !

और, यह है बनारस का हवाई अड्डा !

सभी यात्री एक-एक कर उतर गए। मैं भाव-विभोर बैठा रहा। फिर अकेलापन खटका तो सीढ़ी से नीचे उतरा, वेटिंगरूम में आया !

यह सामने कौन बैठा है ?

"क्षमा करें, क्या आप उदयशंकर हैं ?"

"जी हाँ ! आप मुझे पहचानते हैं ?"

"जी, मैं भी एक छोटा-मोटा कलाकार ही हूँ। जिसे आप शरीर की भंगिमा द्वारा प्रकट

करते हैं, उसे क़लम द्वारा उतारने की कोशिश करता हूँ।''

फिर तो बातें शुरू हुईं। उदयशंकर कलकत्ता जा रहे हैं। साथ में पत्नी हैं, बच्चा है। नटखट बच्चा बार-बार माँ से कुछ पूछता है। इस समय देहरादून से आ रहे हैं ये लोग।

''अपने कला केन्द्र के बारे में कुछ बता....''

''हाँ, सोच रहा हूँ, 1952 से उसे अलमोड़ा के बदले देहरादून में खोलूँ। देहरादून बड़ी अच्छी जगह है।''

मैंने बताया मेरा एक लड़का वहीं पढ़ता है। उत्सुकता से पूछ बैठे—''कहाँ, क्या पढ़ रहा है ?'' मैंने बताया, लेखनीधारी का बेटा, राइफलधारी बनने जा रहा है।

''देश को उसकी भी ज़रूरत है। अच्छा किया है।''

मैंने अपने भाग्य को सराहा कि अपनी इस यात्रा के प्रारम्भ में ही उनके ऐसे कलाकार के दर्शन हुए। पति-पत्नी को नमस्कार कर और बच्चे को चुमकारकर मैं बाहर आया, तो देखा, सभी साथी सीढ़ियाँ पार कर रहे हैं।

फिर वही—खड़-खड़-खड़-खड़—साँय-साँय—सर-सर-सर ! पुरानी दृश्यावली दुहर रही है !

किन्तु मुझे यह क्या हो रहा है ? सिर के चक्कर क्यों ? क्या पान के साथ ज़र्दा ज्यादा खा लिया ? राजबंशी ने कितने प्रेम से पान दिए थे। तब से लगातार चबाए जा रहा था ! शायद उसी की गरमी है ! और दो रात से सोया भी तो नहीं। कल रात की नींद टाइफायड की सूई ने ली, आज रात को नींद भला क्या आती ? और हाँ, तीन-चार दिनों से दावत खाते-खाते पेट भी तो जवाब दे रहा है ! अरे, यह पेट में क्या अजीब हुड़-हुड़ ऐसी हलचल हो रही है ?

पीछे के हिस्से में देखा, लिखा है, Toilet। लड़खड़ाते पाँव से उस ओर बढ़ा। दरवाजा खोलकर भीतर गया कि उलटी !

निबटकर, हाथ मुँह धोकर, बाहर आया। तबीयत कुछ हलकी मालूम हुई। होस्टेस से लेकर एक नारंगी खाई। फिर आँखें मूँद लीं। झपकी टूटी, तो लखनऊ।

नीचे उतरकर रिफ्रेशमेन्ट रूम में गया। सोचा, कुछ पीऊँ। खोया-सा खड़ा था कि आवाज़ आई—''आइए, बैठिए !''

अरे, यह अंग्रेज—निखालिस गोरा—हिन्दी बोल रहा है ! निकट जाकर बैठा। ब्वॉय पानी लिये आ रहा था, उससे माँगकर पी लिया। फिर गोरे साहब ने सिगरेट बढ़ा दी। सिगरेट के धुएँ के साथ मालूम किया—यह सज्जन पादरी हैं। बहुत दिनों से पटना में ही रहते हैं। सेन्ट ज़ेबियर स्कूल से इनका सम्बन्ध है। पटना में मेरी बिदाई देखकर ही समझ गए थे, मैं कोई विशेष व्यक्ति हूँ।

उन्होंने तुरत हिन्दी की बात चलाई; कहा—आजकल हिन्दी को लोग संस्कृत बना रहे हैं ! प्रेमचन्द कैसा अच्छा लिखते थे ! पटना के हिन्दी अखबार तक ऐसी भाषा लिखते हैं कि डिक्शनरी लेकर ही उसे समझा जा सकता है !

काश, एक विदेशी हिन्दीभक्त की यह सम्मति हमारे साहित्यकार और पत्रकार सुन पाते !

उन्होंने ही बताया कि मुझे जो उलटी हुई, उसका कारण और कुछ नहीं, हवाई यात्रा का प्रथम अनुभव है। घबराइए नहीं, अब प्लेन बहुत ऊँचे जाएगा !

किन्तु यहाँ तो प्लेन पर आते ही फिर झपकी आ गई। जब नींद खुली, देखा, मेरी सीट की बगल में एक कागज पड़ा है, जिसमें कमान्डर ने वायुयान की स्थिति का निर्देश किया है। हमारा प्लेन दस हज़ार पाँच सौ फीट ऊँचे जा रहा है, उसकी रफ्तार फी घंटा एक सौ

पैंतीस मील है और दिल्ली हम निश्चित समय से दस मिनट पहले पहुँच जाएँगे।

यह दिल्ली है। सब उतर रहे हैं। मैं भी उतरा।

एरोड्रम के सामने छः फीट ऊँचे एक गोरे सज्जन खड़े हैं। मैं किसी परिचित सूरत की तलाश में था कि वह आकर बोले—क्या आप मिस्टर बेनीपुरी हैं ?

वह ब्रिटिश इन्फॉरमेशन सर्विसेज के प्रतिनिधि थे। इनके संगठन की पुख्तगी देखकर तो मैं पन्द्रह दिनों से हैरान हूँ।

छोटी-छोटी बातों के लिए भी चिट्ठियाँ, तार।

यहाँ भी मोटर लिये हाज़िर। मिजाज़पुर्शी, मौसमपुर्शी। फिर कल के प्रोग्राम के बारे में तय। अवधेश्वर के डेरे पर,—वेस्टर्न कोर्ट में—पहुँचाकर लौट गए यह कहते कि कल प्रातःकाल नौ बजे फिर मिलूँगा !

भोजन कर पार्लियामेंट गया। खबर पाकर भाई सत्यनारायण सिंहजी आए। पचास को पार किया, चेहरे पर वही रौनक, जो मुसकराहट से और भी रंगीन। प्रेम से मिले। रात को साथ खाने का निमंत्रण दिया। थोड़ी देर में नवीनजी पधारे—ऊपर राजनीति का चोंगा भीतर साहित्य की अंतःसलिला ! कुछ देर तक मज़े की बातें होती रहीं।

शाम को हलकी-सी आँधी आई। झीसी पड़ी। दिल्ली की सड़कें नहाई हुई दुलहिन-सी लगने लगीं।

सोंधीजी ने खबर दी, राष्ट्रपति के निजी सचिव भाई चक्रधरजी के साथ अभी खाना है।

यह दिल्ली का राजकीय भवन। कैसा रोब ! ऊँची-ऊँचीं अट्टालिका के नीचे लम्बे-लम्बे गलियारे। जहाँ-तहाँ वायसरायों के चित्र; अंग्रेजों द्वारा बनाए भवनों के चित्र; उन युद्धों के चित्र जिनमें विजयी बनकर अंग्रेज भारत के शासक हुए। उन्हें हटाया नहीं गया है। सोचा गया, राजकीय भवन को म्यूज़ियम मान लिया जाए; ये चित्र यहाँ सुरक्षित रहें।

जगह-जगह ज़री के पग्गड़ और पट्टेवाले राजकीय भवन के कर्मचारी झट सलामियाँ देते और हमारी सूरत-शक्ल को घूर-घूर कर देख रहे। लिफ्ट से ऊपर भी मंज़िल पर। भाई चक्रधर उसी स्वाभाविक मुसकान से मिले ! और डाँट दिखाई—देर क्यों कर दी ?

भोजनघर। टेबुल पर खादी का आधिपत्य। उस पर अंग्रेजी तश्तरियाँ और नीम-अंग्रेजी भोजन। मुसल्लम चाँदी के छुरे-काँटे। सोंधीजी उनके व्यवहार की बारीकियाँ भी बताते जा रहे हैं—विलायत में इसकी ज़रूरत पड़ेगी न ?

भोजन के बाद पान। पान न हो, तो फिर बाबू चक्रधर शरण क्या ?

बार-बार सोचता, सदाकत आश्रम का फकीर इस शाही भवन में ! इतिहास भी क्या-क्या आश्चर्य पैदा करता है ? सत्य घटनाओं से बढ़कर आश्चर्य की बात और क्या होगी ?

देर हो रही है, कभी दिन में आकर इस भवन को अच्छी तरह देखूँगा। चक्रधर ने बताया, परसों तुम्हें राष्ट्रपति से मिलना है। बस और उत्सुकताएँ उसी अवसर के लिए रिज़र्व !

थका हूँ, नींद आ रही है, तारीख़ बदल चुकी है, अब बहिर्मन विश्राम कर, अन्तर्मन के लिए स्थान खाली किया जाए।

पैरों में पंख बाँधकर पटना से दिल्ली; कुटिया से राजभवन तक। अब बेनीपुरी सोओ; अन्तर्मन अपने पंख फैलाओ !

दिल्ली–कराची

22 अप्रैल, 1951

फिर उड़ रहा हूँ–उड़ा जा रहा हूँ। अभी कैप्टेन ने सूचना-पत्रक घुमाया है। हम जोधपुर के आसपास हैं। हमारा प्लेन सोलह हज़ार फीट ऊँचे उड़ रहा है। उसकी गति प्रति घंटा दो सौ दस मील है। सचमुच मैं उड़ा जा रहा हूँ। प्रति घंटे दो सौ मील से भी अधिक की रफ्तार से उड़ा जा रहा हूँ।

नीचे धुन्ध-धुन्ध। पीली मिट्टी–जहाँ-तहाँ बस्तियों के धुँधले चिह्न। अगल-बगल में बादल उड़ रहे हैं–सफेद-सफेद।

छः बजने जा रहा है। अभी डेढ़ घंटे पहले दिल्ली छोड़ी है। एरोड्रम के दृश्य आँखों के सामने घूम रहे हैं और घूम रहे हैं दिल्ली के दो दिनों के वे दृश्य जो मुझे अभिभूत किए रहे।

बिहार के बन्धुओं का प्रेम ! सत्यनारायण बाबू के घर कल शाम को भोजन के लिए गया। दो घंटे तक बातें होती रहीं। सत्यनारायण भाई को जेल में रामायण सुनाई थी। तुलसी और उनकी रामायण ही आज की चर्चा के विषय रहे। दिन-रात राजनीति में डूबे रहने पर भी कितनी साहित्यिकता और रसिकता है। तुलसी की चर्चा के साथ हम अन्य हिन्दी, उर्दू और संस्कृत के कवियों पर भी टूटे। रस की धारा-सी बह गई। मैंने एक सलाह दी, क्यों न एक तुलसी परिषद् की स्थापना की जाए और उसके द्वारा तुलसी साहित्य का सुलभ प्रकाशन हो तथा उनके काव्यों पर व्यापक अनुसंधान कराया जाए ! सत्यनारायण भाई को यह पसन्द आया, किन्तु राजनीतिक की गुत्थियाँ क्या उन्हें फुरसत देंगी ?

कल पूज्य राजेन्द्र बाबू से राजकीय भवन में आधा घंटे तक बातें हुईं। वही पुराना स्नेह। जब उन्हें मालूम हुआ, इस बार ब्रिटिश गवर्नमेंट ने देशी भाषाओं के पत्रकारों को तरज़ीह दी है, तो बोले–आखिर वे लोग तो वस्तुस्थिति समझते हैं ! अपने लोगों पर यह कितना बड़ा व्यंग्य था ! इस बार के छः पत्रकारों में चार देशी भाषा के हैं और उनमें दो हिन्दी के हैं। अंग्रेजी सरकार ने हिन्दी को जितना महत्त्व दिया है, काश, हमारी सरकार देती !

मैंने पूज्य बाबू से सबसे पहला निवेदन यह किया कि बिहार भूखों मरने को है, वहाँ जाइए, उसे बचाइए। 1934 में आपने बचाया था, 1951 में फिर आप ही पर लोगों की नज़र है। भूकम्प से भी अधिक दयनीय स्थिति है इस अकाल के कारण। उन्होंने बहुत बातें कीं, अपनी इच्छा भी प्रकट की, कठिनाइयाँ बताईं, फिर आश्वासन दिया कि आवश्यकता हुई, तो जाऊँगा। हिन्दी साहित्य सम्मेलन की बात आई। मैंने संक्षेप में बताया, सम्मेलन की दुर्दशा और टंडनजी की मर्मव्यथा सुनकर दुखित हुए। देश में फैली हुई अनैतिकता की भी चर्चा आई। देखा, यहाँ पहुँचकर बाबू फिर सदाकत आश्रम के युग में पहुँच गए। वैसी ही निश्छल बातें, वैसी ही सजल आँखें, अँधेरे में प्रकाश खोजने की वैसी ही बेचैनी ! अन्त में सादर अभिवादन कर चला, यह कहते हुए कि भूखे बिहार को न भूलिएगा !

जगजीवन बाबू बीमार हैं। सोचा था, चलते समय जाकर मिल लूँगा। किन्तु जब फोन पर उनके सेक्रेटरी ने बुलाया और बताया कि उनकी आज्ञा पर कल से ही सेक्रेटरी महोदय मुझसे सम्पर्क स्थापित करना चाह रहे हैं, तो शाम को ही मिल आया। उनसे भी अकाल की चर्चा की और कहा–जगजीवन बाबू और लोग तो पीछे मरेंगे, सबसे पहले तो आपके जाति भाई–हरिजन–ही मर जाएँगे। इसलिए ज़रा इस ओर आप अधिक ध्यान दीजिए। हँसकर बोले और सही बोले–परिजन इस साल मरेंगे तो और लोग अगले साल ज़रूर मरेंगे, उनकी खेती कौन करेगा ? बात बिलकुल सही है। उन्होंने भी बिहार जाने का वचन दिया और

लौटकर अपने यहाँ भोजन करने का अग्रिम निमंत्रण दे दिया।

बिहार में जब अकाल पड़ा हुआ है और यह भुखमरी से बरबाद होने जा रहा है, तब मैं जो बाहर जा रहा हूँ, बार-बार यह बात मन में खटकती है, इसी का यह सब प्रायश्चित्त है !

बिहार के और भाइयों के प्रेम का क्या वर्णन किया जाए ? अवधेश्वर बीमार हैं, उनके ही साथ ठहरा ! देखते ही बोले—अब तुम आ गए, मैं अच्छा हो जाऊँगा और दो ही दिनों में काफी अच्छे हो भी चले। आज चलते समय पहले से ही उन्होंने आधे दर्जन मालाएँ बनवा मँगाई थीं। उनमें से एक माला अपने हाथ से मेरे गले में डालकर छाती से किस तरह चिपक गए और बार-बार आग्रह किया कि प्रतिदिन मैं पत्र ज़रूर भेजूँ। इतना कहते आँखें सजल ! उफ़, अवधेश्वर, कहाँ से इतना प्रेम पाया है तुमने ! मित्रों पर उसकी अथक वर्षा करते हुए तुम कभी नहीं अघाते !

मथुरा नहीं थे, बड़ी चिन्ता थी कि मेरा काम कैसे चलेगा। उनके अभाव को पूरा कर दिया श्यामनन्दन मिश्र ने। जैसी प्रतिभा, वैसी विनय। यह नौजवान अवश्य बढ़ेगा।

बिहार के अन्य बन्धुओं ने भी वैसा ही प्रेम दिखाया।

अभी-अभी कैप्टन का दूसरा सूचना-पत्रक आया है। अब हम सिंध की मरुभूमि से जा रहे हैं और हैदराबाद (सिंध) हमारे निकट है। लेकिन यह क्या ? मरुभूमि के ऊपर यह ठंडक। कोट निकालकर पहन रहा हूँ। पैर में ऊनी मोज़ा पहले से ही डाल रखा है। नहीं तो.....

तो, फिर पीछे की ओर। अंग्रेजों से मेरी घृणा थी। बचपन से ही। फिर वह घृणा कुछ पिघलने लगी, जब मैं जेल जाने लगा। मैं बागी नं0 1 कहिए। चौदह बार जेल गया। बिहार के अधिकांश जेलों का पानी भी पी चुका हूँ। जेल में भी काफी ऊधमी। किन्तु देखा, जब-जब काले मजिस्ट्रेटों ने बदमाशी करके मुझे 'बी' या 'सी' डिविजन में भी रखा, तब-तब बिहार की गोरी सरकार ने 'ए' डिविजन कर दिया। यों ही, जेल में जब कभी गोरे सुपरिन्टेंडेंटों या अफसरों से पाला पड़ा, उनमें अजीब भद्रता पाई। किन्तु यह तो व्यक्तिगत बातें हुईं। जब मैं '42 के बाद जेल में था, एक नौजवान अंग्रेज वहाँ का सुपरिन्टेंडेंट बनकर गया था। यह उसने उसी समय कहा था कि लड़ाई खत्म होते ही हम चर्चिल को हटा देंगे, क्योंकि वह हमें जिता सकता है, खिला नहीं सकता और जब उसकी बात पूरी हुई और मजदूर सरकार आई और उसने 15 अगस्त को अपना बोरिया-बिस्तर समेटकर सदा के लिए हिन्दुस्तान से कूचकर दिया, तो इस जाति की बुद्धिमत्ता पर—उदारता पर नहीं—मैं दंग रह गया ! उफ, ये समय को कैसा पहचानते हैं ?

फिर इस बार के इस पत्रकार-प्रतिनिधिमंडल के चुनाव को ही देखिए, जिसकी चर्चा पहले कर चुका हूँ ! और जब से हम दिल्ली पहुँचे हैं उनकी कार्य पद्धति और व्यवहार-कुशलता देखकर दाँतों अंगुली दबानी पड़ती है।

दिल्ली आने के दूसरे ही दिन उन्होंने अपने ऑफिस में बुलाया, एरोप्लेन का टिकट दिया, अपने विभागों को दिखलाया, फिर अपना आदमी भेजकर टामस बुक से ट्रेवलर चेक का प्रबन्ध कराया और चलते समय इंगलैंड यात्रा सम्बन्धी कागजों का एक पुलिंदा दिया। मेरी प्रवृत्तियों को देखते हुए यह भी बतलाया कि मुझे क्या-क्या और कैसे देखना चाहिए।

दोपहर को ब्रिटिश हाई कमिश्नर सर आर्चिवाल्ड नी के यहाँ खाना था। यह मेरे लिए अच्छा हुआ। अंग्रेजों के रहन-सहन का कुछ पता चला, उनके आदर-सत्कार का रंग-ढंग मालूम हुआ, उनसे बोलने-चालने में जो मुझे दिक्कत होती थी, वह भी दूर हुई। सर आर्चिवाल्ड की

धर्मपत्नी दिल्ली की सोसाइटी में बहुत प्रसिद्ध हैं। खाने के समय टेबुल का प्रबन्ध ऐसा किया गया था कि वह मेरी बगल में थीं। मैंने इसे संयोग ही समझा था, किन्तु पीछे मित्रों ने इसमें कुछ सम्मान की बात जोड़कर शायद मेरी दिल्लगी की। खैर, उनकी बगल में बैठने से और अच्छा रहा। घर की बातें पूछने लगीं। जब मैंने बताया, मेरे चार बच्चे हैं जिनमें एक ने बी. ए. में इम्तिहान दिया है और एक मिलिटरी कॉलेज में है, तो उन्हें बड़ा आश्चर्य हुआ। फिर पूछ बैठीं—आपकी उम्र ? मैंने जब, पासपोर्ट का अनुसरण करते हुए, उनचास कहा, तब तो वह जैसे चौंक पड़ीं। झट बोलीं—आप अपनी उम्र से दस वर्ष छोटे लगते हैं; देखिए, पैंतालीस वर्ष की तो मैं हो गई ! फिर उन्होंने इस पर आर्चिवाल्ड से पूछ दिया और तब तो मेरी उम्र उस टेबुल के लिए बुझौवल बन गई। जब इत्मीनान हो गया कि मैं उनचास वर्ष का हूँ तब सर आर्चिवाल्ड ने कहा—तब आप को पोते भी हो गए होंगे और "एक नहीं, दो-दो" कहने पर लेडी नी आश्चर्य में उछल-सी पड़ीं ! यों ही जब उन्हें मालूम हुआ कि मैंने लगभग साठ किताबें लिखी हैं, तब उनके आश्चर्य का ठिकाना नहीं रहा !

मेरे पैरों में तो पंख बँधे थे, दिल्ली में भी स्थिर होकर बैठता कैसे ! सोचा, यहाँ के मित्रों से भी मिल लूँ। दो के स्मरण नहीं भूलते। आल इण्डिया रेडियो में भाई उदय शंकर भट्ट मिले, तो तीन घंटे तक चिपके रहे और जब अपनी लम्बी दाढ़ी लिये भाई सत्यार्थीजी आ धमके, तो तब तक साथ लगे रहे जब तक मैं अपने प्लेन पर सवार नहीं हो गया। चलते समय अपने परिवार को भी ले आए थे। उनके कारण मेरी बिदाई में पूरी पारिवारिकता आ गई। श्रीमती सत्यार्थी की बिदाई में अपनी रानी को पाया; 'कविता' की आँखों में प्रभा को देखा और 'अलका' अकेली लल्लन-मन्नन का पूरा प्रतिनिधित्व कर रही थी।

कल शाम को जित्तिन देहरादून से आ पहुँचा। उससे मिलकर कितनी प्रसन्नता हुई। वह अकेले पूरे बेनीपुर का प्रतीक था। आज हवाई अड्डे पर उसकी उपस्थिति—कितनी सुखद, कैसी मधुर।

किन्तु मधुर दृश्य तो अब इस प्लेन के बाहर है। अब हवाई जहाज बादल के ऊपर जा रहा है। संध्या हो चली है। काली पृष्ठभूमि में रुई के गोले-से उजले-उजले ये बादल; किस तरह विश्राम करते-से दीख रहे हैं ये। ज़रा भी इनमें हलचल नहीं। कितने बादल, कैसे बादल। जहाँ देखिए बादल-ही-बादल—स्थिर बादल, अविरल बादल। मालूम होता है रूई के बड़े-बड़े गट्ठर धुनकर किसी ने हौले-हौले रख दिया है ! वे कहाँ अटके हैं, कैसे अटके हैं, किस चीज़ पर अटके हैं ! प्रकृति की कितनी बड़ी देन हैं ये।

और पलक लगी नहीं कि यह क्या ? अब ये नीले पड़ गए और अब हम नीचे उतरकर उन्हें छूना चाह रहे हैं। नहीं, नहीं, अब तो हम उनमें से कई से नीचे उतर आए और वह देखिए, वह रोशनी ! यह कराची दिखाई दे रहा है क्या ? प्लेन के भीतर रोशनी में चमक रही है—Fasten seat Belt—हाँ, हम नीचे उतर रहे हैं। ऊपर और नीचे उतरने के साथ हिंचकोले लगा करते हैं। अतः यह बँधन ! किन्तु यह क्या ? फिर धुमैले बादल नीचे पड़ गए। रोशनी की जगमगाहट भी नहीं दिखाई पड़ती। सघन होते अंधकार में बादलों के वे दल धीरे-धीरे विलीन होते जा रहे हैं।

हाँ, तो दिल्ली का ऐरोड्रम। अवधेश्वर से मिलकर सत्यार्थीजी के परिवार के साथ मैं चला। यहाँ सहयात्री पहुँच चुके थे कस्टम के पास जाना पड़ा। किन्तु यही हूँ मैं। ढूँढ़ रहा हूँ तो सूटकेसों की तालियाँ ही नहीं मिलतीं। याद आया, जित्तिन ने बन्द किया था। दौड़कर उससे पूछता हूँ, तो वह भी परेशान। तो क्या वहीं वेस्टर्न कोर्ट में छूट गई ! सत्यार्थीजी जित्तिन को लेकर दौड़े—अभी समय है !

किन्तु सभी साथियों का काम हो जाए और आप वहाँ उल्लू बने रहें, यह क्या हुआ ? यह भी सोचता हूँ कि कहीं वहाँ भी न मिलें, तो। तो, इधर-उधर लोगों से तालियों की गुच्छियाँ खोज रहा हूँ। ब्रिटिश इन्फॉरमेशन के लिथगो साहब की कुंजी ने एक को खोला, तो दूसरे को ब्रजकिशोरजी की ताली ने।

हाँ, मेरे बाद दूसरी मोटर से श्यामनन्दनजी, ब्रजकिशोरजी और हिन्दुस्तान टाइम्स के श्री शाहीजी आए थे। सब के हाथों में मालाएँ, सब की आँखों में स्नेह। शाहीजी ने अलग बुलाकर कहा, कभी पौंड की कमी महसूस कीजिए, तो मुझे ज़रूर खबर कीजिएगा। पहली बार सात समुन्दर पार जानेवाले के लिए इससे बढ़कर अधिक सान्त्वनामय आश्वासन क्या दिया जा सकता था ?

और अन्त में यह भाई चक्रधर आए ! चक्रधर मेरा लँगोटिया यार; राष्ट्रपति का प्राइवेट सेक्रेटरी। कई मालाएँ, कई गुलदस्ते ! ये सब राजकीय भवन के थे, जिनकी गंध में श्रद्धेय बाबूजी के आशीर्वाद की गंध भी मैं पाता था।

जित्तिन और सत्यार्थीजी तालियाँ लेकर लौट चुके हैं। जित्तिन बेचारा अपराधी-सा--मैंने छाती से लगाकर उसे आश्वस्त किया। फिर ब्रिटिश इन्फॉरमेशन द्वारा फोटो। सत्यार्थीजी ने सोचा, मैं भी एक-दो चित्र ले लूँ। किन्तु इसी को लेकर थोड़ी झंझट हो गई। एयरपोर्ट पर तसवीरें लेना मना है।

जब हवाई जहाज के रवाना होने की सूचना मिल गई, मित्रों से फिर गले गले मिला। चक्रधर से लेकर मुँह भर पान रख लिया। मालाओं में से कुछ वाल्मिकी के बच्चे को और कुछ जित्तिन को सुपुर्द किया। अलका को दुलराया और मातृभूमि को नमस्कार कर चल पड़ा.....।

यह लीजिए, अब हम फिर जमीन पर हैं–आठ बजकर चौदह मिनट–और यह कराची है।

बेहरिंग–काहिरा

23 अप्रैल, 1951

कराची से बेहरिंग समुद्र, समुद्र। रात का वक्त। घर की, मित्रों की मधुर स्मृति लिये सो गया ! ऐरोप्लेन की सारी बत्तियाँ भी बुझा दी गई थीं ! ढाई बजे रात में बेहरिंग।

बेहरिंग में काफी समय लगा। एरोप्लेन के पुर्जे में कुछ गड़बड़ी हो गई थी। वहाँ के हवाई अड्डे पर ही, इधर-उधर घूमते, रात काट दी। ऊषा की लाली में वहाँ से चला।

बेहरिंग के एक सूचना पत्र से पता चला, हम दिल्ली से एक हजार सात सौ दो मील पर हैं और यहाँ से कैरो एक हजार दो सौ मील है और लंदन तीन हजार पाँच सौ मील। घर से दो हज़ार मील दूर पर–अपने घोंसले से इतनी दूर पर ! उड़ता चल ओ कबूतर, उड़ता चल !

बेहरिंग में इतनी देर लगी, जिसका एक उपयोग भी हुआ। हम लोग छः साथी–एक-दूसरे के आचार-विचार से परिचित हुए। अभी तक तो हम एक-दूसरे का नाम और स्थान ही जानते थे।

हिन्दी के हम दो हैं, मैं और श्री राजवल्लभ ओझा बलिया जिले के हैं और 'नवजीवन' लखनऊ में समाचार सम्पादक हैं। नौजवान हैं। विचार प्रगतिशील, स्वभाव मिलनसार। हम

दोनों की सीट एक साथ है। खूब बातें होती चलती हैं।

'दिनमणि' मद्रास के श्री वेंकटाचारी पहले सोशलिस्ट पार्टी में ही थे। उन्होंने गर्व से कहा कि जब मद्रास के सारे साथी कम्युनिस्ट पार्टी में शामिल हो गए, तो जिन दो आदमियों ने पार्टी को नहीं छोड़ा, उनमें वह एक हैं। किन्तु इधर पार्टी से उनका सम्बन्ध नहीं रहा। लेकिन आज जो देश की स्थिति को लेकर गरमागर्म चर्चा चली, उसमें उन्होंने वैसे ही विचार प्रकट किए जैसे एक सोशलिस्ट को करने चाहिए। पोशाक भले ही बदले, हृदय तो नहीं बदलता। पता लगा, 'दिनमणि' मद्रास का सबसे बड़ा अखबार है। 'हिन्दू' की गिनती उसके बाद है। वह सत्तर हजार छपता है।

श्री रविराय चौधुरी 'युगान्तर' कलकत्ता के व्यापार सम्पादक हैं। पूर्व बंगाल के रहनेवाले; अब भी उनका परिवार पूर्व बंगाल में ही है। विचारों में प्रगतिशील; पूँजीवाद के कट्टर विरोधी। बहस में संख्याएँ प्रायः उद्धृत करते—व्यापार सम्पादक हैं न !

श्री आचार्य 'बाम्बे क्रानिकल' के चीफ रिपोर्टर हैं। नौजवान हैं। पार्टी के श्री हैरिस से उनकी मैत्री है। कहते थे, पार्टी के टिकट पर ही अगला चुनाव लड़ूँगा। किन्तु विचारों में पुख्तगी नहीं। साधारणतया पढ़े-लिखे लोगों में प्रगतिशीलता की ओर जो झुकाव रहता है, वही।

श्री रंगास्वामी दिल्ली के एक मशहूर पत्रकार हैं। इनके बारे में दिल्ली में मैंने बहुत कुछ सुना ! विचारों में दकियानूस। इनसे वेंकटाचारी की झड़प देखते ही बनती। वेंकटाचारी ने एक बार यहाँ तक कह दिया कि आप का विचार फासिस्ट है। रंगास्वामी में राजधानी का रंग और रौगन खूब चढ़ा हुआ।

यों हमारा यह दल वर्तमान भारत के मानसिक द्वंद्वों का भी प्रतिनिधित्व करता है। किन्तु विचारों की विभिन्नता से हम लोगों में प्रेम की कमी नहीं।

बेहरिंग—फारस का एक छोटा सा टापू। कोई शेख इसका शासक ब्रिटिश छत्रच्छाया के नीचे। सुना, सात रानियाँ हैं उसके जिनमें पाँच विदेशी हैं। तेल और यात्रा टैक्स से काफी आमदनी। फिर गुलछर्रे क्यों न उड़ाए !

हवाई अड्डे पर एक अजीब झुंड देखा—लगभग आधा दर्जन लड़कियाँ थीं उसमें। बड़ी खूबसूरत, बड़ी रंगीन ! उनके लाल ब्लाउज अब भी आँखों में नाच रहे हैं। गालों पर गुलाब; छाती पर छोटी-छोटी देंगे। मुजस्सम जवानी। पता चला, ये लड़कियाँ ईरानी हैं। उनके साथ कुछ मर्द भी थे, कुछ बच्चे भी। इस आधी रात को क्यों वे आए, कौन पूछे ? क्यों पूछे ?

अभी कैप्टन का सूचना-पत्रक बता गया है, अब हम अरब की मरुभूमि से जा रहे हैं। हमारा ऐरोप्लेन दस हजार पचास फीट ऊँचे जा रहा है, तीन सौ मील प्रति घंटे की रफ्तार से। हेल नामक मरुभूमि का शहर इसके निकट है।

हाँ, एक बात तो भूल ही गया। मैं दिल्ली से अपनी ही पोशाक में चला हूँ। अब भी वही धोती, कुरता, बंडी है। लोगों ने कहा था, प्लेन बहुत ऊँचे चलता है, यह जाड़ा लगता है। वह जाड़ा लगता है। किन्तु अब तक तो कोई कष्ट नहीं हुआ। रात में जाड़ा लगा था; सो अपना पुराना कोट ऊपर रख ही लिया था। प्लेन में कम्बल मिल जाता है। कोट और कम्बल से मजे में काम चला।

सोचता हूँ, क्या इसी पोशाक में लंदन तक चला चलूँ या कैरो में बदल लूँ ?

विलायत जाने को लोग हौआ बनाए हुए हैं। यह ले जाओ, वह ले जाओ; ऐसा करना, वैसा करना। समझदारी की बात सिर्फ दीप बाबू ने की थी। पटना में खाने को बुलाया और कहा, घबराइए मत। लंदन पहुँचने के दो घंटे के अन्दर आप सारी झिझक भूल जाएँगे। यहाँ

तो रास्ते में ही झिझक छूटती जाती है !

दिन के बारह बजने जा रहे हैं। लगभग उन्नीस घंटे से उड़ रहा हूँ—पैरों में पंख बाँधकर उड़ा जा रहा हूँ। देश पार किया, विदेश पार किया, समुद्र पार किया, मरुभूमि पार कर रहा हूँ।

नीचे जहाँ तक देखता हूँ, गेरुए रंग के बालू-ही-बालू हैं। बालू को जैसे किसी ने भून दिया हो। कहीं-कहीं काले धब्बे से दीखते हैं। शायद वहाँ का बालू ज्यादा भुन दिया हो ! जहाँ-तहाँ बादल के टुकड़े भी दिखाई पड़ते हैं—पीले, सूखे, उदास !

कराची की बातें कहना रह ही गया। कराची पहुँचकर अचानक ही उसाँसे निकलीं—आह, हमारे ही देश का एक टुकड़ा आज हमारे लिए विदेश हो गया है ! ऐरोड्रम के मैदान से हवाई अड्डे के ऑफिस में आया। सामने ही मि. जिन्ना की तसवीर। मन-ही-मन अभिवादन किया ! यह मत सोचिए, उन्होंने आपके लिए क्या किया ? जो चाहा, वह तो कर लिया—आदमी संसार में कितने हैं ? जिन्ना साहब अवश्य प्रणम्य हैं !

पासपोर्ट और हेल्थ सर्टिफिकेट की झंझटें दूर कर B.O.A.C. के भोजनागार में पहुँचे। बहुत दुख हुआ, जब वेटर ने बताया कि गोमांस का दिन है—आप क्या चाहते हैं ? बड़ी कुढ़न हुई। यह कैसा प्रबन्ध ? बहुत पूछताछ करने पर मालूम हुआ, हाँ, मछली है; भूने आलू भी मिल सकते हैं। उन्हीं पर गुजर की। मछली बहुत अच्छी थी ! अंग्रेजी ढंग से पकाए जाने पर भी काफी स्वादिष्ट।

भोजनागार से निकले, तो देखा, एक जादूगर साहब अपनी बिसात बिछाकर बैठे हैं और तरह-तरह से करतब दिखा रहे हैं। हमारे प्लेन की छोकड़ी वेटरेस उनके करतबों पर खिलखिलाकर हँस रही है ! शोख की हँसी—कितने दिलों में खुभ रही होगी !

और ज़रा देखिए, हमारे इस ऐरोप्लेन को ! B.O.A.C के ऐरोप्लेन आराम और सुरक्षा के लिए प्रसिद्ध हैं। अन्तरराष्ट्रीय क्षेत्रों में उड़नेवाले इनके प्लेन के तीन हिस्से होते हैं। बीच में चौबीस सीटें होती हैं, पीछे सोलह सीटें और आगे कैप्टन आदि के लिए जगह। कैप्टन के अलावा फर्स्ट अफसर, नैविगेटिंग अफसर, रेडियो अफसर। आगे और पीछे के हिस्सों और बीच के हिस्सों के मध्य में ट्वायलेट और ड्रेसिंगरूम होते हैं।

दो लड़कियाँ रहती हैं, जो सभी यात्रियों को समय पर चाय, बिस्कुट, शरबत, सिगरेट आदि देती जाती हैं। अपने काम में काफी निपुण, शिष्ट ! इनकी उपस्थिति आकाश में भी जमीन की हरियाली की झलक दिखाती है। प्लेन के चलने और उतरने के पहले स्टीवर्ड आकर कुछ घोषणाएँ करता है—बड़े मनोरंजक ढंग से ! हम कहाँ जा रहे हैं, उसकी दूरी क्या है, हमें क्या सावधानी रखनी चाहिए आदि। मालूम होता है, जैसे ये रटी हुई चीजें हों। बीच-बीच में कैप्टन सूचना-पत्रक भेजता है जिसे स्वयं पढ़कर आगे बढ़ा देना होता है।

बैठने की जगहें काफी आरामदेह। कुरसियाँ ऐसी फिट की गई हैं कि सोने के लिए इन्हें कुछ लम्बा कर लिया जाए। कुरसियों से बेल्ट लगे होते हैं, जिन्हें प्लेन के चढ़ते और उतरते समय, कमर में बाँध लेना होता है, जिसमें धचकों से बचा जाए। प्लेन जब चढ़ता या उतरता होता है, तब सिगरेट नहीं पीना होता है।

अपनी कुरसी के आगे जो कुरसी होती है, उसमें कागज के थैले लगे रहते हैं, थूकना वगैरह उस थैले में। कुरसी की बाँही में ऐश ट्रे लगा होता है, सिगरेट की राख आदि के लिए !

खाने-पीने का पूरा प्रबंध कम्पनी ही करती है।

हमारे साथ जो लोग हैं, उनमें अधिकांश गोरे हैं। उनमें कुछ स्त्रियाँ हैं, कुछ बच्चे भी। बच्चों की चहल-पहल देखने लायक। इधर-उधर दौड़ रहे, गिर रहे ! ज़रा चुमकार दीजिए,

आपके हो रहे। एक श्रीमती बहुत गम्भीर हैं—मुँह फैलाए अकेली बैठीं। एक महिला अपने पति के साथ ! चार-पाँच साल का बच्चा भी। रंगीन घाघरा—लाल रंग पर नीले बूटे—गोरी देह पर खूब खुलता है। एक और श्रीमतीजी अपने बच्चे के साथ—दुबली, पतली, काफी चंचल। उनकी भावभंगिमा और शरीर की बनावट देखकर कोइराला की याद आती है। अपने बच्चे को लेकर मस्त। वह चिट्ठी लिखकर उस पर अपने बच्चे से दस्तखत करवा रही है। शायद पतिदेव को लिख रही हैं !

मातृत्व ! नारी जीवन की कैसी पुण्य, पवित्र स्थिति ! संतान के साथ माता—मैं उन्हें देखते नहीं अघाता ! माँ जब स्वयं बच्चा बन जाती है ! वह खेलाती नहीं, खेलती है। आँखों में वही मासूमियत; हर हरकत में वही भोलापन !

जो मर्द सहयात्री हैं, उनके बारे में क्या दिलचस्पी हो सकती है ? सब गम्भीरता की मूर्ति बने हैं, शिष्टता ने उनकी आत्मा को दबोच रखा है।

हाँ, एक भारतीय विद्यार्थी हैं जो अमेरिका जा रहे हैं। सिख हैं, मेकेनिकल इंजीनियरिंग पढ़ने जा रहे हैं। मेरठ में थोड़े दिनों एक कारखाने में काम किया; अब कालिफोर्नियाँ में नाम लिखाएँगे। अंग्रेजी मामूली जानते हैं; किन्तु हौसला और हिम्मत की हद। पंजाबियों की हिम्मत और धुन का मैं कायल हूँ, काश, उनमें भद्रता भी उसी पैमाने पर होती !

प्लेन की खिड़कियों से लोग झाँक रहे हैं। मरुभूमि में यह जल की बहार। कोई नदी है क्या ? या झील है ? पानी कितना साफ, नीला। मरुभूमि में पानी का महात्म्य बढ़ ही जाता है।

किन्तु फिर वही मरु-राशि !

हम बढ़े जा रहे हैं, उड़े जा रहे हैं—पैरों में पंख जो बाँध रखे हैं ! कि यह काहिरा ! बालूका-राशि के बीच ऐरोड्रम। कितने प्लेन खड़े कर रखे हैं।

विश्रामघर के सूचनापटों में ऊपर अरबी, नीचे अंग्रेजी। खाना अंग्रेजी, किन्तु परोसनेवाले मिस्री। उनके लबादे और शानदार दाढ़ियाँ देखने ही लायक। नियमानुसार यहाँ भी पासपोर्ट आदि दिखाना था; किन्तु कराची की तरह यहाँ छानबीन नहीं। एक सज्जन कुछ कागजों पर दस्तखत कर रहे थे, हम लोग उनके सामने से बढ़ गए ! बस। जलपान के बाद उड़ान !

रोम—लंदन

23 अप्रैल, 1951

उड़ान शुरू नहीं हुई कि हम किस लोक में पहुँच गए ? नीचे देखता हूँ तो मालूम होता है, मानों कालीनों की बारात लगी है। हाँ खेत नहीं, ये कालीनें हैं हरी-हरी ! पतली-पतली नहरें, नहरों के किनारे खेत। नहरों में पाल उड़ाती नावें, खेतों में कहीं हरे, कहीं गुंदमी रंग के जो दिखाई पड़ते हैं, वे किन शश्यों के पौधे हैं ! खजूर को तो यहाँ से ही पहचानता हूँ। इस रंग-बिरंगी भूमि में कहीं-कहीं बस्तियाँ। इस एक घर का ले आउट कितना सुन्दर लगता है यहाँ से। ताश के पत्ते की चिड़िए की-सी शक्ल।

नीचे कालीन-ही-कालीन। मखमली; लहरदार ! मरुभूमि देखने के बाद आँखें तृप्त हो रही हैं। किन्तु यह क्या ? चारों ओर धुँध। अरे, अब तो हम बादलों के बीच हैं ! बीच ? नहीं, नहीं अब ऊपर आ गए। कराची के पहले भूरे बादल, काले बादल। यहाँ सफेद, चमचमाते

बादल। बादलों में भला रंग कहाँ ? भगवान सूर्यदेव ने किस प्रकार चमका दिया। संध्या में वैसे चमकाया था, आज दुपहरिया में ऐसे चमका रहे हैं !

अब तो हम बादलों से बहुत ऊपर आ गए हैं। नीचे मालूम होता है, क्षीर समुद्र लहरा रहा हैं बादलों के ढेर समुद्र की तरंगों की तरह ही ऊँचे-नीचे होते दीखते हैं ! और जहाँ छिट-पुट बादलों के नीचे पृथ्वी दिखाई देती है, तो फिर वही मरुभूमि का दृश्य। अच्छा है कि बादल उसे ढके हुए हैं।

अभी कैप्टन का सूचना-पत्रक आया है। हम अब चौदह हजार पाँच सौ फीट ऊँचे पर हैं। रफ्तार दो सौ मील फी घंटा।

नीचे पृथ्वी, ऊपर बादल, उसके ऊपर हम ! लेकिन नहीं तो, हमारे ऊपर भी तो बादलों की एक पतली तह तैरती-सी दिखाई पड़ती है।

अरे, बादलों के परे, वहाँ, दूर पर वह नीला क्या दिखाई दे रहा है ? क्या क्षितिज का एक हिस्सा है ? या समुद्र है ?

पीछे मुड़कर देखता हूँ—बादलों का महासमुद्र-सा ! जहाँ दृष्टि जाती है वहाँ, वहाँ तक !

लेकिन आगे, वह नीला क्षितिज तो नहीं हो सकता ? क्या समुद्र है ?—भूमध्य सागर !

बादलों के नीचे वही भुने हुए बालूवाली गेरुई ज़मीन—शायद पैर पड़े तो छाले निकल आवें !

किन्तु नीचे जलती हुई मरुभूमि हो या गरजता हुआ महासागर—हमारा रथ चलता रहेगा। यह पुराना मनुपुत्र नहीं है, जिसे सब कुछ डराता था, हैरान क़रता था। अब इसने प्रकृति पर विजय प्राप्त कर ली है, पृथ्वी पर विजय प्राप्त कर ली है !

अभी-अभी Egyptian Gagette हमें दिया गया है। मि. बेवन ने मजदूर दलीय सरकार से इस्तीफा दे दिया ! इस समाचार से ऐरोप्लेन में काफी सरगर्मी।

अरे, बादलों के नीचे अचानक फिर वही कालीनें ! दृश्य दुहर रहे हैं क्या ?

किन्तु नहीं; सामने तो अब एक अखंड नीला रंग ! क्या यह भूमध्य सागर है ? क्या पीछे की कालीनें उसी के तट पर की आबादियाँ थीं ?

हाँ, निस्सन्देह ! यह समुद्र तट भी तो आ गया ! पीली बालूका को छूती हुई समुद्री जल की नीलिमा ! यहाँ से कितनी शान्त लगता है यह सागर ! तट के निकट जो उजली-उजली चीजें दिखाई देती हैं क्या वे तट से टकराती हुई लहरों के झाग हैं ?

अब तो तट भी पीछे। हमारा प्लेन नीलिमा के समुद्र में तैरता-सा जा रहा है। जहाँ-तहाँ बादलों के छोटे-छोटे टुकड़े हरे-हरे खेत में रस्सी तुड़ाकर चरते हुए बछवों से लग रहे हैं !

भूमध्य सागर—इसका मतलब यह हुआ कि हम एशिया को छोड़कर यूरोप में प्रवेश कर रहे हैं।

तो बेवन ने इस्तीफा दे दिया। क्या इसका मतलब यह होगा कि मजदूर दल की सरकार टूट जाएगी ?

अभी उस दिन जब मैं ब्रिटिश इन्फॉरमेशन सर्विसेज के अध्यक्ष मि. किंग से मिल रहा था, तो उन्होंने बताया कि हो सकता है कि आपको ब्रिटेन में चुनाव भी देखने का मौका मिल जाए ! ऐसा उन्होंने इसलिए कहा था कि उन्हें मालूम था, मैं अपने प्रान्त की सोशलिस्ट पार्टी की पार्लियामेंटरी कमिटी का अध्यक्ष भी हूँ।

ये अंग्रेज कैसे चतुर होते हैं—जब-जब उनके अफसरों से बातें हुईं, चुनाव के बारे में मुझसे ज़रूर बातें कीं। जयप्रकाशजी की भी तारीफ की। एक ने नरेन्द्रदेवजी से अपना परिचय

बताया। बिहार में सोशलिस्ट पार्टी की ताकत और कम्युनिस्ट पार्टी के भविष्य के बारे में भी बातें कीं। तो क्या इंगलैंड में हम चुनाव के दृश्य भी देख सकेंगे ?

किन्तु मैं घटनाओं में कहाँ उड़ा जा रहा हूँ ? ठीक सत्य तो यह है कि पैरों में पंख बाँधकर मैं उड़ा जा रहा हूँ, उड़ा जा रहा हूँ। अभी कैप्टन का सूचना पत्रक आया है—हम लोग भूमध्य सागर में सोलम से एक सौ बीस मील उत्तर और क्रीट से नब्बे मील दक्षिण हैं। उड़ान की ऊँचाई चौदह हजार पाँच सौ फीट और गति दो सौ मील।

मालूम होता है, काहिरा के बाद नीचे जो कालीन-सी बिछी भूमि थी, वह अल्कजैन्ड्रिया के क़रीब की थी।

हमारी घड़ी बेहरिंग से ही बेकार हो गई है। हम पश्चिम की तरफ उड़ रहे हैं। सूरज और हममें भाग-दौड़ लगी हुई है। कैप्टन या सूचना-पत्रक कहता है, हम चार बजकर बीस मिनट पर रोम पहुँचेंगे, यहाँ मेरी घड़ी में अभी 5-15 बज चुके हैं। लगभग तीन घंटे का फर्क हो ही चुका है !

इस समय हमारी अजीब स्थिति है। नीचे नीलिमा-ही-नीलिमा—कहाँ तक उसमें आकाश की नीलिमा है और कहाँ से सागर की नीलिमा शुरू होती है, कहना मुश्किल ही है। जोश का वह शेर याद आ रहा है—

ज़मीं इस वक्त एक वहमो गुमाँ है
मेरे शहपर के नीचे आस्माँ है !

हाँ, बादल हमारे नीचे हैं, सागर हमारे नीचे है और ज़मीन न-जाने बेचारी कहाँ खो गई है ?

अहा, फिर यह ज़मीन-सी दिखाई पड़ती है। क्या यह सामने कोई टापू है ? और दूर पर वह जो चोटी-सी चमक रही है, वह किसी पहाड़ की है ? हाँ, ज़मीन का ही एक हिस्सा तो समुद्र में घुस-सा दीखता है। पहाड़ी ज़मीन—कुछ पेड़ पौधे-से भी दीखते हैं।

और वह ज़रूर कोई पहाड़ है, जिसकी चोटियाँ चमक रही हैं। चोटियों के ऊपर भी बादल; किन्तु बादल के बाद जो धुआँ-धुआँ-सा है, वह क्या है ?

नीलिमा के बाद सफेद बादल तह-पर-तह ऐसे लगे हैं कि वे पहाड़-से ही दिखाई पड़ते हैं। किन्तु उनके ऊपर जो धुआँ-धुआँ-सा है, वह तो ज़रूर कोई पहाड़ है।

छोटे-छोटे और कई टापू !

क्या मैं कह सकता हूँ, अब हम यूरोप के घेरे में आ चुके हैं।

यूरोप में और इसी पोशाक में। खादी की महीन धोती, खादी का महीन कुरता, रेशमी बंडी ! शरीर में तो जाड़ा नहीं मालूम देता है, पैर में कुछ ठंडक लग रही है। ऊनी मोज़ा है, फुल शू है। कमर से नीचे के हिस्से को अपने कोट से ढक दिया है।

सोचा था, काहिरा से कपड़े बदल लूँगा, किन्तु सम्भव नहीं हो सका। सुना है, श्री सम्पूर्णानन्दजी धोती पहनकर ही इंगलैंड गए थे और उसी में रहे भी। मैं धोती को सिर्फ विलायत दिखा दूँगा; फिर कोट, पैंट ही चलेगा !

हाँ, जो लोग विलायत का नाम सुनते ही सूट-बूट की बात करने लगते हैं, उनकी बात समझ में नहीं आ रही। इस पोशाक में अब तक कोई कठिनाई नहीं हुई है। भाई आज़ाद के सिखावन के अनुसार बाथरूम में, शौच के बाद, अपने गिलास में पानी ले जाकर इस्तेमाल किया है। कौन किसे देखने जाता है ? हाँ, कहीं अभद्रता और गंदगी न दिखाई जाए या बढ़ाई जाए—बस !

अब यह पहाड़ स्पष्ट हो गया, जिसकी चोटियाँ देखी थीं। भूरे रंग का पहाड़ है और उजली-उजली धारियाँ हैं उस पर।

दूर का पहाड़ क्षितिज से मिलकर विलीन हो गया—अब वहाँ बादल या आकाश।

सामने किनारा दिखाई दे रहा है। किनारे पर काली पहाड़ी है, पानी उससे टकरा रहा है।

समुद्र की तरंगें भी दिखाई दे रही हैं—उजले-उजले झाग उनसे निकल रहे हैं।

पहाड़ और पहाड़ी, दोनों हमारे नीचे ! हम उनके ऊपर-ऊपर उड़े जा रहे हैं। पहाड़ पर की उजली धारियाँ—वे जमी हुई बर्फ हैं !

लोग बता रहे हैं, यह क्रीट।

अहा ! अहा ! अहा हा ! कितना सुन्दर। चारों ओर उजले बादलों से घिरा यह घूसर पहाड़ जिस पर उजली-उजली धारियाँ। लगता है, क्षीर समुद्र से अभी शंकरजी निकले हैं त्रिपुंड धारण किए हुए ! हाँ क्षीर समुद्र से विष्णु नहीं, शंकर ! और त्रिपुंड ही कैसे कहें ? यहाँ तो पुंड-ही-पुंड झलक रहे हैं !

हम उन्हें छोड़ आगे बढ़ रहे हैं। पहाड़ियों पर बादल टहलते-से लगते हैं और हम उनके ऊपर दौड़ते-से आगे बढ़े जा रहे हैं।

अब फिर नीलिमा-ही-नीलिमा और उसमें जहाँ-तहाँ पाल उड़ाती हुई नावों-सी वारिद-माला !

मेरी घड़ी कहती है छः बजे हैं; सूरज की किरणें कह रही हैं, अभी दुपहरिया ढली है और वेटरेस मंद मुसकान के साथ मेरे सामने टेबुल का ढाँचा खड़ा कर लंच की तैयारी का आदेश कर रही है।

स्टीवर्ड आकर शराब की प्यालियाँ दिखा रहा !
यूरोप की ज़िन्दगी के साथ शराब बँधी है। क्या मुझे भी कुछ दिनों के लिए बँधना पड़ेगा ? जब तक सम्भव हो, टालते रहो ! ज्यादा तनाव नहीं, ज्यादा झुकाव भी नहीं !

भोजन आया। कैसा अच्छा भोजन—जिसे आप समतुलित भोजन कह सकें। सब्जियाँ हैं, गोश्त है, कंद हैं, मीठा है, नमकीन है, फल हैं। इन्हें खाया कैसे जाए ? अपना तो सिद्धांत कि सुविधा का ढंग सबसे अच्छा ढंग। जो चीज़ छुरी-काँटे पर नहीं उठती है, उसमें चम्मच लगाओ। भला केले को छुरी से काटकर काँटे से खाने का क्या मतलब ? हाथ से छील लो, दाँत से काट-काटकर खाओ ! कोई हँसेगा ? याद रखो, हँसते हैं लोग भोंड़ेपन पर, गंदगी पर। जिसका व्यवहार सही ढंग पर नहीं कर सकते, वहाँ उसका अनुकरण करके ही अपने को हँसी का पात्र बनाते हो।

नीचे भूमध्य सागर लहरा रहा है। ऊपर से ही तरंगों के हिलकोरे देख सकते हैं। बादल छँट से गए हैं; दूर-दूर पर कहीं-कहीं एकाकी चील से मँडरा रहे हैं।

कैप्टन का सूचना-पत्रक—हम इटली के दक्षिण तट से एक सौ चालीस मील की दूरी पर हैं। हवा के प्रभाव के कारण प्लेन की रफ्तार तिरसठ मील कम कर देनी पड़ी है—यानी इस समय हम एक सौ बयासी मील की रफ्तार में जा रहे हैं।

यह भी पता चलता है कि हम कैरो से दस बजे सुबह में चले थे। क्रीट में 12-10 पर पहुँचे थे। अब इटली के तट पर 14-45 पहुँचे हैं और रोम 15-55 पर पहुँचेंगे।

यह तट भूमि। कितनी सुन्दर मोहक। पथरीली ज़मीन। तट तक उतरने के लिए जगह-जगह रास्ते। रास्ते की बगल में हरियाली-हरियाली। सामने वह बर्फ से आच्छादित पहाड़ी। शिव के ललाट पर त्रिपुंड नहीं—सिर पर श्वेत जटाजूट। पहाड़ के ऊपर पहाड़। बीच में यह

पतली धारा—या दो घाटियों के बीच का रास्ता ? रास्ता इतना टेढ़ा-मेढ़ा ? नहीं, नदी का कछार सही। पहाड़ पर पहाड़ और पहाड़ पर चमकती बर्फ—यहाँ-वहाँ, इधर-उधर। कितनी मोहक।

'इटली, इटली, इतनी सुन्दर'—बचपन में एक कविता पढ़ी थी ! सारी पृष्ठभूमि चित्रकारी-सी लग रही है। कोई चित्रकार क्या खाकर, कौन सा रंग लेकर ऐसी पृष्ठभूमि बना सकेगा ? वह नदी ही तो है—दो घाटियों के बीच पतली धारा। और यह सामने क्या है ? पहाड़ी के नीचे एक ओर पानी देख रहा हूँ—दूसरी ओर क्या है, पता नहीं। तब यह समुद्र का ही एक हिस्सा होगा।

धूसर पहाड़। पहाड़-पहाड़। बीच-बीच में चमकती चोटियाँ। नीचे हरी-भरी घाटियाँ।

तट भूमि को सँवारने में ज़रूर मानव का हाथ होगा—नहीं तो यह लगातार रेखा-सी क्या खींची है ?

हाँ, यह समुद्र का ही तट है। हम जिस ओर नहीं देख पाते, वह समुद्र का ही एक छोर है।

अर्थ यह हुआ कि हम तट भूमि का छोर पकड़कर चल रहे हैं। दाहिने तट है, बाएँ सागर। शायद हम उत्तर-पश्चिम कोने से जा रहे हैं। सूरज हमारे बाएँ है। इसलिए दाहिनी ओर की ये चोटियाँ यों चमकती दिखाई दे रही हैं।

नीला, शान्त जल। कहीं इसी स्थान के आसपास वह जगह तो नहीं, जिसकी चर्चा शेली ने अपनी एक कविता में की है और जिस जल के नीचे अनन्त निद्रा में सो जाने की आशा प्रकट कर उसने अपनी मृत्यु के विषय में सही भविष्यवाणी कर दी थी।

सूरज की किरणों में सोना आ रहा है—चोटियों के रंग में सोना देखिए।

कुछ जाड़ा-सा लग रहा है। ऊनी कपड़ा नहीं पहनकर गलती तो नहीं की। पैर में गठिये का रोग है। देखें क्या होता है ?—होता है वही जो मंजूरे खुदा होता है ! नहीं तो, ऐसी प्रेरणा हुई क्यों ?

और यह जान-बूझकर नहीं हुआ। "Before you take off" नामक पुस्तिका के कारण हुआ। उसमें लिखा था, कपड़ों को दो बक्सों में रखिए। एक, जो यात्रा की समाप्ति पर मिलेगा और दूसरा, जो Night stop पर मिलेगा। मैंने सोचा, दिल्ली में गरमी है। अभी इसी पोशाक में जाता हूँ। कैरो में ले लूँगा। लेकिन मालूम हुआ, नहीं, वे तो चीजें लंदन पहुँचने पर ही देंगे। खैरियत यह हुई कि उसी पुस्तिका के आधार पर अपना काला कोट रख लिया था।

हाँ, हम तट भूमि को ही पकडे बढ़ रहे हैं। एक ओर शान्त, नील समुद्र—दूसरी ओर भूरी-भूरी पहाड़ियाँ, चमकीली चोटियाँ, हरी-भरी घाटियाँ !

मैं भी क्या हूँ ? सब लोग देख रहे हैं, मैं लिखे जा रहा हूँ। लिखने की दृष्टि से हवाई यात्रा सबसे उत्तम ! दो सौ मील की रफ्तार से उड़ते समय भी लिखते जाओ। और यह तो सर्वविदित बात है कि जब मैं गति में होता हूँ, मेरा मस्तिष्क और भावना भी गति में होते हैं। बैलगाड़ी पर भी होता हूँ, तो भी कल्पना और भावना उड़ान लेने लगती हैं—यहाँ तो हवाई जहाज पर हूँ—पन्द्रह हजार फीट ऊँचे पर हूँ, दो सौ मील की गति में हूँ।

दिक्कत यही होती है कि ज्यों ही किसी दृश्य को क़लमबंद करना चाहता हूँ, वह ओझल हो जाता है—इसी से ऐसे छिट-पुट चित्र !

अब पानी में तरंगें हैं। अलग से मालूम होता है, हज़ारों उजली मछलियाँ पूँछें चमकती तैर रही हैं या टिटहरियाँ पंख हिलाती हुई उड़ रही है !

वह दूर पर, वह क्या चमक रहा है ? कोई बहुत ऊँचा पहाड़ है क्या ? या बादल हैं। बाल नहीं हो सकते ? निस्सन्देह कोई हिमशिखरणी है।

हाँ, अब हम यूरोप में हैं जहाँ पर पहाड़ के सिर पर बर्फ का मुकुट होता है; हर घाटी को आदमी का हाथ नन्दनकानन बनाए रहता है–

'एक हम हैं कि लिया अपनी भी सूरत को बिगाड़
एक वह हैं जिन्हें तसवीर बना आती है।'

यह बीच समुद्र का टापू। मालूम होता है किसी ने खिलौना बनाकर रख दिया है। छोटा टापू। पंक्तिबद्ध घर। घर चम-चम चमक रहे हैं। ऊपर से खिलौने के घर से ही लगते हैं !

हाँ, जब इतनी जगह प्रकृति ने दी; उसे बिना बसाए छोड़े क्यों ?

किनारे यह बस्ती ? कितनी सुन्दर बस्ती। ज़मीन का टुकड़ा समुद्र में घुस गया है। वहाँ तक आदमी ने आबादी बसा ली है। कोई प्रसिद्ध स्थान होगा यह ?

तट पर पहाड़ नहीं, घाटी। दूर से तट तक रेखाएँ-सी। क्या वे सड़कें हैं ? या नहरें ?

सामने बादल-बादल, पहाड़-पहाड़। हमारा प्लेन दोनों के ऊपर। कुछ धुँधलका-धुँधलका। समुद्र किनारे फिर एक सुन्दर बस्ती, जो जूते के नाल की तरह समुद्र के पेट में घुसी है।

हम बादलों के अब ऊपर हैं। नीचे सिवा बादलों के और कुछ नहीं दिखाई पड़ता।

किनारे पर ये खेत। हरे-हरे। किन्तु अपने खेतों की तरह मेड़ें टेढ़ी-टेढ़ी नहीं। बड़े सलीके से इन्हें विभाजित किया गया हो जैसे। खेत चाहे तिकोन हों, या अठकोन–मेड़ें सीधी और खेतों के बीच यह बस्ती। बस्ती में भी योजना का हाथ !

धुँधलका घना। नीचे की चीज़ें छाया-सी। छाया की ही तरह माया से भरीं। कहीं खेत, कहीं बस्ती !

No Smoking, Fasten Seat Belt–इसका मतलब कि प्लेन नीचे उतरेगा ! यानी, हम रोम पहुँच गए !

ज़मीन अधिक हरी-भरी। इधर-उधर घर–मानो बगीचे के भवन हों। वहाँ दूर पहाड़ के नीचे बस्तियों की एक शृंखला–कुछ अट्टालिकाएँ यहाँ से भी चमक रहीं। खेतों में कैसी सघन हरियाली !

और यह–यह विशाल रोम। जहाँ देखिए, वहाँ-वहाँ ही रोम, रोम। खेतों में बँगले–लाल, काले, पीले। उफ़, यह स्वप्नपुरी है ? आँखें तृप्त हुईं, धन्य हुईं ? खेतों के ले आउट। पंक्तिबद्ध पेड़। सुन्दर सड़कें।

प्लेन नीचे उतर रहा है; उतर गया।

कहा गया है, रोम में रहो, तो रोमनों की तरह रहो। मुझे कुरता-धोती में देखकर जैसे रोम को गुस्सा आ गया। जब तक प्लेन में थे, कोई दिक्कत नहीं रही। किन्तु ज्यों ही नीचे उतरा, ज़ोरों से ठंडक लगने लगी। थोड़ी देर में तो ऐसा लगा कि ठंडक हड्डी में घुस जाएगी ! प्लेन के खुलने में कुछ देर भी हुई। सोचने लगा, यह अच्छा नहीं हुआ। किन्तु एक मित्र का ओवर कोट लेकर किसी तरह लंदन पहुँच ही गया। लंदन भी क्या समझेगा कि किसी सनकी से काम पड़ा !

अंधकार होने पर प्लेन रोम से चला था। अतः देखा क्या जाता। ओझा से गप्पें करने लगा; फिर झपकी आ गई। किन्तु जब नींद टूटी और नीचे झाँका तो आँखों ने जैसे जादू का नगर देखा हो। समूचा शहर, ऊपर से, कार्निवल-सा लग रहा था। उजली, लाल, हरी–बल्बों की पंक्तियाँ आँखों में चकाचौंध पैदा कर रही थीं। एक मित्र ने बताया, यह पेरिस हैं पेरिस-यूरोप की विलास भूमि–सौन्दर्य भूमि ! फिर बीच-बीच में कई जगहों की रोशनियाँ देखीं; मान लिया, ये छोटे-मोटे शहर होंगे–फ्रांस के या बेलज़ियम के।

जब हवाई जहाज लंदन की तरफ तेज़ी से उड़ा जा रहा था, सामने क्षितिज पर लाल रंग का गोला दिखाई पड़ा—मैं मन-ही-मन कहने लगा, अरे चन्द्रमा यहाँ कैसा लाल हो जाता है। किन्तु पुस्तकों में अधिक-से-अधिक 'ब्लू मून' नीले चाँद के बारे में ही सुना था। यह लाल चाँद कैसा ?

अब मित्रों ने बताया है, वह चाँद नहीं था, भगवान सूरज थे जो नौ-दस बजे तक यहाँ इस तरह अंधेरे में लटकते रहते हैं !

लगभग बारह बजे हम लन्दन पहुँचे। स्टेशन पर ब्रि. इ. स. के लोग हाज़िर। उनके बम्बई ऑफिस के मि. सैम्पुल्स को यहाँ रखा गया है; वहीं हम लोगों के साथ इस यात्रा में घूमेंगे ! काफी मिलनसार और मधुरभाषी जँचे। भारतीय रहन-सहन से भी वाकिफ। एक बार मेरी धोती की ओर भी देखा; किन्तु फिर सेवा-सत्कार में ही व्यस्त।

कस्टम और पासपोर्ट को भी लोगों ने हौआ बना रखा था। कराची में थोड़ी सावधानी देखी। बेहरिंग और काहिरा में कुछ नहीं। रोम में तो किसी ने पूछा तक नहीं। यहाँ भी कोई दिक्कत नहीं। हमारे सामान कस्टम ऑफिसर के सामने रखे गए, व्यापार की कोई चीज़ तो नहीं, यह पूछा गया फिर खली से निशान कर दिया—यानी पास !

ब्रि. इ. स. की गाड़ी है। 2, पार्क स्ट्रीट की ओर हमें ले जाया जा रहा है। हम वेस्ट एंड होकर जा रहे हैं, किन्तु बारह बजे रात को सारा लन्दन सूना था।

पार्क स्ट्रीट में जैसे ठहराया गया हूँ, क्या कहना। पता चला है, उपनिवेशों के अतिथियों के लिए ऐसी सुन्दर व्यवस्था स्थायी रूप से की गई है।

(ख) लंदन में तेरह दिन

लंदन में पहला दिन

24 अप्रैल, 1951

लगभग एक बजे रात को सोया और आठ बजे जगा। बाथरूम देखा था ही, हाथ-मुँह धोया। यहाँ ट्वायलेट में पानी का व्यवहार होता नहीं। किन्तु आज़ाद ने बता ही दिया था, तुम गिलास लेकर जा सकते हो, हाँ, पानी की बूँदें इधर-उधर न गिरें। यही किया। पुराना संस्कार; ऐसा नहीं करता तो जी घिन-घिन किए रहता।

नहा-धोकर अपने कमरे से बाहर निकला। किन्तु पता नहीं चलता कि कैसे जाऊँ; कहाँ जाऊँ। एक लड़की पूछती है—क्या आप खो गए हैं ? उसी ने बताया कि जलपानगृह नीचे है।

ये लड़कियाँ; कितनी सेवापरायण ! सेवा और शिष्टता, दोनों की मूर्ति !

आज का दिन फ्री है। हम लोग जलपान ही कर रहे थे कि सुन्दर कबाडी आ गए। सुन्दर कबाडी बम्बई से आए हैं। बीस वर्षों से लंदन में हैं। लंदन की ज़िन्दगी में काफी घुले-मिले। काफी मिलनसार और मधुरभाषी। हमें फ्लीट स्ट्रीट की ओर ले चले, जहाँ उनका दफ्तर है। भारत के कई प्रसिद्ध पत्रों के प्रतिनिधि हैं मि. कबाडी।

हम लंदन की सड़कों से गुजर रहे हैं। काफी धूप है। लंदन में धूप; एक वरदान ! इसकी चर्चा प्रायः होती हैं कि हम लोग भारत से धूप लाए हैं।

एक मित्र ने कहा था, लंदन ऐसा लगेगा जैसे बड़ी बम्बई। दोनों ओर ऊँची-ऊँची

अट्टालिकाएँ। उनका रंग प्रायः मटमैला। बम्बई से बड़ी और शानदार इमारतें; किन्तु उनकी ऐसी चमकदार नहीं।

अरे, ये काले-काले क्या हैं ? पेड़ हैं ! काले पेड़, गोरे आदमी ! माथुर साहब ने कहा था, हम लोग जब पेड़ की कल्पना करते हैं, हरा रंग ही सामने आ जाता है। लंदन में काले पेड़ पाइएगा।

हाँ, काले पेड़ ! लेकिन कबाडी साहब कहते हैं, वसंत आ रहा है, अब उनमें कोपलें फूटेंगी। कुछ पेड़ों में कोपलें फूट चुकी हैं। पत्ते प्रायः छोटे-छोटे !

बीच-बीच में पार्क आ जाते हैं—उनमें फूल खिले हैं, हरियाली फैली है। शाम के समय इनकी शोभा देखिएगा, यह बताया जा रहा है।

सड़कों पर कई गाड़ियाँ ऐसी जा रही हैं, जिनमें फूल लदे हैं—लाल, नीले, पीले, उजले ! अंग्रेजों को फूलों से भी कम प्रेम नहीं !

यह फ्लीट स्ट्रीट; अट्टालिकाएँ। अखबारों के नाम दफ्तरों पर लगे हुए। सड़क पर जो मोटरें हैं, उन पर भी अखबारों के नाम।

फ्लीट स्ट्रीट ! इंगलैंड की ज़िन्दगी में इसका बहुत बड़ा हाथ। इस सड़क में इतनी ताकत है कि यह ताज पहना सकती है, छीन सकती है।

अखबार क्या चीज़ है, यह इंगलैंड में ही देखिए। रोज़ाना दो करोड़ से अधिक की संख्या में अखबार निकलते हैं। हर दो आदमी पर एक अखबार। एक-एक आदमी कई अखबार खरीदता है। यहाँ किसी से माँगकर अखबार पढ़ना गुनाह है। अपनी रोटी, अपना अखबार।

किन्तु कबाडी साहब बता रहे हैं, फ्लीट स्ट्रीट से अखबार सिर्फ दो ही निकलते हैं, बाकी के तो यहाँ सिर्फ दफ्तर हैं !

कबाडी साहब के ऑफिस में थोड़ी देर बैठे। उन्होंने चाय पिलाई, आवभगत की। कहा—जब कोई जरूरत हो फोन कर लीजिएगा। आज़ाद की चर्चा कई बार की ! आज़ाद यहाँ के भारतीय जीवन में काफी घुल-मिल गया था, ऐसा बार-बार अनुभव हो रहा है।

वहाँ से हम टैक्सी पर लौटे। जब हम उसे पैसे दे रहे थे, मि. स्माल्स ने बताया, इन्हें कुछ टिप्स भी ज़रूर दे दिया कीजिए। टिप्स की यहाँ बड़ी चलन है।

भारत दो केबुल कर दिए हैं। एक अवधेश्वर को, एक सुरेन्द्रजी को। अवधेश्वर को लिख दिया कि मित्रों को मेरे सकुशल पहुँचने की खबर कर दो। सुरेन्द्रजी को लिखा, रानी को खबर कर दीजिए।

भोर में जलपान ही कर रहे थे कि बी.बी.सी. से फोन आया था। हिन्दी में ही बातचीत शुरू हुई—इसलिए बहुत आनन्द आया। यह शीरीं साहब थे। उनसे तय हुआ था, तीन बजे हम बी.बी.सी. आएँगे।

खाना खाकर बी.बी.सी. गए। वहाँ हिंदी बोलनेवालों की एक पूरी मंडली है—हुजा हैं, कुमार हैं, आले हसन हैं, शीरीं हैं। ओम प्रकाश और तूफान साहब भी इस मंडली के अस्थायी सदस्य हैं।

बी.बी.सी.। जब हम उसके सदर मुकाम पर पहुँचे तो लगा, ईस्टर्न सेक्सन आक्सफोर्ड स्ट्रीट में है। एक आदमी दिया गया, जो हमें तहाँ तक पहुँचा आया। हुजा देर से आए, तब तक आले हसन और शीरीं साहब से बातें होती रहीं। बड़े प्रेम से मिले दोनों।

हुजा आए और अपने घर चलने को विवश किया। हुजा के घर पर पहुँचकर लगा जैसे अपने घर पर हों।

हुजा जिस मोहल्ले में रहते हैं, पहले वहाँ रईसों की बस्ती थी। सभी घर रोमन ढंग के।

किन्तु फैशन बदलते हैं। रईसों ने छोड़ दिया; अब इन घरों में साधारण लोग रहते हैं।

हुजा ने शादी की है, एक बच्चा है अतः एक फ्लैट चाहिए। यहीं नीचे के तल्ले में मिल पाया है। जो कमाता है, उसका आधा मकान-किराए में दे देता हैं किराए में सजा-सजाया घर मिलता है।

हुजा का घर। यह उषारानी हैं, हुजा की पत्नी ! यहाँ बी.बी.सी. में जान-पहचान हुई। मूर्तिकला सीखती हैं। हुजा ने इन्हें अपनी मूर्ति बना ली। काफी गृह-कुशल और वाक्चतुरा। कला में ही नहीं, राजनीति में भी दिलचस्पी रखती हैं।

घर के पीछे एक छोटी सी वाटिका। जब उसमें बैठकर हम चाय पी रहे थे, लगता था, अपने आँगन में ही बैठे हों। हुजा की बहन भी थोड़ी देर में आ गई।

हुजा ने बताया, यहाँ सोशलिस्ट भी हैं और उनमें एक हैं मि. तूफान ! तूफान साहब को फोन किया गया, वह आ गए। उनसे मालूम हुआ, यहाँ उनके विचारवालों का एक खासा अच्छा दल है। लोहिया की चर्चा करने लगे। आम चुनाव के पहले भारत लौटना चाहते हैं। तीन वर्षों से लंदन की गलियों की खाक छान रहे हैं।

तूफान साहब काफी मस्त जीव। उनके चलते आज की साँझ काफी रंगीन हो गई !

हाँ; इसके पहले बी.बी.सी. से हुजा के घर जाते समय ओम प्रकाश से भी भेंट हो चुकी थी। ओम प्रकाश ने बड़ी आत्मीयता दिखाई और कल के लिए निमंत्रण दिया !

हुजा के साथ हम लोग वेस्ट एंड होकर चल रहे थे। वेस्ट एंड की घड़ी से भारत का घर-घर परिचित है। वेस्ट एंड व्यापार का बहुत बड़ा केन्द्र। विशाल, ऊँचे, रोबदार मकान। दुकानें सजी सजाई। लोगों का झुंड। लोगों—माने ? सिर्फ मर्द नहीं, औरतें भी। और प्रायः जोड़े के जोड़े। हाथ-में-हाथ डाले; शरीर-से-शरीर सटाए ! चपल चरण !

सुख और विलास के सारे साधन जुटा रखे हैं लंदन ने। मुझे खुशी हो रही है यह देखकर कि शहरों में लोगों ने फूलों को नहीं भुलाया। जहाँ-तहाँ फूल भी बिक रहे हैं, फल भी !

फूल—ये पीले फूल क्या हैं ? अपने पीले कनेर ऐसे। किन्तु सब में डंठल लगे। अरे, यही डफोडिल है, जिसपर वर्ड्स्वर्थ की कविता पढ़ते हम अघाते नहीं थे। दिल्ली में मि. किंग ने कहा था, डफोडिल का मौसम आ रहा है, आप को बहुत पसंद आएगा। सचमुच सोने के रंग का यह फूल आँखों में गड़ गया !

और यह कमल ऐसा लाल-लाल ! आकार कमल-सा ही, किन्तु छोटा। यह टुलिप्स है। उजला नारसिसस और नीला आइरिस। आइरिस—ठीक हमारे नरगिस ऐसा !

काफी महँगे मिलते हैं ये फूल—लेकिन खरीदारों की क्या कमी ?

हाँ, तो तूफान साहब के साथ हुजा के घर से पार्क स्ट्रीट आए। रात का भोजन कर लिया और निकले सैर को।

बगल में ही हाइड पार्क है। हाइड पार्क—अंग्रेजों की वाक्स्वतंत्रता की भूमि ! आमोद प्रियता की भूमि ! काफी रात हो चुकी है; किन्तु रौनक अब भी है। वह देखिए, कोई सज्जन बोल रहे हैं ! किस उमंग से, उत्साह से। चेहरे की भंगिमा देखिए, हाथ की उछाल देखिए। बीच-बीच में श्रोता हँस पड़ते हैं।

इधर एक दल गा रहा है। युवक-युवतियाँ, बूढ़े-बच्चे—सब मौज में गा रहे हैं। झूमकर गा रहे हैं !

एक व्याख्यान यह और हो रहा है। अभी अंग्रेजी का उच्चारण ठीक से पकड़ नहीं पाता। कोरिया, कोरिया कुछ हो रहा है।

जहाँ-तहाँ पुलिस खड़ी। तूफान साहब ने कहा, बदमाश औरतें यहाँ प्रायः आती हैं। उधर,

पार्क में कुछ अश्लीलता न करें, इसी के लिए वे सजग हैं।

क्यों ? पिकाडिली भी देख लीजिए !

हम नहीं क्यों कहें ? बस पकड़ी गई और यह पिकाडिली।

पिकाडली कलकत्ता की चौरंगी-सी। किन्तु मुझे ऐसा लगा कि चौरंगी पिकाडली से ज्यादा रौनकदार है। मालूम हुआ, जलावन की कमी से रोशनी पर प्रतिबन्ध है।

चौराहे के बीच में कामदेव की मूर्ति—'काम कुसुम धनु सायक लीन्हें !' मूर्ति के अगल-बगल लोग बैठे हैं। हमने भी एक परिक्रमा कर ली।

तूफान साहब ने कहा—ज़रा 'पब' का मज़ा लीजिए। हम 'पब' में पहुँचे। औरतें ढाल के दे रही हैं, मर्द पी रहे हैं। मर्द भी प्रायः अपनी जोड़ी के साथ ही हैं।

'पब' की यहाँ बड़ी मर्यादा है। मित्रों के मिलने का यही स्थान है। तुम मेरे 'लोकल' में आ जाना—निमंत्रण का यह ढंग है। वहीं पीया-पिलाया गया, बातें हुईं, फिर हँसी-खुशी अपनी-अपनी राह।

और ट्यूब का मज़ा भी ले ही लीजिए।

ट्यूब का मतलब है ज़मीन के अन्दर चलनेवाली गाड़ी। नीचे के स्टेशन में घुसे। काफी हवादार, चमकदार, लम्बा-चौड़ा। टिकट खरीदा। फिर नीचे उतरने की सीढ़ी पर गए। यह अजीब चीज़। आप सीढ़ी पर पैर दीजिए और आप-ही-आप नीचे उतर जाइए। बिजली से चलाई जाती है। पहले तो पैर धरते ही डगमगा गए। तूफान साहब ने झट बाँह-से-बाँह बाँधकर खड़ा कर दिया और यह खड़-खड़ करके नीचे आ गए हम।

गाड़ी आई। छोटी-छोटी गाड़ियाँ, किन्तु काफी खूबसूरत। भीतर बैठने की सीटें ऐसी जिन्हें देखकर किसी रईस का ड्राइंग रूम भी शरमा जाए !

लंदन की पुलिस की तारीफ़ बहुत सुनी थी। अपने कर्तव्य में सजग, साथ ही शिष्टता की मूर्ति। सड़कों के बीच खड़े होकर जो रास्ता बताते हैं, उनके अतिरिक्त कुछ सड़कों पर चौकन्ना घूमते रहते हैं। मैं सड़क से जा रहा था, अचानक किसी का हाथ कंधे पर पड़ा। आँखें घूमीं तो पुलिस की वरदी देखते ही चकरा गया। फिर उन्होंने उँगली से पीछे की ओर इशारा किया—देखता हूँ मेरी टोपी जेब से खिसक गई ! घूमकर टोपी उठाई, उसे धन्यवाद दिया, वह कुछ बुदबुदाता हुआ फिर आगे बढ़ गया।

हाँ, जब हम काहिरा में थे, तभी बेवान के इस्तीफे की ख़बर पढ़ी थी। आज शाम के अखबारों में इसी की धूम थी। इवनिंग न्यूज शाम का सबसे बड़ा अखबार है—उसके तीन संस्करण निकलते हैं। सर्वत्र प्रायः इसी की चर्चा थी। किन्तु यह न भूलिए कि अंग्रेज अपरिचितों से जल्द कोई चर्चा नहीं करता। हाँ छेड़िए, जो कुछ कहेगा, वह भी धीमे-धीमे और संयत भाव से।

तूफान साहब दिल्ली के हैं। सिर्फ दस पौंड जेब में लेकर लंदन आए और तीन वर्ष से यहाँ रह रहे हैं। सोशलिस्ट पार्टी के कार्यकर्ताओं में हैं। यहाँ पता चला, डेढ़ सौ आदमी पार्टी के सदस्य हैं।

उन्होंने बताया कि लंदन में लगभग दस हजार भारतीय रहते हैं। विद्यार्थी हैं, डॉक्टर हैं, फेरीवाले हैं। इनमें फेरीवाले ही ऐसे हैं, जो अपने देश में कमाकर पैसे भेजते हैं।

तूफान साहब पार्क स्ट्रीट की मोड़ तक पहुँचाकर चल दिए। बारह बज चुका था, तारीख बदल गई थी। मैं गुलगुले गद्दे पर सो गया—स्वप्न जागरण बन रहा था और जागरण स्वप्न !

ह्वाइट हॉल : हाइड पार्क

25 अप्रैल, 1951

यह लंदन का दूसरा दिन है। हसबमामूल आठ बजे उठा, शौचादि से निवृत्त हुआ, स्नान किया, जलपान किया।

आज प्रोग्राम के बारे में निर्णय कर लेना था।

यों तो प्रोग्राम का संक्षेप घर पर ही मिल चुका था। यहाँ जब कमरे में प्रवेश किया, टेबुल पर कागज का एक बड़ा सा थैला देखा। जिस थैले में विस्तृत कार्यक्रम—हर काम का वक्त भी ठीक। इसके अतिरिक्त—(1) Britain 1950-51—305—पृष्ठों की पुस्तक, जिसमें इंगलैंड सम्बन्धी सभी बातों की जानकारी, (2) Come to Britain नाम की 'टाइम्स' द्वारा प्रकाशित एक सचित्र पत्रिका, (3) Britain Now नामक एक बड़ी पुस्तिका, जिसमें उसके आर्थिक पुनरुत्थान का वर्णन है, (4) London, (5) Britain, (6) Shopping in London, (7) Festival of Britain, (8) Britain 1951, (9) How to see London, (10) England-North East, (11) England Central, (12) Scotland, (13) Health services in Britain, (14) Agriculture in Britain, (15) The Development Area Today—इतना साहित्य और उसके साथ ही लंदन सम्बन्धी दस सुन्दर चित्र ! किन्तु आज कार्यक्रम के बारे में तय कर लेना था, अतः सबसे पहले C. O. I. के दफ्तर में गया।

आज भी धूप उग आई थी। बीच के पार्कों में लोगों की भीड़ बढ़ रही थी। लंदन में धूप न्यामत है। इस साल तो हाल यह रहा कि छः महीने से लगातार वर्षा हो रही थी, जाड़ा पड़ रहा था। धूप और गरमी—दो-दो मजे एक साथ। कौन इन्हें न लूटे ?

C. O. I. के ऑफिस में गया। अधिकारियों से बातें शुरू हुईं। इन्होंने इस ऑफिस के बारे में थोड़ी चर्चा की। यह एक स्वतंत्र विभाग है। यह किसी मिनिस्टरी के अधीन नहीं। इसके एक डायरेक्टर हैं। जिस मिनिस्टरी को प्रचार का जो-सा काम कराना हुआ, वह इस ऑफिस में आया। फिर तो उस ओर सारे देश का ध्यान आकृष्ट हुआ—ऐसा ही इन्हें अपने काम पर विश्वास है।

एक-एक दिन के कार्यक्रम पर विचार हुआ। हमारे कुछ साथी और चीजें इस कार्यक्रम में जुड़वा रहे थे। मुझे बुरा लग रहा था। जहाँ तक स्वतंत्र रूप से देखा जाए, उतना अच्छा। कुछ लोगों को बोलने की बीमारी होती है—यहाँ तो तीन-तीन मद्रासी हैं ! मद्रास तो इनका है ही, दिल्ली और बम्बई से भी मद्रासी ही भेजे गए हैं। बंगाली भाई भी बोलने में किसी से पीछे क्यों रहें !

वहीं मालूम हुआ, आज टेम्स में नावों का प्रदर्शन है। खा-पीकर हम लोग टेम्स के किनारे गए। वाटरलू पुल के अगल-बगल किनारे पर लोगों की भीड़। नब्बे वर्षों के बाद लंदन के मेयर का यह नौका-जुलूस निकला है। मेयर के उजले कपड़े पर का चमाचम सोना किनारे से ही दिखाई पड़ता था। दोनों ओर पुलिस की नौका। दो बड़ी नौकाओं पर बैंड की पार्टियाँ।

मैंने मि. सैम्पुल से कहा—तुम्हारी जाति को दो ही रंग पसंद हैं—नीला और लाल। उत्सव में इन दोनों रंगों की भरमार रहती है। स्त्रियों को लाल घाघरे पहने भी प्रायः देखता हूँ। सैम्पुल ने हँसकर कहा—हाँ, हमारी नाक लाल है और आँखें नीली !

नौका विहार देखकर हम कॉमनवेल्थ रिलेशन ऑफिस में आए। यह है पार्लियामेंट, यह है ह्वाइट हॉल, यह है 10, डाउनिंग स्ट्रीट। जिनके नाम सुनते हुए बूढ़ा होने जा रहा हूँ, उन

स्थानों को देखकर कैसी कल्पनाएँ जागीं, कल्पना कीजिए। पार्लियामेंट में तो हमें जाना ही है। ह्वाइट हॉल में काली काई-सी लग गई है। अतः विश्वास नहीं होता था कि यह ह्वाइट हॉल है। यों ही 10, डाउनिंग स्ट्रीट सचमुच एक गली में है। किन्तु याद रखिए, लंदन की गली पटना की गली नहीं।

कॉमनवेल्थ ऑफिस में लार्ड ओगमेर ने हमारा स्वागत किया। कुछ और अधिकारी भी थे। कैसा शिष्टाचार हैं इनमें। एक सज्जन थे, जो पटना रह चुके हैं। उन्होंने बार-बार आग्रह किया कि कोई अभाव मालूम पड़े तो जरूर खबर कीजिएगा—बूढ़े सज्जन थे।

लार्ड ओगमेर लेबर पार्टी के हैं। जब बेवन के इस्तीफे की बात आई; बड़े फख्र से कहा—हमारी पार्टी बलिदानों पर बनी है। जिन लोगों ने इसकी नींव डाली, उन्होंने पाया कुछ नहीं, खोया-ही-खोया। उनका स्मरण हमें त्याग के लिए सदा तत्पर रखेगा और 1931 में रैमजे मैकडोनल्ड और स्वेडन से जो गलती हो गई, हम उसे भूल नहीं सकते। बेवन की योग्यता और त्याग की हम सब सराहना करते हैं, किन्तु उनके हट जाने से हमारी हानि नहीं होगी, बल्कि यह अच्छा ही हुआ है कि अब मंत्रिमंडल के अन्दर तनाव नहीं रहेगा, एकता से काम हो सकेगा।

इधर-उधर की भी बहुत बातें हुईं। जब लौट रहा था, चौराहों पर मूर्तियों की भरमार देखी। हर चौराहे पर किसी-न-किसी की मूर्ति है। किन्तु बकिंघम पैलेस के सामने विक्टोरिया की जो मूर्ति है, वह मुझे बड़ी शानदार लगी। कई सिंहों की मूर्तियाँ—बड़ी जानदार, बड़ी खूबसूरत। किसी को अंग्रेज महिला बगलगीर किए हुई, किसी को पुरुष। पुरुष और महिला की मूर्तियाँ बड़ी ही जानदार ?

इन सिंह मूर्तियों को देखकर अशोककालीन स्तम्भों की सिंह मूर्तियाँ याद आ गईं। क्या आदमी जब ओज पर रहता है, उसे सिंह की याद रहती है। हाँ, अशोक की सिंह मूर्तियों के नीचे शान्ति का सन्देश है और वे मूर्तियाँ तो निस्सन्देह ही युद्ध की घोषणा-सी करती मालूम होती हैं !

यह है बकिंघम—जहाँ अंग्रेजों के बादशाह रहते हैं। बादशाह को देखने का मौका मिले या नहीं, घोड़े पर जो उनके सन्तरी हैं, उनका सजाव भी क्या कम है ? इन सन्तरियों की जब भोर और शाम को बदली होती है, वह दृश्य भी दर्शनीय होता है, हमें यह बताया जा रहा है।

बी.बी.सी.—मरुभूमि में जैसे ओयसिस। बस नमस्ते और आदाबअर्ज की धूम। हिन्दी में बातें करते हुए कितना आनन्द आता है।

ओम प्रकाश आ गए थे ! हुजा के साथ हम लोग पहले एक 'पब' में गए! बँगला विभाग में काम करनेवाली एक छोकड़ी बगल में आकर बैठ गई—यहाँ ये सब चीजें बहुत ही मामूली हैं !

ओम प्रकाश के साथ हाइड पार्क देखने चले। हाइड पार्क की रौनक आज देखी। इधर-उधर सैकड़ों, हजारों भी कह सकते हैं, अगल-बगल कुरसियों पर बैठे या घासों पर लेटे। हमें पहले नौका विहार करना था, अतः हम पार्क की झील में गए।

नाव ली, ओम प्रकाश ने खेना शुरू किया। एक हमीं अभागे थे, जिन पर कोई लड़की नहीं ! जिस तरह प्राचीन काल में हमारा कोई यज्ञ पत्नी के बिना नहीं होता था, उसी तरह यहाँ कोई सैर बिना औरत के नहीं होती !

नावें फुर्र-फुर्र उड़ी जा रही हैं। हँसी, तफरीह चल रही है। चुम्बन, आलिंगन भी यहाँ वर्ज्य नहीं।

किंतु उसकी सीमा कहाँ तक होगी। इसका अन्दाज तो लौटते समय लगा। झुरमुटा हो चला था। सूरज की किरणें झीनी चादर-सी लगती थी, जो सौन्दर्य को छिपाती नहीं उभाड़ती ही। इधर-उधर युवक-युवतियाँ लेटे। अरे, यह क्या, यह छोकरी किस तरह चिपक गई है इस नौजवान से और वह किस तरह उसके होंठों पर चुम्बन किए जा रहा और उसे सीने से कस रहा। सरेआम, खुलेआम—ओम प्रकाश मुसकरा रहा है। कहता है, रविवार आने दीजिए, तो फिर देखिएगा। ऐसे अनगिनत जोड़े मिलेंगे आपको। क्या मेरा काम इन्हें गिनते रहना है ! वह देखिए, वह लाल घाघरेवाली युवती क्या कर रही है ? क्या दो शरीर मालूम होते हैं; हाँ, चेहरे दो जरूर है जो बार-बार सटते और बड़ी देर पर हटते हैं !

यहाँ यह अश्लील नहीं समझा जाता है, बेनीपुरीजी। अश्लीलता यहाँ सिमटकर बहुत छोटी हो गई है और उसकी सीमा का उल्लंघन करके तुरत पुलिस की हिरासत में जाना पड़े।

आज का खाना ओम प्रकाश के घर पर होना था। वह सपत्नीक रहता है। उसकी पत्नी—कमल ! कानपुर के सुप्रसिद्ध देशभक्त डॉ. मुरारी लाल के परिवार की लड़की है। बी. ए.। यहाँ मौन्टेसरी पढ़ रही है। बड़े प्रेम से खाना बनाया था उसने; और हमने भारतीय भोजन बड़े प्रेम से किया।

यहाँ यह जानकर बड़ा आश्चर्य हुआ कि ओम प्रकाश अपनी पत्नी के साथ यहाँ साढ़े चार सौ रुपए में ही रहता है। जिसमें डेढ़ सौ रुपया तो वह बी.बी.सी. तथा पत्रों में लिखकर कमा लेता है। साढ़े चार सौ रुपए की रकम में अधिक तो घर के किराए में ही जाता है। लन्दन के मुख्य बाजार से लगभग दस मील दूर पर एक फ्लैट ले रखा है। मियाँ-बीबी कबूतर की-सी आनन्द की ज़िन्दगी बिताते हैं।

ओम प्रकाश ने यह भी बताया कि यहाँ भारतीय विद्यार्थी अधिकतर छोकड़ियों के फेर में पड़ जाया करते हैं ! जहाँ चुम्बन, आलिंगन इतना सस्ता हो वहाँ भारतीय नौजवान बेकाबू हो जाएँ, तो क्या आश्चर्य ! फिर, शरीफ घर की छोकड़ियाँ उनके हाथ तो आती नहीं—क्योंकि चुम्बन-आलिंगन के आगे किसी को बढ़ने नहीं देना चाहतीं, फलतः बुरी औरतों के फेर में वे पड़ जाते हैं, जो उन्हें खूब दुहती हैं। इसलिए भारतीय विद्यार्थी सपत्नीक आवें, यही उत्तम।

हाँ, यह लिखना तो रह ही गया था हम जहाँ ठहराए गए हैं वहाँ भारतीय भोजन बनाने का भी प्रबंध है। कल से ही हमें भारतीय भोजन की बहुत-सी सामग्रियाँ मिल जाया करती हैं—भात, दाल, पराठा, चटनी, अचार, पापड़ ! मछली, मांस, मुर्ग—इनकी क्या पूछना ?

हाँ जी, हम शाही मेहमान हैं न ? जब हमें अंग्रेजी सरकार ने जेलों में रखा था, वहाँ भी खातिरदारी में कोई कसर नहीं की, तो फिर यहाँ अपने घर में क्यों कसर रखे !

हिंदी केन्द्र : पहला थियेटर

26 अप्रैल, 1951

हाँ, पैरों में पंख बाँधकर न आया हूँ ! दिन-रात उड़ता रहता हूँ। नींद भर सो नहीं पाता; चाहकर भी आराम नहीं कर पाता। कम दिन रहना है, बहुत कुछ देखना है—अतः सोना-लेटना जितना कम हो, अच्छा है !

कल रात में ओम प्रकाश के घर खाने गया, तो मैंने चर्चा चलाई कि क्यों नहीं यहाँ

एक हिन्दी केन्द्र की स्थापना की जाए। हिन्दी क्षेत्र के बहुत से विद्यार्थी हैं। कुछ अन्य प्रभावशाली लोग भी हैं। बहुत से यहाँ के भारतीय हिन्दी पढ़ना-लिखना सीखना चाहते होंगे। अंग्रेजों में भी हिन्दी प्रेमी लोग होंगे। ग्रियर्सन की औलाद अवश्य कायम होगी। फिर हिन्दी की चीजों को अंग्रेजी में लाने की चेष्टा तो यहीं से हो सकती है। यह काम तो बहुत ही आवश्यक है। अभी मौलाना आजाद ने कह दिया कि हिन्दी अन्तरराष्ट्रीय सम्मान नहीं पा सकी है, लोगों को बहुत ही खला। किन्तु उसके लिए चेष्टा कहाँ की गई है।

कम-से-कम तीन संग्रह तो अंग्रेज़ी में निकल जाना चाहिए (1) हिन्दी कहानियों का (2) हिन्दी एकांकियों का (3) हिन्दी कविताओं का। कहानियों में स्केच भी लिये जाएँ। एकांकियों में प्रसिद्ध नाटकों के एकाध सीन दे दिये जाएँ ! कविताओं में नई-पुरानी–दोनों की झलक रहे–लेकिन पहले नई कविताएँ दी जाएँ। अंग्रेज़ी भाषा में हिन्दी का एक इतिहास तो तुरन्त निकलना चाहिए।

हिन्दी का एक अच्छा पुस्तकालय हो, जिसमें नई-पुरानी पुस्तकों का अच्छा सा संग्रह हो और सभी पत्र-पत्रिकाएँ आया करें। एक अध्ययन केन्द्र भी रहे, जहाँ भाषा भी सिखाई जाए और हिन्दी साहित्य पर चर्चाएँ भी की जाएँ। समय-समय पर हिन्दी के लेखकों और कवियों को बुलाया जाए !

ओम प्रकाश ने आर्थिक बाधा की बात कही। मैंने कहा, तुम लोग काम करो, रुपए के प्रबन्ध अवश्य हो जाएँगे, मैं ऐसा विश्वास दिलाता हूँ।

और मैं ट्रेजरी गया, जहाँ ब्रिटेन की आर्थिक स्थिति पर अधिकारियों ने प्रकाश डाला। उनका कहना बहुत सीधा था–पहले हम संसार से चीजें लाते थे, संसार भर में अपना माल पाटते थे। अब संसार में जो शक्तियाँ काम कर रही हैं, उनके कारण यह सम्भव नहीं कि यह क्रम जारी रखा जाए। अतः नए सिरे से हम एक नई आर्थिक नीति रखने जा रहे हैं, जिसका मूलमंत्र है स्वावलम्बन तथा विदेशों से बराबरी के दर्जे पर आदान-प्रदान। सदियों के पुराने ढाँचे के स्थान पर इस नए ढाँचे को कायम करना सहज नहीं। इसलिए कठिनाइयाँ हो रही हैं। प्रारम्भ में अमेरिका ने हमारी काफी मदद की; किन्तु उसके हाथ भी खिंचते जा रहे हैं। इधर हमारी जनता के जीवन का मापदंड इतना ऊँचा हो गया है कि वर्तमान ढाँचे में बिना कठिन परिश्रम किए, हम इस उद्देश्य में सफल हो नहीं सकते। हमें प्रसन्नता है कि हमारी जनता हमारा साथ दे रही है और हमें विश्वास है, हम सफल होंगे !

हम ट्रेजरी के जिस कमरे में बातें कर रहे थे, उसकी सादगी देखकर मैं मुग्ध हो गया। कल कॉमनवेल्थ रिलेशनवाले कमरे में भी सादगी ही थी। फिर जिस तरह सीधे-सादे ढंग से ये बातें करते हैं वह भी आश्चर्य का विषय है। जब यहाँ के ऑफिसों और उनके अधिकारियों से अपने यहाँ की तुलना करता हूँ, तो आश्चर्य होता है। हमारे मिनिस्टरों के कमरे, उनके सेक्रेटरियों के कमरे और खासकर सेक्रेटरियों की भद्रकुलीय दंभ की बातें !

दिक्कत यह है कि अंग्रेजों ने अपनी साम्राज्यशाही के लिए जो ढाँचा तैयार किया, उससे हम अपने स्वराज्य के काम का संचालन कर रहे हैं। यहाँ समय को देखकर अंग्रेजों ने अपने में कितना परिवर्तन कर लिया है !

एक लम्बा सा सादा टेबुल था। बिना बाँही की कुरसियाँ थीं। टेबुल पर कोई कपड़ा नहीं था। ऐश ट्रे पुराने थे, लोहे के थे। एक सज्जन...बोल रहे थे; दो–एक स्त्री और एक पुरुष–उन्हें सहायता कर रहे थे। जो नहीं सुलझा पाते थे, उसे ढँपने की कोशिश नहीं करते थे।

वहाँ से आकर देखता हूँ, ओम और कमल, दोनों बैठे हैं। मैं नीचे खाने गया; यहाँ खाने

की अजीब रीत है। खाइए, पीजिए, गप्पें लड़ाते जाइए। बीच में उठना अभद्रता है। बड़ी देर हुई, तो ओम ने एक अतुकान्त ही रच डाली वही हलके व्यंग्य वाली—जिसमें वेटरेस के गालों का रंग आदि क्या-क्या खुराफातें भरी थीं।

आकर हिन्दी केन्द्र के बारे में चर्चा चली; हम कह रहे थे, कमल लिख रही थी। तय हुआ कि पहले डॉक्टर कमल कुलश्रेष्ठ से मिला जाए जो लंदन यूनिवर्सिटी में हिन्दी के प्रोफेसर हैं। उन्हें फोन किया गया। हम उनके घर गए; देर तक बातें हुईं। तय हुआ कि शनिवार को प्रारम्भिक बैठक की जाए और 21 मई को इसका उद्घाटन हो। तब तक भारत से भी शुभकामनाएँ मँगवा ली जाएँ।

कुलश्रेष्ठजी से पता चला कि उनके कॉलेज में लगभग साठ हिन्दी के विद्यार्थी हैं, जिनमें भारतीय सिर्फ तीन हैं। हमारे महेशजी उनमें एक हैं। सीनियर कैम्ब्रिज की जो परीक्षाएँ होती हैं, उनमें पाँच हज़ार ऐसे विद्यार्थी हिन्दी लेते हैं, जिनकी मातृभाषा हिन्दी नहीं। उनमें एक हज़ार विद्यार्थी तो यूरोप के होते हैं। उन्हीं ने यह भी बताया कि रोम, पेरिस और ईस्ट जर्मनी के विश्वविद्यालयों में भी हिन्दी की पढ़ाई होती है और प्राग में भी शुरू होने जा रही है।

लंदन में यदि कोई सुसंचालित 'हिन्दी केन्द्र' हुआ तो इन सारे लोगों को एक सूत्र में बाँधकर हिन्दी सम्बन्धी बहुत से महत्त्वपूर्ण कार्य कराए जा सकते हैं।

वहाँ से हम लोग ''यूनिटी थियेटर'' में गए। माथुर साहब ने कहा था, रिव्यू 'Revue' नामक एक तरह के नए नाटक चले हैं, देख लीजिएगा। उसी से नाटक देखना शुरू हुआ। यह थियेटर कम्युनिस्टों और उनके शुभचिन्तकों के उत्साह और कला प्रेम का सबूत है। सदस्य या उनके द्वारा आमंत्रित व्यक्ति ही देख सकते हैं—यों, यह प्राइवेट थियेटर है। उन्मुक्त थियेटर रखने पर खेल को पहले सेंसर से पास करा लेना होता है और ये लोग जो खेल खेलते हैं, क्या उन्हें पास कराया जा सकता है ? अतः यह उपाय !

छोटी-छोटी सत्ताईस घटनाएँ, नाम है—Here Goes. अधिक व्यंग्य प्रधान। ड्रापसीन ही अनोखा। एक लड़की एक हाथ पर कबूतर और एक हाथ में ओलिब की पत्ती लिये खड़ी है। अमेरिका के प्रतीक 'चाचा शाम' उसे देखकर ही भौंचक हैं—शरीर पर अमेरिकन झंडा लटका है, बगल में कवच आदि शस्त्र पड़े हैं !

बहुत ही सादा रंगमंच। ऐक्टरों और ऐक्टरेस की पोशाकें भी सादी। सेटिंग भी प्रतीकात्मक। किन्तु रोशनी का ऐसा प्रबन्ध कि सारे खेल में जान आ जाती थी। कोई दृश्य एक मिनट का, कोई दो मिनट, तीन या पाँच मिनट। कोई दृश्य दस मिनट से अधिक का नहीं। दृश्यों का ऐसा लगाव कि एक दृश्य खत्म हुआ, लोग हँसने लगे, तालियाँ पीटने लगे कि दूसरा दृश्य प्रारम्भ ! जरा भी ऊब नहीं आई। बीच-बीच के दृश्य गानों में ही। अमेरिका की, फ्रैंकों की, चर्चिल की, स्ट्रैची की, राशनिंग की, तथाकथित प्रगतिशील लेखकों की, नई नारियों की—सब की धज्जियाँ उड़ाई गई थीं !

काफी लोग आए थे। इला सेन और जोन रीड भी आए थे, जिनसे ओम ने परिचय कराया।

खेल समाप्त होने पर एक महिला ने दर्शकों को धन्यवाद किया और बताया कि उन पर पुलिस ने समन जारी कराए हैं। वह मुकदमा लड़ना होगा, जो मदद करना चाहें, दरवाजे पर कुछ देकर जाएँ। दरवाजे पर तीन लड़कियाँ डब्बा लिये खड़ी थीं और जो पैसे देते, उन्हें हँस-हँसकर धन्यवाद देती थीं।

आज खूब जाड़ा पड़ता रहा। दो दिनों तक जगमगाहट फैलाकर सूर्यदेव गायब हो गए। दिन में सिर्फ एक-दो बार झाँकी देखी उनकी ! रात में जब लौटा, काफी ठंडक थी।

थियेटर के साथ ही एक छोटी सी पुस्तकों की दुकान। मैंने यहाँ पर 'डेली वर्कर' का इतिहास खरीदा। साधारणतया सभी प्रकार की प्रगतिशील पुस्तकें यहाँ मिलती हैं।

जहाज घाट : संगीत रूपक

27 अप्रैल, 1951

आज लंदन का डौक-एरिया देखना था--हिन्दी में कहिए तो जहाज घाट।

जलपान के बाद चले। रास्ते में पार्कों और पेड़ों पर बार-बार ध्यान जाता था। बड़ी ऊँची, ठंडी और प्रायः ही काली बनी हुईं इमारतों के बीच-बीच, जहाँ-तहाँ पार्क--हरी-हरी भूमि, जगह-जगह फूलों की क्यारियाँ, इधर-उधर कुरसियाँ रखीं, कई पार्कों के बीच तालाब भी। इन पार्कों में हमेशा ही आप कुछ लोग पाएँगे--बच्चे, बूढ़े, युवक और युवतियाँ ! युवतियों को बाद देकर आप जैसे लंदन की कल्पना ही नहीं कर सकते ?

और पेड़--धीरे-धीरे जैसे काया पलट हो रही हैं इनकी। काले-काले पत्ते रहित पेड़ों को ध्यान से देखिए, तो मालूम होगा, उनसे कोपलें फूट रही हैं। कुछ में तो फूट चुकी हैं ! लगे हुए पत्तों की अपेक्षा फूटते पत्ते जैसे मन में गड़े जा रहे हों।

छोटे-छोटे पत्ते; रंगीन पत्ते कोई-कोई पेड़ के पत्ते तो ऐसे हैं कि पूरी विटपी दुलहिन लगती हैं।

अच्छे समय पर निमंत्रण दिया गया है हमें।

ज्यों-ज्यों जहाज घाट के निकट पहुँचने लगे, पिछली लड़ाई की विभीषिका आँखों के सामने स्पष्ट होने लगी। हिटलर के हवाई जहाजों की अधिक मार इस घाट पर ही थी। अब भी गिरे घरों के मलबे दिखाई पड़ते हैं, अब भी गिरे-अधगिरे घर भयानक लगते हैं।

यह टेम्स नदी है, नदी में जहाज-ही-जहाज, किनारे पर क्रेन-ही-क्रेन। क्रेन के द्वारा बड़े-बड़े माल गोदामों से उठाकर जहाज पर लादे जा रहे हैं।

पहले हमें एक अजीब गोदाम दिखाया गया। जमीन के अन्दर तहखाने में शराब के पीपे रखे गए हैं। हमें जो तहखाना दिखाया गया, वह 1805 में बना। तहखाना ईंट और पत्थर का है--लकड़ी या लोहे का कहीं नाम नहीं। ऐसे अनेक तहखाने हैं, जिनका रकबा बीस-तीस एकड़ से कम नहीं होगा। इनमें जो पीपे हैं, वे बहुत पुराने हैं--लगभग बीस-तीस साल के। पीपों में शराब भरकर व्यापारी यहाँ रखे हुए हैं। ज्यों-ज्यों शराब पुरानी होती है, त्यों-त्यों उसकी कीमत बढ़ती जाती है। तहखाना आठ-दस फीट से ज्यादा ऊँचा नहीं, तीन-चार पीपे एक-पर-एक रखे गए हैं। पीपों से शराब की जो गैस निकलती है, उससे तहखाने से छत में काई जम गई है। काई--रंगबिरंगी--उजली, लाल, हरी। देखने में बड़ी खूबसूरत !

हमारे पथप्रदर्शक ने पूछा, क्या थोड़ी चखिएगा ? अजीब हड्डी-तोड़ ठंडक थी--यारों ने हाँ कह दी। पोर्ट के एक पीपे से लाल सी चीज पम्प से निकाली जाने लगी और गिलास खनकने लगे। मैंने भी थोड़ी ली--पीने में कितनी ठंडी; पेट में पहुँचते ही नसों में जैसे आग दौड़ने लगी।

वहाँ से हम उस स्थान पर गए, जहाँ तम्बाकू का गोदाम था। देश-देश की तम्बाकू। क्या भारत की तम्बाकू भी है ? पथप्रदर्शक ने एक बोरे को उघाड़कर भारतीय तम्बाकू दिखलाई और बताया, इस तम्बाकू का रंग चोखा भले ही न हो, पर होती है बड़ी अच्छी !

फिर वहाँ, जहाँ से जहाज रवाना होते हैं। बड़े-बड़े जहाज खड़े थे। लोग चींटियों की

तरह दौड़धूप कर रहे। जहाजों के अजब-अजब नाम। एक जहाज का नाम 'शिमला' देखा। किनारे पर जहाजी कम्पनियों की तख्तियाँ ! कम्पनी—अंग्रेजी जीवन की यह भी एक प्रतीक। अकेले-अकेले कुछ न कर सकोगे; मिल जाओ कुछ लोग, खड़ी करो कम्पनी, फिर बाजी तुम्हारी !

दिन का भोजन सुप्रसिद्ध समाचार एजेंसी रायटर के दफ्तर में करना था। उसके प्रधान ने हमारा स्वागत किया, फिर गप्पें शुरू हुईं—खड़े-खड़े पीते रहो, गप्पें लड़ाओ। रायटर में तीन-चार भारतीय काम करते हैं, वे भी आए। सबके सब बम्बई के। फिर भोजन। भोजन में भारतीयता की पुट—गोश्त तक नहीं था।

फिर दिखाया गया कि कैसे यहाँ काम होता है। जहाँ देखिए, वहीं टेलीप्रिंटर ! देश-देश से समाचार आते हैं उन्हें छाँटा जाता है, उन्हें रोचक बनाया जाता है। बहुत से समाचार वायरलेस से आते हैं। बने बनाए समाचार सम्पादक मंडल के पास जाते हैं, वह जब पास कर देता है, तो फिर कहीं टेलीप्रिंटर से, कहीं वायरलेस से भेज दिया जाता है !

रायटर के साथ ही असोसियेटेड प्रेस ऑफ इण्डिया को मिला दिया गया है। वहाँ हम लोगों का फोटो लिया गया।

रायटर की बगल में ही सेंट पॉल का बड़ा गिरजाघर है—इंगलैंड का सबसे बड़ा गिरजाघर। इस पर भी हिटलरी बम गिराए गए थे। संयोग से बम बगल के हिस्से पर गिरा। उस हिस्से की पूरी मरम्मत अभी तक नहीं होने पाई है।

रास्ते में बैंक ऑफ इंगलैंड और उसकी बगल में रोयाल एक्सचेंज देखा। इंगलैंड के सारे आर्थिक ढाँचे का केन्द्र बिन्दु यही है। बैंक ऑफ इंगलैंड का राष्ट्रीयकरण हो चुका है !

घर आकर जरा सा लेटा था कि फिर नाटक देखने को रवाना !

डॉक्टर लोहिया ने कहा था, यूरोप में नाटक देखना नहीं भूलना। नाटकघर यूरोपवालों का तीर्थ स्थान है और हम उनके एक सर्वश्रेष्ठ तीर्थ स्थान में थे।

सेवेल—थियेटर में एक संगीत रूपक "Gays' the ward"। इंगलैंड की प्रसिद्ध नर्तकी-कुर्तनीज... का अभिनय। पता चला, छप्पन वर्ष की है वह ! किन्तु कैसा कमाल !

बहुत छोटी सी कहानी। एक नर्तकी ने एक नाटक मंडली बनाई है। वह उसके खेलने की तैयारी करती है, पात्र-पात्रियों का चुनाव करती है, रिहर्सल कराती है, फिर लोगों को दिखलाती है। बस, इसी कहानी में क्या-क्या कमाल नहीं दिखलाया गया। व्यंग्य-हास्य, शृंगार-हास्य, गीत-नृत्य ? गीत-नृत्य—जीवन से ओत-प्रोत ? जवान, खूबसूरत लड़कियाँ ! कैसी सुघड़ जाँघें, कैसी कसी छातियाँ ? नाचती क्या थीं, उड़ती-सी मालूम होती थीं। संगीत में इतना चढ़ाव और इतनी क्षिप्रता कि नृत्य में पंख लग गए-से दीखते। बार-बार तालियों की गड़गड़ाहट ! जब खेल समाप्त हुआ, वह दृश्य क्या भूलने का है। अपने नट-नटी की कद्र करना वे जानते हैं ? खेल खत्म कर वे सब पंक्तियों में खड़े हुए। फिर तो तालियाँ इस जोर से पिटीं और इतनी देर तक पिटीं, कि सारा भवन गूँज रहा था। नर्तकी ने धन्यवाद दिया; तीन बार परदा गिरा और उठा और तालियों की गड़गड़ाहट में ही खेल का अन्त हुआ।

इधर मैं लंदन की इमारतों को देखकर सोच रहा था, लंदन बूढ़ा हो गया। बड़ी-बड़ी इमारतें, इसमें सन्देह नहीं—किन्तु सब पर कालिमा-सी पुती। ज्यादातर पत्थर की इमारतें धुआँ और लगातार का जाड़ा और वर्षा—इन्हें धुँधला बना छोड़ते हैं। अपने देश की तरह कहीं चमक नहीं। देखने से लगता है, ये इमारतें नहीं, कोई बुढ़िया है। किन्तु आज जब इस थियेटर को देखा, इसके गीत-नृत्य की क्षिप्रता देखी, दर्शक और दर्शिकाओं की उमंग का पता पाया, तो लगा, नहीं, लंदन अभी बूढ़ा नहीं हुआ है ? छिलके पर दाग पड़ गए हों, भीतर ताजा

रस लबालब है।

वहाँ से लौटकर 'शफी' में खाना खाया। यह एक भारतीय भोजनागार है। हर तरह का खाना। कोफ्ता, पुलाव, मुर्ग-मुसल्लम, दही-बड़े, जलेबी—हाँ, दाम, अधिक देने पड़ते हैं ! नाम 'शफी' है—किन्तु इसके मालिक हैं एक गुजराती सज्जन-लालजी भाई। यहाँ बहुत से भारतीय, विद्यार्थियों को देखा। हर की बगल में एक 'एटेची' ! बाप-दादों की कमाई—खूब उड़ा लो यार !

बारह बजे रात के लगभग लेटा !

अजीब जिन्दगी हमारी है ! दिन भर चक्कर में ही—न आराम, न पूरी नींद। थोड़े दिन हैं, बहुत देखना है, अतः यह जल्दबाजी। रात को लौटता हूँ, तो थका-माँदा। अकेला; इस गुलगुली शय्या पर लेटा नहीं कि नींद !

मेरे कमरे में, मेरे सिरहाने, एक बड़ी सुन्दर तसवीर है। दो बच्चे—बच्ची के गले में हाथ डाले एक बच्चा। कितनी मासूमियत। कैसी उदासी ! शायद दो अनाथ, चिन्ताशील, भोले-भाले शिशुओं की मनोभावना को साकार करने की चेष्टा की गई है और निस्सन्देह इसमें चित्रकार सफल हुआ है। इस विलास के घर में यह करुणा की मूर्ति ! क्यों ?

ब्रिटिश म्यूजियम : इंगलैंड के अखबार

28 अप्रैल, 1951

आज प्रतिनिधि मंडल का कोई खास कार्यक्रम नहीं। पूरा दिन अपना है।

भोर में ही सच्चिदानन्दजी आए। उनके साथ उनकी पत्नी कला थीं। कला के लिए एक जोड़े जूते विमला ने दिए थे। उन्हें सौंपकर सन्तोष हुआ। सच्चिदानन्दजी यहाँ मानववंशशास्त्र पढ़ने आए हैं। कला भी पढ़ रही है। इन्होंने कल शाम के लिए खाने का निमंत्रण दिया।

लगभग साढ़े दस में ओम प्रकाश और तूफान साहब आए। हम लोगों ने ब्रिटिश म्यूजियम देखने का तय किया।

ब्रिटिश म्यूजियम—अंग्रेजों की संग्रहवृत्ति का श्रेष्ठ उदाहरण। विदेशों से रुपए-पैसे ही नहीं लाए, कला, कारीगरी, ज्ञानें आदि के साधन भी लाए और उन्हें यहाँ एक जगह एकत्र किया ! इसके लगभग एक दर्जन विभाग हैं। एक-एक विभाग भारत के किसी भी पूरे म्यूजियम का मुकाबला कर सकता है।

यहाँ छपी पुस्तकें हैं, हस्तलिखित पोथियाँ हैं, चित्र हैं, सिक्के हैं, मूर्तियाँ हैं। रोमन और मिस्री मूर्तियों की पंक्तियाँ देखते ही सिर चकरा जाता है। चीन की चित्रकारियों का संग्रह देखकर आदमी भौंचक हो जाता है। हस्तलिपियों की भी भरमार है। ऐसा एक भी प्रसिद्ध अंग्रेज लेखक नहीं हुआ जिसकी हस्तलिपियाँ यहाँ न हों—और छपी पुस्तकों का क्या कहना ?

तूफान साहब ने कहा—क्या आप अपनी पुस्तकें देखना चाहते हैं ? क्यों नहीं—हमने नाम लिखकर दे दिया। दस मिनट के अन्दर ही 'विद्यापति की पदावली' का प्रथम संस्करण हमारे सामने था—वह सचित्र संस्करण जो पौष 1982 वि. में निकला था। 31 अगस्त, 1927 में यह संस्करण यहाँ आया था। अब भी ताजा लग रहा था वह।

एक इस म्यूजियम को देखने के लिए ही कई दिन चाहिए। मेरे पास उतना समय कहाँ ? जब तक मेरी पुस्तकें निकाली जा रही थीं, मैंने हिन्दी पुस्तकों की सूची देखी। कई अलभ्य पुस्तकों के नाम देखे। सूची में पहली पुस्तक सैयद अब्दुल्ला की 'सिंहासन बत्तीसी'। 1878 ई. में ही अनवर अली ने 'बिजली-दीपिका' लिखी थी, जिसमें विद्युत सम्बन्धी बातों का समावेश

है। जे. टी. टॉम्सन ने 1882 में 'ज्योतिष और गोलाध्याय' लिखा, अयोध्या प्रसाद ने 'गणितसार' लिखा 'खगोल विद्या' और 'भूगोल विद्या' पर 1860 में ही इलाहाबाद से पुस्तकें निकलीं। क्या ही अच्छा होता कि कोई हिन्दी प्रेमी विद्वान यहाँ की हिन्दी पुस्तकों पर अध्ययन करता और यदि इन पुस्तकों की प्रतियाँ भारत में ले जाने की कोई व्यवस्था होती !

नेपोलियन की वह नसदानी देखी जिसे उसने किसी अंग्रेज को भेंट किया था। स्कॉटलैंड की क्वीन 'मेरी' की अँगूठी भी यहाँ सुरक्षित है। शेली का एक पत्र देखकर उस कवि की कल्पना और भावना की जिन्दगी साकार हो गई।

म्यूजियम से निकल रहा था कि डॉ. अशरफ साहब से भेंट हो गई। डॉ. अशरफ—हमारे पुराने दोस्त। अखिल भारतीय कांग्रेस कमिटी के राजनीतिक विभाग के संचालक। जब सोशलिस्ट पार्टी बनी, उसमें शामिल हुए। कई बार पटना आए। अच्छे वक्ता, प्रभावशाली व्यक्तित्व ! किन्तु पीछे कम्युनिस्ट पार्टी का साथ दिया और जब भारत का विभाजन हुआ, पाकिस्तान चले गए। किन्तु भाग्य का फेर ! अब उन्हें पाकिस्तान लेने को तैयार नहीं, भारत उन्हें क्यों ले ! अंग्रेज बीवी कमाती है; आप म्यूजियम में बैठकर अनुसंधान करते हैं। कम्युनिस्टों से भी नहीं बनती है। चाहते हैं कि भारत की कोई यूनिवर्सिटी ढाई-दो सौ के माहवार पर भी बुला ले ! उन्हें देखकर बड़ी करुणा आई ! स्थानभ्रष्ट होने पर आदमी कहीं का नहीं रहता।

दिन में ओम प्रकाश के घर खिचड़ी खाई। कमल के हाथ का चमत्कार। बड़े प्रेम से खाया। फिर एक साथ फोटो खिंचवाया।

आज यहाँ फुटबाल का एक मैच होने वाला था। सोचा था, देखेंगे। किन्तु ब्रिटिश इन्फॉरमेशनवालों की चेष्टा पर भी टिकट नहीं मिला। यह हिन्दुस्तान थोड़े है कि सरकार जो चाहे कर ले, जहाँ चाहे कुरसियाँ खाली कर दे या रखवा दे। तय हुआ था कि बी.बी.सी. में चलकर टेलीविजन पर देखेंगे। इसके लिए उन लोगों ने प्रबंध भी कर रखा था। किन्तु खिचड़ी ने उस कार्यक्रम को खटाई में डाल दिया। किन्तु संध्या के सभी पत्र उसकी रिपोर्ट से भरे हुए थे। देखनेवालों की संख्या एक लाख पहुँच गई थी। बादशाह भी सपत्नीक पधारे थे। कई दिनों से लोग बाहर से आ रहे थे। तीन शिलिंग की टिकट तीन पौंड दस शिलिंग में बिकी।

पहले के निर्णय के अनुसार डॉ. कमल कुलश्रेष्ठ तथा कुछ अन्य हिन्दी प्रेमी मेरे यहाँ हिन्दी केन्द्र के सम्बन्ध में विचार-विमर्श करने को पधारे। केन्द्र के लिए एक छोटी सी नियमावली बना ली गई और अस्थायी रूप से उसके सभापति डॉ. कुलश्रेष्ठ और मंत्री ओम प्रकाश चुने गए। तय हुआ कि 21 मई को उसका उद्‌घाटन किया जाए--मेरे ही द्वारा उसका उद्‌घाटन कराने का उन्होंने निश्चय किया !

सोचता हूँ, यदि यह काम हो गया, तो मेरी लंदन यात्रा ही सफल नहीं हुई; बल्कि हिन्दी की एक बड़ी सेवा हो जाएगी। इस सम्बन्ध में भारत के हिन्दी प्रेमियों का ध्यान आकृष्ट करने के लिए कल से लिखा-पढ़ी शुरू कर दूँगा।

श्री टंडनजी को लिखूँगा कि क्या सम्मेलन के प्रपंच में वह पड़े हैं। अब समय आ गया है कि विदेशों में हिन्दी प्रचार के लिए चेष्टा की जाए। यूरोप की हर राजधानी में हिन्दी केन्द्र की स्थापना तो तुरत कर ही लेनो चाहिए। लोग लालायित हैं, भारत से सहायता मिले, तो यह काम तुरत किया जा सकता है।

जब से यहाँ आया हूँ, यहाँ के पत्रों को बड़े ध्यान से देख रहा हूँ। कल जितने पत्र मिल सके, खरीदा। उन पत्रों को देखकर यहाँ की पत्रकारिता के बारे में कुछ मोटी-मोटी बातें स्पष्ट हो जाती हैं।

इन्फॉरमेशन की ओर से हमें जो सूचना पत्र दिए गए, उनसे पता चलता है कि लंदन से दस बड़े अखबार भोर में निकलते हैं, जिसमें 'डेली मिरर' का प्रसार सबसे अधिक है 45, 47, 161। इसके मुकाबले का पत्र 'डेली एक्सप्रेस' है 40, 82, 709। 'डेली मेल' का प्रसार बाईस लाख है और 'डेली हेरल्ड' का बीस लाख। यह पत्र लेबर पार्टी का है। विश्व विख्यात पत्र 'टाइम्स' का प्रसार सिर्फ 2,55,000 है और कम्युनिस्टों के 'डेली वर्कर' का 1,17,000। 'डेली क्रानिकल' का प्रसार पन्द्रह लाख है।

लंदन से संध्या को तीन दैनिक निकलते हैं—'इवनिंग न्यूज' सोलह लाख; 'स्टार' बारह लाख और 'इवनिंग स्टैन्डर्ड' आठ लाख। प्रान्तों से जो पत्र निकलते हैं उनमें से किसी का प्रसार पाँच लाख से अधिक नहीं है। रविवार के पत्रों में 'न्यूज ऑफ दि वर्ल्ड' का प्रसार चौरासी लाख है। साप्ताहिकों में सबसे अधिक प्रचार है 'न्यू स्टेट्समैन एंड नेशन' का—सतहत्तर हजार। सचित्र साप्ताहिकों में 'पिक्चर पोस्ट' का प्रचार सबसे अधिक है—चौदह लाख।

सभी पत्रों में एक खास बात यह है कि वे सिर्फ राजनीति पर ही ध्यान नहीं देते, सामाजिक और व्यक्तिगत बातों पर अधिक जोर देते है। बेवन साहब के इस्तीफे से काफी सनसनी मची हुई है, किन्तु प्रिंस अली की प्रेयसी 'रिता' के डायवोर्स की बातें उससे कम जगह नहीं घेरतीं ! हर पत्र के मुख्य पृष्ठ पर किसी सुन्दरी का प्रेम सम्बन्धी शीर्षक जरूर होता है और चित्र भी। यों ही 'टाइम्स' को छोड़कर किसी का भी सम्पादकीय एक कालम से अधिक का नहीं होता है। 'डेली वर्कर' अपना सम्पादकीय मुख्य पृष्ठ के पहले कालम में ही छापता है।

भारत के सभी दैनिक बड़ी साइज में ही निकलते हैं। उस साइज का यहाँ सिर्फ एक पत्र है—'टाइम्स' ! पत्रों की मिल्कियत मुख्यतः सात कम्पनियों की है—नकेम्सले न्यूज पेपर चौबीस पत्र; एसोसियेटेड न्यूज पेपर्स उन्नीस पत्र; वेस्ट मिनिस्टर प्रेस तैंतालीस पत्र; प्राविंसियल न्यूज पेपर्स पन्द्रह पत्र; हार्मस्वर्थ ग्रूप चौदह पत्र; इलिफे ग्रूप चार पत्र; लंदन एक्सप्रेस न्यूज पेपर्स तीन पत्र। 'डेली हेरल्ड' के इक्यावन सैकड़े शेअर्स ओठम प्रेस का है और उनचास सैकड़े शेअर्स ट्रेड यूनियन कांग्रेस का, जो उसकी नीति का संचालन करती है।

जाड़ा बढ़ता जा रहा है। जब-तब झींसी-फुही भी हो जाती है। इसे लोग 'लंदन का मौसम' कहते हैं ?

हाँ, इतने दिनों से हूँ, पंछी नहीं देखे ? कल मैंने रायटर के दफ्तर में एक सज्जन से पूछा भी। वह कहते हैं, पंछी देहातों में देखिएगा।

कुछ परिचित चेहरे

29 अप्रैल, 1951

आज रविवार है। कल ही तय कर लिया था, कल खूब सोऊँगा, अतः नौ बजे तक सोता रहा। उठकर स्नानादि से निवृत्त हो अकेले हाइड पार्क की ओर गया। कुछ लोग इस विस्तृत मैदान में टहल रहे थे। मैं भी बहुत दूर तक निकल गया। कहीं बूढ़े, कहीं बच्चे; कहीं युवक, कहीं युवती। दूर से वह एक युवती आ रही है। लाल रंग का घाघरा; लाल रंग का बड़ा रूमाल गले में बाँधे ! सुनहले बाल बिखरे। आगे-आगे दो कुत्ते—डगमग कदम डाल रही है। क्या बात है कि यहाँ की जवान लड़कियाँ लाल रंग अधिक पसन्द करती हैं—उसे पहनकर तो वह लाल ज्वालामुखी-सी लगती हैं ?

कानों में चिड़ियों की आवाज पड़ी—जिसके लिए छटपट कर रहा था। उस ओर देखा, तो कुछ कबूतर नीचे चुग रहे। कबूतर की बोली तो ऐसी नहीं हो सकती। पेड़ के नजदीक चला गया—काले-भूरे रंग के पंछी फुदक रहे ! देखने में अच्छे नहीं लगे !

खाना खाकर फिर सो गया। बस, सोने से आज ही मन भरा है। पाँच बजे ओम प्रकाश के साथ डॉ. अशरफ के घर गया। वहीं पंचानन मिश्र से भेंट हुई। बलिया के हैं। लन्दन स्कूल ऑफ इकोनोमिक्स में पढ़ते हैं। यहाँ की सोशलिस्ट पार्टी में हैं। डॉक्टर अशरफ के घर पर ही कुछ पाकिस्तानी पत्रकारों से भेंट हुई थी। उसमें एक सज्जन वह भी थे, जो पाकिस्तानी पत्रकारों के प्रतिनिधि मंडल में भारत पहुँचे थे और जिन्होंने भारत की प्रशंसा में कुछ ऐसा कहा था कि पाकिस्तानी पत्रों में तूफान मच गया था। उन्होंने पूछा—आपके यहाँ का मजहबी पागलपन पूरी तरह दूर हो गया न ? भाई-भाई की गरदन काटकर कमबख्त अब सुस्ता रहे हैं ! कब तक लड़ते ?

यहीं यूरोप यात्रा का खाका बनाया गया—फ्रांस, स्विटरजरलैंड, चेकोस्लोवेकिया, इटली और यूगोस्लाविया और मिस्र देख लिया जाए। तब हम अपने देश 14 जून को पहुँच सकेंगे। कुल खर्च एक सौ पच्चीस पौंड लगेंगे।

अशरफ साहब मुसलमानी युग का सामाजिक इतिहास लिखने की तैयारी में हैं। म्यूजियम की तीन सौ हस्तलिखित फारसी की किताब पढ़ चुके हैं। कुछ पुस्तकें पटना में हैं खुदाबख्श खाँ की लाइब्रेरी में। हाई कमिश्नर से हुक्म लेकर कुछ दिनों के लिए पटना आनेवाले हैं। डॉ. महमूद साहब को उन्होंने लिखा है।

पंचानन मिश्र साथ में आए। तय हुआ कि अगले रविवार को यहाँ के पार्टी सदस्यों को बुलाकर मुझसे भेंट कराई जाए। पहली मई को लेबर पार्टी द्वारा आयोजित कंसर्ट में शामिल होने की भी राय दी। उसी दिन 'डेली हेरल्ड' देखना था, उन्होंने फोन से तय किया कि मैं दूसरे दिन भी देख लूँ, तो उसका प्रबन्ध हो जाए।

शाम को सच्चिदानन्दजी के घर पर भोजन किया। कला ने अपने हाथ से रसोई बनाई थी। भारतीय भोजन—बड़े प्रेम से खाया।

यहाँ पता चला, दोनों प्राणियों में सिर्फ तीस पौंड खर्च पड़ते। कला बच्चों की पढ़ाई सीख रही है। बी.ए. है। काशी में नैहर है उसका।

अंग्रेजों के जीवन पर बातें हुईं। इन दोनों ने अपने अनुभव पर बताया कि इनके जीवन में कितनी सच्चाई है ! ट्रेन पर चढ़ लीजिए, स्टेशन पर जहाँ से आना बताइएगा, उतने ही पैसे लेंगे। किन्तु कोई झूठ बताता ही नहीं है। मोड़ पर अखबार पड़े हैं, पैसे रख दीजिए, अखबार ले जाइए, शाम को अखबारवाला आएगा और अपने पैसे ले जाएगा। न पैसे कोई छूता है, न बिना पैसे का अखबार लेता है। जिन विद्यार्थियों को स्कॉलरशिप मिलती है, उन्हें अपने कॉलेज के अधिकारियों से लिखवाना पड़ता है कि वे कहाँ पढ़ रहे हैं। एक अधिकारी ने कहा—क्या तुम्हारी सरकार तुम पर विश्वास नहीं करती ?

किन्तु कुछ भारतीय अपने देश को कलंकित करते हैं। एक सज्जन जो यहाँ छः सौ पौंड कमाते हैं, एक बार एक स्टोर से छः शिलिंग की चीज उचककर ले चले ! वह पकड़े गए; अखबारों में मोटे-मोटे अक्षरों में यह खबर छपी !

कला ने बताया, यहाँ के भारतीय किस तरह आपस में भी अंग्रेजी बरताव करते और अंग्रेजी में ही बातें करते हैं ! इधर कई अंग्रेज उन्हें देखकर हिन्दी बोलने की कोशिश करते हैं। एक बार कला ट्रेन से जा रही थी। एक आवाज आई—"मेम साहब, बड़ा ठंड लग रहा है !" यह एक बूढ़ा अंग्रेज था। एक लेडी प्रोफेसर जब-जब उससे मिलती है, 'नमस्कार' ही

करती है। जब कला ने अपने प्रोफेसर को बताया कि उसे मुख्य भाषा के स्थान में अंग्रेजी पढ़ाई गई, तब वह दोनों उँगली काटने लगा।

वहाँ एक और बिहारी विद्यार्थी आए, जो पशु विज्ञान पढ़ने आए हैं। बहुत बातें हुईं। मैंने कहा—आप लोग यहाँ से ज्ञान-विज्ञान सीखकर तो जाइए ही; जरा यहाँ से जीवन का नया ढंग और आदर्श भी सीखकर जाइए। हमारा जो नया देश बनने जा रहा है, उसमें आप नौजवानों का बहुत बड़ा हाथ होगा। स्वर्गीय शम्भू बाबू का पुत्र श्रीजी इन्हीं के आसपास रहता है, किन्तु उससे भेंट नहीं हो सकी। पंचाननजी ने कहा, शरण यहाँ की सोशलिस्ट पार्टी का बड़ा ही उत्साही सदस्य है।

आज भी बड़ी ठंडक रही। सच्चिदानन्द के घर पर तो भींगते हुए ही गए।

यहाँ का जीवन बहुत महँगा है। सारा खर्च तो ब्रिटिश इन्फॉरमेशनवाले करते हैं—सिर्फ सिगरेट और इधर-उधर जाने का खर्च; तो भी पाँच दिन में पाँच पौंड खर्च हो चुके हैं।

बारह बज गए। तारीख बदल गई। अब सोना हो ! प्रायः हर दिन तारीख बदलने पर ही सोता हूँ।

कचहरी : ओवरसीज लीग

30 अप्रैल, 1951

लन्दन आए सात दिन हो गए। ये दिन कैसे सपने-से कट गए। मालूम होता है, अभी कल-परसों आया हूँ।

आज सवेरे लन्दन कोर्ट देखने गया। कोर्ट के चारों ओर अपने यहाँ जो हलचल रहती है, वह नहीं। कहीं ताईद बैठे हैं, कहीं मुख्तार साहब खड़े हैं, कहीं गवाह या मुद्दई-मुद्दालह शोर मचा रहे हैं, कहीं पान बिक रहा है, कहीं फेरीवाले घूम रहे हैं—यह दृश्य यहाँ नहीं।

मकान में भीतर जरूर कुछ लोग खड़े थे। ऊपर लिखा हुआ था, 'मौन रहिए, जिसमें इंसाफ पाने में लोगों को सुविधा हो।' पहले हमें सिरिश्तेदार के पास ले जाया गया। उसने बताया कि यहाँ इंसाफ की पद्धति क्या है। भारतीय न्याय पद्धति इसी के आधार पर बनी है, अतः कोई ज्यादा फर्क नहीं ?

वकील ही मैजिस्ट्रेट बनाए जाते हैं। किन्तु कुछ विशेष व्यक्तियों को भी अवैतनिक मैजिस्ट्रेट बनाया जाता है। ऐसे मैजिस्ट्रेट अकेले नहीं बैठते, दो या तीन एक बार बैठते हैं।

जूरी ट्रायल में एक भी जूरी भिन्न मत दे, तो फिर से ट्रायल होती है।

उसके बाद हमें कोर्ट में ले जाया गया। कोर्ट में सामने बीच में मैजिस्ट्रेट का आसन। उसके सामने पेशकार। उसके दोनों बगलों में एक तरफ वकीलों की पाँत दूसरी ओर मुद्दई के खड़े होने की जगह। मुद्दालेह मैजिस्ट्रेट के सामने खड़ा होता है या बैठता है। बैठने की मुमानियत नहीं है। मुद्दालेह के सामने उसके प्रतिनिधियों के बैठने की जगह। मुद्दालेह के पीछे एक बेंच प्रतिष्ठित व्यक्तियों के लिए। दर्शकों की चार-पाँच पाँतें उसके पीछे !

मैजिस्ट्रेट के आने की सूचना दी गई; सब खड़े हुए, मैजिस्ट्रेट के आगे बैठे। फिर मुद्दालेह आने-जाने लगे।

सबसे पहले चार-पाँच औरतें लाई गईं। पेशकार ने उसका जुर्म बतलाया—तुम अमुक रात, अमुक स्थान पर, वेश्यावृत्ति के उद्देश्य से भटक रही थीं, यह सही है कि नहीं। सभी औरतों ने अपराध स्वीकार किया और उन्हें पाँच शिलिंग से लेकर बीस शिलिंग तक जुर्माने

हुए। फिर चार-पाँच आदमी पेश किए गए—तुम अमुक रात, अमुक स्थान पर शराब पीकर अंटसंट बक रहे थे, यह बात ठीक है या नहीं। सभी ने स्वीकार किया, अफसोस जाहिर किया और इसी तरह के छोटे-छोटे जुर्माने हुए। एक आदमी पर यह अभियोग था कि वह एक स्थान पर खड़ा था, औरतों को बेहूदे ढंग से घूर रहा था और एक औरत को दोनों हाथों से अँकवार में ले लिया था। चार आदमियों पर यह अभियोग था कि वे रात में पिछले पहर मोटर पर जा रहे थे, उनका उद्देश्य बुरा था, पुलिस ने पीछा किया, तो ढेले फेंके। एक पत्थर का टुकड़ा भी पेश किया गया। जब पुलिस गवाही दे रही थी, एक मुद्दालेह जोर से चिल्ला उठा—"झुट्ठा !" पुलिस ने चुप रहने का इशारा किया, मैजिस्ट्रेट ने ध्यान भी नहीं दिया।

मैजिस्ट्रेट बीच-बीच में मुद्दालेहों से स्वयं भी पूछते थे। जब वकील जिरह कर रहे थे, तब भी बीच में टोकते थे। शराब खोरीवाले मामलों में पुलिस से यह भी पूंछा कि पकड़ने के समय मुद्दालेह ने कोई बेजा हकरत तो नहीं की ?

क्या कोर्ट को देखकर समाज का अन्दाजा लगाया जा सकता है ? नाली को देखकर घर की स्थिति के बारे में कहाँ तक कल्पना की जा सकती है ?

लोगों ने जिस तरह अपराध स्वीकार किया और मैजिस्ट्रेट ने जैसी हलकी सजा दी, उससे क्या यह मान लिया जा सकता है कि वर्तमान समाज में ऐसी चीजें होती ही हैं—सजा उसे रोक नहीं सकती तो लोगों को झूठ बोलने के लिए लाचार क्यों किया जाए ? हाँ, वैभव की नगरी में भी कुछ लोगों को जीवन धारण करने के लिए ऐसे कुकर्म करने पड़ते हैं, यह सिद्ध करता है कि समाज में आमूल परिवर्तन यहाँ भी आवश्यक है।

दिन का खाना 'ओवरसीज लीग' में हुआ। यह यहाँ के टोड़ियों की बड़ी संस्था है। इसकी शाखा देश-विदेश में फैली हुई है। इसकी सदस्य संख्या बासठ हजार है। लार्ड माउन्टबेटन इसके वर्तमान सभापति हैं। हम जिस दिन यहाँ पहुँचे, हमारे पास पत्र पहुँचा कि जब तक हम इंगलैंड में हैं, हमें इस अवधि के लिए उसकी सदस्यता निःशुल्क प्रदान की गई है। लन्दन में इसका शानदार मकान है—खाने-पीने, नाचने-गाने, पढ़ने-लिखने, खेलने, मन बहलाने के सभी साधन यहाँ सदस्यों के लिए सुलभ हैं। इसका एक हॉल है—जिस पर 'भारत और पाकिस्तान हॉल' लिखा हुआ है। इसके बनाने में हमारे राजाओं और नवाबों ने काफी पैसे दिए।

इसी हाल में हमें दिन का खाना खिलाया गया। खाने पर मेरी बगल में लेड़ी एलफिंस्टन बैठी थीं, जो इसकी कार्य समिति की सदस्या हैं। पटना की चर्चा बहुत करती थीं। लेडी एलफिंस्टन हाल की, चाइल्ड वेल्फेयर सेन्टर की पटना सिटी के जालान साहब की भी चर्चा की और लेडी इमाम की भी। अकाल के बारे में भी पूछ बैठीं। बिहार से उनकी इतनी दिलचस्पी अब भी देखकर आश्चर्य हुआ।

शाम को C.O.I. का फिल्म विभाग देखने गया। कई चित्र दिखलाए गए। 'दिस ब्रिटेन'—नाम का चित्र बड़ा प्रभावशाली था। उसमें बताया गया था कि अन्न के लिए, घी-दूध के लिए, लकड़ी के लिए, कोयले के लिए और बाहर भेजे जानेवाले सामानों की तैयारी के लिए ब्रिटेन क्या-क्या कर रहा है। दूध और अन्न की पैदावार इतनी बढ़ गई है कि आधी खुराक अब अपने देश से ही मिल जाती है। समुद्र की घास से कपड़ा बनाना और समुद्र के पानी से मेंगनिस निकालना—यह देखकर बार-बार अपने देश की त्रुटियों पर ध्यान आता था। 'आम चुनाव'—सम्बन्धी चित्र भी बहुत मजेदार था। भारत में अगले साल आम चुनाव होगा। क्या भारत सरकार इस तरह की कोई शिक्षात्मक फिल्म नहीं बनवा सकती।

खाने-पीने के बाद 'न्यूज थियेटर' देखने गया। यह थियेटर सुबह ग्यारह बजे से रात के ग्यारह बजे तक चलता ही रहता है। नाम थियेटर है, किन्तु है यह डॉक्यूमेंटरी फिल्म। लोग

किसी भी समय जाकर बैठ जाते हैं और जहाँ से देखना शुरू किया, फिर वहीं पहुँचने पर उठकर चले आते हैं ! क्या कोई दिन भर बैठा रह सकता है ? रोक तो नहीं है, किन्तु यहाँ किसको इतनी फुरसत है कि यों बैठा रहे।

वहाँ से हाइड पार्क आए। कोने पर दो वक्ता धड़ाधड़ व्याख्यान दिए जा रहे ! उनमें एक हब्शी था, जो गोरों की नीति पर कड़ी आलोचना कर रहा था और गोरे सुन रहे ! दूसरे वक्ता के नीचे लिखा हुआ था– Socialist Party of Britain. एक नौजवान व्याख्यान दे रहा कि लेबर पार्टी या कम्युनिस्ट पार्टी से कुछ होने-जाने का नहीं। ये लोग या तो पेबन्द लगाते हैं या अस्तर को उलटकर सीते हैं। पूँजीवाद पर सीधा प्रहार करो, उसका खात्मा करो, तभी कल्याण है !

इन व्याख्यानों में श्रोता काफी दिलचस्पी दिखलाते हैं। बीच-बीच में प्रश्न करते हैं, छेड़खानियाँ करते हैं, हँसी उड़ाते हैं, तालियाँ भी पीटते हैं। इन व्याख्यानों के द्वारा वक्ता मँज जाता है। यों श्रोता-वक्ता, दोनों का फायदा !

हाइड पार्क–और फिर विलासिता की बात। अभी एक मित्र कर रहे थे, कल रात को वह देर से लौटे। रास्ता भूल गए थे। जब पार्क के निकट आए, औरतों ने उन्हें घेरना शुरू किया ! कई स्थान पर उन्होंने बीभत्स दृश्य भी देखे। पुलिस यहाँ चौकस रहती है। जो पकड़े गए, वे कल लन्दन कोर्ट में हाजिर किए जाएँगे; जो निबट गए, वे निबट गए !

हाइड पार्क ऐसी जगह है जहाँ दिल का, दिमाग का, शरीर का मवाद खुले आम निकाला जा सकता है। यह लन्दन का सेफ्टी वाल्ब है।

पार्क की बात आई, तो पेड़ों की बात, पंछियों की बात। इस देश में कुछ पेड़ ऐसे हैं जिनमें पत्तों के साथ ही फूलों के गुच्छे भी निकल आते हैं। आज कई जगह रंग-बिरंगे फूलों से लदे ऐसे वृक्षों को देखकर आँखें तृप्त हो गईं ! कई जगह कबूतरों के झुंड को भी उड़ते, बैठते और किलोल करते देख बड़ी प्रसन्नता हुई।

ब्रिटिश उद्योग मेला : इंडिया हाउस

1 मई, 1951

भोर ही महेशजी आ गए। ऊनी अचकन और चुस्त पाजामे में उन्हें देखकर क्यों आश्चर्य नहीं हो, जिन्हें हमेशा घुटने से ऊपर की धोती और देह पर सिर्फ एक चादर में देखता आया था !

बहुत सी बातें करते हैं। उनमें मजाक भी इतना है, यह यहीं देखा। बोले–यहाँ तो गरदन में हाथ लगाकर लोग रास्ता बताते हैं। यानी किसी से रास्ता पूछिए तो आपको उस स्थान का सही रास्ता बताए बिना नहीं छोड़ेगा, चाहे उसे अपना रास्ता छोड़कर आपके साथ किसी मोड़ तक जाना पड़े या आपके घर तक।

लन्दन को लोगों ने हौआ बना रखा है, खर्च के हिसाब से भी और रहन-सहन के हिसाब से भी। दो-ढाई सौ रुपए में यहाँ मजे से रहकर पढ़ा-लिखा जा सकता है और यदि बीवी साथ में हो, तो खर्चा और भी कम--इससे भी कम हो जाता है। इसका कारण यह है कि कोई कच्ची चीज खरीद घर में पकाओ तो उसकी कीमत बाजार में बिकनेवाली चीज से चौगुनी कम पड़ती है। उन्होंने कई चीजों के उदाहरण देकर बताए।

यहाँ से ब्रिटिश इन्डस्ट्रीज फेयर देखने चले। B.I.F. की चारों ओर धूम है। 1914

की जब लड़ाई शुरू हुई, इंगलैंड में चीजों का अकाल-सा पड़ गया। उस समय यह सोचा गया कि इंगलैंड में बने मालों का एक मेला किया जाए, जिसमें लोगों को पता चला कि उनके देश में भी कौन सी चीजें कहाँ प्राप्त होती हैं। तब से यह मेला लग रहा है और दिन-दिन इसका विकास होता जाता है। अब इसमें सिर्फ इंगलैंड की ही नहीं, कॉमनवेल्थ भर की चीजें रखी जाती हैं और संसार भर से खरीदार पहुँचते हैं। इस साल इसमें सौ उद्योग-धन्धों की प्रदर्शनी हो रही है, जिसमें तीन हजार औद्योगिक व्यापारी अपने सामान ला रहे हैं। 30 अप्रैल से 11 मई तक यह मेला रहेगा। मेले के तीन भाग हैं (1) आर्ल्स कोर्ट में, (2) ओलिपिया में (3) बरमिंघम में। परसाल भिन्न-भिन्न देशों के उन्नीस हजार आदमियों ने यहाँ सौदे किए थे।

हम लोग आज आर्ल्स कोर्ट का मेला देखने गए। मेला नहीं कहकर इसे प्रदर्शनी कहना और भी अच्छा होगा। उफ, कैसा विस्तार, कैसी सजावट ! अंग्रेजों के वैभव और कारीगरी का कितना सही प्रदर्शन ! जहाँ देखिए, आँखें गड़ जाती थीं। दुकानों की सजावट में खास बात यह थी कि एक भी ऐसी दुकान नहीं, जिसकी सजावट में फूलों का व्यवहार नहीं किया गया हो। रंग-बिरंगे फूल—नीचे सिर्फ एक पतली डंठल और ऊपर फूलों के गेंद ऐसे गुच्छे—लाल, नीले, उजले, हरे ! सफाई का तो कहना ही क्या ? अनुशासन तो अंग्रेजों की नस-नस में है। लोगों की कमी नहीं, किन्तु क्या कहीं शोरगुल या धक्कम-धुक्की है।

जिस दुकान पर जाइए, आपसे मधुर-मधुर बातें करेंगे और बड़े करीने से अपनी चीजें दिखाएँगे। एक कपड़े की दुकान पर फैशन परेड हो रहा था। कुछ खूबसूरत लड़कियाँ तरह-तरह की पोशाक पहनकर आतीं, आगे-पीछे, अगल-बगल घूमकर दिखलातीं और चली जातीं। उनकी नंगी जाँघें, अधनंगी छाती—चुन-चुनकर रखी गई थीं, देखनेवालों की मौत ! बडी भीड़ लगी थी।

आज राजा-रानी भी इसे देखने गए थे। किन्तु हम उन्हें देख नहीं सके। हाँ, राजमाता 'मेरी' को देखा। बूढ़ी हो गई हैं, रिक्शे की ढंग की गाड़ी पर घूम रही थीं। कुछ दुकानों पर भी चली जाती थीं। साथ में पोते-पोतियाँ थीं। जहाँ-जहाँ जातीं, लोगों की कतार लग जाती। किन्तु कोई ज्यादा भभ्भड़ नहीं।

कॉमनवेल्थ के हर देश की दुकानें थी—सिर्फ भारत की नहीं। पाकिस्तान की दुकान सबसे आगे थी। जिन्ना टोपी पहने एक सज्जन लोगों को चीजें दिखला रहे थे। इच्छा हुई, जाऊँ और आदाबअर्ज कर जाऊँ ?

वहाँ से हम इण्डियन स्टुडेन्ट्स ब्यूरो में गए। जहाँ इण्डियन जर्नलिस्ट एसोसियेशन ने हमें भोज दिया था। भारतीय पत्रों से सम्बन्ध रखनेवाले सभी प्रसिद्ध पत्रकार आए थे। भोजन भारतीय था, परोसने का ढंग अंग्रेजी। दही-बड़े से शुरू हुआ; फिर पूड़ियाँ और पापड़; तब भात और गोश्त या दाल ! एसोसियेशन की ओर से श्रीमती इला सेन ने हमारा स्वागत किया। हमारी तरफ से वेंकटाचारी और ओझा ने जवाब दिए। लम्बे भाषण तो हमारी खूबी हैं ही !

शाम को इण्डिया हाउस में हमारी चाय थी। मैंने समझा; इण्डिया हाउस जा रहा हूँ, जरा पाजामा और शेरवानी और गांधी टोपी पहन लूँ। किन्तु वहाँ जाकर देखा, 'हाउस' तो बहुत बड़ा और शानदार है, पर 'इण्डिया' का कहीं पता नहीं। काले साहब, अंग्रेजी हाउ डू यू डू—और हमारा दुर्भाग्य, हाई कमिश्नर साहब की तबियत ही खराब हो गई !

मैं किसी दूसरे देश की एम्बेसी में नहीं गया हूँ, किन्तु इण्डिया हाउस को देखकर बड़ा दुख हुआ। गांधीजी की एक बड़ी तसवीर यहाँ जरूर है; किन्तु गांधी के देश के लोग यहाँ रहते हैं, यह कहीं पता नहीं चलता ! नेहरू साहब का ढरन है; भारतीय सरकार पर मद्रास

का बोलबाला है। कौन पूछता है, कौन देखता है। इण्डिया हाउस भारत का कलंक है। यह डंका पीट-पीटकर कहना है, अभी भारत पर अंग्रेजों की छाप बनी हुई है। गोरे साहब चले गए, काले साहबों ने हमें इस तरह ग्रस लिया है कि न जाने कब इनसे छुटकारा मिले ?

मन में कुढ़न थी, ग्लानि थी। यदि रात में अन्तरराष्ट्रीय युवक संघ की ओर से आयोजित मई दिवस के उत्सव में शामिल नहीं होता, तो शायद रात में ठीक से नींद भी नहीं आती।

एक हॉल में कई देशों के युवक एकत्र हुए थे। अधिकांश चेहरे गोरे थे; कुछ हब्सी दीखे और कुछ भारतीय। इंगलैंड के समाजवादी युवकों ने यह आयोजन किया था। लन्दन में सोशलिस्ट पार्टी का जो एक छोटा सा ग्रुप है, उसके अधिकांश लोग आए थे। सबसे पहले पारसाल एमस्ट्रडाम में हुई युवक कांग्रेस की फिल्म दिखाई गई। इसमें भारतीय युवक भी शामिल हुए थे और उनके हाथों में अपना हल और चक्कावाला झंडा देखकर बड़ी प्रसन्नता हुई। फिर सभा हुई। मंच के टेबुल पर हल-चक्कावाला हमारा झंडा ही बिछाया गया था। वक्ताओं में यहाँ के सोशलिस्ट ग्रुप के श्री आनन्द प्रकाशजी बोले और पंचानन मिश्र ने हिन्दी में झंडे का गीत गाया। सभापति ने अपने भाषण में इस बात पर जोर दिया कि डेमोक्रेटिक सोशलिज्म का भाग्य दो देशों के प्रयोग पर निर्भर करता है, इंगलैंड में जो हम कर रहे हैं और भारत में जो हम करने जा रहे हैं। अपनी तारीफ किसे अच्छी नहीं लगती; हमें बड़ा आनन्द आया। सभा के अन्त में एक बहुत अच्छा प्रहसन हुआ और हम लोग उसी की हँसी में लौटे। सभापति आकर मुझसे मिले और थोड़ी बातें कीं।

यहाँ कुछ सोशलिस्ट विद्यार्थियों से परिचय हुआ। आनन्द प्रकाश, इकबाल गामा, सिंघल-दम्पती, भटनागर, पटना के 'श्री' और कामेश्वर—यह देखकर आश्चर्य हुआ कि भारत से कोई प्रोत्साहन नहीं मिलने पर भी ये लोग यहाँ पार्टी का झंडा बुलन्द किए हुए हैं !

डाउनिंग स्ट्रीट : पार्लियामेंट : डेली हेराल्ड

2 मई, 1951

सवेरे उठता हूँ तो देखता हूँ, चारों ओर सूरज की किरणें सोना बरसा रही हैं और जब बाहर निकला, पाया कि जिन वृक्षों को एक सप्ताह पहले काला-काला देखा था, वे सबके सब हरे हो चले हैं। कोपलें मुँह खोल रही हैं, नए पत्ते झाँक रहे हैं।

आज सबसे पहले 10, डाउनिंग स्ट्रीट गया, जिसकी इतनी चर्चा बचपन से ही सुनता आया था। ब्रिटेन के प्राइम मिनिस्टर यहीं रहते हैं। प्राइम मिनिस्टर और चांसलर एक्सचेकर और मन्त्री लन्दन में अपना मकान लेकर रहते हैं।

मन्त्री मि. एटली बहुत दिनों से बीमार थे, अतः उनसे हमारी भेंट नहीं हो सकी। हम सिर्फ उनके प्राइवेट सेक्रेटरी से मिल सके। इनके प्राइवेट सेक्रेटरियों की संख्या पाँच है जो भिन्न-भिन्न विभागों की देखभाल करते हैं।

काफी देर तक बातें होती रहीं। एटली साहब प्रायः प्रेस कॉन्फ्रेंस नहीं करते। शब्दो के कंजूस हैं। किन्तु काम में बड़े मेहनती। लड़ाई के जमाने में उप-प्रधान मन्त्री रहे, अ प्रधानमन्त्री हैं। तेरह वर्षों से काफी मेहनत करते-करते स्वास्थ्य खराब हो गया है। किन्तु त भी लगे हैं। बेवन के मामले में आखिरी फैसला आपने ही किया था। एक बड़ा कदम था यह पर बिना झिझक के पैर आगे बढ़ाया और अब उस पर दृढ़ हैं। हर सातवें दिन केबिनेट क बैठक होती है, हर पन्द्रहवें दिन पार्टी की। पार्टी की मीटिंग बड़ी महत्त्वपूर्ण है—क्योंकि यहीं

तरह-तरह के लोगों को, खासकर 'बैक बेंचरों' को समझाना-बुझाना पड़ता है !

यह भी पता चला कि पार्लियामेंट पर सरकार का कोई अधिकार नहीं। स्पीकर ही सर्वेसर्वा है। स्पीकर इस बात पर बहुत चौकस रहते हैं कि सरकार कोई हस्तक्षेप नहीं करे।

हम जरा उन कमरों को देखना चाहते थे, जहाँ प्राइम मिनिस्टर रहते हैं, किन्तु कहा गया कि वहाँ इस समय कोई बैठक हो रही है। यहाँ यह भी बताया गया कि यह भवन सरकार का है, प्राइम मिनिस्टर को भी नियम के खिलाफ यहाँ किसी को ठहराने का अधिकार नहीं है।

जब बाहर निकले, सड़कों पर ब्रिटेन के महोत्सव– Festival of Britain की बहार देखी। चारों ओर सजावट हो रही है। ह्वाइट हॉल के कॉमनवेल्थ के ऑफिस पर और झंडों के साथ एक बड़ा सा तिरंगा लहराता हुआ देखकर बड़ी प्रसन्नता हुई। अहा ! इस झंडे को लेकर जवानी भर लड़ता रहा; यह सौभाग्य है कि इसे आज लन्दन के ह्वाइट हॉल पर लहराता देख रहा हूँ। साधारण थाने पर इसे लहराने के लिए हमें कितनी जानें कुरबान करनी पड़ीं।

ह्वाइट हॉल के सामने ही शहीदों का एक चबूतरा है। जब-जब इस ओर से गुजरता हूँ, सदा ही इस पर कुछ ताजे फूल और मालाएँ चढ़ाया देखता हूँ। जब-जब इस ओर से जाता हूँ, पटना सेक्रेटेरियट के सामने का शहीद चबूतरा याद आ जाता है ! कभी वहाँ फूल पाता हूँ ? हमारे मिनिस्टरों की कारें वहाँ से सरसराती हुई गुजरती हैं–कोई उनकी ओर नजर उठाकर भी देखता है !

यहाँ शहीदों के दो स्मारक और देखे। दोनों पर फूल पाए।

आज हमें पार्लियामेंट देखना था। पार्लियामेंट के आगे के हिस्से में 'बिग बेन' नामक एक टावर है, जिस पर एक घड़ी लगी है। इस घड़ी के बारे में कितनी ही किंवदंतियाँ हैं।

पार्लियामेंट भवन देखने का भार लेबर पार्टी के मिनिस्टर वायट– Woodrow Lyle Wyatt, M.P. पर था। वायट अभी तैंतीस वर्ष के हैं। नौजवान, हँसमुख, बुद्धिमान। आज ही उन्हें पार्लियामेंटरी अन्डर सेक्रेटरी और फाइनेंसियल सेक्रेटरी बनाए जाने की घोषणा हुई है।

बड़े प्रेम से मिले जब उन्हें मालूम हुआ कि मैं सोशलिस्ट हूँ, तो पूछ बैठे, जयप्रकाश नारायण को जानते हैं। मैंने सारी बातें कहीं ! उन्होंने कहा, एक बार उन्हें यहाँ क्यों नहीं भेजते ?

बिग बेन की पृष्ठभूमि में यहीं हमारा फोटो लिया गया। फोटो की बात चलते ही हमारे साथी कैसे व्याकुल हो जाते हैं। जो जिन्दगी भर दूसरे के फोटो छापते रहे, अपने फोटो पर इतनी ममता !

सबसे पहले पार्लियामेंट का वेस्ट मिन्स्टर भवन दिखलाया गया. जो पार्लियामेंट का सबसे पुराना भवन है। इसी स्थान पर सभी राजाओं का अभिषेक किया जाता है और इसी स्थान पर चार्ल्स को फाँसी की सजा पार्लियामेंट ने दी थी। फाँसी की सजावाला कागज अब भी सुरक्षित रखा गया है। उस पर उन सभी सदस्यों के हस्ताक्षर हैं जिन्होंने सजा के पक्ष में मत दिए थे। जहाँ चार्ल्स खड़ा किया गया था, वहाँ एक पत्थर का टुकड़ा जड़ा हुआ है। हमें यह भी बताया गया कि राजकुल का कोई पुरुष हाउस ऑफ कॉमन्स में नहीं आ सकता। एक बार विक्टोरिया के जमाने में उनके पोते चले आए थे, तुरत उन्हें निकाल बाहर किया गया।

वायट साहब ने घूम-घूमकर हमें पार्लियामेंट के भिन्न-भिन्न भवन दिखलाए। बड़ी विशाल और विस्तृत इमारत है। एक हजार कमरे हैं इसमें और सौ सीढ़ियाँ ! एक भाग में हाउस ऑफ

लॉर्ड है। एक विचित्र बात। हाउस ऑफ कॉमन्स और हाउस ऑफ लॉर्ड के प्रतीक दो रंग हैं। हरा रंग हाउस ऑफ कॉमन्स का है, लाल रंग हाउस ऑफ लॉर्ड का। वायट साहब ने हँसकर कहा--रूस में जो क्रान्ति का रंग है हमारे यहाँ वह प्रतिक्रियावाद का।

हाउस ऑफ लार्ड्स की शान-शौकत ने उतना प्रभावित नहीं किया, जितना हाउस ऑफ कॉमन्स की सादगी ने। पिछले युद्ध में पार्लियामेंट भवन पर बम बरसे थे; इसलिए हाउस ऑफ कॉमन्स नया बनाया गया है। किन्तु पुरानी सारी चीजें रखी गई हैं। छोटा सा यह भवन है। चौकोर यह बना है। लम्बे गद्देदार बेंचें समझिए जिन पर सदस्य बैठते हैं। मुश्किल से तीन सौ आदमी बैठ सकते हैं। सदस्य संख्या छः सौ से ऊपर है। सदस्य खड़े रह सकते हैं यां जरूरत होने पर ऊपर दर्शकों की गैलरी में बैठ सकते हैं और वहाँ से भी बोल सकते हैं। बीच में स्पीकर की कुरसी है और उनके सामने एक टेबुल। टेबुल भी कोई बड़ा नहीं। चारों ओर सदस्यों की सीटें हैं; बीच में थोड़ी सी जगह खाली है। इस खाली जगह के चारों ओर एक लकीर खिंची है, जिसे लक्ष्मण रेखा समझिए। इस रेखा के अन्दर ही रहकर सदस्यों को बोलना पड़ता है। वायट साहब ने बताया कि हमारी परम्परा के अनुसार पार्लियामेंट बहस या व्याख्यान की जगह नहीं, सलाह-मशवरे की जगह है। अतः यह छोटा सा कमरा, जिसमें एक-दूसरे की बात आसानी से सुन लें और नजदीक होने से हार्ट-टु-हार्ट बातें कर लें। बातें करते-करते कभी बातें बिगड़ जा सकती हैं और ऐसे अवसरों पर तलवारें भी निकल जाती थीं, अतः यह लक्ष्मण रेखा। बीच में इतनी ही जगह खाली है कि यदि दोनों तरफ से तलवारें निकल आएँ तो हाथ बढ़ाने पर भी एक-दूसरे को नहीं छू सकें।

हाउस ऑफ़ कॉमन्स की बैठक देखी। एटली नहीं आए थे। चर्चिल साहब को देखा, इडेन साहब को देखा। इडेन साहब टाँगें फैलाकर उन्हें स्पीकर की कुरसी से अड़ाए हुए थे। जिस समय रक्षामन्त्री शिनवेल कोरिया युद्ध पर बयान दे रहे थे, बड़ी चखचख हो गई। टोरियों का कहना था कि जब चीन हमारे जवानों को कत्ल कर रहा है तो फिर उसे युद्धोपयोगी कच्चा माल क्यों दिया जाता है ? शिनवेल ने कहा कि व्यापारी क्या भेजते हैं, हम उसका लेखा नहीं रखते; हाँ, सरकारी तौर पर कुछ नहीं दिया गया है। इस पर चर्चिल ने कहा—तो आप कुछ खबर नहीं रखते ! शिनवेल ने मुँह लगे कहा—जी, आपसे अधिक खबर रखता हूँ। इस पर टोरियों की ओर से शोर हुआ—यह बात वापस करो ! शिनवेल टस-से-मस नहीं हुए। तब जोरों से शोर मचा—इस्तीफा दो, इस्तीफा दो। सारा भवन कुछ देर तक गूँज रहा था। दोनों तरफ से शोर मच रहा था।

हमारा दिन का खाना पार्लियामेंट भवन में ही हुआ। वायट साहब तो थे ही, एक सदस्य लिबरल और एक सदस्य टोरी—ये भी बुलाए गए थे। लिबरल सदस्य बड़े सज्जन थे, बूढ़े थे, कम बोलते थे। किन्तु टोरी सदस्य काफी बोल रहे थे। हममें से एक ने पूछा—क्या उम्मीद है, आप का राज फिर होगा ? क्यों नहीं--उन्होंने मुँह लगे कहा। वायट साहब ने उनकी इस आशा को आकाशकुसुम बताया। लेकिन एक बात देखी, दोनों विरोधी अपनी बातों पर दृढ़ रहते हुए भी यों बातें करते थे कि एक ही घर के हों ! यही अंग्रेजों की खूबी है। वायट ने एमरी की बड़ी तारीफ की और कहा कि उनके बारे में बड़ी गलतफहमी है। चर्चिल के स्वभाव के बारे में भी दोनों एकमत थे। लड़ने और मिलने, दोनों में वह महान है। टोरी सदस्य ने उन्हें एक बूढ़ा बच्चा बतलाया, जो एक क्षण पहले लड़ ले और दूसरे क्षण मिलकर खेलने लगे। टोरी सदस्य ने कहा, एक बार हम लोगों ने कहा, नेहरू बहुत अंग्रेजद्रोही है। झट चर्चिल ने कहा—जिसे हमने पन्द्रह साल जेल में रखा, वह द्रोही नहीं होगा तो क्या होगा ? टोरी सदस्य ने भी यह स्वीकार किया कि यदि टोरियों का राज हुआ, तो भी भारत सम्बन्धी वर्तमान नीति

में अन्तर नहीं होता। जो हो चुका, हो चुका–हम अब भारत को बराबरी का मित्र ही मानेंगे !

वहाँ से साढ़े चार बजे बी.बी.सी. गए। लिंटन वहाँ के ईस्टर्न विभाग के इंचार्ज हैं। उन्होंने मुझसे टूटी-फूटी हिन्दी में बातें कीं। हिन्दी समझ तो लेते ही हैं।

शाम को लेडी माउन्टबेटन के साथ चाय थी, उसमें नहीं जा सका क्योंकि डेली हेरल्ड का ऑफिस देखना था और यदि यह नहीं देखता तो लन्दन यात्रा तो अधूरी ही रहती।

'डेली हेरल्ड' मजदूर संघ ट्रेड यूनियन कांग्रेस का अखबार है। 49 % शेयर इसके हैं और नीति भी इसी की। किन्तु 51 % शेयर औढम प्रेस के हैं और सारा प्रबन्ध उसके हाथ में ! पत्र नफे में चल रहा है।

लगभग ढाई घंटे तक यहाँ रहा। एक-एक चीज देखी। कहाँ यहाँ के पत्र; कहाँ अपने देश के पत्र।

समाचार के तीन जरिए हैं। समाचार एजेंसियों, संवाददाता और रिपोर्टर। लगभग दर्जन समाचार एजेंसियों से टेलीप्रिंटर पर समाचार आते हैं; किन्तु सिर्फ 10 % समाचार ही उनसे लेते हैं। 90 % अपने संवाददाताओं से या रिपोर्टरों से। समाचार एजेंसियों के समाचारों को भी फिर से लिखते हें, रिपोर्टरों और संवाददाताओं के समाचारों को भी फिर से सँवारते हैं। यह काम सब-एडिटर करते हैं। फिर अलग-अलग विभागों के सम्पादक उन्हें देखते हैं। मुख्य सम्पादक का काम मुख्यतः संगठन और सजावट है–क्योंकि सम्पादकीय तो बहुत कम लिखना पड़ता है, मुश्किल से आधा कालम।

समाचारों के संकलन में बड़ी सावधानी रखनी पड़ती है। किसी विषय पर या किसी व्यक्ति पर कोई समाचार आने पर रेफरेंस फाइलस से मिलाते हैं। रेफरेंस फाइल विचित्र है। हर विषय पर कटिंग रखे जाते हैं, हर व्यक्ति पर कटिंग रखे जाते हैं। मैंने भारत सम्बन्धी रेफरेंस देखा और उसमें सोशलिस्ट पार्टीवाली फाइल को देखा; यों ही जयप्रकाशवाली फाइल देखा। 1938 से इन दोनों के बारे में कटिंग रखे जाते हैं। चित्रों के बारे में भी ऐसा ही प्रबन्ध है। लोहिया की तसवीर माँगी, तो हाजिर। नेहरू की तसवीर 1921 से ही है। इनका चित्र विभाग कैसा है इसका अन्दाज लगाइए कि मेरी तसवीर ली और जब तक विभाग देख रहा था, लगभग पन्द्रह मिनट में, मेरी तसवीर की कापी भेंट की।

हेरल्ड का एक संस्करण मैनेचेस्टर से निकलता है। वहाँ से मैटर ही नहीं चित्रों का भी किस तरह आदान-प्रदान होता है, देखकर आश्चर्य हुआ। चित्र को यहाँ की मशीन में लगाएँगें और वहाँ उसका ब्लाक बनकर तैयार हो जाएगा। बीस मिनट में यह काम हो जाता है।

सम्पादकीय विभाग में प्रतिदिन दो बार सम्पादकों की कॉन्फ्रेंस होती है। कार्यालय खुलने पर कॉन्फ्रेंस होती है जिसमें देखा जाता है कि क्या-क्या चीजें छूट गईं, क्यों छूट गईं ? फिर शाम को कॉन्फ्रेंस होती है जिसमें अन्तिम बार तय कर लिया जाता है कि क्या-क्या चीजें देनी हैं और कहाँ देनी हैं। बाजाब्ता लिख लिया जाता है, जिसे देखकर रात का सम्पादक अखबार बनाता है।

ऊपर दिखलाकर सम्पादक ने हमें प्रोडक्सन मैनेजर को सुपुर्द किया और हम नीचे आए। यहाँ आकर तो और चकित हुआ। पृष्ठ तो तैयार हो चुके थे, छठें और पहले पृष्ठ का संशोधन हो रहा था। सम्पादक, प्रूफ रीडर और कम्पोजीटर (टेलीप्रिंटर का) तीनों वहाँ खड़े थे कि तुरत-तुरत काम हो जाए। सम्पादक द्वारा पृष्ठ पास कर दिए जाने पर प्रोडेक्सन मैनेजर ने स्वयं देखा कि अक्षर और चित्र साफ आ रहे हैं या नहीं। फिर पृष्ठ को कास्ट करने के लिए दे दिया गया।

डेली हेरल्ड साढ़े बाईस लाख की संख्या में छपता है। साढ़े दस बजे मैटर प्रेस पर

चला जाता है। हर पृष्ठ के अड़तीस कास्ट किए जाते हैं; छत्तीस मशीनें हैं और दो वक्त जरूरी के लिए। इन मशीनों पर हर घंटे पाँच लाख चालीस हजार के हिसाब से प्रतियाँ छपकर निकलती हैं, यानी हर मशीन एक घंटे में पन्द्रह हजार छापती है। प्रतिदिन एक सौ सत्तर रोल कागज खर्च होता है। नीचे कागज लगा था, ऊपर मशीन चल रही थी। कागज का नीचे से ऊपर जाता और फिर ऊपर से छप-छपाकर निकलता जादू-सा लगता था। इस तेजी से काम हो रहा था कि उजला कागज पानी के झरने-सा झिर-झिर करता हुआ मालूम होता था।

डेली हेरल्ड में कुल मिलाकर सात सौ पचास कर्मचारी काम करते हैं। रात भर में पाँच संस्करण निकलता है। अन्तिम संस्करण साढ़े चार बजे निकला। हाथ में उसका ताजा अंक लेकर निकल रहा था, तो दरवाजे पर उसकी कितनी ही मोटरें खड़ी थीं, जिनमें यह पहला संस्करण लादा जा रहा था। चार संस्करण बाहर जाते हैं, लन्दन का संस्करण साढ़े चार बजे होता है !

ग्यारह बजे रात मैं जब लेट रहा था, बार-बार सोचता था, हिन्दी पत्रों को ऐसा सौभाग्य कब प्राप्त होगा। जो तैंतीस करोड़ आदमियों की राष्ट्रभाषा हो चुकी है, उसका भविष्य अति महान तो है ही; किन्तु हिन्दी के पत्र संचालकों और पत्रकारों को अभी कितनी मेहनत करनी है। 'हेरल्ड' का इतिहास बहुत कुछ 'जनता' से मिलता है—क्या जनता को ऐसा सौभाग्य प्राप्त हो सकेगा ?

राजा-रानी : मैन एंड सुपरमैन

3 मई, 1951

जिसकी इतनी चर्चा थी, इतनी धूम थी, उस 'ब्रिटेन का महोत्सव'– Festival of Britain—का आज उद्घाटन समारोह सम्पन्न हुआ। जब से यहाँ आया, जहाँ-तहाँ- मकानों की सफाई और सजावट में लगे हुए लोगों को देख रहा था। खिड़कियों पर फूलों के पौधे रखे जा रहे थे, घरों की पुताई-रँगाई हो रही थी, ट्रेडमार्कों और साइन बोर्डों को चमकाया जा रहा था, झंडे-पताके लटकाए जा रहे थे। राजभवन से लेकर गलियों तक में उत्सव के लिए कुछ-न-कुछ किया जा रहा था।

आज यहाँ के राजा बकिंघम पैलेस से अपनी खास सवारी पर निकलकर सेंट पॉल कैथेड्रल में पहुँचनेवाले थे। सोचा था, कहीं रास्ते में उनकी सवारी देखूँ और फिर कैथेड्रल में यह उद्घाटन समारोह देखूँ। लोगों ने राय दी थी, कहीं से टिकट हासिल कर लूँ। किन्तु मैंने सोचा, तमाशा तो धक्के में घुसकर ही देखने पर मज़ा आता है।

आनन्द प्रकाशजी दस बजे आनेवाले थे; साढ़े दस तक नहीं आए, तो हम चल दिए। रास्ते में उनसे भेंट हुई। बेचारे परेशान थे। रास्ते में इतनी भीड़ कि सवारी जहाँ रुकी, रुकी। हम लोग एक टैक्सी करके गली-कूचे से गुजरते कैथेड्रल की ओर चले।

गली-कूचे से पटना की गन्दी, सँकरी, बदबूदार गली न समझिए—लन्दन की गली, जो अपने कितने राजपथों से आँखें भिड़ाए।

एक जगह लोगों की भीड़ खड़ी की। हमने मोटर यहीं छोड़ दी। अपना देश तो था नहीं कि धक्कम-धुक्की करके किसी तरह आगे बढ़ जाते। जहाँ तक खाली जगह मिलती गई, बढ़ते गए, फिर रुक गए !

लोगों के कन्धों के ऊपर से देखना था। अपनी पाँच फीट छः इंज की ऊँचाई पर अफसोस हुआ। केवल सिर-सिर देख सकता था।

एक बार तुमुल स्वर। फिर घोड़ों की टाप। फिर चमकती हुई सुनहली पगड़ियाँ। तालियाँ पीटी जा रही हैं। सवारी निकल गई। बगल में खड़ी युवती एक बार जोरों से उछली और तालियाँ पीटकर कहने लगी—राजा को देख लिया !

राजा को देख लिया; यह हर अंग्रेज के लिए बड़े उछाह की बात है। राजघराने से अंग्रेजों को बड़ा प्रेम है--मोह कहिए। आज सोशलिस्ट राज में भी राजा की वही कदर है; यदि कभी कम्युनिस्ट राज इंगलैंड में हुआ, तो भी यही बात रहेगी।

अंग्रेज परम्परा का पूजक है। परम्परा को कभी नहीं तोड़ेगा। मजदूर संघों या पार्टियों के चुनाव में भी इस बात का ध्यान रखा जाता है। एक कम्युनिस्ट भाई कह रहे थे, कई बड़े मजदूर संघों में हमारा बहुमत हो चला है, लेकिन हमारा काम नया है, हमारे लोग नए हैं, अतः वे पदाधिकारी नहीं चुने जा सकते। उन्होंने यह भी बताया कि जिस तरह हेरी पौलित ने पार्टी छोड़ दी थी, किसी दूसरे देश में उसे फिर कम्युनिस्ट पार्टी का मन्त्री नहीं बनाया जा सकता था; किन्तु यह इंगलैंड है—परम्परा की, बुजुर्गों की यहाँ बड़ी इज्ज़त है।

विधान ने राजा के सभी अधिकार छीन लिये; लोक-लोचनों में वह उतना ही प्यारा हो चला है।

अब जरा कैथेड्रल चला जाए। कैसे ?—बड़ी भीड़ जो है ! मैंने कहा—तमाशा का मज़ा तो भीड़ में ही है। अब मैं नेता था। भीड़ में बढ़ा जा रहा था, बहा जा रहा था।

भीड़ में चलने में मुझे बड़ा मज़ा आता है। भीड़ में चला नहीं जाता, आदमी चलाया जाता है। अपने को कहीं ऐसी जगह डाल दीजिए जहाँ जन प्रवाह जोरों का है। फिर देखिएगा, आप कितनी तेज रफ्तार से बढ़ रहे हैं। हाँ, हाँ, भीड़ में चला नहीं, आदमी चलाया जाता है। बढ़ा जाता है, बहा जाता है।

कैथेड्रल के सामने अपार जनता उमड़ रही थी। यहाँ पाँच-सात मंज़िल से कम के मकान तो होते ही नहीं। हर मंज़िल पर लोग हैं। सड़क पर तो पूछिए नहीं। किन्तु इतनी भीड़; हल्ला नहीं, धक्काम-धुक्का जरूर है। जहाँ समुद्र हो, वहाँ तरंगें होंगी ही। कभी एक तरंग आपको कई गज आगे डाल गई; कभी दूसरी तरंग फिर पीछे खींच लाई।

इस भीड़ को पुलिस किस तरह शान्त कर रही है। इनके हाथ में डंडे नहीं हैं; इनके चेहरे पर रोब नहीं है। हँसते हैं, हटाते हैं। हाँ, हटाकर ही छोड़ते हैं। लोग भी इनकी बात सुनते हैं, मानते हैं।

हम लोग ग्यारह के लगभग यहाँ पहुँचे थे और राजा को बारह बजे के बाद लौटना है। इतनी देर। हम लोग खड़े हैं। भीड़ इतनी बढ़ गई है कि हम लोग यहाँ से निकल भी नहीं सकते। ज्यों-ज्यों समय होता है, त्यों-त्यों भीड़ बढ़ती जाती है।

अब हम लोगों की अजीब स्थिति है। अब मानव-मानव में जरा भी फर्क नहीं रह गया है। सब मिलकर एक हो गए हैं जैसे ! मेरी स्थिति देखिए। मेरे आगे एक किशोरी है—सुनहले बाल और नुकीली नाकवाली। रह-रहकर मेरा और उसका सिर लड़ जाता है। पीछे एक पूर्ण यौवना युवती है; जब भीड़ की लहर आती है, मेरी पीठ में अजीब गुदगुदी और धड़कन शुरू हो जाती है। दाहिनी ओर एक निग्रो महिला है; जब भीड़ उसकी बाँह को मेरी बाँह से जोड़ने को तैयार होती है, तब वह मुसकरा पड़ती है और मुझे शूर्पनखा की उस हँसी की याद आ जाती है जब उसने लक्ष्मण से इसी तरह हँस-हँसकर बातें की होगीं। दाहिनी बाजू में एक किशोर है जो कद में अपने से चार इंच छोटी, किन्तु उम्र में शायद चार वर्ष बड़ी छोकड़ी को कलेजे

में सटाए अपनी बाहों को इतना अधिक कड़ा कर लेता है कि मेरी बाँह पिसती-सी मालूम होती है।

यह देखिए, राजा की सवारी लौट रही है। आगे-आगे काली टोपी के पुलिस सवार। फिर राजा के अपने घुड़सवार—सबके घोड़े काले; सबकी पोशाक लाल, जिस पर सुनहला कवच; सिर पर झालरदार लम्बी टोपी जिसका एक हिस्सा पूरी नाक को ढके ! ठुड्डी पर सुनहली जंजीर जो टोपी को सिर से कसे हुई। 'लवली-लवली' सामने की किशोरी चिल्ला रही है। फिर राजा; रानी ! राजा जब सवारी में निकलता है, अपने होंठ रँगे रहता है ! राजा से रानी अधिक सुन्दर; अधिक चपल—कैसी मुसकान बिखेर रही है और यह राजमाता 'मेरी' हैं। राजपरिवार के लोग; मन्त्रिमंडल के लोग; विदेशी अतिथि। बार-बार तुमुल नाद होता है, ऊपर से कागज के रंगीन टुकड़े बरसाए जा रहे हैं—जैसे हमारे यहाँ फूल बरसाते हैं।

ब्रिटेन के महोत्सव का बाजाब्ता उद्घाटन हो चुका। यह महोत्सव सारे ब्रिटेन में मनाया जा रहा है। सबसे पहले महारानी विक्टोरिया ने 1851 में इस तरह का एक महोत्सव किया था—हाइड पार्क में। उसके सौ वर्ष के बाद फिर उसे जीवित किया गया है। किन्तु इस बार इसका विस्तार बहुत बड़ा है। 3 मई से 30 सितम्बर तक का एक विस्तृत कार्यक्रम बनाया गया है। इंगलैंड, स्कॉटलैंड, वेल्स और नार्थ आयरलैंड में एक साथ ही वह मनाया जा रहा है। लन्दन में छः स्थानों में, इंगलैंड में बारह स्थानों में, स्कॉटलैंड में दस स्थानों में, वेल्स में सात स्थानों में, नार्थ आयरलैंड में दो स्थानों में इस उत्सव के भिन्न-भिन्न विभागों के बड़े-से-बड़े आयोजन किए गए हैं। इनके अतिरिक्त दो भ्रमणशील आयोजन हैं जो सारे देश में घूमेंगे। प्रारम्भ से लेकर आज तक ब्रिटेन ने कला कौशल, उद्योग-धन्धे, ज्ञान-विज्ञान, खेल-कूद में क्या किया, उसकी एक झलक इस महोत्सव से मिल सकती है। दावा किया गया है कि इतना बड़ा महोत्सव इंगलैंड में तो कभी हुआ ही नहीं, संसार में भी शायद ही हुआ हो। मन्त्रिमंडल में इसके इंचार्ज हरबर्ट मोरिशन हैं, जिन्हें 'लॉर्ड फेस्टिवल' के नाम से पुकारा जाने लगा है।

शाम को तूफान साहब आ गए। आपका नाम है श्री ब्रजमोहन खत्री; किन्तु 1942 में जब वारंट निकला, बी.एम. तूफान के नाम से कराची के बन्दरगाह में नौकरी कर ली। तब से तूफान के नाम से ही इन्हें लोग जानते हैं।

तूफान साहब आज 'न्यू थियेटर' ले गए, जहाँ बर्नार्ड शॉ का 'मैन एंड सुपरमैन' चल रहा है। साढ़े बारह शिलिंग की दो टिकटें खरीदीं; नीचे की सभी टिकटें बिक चुकी थीं। ढाई शिलिंग से एक पौंड तक की सीटें हैं। टिकट खरीदकर चहलकदमी के लिए ट्राफलगर स्क्वॉयर देखने गए। यह स्थान संसार के प्रसिद्धतम स्थानों में से है। 1840-'45 में यहाँ नेलसन का स्मृति-स्तम्भ बना, जो एक सौ पचासी फीट ऊँचा है। चारों ओर चार सिंहों की मूर्तियाँ हैं, जो बड़ी ही शानदार और जानदार हैं ! कई फव्वारे हैं, जिनमें कहीं मछली के मुँह से, कहीं मगर के मुँह से पानी तेजी से निकलते दिखाई देते हैं ! शाम को यहाँ बड़ी चहल-पहल रहती है। बहुत से कबूतर यहाँ चरते-विचरते दिखाई पड़ते हैं—दर्शक उन्हें दाने चुगाने का आनन्द लेते हैं।

न्यू थियेटर—मैन एंड सुपरमैन—बर्नार्ड शॉ ! यों तो लोहिया ने कहा था, थियेटर अंग्रेज जाति का तीर्थ स्थान है। किन्तु मेरा तीर्थ स्थान तो यह है ही। मैं बर्नार्ड शॉ का भक्त। बर्नार्ड शॉ की सबसे प्रसिद्ध कृति—मैन एंड सुपरमैन। जब मैंने इसे पढ़ा, आश्चर्य होता इतनी बड़ी वक्तृताओं को स्टेज पर सफलतापूर्वक कैसे अभिनीत किया जा सकेगा। नाटकीय दृष्टि से प्लाट सादा, दृश्य सादे। किन्तु आज इसका अभिनय देखकर सारे भ्रम दूर हो गए और बर्नार्ड शॉ सिर्फ विचारक ही नहीं, उच्चकोटि के नाटककार भी थे, यह निर्विवाद हो गया।

जौन क्लिमेंट्स ने जौन टैनर का पार्ट किया था और हैमंड ने ऐन ह्वाइट फिल्ड का। जब क्लिमेंट्स टैनर का पार्ट कर रहा था, तब बार-बार लगता था कि टैनर नहीं, यह बर्नार्ड शॉ है ! यों बर्नार्ड शॉ ने कहा भी था कि मैं आत्मचरित क्यों लिखूँ; मैं अपनी रचनाओं में भरा पड़ा हूँ। यदि सबसे अधिक कहीं वह है, तो मैन एंड सुपरमैन में। टैनर–एक बेचैन आत्मा; विचारों का पुतला; बेलौस कहनेवाला; किन्तु आह, वह किस तरह मकड़जाले में–विवाह में–फँस जाता है ! के. हैमेंड ने ऐन का पार्ट भी बड़ी खूबसूरती से निभाया–उसके हाव-भाव, बोल-चाल सब भद्रकुलीन अंग्रेज कुमारी के। सारे नाटक में बर्नार्ड शॉ के व्यंग्य भरे हैं–लोग सुनते थे, हँसते थे ! हाँ, अपनी जाति पर दी गई गालियाँ सुनकर औरतें ठठा-ठठाकर हँस रही थीं और जाति की बेवकूफियों पर मर्द भी लहालोट हो रहे थे ! यही तो बर्नार्ड शॉ की खूबी है जिसे इन दो नर-नारियों ने यहाँ साकार कर दिया था !

सैवेल थियेटर का चाकचिक्य यहाँ के परदों में नहीं था; किन्तु जो था, वह जीवन के निकटतम था। पहला दृश्य–एक भद्रपुरुष का घर; दूसरा दृश्य एक रास्ता जिसके बीच में एक पुरानी मोटर; तीसरा एक बरामदा। उस दिन जब हम B.I.F. देख रहे थे, महेशजी ने कहा था, यहाँ यह पता पाना मुश्किल हो जाता है कि क्या नकल है और क्या असल। असली फूल नकली लगते हैं, नकली फूल असली मालूम होते हैं। इन्द्रप्रस्थ में दुर्योधन को जो भ्रम हुआ था, उसकी भी उन्होंने चर्चा की थी। नाटक के परदे को देखकर उनकी बातें स्पष्ट हो रही थीं।

नाटक के पात्र-पात्रिओं के सम्मान का क्या कहना ! नाटक समाप्त होने पर लोग, अपने देश की तरह, झटपट भागते नहीं हैं। तालियाँ पीटते रहते हैं, जब तक कि एक-एक कर सभी पात्र-पात्रियाँ आकर स्टेज पर खड़े नहीं हो जाएँ। मुख्य पात्र-पात्री सबसे पीछे आते हैं, सिर झुकाते हैं, खड़े हो जाते हैं। तब परदा गिरता है, तालियाँ गड़गड़ाती हैं, फिर परदा उठता है, फिर तालियाँ गड़गड़ाती हैं। तीन बार यह क्रम। यदि इसके बाद भी तालियाँ गड़गड़ाती रहीं, तो मुख्य पात्र और पात्री परदे के बाहर आकर सिर झुकाते और यदि जरूरत समझते, तो कुछ कहते हैं !

जब थियेटर से निकला, भावना-विभोर था। क्या अपने देश में ऐसे नाटककार और ऐसे नट-नटी हो सकेंगे ! क्या हम ऐसा मंच बना सकेंगे, जिसकी सीटें हफ्तों पहले से ही भर चुकी हों ! क्या हम अपने नट-नटियों का ऐसा ही सम्मान कर सकेंगे ?

स्लाउ : विंडसर : ईटन

4 मई, 1951

उफ, कितना थक गया हूँ।

साढ़े आठ बजे भोर में निकला और अभी साढ़े दस बजे रात में लौटा हूँ। कल से ही थकावट का अनुभव कर रहा हूँ; किन्तु आज तो हद हो गई। आने के बाद गरम पानी में स्नान किया, तब कहीं थोड़ी शान्ति मिली।

थकावट के कई कारण हैं।

एक तो यहाँ जो पोशाक पहननी पड़ती है, उससे सारा शरीर अजीब ढंग से कसा रहता है। इस पोशाक का कभी अभ्यास भी तो नहीं था–साफ तो यह है कि जिन्दगी में पहली बार ऐसी पोशाक पहनी है ! अतः, ऐसा मुझे मालूम होता है कि कोई सिपाही किट में हो !

दूसरा—दिन थोड़े हैं, देखना अधिक है। अतः दिन-रात की दौड़धूप रहती है। दिन में खाकर सोने का अभ्यास था, यहाँ तो खाने के बाद जरा लेटने का भी समय नहीं।

फिर—यह अंग्रेज जाति अजीब है। इसके अधिक काम खड़े-खड़े होते हैं ! किसी की प्रतीक्षा करनी है, खड़े रहिए। सौदाबारी करनी है, खड़े रहिए। भोजन के पहले हाथ में प्याला और घंटे भर तक खड़े-खड़े गप कीजिए। पेशाब भी खड़े-खड़े और एक मित्र कह रहे थे, हाइड पार्क में खड़े-खड़े···राम ! राम !

अंग्रेज या तो खड़ा रहेगा या दौड़ेगा। न यह बैठना जानता है, न धीरे-धीरे चलना। बूढ़ों और बूढ़ियों को भी दौड़ते देखता हूँ, तो आश्चर्य होता है। जवान लड़कियाँ जब दौड़ती हैं, तब तो भली लगती ही हैं।

यहाँ कौन तेल की मालिश करे, कौन पैर दबाए ! थका-माँदा जाता हूँ, अधमुए की तरह लेट जाता हूँ। कब नींद आती है, पता नहीं। जगता हूँ, तो जल्दी-जल्दी तैयार होना पड़ता है। इस पोशाक के पहनने में भी कम उलझन नहीं होती। मोजा पहनिए, गार्टर कसिए। अन्डरवेयर पहनिए, कमर कसिए। पतलून पहनिए—आधे दर्जन बटन लगाइए, दोनों बगल के फीते कसिए, सामने का फीता कसिए और ऊपर से बेल्ट कसिए। कसिए, कसिए, कसिए। शरीर में गंजी, ऊनी गंजी, कमीज, स्वेटर। कमीज के हाथों में बटन, गले में बटन। फिर कोट या शेरवानी बटन-बटन-बटन, बटन। हूक ! पैर में जूते पहनकर उसके फीते को कसिए। उफ, एक पूरा व्यायाम ही समझिए ! और ऊपर से फिर ओवरकोट कसना हो, यह न भूलिए !

कहाँ यह कसन-कसन। कहाँ ढीली-ढाली धोती। ढीला-ढाला कुरता ! बंडी पहन ली, तो फिर क्या कहने ?

परेशान हूँ साहब !

और भोजन भी तो परेशानी का ही कारण बना हुआ है। अपने यहाँ भोजन के समय कपड़े जितने कम रहें, उतना ही अच्छा। जो सिर्फ आधी धोती पहने और आधी धोती ओढ़कर खाते, वे सबसे बड़े निष्ठावान समझे जाते हैं। यहाँ भोजन के समय सारी पोशाक पहननी है और खाना तो व्यायाम है ही।

टेबुल पर जितनी तश्तरियाँ आती हैं, उससे अधिक चमचे, काँटे और छुरियाँ आते हैं ! दोनों हाथों से काम लीजिए। काँटे, छुरी, चमचे—सबके पकड़ने के नियम हैं। यदि गलती कीजिएगा तो लोग आपको अभद्र समझेंगे। यारों ने सिखाया तो, किन्तु अभ्यास तो है नहीं। बगल के साथी को देखते रहिए; तो भी क्या गलती से आप बच सकेंगे ! भोजन में कहाँ तृप्ति मिले, यदि उसे ग्रहण करने में ही परेशानी हो।

और भोजन भी तो अजीब है। यहाँ हम सरकारी मेहमान हैं, भारतीय भोजन भी मिल जाता है, किन्तु उसे खाना पड़ता है अंग्रेजी ढंग से। यह और भी बड़ी मुसीबत ! होटल में तो किसी तरह निभ जाता है, कहीं न्योते में गए, तो भीतर पसीना छूटता रहता है !

और न्योता भी यहाँ प्रायः ही खाना पड़ता है—बड़े-बड़े सरकारी अधिकारियों के घर; बड़े-से-बड़े लोगों के घर। खाने के समय एक और भी दिक्कत—खाइए और गप्पें कीजिए। डेढ़ घंटे से कम में तो खाना होता नहीं। खाना-पीना, दोनों जोड़ दीजिए, तो पूरे दो घंटे की कसरत करनी पड़ती है ?

बताइए, फिर आदमी—खासकर मेरे ऐसा आदमी थके नहीं, तो क्या हो ?

राम-राम करके किसी तरह यह यात्रा पूरी हो जाए, तो सबसे पहले घर जाकर फूआ-दाई को बतासे और पोखन ठाकुर ब्रह्म को खीर जरूर चढ़वाऊँगा। जेल में जब इसी तरह की

मुसीबतें आती थीं, तो फूआ-दाई और पोखन ठाकुर की बड़ी याद आती थी। यहाँ भी आ रही है। अंग्रेजों की मेहमानदारी अजीब है–जेल में भी, उनके घर पर भी।

खैर, इन बातों को छोड़िए, चलिए, स्लाउ और विंडसर !

स्लाउ लन्दन से तीस मील पर है। आज इन्द्रदेव की बड़ी कोपदृष्टि रही। घर से भींगते हुए निकला; दिन भर भींगते हुए घूमा। भींगते हुए घूमना यहाँ के लिए मामूली बात है। जहाँ के मौसम का आठ महीना ऐसा ही हो, वहाँ वालों को ऐसा अभ्यास हो जाना स्वाभाविक ही है।

स्लाउ यों तो है पुराना कस्बा, किन्तु इधर लड़ाई के बाद उसका बहुत विकास हो रहा है। लन्दन की आबादी को बढ़ने से रोकने के लिए उसके आस-पास पाँच-छः कस्बे नए सिरे से बसाए या बढ़ाए जा रहे हैं, उनमें यह स्लाउ भी है।

सबसे पहले हम यहाँ के शिक्षा-निरीक्षक– Inspector of Education के दफ्तर में गए। इंसपेक्टर साहब ने एक टाइप किया हुआ कागज दिया, जिसमें शिक्षा सम्बन्धी बातों का संक्षेप में उल्लेख है और फिर संक्षेप में कहा भी। इंगलैंड में शिक्षा के मुख्य तीन विभाग हैं–(1) प्राइमरी विभाग पाँच वर्ष लेकर ग्यारह वर्ष तक की उम्र के लिए (2) सेकेन्डरी–ग्यारह वर्ष से पन्द्रह वर्ष तक की उम्र के लिए फिर (3) उच्च शिक्षा पन्द्रह से बालिक होने तक के लिए ! पन्द्रह वर्ष तक की शिक्षा निःशुल्क है। पढ़ाने, लिखाने, खेलने-कूदने के अलावा दिन का खाना भी बच्चों को दिया जाता है। हर स्कूल में भोजनालय भी है। लड़ाई के जमाने से ही दो वर्ष की उम्र से पाँच वर्ष की उम्र के बच्चों के लिए शिशु विभाग भी है। यहाँ माँ बच्चों को रखकर काम पर चली जाती है। यहाँ बच्चों को खेलाया और खिलाया जाता है, खेल-खेल में कुछ शिक्षा भी दे दी जाती है।

इंसपेक्टर साहब हमें स्कूल दिखलाने ले चले। सबसे पहले हम एक प्राइमरी स्कूल में गए। स्कूल के चारों ओर खुले मैदान हैं। स्कूल का भवन बड़ा ही सुन्दर है। इसमें चार सौ आठ विद्यार्थी हैं और बारह शिक्षक। शिक्षकों में अधिक स्त्रियाँ हैं। क्लास में छोटे-छोटे डेस्क और उनसे लगे छोटे-छोटे बेंच। दीवारों पर चारों ओर सुन्दर-सुन्दर चित्र। ये चित्र मुख्यतः क्लास के बच्चों के ही बनाए हुए हैं। इन चित्रों के कारण क्लास हँसता-सा मालूम होता था। टीचर के टेबल के पीछे बड़ा सा काला बोर्ड। बोर्ड पर सिर्फ उजली खली से ही नहीं, लाल और हरी खली से भी लिखा हुआ।

हम बच्चों से मिले, उनकी कापियाँ देखीं, उनसे बातें कीं। बच्चे बड़े तन्दुरुस्त, उनके कपड़े भी अच्छे ! जब हम टीचर से बातें कर रहे, बच्चे आपस में कानाफूसी करते और एक बच्चा एक बच्ची को बुरी तरह छेड़ रहा !

हमारे स्वागत में बच्चों ने एक गाना भी सुनाया। बच्चे आए, टीचर (महिला) ने कहा, जिसे जो बाजा पसन्द है, उसके सामने चला जाए। बड़े करीने से बच्चे बढ़े और अपनी-अपनी पसन्द के बाजे के निकट खड़े हो गए। फिर एक बच्चा आगे बढ़कर हाथ से बाजे का इशारा करने लगा; उसी ताल में बाजे बजने लगे। फिर दूसरे बच्चों ने आगे बढ़कर एक गीत गाया, सब उस गीत को दुहराने लगे। बड़ा आनन्द आया। इस कॉमनरूम में भी तसवीरें लटकी थीं, मालूम हुआ, ये भी बच्चों की बनाई हुई हैं।

शिशु विभाग–नर्सरी को देखकर तो मैं निहाल हो उठा। छोटे-छोटे बच्चे छोटी-छोटी कुरसियों पर बैठे। बड़े इत्मीनान से, कोई इस रुख, कोई उस रुख ! झूले भी लगे थे और चारपाइयाँ भी एक तरफ रखी थीं। जिसे नींद आने लगेगी, उसे सुला दिया जाएगा। तरह-तरह के खिलौने भी इधर-उधर रखे हुए हैं। बच्चों के खेलने के लिए गीली मिट्टी भी रखी

हुई—मिट्टी से बच्चों को हर जगह अनुराग है। तरह-तरह के रंग और ब्रश भी पड़े हुए। बच्चों को रंग से प्रेम होता ही है। वे तरह-तरह के चित्र भी बनाते हैं। उनके बनाए हुए कुछ चित्र एक तरफ रखे हुए थे। मैंने एक चित्र को लेकर कहा, यह चित्र किसने बनाया है। चार साल की लड़की को पेश किया। मैंने पूछा—क्या मैं यह चित्र ले सकता हूँ। टीचर ने मुझे उसे देने के पहले बच्ची से पूछा—क्या तुम इन्हें यह चित्र उपहार में दोगी; यह दूसरे देश से आए हैं। बच्ची ने हाँ कहा; चित्र लेकर मैंने झोलियों में रख लिया।

यह चित्र मेरे लिए इंगलैंड का सबसे अच्छा उपहार है !

फिर हम सेकेन्डरी स्कूल में गए। हमने वहीं खाना खाया।

यहाँ ग्यारह से पन्द्रह वर्ष के लड़के-लड़कियाँ पढ़ते हैं। कुछ लड़कियाँ छोटी थीं, कुछ की जवानी झाँक रही थी। अस्फुटित कलिकाएँ देखने में सदा आकर्षक होती हैं। जरा भी झिझक नहीं। निर्द्वन्द्व घूम रही थीं। टीचर और बच्चे साथ ही खाते हैं। टीचरों के लिए ऊपर मेजें होती हैं, बच्चों के लिए नीचे। हम लोग टीचरों के साथ बैठे। यहाँ भी हमारे खाने में भारतीयता रखी गई थी। भोजनगृह से सटा रसोईघर। जब उसकी खिड़की खुली, बच्चे उस ओर दौड़े; किन्तु वहाँ जाते ही 'क्यू' में लग गए। यहाँ 'क्यू' सबके जीवन में समाया हुआ है। जहाँ देखिए, बात की बात में कतार लग जाती है। बच्चे अपनी-अपनी थाल लेकर आने लगे और अपने साथियों के साथ खाने लगे। खाते समय अपने देश के बच्चों की ही तरह की हरकतें। किन्तु जरा भी हल्ला नहीं। मुँह बन्द कर काम करना अंग्रेज जाति का स्वभाव बन गया है। बोलेंगे भी, तो बहुत धीरे ! नाटकघर में, सिनेमा में, स्टेशनों पर, मेलों में—आप हल्ला कहीं नहीं सुनेंगे और न धक्कम-धक्का देखेंगे। दौड़ते हुए आएँगे और झट कतार में खड़े हो जाएँगे।

खाने के बाद स्कूल के कुछ हिस्से देखे। कला विभाग में तसवीरें हैं, हाथ की कारीगरी है। एक हाल में लड़के-लड़कियाँ नाचना सीख रही थीं। व्यायाम भवन में कुछ लड़के, इस घोर जाड़े में भी, नंगे बदन व्यायाम कर रहे थे।

यहाँ के हेड मास्टर बड़े अनुभवी हैं, यह बातों से ही पता चला। यहाँ के हेड मास्टर अपने देश के हेड मास्टरों के ऐसा सिर्फ फिगरहेड नहीं होते। इंसपेक्टर ने जो कागज दिया है, उससे पता चलता है, हेड मास्टर ही यहाँ सिलेबस बनाता है, करिकुलम बनाता है, कोर्स की किताबें चुनता है और बिना उसकी मरजी के न कोई मास्टर रखा जा सकता है, न निकाला जा सकता है।

वहाँ से हम ईटन आए। ईटन का कॉलेज (स्कूल कहिए) दुनिया में प्रसिद्ध है। इंगलैंड के बड़े-से-बड़े आदमी को आदमी इसी संस्था ने बनाया। इंगलैंड के सत्रह प्रधानमन्त्री इसी कॉलेज से निकले थे। यह बहुत ही पुरानी संस्था है। हेनरी चतुर्थ ने इसकी नींव 1440 ई. में डाली। अब भी वह कमरा सुरक्षित है जहाँ सत्तर विद्यार्थियों को लेकर इसका श्रीगणेश हुआ था। अब भी सत्तर विद्यार्थियों का पूरा खर्च राजकोष से मिलता है और वे राजा के विद्यार्थी—(King's Scholar) कहलाते हैं। हमने स्कूल का वह कमरा देखा; मोटे-मोटे तख्तों की बेंचें, जिन पर जहाँ-तहाँ विद्यार्थियों ने कुछ-न-कुछ गोद-गाद रखा है।

इसके ऊपर जो एक कमरा है उनमें उन लोगों के नाम खुदे हैं, जो इस स्कूल में पढ़कर निकले। अंग्रेजी के दो प्रसिद्ध कवि शेली और ग्रे यहीं के पढ़े हुए थे। वाटरलू के विजेता विलिंग्टन यहीं से निकले थे—उन्होंने बड़े गर्व से कहा था, वाटरलू की विजय ईटन की क्रीड़ाभूमि में हुई।

इसमें बारह से लेकर तेरह वर्ष तक के लड़के लिये जाते हैं और अठारह वर्ष की उम्र

तक वे यहाँ रहते हैं। इसमें दाखिल होना बहुत मुश्किल है। एक तो खर्च अधिक पड़ता है, फिर बहुत तेज लड़के ही लिये जाते हैं। ईटन में जो पढ़ चुके हैं, उनके बच्चों को तरजीह दी जाती है। एक ऐसा परिवार है जिनके लड़के 1654 से आज तक इसमें पढ़ते आए हैं। एक हजार से ग्यारह सौ तक लड़के इसमें पढ़ते हैं। कुल मिलाकर चौबीस होस्टल हैं, जिनमें से एक-एक में चालीस से पैंतालीस विद्यार्थी रहते हैं।

हेनरी चतुर्थ ने इसी कॉलेज (स्कूल) के साथ कैम्ब्रिज के कॉलेज (विश्वविद्यालय) की भी नींव डाली थी। ये दोनों संस्थाएँ उसकी अमर स्मृतियाँ हैं !

ईटन के इस कॉलेज के साथ ही एक गिरजाघर भी है जिसकी नींव हेनरी चतुर्थ ने ही डाली थी। इस गिरजाघर के दीवारों पर जो चित्र हैं, वे इंगलैंड के प्राचीनतम चित्रों मे माने जाते हैं। पिछले महायुद्ध में हिटलर के हवाई जहाजों ने यहाँ भी बम पटके थे। कॉलेज का तो कोई नुकसान नहीं हुआ, शीशे पर बने एक बगल के सारे चित्र नष्ट हो गए।

ईटन के बाद हम विंडसर का किला देखने आए। यह किला भी बहुत पुराना है। बारहवीं शताब्दी से आज तक का इसका इतिहास है। टेम्स के किनारे एक पहाड़ी पर यह बनाया गया है। अपने प्राकृति सौन्दर्य, विशाल अट्टालिकाएँ, राजभवन की अपूर्व चित्रावली और सेंट जॉर्ज के गिरजाघर के लिए विंडसर प्रसिद्ध है। विंडसर वैसा ही है जैसा दिल्ली के लिए आगरा ! या आगरे के लिए फतेहपुर सीकरी। लन्दन के कर्म-कोलाहल से दूर यह किला आखेट और आमोद-प्रमोद के लिए बनाया गया था।

इसका गिरजाघर इंगलैंड की मध्यकालीन इमारतों के सबसे सुन्दर उदाहरणों में समझा जाता है। पन्द्रहवीं शताब्दी में इसकी नींव पड़ी थी। इसमें कई प्रसिद्ध राजाओं की समाधियाँ हैं, जिनमें पंचम जॉर्ज भी हैं। राजकुमारी चारलौट की समाधि देखकर आँखें भर आईं। यह चतुर्थ जॉर्ज की पुत्री और बेलजियम के राजा की पत्नी थीं। मृत शिशु के प्रसव के साथ ही इस राजकुमारी का देहान्त हुआ था। संगमरमर की मूर्तियों की बारीकी देखने योग्य है। मालूम होता है, अभी राजकुमारी मरी है, जिसके मुँह पर एक झीना कपड़ा डाल दिया गया है। उसकी चार बाँदियाँ रो रही हैं और ऊपर से एक-दो परियाँ आकर उसके बच्चे को लेकर उड़ी जा रही हैं।

विंडसर के एक होटल में खा-पीकर हम फिर स्लाउ पहुँचे, जहाँ का कम्युनिटी सेन्टर देखना था। यह सेन्टर भी अंग्रेज जाति के संगठन और निर्माण कुशलता का प्रमाण है। लगभग बीस लाख रुपए लगाकर इस केन्द्र की स्थापना की गई है। इसके चार हजार सदस्य हैं। केन्द्र में खेल-कूद, आमोद-प्रमोद, शिक्षा-सहायता—सबका व्यापक प्रबन्ध हैं। जब हम पहुँचे, तैरने की प्रतियोगिता हो रही थी। नवयुवकों और नवयुवतियों को नंगे बदन, सिर्फ स्नान की पोशाक में देखकर और उनकी तैराकी के उत्साह का निरीक्षण कर बड़ा आनन्द आया। कैसे गठे हुए शरीर थे उनके; इस जाड़े में भी वे किस तरह नंगधड़ंग उत्साह में लगे थे ! फुटबॉल के मैदान में कोई दौड़ रहा था, कोई तरह-तरह के खेल सीख रहा था। एक हॉल में ब्रिटेन के महोत्सव के उपलक्ष्य में प्रदर्शनी लगी थी, जिसमें यहीं के लोगों की बनाई कला और कारीगरी की बड़ी सुन्दर-सुन्दर चीजें सजाई गई थीं।

इंगलैंड में इस बड़े पैमाने का सामाजिक केन्द्र सिर्फ शेफील्ड में है। यों तो देश भर में ऐसे तीन सौ केन्द्र हैं, जिनका वार्षिक सम्मेलन समय-समय पर हुआ करता है !

मई दिवस !

5 मई, 1951

कल की थकावट। सोचा, आज पूरा विश्राम करूँ। देर से जगा। मुँह-हाथ धोकर ज्यों ही बैठा था, फोन आया। कोई मिश्री लालजी हैं। हिन्दी में रिसर्च कर रहे हैं। मिलना चाहते हैं। कह दिया, आइए।

आए। नवयुवक हैं। आगरा के रहनेवाले हैं। इन्होंने बताया कि इण्डिया हाउस की लाइब्रेरी में तथा ब्रिटिश म्यूजियम में हिन्दी के अलभ्य ग्रन्थ पड़े हैं। उन्हें भारत ले चलना चाहिए। बात तो ठीक है, इसके लिए चेष्टा भी होनी चाहिए। किन्तु सोचता हूँ, क्या भारत में ये पुस्तकें होतीं, तो इन्हें दीमक नहीं खा गए होते। धन्य अंग्रेजों की संग्रहवृत्ति कि अब तक सुरक्षित हैं। अभी हिन्दी संसार में राय कृष्णदासजी एक ही हैं। हाँ, उनके पैर पीछे खींचनेवालों की कमी नहीं। तय हुआ, परसों हम इण्डिया हाउस की लाइब्रेरी में चलेंगे।

यों तो मई दिवस संसार में पहली मई को मनाया जाता है। किन्तु यहाँ की लन्दन ट्रेडस कौंसिल की ओर से उसे आज मनाया जा रहा है। यह बहुत पुरानी संस्था है, 1860 में इसका संगठन हुआ। 1948 के बाद लन्दन में यों सार्वजनिक रूप से मई दिवस नहीं मनाया जाता था। कई बाद आपस के झगड़े हुए। अन्त में सरकार ने मना कर दिया। किन्तु इस बार उसकी इजाजत दे दी गई है।

हाइड पार्क के कोने से एक जुलूस निकलनेवाला था। मैं वहीं जाकर देखने लगा। कई पुरानी मजदूर संस्थाएँ सम्मिलित हुई हैं। उनके तरह-तरह के झंडे, उनके तरह-तरह के चिह्न। किन्तु हमारे कम्युनिस्ट भाई ऐसे अवसरों को अपने हित में उपयोग करने से कब चूकनेवाले ! उनका काफला बड़ा है। तरह-तरह की यूनियनों के नाम—किन्तु सबका एक रंग। कम्युनिस्ट पार्टी कोई जनता की पार्टी नहीं; वह तो एक खास उद्देश्य से संगठित बिना वरदी की फौज है !

बहुत सी छोकड़ियाँ 'डेली वर्कर' बेच रही हैं; उनकी छोटी-मोटी पुस्तिकाएँ बेच रही हैं। 'डेली वर्कर' के सम्पादक और उनके स्टाफ के लोग भी इसमें शामिल हो रहे हैं।

बैंड बजाते जुलूस रवाना हुआ। सबसे आगे लन्दन ट्रेड कौंसिल का जत्था उसके बाद अन्य मजदूर संघों के, फिर कम्युनिस्टों के जत्थे-पर-जत्थे ! यहाँ जुलूस में झंडे बहुत कम रहते हैं; लम्बे कपड़े पर संगठन के नाम लिखे होते हैं, कुछ लोग गीत गाते हुए चलते हैं। कतार में चलना तो अंग्रेजी स्वभाव है और उनका स्वभाव है तेजी से चलना। जुलूस में तेजी बढ़ जाती है। वह देखिए, सिर से पैर तक लाल कपड़े में ढकी वह युवती इसी तेजी के चलते तो गिर पड़ी। बगल के दो युवकों ने बाँह में हाथ लगाए। वह फिर फुदकती हुई बढ़ रही है।

ऐसे पाँच जुलूस लन्दन के भिन्न-भिन्न हिस्सों से निकले थे। ट्राफलगर स्क्वॉयर में सब इकट्ठे हुए। मैं भी गया। सड़कों पर इतने लोग मालूम होते थे, यहाँ आकर इस विशाल स्क्वॉयर को भर भी नहीं सके। हाँ, नेलसन स्तम्भ के नीचे, सिंहों की पीठ तक, तरह-तरह के मजदूर संस्थाओं के लाल फरहरे जरूर लटक रहे थे। दर्शकों की भी भरमार थी।

परसों राजा को देखने के लिए लोग उतावले थे, आज मजदूरों को देखने के लिए लालायित हैं। हाँ, एक बात परसों लोगों के हृदयों में उल्लास देखा था, आज लोगों की आँखों में कुतूहल देख रहे हैं।

वहाँ से लौटकर ब्रिटिश कौंसिल में गया। यह संस्था भी अजीब है। विद्यार्थियों के लिए

इसने एक केन्द्र भी खोल रखा है। उसमें सभी देश के लड़के आते हैं। मैं जब उसके कमरे में गया, देखा, काले चेहरे भी वहाँ कम नहीं हैं। मेरी शेरवानी देखकर एक नीग्रो छात्र ने पूछा—आप पाकिस्तान से आए हैं। जब मैंने 'इण्डिया' कहा, तब उसने कश्मीर की चर्चा छेड़ दी। उस बेचारे को समझाया गया था कि चूँकि पंडित नेहरू का घर कश्मीर में है, इसलिए वह ख्वाहमख्वाह कश्मीर को भारत में रखना चाहते हैं। पंडितजी का घर कई पुश्त से यू.पी. में है और कश्मीर का राजा तो पाकिस्तान से ही मिलना चाहता था, यह तो वहाँ की मुसलिम जनता थी जो भारत के साथ रहना चाहती थी और चाहती है, यह सुनकर उसे आश्चर्य हुआ ! बेचारे ने कहा, उसके कॉलेज में एक पाकिस्तानी लड़की है, उसी ने उससे यह गलत बात बताई थी !

कौंसिल में एक फ्रांसीसी लड़की से भेंट हुई जो यहाँ रोमन साम्राज्यों की आर्थिक नींव पर रिसर्च कर रही है। वह भी अच्छी तरह अंग्रेजी नहीं बोल सकती थी। अपने देश पर उसे बहुत गर्व !

सारी शाम घर पर ही काट दी।

आज तक भारत से एक भी पत्र नहीं आया, न जाने क्यों ? अवधेश्वर को एक पत्र रोम से ही भेज दिया था। फिर यहाँ आकर उसे और सुरेन्द्रजी को पहुँच का केबुल कर दिया था। तब से प्रायः प्रतिदिन पत्र भेजता हूँ। किन्तु कोई खोज-खबर नहीं ले रहा। पता लगाया है, यहाँ से पाँच-छः दिनों में पटना तक पत्र पहुँच जाता है। फिर दिल्ली से पत्र क्यों नहीं आया ?

हिन्दी केन्द्र के उद्घाटन सम्बन्धी पत्र परसों श्रद्धेय राजेन्द्र बाबू, टंडनजी, गोविन्द दासजी, सम्पूर्णानन्द, माथुर साहब, आदि को भेजा। न जाने, 21 मई तक उनका भी उत्तर आता है या नहीं।

हमने यूरोप देखने और भारत लौटने का प्रोग्राम बना लिया है। 23 मई को यहाँ से पेरिस के लिए रवाना होंगे। 28 मई तक वहाँ रहकर स्विटजरलैंड। स्विटजरलैंड में तीन दिन और इटली में दो दिन। मिस्र में दो-तीन दिन। यों जून के पहले सप्ताह के अन्दर ही पटना पहुँच जाने की सम्भावना है

सोशलिस्ट ग्रुप : पार्क स्ट्रीट

6 मई, 1951

स्वभावतः देर से जगा। स्नानादि से निवृत्त होकर बैठा था कि पंचाननजी आ गए। उनके साथ सिंघल के घर खाने चला।

सिंघल लन्दन से दस-बारह मील पर रहते हैं। यहाँ के भारतीय विद्यार्थी विशेषतः लन्दन से बाहर रहते हैं। यों तो कोई विभाजक रेखा नहीं कि इन जगहों को लन्दन से बाहर कहा जाए। इन जगहों में रहने से मकान-किराए में कमी पड़ती है। लन्दन में सबसे बड़ा खर्च मकान-किराए का है। महीने में जितना खर्च होता है, आधा प्रायः किराए में जाता है। यहाँ मकान सजे-सजाए मिलते हैं। कुरसियाँ, टेबुल, पलंग, फर्श—सब मकान का हिस्सा माना जाता है।

ट्यूब से चले; ट्यूब ही की गाड़ी आगे जाकर ऊपर चलने लगी। बिजली से चलती है। इसमें एक ही क्लास होता है। लन्दन ट्रांसपोर्ट इसकी मालिक है। इसी की बसें भी चलती

हैं। बसों में भी क्लास नहीं। ट्यूब में बैठने का इतना बढ़िया इन्तजाम है कि अपने यहाँ के किसी अच्छे-से-अच्छे वकील के घर में वैसा बैठने का प्रबन्ध नहीं होगा। गुलगुल गद्दे—रंग-बिरंगे, साफ-सुथरे। किराया भी बहुत ही कम।

स्टेशन पर ही सिंघल मिले। कुछ देर हो गई थी, बेचारे परेशान थे। उनके घर गया। घर से लगा एक छोटा सा बगीचा भी। बगीचे में सेब के पेड़ फूलों से लदे थे; थोड़े दिनों में फल आएँगे। सिंघल कह रहे थे, गरमियों में सेब खाने से ही फुरसत नहीं मिलती।

हॉट हाउस—नाम सुना था। हर बगीचे में शीशे का एक ऐसा घर बना रहता था, जहाँ जाड़े में सुकुमार पौधों को रख दिया जाता था। वे वहीं पलते और बढ़ते रहते हैं। गरमियों में उन्हें बाहर लाया जाता है।

सिंघल यहाँ के भारतीय विद्यार्थियों के एक टाइप का प्रतिनिधित्व करते हैं। 1942 की क्रान्ति में काम किया। सोशलिस्ट पार्टी में आए। अलीगढ़ घर है; किन्तु राजपूताना, मध्य भारत और दिल्ली की खाक छानते रहे। अन्ततः एम.ए. किया और यहाँ अन्तरराष्ट्रीय राजनीति पर रिसर्च कर रहे हैं। उनकी पत्नी देवहुति भी उनके साथ हैं। देवहुति भी एम.ए. करके यहाँ पति के साथ ही आई हैं और हर्षवर्धन पर रिसर्च कर रही हैं। दोनों को हिन्दी लिखने-पढ़ने से भी प्रेम है। बी.बी.सी. में दोनों अपनी चीजें देते हैं। यहीं काम करके अपना काम चलाते हैं। सिंघल इन्डिया लीग में काम करते हैं।

भारतीय ढंग का भोजन। सिंघल की मस्ती; देव की गृह निपुणता। बड़े प्रेम से खाना खाया।

यहाँ आजकल स्थानीय संस्थाओं—काउन्टी कौंसिल का चुनाव हो रहा है। कई घरों के दरवाजे पर लटकता देखा—अमुक को वोट दीजिए; कन्जर्वेटिव या मजदूर। इस क्षेत्र में कन्जर्वेटिव अधिक हैं। एकाध जगह मजदूर की तख्ती देखी ! काउन्टी कौंसिलों में कन्जर्वेटिव ही अब तक जीतते आए हैं।

वहाँ से सोशलिस्ट पार्टी के ग्रुप की बैठक में आया। लगभग पन्द्रह व्यक्ति थे—भारत के प्रायः हर हिस्से से वे आए हैं। लन्दन के इन नौजवान सोशलिस्टों को देखकर मन में तरह-तरह की भव्य और करुण भावनाएँ उठती हैं। एक तरफ कम्युनिस्ट पार्टी है जो हर जगह अपनी शाखा रखती है, हर व्यक्ति को पार्टी में लाने की कोशिश करती है और पार्टी के हर व्यक्ति के पास ही नहीं, जो कोई उनके सम्पर्क में आते हैं, उन सब तक पार्टी के हर छोटे-बड़े साहित्य को पहुँचाने की कोशिश करती है। दूसरी तरफ हम हैं, जो खोज-खबर भी नहीं रखते कि पार्टी के सदस्य या पार्टी के सहायक कहाँ हैं, क्या करते हैं ! उन तक साहित्य पहुँचाने की बात तो बहुत दूर की है ! इन लोगों ने बताया कि लोहिया ने वादा किया, लिमये ने वादा किया, किन्तु कोई साहित्य नहीं मिला।

इकबाल ने मेरा परिचय दिया। फिर मैंने लोगों से आग्रह किया कि वे प्रश्न पूछें। अकाल की क्या स्थिति है और पार्टी इस सम्बन्ध में क्या कर रही है—मुख्य विषय यही रहा। बिहार की स्थिति बताई और पार्टी के काम बताए। फिर थोड़ी चर्चा चुनाव की हुई और अन्त में अरुणा आसफ अली पार्टी से अलग हुई हैं, इस सम्बन्ध में प्रश्न आए। यहाँ अरुणा को लेकर बड़ी चर्चा है। मालूम होता है, कम्युनिस्टों ने इस प्रश्न को बड़ा बनाया है। भारत में तो हमने इस स्वाभाविक रूप में ही लिंया है। मैंने बताया कि एक बड़े व्यक्तित्व के हटने का यह पहला मौका नहीं हैं। श्रीप्रकाश, रंगा, सम्पूर्णानन्द, गौतम ऐसे लोग हटे हैं। अरुणाजी का व्यक्तित्व इनमें से किसी से भी बड़ा नहीं और वह जो मार्क्सवाद की दुहाई देती हैं, वह छोटे मुँह बड़ी बात है। मार्क्सवाद का क ख ग भी जानती हैं, यह भी सन्देहास्पद है।

एक ग्रुप फोटो के बाद बैठक समाप्त हुई। उसके बाद श्री के घर पर गया। शम्भू बाबू का बेटा, जयप्रकाशजी का पोता। अपनापन तो है ही। उसका विचार भी प्रगतिवादी है। कामेश्वर भी साथ थे। लन्दन के रहन-सहन की काफी बातें हुईं। अंग्रेज व्यक्तिगत जीवन में कितने परिश्रमी, कितने ईमानदार, कितने अनुशासनप्रिय और भूले-भटके के कितने अच्छे सहायक हैं, दोनों लड़कों ने भूरि-भूरि प्रशंसा की। अंग्रेज विद्यार्थी पढ़ता भी बहुत धुन से है। लाइब्रेरियों में विद्यार्थियों की जमघट लगी रहती है। प्रोफेसर तो यहाँ पथप्रदर्शक मात्र हैं, विद्यार्थी स्वयं पढ़ते हैं।

श्री के ही साथ इम्पायर में सिनेमा देखा। इम्पायर यहाँ का सबसे बड़ा और शानदार सिनेमागृह है। एक राज भवन-सा ही लगता है। किन्तु श्री को कुछ अफसोस हुआ कि लेट से पहुँचने के कारण सिनेमा के पहले जो नृत्य होता है, हम उसे देख नहीं सके।

कल स्कॉटलैंड की ओर जाना है; एक बजे रात तक सामान सँभालता रहा।

अब इस 'टू पार्क स्ट्रीट' को छोड़ना है, अतः दो-चार शब्द यहाँ के बारे में।

यह एक शानदार होटल हैं कॉमनवेल्थ से आए हुए मेहमानों के लिए ही मुख्यतः यह होटल चलाया जाता है। काफी खर्चीला है। साज-सज्जा और प्रबन्धन—दोनों का क्या कहना ? शाही मेहमानों के लायक ही यह होटल है। सुना है, इसके खर्च को लेकर एक बार पार्लियामेंट में सवाल भी हुए; किन्तु मान लिया कि 'तस पूजा चाहिए, जस देवता।'

यहाँ जब खाने बैठता हूँ, तरह-तरह के चेहरे दिखाई देते हैं। हब्सी तो कई दिन और कई दिखाई पड़े। उनके साथ भी हमेशा एक-न-एक अंग्रेज, जो हमारे मि. सैम्पुलस की तरह उनसे घुल-घुलकर बातें कर रहा। एक दिन भारतीय चेहरे का एक आठ-नौ साल का बच्चा दिखाई पड़ा। मालूम हुआ वह सिलोन का है। कई दिनों से भारतीय चेहरेवाली दो-तीन औरतों को देख रहा हूँ। परसों एक अखबार में छपा, पाकिस्तान की एक बेगम साहिबा किसी भोज में गईं तो अपने सोने के डब्बे से मसाला निकालकर सब्जियों में मिलाया। उनका फोटो भी छपा था; वह चेहरा भी यहाँ दिखाई पड़ा। अभी आज एक देवीजी फर्राटे की उर्दू में एक साथी से बातें करने लगीं। तमाशा यह है कि ये मुसलमान औरतें यहाँ सलवार नहीं पहनतीं, साड़ी ही पहनतीं और सच पूछिए तो इसमें खूब खुलती भी हैं। एक काले अधेड़ साहब के साथ वह जो एक षोडसी आज हमारे सामने टेबुल पर बैठी थीं, भारतीय ही तो है। और भी कई चेहरे—मर्द-औरत के—यहाँ अपने देश के देख चुका हूँ।

अंग्रेजों की एक खूबी यह है कि अपरिचितों से बातें नहीं करते। यहाँ जो भारतीय आते हैं वे भी आपस में इसे ही बरतते हैं और सबसे बुरी बात यह है कि आपस में भी अंग्रेजों के ही तरह 'हाउ डू यू डू' आदि के प्रहसन करते हैं।

(ग) मुफस्सिल की ओर

देहात की पहली झलक

7 मई, 1951

आज ही डरहम जाना है। सवेरे से ही तैयारी। धीरे-धीरे अंग्रेजी पोशाक भी सधती जा रही है। यही नहीं, अकेले अपनी चीजों की सँभाल की प्रवृत्ति भी बढ़ रही है। अपने देश में मैं अपनी सारी चीजें घर के लोगों पर ही छोड़े रहता था, अतः कुछ दिनों तक बड़ी परेशानी

हुई थी।

महेशजी आए। उनके साथ B.I.F. की ओलम्पिया की प्रदर्शनी देखने गया। ओलम्पिया में विशेषतः छोटे-छोटे औजारों और कल-पुर्जों की प्रदर्शनी है। प्रेस के सामानों को देखना था ! तरह-तरह की नई डिजाइनों की मशीनें देखकर आश्चर्यचकित रह जाना पड़ा और सबसे अधिक आश्चर्यचकित रह जाना पड़ा एक दुकान पर जाकर जहाँ हिन्दी में लिखा था—'यहाँ हिन्दी बोली जाती है।' यहाँ टाइप की ढलाई की प्रदर्शनी थी ! हरी पट्टी पर, बड़ी सुन्दर हाथ की लिखावट में यह वाक्य लिखा हुआ था। एक सज्जन खड़े थे, जिन्होंने टूटी-फूटी हिन्दी में बातें की और चलते समय 'सलाम' किया ! लन्दन में अभी 'प्रणाम' नहीं पहुँचा है !

होटल में आए, खाना खाया। ओम प्रकाश और इकबाल मिलने आए। एक कम्युनिस्ट, एक सोशलिस्ट—बेनीपुरी तुम भी एक अजीब बिन्दु हो, जहाँ तरह-तरह की रेखाएँ मिलती हैं।

ढाई बजे हमने होटल छोड़ा, साढ़े तीन बजे हमारी गाड़ी लन्दन से छूटी !

विलायत की रेल पर चढ़ने का यह पहला मौका रहा। जरा इस रेल को देखिए !

रेल के भीतर पहुँचते ही आपको मालूम होगा कि किसी सजे-सजाए घर में पहुँच गए। सीटें क्या हैं, गद्देदार सोफे हैं। एक पाँत में तीन की जगह। बीच में बाँही की तरह बना दिए गए हैं, जिससे एक-एक आदमी एक-एक सीट पर मौज से बैठ सके। गद्दे रंगीन हैं—बड़े ही नेत्ररंजक छींट के। पीठ की ओर भी गद्दे लगे हैं। बड़े सामान तो ब्रेकवान में रखे जाते हैं, छोटे सामानों के लिए ऊपर रेलिंग-सी लगी है।

शौचादि के लिए जो कमरा है, वहाँ शीशे आदि सजे-सजाए हैं। ज्यों ही आप भीतर घुसे, बाहर आप-से-आप लिख जाएगा 'Engajed' ! ज्यों ही निकलिए, फिर 'Vacant' लिख जाएगा।

समूची ट्रेन में यहाँ-से-वहाँ चले जाइए। ट्रेन के एक तरफ लम्बा बरामदा-सा बना हुआ है। कहीं भीड़-भाड़ नहीं, कहीं धक्कम-धुक्की नहीं।

हम सरकारी मेहमान हैं, फर्स्ट क्लास में जा रहे हैं। हमारे दो डब्बों में लिखा है—भारतीय और सिलोनी प्रतिनिधियों के लिए सुरक्षित। क्या यह शान फर्स्ट क्लास डब्बा की ही है। नहीं, ऐसी बात नहीं। यहाँ सेकेन्ड क्लास तो है नहीं—थर्ड क्लास के डब्बों की ओर गया। लेकिन वहाँ भी ऐसे ही सजे-सजाए डब्बे, इसी तरह की गद्दीदार सीटें। यहाँ का फर्स्ट क्लास उच्चवर्गीय लोगों के मानसिक सन्तोष का ही साधन है। सुविधा में कोई फर्क नहीं और फर्स्ट और थर्ड क्लास के किराये में भी सिर्फ डेढ़ गुने का अन्तर है !

चाय और रात का खाना रेल में ही हुआ। होटलों के ही ऐसा सजा-सजाया भोजनघर। वहाँ जाइए, खाइए, पीजिए। पीना यहाँ की जिन्दगी है। इस ठंडे मुल्क में भीतर कुछ गरमागर्म पदार्थ उतारना ही पड़ता है।

यही नहीं, रेल के सारे डब्बे भी बिजली से गरम रखे जाते हैं।

जब लन्दन काफी पीछे छूट गया, हमारी आँखों के सामने इंगलैंड की देहात नाना तरह के दृश्य दिखाने लगी। हरे-भरे खेत, पेड़ों की पाँत, चरागाहों में पशु, दूर पर चमकते हुए गाँव, आकाश में बादल, जब-तब झींसी-फुही—सारी दृश्यावली देखते ही तबीयत हरी-भरी हो गई।

अपने यहाँ की तरह के छोटे-छोटे खेत कहीं नहीं दिखे। जमीन नीची-ऊँची है, मध्य प्रदेश की तरह की या छोटा नागपुर की तरह की। मिट्टी काली है। जुताई ज्यादातर ट्रैक्टर से ही होती है। जहाँ-तहाँ ट्रैक्टर चलते या खड़े दिखाई पड़े। कई जगह घोड़ों से भी जुताई या हेंगाई करते हुए देखा। छोटे खेतों में ट्रैक्टर कैसे चलते ! बड़े-बड़े चकले। चकलों के बीच

छोटी-छोटी झाड़ियों की कतारें। पंक्तियाँ सीधी। जहाँ-तहाँ बड़े-बड़े पेड़ भी। यहाँ के पेड़ जाड़े भर काले-कलूटे बने रहते हैं; बसन्त आते ही ऐसे फूट पड़ते हैं कि क्या कहने ? कई पेड़ों में पत्तों के साथ ही फूल भी निकल आते हैं गुच्छे-के-गुच्छे। देखिए, कहीं लाल, कहीं गुलाबी, कहीं उजले--कितने सुन्दर लगते हैं ! खेतों के बीच उसके सुहाग सिन्दूर-से ये लगते हैं !

खेतों में हरियाली-ही-हरियाली। कहीं अन्न के पौधे हैं। कहीं घास उपजी है। गेहूँ बोया जा चुका है, हाँ, कहीं-कहीं बुआई शुरू ही हुई है। गहरी जुताई हुई है, मिट्टी खूब मिल गई है--यह यहाँ से ही दिखाई पड़ रहा है।

जहाँ के खेतों में घास उपजाई गई है, वहाँ प्रायः पशु भी चरते दिखाई दिए ! पशु--सिर्फ गाय और घोड़े। गाएँ कितनी हृष्ट-पुष्ट ! क्या किसी के पुट्ठे की हड्डी भी आप देख सकेंगे ? एक अपने देश की गाएँ हैं, एक ये गाएँ हैं ! हम गाय को माता मानते हैं, किन्तु उन्हें रखते कैसे हैं ? नतीजा यह है कि किसी शहर में आप सच्चा दूध पा सकेंगे ? और यहाँ तो लन्दन में भी जितना दूध चाहिए, पीजिए। घर-घर दूध पहुँचाने की व्यवस्था ! बोतल में बन्द उस उजले पेय को देखकर ही पीने को तबीयत मचल जाएगी ! इफरात दूध क्यों न मिले--जब दूध की जननी को इतनी खातिरदारी से रखा जाता है !

गाएँ प्रायः चितकबरी--कत्थी रंग पर या काले रंग पर उजले-उजले धब्बे ! छोटी-छोटी सींग। कोई चर रही है, कोई शान से सिर उठाकर देख रही है, कोई बैठकर पागुर कर रही है।

जो घोड़े दिखाई देते हैं, वे भी बड़े पुष्ट ! तभी तो लोहे के हल को खींचते हैं।

गाँव दूर-दूर पर हैं। उनके पक्के उजले घर यहाँ से चमक रहे हैं। इच्छा है, किसी एक गाँव में एक दिन के लिए जाऊँ और वहाँ का ग्रामीण जीवन देखूँ।

आकाश के बादलों को देखकर एक ओर, मेघदूत का 'आषाढ़स्य प्रथम दिवसे' याद आ रहा है, दूसरी ओर, अपने बिहार के सूखे का स्मरण हो रहा है। यहाँ इन्द्रदेव इस तरह छाए हुए हैं; वहाँ उनके दर्शन भी दुर्लभ हो रहे हैं। यहाँ के लोग इस साल वर्षा से तबाह हैं, वहाँ हमारी आँखें आकाश की ओर देखते-देखते पथरा रही हैं। अभी यार्क में स्थानीय अखबार खरीदा। उससे पता चला कि वर्षा के कारण बाढ़ आ गई है, बड़ी बाढ़। फसलें बरबाद हो रही हैं।

बगल में जो एक जगह नदी देखी, वह काफी उमड़ती हुई दिखी थी। नगरों में भी पानी लबालब दिखाई पड़ा !

अंग्रेज अपने भोजन के लिए दूसरे देशों की कृपा पर आश्रित हैं। इधर उनका प्रयत्न है कि अपने देश से ही काफी अन्न उपजा लें। इसलिए जहाँ भी थोड़ी-बहुत जमीन उन्हें मिलती है, उसे जोतने में लगे हुए हैं। रेल की सड़कों की बगल की जमीनें भी जुती हुई हैं। जहाँ-तहाँ जंगल दिखाई पड़े, तो उनके निकट तक की जमीन हल के नीचे आ गई दिखी। किन्तु एक बात अन्न उपजाने के जोश में जंगलों को काटने या चरागाहों को उजाड़ने की गलती अंग्रेज नहीं कर रहे हैं। जलावन के लिए जंगल चाहिए ही और ढोरों के लिए चरागाह भी रखना ही है।

हाँ, पंछी बहुत कम दिखाई पड़े। मैंने मि. सेम्पल्स से पूछा भी। वह कहते हैं, पंछी तो कम नहीं है। अब धीरे-धीरे दिखाई पड़ने लगेंगे। कहीं-कहीं कौवे दीखे, जो बड़े भद्दे लगते थे। अपने देश के कौवों के पंखों में जो एक चमक होती है, वह यहाँ कहाँ ? मुरगियों को पालना तो यहाँ एक व्यवसाय ही बन गया है। कई जगह उनके झुंड चरते दिखाई पड़े, कई जगह उनके दरबों की पाँतें दिखाई पड़ीं। जब आकाश में इस तरह बादल घिरे हों, बगलों की

पाँत उड़ती नजर न आए, तो आकाश कैसा सूना मालूम पड़ सकता है, कल्पना कीजिए !

लगभग दस बजे रात में हम डरहम पहुँचे। साढ़े बारह बजने जा रहा है। अब डरहम के बारे में कल।

डरहम : न्यू कैसेल

9 मई, 1951

उत्तर जाइए और ठंडक बढ़ी—यहाँ भी यही हाल है। रात में जब ओढ़ने के नीचे गया, हाथ-पैर ठंडा होने लगा। स्पीलिंग गाउन को पैर से लपेटकर सोया। गरम पानी का जो थैला कम्बल के नीचे था, उसे रात भर कलेजे से चिपकाए रहा।

भोर में नींद टूटी, तो चिड़िएँ चहचह कर रही थीं। देखा, सारे घर में सुनहली धूप छाई हुई है ! बड़ा प्रसन्न हुआ कि इस आनन्दी वातावरण में घूमने-फिरने, देखने-सुनने में अच्छा रहेगा।

किन्तु इंगलैंड के मौसम का क्या विश्वास ? छन में धूप, छन में छाया। छाया तक रहे, तो खैरियत। देखते-देखते झिर-झिरकर पानी बरसने लगता है। आज दिन भर हम जाड़े के मारे परेशान रहे—वर्षा तो वर्षा; ठंडी हवा के वैसे झोंके जो हड्डी तक को हिला दें !

जलपान के बाद हम डरहम की कौंसिल ऑफ सोशल सर्विस के दफ्तर में गए। स्लाउ की कम्युनिटी सेंटर के भवन का विस्तार आश्चर्य में डालता है। इस कौंसिल के कार्यक्षेत्र का विस्तार अचम्भे में डाल देता है। इसके संचालक ने बड़े फख्र के साथ कहा, ब्रिटेन की यह सबसे बड़ी गैर सरकारी संस्था है।

डरहम इंगलैंड के उत्तरी हिस्से में है। वेल्स का दक्षिणी हिस्सा और इंगलैंड का उत्तरी हिस्सा पिछड़े हुए भूखंड में गिने जाते हैं। किन्तु प्राचीन काल से ही डरहम अपनी शान रखता है। इसकी यूनिवर्सिटी बहुत पुरानी है, इसका गिरजाघर इंगलैंड के गिरजाघरों में प्राचीनतम स्थान रखता है, इसकी आबादी इंगलैंड में सबसे घनी आबादियों में गिनी जाती है और डरहम का कोयला संसार के उत्तमोत्तम कोयले से मुकाबला करता है।

डरहम काउन्टी लगभग पच्चीस मील लम्बी और इतनी ही चौड़ी है। इस सोशल सर्विस कौंसिल की शाखाएँ इस काउन्टी के गाँव-गाँव में फैली हुई हैं। इस संस्था को राजनीति से कोई सरोकार नहीं। इस तरफ प्रसिद्ध है कि जहाँ राजनीति होगी, वहाँ घूँसेबाजी लाजिमी है। डरहम मजदूर दल का अखाड़ा है। अतः यहाँ की राजनीति बड़ी उग्र है। इसलिए इस समाजसेवी संस्था को राजनीति से पृथक् रखा गया है। राजनीति सम्बन्धी सैद्धान्तिक बातें भी यहाँ वर्ज्य है। यह संस्था सिर्फ ऐसे काम करती है जिससे जनता की आध्यात्मिक, मानसिक और शारीरिक शक्तियों का विकास हो—सेवा के कुछ ठोस काम किए जाएँ, भले ही वे काम देखने में छोटे-से-छोटे क्यों न हों !

इसका प्रारम्भ भी छोटे-छोटे कामों से हुआ था। 1930 की मन्दी के कारण इस हिस्से में बड़ी बेकारी फैल गई ! 1936 में कोयले की जो बड़ी हड़ताल हुई थी, उसने स्थिति बिगाड़ दी थी। गाँव-गाँव में बेकार बैठे लोगों का झुंड बढ़ता गया। हाथ पर हाथ धरे बैठे रहने से क्या फायदा—कुछ सार्वजनिक काम ही क्यों न किया जाए ? गाँव में जो खेलने का मैदान था उसमें घुटने भर घास उग आई थी; जहाँ फूल खिलते थे वहाँ काँटे उग आए थे; कोई जगह नहीं जहाँ शाम को बैठकर कुछ गपशप किया जाए। एक गाँव के बेकार नौजवानों ने

इस दिशा में काम शुरू किया; दूसरे गाँवों ने अनुकरण किया। 'बेकारों का क्लब' के नाम से 1937 में जो चीज़ शुरू हुई, यह आज इस तरह एक बड़ी संस्था बन गई है।

यह कौंसिल काउन्टी भर में फैली हुई लगभग हजार संस्थाओं का संघबद्ध रूप है, जिनमें सवा सौ संस्थाएँ तो बड़ी प्रमुख हैं। ये संस्थाएँ कर्मक्षेत्र के लिहाज से बँटी हुई हैं, भूमि के लिहाज से नहीं। जैसे एक संस्था है जो औरतों में काम करती है, दूसरी नौजवानों में, तीसरी लड़कियों में, चौथी पेंसन पाए सैनिकों में, पाँचवीं थके-माँदे बूढ़ों में। यही यहीं बागवानी की, मुरगी पालने की, सिलाई की, संगीत की, नृत्य की अलग-अलग छोटे-बड़े कामों की अलग-अलग संस्थाएँ हैं। ऐसी सवा सौ संस्थाएँ हैं। एक हजार गाँवों में इनकी शाखाएँ हैं, इसके सदस्य हैं। महीने-दो महीने पर इनकी बैठकें हुआ करती हैं जिनमें अपने-अपने कार्यक्षेत्रों पर वे विचार करते हैं। ये सभी संस्थाएँ नाना नदियों के रूप में आकर इस सोशल सर्विस कौंसिल रूपी समुद्र में मिलती हैं।

डरहम में कौंसिल की शानदार इमारत है जिसके निर्माण में पच्चीस हजार पाउण्ड लगे हैं। इसके स्टाफ में साठ-सत्तर आदमी काम करते हैं। एक वर्ष में इसका पाँच हजार पाउण्ड का खर्च है। इस रकम में आधी यहाँ की काउन्टी-कौंसिल देती हैं; एक हजार पाउण्ड सरकार देती है और डेढ़ हजार पाउण्ड चन्दे से आता है। सभी संस्थाएँ अपने-अपने क्षेत्र में स्वतन्त्र हैं और अपने आय-व्यय का स्वयं प्रबन्ध करती हैं। हर गाँव में एक सार्वजनिक भवन हो, जहाँ-वहाँ की संस्थाओं का दफ्तर रहे और जहाँ आमोद-प्रमोद के सभी साधन जुटे हों, कौंसिल इस दिशा में बड़े जोरों से प्रबन्ध कर रही है और उसे पूरी सफलता भी मिल रही है।

संस्थाएँ बनाने और चलाने की कला अंग्रेजों की नस-नस में है। हम संस्थाएँ बनाते तो हैं, किन्तु ज्यों ही संस्था बनी नहीं कि झगड़े शुरू हो गए, वातावरण दूषित हो गया, संस्थाएँ भी गईं। इस संस्था में एक ऐसी संस्था भी सम्बद्ध हुई जो 1883 में बनी थी ! कितनी पुरानी संस्था !

इंगलैंड भर में ऐसी बड़ी-बड़ी संस्थाओं की संख्या लगभग दो सौ है। इन संस्थाओं को लेकर 'नेशनल कौंसिल ऑफ सोशल सर्विस' की स्थापना की गई है। इंगलैंड के राजा इसके संरक्षक हैं। एक लाख पाउण्ड सालाना इसका बजट है। इसके पास सवा पाँच लाख पाउण्ड का कोष है। इसके द्वारा समाजसेवा सम्बन्धी सैकड़ों पुस्तक पुस्तिकाओं के प्रकाशन के साथ दो त्रैमासिक पत्रिका भी निकलती है—(1) सोशल सर्विस (2) दि विलेज ! दूसरी पत्रिका सिर्फ गाँव की समस्याओं पर ही लेख छापती है।

वहाँ से लौटते समय हम एक 'पब' में गए। वहाँ एक बूढ़े सज्जन थे, जो बड़ी देर तक हमें मजदूर पार्टी की त्रुटियों को समझाते रहे। मुझे तो कुढ़न हो रही थी और मित्र आनन्द ले रहे थे।

खा-पीकर हम 'नयू कैसल' गए। वहाँ जाने पर पता चला कि विवान द्वारा प्रवर्तित हेल्थ सर्विस क्या चीज है ! आज इंगलैंड का एक भी आदमी ऐसा नहीं है, जो बिना दवा-दारू के मर जाए। डॉक्टर मुफ्त, दवाएँ मुफ्त। सिर्फ आपको खबर भर कर देना है, डॉक्टर का पहुँचना लाज़िमी है।

बच्चों की ओर इस देश में कितना ध्यान है। बच्चों की शिक्षा और स्वास्थ्य की पूरी जिम्मेवारी सरकार ने ले ली है। क्यों न हो, किसी देश के भविष्य का दारमदार तो बच्चों पर ही होता है। पन्द्रह वर्ष की उम्र तक उनकी पढ़ाई का जिम्मा तो सरकार ने ले ही लिया है, जिसकी एक झलक हमें स्लाउ में मिली थी। न्यूं कैसल में हमने बच्चों के स्वास्थ्य सम्बन्धी प्रबन्ध का दिग्दर्शन किया।

न्यू कैसल की आबादी लगभग तीन लाख है—पटना की आबादी के आसपास समझिए। इसमें अठारह शिशु कल्याण और मातृत्व के केन्द्र हैं। ज्यों ही माता गर्भवती होती है, धाइयाँ उनके घर जाकर उन्हें सलाह देने लगती हैं। डॉक्टर भी देखभाल कर आते हैं। माता के लिए उचित भोजन और दवा का भी आवश्यकता होने पर, प्रबन्ध कर दिया जाता है। आसनी से बच्चा पैदा होने के लिए घर पर भी धाइयाँ भेज दी जाती हैं और जो चाहें वे माताएँ अस्पताल में भी आ सकती हैं। बच्चा होने पर उसके शरीर की पूरी जाँच की जाती है और जिस तत्त्वों की कमी उसके शरीर में पाई जाती है, उसके लिए दवा का प्रबन्ध किया जाता है। हर माता और उसके शिशु के लिए खास दूध का प्रबन्ध है। जमुआ का छूना, कुकुर खाँसी, दाँत का निकलना, छूत की बीमारियों का होना—इन सबके लिए विशेष प्रबन्ध है। जब लड़के स्कूल जाने लगते हैं, तो वहाँ बराबर डॉक्टर जाता और उनके स्वास्थ्य की जाँच करता है। इस शहर भर में सात अस्पताल सिर्फ ऐसे हैं, जहाँ स्कूल में जानेवाले लड़कों का ही इलाज होता है। हमने एक ऐसे अस्पताल को देखा भी। उसके दरवाजे पर ही बच्चों की कई पत्रिकाएँ टेबुल पर रखी हुई थीं, जिन्हें चिकित्सा के लिए आए हुए बच्चे बड़े चाव से पढ़ रहे थे। छूत की बीमारियों का, हड्डी टूटने का, दाँत निकालने या बनाने का, आँख-कान का, अलग-अलग विभाग देखा !

जब हम डरहम से न्यू कैसल जा रहे थे, बीच का दृश्य देखकर झरिया से धनबाद का रास्ता याद आ गया। उसी तरह दोनों ओर कोयला की खानें—कोयला निकालने के लिए घिरनियाँ; कोयला ढोने के लिए बिजली के तार; जहाँ-तहाँ चिमनियाँ। मोटरों और ट्रकों की वैसे ही भरमार। हाँ, रास्ते में मजदूरों के लिए जो बस्तियाँ देखीं; काश अपने यहाँ के बाबुओं को भी वैसा घर नसीब होता। खान के मजदूरों की यहाँ बड़ी कदर है। अभी उस दिन 'डेली हेरल्ड' में एक सम्पादकीय लेख देखा—'दो आदमी'। बड़ी उत्सुकता से पढ़ा। ऊपर एटली साहब के स्वास्थ्य लाभ पर प्रसन्नता प्रकट की गई थी। उत्सुकता हो रही थी कि अब दूसरा आदमी कौन आता है ? एटली साहब की प्रशस्ति के बाद खान मजदूर की यशोगाथा गाई गई थी ! एटली साहब ने कहा था, खान मजदूर कुछ घंटे अधिक काम करके देश को जलावन के अकाल से बचावें ! खान मजदूरों ने उनकी बात पूरी कर दी थी ! ऊपर एटली साहब की तसवीर थी; नीचे एक खान मजदूर की !

यह हमारे लिए दुर्भाग्य की बात रही कि हमारी इस यात्रा में खान देखने या खान मजदूरों से मिलने का कोई प्रबन्ध नहीं किया गया।

आज की डायरी तब तक समाप्त नहीं कर सकता, जब तक यहाँ की स्त्रियों के बारे में कुछ नहीं लिखूँ। यहाँ की स्त्रियों के बारे में अपने देश में बड़ी भ्रान्त धारणा है। लोग समझते हैं, इंगलैंड की स्त्रियाँ उच्छृंखल होती हैं, दुराचारिणी होती हैं, विलासिनी होती हैं ! किन्तु यहाँ उन्हें देखकर उनके प्रति असीम श्रद्धा का उदय होता है। हमारे ऋषियों ने स्त्रियों को जो अर्धांगिनी कहा है, वह यहीं चरितार्थ होता है। गृहस्थी का आधा बोझ वही ढोती हैं ! इतनी कार्यशील होती हैं कि देखकर आश्चर्य होता है। सड़कों पर आप औरतों को तेजी से दनादन बढ़ते पाएँगे। उनमें छोकडियाँ भी हैं, अधेड़ भी, बुढ़िया भी। किसी के पैर में लचक नहीं। बुढ़ियाँ भी दौड़कर गाड़ियाँ पकड़ती हैं, सड़कें पार करती हैं। हाथों में सामान का भारी गट्ठर लिये हुए उनका दनादन बढ़ना हैरत में डाल देता है। ऑफिसों में क्लर्क का, टाइपिस्ट का काम वे ही करती हैं। दुकानों पर सौदे वे ही बेंचती हैं। हमारी मोटरें वे ही चला रही हैं। हरे रंग का चुस्त कोट, बालों को छोटा कर उसे ऊपर की ओर सँभाले हुए, अपने देश के वालंटियरों के ढंग की टोपी, हाथ में चमड़े का दस्ताना, स्टीयरिंग ह्वील पर उनकी कलाइयाँ

नाच रही हैं और वे आपसे गप्प भी करती जाती हैं ! किन्तु गप्प में अपनी ड्यूटी नहीं भूलतीं—नहीं तो कितनी गाड़ियाँ चूर हो जाएँ। देखिए, एक गाड़ी का पहिया पंचर हो गया। झट नीचे जाकर डट गई और तुरत ठीक-ठाक कर फिर गाड़ी ले उड़ी !

बड़े घर में भी नौकर नहीं रहते। घर के सारे काम वे ही करती हैं, हाँ, पुरुष भी उसमें हाथ बँटाते हैं। लोगों ने कह रखा था, गाड़ी में जब औरतें आ जाएँ, तो खड़ा होकर उन्हें जगह देनी चाहिए। किन्तु अब की नई नारियाँ इसे अपना अपमान समझती हैं ! आप उन पर दया मत दिखाइए, उनके पैर काफी मजबूत हैं।

पुलिस में भी स्त्रियों के दस्ते हैं। मि. सेम्पुल्स कह रहे थे; वे बड़ी जबरदस्त होती हैं; कुश्ती जानती हैं, बड़े-बड़े जवानों को भी गिरा सकती हैं !

कारखानों में भी औरतों की बड़ी संख्या काम करती हैं। बहुत से काम हैं, जिनके लिए स्त्रियाँ ही रखी जाती हैं। बुनाई के काम में तो उनकी मनोपली जैसी है।

टीम वैली : अपाहिजों की पाठशाला

9 मई, 1951

भोर से ही बूँदा-बूँदी हो रही थी, किन्तु जलपान कर हम टीम वैली के लिए रवाना हुए। बड़ा ही मनोरम दृश्य था। लगता था हम छोटा नागपुर की पहाड़ियों से गुजर रहे हैं—वैसी ही पहाड़ियाँ, वैसी ही झाड़ियाँ। हाँ, फर्क यह और बड़ा—कि जहाँ छोटा नागपुर का प्रान्त उजाड़ लगता है, वहाँ-यहाँ तराइयों में जहाँ-तहाँ बड़ी-बड़ी और साफ-सुथरी बस्तियाँ दिखाई पड़ती थीं। सड़कों का क्या कहना—मोटर पर जरा भी शरीर नहीं हिलता था।

हम टीम वैली पहुँचे। इस वैली की बड़ी मनोरम कहानी है। 1930 के बाद इस क्षेत्र में बेकारी फैली। काम करने योग्य हट्टे-कट्टे बेकार लोगों की संख्या ढाई लाख थी। इन लोगों को काम में किस तरह लगाया जाए, इस पर सोच-विचार कर मिनिस्टरी ऑफ लेबर ने इस वैली में कुछ कारखाने खोलने का विचार किया। मिनिस्टरी की प्रेरणा से एक कम्पनी खुली जो यहाँ फैक्टरियाँ बनाने लगी। कम्पनी सिर्फ कारखानों के घर बना देती और सस्ते भाड़े पर दे देती थी। धीरे-धीरे कई कारखाने यहीं खुले और धड़ल्ले से काम शुरू हुआ।

जब लेबर सरकार आई, उसने तय किया कि देश में हम किसी व्यक्ति को बेकार नहीं रहने देंगे। बेकारी दूर करने के लिए नए उद्योग-धन्धे चाहिए। इसमें प्रोत्साहन देने के लिए सरकार ने सारे देश में छः स्थान चुने, जिन्हें विकास क्षेत्र— Development Area—के नाम से पुकारने लगी। अनुभवों से यह भी देखा गया, खासकर टीम वैली के अनुभवों से छिट-पुट उद्योग-धन्धे खोलने के बनिस्बत एक जगह पर अधिक उद्योग-धन्धों को चलाना मजदूर और पूँजीपति, दोनों के लिए फायदे का होता है। अतः उसने सारे देश में छः स्थान चुन लिये। इनमें दो स्थान स्कॉटलैंड में हैं; तीन स्थान इंगलैंड में हैं और एक स्थान वेल्स में। इसके लिए उसने 1945 में एक कानून भी बनाया Distribution of Industries Act. इस कानून के बाद छिट-पुट से कारखाने नहीं बनाए जा सकते।

टीम वैली में जो कम्पनी बनी थी, सरकार ने उसे ले लिया और उसके विकास के लिए एक करोड़ बीस लाख पाउण्ड सरकारी खजाने से दिया। तब से आज तक यहाँ पर एक सौ छप्पन फैक्टरियाँ बन चुकी हैं। इन फैक्टरियों में पैंतालीस हजार मजदूर काम करते हैं जिनमें साठ सैकड़े स्त्रियाँ हैं। इन फैक्टरियों में काम करनेवाले मजदूरों की निपुणता बढ़ी है, उत्पादन

बढ़ा है। सिर्फ उनके वेतन में प्रतिवर्ष एक करोड़ पाउण्ड की वृद्धि हुई है। काम कितनी शीघ्रता से होता है, इसका एक किस्सा बताया गया। मशीन बनाने के लिए एक कारखाने को ठेका मिला। खरीददार ने कहा कि तेरह महीने के अन्दर मुझे यह मशीन चाहिए, आप कितने दिनों के अन्दर दे सकेंगे। मैनेजर ने कहा, तेरह सप्ताह में। उसे आश्चर्य हुआ, किन्तु सबसे बड़ा आश्चर्य उसे तब हुआ, जब सात सप्ताह में ही उसे मशीन तैयार मिल गई !

यहाँ निकट ही कोयला है; इसलिए चीज सस्ती बन पाती है। मशीन के पुर्जे और जहाज बनाने का काम यहाँ बड़े पैमाने पर होता है। कपड़े और ऊन की मिलें भी यहाँ चालू हुई हैं। लंकाशायर के कपड़े के उद्योग को भी यह चुनौती दे रहा है। यहाँ का ऊनी माल तो सबसे अच्छा बनता है। हमें ऊनी माल बनाने का एक कारखाना दिखलाया गया। इस कारखाने को 1939 में ही एक जर्मन ने खोला था, जिसे नाज़ियों ने निकाल दिया था। पहले छोटे पैमाने से काम शुरू किया गया, किन्तु अब कारखाना बहुत बड़ा हो गया है। हमने ऊनी कपड़े और कालीन बनाते देखा। कारखाने में ज्यादातर औरतें काम करती हैं। क्या मशीन की दुनिया है—थान-के-थान किस तरह झटपट तैयार हो जाता है। वहाँ मशीन के द्वारा ही पसारकर देख लिया जाता है। फिर जहाँ जरा भी कसर रहती है, उसे तुरत मरम्मत कर दिया जाता है। फिर पैकिंगरूम में भेज दिया जाता है। नाप-नापकर थान बनाए जाते; फिर उन्हें कागज में लपेटकर पैक किया जाता है।

मशीन बनाने के एक छोटे से कारखाने में भी हम गए। बड़े-बड़े पुर्जे दूसरे कारखाने से ढलकर आते हैं। छोटे पुर्जे, जिनकी संख्या ही अधिक होती है, यहाँ ढाले जाते हैं और फिर उन्हें फिट किया जाता है। एक पाँत में शुरू में अपने ढाँचा देखा, ढाँचे में क्रमशः पुर्जे जुटते गए और अन्त में देखिए यह चाकलेट बनाने की मशीन तैयार हो गई जिसमें सिर्फ चीनी, रंग और कागज रख दिया जाता है और चाकलेट की गोलियाँ निकलती जाती हैं।

सरकार फैक्टरियाँ बना देती है, काउन्टी कौंसिल मजदूरों के घर बनवा देती है। देखिए, ये घर—कतारों में। लाल ईंट के पक्के मकान; ऊपर लाल-लाल खपड़ैल ! इस हरी-भरी पहाड़ियों में वे कैसे सुन्दर दीख रहे हैं। यहाँ जो मजदूरों के लिए सुलभ है, काश, हमारे देश में मध्य श्रेणी के लोगों को वैसे मकान मिलते !

फैक्टरी बनाकर सरकार इक्कीस वर्ष के ठेके पर कम्पनियों को दे देती है। उसमें वे अपनी मशीनें बैठाते और कारखाने चलाते हैं। शुरू के पाँच वर्षों तक उन्हें कम किराया देना पड़ता है। टीम वैली के अधिकारी कह रहे थे, उन्हें आशा है, तीस साल के अन्दर वे सरकार को साढ़े तीन सैकड़ें सूद के साथ सारे रुपए वापस कर देंगे !

बार-बार दामोदर वैली की याद आती थी। क्या यह सम्भव नहीं है कि वहाँ भी ऐसी योजना बनाई जाए ? तब बिहार की कायापलट हो सकती है !

लौटकर हम लोगों ने एक रेस्तोराँ में खाना खाया। इन्फॉरमेशनवालों का कहना था कि हमने इसमें इसलिए खाना रखा है कि आप देखिए, मध्यवित्त के लोग यहाँ क्या खाते हैं ? किन्तु हम तो हिजमेजेस्टी के मेहमान थे। हमारे कुछ साथियों को यहाँ का खाना अच्छा नहीं लगा।

उसके बाद हम एक अजीब संस्था को देखने गए। यहाँ अपाहिज बने लोगों को उद्योग-धन्धा सिखाया जाता है। किसी का हाथ कटा, किसी का पैर कटा; कोई बहरा, कोई लूँजा ! किसी को मिरगी आती है, किसी को थाइसिस हो गया है किसी को लकवा मार गया है। ऐसे लोगों में से जो काम सीखकर अपनी जीविका चलाना चाहते हैं, यहाँ उनको शिक्षा दी जाती है। घड़ी मरम्मत करने, जूते बनाने, टाईपराइटर की मरम्मत करने, बागबानी करने,

क्लर्क और टाइपिस्ट बनने, सिलाई करने आदि की शिक्षा यहाँ दी जाती है। इस संस्था की स्थापना 1943 में कुछ पादरियों ने की। अब तक सात-आठ सौ ऐसे लोग यहाँ से शिक्षा पाकर निकल चुके हैं। शिक्षा ही नहीं दी जाती है, उनके लिए काम भी खोज दिया जाता है। इस साल एक सौ सत्रह आदमी शिक्षा पा रहे हैं। शिक्षार्थियों को यहीं रखा जाता है। उनके रहने के लिए ऐसा अच्छा प्रबन्ध है, जैसा अपने यहाँ के होस्टलों में भी प्रबन्ध नहीं। कुछ लोग स्वयं आते हैं, कुछ को सरकार का मजदूर विभाग भेजता है। हर ऐसे शिक्षार्थी पर सरकार इस संस्था को प्रति महीना साढ़े चार पाउण्ड (सत्तर रुपए) देती है। जब हम निरीक्षण कर रहे थे, मजदूर विभाग के एक इंसपेक्टर से भी भेंट हुई, जो यहाँ के एक विभाग के शिक्षक से बातें कर रहे थे। इंसपेक्टर समय-समय पर आकर देखते हैं कि काम कैसा हो रहा है।

इसके सुपरिन्टेंडेंट एक ऐसे सज्जन हैं, जो भारत (कैम्प बेलपुर) में रह चुके हैं। उस बुड्ढे की फुरती और उत्साह देखने ही लायक। हम दंग थे ! इन सात-आठ वर्षों में यह संस्था सात सौ से ऊपर ऐसे आदमियों को शिक्षित कर जीविका में लगा चुकी है ! याद रखिए, यह अनाथालय नहीं है; शिक्षण केन्द्र है। यहाँ उसे ही लिया जाता है, जो शिक्षा पाना चाहता है। जो काम नहीं करना चाहते या काम सीखने में ढिलाई करते हैं, उनके लिए यह जगह नहीं। घड़ी बनाने के विभाग में ऐसे लोग थे, जो लोग साधारण कुरसियों पर बैठ भी नहीं सकते। उनके लिए खास कुरसियाँ बनाई गई हैं और जब वह जाने लगेंगे, उन्हें अपनी-अपनी कुरसी दे दी जाएगी। टाईपराइटर की मरम्मत करना सीखने के पहले उसके लिए औजार बनाना भी सिखा दिया जाता है। ये औजार भी उन्हें दे दिए जाते हैं।

सारे देश में ऐसी चार संस्थाएँ हैं। संस्था का मकान बड़ा ही सुन्दर और सुसज्जित है। हमारे यहाँ के किसी रईस को भी यह सजावट कहाँ मिलेगी ! फूलों से तो अंग्रेज जाति को न जाने कितना प्रेम है। चारों ओर फूल-ही-फूल तो हैं ही; कमरों में गमले लगे थे जिनके फूलों का सौन्दर्य बरबस मन को मोह लेता था। शीशे के घर में तापमान को ठीक रखकर टमाटर और फूल उपजाते देखकर अंग्रेजों के पुरुषार्थ पर ईर्ष्या हुई।

यहाँ से न्यू कैसल गए। न्यू कैसेल टाइन नदी पर बसा है और समुद्र तट से आठ मील दूर है—यों तो न्यू कैसल से समुद्र तट तक आबादी-ही-आबादी है। यहाँ पहले रोमनों ने एक क़िला बनाया था; फिर जब ऐंग्लो सैक्सन आए, तो उन्होंने भी इसके महत्त्व को समझा। विजयी विलियम के लड़के रॉबर्ट करयूज ने यहाँ एक नया क़िला 1080 ई. में बनाया और तभी से इनका नाम 'न्यू कैसल' पड़ा। न्यू कैसल उद्योग-धन्धों के लिए प्रसिद्ध है और ज्ञान-विज्ञान के लिए भी। यहाँ का 'किंग कॉलेज' बहुत ही नामी है। कृषि, इंजीनियरिंग और डॉक्टरी की पढ़ाई यहाँ बहुत अच्छी होती है। दिमागी सर्जरी के लिए तो वह संसार भर में एक ही संस्था है। देश-देश से लड़के यहाँ पढ़ने आते हैं—टर्की, मिस्र, मध्यपूर्व और भारत के लड़के यहाँ बहुत हैं।

न्यू कैसल में ब्रिटिश कौंसिल की एक शाखा है, जहाँ हमें भारतीय विद्यार्थियों से मिलना था। अभी देर थी, अतः हमने समुद्र तट देख लेना उचित समझा। समुद्र तट तक बस्तियाँ-ही-बस्तियाँ हैं। टाइन के मुहाने पर बन्दरगाह है। हम समुद्र के किनारे थोड़ी देर तक घूमते रहे। समुद्र में पाँच-छः जहाज आ-जा रहे थे। बड़ी-बड़ी तरंगे उठ रही थीं। हवा में ऐसी ठंडक भी कि हड्डी तक छिद रही थी। समुद्र के किनारे-किनारे बड़ी अच्छी सड़क बना दी गई है। उस पर मोटरें दौड़ रही थीं और मानव की युगल मूर्तियाँ—बाँह-में-बाँह डाले, हँसतीं, मुसकरातीं !

ब्रिटिश कौंसिल में सात-आठ विद्यार्थी मिले, उनमें से चार तो बिहार के ही थे। पांडे,

सिन्हा, वर्मा के अतिरिक्त सर चन्द्रेश्वर के लड़के श्री अखिलेश्वर भी थे। पांडे यहाँ के भारतीय विद्यार्थियों के संघ के सभापति हैं और सिन्हा उसके मन्त्री। बिहार के लड़के बाहर जाकर क्या कमाल करते हैं, काश, हमारे बिहार के लोग जान पाते !

इन बच्चों से मिलकर कितनी प्रसन्न्ता हुई ! ये बच्चे हमें देखकर कितने प्रसन्न हुए। इसी प्रसन्नता को लिए लगभग ग्यारह बजे रात मैं डरहम आया और बिहार की प्रतिभा को मन-ही-मन प्रणाम करता हुआ सो गया।

हाँ, ब्रिटिश कौंसिल से डरहम आते समय बीच में न्यू कैसल के सबसे बड़े अखबार के दफ्तर में गया। यहाँ से चार अखबार निकलते हैं—(1) न्यू कैसल जरनल (भोर में) (2) इवनिंग क्रानिकल (शाम को) (3) 'सन' नाम का एक साप्ताहिक रविवार को और एक अन्य साप्ताहिक, जिसका नाम भूल रहा हूँ। इस दफ्तर का सारा काम न्यू हेरल्ड के ढंग पर ही होता है, हाँ, छोटे पैमाने पर। यहाँ हम लोगों की तसवीर ली गई और जाते समय उसके प्रिंट हर आदमी को दे दिया गया !

डरहम : स्टौकटन, चूड़ी का टुकड़ा !

10 मई, 1951

बूँदा-बूँदी हो ही रही थी, किन्तु तैयार होकर साढ़े नौ बजे स्टौकटन के लिए रवाना हो गया ! रास्ते का दृश्य मनोरम था। यही छोटा नागपुरवाला दृश्य। खेतों में अंकुर के लेते हुए गेहूँ के पीले पत्ते नेत्रों को आनन्द देते थे। चरागाहों में भेड़ें चर रही थीं। अलग से देखने पर वे बड़े-बड़े भूरे सूअर ऐसे लगते थे। लम्बे-लम्बे बालों से ढके; मोटे-ताजे ! पशुओं को दुबला-पतला रखना तो यहाँ जैसे पाप है।

स्टौकटन टीज नदी पर बसा हुआ है। वह टीज का कछार कई बातों पर गर्व करता है। रेल का प्रथम आविष्कार यहीं हुआ। स्टिफेंसन की पहली रेल गाड़ी 1825 में स्टौकटन से डारलिंगटन तक दौड़ी थी। उसकी नं. 1 रेलगाड़ी अब तक डारलिंगटन में सुरक्षित हैं। दियासलाई का आविष्कार पहले-पहल यहीं 1827 में हुआ। लोहे और इस्पात के उद्योग-धन्धे के लिए यह प्रसिद्ध है ! बड़े-बड़े पुल यहीं से बनकर संसार भर में जाते रहे हैं। रासायनिक पदार्थों के उत्पादन में भी यह बेजोड़ है। सिमेंट, खाद, प्लास्टिक आदि के कारखानों का भी जनक रहा है।

हम यहाँ पहुँचकर सबसे पहले यहाँ की सबसे प्रसिद्ध संस्था 'पावर गैस कारपोरेशन' को देखने गए। यही वह संस्था है जो सिन्दरी के लिए खाद बनाने का कारखाना तैयार कर रही है। यह बहुत पुरानी संस्था है, 1876 में इसकी स्थापना हुई थी। यह संस्था संसार भर को कारखाने के पुर्जे बनाकर भेजती है। रूस में भी इसने कारखाने भेजे हैं और अमेरिका में भी। पावर गैस के कारखाने बनाने में इसने ऐसी विशेषता प्राप्त कर ली है कि कोई दूसरा अभी तक मुकाबले में नहीं आया।

इसके चेयरमैन एक बूढ़े सज्जन हैं, किन्तु कितनी फुरती। उनके चार-पाँच सहकारी और थे। बड़े फख्र से कहा—हममें से यहाँ एक आदमी भी ऐसा नहीं है जो संसार को एकाध बार छान नहीं आया हो। वह स्वयं कई बार भारत गए हैं। उनके एक सहकारी इसी मार्च में भारत से लौटे हैं।

सिंदरी कारखाने को लेकर ही बहुत देर तक बातें होती रहीं। उसकी तैयारी में बहुत

देर लग गई और रुपए भी अधिक खर्च हुए—हमने भारत में होनेवाली इस आलोचना का उत्तर उनसे माँगा। बड़ी सफाई से समझाने की चेष्टा की। स्कीम 1945 में ही तैयार हो गई थी, किन्तु हमें आर्डर मिला 1948 में। पहले जो आर्डर हम ले चुके थे, उसे पूरा करके देना था। खर्च इसलिए बढ़ गया कि चीजों का दाम तब से बहुत बढ़ गया है। तो भी कारखाना तो हमने पूरा तैयार कर दिया है, हाँ उत्पादन में जरूर देर हो रही है। सामने पड़े पाँच फाइलों को टेबुल पर बिछाते हुए बताया कि किसी कारखाने के लिए पाँच सीढ़ियाँ होती हैं—(1) घर (2) कारखाना (3) कच्चा माल (4) उसके चलानेवाले (5) उत्पादन। घर तैयार हो चुके है, कारखाना भी बिठलाया जा चुका है। आपके पास वहाँ कच्चा माल इतना है कि आपका कारखाना संसार में खाद का सबसे बड़ा कारखाना बन सकता है—एशिया में तो इतनी बड़ी चीज आज भी नहीं है। लेकिन दिक्कत है निपुण लोगों की। पच्चीस-तीस आदमी अभी तक आपको मिले हैं; आदमियों को सिखलाना पड़ेगा। ज्यों ही वे सीख जाएँगे—उत्पादन होने लगेगा।

आप क्यों नहीं विशेषज्ञ देते हैं—इस प्रश्न का उत्तर उन्होंने दिया कि हमारे पास फालतू आदमी नहीं हैं। हाँ, हम सिखला दे सकते हैं। हमारे कारखाने में आज भी छः-सात भारतीय काम सीख रहे हैं, उनके नाम भी उन्होंने हमें दिए। उनमें से दो से कारखाने में हमारी भेंट भी हुई। वे दोनों दक्षिण के थे !

यहाँ हमें प्रयोगशाला दिखलाई गई; फिर हमें एक ऐसी कमिटी के सामने ले जाया गया, जिसमें कारखाने के प्रतिनिधि और मजदूरों के प्रतिनिधि बैठते और पिछली त्रुटियों तथा आगे के कामों पर विचार करते हैं। मजदूरों के तीन प्रतिनिधि थे। किसी बात पर झगड़ा होने पर उसे कैसे तय किया जाता है, इसी पर, हमने उनसे प्रश्न किए। हमें बताया गया कि किस तरह पच्चीस वर्षों से वे लोग मिल-जुलकर काम कर रहे हैं और इसके अन्दर कभी ऐसा प्रश्न नहीं आया, जो आपस में ही तय नहीं कर लिया गया। हाँ, यदि आपस में तय नहीं हो, तो कानून के अनुसार पंचायत में पेश किया जा सकता है। उस पंचायत में एक मजदूर के और एक कारखाने के प्रतिनिधि तथा एक कोई वकील—ये तीन आदमी होते हैं। बहुमत से तय किया जाता है। हममें से एक आदमी ने पूछा, यदि उस फैसले को नहीं मानकर मजदूर हड़ताल कर दें तो उन्हें सजा मिलती है या नहीं। इस प्रश्न पर मजदूरों के प्रतिनिधियों के चेहरे तमतमा गए, किन्तु मालिकों के प्रतिनिधियों में से एक ने झट जवाब दिया—कानूनन उन्हें सजा मिल सकती है, लेकिन माफ कीजिए, हजारों आदमी को जेल में नहीं डाला जा सकता ! उन्होंने फख्र के साथ कहा पिछले बीस वर्षों में हमारे यहाँ सिर्फ एक दिन हड़ताल हुई है और वह भी एक ग़लतफहमी के चलते ! कारखाना और मजदूर में पूरा सहयोग और भाईचारा नहीं हो, तो उद्योग चल नहीं सकता—उसने बड़ा जोर देकर कहा !

फिर हमें कारखाना दिखलाया गया। छोटे-बड़े पुर्जों की ढलाई किस तरह होती है और किस बड़े पैमाने पर होती है, यह देखकर विस्मय-विमुग्ध हो रहे थे। कारखाने में कुछ औरतें भी काम कर रही थीं, यह और भी विस्मय की बात थी !

स्टौकटन से लौटकर हम न्यू कैसल गए, जहाँ उन विद्यार्थियों ने हमें विशेष रूप से बुलाया था। पांडे, वर्मा और सिन्हा साथ ही एक मकान लेकर रहते और स्वयं खाना बनाते हैं। मुरगी का भारतीय ढंग का बना गोश्त और पराठा खाकर बड़ी तृप्ति हुई। अखिलेश्वर भी आए थे, जो एक होटल में रहते हैं। उनके एक अन्य भारतीय मित्र भी आए थे, जो बम्बई के रहनेवाले हैं और यहाँ डॉक्टरी सीखकर अब एक अस्पताल में काम कर रहे हैं। कुल मिलाकर साल में उन्हें नौ सौ पाउण्ड मिलता है, जिसका मतलब लगभग बारह हजार रुपए होते हैं। डॉक्टर साहब की अपनी कार है, उसी कार पर हमें डरहम पहुँचा गए।

शाम को हमें एक डिनर दिया गया था, जिसमें शहर के कई प्रमुख लोग आए थे। जिनमें सबसे महत्त्वपूर्ण और दिलचस्प आदमी थे मि. साम वाटसन ! वाटसन साहब इंगलैंड के खान मजदूरों के राष्ट्रीय संघ के प्रधानमन्त्री हैं। बड़े फख्र के साथ उन्होंने कहा, चार पुश्तों से मैं खान मजदूर हूँ और मेरा जन्म खान के अन्दर हुआ था। यों तो वह सारे इंगलैंड की संस्था के प्रधानमन्त्री हैं, किन्तु उन्हें अपने डरहम पर नाज हैं, जहाँ की काउन्टी कौंसिल में एक सौ तीस में एक सौ छः मजदूर प्रतिनिधि हैं और मजदूर-सरकार में उनके तीन मिनिस्टर हैं। जितने लोग आए थे, सबको हुरपेंटते थे। उनके चेहरे से, बात से, इशारे से वर्ग-चेतना चुई पड़ती थी। जब उन्हें मालूम हुआ कि मैं भारत की सोशलिस्ट पार्टी का आदमी हूँ, तो उन्होंने कहा, यहाँ क्या देख रहे हैं, खानों में आकर देखिए, हमने क्या कमाल किया है। जब मैंने बताया कि हम तो उनके कार्यक्रम से बँधे हैं, तब उन्होंने कहा—हूँ, वे आपको कारखाने दिखलाते हैं, किन्तु उनके जीवन से वंचित रखना चाहते हैं जो इन कारखानों के प्राण हैं ! वे उत्पादन तो दिखलाते हैं, लेकिन आन्दोलन से अलग-थलग रखना चाहते हैं। अब वह बोल रहे थे, उनका इशारा यहाँ के सिविल सर्वेंट पर था, जो मजदूर सरकार के अन्दर काम करते हुए भी पुरानी मनोवृत्ति को नहीं छोड़ सकते हैं !

लंच के पहले बातें हुईं, लंच के समय बातें होती रहीं और बाद में भी बड़ी देर तक बातचीत चलती रही। अधिकांशतः मि. वाटसन ही बोलते रहे ! जब कोई बोलता था, झट उबल पड़ते थे, आपका भी जन्म खान में हुआ रहता, तो मेरी ही तरह सोचते ! उन्हें अपने मजदूर होने पर फख्र था ! मुझ से कहा—जो काम हम सौ बरस में कर सके हैं, उसे आप दस वर्ष में कैसे कर लेंगे ? आप ऊपर से चीजें बनाने की कोशिश में हैं, हमने नीचे से चीजें बनाई हैं। फिर यह भी कहा, आप लोगों पर सारी एशिया का भविष्य हैं। अपनी जनसंख्या को ही देखिए—चालीस करोड़ आदमी ! एशिया क्या संसार का नेतृत्व आपके हाथ में आएगा ही—हाँ, धीरज से काम करते ही चलिए ! किसी ने कहा, आज कैन्टरबरी के डीन यहाँ के विश्वविद्यालय में लेक्चर देने आए हैं। यह सुनते ही जैसे भड़क पड़े—वह डीन नहीं है, डीन की खाल ओढ़कर वह रूस का एजेंट है ! फिर रूस की तानाशाही की निन्दा करने लगे और अमेरिका की तारीफ ! अमेरिका की तारीफ सुनकर हममें कुछ लोग उबल पड़े और बताया कि जब हम भूखों मर रहे हैं, वह सौदा कर रहा है ! इसके बाद ब्योरे से उन्होंने बताया कि अमेरिका नहीं होता, तो सारा यूरोप भूखों मर गया होता। मारशल प्लैन की बड़ी तारीफ की और इस पर दुख प्रकट किया कि उसे भारत के साथ इस समय ऐसा बरताव नहीं करना चाहिए। लेकिन इसके लिए भी उन्होंने कैफीयत दी !

सोने के पहले डायरी लिखना शुरू किया। पान तो यहाँ मिलते नहीं, सुपारी निकाली। जब सुपारी निकाल रहा था, उसमें से चूड़ी का एक टुकड़ा निकल आया ! निस्सन्देह यह रानी के हाथ की चूड़ी का टुकड़ा है। जब से मैं जाने को तैयार हुआ, सुपारी काटकर तैयार कर रही थी। मालूम होता है, जल्दी-जल्दी में एक चूड़ी टूट गई, किन्तु उसने ध्यान भी नहीं दिया। किन्तु इस चूड़ी के टुकड़े ने मेरा सारा ध्यान रानी पर, फिर अपने सारे परिवार पर केन्द्रित कर दिया। जब घर से पाँच हजार मील दूर हूँ, तब अपने घर का महत्त्व मालूम हो रहा है। अहा, मैं कितना बड़ा सौभाग्यशाली हूँ ! रानी ऐसी पत्नी मुझे मिली है ! अपनी जवानी देकर उसने मुझे जवान रखा है। उस दिन दिल्ली में लेडी नी को आश्चर्य हुआ था कि मैं उनचास वर्ष का हूँ; अभी उस दिन लन्दन में उस फ्रेंच लड़की ने कहा था—आपकी उम्र पैंतीस और चालीस के बीच हो सकती है ! मुझे दस-पन्द्रह वर्ष छोटा करके अपने को जिसने दस-पन्द्रह वर्ष अधिक बूढ़ी बना लिया है। उसकी स्मृति में मेरा सिर क्यों नहीं झुक जाए ? रानी, तुम

धन्य हो ! और रानी के आसपास जो परिवार बना है—तीन बेटे और एक बेटी का सौभाग्यशाली पिता हूँ और दो पोते का परम सौभाग्यशाली पितामह ! थोड़े में ही सब कुछ प्राप्य है। घर की इस सुखद स्मृति के साथ निद्रा देवी की गोद में जा गिरा ! किसी की गोद में गिरना ही चाहिए; रानी न सही, निद्रा ही सही।

सहयोग समिति : एडिनबरा की ओर

11 मई, 1951

भोर में नीचे जलपान को गया, तो वहाँ डीन ऑफ कैन्टरबरी से भेंट हुई। हमें देखकर स्वयं अपना परिचय दिया और हमारे ही टेबुल पर आकर जलपान करने लगे। चेहरा काफी भव्य—बातचीत में काफी प्रभावशाली। मेरे यहाँ गांधी और नहेरू भी आए थे, इस बात पर उन्हें गर्व है। जब मैंने बताया कि उनके 'सोवियत सिक्स्थ ऑफ दी वर्ल्ड' के आधार पर मैंने 'लाल रूस' लिखा था, तो उन्हें बड़ी प्रसन्नता हुई और फिर तो रूस की बड़ाई और अमेरिका की निन्दा करने लगे। तर्क-पर-तर्क देकर सिद्ध करने लगे कि अमेरिका युद्ध चाहता है, क्योंकि उसकी अर्थनीति के लिए युद्ध आवश्यक है और रूस शान्ति चाहता है क्योंकि उसकी अर्थनीति का विकास संसार में शान्ति के लिए ही हो रहा है। रूस ने फिर अपने चारों ओर 'आहनी घेरा' क्यों डाल रखा है, मैंने पूछा। कहने लगे, ऐसी बात नहीं है; मैं तो कई बार गया हूँ। वह भूल जाते हैं कि सब कोई उनके ऐसा रूस का प्रशंसक नहीं है। मैंने कहा कि रूस का सबसे बड़ा दुश्मन रूस ही है क्योंकि यदि वह तटस्थ व्यक्ति को अपने यहाँ जाने देता, तो वे उसके प्रशंसक बनकर रहते, यदि वहाँ की हालत ऐसी है, जैसी आप बता रहे हैं। एक व्यक्ति के पूछने पर उन्होंने कहा कि रूस का सामाजिक निर्माण ईसा के सही उपदेशों पर ही हो रहा है, इसलिए पादरी होते हुए भी मैं उसके पक्ष में हूँ।

हमारे भ्रमण कार्यक्रम में सहयोग समितियों के लिए पहले जगह नहीं थी। हमारे आग्रह पर आज उसके लिए जगह बनाई गई थी। अतः हमें न्यू कैसल के सी. डब्ल्यू.एस. के भवन में ले जाया गया। सी.डब्ल्यू.एस. कोआपरेटिव होल सेल सोसाइटी का संक्षिप्त रूप है !

अंग्रेजों की सभी संस्थाओं की तरह यह संस्था भी बहुत पुरानी है और उनका दावा है कि सहयोग की इतनी बड़ी संस्था संसार में कहीं नहीं है। 1864 में इस संस्था का जन्म हुआ। जब छोटी-छोटी सहयोग समितियों का विकास होने लगा तो सोचा गया कि एक ऐसी संस्था बनाई जाए जो इन सहयोग समितियों को सस्ती कीमत पर माल मुहैया करें। मैनचेस्टर के दो छोटे कमरों में सिर्फ दो आदमी और एक बच्चे को लेकर इसका काम शुरू किया गया। आज इस संस्था के सदस्यों की संख्या एक करोड़ पाँच लाख है। इंगलैंड की जनसंख्या लगभग पाँच करोड़ है—इसका मतलब यह हुआ कि हर पाँच आदमी में एक आदमी इस संस्था का सदस्य है। यदि सिर्फ बालिग आदमियों को लिया जाए, तो हर तीन बालिग आदमी में एक आदमी इसका सदस्य अवश्य है।

यह संस्था इंगलैंड, वेल्स और उत्तरी आयरलैंड में काम करती है। लन्दन, न्यू कैसल, ब्रिस्टल, कारडिफ और नार्थम्पटन में इसकी अन्तर्देशीय (Regional offices) कार्यालय हैं। न्यू कैसल में इसके कार्यालय की इमारत देखकर ही दंग रह जाना पड़ता है।

इसका संचालन अट्‌ठाईस डायरेक्टरों के एक बोर्ड द्वारा होता है। डायरेक्टरों का चुनाव सहयोग समितियाँ करती हैं। बोर्ड की मीटिंग हर सप्ताह मैनेचेस्टर, लन्दन और न्यू कैसल में

क्रमशः होती है। तीन महीनों पर सभी सोसाइटियों के प्रतिनिधियों की साधारण बैठक होती है। हर छः महीने पर मुनाफा बाँटा जाता है। साल में एक बार आय-व्यय का ब्योरा प्रकाशित होता है। एक सदस्य दो सौ पाउण्ड से अधिक का शेयर नहीं खरीद सकता ! इस सोसाइटी द्वारा दो सौ कारखानों, मिलों और फार्मों का संचालन होता है। कपड़े, जूते, फर्नीचर, बरतन आदि उपभोक्ता की चीज़ों के उत्पादन पर ही विशेष ध्यान दिया जाता है। संसार में कोई ऐसी व्यापारी संस्था नहीं हैं, जो इतनी चीजों का एक साथ ही उत्पादन करे। इस संस्था द्वारा साल में बत्तीस करोड़ पाउण्ड का कारोबार होता है। सोसाइटी का अपना बैंक है, जो दो अरब पाउण्ड का लेन-देन करता है। इसकी अपनी बीमा कम्पनी भी है, जिसके पास आठ करोड़ की निश्चित सम्पत्ति है। खेती के चौबीस, दूध के सत्ताईस, आटे के आठ, कपड़े के आठ, सिलाई के उन्नीस, जूते के आठ, फर्नीचर के तेरह, छपाई के छः—यों ही भिन्न-भिन्न के उद्योगों के कारखाने हैं जिनकी संख्या दो सौ है और जिनमें लगभग तीस हजार आदमी काम करते हैं। सोसाइटी के उद्योग भारत, लंका आदि विदेशों में भी है। सोसाइटी के अपने जहाज भी हैं।

हमें सोसाइटी द्वारा संचालित सिलाई के एक कारखाने को दिखाया गया। इसमें लगभग पाँच सौ आदमी काम करते हैं, जिनमें औरतें-ही-औरतें हैं। आर्डर लिखने से लेकर तैयार करने तक के सारे कामों का बँटवारा है—कहीं कपड़ा नापा जा रहा है, कहीं उस पर निशान लगाया जा रहा है, कहीं कटाई हो रही हैं। कटाई की ऐसी मशीनें हैं, जो छः-सात इंच की तह को एक ही साथ सफाई से ऐसे काटती हैं कि जैसे छुरे से मक्खन काटा जा रहा हो। सिलाई के काम भी बँटे हैं। कोट की सिलाई अस्सी हिस्सों में बँटी है और पैंट की सिलाई अड़तीस हिस्सों में। दोनों तरफ मशीनें लिये लड़कियाँ बैठी हैं, बीच में लगातार घिसकनेवाले टोकरे लगे हैं, झट टोकरे से निकालकर अपना काम कर दिया और उसे दूसरे टोकरे में डाल दिया। जरा भी गफलत हुई कि टोकरा आगे घिसक गया और सबसे हाथ रुक गए। हर घंटे इस तरह बाईस कोट और पैंतालीस पैंट तैयार होते हैं। सप्ताह में चवालीस घंटे काम करना होता है, जिसके लिए चार पाउण्ड आठ शिलिंग मुशाहरा मिलता है। यदि इससे ज्यादा काम हुआ, तो बोनस मिलता जो सबमें बँट जाता है। सोसाइटी की ओर से होटल चलाया जाता है, जहाँ कर्मचारियों को बहुत सस्ता भोजन मिलता है।

देखिए, यहाँ से वहाँ लड़कियों की कतारें। अधिकांश युवतियाँ हैं—मुग्धा से लेकर प्रौढ़ा तक। सबके होंठों पर हँसी; आपस में कुछ बुदबुदा भी रही हैं, किन्तु हाथ नहीं रुकते। और यह क्या ? सबके सामने अपने कपड़े टाँगने की जो अलगनी है, उसमें प्रायः ही फोटो टँगे हैं ? ज्यादा फोटो फिल्म के सितारों का है ? हाथ काम में लगे हैं, किन्तु दिमाग। और जरा इनके बालों की ओर तो देखिए। अपने ढंग से बालों को सँवारने के लिए तरह-तरह की कमानियाँ लगवा रखी हैं ? ओह, औरत। तू सौन्दर्य के लिए कितनी भूखी है।

सोसाइटी के भोजनागार में ही खाने गया। देखा, चम्मच, तश्तरी, ऐश ट्रे सब पर C.W.S. की छाप। सिगरेट पर भी C.W.S.। ये सारी चीजें इनके अपने कारखाने की ढली या बनी हुई हैं।

चार बजे न्यू कैसल से एडिनबरा के लिए रवाना हुआ। थके-माँदे और लोग तो सो गए; लेकिन मेरी आँखें तो दृश्यों को देखने में पागल हो रही थीं। आज चमचमाती धूप थी। प्राकृत सौन्दर्य को वह और भी चमका रही थी। नए उगे गेहूँ के पीले-पीले अंकुरोंवाले खेत। जहाँ अंकुर छोटे या जहाँ तुरत की जुताई, वहाँ कौओं के झुंड। कहीं-कहीं कबूतरों के झुंड भी उड़ते दीख पड़ते। हरी-हरी घासवाले खेतों में झुंड-के-झुंड भेड़ें चर रहीं—इतनी मोटी कि अलग से बनैले सूअर-सी दिखाई पड़ती हैं ! गाएँ भी, वैसी ही मोटी, मस्त ! खेतों में कहीं-कहीं टैक्टर

चल रहे। एक जगह भेंड़ के एक बड़े झुंड को चरवाहा चरा रहा—उसका कुत्ता भेड़ों को भटकने से रोक रहा ! चरवाहे की सूरत-शक्ल देखकर बर्न्स की कविता याद आ गई !

थोड़ी देर के बाद हमारी गाड़ी समुद्र के किनारे से जाने लगी ! रेलिंग पकड़कर मैं विस्मय-विमुग्ध तरंगों की उछालें देख रहा था। बीच में टीजमाउथ नामक एक नगर मिला। समूचा शहर लाल ईंट और लाल खपरैलों के कारण लाल-लाल दीख रहा था। टीज नदी पर तीन पुल देखे ! उसके मुहाने पर बहुत सी समुद्री टिटहरियाँ किलोलें कर रही थीं। एक खेत में बहुत से खरगोश एक साथ दिखाई पड़े ! अरे, हम सचमुच अब स्कॉटलैंड में हैं न ? लोगों की पोशाक में भी परिवर्तन परिलक्षित हो रहा है।

और यह है एडिनबरा। स्टेशन पर कुमारी शा हमारी अभ्यर्थना को खड़ी थीं। इस शहर की प्रचार अफसर आप ही हैं !

कितना बड़ा स्टेशन; स्टेशन से अपने होटल में। कैसी शान है इस होटल की। शाम को जब नीचे उतरे, लॉन्ज में एक सज्जन मिलने आए। यह मि. रसेल थे, जो पहले बिहार के चीफ सेक्रेटरी थे ! मुझे पहले से जानते थे। बिहार के एक-एक आदमी के बारे में पूछने लगे। श्रीबाबू, अनुग्रह बाबू आदि के साथ स्वामीजी की चर्चा भी छेड़ी और प्रो. बारी की हत्या पर बड़ा अफसोस प्रकट किया। 'जनता' के बारे में भी पूछताछ की। बिहार के और अखबारों के बारे में भी पूछा—खासकर मुरली बाबू की चर्चा की। सर चन्द्रेश्वर और रजनधारी बाबू को भी याद कर रहे थे।

रसेल साहब की बात से अंग्रेजों का एक गुण और भी खुला। यह जाति भूलती नहीं है। हर व्यक्ति की विशेषता तक की उन्हें याद थी।

रसेल साहब के साथ ही खाना हुआ। यहाँ खाने के बारे में दो शब्द कह देना अनुचित नहीं होगा।

सबसे पहली बात याद रखने की यह है कि यहाँ भोजन का अर्थ अन्न नहीं है और न पीने का अर्थ पानी है। भोजन के पहले, बातें करते हुए कुछ पिया जाता है ! बीयर सबसे सादा पेय है। तब लोग खाने के टेबुल पर बैठते हैं। बाईं ओर बड़े आलू की तरह गोल-गोल छोटी-छोटी पाव रोटी रख दी जाती है और मक्खन ? पाव रोटी को तोड़कर, छुरे से मक्खन मिलाकर कुतरते जाइए। इतने ही में 'सूप' आ जाएगी; सब्जियों का या गोश्त का ! उसे चम्मच से लेना शुरू कीजिए। देखिए, मुँह से आवाज न हो। फिर मुख्य खाना आता है—जिसमें गोश्त या मछली का अंश सबसे अधिक; साथ में कई तरह की सब्जियाँ ! इन्हें छुरे और काँटे से खाइए—यहाँ हाथ से खाना मना है ! हाँ, चम्मच से भी आप काम चला सकते हैं। खाने के बाद या तो पुडिंग या ज्यादातर फल और आइसक्रीम। कितना भी जाड़ा हो, यहाँ लोग आइसक्रीम खाते हैं। अन्त में कॉफी !

खाना चार बार होता है। भोर में ब्रेकफास्ट—सबसे पहले नारंगी या टमाटर का रस; फिर अंडे या कुकुरमुत्ते या मछली उबालकर या तलकर। फिर टोस्ट मक्खन और जैम। अन्त में चाय या कॉफी। शाम को सिर्फ चाय—किन्तु सवाल होगा हलकी या भारी ? हलकी चाय में बिस्कुट; भारी चाय में केक और सैंडविच। रात का खाना दिन की तरह ही—कम-से-कम बीयर से शुरू कीजिए और कॉफी पर समाप्त कीजिए। दिन का खाना लंच कहलाता है, रात का डिनर ! खाते समय सारी पोशाक पहनकर बैठना होता है। चम्मच, काँटा और छुरी पकड़ने के कायदे हैं और ये कई तरह के होते हैं—भिन्न-भिन्न भोजन के अनुसार ! किन्तु अब धीरे-धीरे फार्मेलिटी उठती जा रही है ! सफाई और शिष्टता का खयाल करते हुए आप जैसे भी खाइए !

साफ बात तो यह है कि अंग्रेजों को फुरसत नहीं कि देखें आप किस तरह खा रहे हैं।

यदि निर्द्वन्द्व होकर गलती भी कीजिए, तो समझेंगे इन लोगों की यही चाल है। हाँ, खाते समय इधर-उधर जूठन गिराना, तेजी से मुँह चलाना या होंठों में जूठन लगाए रहना ये बहुत गन्दी चीज समझते हैं। यदि होंठ के किसी कोने में जूठन लग जाए, तो नेपकिन से बीच में आप पोछ सकते हैं। नेपकिन वह कपड़ा या कागज है जो खाने के पहले टेबुल पर या सजाकर गिलास या तश्तरी में रखा रहता है। उसे आपको अपनी जाँघों पर रख लेना है !

कपड़े के बारे में भी अब अंग्रेज पुराने ढर्रे को छोड़ चुका है। आप फुलपैंट और बन्द गले का कोट पहनिए, तो कोई हँसेगा नहीं। शेरवानी और फुटपैंट का मेल भी मजे में चल जाता है। यह पोशाक आपकी कदर ही बढ़ाएगी। सूट पहनने में बड़ी झंझटें हैं—टाई बाँधना भी एक कला है। अतः जिन्हें सूट की आदत नहीं, वे व्यर्थ में अपने को झंझट में नहीं डालें। बन्द गले का कोट यहाँ जोधपुर कोट कहलाता है और प्रिंस की पोशाक समझा जाता है। शेरवानी देखते ही आपको लोग भारतीय समझेंगे !

(घ) स्कॉटलैंड की झलक

एडिनबरा : राजमहल और झोपड़ी

12 मई, 1951

हाँ, पैरों में पंख बाँधकर ! नहीं तो, स्कॉटलैंड की राजधानी को एक दिन में भला क्या देखा जा सकता है ? जिसका इतना पुराना इतिहास हो, जिसमें इतनी संस्थाएँ हों, जिस पर सारे स्कॉटलैंड को नाज हो, उसके लिए सिर्फ कुछ घंटे क्या हैं ?

ऑफिसियल प्रोग्राम में एडिनबरा के लिए कुछ खास निर्देश भी नहीं था—सिर्फ 'साइट सीयिंग' के लिए कुछ समय रख दिया गया था !

मिस शा आईं और हमें यहाँ के दो प्राचीनतम ऐतिहासिक स्थान दिखाने ले गईं। पहला स्थान है 'एडिनबरा का क़िला !' एडिनबरा का यह सबसे पुराना और प्रसिद्ध स्थान है। यह क़िला एक पहाड़ी पर बसा है। इसकी सबसे पुरानी इमारत ग्यारहवीं शताब्दी की है। महारानी मारग्रेट एक बड़ी श्रद्धालु और ईश्वरभक्त रानी थीं। उनकी यादगार में 'सेंट मारग्रेट चैपल' के नाम से यह स्थान पवित्र है ! इस क़िले के चप्पे-चप्पे पर इतिहास की मुहर है। क़िले के हेड वार्डर ने हमें एक-एक कर दिखलाया। वह पुराना कुआँ जो समुद्र की सतह से बहुत ऊँचा है, तो भी जिसमें हमेशा तीस फीट पानी भरा रहता है। क़िले पर जब घेरे डाले जाते थे, इसी का पानी सब का आधार होता था। वह घर जिसमें स्कॉटलैंड के अन्तिम राजा का राजमुकुट और परिधान रखा हुआ है। वह लम्बा हॉल जिसमें स्कॉटलैंड की पार्लियामेंट 1632 में पहली बार और 1637 में आखिरी बार बैठी थी ! उसी हॉल में स्कॉटलैंड के पुराने वीरों के अस्त्र-शस्त्र रखे हुए हैं। एक तलवार पाँच-छह फीट से कम की नहीं होगी। एक ढाल है जिसके भीतर से गोली भी चलाई जा सकती है।

किन्तु मुझे सबसे अधिक प्रभावित किया शहीदों के स्मारक ने क़िले के एक भाग में यह स्मारक बनाया गया है। भवन के द्वार पर ही लिखा है– Lest we forget—कहीं हम उन्हें भूल न जाएँ; भीतर बहुत बड़ा हॉल है—दीवारों पर खुदाई की तसवीरें हैं। जहाँ-जहाँ लड़ाइयाँ हुईं और उनमें जो-जो वीर मारे गए, सबके नाम एक बड़ी पुस्तक में लिखकर रख दिए गए हैं। वह पुस्तक निकाली नहीं जाती। हाँ, भिन्न-भिन्न लड़ाइयों के शहीदों की पुस्तकें

अलग-अलग रख दी गई हैं; जिन्हें कोई भी देख सकता है। दीवारों पर प्रसिद्ध युद्धों और वीरों के चित्र बनाए गए हैं। उनके द्वारा प्रयोग किए गए हथियारों का भी संग्रह है। यही नहीं, जिन जानवरों का प्रयोग उन्होंने सवारियों के लिए किया है, उनके सिर के चित्र भी बड़े मनोरम बनाए गए हैं !

जब मैं उन्हें देख रहा था, बार-बार यह बात याद आती थी कि क्या हम लोग अपने शहीदों के लिए कुछ ऐसा नहीं कर सकेंगे ! 1857 से लेकर 1947 तक जितने शहीद हुए, कम-से-कम उसके नाम और पते की भी तो हम एक सूची बना लेते ! यह सूची दिल्ली के राजकीय भवन में रख दी जाती। सोचा, श्रद्धेय राजेन्द्र बाबू को एक पत्र लिखूँ। जब वह 1934 में राष्ट्रपति थे और कांग्रेस की स्वर्ण जयन्ती मनाने की तैयारी हो रही थी। मैंने शहीदों की स्मृति में कुछ किए जाने का निवेदन किया था। उन्होंने तुरन्त ही जयन्ती के कार्यक्रम में शहीदों की स्मृति में श्रद्धाजलि अर्पित करने की बात भी जोड़ दी। क्या इस बार की मेरी प्रार्थना कुछ फल लाएगी ?

'एडिनबरा का क़िला' देखकर हम दूसरे प्रसिद्ध स्मारक होली रूडहाउस के मठ और प्रासाद को देखने गए। मठ का भग्नावेश-मात्र रह गया है, हाँ, प्रासाद अब भी सुरक्षित है और इंगलैंड के राजा जब जाते हैं, तो इसी में ठहरते हैं। हमने उस लम्बे हॉल को देखा, जिसमें स्कॉटलैंड के एक सौ ग्यारह राजाओं के चित्र हैं। कहा जाता है कि राजा चार्ल्स द्वितीय ने एक चित्रकार को कहा कि तुम जितने राजाओं के चित्र बनाओगे, हर चित्र पर तुम्हें पुरस्कार मिलेगा। उसने ईसा से 330 वर्ष पीछे से लेकर चार्ल्स के समय तक के चित्र बना दिए। इनमें बहुत से चित्र तो काल्पनिक हैं; जो चित्र ऐतिहासिक हैं, वे बहुत ही सजीव हैं और उस कलाकार की कूची के गौरव की सूचना आज भी देते हैं !

उसके बाद हम लोग स्कॉटलैंड की प्रसिद्ध रानी 'मेरी' का भवन देखने गए। मार्गदर्शक ने बड़े अच्छे ढंग से सारी चीज़ें दिखाईं। भवन की सजावट पुरानी ही रखी गई है। राजा-रानी की शयन-शय्या भी उसी तरह सजाकर रखी गई है। जिस कमरे में घसीटकर षड्यन्त्रकारियों ने उसके मन्त्री को मार डाला, हमें वह कमरा दिखाया गया, जिस रास्ते से षड्यन्त्रकारी आए, वह सुरंग दिखलाया गया और जहाँ उसकी हत्या की गई, वह स्थान दिखाया गया।

पुरानी चीज़ों की किस तरह रक्षा की जाती है, यह तो यहाँ आने पर ही ज्ञात हुआ ! छोटी-से-छोटी ऐतिहासिक वस्तु भी किस तरह संयोगकर रखते हैं ये !

इंगलैंड के राजा आनेवाले हैं, अतः प्रासाद के उस भाग को हम नहीं देख सके।

यह हमारे लिए सौभाग्य की बात थी आज ही स्कॉटलैंड के 'पाइप बैंड' की यूरोपीय प्रतियोगिता थी ! पाइप बैंड स्कॉटलैंड का राष्ट्रीय बाजा है। स्कॉटलैंड के कोने-कोने से पाँच सौ बजानेवाले इस प्रतियोगिता में भाग लेने को आए थे। बाजे की हर पार्टी में कम-से-कम बारह आदमी और अधिक-से-अधिक चौबीस आदमी होते हैं। इनकी पोशाकें देखने लायक थीं। रंगों की बहार—लहराते हुए दुपट्टे—पाइप की सुरीली काकली; बैंड की मधुर धमक। फिर ताल पर पैरों का उठना, मोड़ लेना, नाचते हुए से बाजे का करतब दिखाना ! दर्शकों की भीड़ लगी थी। तालियों की गड़गड़ाहट ! सबसे अधिक आकर्षक थी लड़कियों की एक पार्टी। बारह वर्ष से अठारह वर्ष तक की लड़कियाँ। अंगों से अभी जवानी झाँक ही रही थी। कड़ाके का जाड़ा। तो भी अधबहियाँ ही पहने हुईं। किन्तु जब उनका मार्च शुरू हुआ, कान ही तृप्त नहीं हुए, आँखें भी तृप्त हुईं। उनमें से आधे दर्जन लड़कियाँ बाजे के बीच में ही जूते निकालकर नाचने भी लगीं। चारों ओर से तालियों की गड़गड़ाहट।

आवेरसीज लीग की ओर से हमें शाम का निमन्त्रण था। रसेल साहब यहाँ भी थे। बिहार

के बारे में फिर भी बातें होती रहीं !

एक बात सारे ब्रिटेन में विचित्र देख रहा हूँ। जहाँ कहीं भारत सम्बन्धी बातें होंगी, कश्मीर का प्रश्न ज़रूर आ जाएगा और प्रायः सभी लोग पाकिस्तान के पक्ष का समर्थन करते हैं। अपनी ओर से हमने इस सम्बन्ध में अच्छा प्रचार नहीं किया है, यह स्पष्ट है। इसके लिए भी हम इण्डिया ऑफिस को दोष दे सकते हैं।

हमें थोड़ी देर फुरसत थी। सोचा, हम स्वयं घूम-फिरकर कुछ देखें !

हमारे होटल के सामने ही यह प्रिंसेस स्ट्रीट है, जो यूरोप की सबसे अच्छी स्ट्रीट समझी जाती है ! इसकी एक ओर शानदार इमारतें हैं, दूसरी ओर पार्क ! पार्क के किनारे जो बड़ी ऊँची शानदार मन्दिरनुमा इमारत हैं, उसके भीतर वह किसकी मूर्ति है ! सुप्रसिद्ध लेखक स्कॉट की ! हम अपने साहित्यिकों की ऐसी कद्र करना कब सीखेंगे ? एडिनबरा में भी मूर्तियों की कमी नहीं—बड़ी खूबसूरत और शानदार मूर्तियाँ। नेलसन, विलिंग्टन आदि वीरों की ही नहीं, पर्यटक, आविष्कारक, समाजसेवी, कलाकार सब की मूर्तियाँ जगह-जगह दिखाई पड़ती हैं !

हाँ, तो प्रिंसेस स्ट्रीट और उसकी बगल का यह पार्क। पहले यहाँ झील थी; झील को पाटकर पार्क बना दिया गया है। पार्क के उस तरफ क़िलेवाली पहाड़ी है। जरा स्ट्रीट से पार्क होते पहाड़ी तक नजर तो दौड़ाइए। एक तो प्राकृतिक दृश्य—रंग-बिरंगे फूल; तुरत निकली पत्तियों और कलियों से लदे वृक्ष, मखमली घासें, खूबसूरती से निकाली गईं पगडंडियाँ ! फिर, जरा इनमें घूमने-फिरनेवालों और वालियों को देखिए ! हर युवक की बगल में युवती—जिसकी कमर में हाथ डाले वह इस तरह चिपका लगता है, मानों उसे सशरीर आत्मसात् कर देना चाहता हो। यही नहीं, वह देखिए, यहाँ-वहाँ घास पर, पहाड़ी पर क्या हो रहा है ? यवुक-युवतियाँ एक-दूसरे से लिपटे पड़े हैं। यह छोटा सा झुंड तो विचित्र है—तीन-चार युवक, तीन-चार युवतियाँ—उनमें से एक युवक किस तरह चित लेटा है और एक युवती किस तरह उसके कलेजे पर सिर धरे बेहोश-सी पड़ी है !

यहाँ प्रेम निर्द्वन्द्व है—निर्बन्ध है। हो सकता है, इस झुंड में उस युवती का भाई भी हो; किन्तु यह अभिन्न मिलन यहाँ इतना स्वाभाविक माना जाता है कि इसे कोई बुरा लेता नहीं है। यहाँ आलिंगन और चुम्बन का अर्थ रति नहीं है, यह बात हम हमेशा याद रखें !

कल शाम को जब टहलने निकला था, एक भवन पर पढ़ा था, यहाँ कला प्रदर्शनी हो रही है। कला का यह जीवित रूप तो देख लिया, चित्रित रूप भी देखें ! एडिनबरा में एक संस्था है Royal Scottish Academy. स्कॉटलैंड के बड़े-बड़े साहित्यिक और कलाकार इसके सदस्य हैं—चौदह सदस्यों में आठ को 'सर' की उपाधि प्राप्त है। इस संस्था की स्थापना 1826 में हुई थी। इसके द्वारा हर वर्ष एक कला प्रदर्शनी का आयोजन किया जाता है। यह कला प्रदर्शनी उसकी एक सौ पच्चीसवीं प्रदर्शनी है।

प्रदर्शनी के तीन विभाग हैं—(1) मूर्तिकला (2) चित्रकला (3) स्थापत्य कला। प्रवेश शुल्क देकर हमने भीतर प्रवेश किया।

मूर्तिकला के कक्ष में सत्तासी मूर्तियाँ रखी गई हैं। सामने ही एक युवक और युवती की आदमकद मूर्ति है। दोनों ही नंगे हैं। जहाँ यथार्थ कला है, वहाँ वासना कहाँ—इस मूर्ति को देखकर यह कथन सोलह आने सार्थक सिद्ध होता है। किसी फ्रेंच कलाकार की बनाई हुई है ! अंगों का गठन देखने ही योग्य। सूचीपत्र में इस मूर्ति का मूल्य एक हजार पाँच सौ पाउण्ड लिखा हुआ है ? इसी चित्रकार की दूसरी मूर्ति की कीमत दो हजार पाँच सौ पाउण्ड है ! मूर्तियों के तरह-तरह के ढंग हैं। काँच की बनी यह मूर्ति देखिए, जिसके नीचे लिखा है—Homage To Poets. यह नारी मूर्ति ! अजीब कंकाल ! क्या कवियों की अतृप्त

कामना की ओर इशारा है ?

चित्रकला के तैलचित्र विभाग में चर्चिल साहब का बनाया हुआ एक चित्र है। एक पुल का भाव-चित्र है। रंगों का जोर देखने लायक है। बेन निकोलसन का Still life—निस्पन्द जीवन—इस विभाग का सबसे अधिक मूल्यवान चित्र है—चार सौ पचास पाउण्ड उसका दाम है। बिलकुल नए ढंग की चित्रकारी है—अंडाकार शक्लें—ज्यों-ज्यों ग़ौर से देखिए, इसकी निस्पन्दता स्पष्ट होती जाती है ! दो सौ पाउण्ड का एक चित्र 'घर की ओर' मुझे बहुत पसन्द आया—बड़ा ही सजीव। एक किसान घोड़े पर घर लौट रहा है, दूसरे घोड़े की रस्सी उसके हाथ में है; संध्या का दृश्य; चेहरे पर थकावट के साथ ही घर पहुँचने की उत्सुकता ! जलचित्र और फोटोग्राफी के भी कुछ अच्छे नमूने थे। एक बच्चे का चित्र तो बेजोड़ था, उस पर पुरस्कार भी मिला था। मन में होता था, इसे ले चलूँ और 'चुन्नू-मुन्नू' के मुखपृष्ठ पर दे दूँ। स्थापत्य कला में तरह-तरह के घरों के नमूने थे—एक छात्रावास के नमूने को देखकर तबीयत खुश हो गई। काश, अपने देश में भी हम ऐसे छात्रवास बना पाते !

ज्यों ही हम प्रदर्शनी से निकले, देखा हाइड पार्क की तरह यहाँ भी पार्क के किनारे व्याख्यान हो रहे हैं। एक जगह एक वृद्धा बोल रही थी उसके नीचे लिखा हुआ था— National Congress of Scotland हम उस ओर बढ़े। हमें देखते ही वह बुढ़िया बोलने लगी—वह देखिए, दो सज्जन आ रहे हैं। वे भारत के होंगे। हमारी ही तरह उनकी भी हालत थी। किन्तु वे आज आजाद हैं। हमें भी उन्हीं की तरह लड़कर आजादी लेनी है ! हमने उस बुढ़िया से कुछ पुस्तिकाएँ भी खरीदीं ! स्कॉटलैंड में आजादी की चर्चाएँ चल रही हैं। सदियों तक स्कॉटलैंड और इंगलैंड में लड़ाइयाँ चली हैं। एडिनबरा क़िले का चप्पा-चप्पा इसका गवाह है। स्कॉटलैंडवालों को खुश रखने के लिए बहुत कुछ किया गया है। इंगलैंड का एक राजकुमार 'ड्यूक ऑफ एडिनबरा' कहलाता है। राजा स्वयं यहाँ आकर रहते भी हैं। स्कॉटलैंड की शिक्षा, स्वास्थ्य और कृषिविभाग का संचालन यहीं से होता है। तो भी एक पिपासा तो लोगों में है ही।

शाम हो रही थी; किन्तु एडिनबरा देखने की हमारी पिपासा शान्त नहीं हुई थी। एक टैक्सी की और सारा शहर घूम आए। टैक्सीवाला काफी होशियार था। नेलसन कालम की पहाड़ी पर ले जाकर उसने सारे शहर का एक दृश्य दिखलाया। फिर विश्वविद्यालय का क्षेत्र दिखलाया। यहाँ का विश्वविद्यालय 1582 में बना। यहाँ का मेडिकल स्कूल संसार भर में नामी है, जहाँ भारत के विद्यार्थी भी प्रायः पढ़ने आते हैं। विश्वविद्यालय के पुस्तकालय में चार लाख पुस्तकें हैं।

उसने अलग से ही वाटसन कॉलेज दिखलाया, जो ब्रिटेन के पब्लिक स्कूलों में बहुत ही प्रसिद्ध है और जहाँ के लड़के, ईटन के बाद, सबसे अधिक संख्या में ब्रिटेन के मिनिस्टर होते आए हैं।

अन्त में हमने उससे कहा कि वह हमें किसी मजदूर के घर में चले। उसने कहा—तो, मेरे घर क्यों नहीं चलिए ! हम उसके घर गए। जाते ही आँखें खुल-सी गईं। अरे, यहाँ के मजदूर भी इस तरह रहते हैं। उसने अपनी पत्नी को हमारा परिचय दिया। पत्नी ने घर के कमरे दिखलाए। एक कमरा था, जहाँ वह बैठी थी। सामने अँगीठी। तीन गद्दीदार कुरसियाँ, टेबुल पर एक बड़ी घड़ी रखी और एक रेडियो बज रहा। एक कमरे में बाथरूम। शेष दो कमरों में एक-एक पलंग और बगल में बच्चे के लिए पालने। तीन बच्चे हैं इनके। एक बच्ची चौदह साल की, जो सिनेमा देखने गई थी। दो बच्चे—चार और एक साल के—दोनों सो गए थे। बीच में इतने दिन''' ? पति ने जवाब दिया, लड़ाई-भर मैं युद्ध क्षेत्र में था न ?

उसकी पत्नी की पोशाक और रहन-सहन देखकर क्या हमारे यहाँ की मध्य श्रेणी के बाबुओं की पत्नियों को भी ईर्ष्या नहीं हो सकती है ? काफी सुन्दरी भी थी। राजनीति की बात चली, तो मजदूर दल की सरकार की प्रशंसा करने लगी, जिसने हर बच्चे के लिए दूध का प्रबन्ध कर रखा है—शाम-सुबह दूध के बोतल आपसे आप दरवाजे पर रख दिए जाते हैं ! दिन का खाना तो बच्चे स्कूल में खाते ही हैं। एक टोरी ने हमसे कहा था कि मजदूरों का वेतन इतना अधिक बढ़ा दिया गया है कि वे अब आधे पैसे शराब में ही फूँक देते हैं। जब हमने इसकी चर्चा की तो हमारे ड्राइवर ने गम्भीरता से कहा—हमें चार पाउण्ड आठ शिलिंग सप्ताह में मिलते हैं। मैं हूँ, मेरी बीबी है, तीन बच्चे हैं। आप ही सोचिए, हम कहाँ से शराब पी सकेंगे ? हाँ, कुछ टिप मिल गया, तो थोड़ी मौज कर ली। क्या इन टोरियों से हमारा यह सुख भी नहीं देखा जाता ? हमने उसकी पत्नी से पूछा—आप कुछ काम नहीं करतीं ? उसने बड़ी सादगी से अपने बच्चों की ओर इशारा करते हुए कहा—करती हूँ, बच्चों को पालती हूँ, खाना बनाती हूँ और तो भी समय बचा तो कुछ बुनाई करती हूँ। उसकी अंगुलियाँ उस समय भी स्वेटर की जाली के ताने-बाने में लगी थीं।

शाम को होटल आए। खाना खाया, डायरी लिखी, सो गया।

पिट्लोचरी : डंडी

13 मई, 1951

एडिनबरा अच्छी तरह नहीं देख सका, इसका कुछ दर्द लिये वहाँ से रवाना हुआ। मौसम अच्छा था। चारों ओर सुनहली धूप छाई थी। हमारी मोटरें नए दृश्यों को दिखलाती बढ़ रही थीं।

शहर के बाहर बहुत से नए मकान दीख पड़े। इस समय मजदूर-सरकार का मुख्यतः तीन बातों पर ध्यान है—(1) नए-नए कारखाने बनाओ जिससे कोई बेकार नहीं रह जाए और दूसरे देशों में माल भेजा जाए (2) खेती को बढ़ाओ कि भोजन के लिए दूसरे देशों पर निर्भर नहीं रहना पड़े (3) मजदूरों के लिए नए मकान बनवाओ। यहाँ की जलवायु ऐसी है कि हमारे मजदूर की तरह वे झोपड़े में या बाहर रह नहीं सकते। मकान चाहिए ही और जब मकान बने तो बढ़िया क्यों न बने—जब उनकी ही सरकार है। छोटे-छोटे मकान—हर मकान के आगे-पीछे फुलवाड़ी। मकान लाल ईंट और खपरैल के—खपरैल नेपाली ढंग के। मकानों के डिजाइन बड़े अच्छे—अलग से वे खिलौने से लगते हैं।

कुछ मकान फैबरिक के भी। किन्तु हमारी ड्राइवर कह रही है, ये मकान अच्छे नहीं होते। दिल्ली में भी इसका प्रयोग करके इसी नतीजे पर पहुँचा गया है।

यह हमारी ड्राइवर यह स्कॉटलैंड की है। अभी युवती है। पति पाकिस्तानी फौज में है—पेशावर में। अगले साल लौटेगा वह। तब तक कमाकर खाती है और अपने माँ-बाप की भी परवरिश कर रही है ! उसे भी अफसोस है कि उसके प्यारे शहर एडिनबरा को हम नहीं देख सके। उसी से पता चला, इस शहर में पाँच थियेटर हैं, सिनेमा की तो बात ही अलग !

थोड़ी ही देर में हम फोर्थ नदी के तट पर पहुँचे, जहाँ बहुत बड़ा पुल है। इस पुल की इंजीनियरिंग को एक कमाल ही माना जाता है। यह लड़की कह रही थी, बनाते समय कितनी जानें भी गईं—किन्तु प्रयत्न नहीं छोड़ा गया। पुल से सिर्फ रेलगाड़ी ही जा सकती है। हमें छोटे जहाज से इस नदी को पार करना पड़ा। हर आधे घंटे पर यह जहाज खुलता है। खुली छत

का जहाज है जिस पर आसानी से पन्द्रह-बीस मोटरें चढ़ा ली जाती हैं।

हम लोग इस समय पिट्लोचरी जा रहे हैं, जहाँ जल विद्युत का एक बहुत बड़ा प्रयोग चल रहा है। हमारे चारों ओर हरे-भरे खेत हैं। गेहूँ के बदले यहाँ जई ज्यादा बोई जाती है। स्कॉटलैंड की जई बहुत प्रसिद्ध है। जई के पीले-पीले छोटे-छोटे पौधे बड़े सुहावने लगते हैं ! समूचा स्कॉटलैंड पहाड़ी प्रदेश है। देखिए, पहाड़ी के नीचे की ज़मीन से शुरू करके ऊपर वहाँ तक खेती कर दी गई है जहाँ तक मिट्टी मिल सकती है। लम्बे-लम्बे बड़े-बड़े खेत। इन्हें मेड़ें नहीं बनानी पड़तीं, क्योंकि यहाँ वर्षा कभी मूसलधार नहीं होती। साल भर झींसी-फुही। अतः जमीन के भँसने—एरोज़न—का प्रश्न ही नहीं उठता। फिर खेती करनी है ट्रैक्टर से—छोटे खेत किस काम के होते। हाँ, यहाँ खेतों में घोड़े भी अधिक दिखाई पड़ते हैं। स्कॉटलैंड के लोगों की तरह ही यहाँ के घोड़े बड़े हट्टे-कट्टे होते हैं।

भेड़ों की संख्या भी बढ़ती जा रही है। स्कॉटलैंड की ऊन दुनिया में नामी है। भेड़ों की देह पर चार-पाँच इंच की ऊन यहाँ से भी दिखाई पड़ती है। ज्यादातर धूसर रंग की; किन्तु उसकी चमक और लहरान बताती है कि वह बड़ी मुलायम और कीमती होगी।

नीची-ऊँची जमीन; सड़कें पहाड़ियों की बगल-बगल टेढ़ी-मेढ़ी ! तो भी हमारी मोटर पचास मील की रफ्तार से भागी जा रही है।

ड्राइवर युवती मोटर चलाती हुई भी हमारी बातों का जवाब देती और नई-नई बातें बताती जाती है। हर बात पर उसका 'अहा-हा' कैसा अच्छा लगता है !

पिट्लोचरी हम लोग लगभग एक बजे पहुँचे। यहाँ के फिशर होटल में खाना खाया। इंगलैंड में होटल भी एक अजीब संस्था है। हर अच्छी जगह में होटल और होटल का रुआब क्या कहना ? उनके साज-बाज़ के सामने दरबार भी झूठ। फिर हम सरकारी मेहमान हैं—हमें अच्छे ही होटल में तो ठहराया जाता है।

खाने के पहले जो मीनू आया, उसमें एक चीज़ लिखी थी, 'खिजड़ी'। यह खिजड़ी क्या है—उत्सुकता हुई। मालूम हुआ, यह हमारी 'खिचड़ी' है, जो चावल में मछली मिलाकर बनाई जाती है। भला, हम उसे क्यों छोड़ते ?

अपने देश की तीन चीज़ें यहाँ के भोजन में खूब घुल-मिल गई हैं। 'चटनी', 'करी चिकन' और यह 'खिजड़ी' भी मिल ही गई। भूगोल की सीमाएँ ही नहीं टूट रही हैं, भोजन और रहन-सहन की सीमाएँ भी टूटती जा रही हैं और मैं कल्पना करता हूँ कि वह दिन दूर नहीं जब यातायात के साधन और सुलभ हो जाएँगे, लोगों को आपस में मिलने-जुलने का और भी अधिक अवसर मिलेगा; हृदय मिलेंगे, शरीर मिलेंगे। आपस में शादी-ब्याह धड़ल्ले में चल पड़ेगा ! भारत का युवक शाम के हवाई जहाज से लन्दन की ससुराल को चलेगा और दूसरी शाम को अपनी सालियों-सलहजों से चोंचलेबाजी करेगा ! यों ही भारतीय युवतियों का ब्याह भी विदेशों में होगा। लोगों का रक्त-सम्बन्ध इतना घना हो उठेगा कि तब कोई देश दूसरे देश पर एटम बम की बात सोच भी नहीं सकेगा, क्योंकि वहाँ भी उसके प्रियजनों की संख्या बड़ी होगी !

खाने के बाद जल विद्युत कार्यालय के प्रतिनिधि ने हमें यहाँ की योजना के बारे में संक्षेप में बताया।

नार्थ स्कॉटलैंड पूरा पहाड़ी प्रदेश है। यहाँ बहुत सी छोटी-छोटी नदियाँ हैं, जो बड़े वेग से बहती हैं। 1896 ई. में ही एक उद्योगपति का ध्यान गया और उसने जल से विद्युत निकालने का प्रयोग प्रारम्भ किया। इस दिशा में इसका यह प्रयोग उस समय के संसार में अकेला था। पिछले युद्ध के जमाने में इस ओर सरकार का भी ध्यान गया और उसने एक योजना बनाई।

किन्तु उस योजना का विरोध इस पहाड़ी प्रदेश के लोगों ने किया। उनके तर्क यह थे—(1) इन नदियों को बाँधने से इस प्रदेश की प्राकृतिक शोभा नष्ट हो जाएगी। (2) इन नदियों में समुद्र की ओर से जो मछलियाँ आती हैं, खासकर अति स्वादिष्ट मछली सैमन, उनका आना-जाना रुक जाने से भोजन पदार्थ में कमी होगी (3) जल विद्युत से सस्ती बिजली मिलने के कारण यहाँ के कोयले के उद्योग को क्षति पहुँचेगी। सरकार ने उनके विरोधों की जाँच के लिए तथा उन पर ध्यान रखकर एक सुधरी हुई योजना बनाने के लिए एक कमिटी बिठाई। उसी कमिटी की सिफारिश पर तय हुआ है कि इन नदियों का उपयोग बिजली के लिए अवश्य किया जाए। इससे स्थानीय जनता को भी लाभ होगा। तीस वर्ष में एक सौ तीन बाँध तैयार किए जाएँगे और उनसे इतनी बिजली निकलेगी कि सारे स्कॉटलैंड का सारा काम—खाना पकाने से लेकर कारखाना चलाने तक निकल जाएगा। जल विद्युत की इस योजना के संचालन के लिए एक बोर्ड बना दिया गया है ! बोर्ड को जो मुनाफा होगा, वह सब स्थानीय जनता के हित में खर्च किया जाएगा। हर बाँध पर ऐसी व्यवस्था कर दी गई है कि मछली को कोई नुकसान नहीं पहुँचे। योजना के बनाने और चलाने में स्कॉटलैंड के ही आदमी रखे जाते हैं; यही नहीं, कोशिश की जाती है कि सामान भी स्कॉटलैंड के ही लगाए जाएँ।

1943 से इस योजना पर काम हो रहा है। अभी तक पाँच बाँध तैयार हो चुके हैं और उनसे बिजली इतनी निकल रही है कि एडिनबरा में भी सप्लाई की जा रही है। गाँव के लोग भी धीरे-धीरे बिजली की उपयोगिता समझने लगे हैं, अतः उनके यहाँ भी खासी खपत होती है। तीस और बाँध में हाथ लगे हैं। बड़ी मुस्तैदी और चुस्ती से सारा काम हो रहा है। हम लोगों ने इसके तीन बाँध देखे। सैमन मछली के लिए जो उपाय किया गया है, वह तो अजीब है। एक घर में शीशे की खिड़की के निकट बैठा हुआ आदमी देखता रहता है कि सैमन कहाँ है और उसकी रफ्तार किस ओर की है, जो काफी बड़ी होती है, उसे फँसा लिया जाता है।

इस स्थान से पर्थ होते हुए हम डंडी आए ! शाम हो रही थी। सामान होटल में रखवाकर एक साथी को लेकर बाजार देखने निकला। डंडी भारत में जूट की मंडी होने के कारण मशहूर है। यह टे नदी के मुहाने पर बसा है। यहीं टे समुद्र से मिलती है, अतः उसकी धार बहुत चौड़ी है—समुद्र के मुहाने-सी ही दीखती है। नदी के तट पर बन्दरगाहों की भरमार है। टे नदी पर ही वह पुल है, जिसे संसार का सबसे बड़ा पुल कहा जाता है। यों तो अब एक-दो दूसरे पुलों ने इसकी श्रेष्ठता पर दावा किया है।

यहाँ भी हाइड पार्क की तरह एक स्थान है। देखा, वहाँ भीड़ लगी हुई है। एक तरफ एक पादरी साहब धर्मगीत गा रहे थे; दूसरी ओर एक कम्युनिस्ट वक्ता धुआँधार बके जा रह था। दोनों के श्रोताओं में भी आदान-प्रदान चल रहा था। कुछ आदमी छोर पर रहना या छो देखना पसन्द करते हैं। दोनों ही छोर हैं ही—फिर एक छोर का आदमी दूसरे छोर पर कू पड़े, तो आश्चर्य क्या ?

आज एक दुखदाई घटना हो गई। हमारे दो साथियों में कहा-सुनी हो गई और वह १ मि. सैम्पुल्स के सामने ही। अभी तक जान-बूझकर अपने साथियों के बारे में विशेष नहीं लिख उनमें से कुछ की हरकत देखकर बड़ा दुख होता है। हम छः आदमी, इस पर-पुर में भी, ए होकर न रह सकते हैं, न बोल सकते हैं। सबसे बुरी बात तो यह है कि कुछ लोग यह दिखलाने को बेतरह व्यस्त रहते हैं कि हम सबसे योग्य हैं। यहाँ तक सुना है कि ऐसे लोग मि. सैम्पुलस के सामने आए लोगों की मखौल उड़ाते हैं।

कहाँ अंग्रेजों का चरित्र देख रहा हूँ, कहाँ अपनी कमजोरियाँ देख रहा हूँ। न जाने हमारे देश का उद्धार कितने दिनों में होगा। गुलामी गई, गुलाम दिमागी नहीं गई है !

डंडी : ग्लासगो

14 मई, 1951

आज दिन भर सूर्य देवता चमकते रहे। इंगलैंड में चमकता हुआ दिन एक वरदान है। यह मौसम ऐसा है, जिसमें काफी धूप और गरमी की आशा की जाती है। किन्तु इस वर्ष अजीब हालत रही है। इस साल का हेमन्त यहाँ बहुत बुरा रहा है। लोगों का कहना है। एक वृद्ध महाशय कह रहे थे—तीस वर्षों से ऐसा बुरा जाड़ा कभी नहीं पड़ा था। आठ महीनों से लगातार झींसी-फुही होती रही है ! कुछ लोगों का कहना है, एटम के प्रयोग के कारण ऐसा हुआ है !

जलपान के बाद हम लोग डंडी का एक जूट कारखाना देखने गए। उसके अध्यक्ष हमारे स्वागत को खड़े थे। यह कारखाना डंडी का सबसे पुराना कारखाना है। 1832 में इसकी स्थापना हुई। इसके संस्थापक ने, जिनका चित्र कारखाने में ऑफिस में टँगा हुआ था, सिर्फ बारह आदमियों को लेकर इसका शुभारम्भ किया। डंडी से जो जहाज जाते थे, उन पर जूट आता था। इसका प्रयोग रस्से बनाने के काम में होता था। उस भले आदमी ने जब इसके रेशे देखे, तब उसके ध्यान में आया कि इससे बुनकर बोरे भी बनाए जा सकते हैं। उसने काम शुरू कर दिया ओर धीरे-धीरे काम इतना बढ़ा कि उसके माल संसार के कोने-कोने में जाने लगा।

जहाँ जूट की गाँठें रखी थीं, वहाँ से दिखलाना शुरू किया। फिर उसकी धूल झाड़ने से लेकर बुन-बुनाकर माल तैयार होने की सारी क्रिया दिखलाई। बुनाई तो कपड़े की ही तरह होती है, उसमें कोई विशेष बात नहीं दिखी। किन्तु किस तरह पटुए को नाना मशीनों से ले जाकर अन्त में उसे रेशम ऐसा बना डालते हैं—यह क्रिया तो सचमुच भौंचक में डालनेवाली थी ! एक कल से दूसरी कल में किस तरह पाट के लच्छे नाचते जा रहे और बिना एक रेशा टूटे हुए वे नई-नई शक्लें पकड़ते जाते थे !

इस कारखाने में अधिकतर स्त्रियाँ ही काम करती हैं। हाँ, जहाँ दर्जीवाले कारखाने में मुग्धा और प्रौढ़ाएँ अधिक थीं, वहाँ इस कारखाने में प्रौढ़ा और वृद्धाओं की ही भरमार थी। कारखाने में भरती होनेवाली औरतों की उँगली, आँख और निपुणता की जाँच किस तरह वे करते हैं, यह भी अचम्भे में डालनेवाला था।

दिन में ओवरसीज लीग की तरफ से भोज था। शहर के गण्यमान्य व्यक्ति पधारे थे। भोज के बाद हम ग्लासगो के लिए रवाना हुए।

जब मोटर पर चढ़ रहे थे मिस शा ने हमें अखबार दिया। उस अखबार में हमारे चित्र थे और हमारे बारे में समाचार था। समाचार में विशेषता यह थी कि मेरे बारे में उसमें खास चर्चा थी क्योंकि मैं शेरवानी पहने था ! यह चित्र जब हम कारखाना देख रहे थे, लिया गया था और दो-तीन घंटे के अन्दर यह छपकर बँट रहा था !

डंडी से ग्लासगो तक का प्राकृतिक वैभव भी अनूठा था। स्कॉटलैंड पहाड़ी प्रदेश है, पहाड़ी प्रदेश यों ही खूबसूरत होता है। किन्तु जब प्राकृतिक सौन्दर्य के साथ मानव का पुरुषार्थ का संयोग होता है, तो फिर क्या कहना ? जहाँ भी जोतनेवाली ज़मीन मिली, सारी-की-सारी जोत दी गई है। पहाड़ियों की तलहटी से लेकर उसकी चोटियों तक खेतियाँ हो रही हैं। जगह-जगह जंगल भी लगाए गए हैं ! एक ही तरह के कतार से लगे उन पेड़ों को देखकर बड़ा आनन्द आता था। रास्ते में पंछी भी अधिक दिखाई पड़े। भेंड़े और घोड़े भी जहाँ-तहाँ दिखे !

ब्रिटेन में कुल मिलाकर छः करोड़ एकड़ जमीन है, जिसमें चार करोड़ अस्सी लाख एकड़ में खेती होती है ! किन्तु इस पर काम करते हैं सिर्फ पन्द्रह लाख किसान ही—जनसंख्या का

अधिकांश तो उद्योग-धन्धे में लगा है। अधिकांश खेतों का रकबा पाँच एकड़ से ऊपर है। खेती विशेषता बड़े पैमाने पर की जाती है !

पिछली लड़ाई के पहले ब्रिटेन सिर्फ इक्तीस सैकड़े भोजन उपज करता था; लड़ाई के दरम्यान उसे बढ़ाकर उनतालीस तक ले जाया गया ! मजदूर सरकार ने 1947 में खेती सम्बन्धी नई नीति अख्तियार की, जिसके अनुसार वह 1952 तक खेत की उपज को लड़ाई के पहले की अपेक्षा ड्योढ़ा बढ़ा देना चाहती है। इसके लिए वह किसानों को हर तरह की सहायता दे रही है—नए औजार, नई खाद, पूरी कीमत, ज़रूरत पड़ने पर कर्ज भी ! फिर खेती क्यों नहीं बढ़े। खेती के साथ दूध और गोश्त की पैदावार बढ़ाने के लिए भी हर तरह की सहायता वह कर रही है।

ग्लासगो के रास्ते में एक बड़ी मनोरम झील पड़ती है, जिसका नाम है लेक लोमंड। मिस शा की इच्छा हुई कि हम लोग उसे भी देख लें और सचमुच, इस झील ने इस दिन को हमारे लिए बड़ा ही रोमांचकर बना दिया। संध्या हो रही थी, एक छोटी सी मोटर नाव लेकर हम झील देखने चले। झील के किनारे नावों की भरमार—तरह-तरह की—रंगीन, सादी, छोटी-बड़ी। हमारी नाव जब झील के बीच में गई, तरंगों पर वह झूले का मजा देने लगी। ऐसा रूमानी वातावरण हुआ कि मिस शा गुनगुनाने लगीं और मि. सैम्पुलस ने एक प्रेम कथा मुझे सुना दी। एक युवक-युवती में प्रेम हुआ। दुनिया को प्रेम से न जाने क्या चिढ़ है, लड़के को फाँसी की सजा हुई, लड़की को जेल की। इस झील के उस पार जो पहाड़ी है, उसी पर उस लड़के को फाँसी देने को ले चले। लड़के ने लड़की से कहा—"मैं ऊपर जा रहा हूँ, तुम नीचे जाओ। किन्तु जब तक तुम पहुँचोगी, देखोगी, मैं वहाँ पहुँच चुका हूँ।"

झील के किनारे इधर-उधर युवक युवतियों का झुंड घासों पर, झाड़ियों में घूम रहा। देखिए, वह लाल फ्रॉक ! न जाने किसके कलेजे पर वह ज्वालामुखी धधक रही है और यह देखिए, यह हट्टा-कट्टा नौजवान न जाने कौन सी आग दिल में लिए नंगे बदन अकेले नाव उड़ाए जा रहा है !

इस स्थान पर सैलानी लोगों की आमदरफ्त लगी ही रहती है। कई होटल हैं। उन्हीं में से एक में हमने रात का भोजन किया। भोजन के समय हमारी तीनों लड़कियाँ, ड्राइवर भी साथ में बैठीं। इस देश में प्रजातन्त्र है न ? यहाँ ड्राइवर को साथ में खिलाने में किसी को संकोच क्यों हो ? जब पीने की बारी आई, तीनों लड़कियों ने इनकार किया और एक ने सिगरेट पी तो इस बुरी आदत पर अफसोस जाहिर करती हुई। जो लोग विलायत की हर लड़की को फाहशा समझते हैं, काश वे आज होते।

पहाड़ियों और मैदानों को पार करते हुए अन्ततः हम ग्लासगो के निकट आए। मुख्य शहर में प्रवेश करने के पहले देखा, यहाँ भी बड़े पैमाने पर घर बन रहे हैं !

पिछली लड़ाई के जमाने में नए घर तो बने नहीं, पुराने घरों में से हर तीन पर एक घर बमवर्षा से बरबाद हो गए। अतः लड़ाई समाप्त होते ही घर बनाने की ओर ध्यान दिया गया और इसे सरकार ने अपने हाथ में लिया। 1950 तक दस लाख परिवारों के लिए मकान तैयार किए जा चुके हैं और अगले तीन वर्षों तक हर वर्ष दो लाख बनाने की योजना काम में लाई जा रही।

सरकार ने इन मकानों के लिए विशेषज्ञों से तरह-तरह के नए डिजाइन बनवाए हैं, जिसमें परिवार पूरे सुख से रह सकें और जिसकी सूरत-शक्ल भी चित्त को प्रसन्न करनेवाली हो। हर मकान के आगे-पीछे थोड़ी ज़मीन, जिसमें फूल-पत्ते—क्या ऐसे मकान हमारे मध्यश्रेणी के लोगों के भाग्य में भी बदा है ?

न्यू लानार्क : जहाजों का कारखाना

15 मई, 1951

यह ग्लासगो है। ब्रिटेन का द्वितीय प्रधान नगर। ग्यारह लाख इसकी जनसंख्या है। क्लाइड नदी पर बसा है यह। जहाज बनाने में इस नगर का कोई सानी नहीं है। ब्रिटिश कॉमनवेल्थ के दो सबसे बड़े जहाज यहीं बनाए गए थे—'क्वीन मेरी' और 'क्वीन एलिजाबेथ'। और सबसे मजबूत जंगी जहाज 'वानगार्ड' भी यहीं बना था।

हम जिस होटल में ठहराए गए हैं उसके सामने ही ग्लासगो का प्रमुख पार्क है। इस पार्क की एक ओर 'सिटी हाउस' है—ग्लासगो के सार्वजनिक जीवन का केन्द्र। बड़ी शानदार इमारत है उसकी। किन्तु सबसे शानदार चीज़ तो है यह पार्क।

देखिए, यह ऊँचा स्तम्भ। नीचे से देखिए, तो टोपी खिसक पड़े। इस स्तम्भ पर किसी की मूर्ति है ? किसी बादशाह की ? किसी विजेता की ? नहीं, यह मूर्ति एक साहित्यकार की है—पढ़िए, क्या लिखा है ? 'वाल्टर स्कॉट' ! सर वाल्टर स्कॉट—स्कॉटलैंड का अमर साहित्यकार, जिसने अपने उपन्यासों में स्कॉटलैंड के चप्पे-चप्पे को शाश्वत जीवन दे दिया। हमने ऐसे ही प्रमुख स्थान पर एडिनबरा में इसे देखा था, यहाँ भी देख रहे हैं। स्कॉटलैंड के हर बड़े शहर में स्कॉट की ऐसी ही शानदार मूर्तियाँ हैं !

समूचे पार्क में ऐसी अनेक मूर्तियाँ हैं—भाप का आविष्कारक जेम्स वाट को उस कोने में देखिए और प्रसिद्ध पर्यटक लेविंस्टन भी यहाँ हैं ! राजनीतिज्ञ ग्लैडस्टन भी और कविवर बर्न्स भी। मुख्य प्रवेश द्वार पर प्रहरी की तरह प्रसिद्ध सेनापतियों की मूर्तियाँ हैं !

पार्क में बड़ी चहल-पहल रहती ! हरी मखमली घास; बीच-बीच में रंग-बिरंगे फूलों की क्यारियाँ ! युवक-युवतियों की जोड़ियाँ बड़ी रात तक किलोलें करती हैं यहाँ।

हमारे कार्यक्रम के अनुसार आज न्यू लानार्क की कॉटन मिल को सबसे पहले देखना था। न्यू लानार्क ग्लासगो से बीस-बाईस मील पर है ! क्लाइड नदी के किनारे बसा छोटा सा गाँव। यहाँ क्लाइड नदी कितनी पतली है, छिछली है—अपने यहाँ के मामूली पतले नाले की तरह ! यह मिल भी कोई बड़ी नहीं—कुल चार-पाँच सौ मजदूर काम करते हैं यहाँ। किन्तु इंगलैंड के नए इतिहास में नहीं, समाजवादी इतिहास में भी इस गाँव का नाम सदा सोने के अक्षरों में अंकित रहेगा। क्यों ? क्योंकि इसी स्थान पर रोबर्ट ओवेन ने सबसे पहली बार समाजवाद का प्रयोग किया था। ऐसा कारखाना बनाया जाए, जिसमें हर मजदूर का हिस्सा हो, वह वेतनभोगी मजदूर मात्र न रहकर, कारखाने का बाज़ाब्ता हिस्सेदार हो। जो कुछ अपनी सम्पत्ति थी सभी बेचकर इस स्वप्न को साकार करने में लगा दिया ! निस्सन्देह, उस समय उनका वह प्रयोग सफल नहीं हुआ—किन्तु इतिहास से उनका नाम कौन हटा सकता है ? एक बार रैमजे मैकडोनाल्ड ने गर्व से कहा था—हमारा देश मार्क्स का नहीं, ओवेन का है।

मिल को घूम-फिरकर देखा—रुई की धुनाई, फिर कताई, फिर बुनाई। एक वृद्ध सज्जन बड़े उत्साह से हमें दिखला रहे थे और कताई-बुनाई में लगीं लड़कियाँ हमारी वेशभूषा की ओर उत्सुकता से देख रही थीं—किन्तु मेरा ध्यान कहीं अन्यत्र था ! मैं रह-रहकर क्लाइड के किनारे उस महान व्यक्ति की आत्मा को ढूँढ़ रहा था।

कारखाने में ओवेन के हाथ का लिखा उस समय का हिसाब-किताब भी है। कैसी सुन्दर, साफ लिखावट। इच्छा होती थी, इसे बार-बार चूमूँ।

मेरे साथी भोजन की फिक्र में थे, मैं उस स्थान को देखना चाहता था, जहाँ ओवेन रहते थे। दो सौ वर्षों का वह घर आज भी कायम है। अब उसमें इस मिल के एक कर्मचारी रहते

हैं। मकान बड़ा ही सुन्दर--क्लाइड के किनारे है, एक ओर गिरिजाघर है, दूसरी ओर क्लाइड के उस पार पहाड़। घर की मालकिन ने कहा, हम इस घर को पुराने ही ढंग से रखे हुए हैं।

अब न वह देवी है, न वह कड़ाह। मिल का संचालन अन्य मिलों की तरह होता है। बार-बार मन में जिज्ञासा होती थी, क्यों नहीं मजदूर सरकार कम-से-कम यहाँ एक जगह ओवेन के उस स्वप्न को पूरा करती है। हमारे कार्यक्रम में उसने इस स्थान को रखा, इससे यह स्पष्ट है कि वह इसके महत्त्व को नहीं भूली है। किन्तु ओवेन की स्मृति में और भी कुछ किया जाना चाहिए।

वहाँ से लौटकर हम क्लाइड के किनारे जहाज के एक कारखाने को देखने गए। एक ही साथ पाँच जहाजों के बनाने में हाथ लगा था। कोई तैयार होने पर था, किसी की नाप-जोख ही हो रही थी। वे विशाल जहाज। उसके सामने मनुष्य गुलिवर के लिलिपुटियन ऐसा मालूम होता था। उसी तरह काम में लगा हुआ, खींच-तान करता हुआ, ठुकाई-पिटाई करता हुआ। बड़े-बड़े क्रेन, बड़े-बड़े लोहे को आसानी से उठाकर जहाज पर इधर-उधर पहुँचा रहे। इस जहाज की पेटी का लोहा छः इंच मोटा था। कारखाने के भीतर देखा, इतने मोटे लोहे को इस तरह मशीनें काट देती थीं जैसे कैंची मुलायम रेशम को। उसमें इस तरह छेद किए जा रहे थे, जैसे तकुए को खरबूजे में घुसाया जाए।

आज भोर से ही पानी पड़ रहा था, और इस देश का काम सब खड़े-खड़े। पाँच बजते-बजते मुझसे खड़ा नहीं रहा गया। मैं मोटर में आकर बैठ गया और वहाँ से होटल आकर बड़ी देर तक लेट रहा।

एडिनबरा की ही तरह ग्लासगो को अच्छी तरह नहीं देखने का अरमान रह गया। यह बहुत बड़ा औद्योगिक केन्द्र है। लोहे, रासायनिक पदार्थ, तागे, बिजली के घरेलू सामान आदि यहाँ के कितने उद्योग संसार में प्रसिद्ध हैं। यहीं फोर्थ नदी का पुल और लन्दन का टावर बना था। यहीं वह पहला हवाई जहाज बना था, जिसने एटलांटिक को पार किया था। यहाँ का रॉयल टेकनिकल कॉलेज अपने ढंग का संसार का सबसे पुराना कॉलेज है। इंजीनियरिंग, डॉक्टरी, विज्ञान और साहित्य की अच्छी पढ़ाई के लिए भी ग्लासगो प्रसिद्ध है। यहाँ के विश्वविद्यालय में पाँच हज़ार विद्यार्थी पढ़ते हैं। यहाँ की लाइब्रेरी और आर्ट गैलरी भी प्रसिद्ध है।

एक महीने में एक सम्पूर्ण देश को देखना। क्या यह सम्भव है ? जितना हम देख पा रहे हैं, यही बहुत है। हाँ, इन्हें देखकर जो जिज्ञासा जगी है, वह शायद फिर यहाँ बुला ले। सोचता हूँ, अब हर गरमी के मौसम कहीं विदेश का सफर कर आऊँगा !

(ङ) शेक्सपीयर के गाँव में

स्ट्रेट फोर्डऔन एवन

16 मई, 1951

हाँ, आज स्थान का नाम ऊपर ही रहना चाहिए। जो अकस्मात् लिख गया, वही सत्य है। यह स्थान ऊपर है और काल इसके नीचे। मई की ऐसी सोलहवीं तारीख हजारों बार आई और गई, आएगी और जाएगी, किन्तु यह स्थान अजर है और इसी प्रकार अजर-अमर रहेगा !

प्रणाम करो इस स्थान को ओ संसार के मानवो ! इसी स्थान पर शेक्सपीयर जन्मा था,

जिसने मानवता को गौरव दिया। शेक्सपीयर या कालिदास किसी खास देश के नहीं होते ! वे सारी मानवता के हैं—सारी मानवता के आभूषण हैं, श्रृंगार हैं। सारे मानव उसके निकट सिर झुकाएँ—सादर, सविनय !

लगभग छः बजे संध्या को यहाँ आया और नौ बजे यह डायरी लिखने बैठा हूँ। रोम-रोम आनन्द से उच्छ्वसित हो रहे हैं ?

मैं भी एक छोटा सा नाटककार हूँ। इस तरह शेक्सपीयर मेरे गोत्र के थे—यह भावना और भाव विभोर बना रही है।

ज्यों ही इस होटल में पहुँचा, सभी साथी अपने-अपने सामान गिनने और सँजोने में लग गए। किन्तु मेरी आत्मा तो जैसे झटपट कर रही थी। झट बाहर निकला। सोचा, रात होने के पहले जितना भी देखा जा सके, देख लिया जाए।

सबसे पहले, पूछते-पाछते, उस स्थान पर गया जहाँ शेक्सपीयर का जन्म हुआ था। छः बजे तक ही वह खुला रहता है, हमारे जाते-जाते सात बजने को थे। अतः घर बन्द पाया। हाँ, उसके आगे लिखा था, यहीं शेक्सपीयर का जन्म हुआ था। हमने उस घर को किस तृषित दृष्टि से देखा !

दुमंजिला खपरैल का मकान। गुणपूजक अंग्रेज जाति इसे उसी रूप से जुगाकर रख रही है, जिस रूप में यह शेक्सपीयर के समय में था। किन्तु उसकी मरम्मत पर इतना ध्यान है कि कहीं ज़रा भी टूट-फूट या जीर्णता नहीं दिखाई पड़ती। घर मुख्य सड़क पर ही है। तो भी दीवार से सटे कुछ फूल लगा दिए गए हैं, जो अपनी रंग-बिरंगी चमक से हमारी आँखों को तृप्त कर रहे थे !

भीतर जाकर तो कल देखूँगा, अभी चला उस स्थान को जहाँ शेक्सपीयर की स्मृति में रंगमंच बनाया गया है। जब शहर में घुस रहा था, वहाँ मोटरों की भीड़ लगी थी। रास्ता पूछते-पाछते वहाँ भी पहुँच ही गया।

अपने कलाकारों की पूजा करना कोई इन लोगों से सीखे। ग्लासगो में जो सबसे बड़ा पार्क है, उसमें सबसे ऊँचे स्तम्भ पर स्कॉट की मूर्ति है और अगल-बगल राजनीतिज्ञों या सेनापतियों की। इस गाँव में अंग्रेजों ने शेक्सपीयर के लिए क्या किया है, वह यहाँ आकर ही मालूम किया जा सकता है।

हमारे सामने यह पार्क है, यह एवन नदी है, यह स्मारक थियेटर है। पार्क में घुसिए और देखिए, यह शेक्सपीयर की मूर्ति। एक ऊँचे चबूतरे पर कैसी भव्य-दिव्य दिखाई पड़ती है यह। इसे लॉर्ड रोनाल्ड गावर ने 1888 ई. में तैयार कराया था और उसी साल 10 अक्तूबर को इस मूर्ति को प्रतिष्ठापित किया गया।

इस मूर्ति में शेक्सपीयर ध्यानमग्न बैठे से दीखते हैं, मानों किसी नाटक की तैयारी के बारे में कुछ सोच रहे हों। मूर्ति के आसन के नीचे जो चबूतरा है, उसके चारों ओर शेक्सपीयर के ही कुछ पद्य उद्धृत किए गए हैं। पीछे की ओर यह पद्य उद्धृत है—

Life's a walking shadow
a poor player
That struts and frets
His houp upon the stage
And then there is no more.

इस मुख्य मूर्ति से कुछ दूर हटकर चारों कोने पर चार मूर्तियाँ हैं, जो शेक्सपीयर के

नाटकों के चार मुख्य पात्रों का सही चित्रण-सी लगती हैं। उनकी मूर्ति के आगे दाहिनी तरफ फाल्स्टाफ है—जैसा हँस रहा है यह, मानो सारे संसार पर, उसकी क्षणभंगुरता पर या उसकी बेवकूफियों पर। फिर प्रिंस हॉल—मुँछउठान जवानी का प्रतीक, बेफिक्र, बेलौस। अपना मुकुट उतारकर सौंप रहा है। किन्तु बताइए, पीछे जो दो मूर्तियाँ हैं, वे किनकी होंगी ? शेक्सपीयर को जिसने पढ़ा है, वह तुरत कह देगा, उनमें एक तो हेमलेट की जरूर होगी। हाँ, ठीक है, हेमलेट ही तो। साथ में एक मानव खोपड़ी लिये वह कैसा घूर रहा है उसे ? और दूसरी मूर्ति—लेडी मैकबेथ की ? अपने हाथ को किस तरह भयत्रस्त दृष्टि से देख रही है ? अरे, इससे कहीं खून तो नहीं टपक रहा है ?

शेक्सपीयर के इन चार पात्रों की मूर्तियाँ देखते समय ऐसा लगा कि इंगलैंड की आत्मा इनमें निहित है—ये चार मूर्तियाँ अंग्रेजों की चार मौलिक भावनाओं के प्रतीक-सी लगीं।

पार्क में चारों ओर सब्जी और फूल-ही-फूल। सब्जी को इस तरह रखा गया है कि उस पर चलिए तो मालूम हो, मखमल पर चल रहे हैं। फूलों की सजावट का क्या कहना। बड़े और छोटे फूलों का एक ही क्यारी में किस प्रकार रंगों के मेल पर ध्यान देते हुए लगाया गया है। नीचे डेज़ी खिल-खिला रही है, तो ऊपर टुलिप सिर हिला रहा है। यों ही फूलों और रंगों की अजीब रंगामेज़ी !

और यह तालाब है ? इसका पानी ? शेक्सपीयर के पार्क के तालाब में एवन नदी के पानी के अतिरिक्त दूसरा कौन पानी रखा जा सकता है ? बगल के एवन से ही यन्त्र द्वारा पानी लेकर इसे भरा गया है और भरे हुए तालाब में वे राजहंस तैर रहे हैं ? उजले-उजले, बड़े-बड़े। उनकी लम्बी गरदन, चौड़ी चोंच ? जब उजले परों को फड़फड़ाने लगते हैं, तो मालूम होता है, शेक्सपीयर की कविता अब सपक्ष होकर उड़ने जा रही है।

किन्तु दर्शकों और पर्यटकों का झुंड उन्हें इतना प्यार दे रहा है कि वे उड़ेंगे क्यों ? देखिए, कुछ लोग उनके लिए दाने फेंक रहे हैं, कुछ उनका चित्र उतार रहे हैं।

उफ, भावनाविभोर होकर मखमली फर्श को अपने जूतों से मत बरबाद कीजिए, पगडंडी पकड़कर आगे बढ़िए। यह सामने स्मारक थियेटर है। इसकी स्थापना आदि के बारे में ज्यादा खोज-ढूँढ़ करने की आज फुरसत कहाँ है ? हम सीधे भवन के बरामदे में पहुँचे जहाँ, दर्शकों की भीड़ लगी थी। सवा सात बज रहे थे, सूचनापट में देखा, साढ़े सात से खेल शुरू होगा—आज हेनरी चतुर्थ दिखलाया जा रहा है। कहा गया था कि होटल में खाना साढ़े आठ तक ही मिलेगा। किन्तु सोचा, जहन्नुम में जाए खाना—खाना तो रोज खाते ही हैं, आज यह अवसर क्यों चूकें ? किन्तु दरयाफ्त करने पर पता चला, बैठनेवाली एक भी सीट खाली नहीं। खड़े-खड़े देख सकते हैं। साढ़े दस बजे तक खड़ा रहने की हिम्मत तो थी नहीं। हाँ, चलते समय साढ़े तीन शिलिंग में 1950 की स्मृति-पुस्तिका खरीदकर सन्तोष किया।

फिर एवन के किनारे टहलने लगे। तरह-तरह की भावनाएँ उठ रही थीं। यह नदी हमारी लखनदेई से बड़ी नहीं हैं। किन्तु धन्य इसका भाग्य ! एक सपूत इसके किनारे पैदा हुआ और यह जगत प्रसिद्ध बन गई।

छोटी-छोटी मोटर बोटें थीं, इतनी उमंग मन में थी कि सोचा, इनमें से एक पर चढ़ जाऊँ और जो पैसे माँगे, देकर इसकी लहरियों का मजा लूँ। किन्तु उसी समय एक साथी मिल गए और उन्होंने कहा, शेक्सपीयर की वाटिका आप लोगों ने देखी है या नहीं ?

उनकी बात पूरी भी नहीं होने पाई और मैं उस ओर दौड़ पड़ा। वह हँसने लगे—आप तो इस समय शेक्सपीयर मैड हो रहे हैं ? हाँ, जरूर मुझ पर इस समय शेक्सपीयर का पागलपन सवार था ? काश, जिन्दगी भर ऐसा ही पागलपन सवार रह पाता !

पूछते-पाछते उस बगीचे में गए, जिस बगीचे में शेक्सपीयर के हाथ का लगाया मलबेरी का एक पेड़ आज भी जीवित है। इस पेड़ को जीवित रखने के लिए क्या-क्या न प्रबन्ध किए जाते हैं। पुरानी डालों में लोहे के भरसाहे लगाए गए हैं। चारों ओर का चबूतरा फूलों से भरा हुआ ! मलबेरी में अभी-अभी पत्ते निकल रहे थे !

झट उसकी डाल को पकड़कर चूम लेने से अपने को रोक नहीं सका। शायद कभी शेक्सपीयर ने भी उसमें कोंपलें निकलते हुए देखकर उसे इसी तरह चूमा हो।

मलबेरी के पेड़ के सामने शेक्सपीयर की एक मूर्ति हैं, जो पहले लन्दन में थी, अब यहाँ लाई गई है। इसमें शेक्सपीयर बिलकुल जवान लगते हैं—अभी-अभी मसें भींग रही हैं—एकहरा, छरहरा बदन। काफी खूबसूरत। दोनों ओर दो देवियाँ खड़ी हैं—एक हैं नाटक की देवी; दूसरी संगीत की देवी ! एक के चेहरे पर सकुचाहट, उसकी निगाहें नीची; दूसरी शेक्सपीयर के मुँह की ओर देख रही है !

बगीचे को किस तरह सजाकर रखा गया है, क्या वर्णन किया जाए—'गिरा अनयन, नयन बिनु वाणी !'

इस बगीचे से सटे नैश का वह भवन है, जिसमें शेक्सपीयर अन्तिम दिनों में रहते थे ! इस समय तक उस भवन का कपाट भी बन्द हो चुका था।

हमने आश्चर्य से पाया, हम अपने होटल के बिलकुल निकट पहुँच गए हैं। यह होटल शेक्सपीयर होटल कहलाता है और इसका संचालन शेक्सपीयर की स्मारक समिति की ही ओर से होता है। यह होटल हमेशा भरा रहता है। बाहर से, देश-विदेश से जो लोग आते हैं, वे इसी होटल में ठहरना पसन्द करते हैं।

होटल के प्रबन्ध में भी शेक्सपीयर की छाप है। इसके हर कमरे का नाम शेक्सपीयर की पुस्तकों के नाम पर रखा गया है। जहाँ हम भोजन करते हैं, उसका नाम है—As you like it; जहाँ पीने का दौर चलता है, उसके दरवाजे पर लिखा है— Measure for measure; पीकर जहाँ गपशप होती है, ठहाके लगाए जाते हैं, उसका नाम है—Tempest और जहाँ अकेले-दुकेले बैठकर चिंतन किया जाता है उसका नाम— Mid Summer-nights Dream.। मैं जिस कमरे में ठहराया गया था, उसका नाम था— Comedy of Errors. जरूर कोई गलती हुई है, किन्तु कितनी सुखान्त !

आज मौसम भी बड़ा अच्छा रहा। ग्लासगो से जब हम चले, आसमान साफ था। ज्यों-ज्यों ट्रेन आगे बढ़ती गई, धूप खिलने लगी। गाड़ियों में मैं प्रायः किनारे पर बैठता हूँ, जिसमें बाहर का दृश्य देखता चलूँ। शीशे की खिड़कियाँ; जब धूप शरीर से स्पर्श करने लगी, बड़ा आनन्द आया !

हम एडिनबरा गए थे इंगलैंड के पूर्वी किनारे से और लौटे हैं पश्चिमी किनारे से। थोड़ी दूर तक तो दृश्य अच्छा नहीं रहा। किन्तु जब हम मध्य इंगलैंड में पहुँचे, प्राकृतिक दृश्य बड़े लुभावने दिखे।

रास्ते में एक जगह है— Gretna Green. यह जगह इंगलैंड में बड़ी रोमांटिक रही है। जब प्रेमी-प्रेमिका यह देखते थे कि उनके माँ-बाप उनके विवाह मे बाधक हो रहे हैं, तो वे भागकर यहीं आ जाते थे। यहाँ घोड़े के पैर में नाल ठोंकनेवाले लुहार को भी शादी कराने का हक़ था। अतः चर्च की झंझटों में नहीं पड़कर इन लुहारों से ही वे अपने विवाह की बाजाब्ता रस्म करा लेते थे।

रास्ते में लंकाशायर मिला। 1921 की स्मृतियाँ जाग्रत हुईं, जब यहाँ के कपड़ों की होली हमने जलाई थी। समय कितना बदलता है ? तीस साल के बाद हम उसी लंकाशायर से, उसकी

सरकार के मेहमान के रूप में, गुजर रहे थे !

बरमिंघम में हमें गाड़ी छोड़ देनी पड़ी। वहाँ से हम मोटर से स्ट्रैटफोर्ड आए हैं।

बरमिंघम के बाद ही दृश्यावली इतनी सुन्दर थी कि हम अनुभव करने लगे, सचमुच हम किसी कलाकार की जन्मभूमि में जा रहे हैं। चारों ओर हरी-भरी भूमि ! जमीन पर आप से उग आए फूलों की भरमार ! लाल, पीले, नीले—ये फूल गुच्छे-के-गुच्छे उगते हैं ! पेड़ भी अधिक और अनेक किस्म के ! कोई अपनी मौलश्री की तरह के, कोई नीबू की तरह के, कोई पाकड़ की तरह के। बड़ या पीपल की तरह बड़े-बड़े पत्तेवाले पेड़ यहाँ भी नहीं दिखाई पड़े। देवदार की तरह लम्बे, सजीले पेड़ जहाँ-तहाँ प्रहरी से खड़े थे !

बरमिंघम से ही मुझे लग रहा था कि कहीं तीर्थस्थान में जा रहा हूँ। मन में वैसी ही पावन, पुनीत, पुलकमयी भावनाएँ ! होटल में आने पर यह राय दी गई थी कि खाकर बाहर जाइए ! मैंने सोचा—कहीं तीर्थ में दर्शन करने के पहले भोजन किया जाता है !

शेक्सपीयर की इस जन्मभूमि की साज-सज्जा को देखकर बार-बार राजापुर और बिस्फी की याद आ रही है। क्या हम राजापुर में तुलसीदास की और बिस्फी में विद्यापति की स्मृति में कुछ ऐसी ही आयोज़न नहीं कर सकते हैं ?

सोचा है, कल सम्पूर्णानन्दजी को लिखूँगा कि कम-से-कम राजापुर के लिए तो कोई प्रबन्ध करेंगे ही। आज लन्दन के हिन्दी केन्द्र की शुभकामना सम्बन्धी उनका पत्र भी आया है। कुमार गंगानन्द सिंह को लिखूँगा, यदि बिस्फी में वह विद्यापति का स्मारक बना सके, तो यह एक काम ही उन्हें इतिहास में अमर कर देगा।

शेक्सपीयर की स्मृति में मस्तक झुकाकर, आज यहीं डायरी समाप्त करता हूँ। अभी बहुत देखना है, बहुत लिखना है।

स्ट्रैटफोर्ड ऑन एवन

17 मई, 1951

अभी-अभी जो नाटक देख आया हूँ, उसके बारे में क्या कहूँ ? कह सकता हूँ, यदि इसे नहीं देख लेता, तो सारी यात्रा व्यर्थ हो जाती !

किंग रिचार्ड द्वितीय खेला जा रहा था। ज्यों ही परदा हटा, सबसे पहले तो रंगमंच देखकर ही दंग रह गया। सादी लकड़ी से बना दुमंजिला रंगमंच। ऊपर जाने के लिए दोनों तरफ से सीढ़ियाँ। मंच पर आने के लिए तीन रास्ते—दो बगल से, एक दुमंजिले के नीचे से। मंच के एक कोने में एक कुरसी रखी।

इस सादे रंगमंच पर रोशनी के चमत्कार से ऐसे दृश्य उपस्थित किए जाते कि चकाचौंध में पड़ जाना होता। बस, एक ही परदे पर सारा खेल। यही मंच कभी राजभवन बन जाता, कभी युद्ध का मैदान कभी बगीचा बन जाता, तो कभी कैदखाना। ज्यादातर काम प्रतीकात्मक होते।

ज़रूरत पड़ने पर बीच-बीच में पात्र ही कुरसियाँ या दूसरे समान उठाए हुए आते और चलते समय ले जाते। यह इस तरह होता कि नाटक का ही एक अंग मालूम होता, जरा भी अस्वभाविकता नहीं मालूम पड़ती।

ऐतिहासिक खेल था, अतः पोशाक पुराने ढंग की ही बनवाई गई थी। किन्तु उसमें कोई चाकचिक्य नहीं। मालूम होता कि नित्य दिन पहनी जानेवाली ही पोशाक है।

किंग रिचार्ड का पार्ट माईकेल रेडग्रेव ने किया था और उसके प्रतिद्वन्द्वी हेनरी बोलिंगब्रुक का पार्ट हफ ग्रिफिथ ने। रिचार्ड की रानी का पार्ट हीदर स्टैनर्ड ने।

रिचार्ड के पार्ट का क्या कहना ? सुख-दुख, हास्य-रुदन, उच्छ्वास-संताप सबका पार्ट इतना अच्छा कि नाट्यकौशल पर जितनी भी तालियाँ पीटी जाएँ, थोड़ी ! समूचे खेल में कहीं भी जरा झोल नहीं। सब अपनी जगह पर ऐसा सटीक कि मालूम होता कि नाटक नहीं, सत्य घटना देख रहे हैं। मुख्य पात्रों की संख्या पैंतीस थी, छोटे-छोट काम करनेवाले अनेक। किसी के अभिनय में कहीं त्रुटि नहीं दिखाई पड़ती थी। पृष्ठभूमि का संगीत इतना आकर्षक था कि उसकी धुन ही सारा वातावरण तैयार कर देती थी। प्रारम्भ में उधर नेपथ्य संगीत शुरू हुआ, इधर रोशनी की रंगीनियाँ रंगमंच पर जादूगरी करने लगीं और फिर जादू के पुतले की ही तरह एक-एक पात्र भिन्न-भिन्न रास्तों से आ पहुँचे। कुछ दुमंजिले पर चढ़ गए, कुछ नीचे खड़े हुए। इस दृश्य ने ही भाव-विभोर बना दिया ! फिर एक दृश्य के बाद दूसरा दृश्य इतनी तेजी से और इतने नाटकीय ढंग से बदलने लगा कि चकित-विस्मित हो जाना पड़ता था ! समाप्ति कि समय तो पूछिए ही नहीं ! तालियों की गड़गड़ाहट में, पाँच मुख्य पात्रों को छोड़कर; शेष पात्र आकर मंच पर खड़े हुए। फिर माइकेल रेडग्रेव को बीच में करके पाँचों पात्र आए। अब तो तालियों की पूछिए नहीं। तीन बार सिर झुकाकर उन्होंने दर्शकों को नमस्कार किया ! तालियाँ पिटती रहीं—पाँचों मुख्य पात्रों ने आगे बढ़कर फिर तीन बार नमस्कार किया। तालियाँ पिटती ही रहीं। पात्र जाने लगे। चलते-चलाते रेडग्रेव और हैरी एन्ड्रज मंच के दोनों छोर पर बढ़े, घूमकर एक-दूसरे को देखा फिर दर्शकों को नमस्कार कर चलते बने !

रिचार्ड जब अपनी पत्नी से बिदा हो रहा था और जब वह जेल में अपने जीवन पर चिन्तन कर रहा था; तो प्रायः सबकी आँखें सजल हो गई थीं। रेडग्रेव बिदा के समय जब मंच पर आया तो उस समय भी उसके चेहरे पर अभिनयजनित खिन्नता थी ! शोकान्त नाटक में ऐसा होता ही है—यदि अभिनेता अपने पार्ट में अपनी पूरी जान डाल सके !

आज भोर में डनलप का कारखाना देखने जाना था। इच्छा नहीं होती थी कि स्ट्रेटफोर्ड को छोड़कर बाहर जाएँ—किन्तु कार्यक्रम को टालना भी अच्छा नहीं लगा। यह जाना भी अच्छा हुआ, हम अच्छी तरह उस भूभाग को देख सके, जो शेक्सपीयर की क्रीड़ाभूमि रहा हैं ! स्ट्रेटफोर्ड वारविक काउन्टी में है। इस काउन्टी को इंगलैंड की हृदयस्थली कहा जाता है। भौगोलिक दृष्टि से भी और ऐतिहासिक एवं प्राकृतिक दृष्टि से भी। बड़ा ही भव्य भूभाग है। फूलों, पेड़ों और पंछियों की भरमार। फिर वन्सत की बहार। चेरी, प्लम और एपल के पेड़ क्रमशः लाल, उजले और पीले फूलों से लदे आँखों को मुग्ध कर रहे थे, जमीन पर नीले, बैंगनी और लाल-पीले फूलों की बहार का भी क्या कहना ? क्यारियों में ही फूल नहीं, रास्तों में जहाँ भी घास-फूस उगे हैं, वहाँ ही फूल है ! सचमुच यह भूभाग इंगलैंड की हृदयस्थली है।

वारविक में वह क़िला देखा, जिसमें अपने नवयुवक प्रेमी से मिलने एलिजाबेथ आया करती थी ! सुना, क़िले को अब भी सजाकर रखा जाता है और उसमें कितने ही सुन्दरतम चित्र हैं। फाटक से ही हम उसका सौन्दर्य देखकर मुग्ध हुए। क़िले के आसपास की ज़मीन भी बड़ी मनोहारिणी है। एक छोटी सी नदी बहती है, जो उसके सौन्दर्य को और भी बढ़ा देती है !

वारविक के रमणीय पार्क में बहुत से बच्चे खेल रहे थे। आज तक हमने इंगलैंड में कभी दुबला-पतला, पिलपिला या फटा-चिटा पहने बच्चे को नहीं देखा। एडिनबरा में हम रविवार को थे। स्कूल में छुट्टी थी और धूप भी उगी थी। झुंड-के-झुंड बच्चे पार्कों में दिखाई पड़े। उनके खेलने-कूदने के लिए पार्कों में झूले वगैरह का बड़ा सुन्दर प्रबन्ध है !

आज की सुनहली धूप, रंगीन धरती, बच्चों का कलरव, चिड़ियों के चहचह—आनन्द का क्या कहना ?

रास्ते में एक दूसरा क़िला पड़ा—उसका नाम है केलिनवर्थ। इस क़िले के नाम से एक उपन्यास लिखकर स्कॉट ने इसे अमर बना दिया है। क्रॉमवेल के समय वह नवाबों का अखाड़ा था। उसने इस पर कब्जा कर इसे ध्वस्त-पस्त कर दिया। आज भी क़िले का भग्नावेश मात्र है !

डनलप का कारखाना देखा। 1915 में इस कारखाने की स्थापना हुई। दस हज़ार आदमी यहाँ काम करते हैं और दो सौ साठ एकड़ में इसका कारखाना है। यों तो इस कारखाने की शाखाएँ संसार भर में हैं। एक कारखाना कलकत्ता में भी है। सिर्फ विलायत की भिन्न-भिन्न शाखाओं में नब्बे हज़ार आदमी काम करते हैं।

मजदूरों की सुख-सुविधा के लिए पूरा प्रबन्ध है। तीस वर्षों से यहाँ ज्वायंट वर्क्स कौंसिल काम करती है, जिसमें मजदूर और मालिक साथ में बैठकर सभी समस्याओं पर विचार करते हैं। मजदूरों के लिए थियेटरघर, सिनेमाघर और तरह-तरह के खेलों के लिए सत्ताईस एकड़ ज़मीन का खेल का मैदान है। पाँच हज़ार मजदूर यहाँ के भोजनागार में भोजन करते हैं।

कच्चे रबड़ को लेकर किस तरह टायर और ट्यूब बनाए जाते हैं, हमें घूम-घूमकर बतलाया गया। हर महीने पैंतालीस हजार टायर इस कारखाने से निकलते हैं।

हमने वहीं भोजन किया; फिर कुछ लोग रह गए, मैं तीन अन्य साथियों के साथ स्ट्रैटफोर्ड ऑन एवन लौट आया !

यहाँ आकर आज शेक्सपीयर का जन्मगृह देखा और फिर उस घर को देखा जहाँ शेक्सपीयर की मृत्यु हुई। आह, इन घरों को किस तरह सुरक्षित रखा गया है !

शेक्सपीयर के जन्मघर में ज्यों ही घुसिए, सबसे पहले आपको वह कमरा दिखाया जाएगा, जिसमें बैठकर शेक्सपीयर काम किया करते थे। भीतर दीवारों की वे लकड़ियाँ हैं, जो चार सौ वर्ष पहले थीं। तरह-तरह के उपचार से उन्हें सड़ने और घुनने से बचाया जाता है। नीचे की फर्श टूटी-फूटी है, जिस तरह वह शेक्सपीयर के समय में थी। उसमें एक तरफ वह कुरसी रखी हुई है, जिस पर बैठकर शेक्सपीयर लिखा करते थे। एक लम्बा सन्दूकचा ऐसा काठ का बना है, जो उनके टेबुल के काम में शायद आता होगा।

उससे सटा कमरा उनके बाप का है, जिसमें बूढ़े की दुकान थी। पहले इन दोनों कमरों के बीच में दीवार थी, किन्तु अब दीवार हटा दी गई है, जिसमें एक साथ ही दोनों कमरों को देख लिया जाए। इस कमरे में शेक्सपीयर के सम्बन्ध के बहुत से कागज़-पत्र शीशे में जड़ाकर टाँग दिए गए हैं।

शेक्सपीयर के बैठने के कमरे से सटा हुआ दूसरी तरफ का कमरा रसोईघर है। उस समय के सारे बरतन वहाँ सुरक्षित हैं—चूल्हा, कलछी, हाँडी, थाल आदि। लकड़ी के जिस बरतन में मांस के छोटे-छोटे टुकड़े किए जाते थे, उसे भी रखा गया है। इस घर में एक ऐसी चीज़ है जो इंगलैंड में भी अकेली है। छत से जमीन तक एक पतली लकड़ी लगी है और ज़मीन से एक बालिश्त ऊँचे पर उसमें लोहे का एक फ्रेम लगा है, जिसे बच्चे की कमर से लगा दिया जाए तो वह कोल्हू के बैल की तरह घूमता रहेगा ! यदि मास्टर शेक्सपीयर नटखट रहे होंगे, जैसा कि मालूम होता है, वे थे, तो उन्हें इस फ्रेम में जकड़कर बैल की तरह घूमना पड़ा होगा। इसे देखकर यशोदा द्वारा कृष्ण का ऊखल में बाँधना याद आ गया !

दुमंजिले पर वह कमरा है जिसमें शेक्सपीयर का जन्म हुआ था ! उसमें एक बिछावन भी है, किन्तु उस पर शेक्सपीयर सोते होंगे, यह नहीं कहा जा सकता। हाँ, वह भी सोलहवीं

शताब्दी का ही है। पहिया लगी हुई एक बक्सगाड़ी है, जिसमें शिशु शेक्सपीयर को लिटाकर उनकी माँ सड़कों पर घुमाती होगी, ऐसी कल्पना तो की जा सकती है ! घर की दीवारों पर भी शेक्सपीयर सम्बन्धी काग़ज़ात शीशे में फ्रेम करके टाँगे गए हैं। शेक्सपीयर का हस्ताक्षर है और उनके जीवित रहते समय ही प्रकाशित उनकी कुछ पुस्तकें भी हैं !

घर के पीछे एक बगीचा है। निस्सन्देह इस बगीचे में बचपन में शेक्सपीयर टहलते रहे होंगे। अब इस बगीचे में ऐसे सभी पेड़, फूल और घास लगा दिए गए हैं जिनका उल्लेख शेक्सपीयर ने अपनी पुस्तकों में जगह-जगह पर किया है ! हर फूल के पेड़ से एक-एक पुर्जा बँधा है जिस पर उस फूल के सम्बन्ध में शेक्सपीयर की पंक्तियाँ उद्‌धृत हैं।

इस घर की बगल में एक दूसरा घर है, जहाँ शेक्सपीयर सम्बन्धी साहित्य और चित्र बिका करते हैं। चित्रों के अतिरिक्त मैंने शेक्सपीयर की एक मूर्ति और ऑक्सफोर्ड द्वारा प्रकाशित उनकी ग्रन्थावली खरीदी !

फिर मैं उस घर में गया, जो न्यू हाउस के नाम से मशहूर है और जिसमें लगी वाटिका की चर्चा मैंने कल की डायरी में की है। शेक्सपीयर जब लन्दन से यश और धन अर्जित करके लौटे, तो अपने लिए यह नया मकान खरीदा था। जिस घर में वह रहते थे, वह घर अब नहीं है, हाँ उसकी नींव अवश्य है। उसके बीच के कमरे में बैठकर शेक्सपीयर ने 'टेम्पेस्ट' लिखा था। घरों की नींव के आगे एक पुराना ईनारा है ! अवश्य ही इसी कुएँ का पानी शेक्सपीयर पीते रहे होंगे। निकट जाकर उसे झाँककर देखा। उसमें अब भी पानी भरा है।

यह न्यू हाउस शेक्सपीयर के मरने के बाद उनकी लड़की के कब्जे में आया और फिर उस लड़की की लड़की के कब्जे में, जिनका नाम नैश था ! नैश का तैलचित्र वहाँ टँगा है। उस घर में एक मेज रखी हुई है, जो शेक्सपीयर की लगाई मलबेरी की लकड़ी से बनाई गई थी। उसमें बावन लकड़ियाँ लगी हुई हैं, शेक्सपीयर बावन वर्ष जीवित रहे।

इस घर को सुप्रसिद्ध अभिनेता गैरिक ने खरीदा और उसे शेक्सपीयर की स्मृति में उत्सर्ग किया ! इस घर में शेक्सपीयर की स्मृतियों के अतिरिक्त गैरिक सम्बन्धी भी बहुत सी चीजें सुरक्षित हैं। शेक्सपीयर ने जिन फूलों की चर्चा अपनी पुस्तकों में की है, उन सभी फूलों के चित्र बनाकर सुरक्षित रखे गए हैं। शेक्सपीयर ने पीने के जिन पात्रों का उल्लेख किया है, उनके नमूने भी रख दिए गए हैं। जो सिक्के उसके समय में इंगलैंड में प्रचलित थे और जिन देशी-विदेशी सिक्कों का उल्लेख उन्होंने किया, वे सभी सिक्के भी रखे गए हैं !

भिन्न-भिन्न समय में भिन्न-भिन्न चित्रकारों द्वारा बनाए गए शेक्सपीयर के चित्र और मूर्तियाँ भी इन दोनों घरों में देखने ही योग्य हैं !

मैं इन्हें देख रहा था और मुग्ध हो रहा था ! किन्तु अभी तो बहुत कुछ देखना रह गया है !

[**नई धारा,** जुलाई 1951]

स्ट्रैटफोर्ड ऑन एवन

18 मई, 1951

आज स्ट्रैटफोर्ड ऑन एवन में रहकर भी स्ट्रैटफोर्ड ऑन एवन में नहीं रहा ! आज हमें स्ट्रैन्डर्ड मोटर कम्पनी का कारखाना और एक फार्म को देखना था। भर दिन हम उसी में लगे रहे !

कावेन्टरी में स्ट्रैन्डर्ड मोटर कम्पनी के कारखाने का हमने वह भाग देखा, जहाँ फरगुशन

ट्रैक्टर बनते हैं। विज्ञान जहाँ आखिरी छोर पर पहुँचता है, कला बन जाता है। जब-जब ऐसे कारखानों को देखा है, तब-तब मुझे ऐसा ही लगा है।

कम्पनी का यह कारखाना एक खुले देहात-से स्थान में है। चारों ओर का दृश्य बड़ा ही सुहावना है। भवन के चारों ओर फूल लगे हैं। भवन की दीवारें बड़ी साफ-सुथरी; उसकी बनावट भी बड़ी ही भव्य। बाहर फूल-फूल, भीतर लोहा-लोहा,—अंग्रेज जाति की एक विशेषता यह भी है।

यों तो यह कम्पनी 1903 में ही बनी। किन्तु 1939 से कम्पनी की उन्नति चरम सीमा की ओर बढ़ने लगी। उसी साल उसने पचास हजार मोटर कारें तैयार कीं।

1946 में उसने फरगुशन कम्पनी के लिए ट्रैक्टर बनाना शुरू किया है। 1950 के सितम्बर तक उसने डेढ़ लाख ट्रैक्टर तैयार किए थे। ये ट्रैक्टर संसार के कोने-कोने के पचहत्तर देशों में भेजे जाते हैं। 1950 में इक्सठ हजार कार और इक्यावन हजार ट्रैक्टर इस कम्पनी में तैयार हुए। महीने में चालीस लाख पाउण्ड का माल यहाँ से बाहर निकलता है। कम्पनी इस वर्ष एक लाख कार और एक लाख ट्रैक्टर तैयार करने की योजना पर चल रही है।

पुर्जे की ढलाई बाहर होती है—उस समय वे लोहे के ढाँचे मात्र होते हैं। इस कारखाने में आकर उन्हें यर्थाथतः पुर्जे का रूप मिलता है। लम्बी-लम्बी कतारों में मशीनें बैठाई गई हैं—इन मशीनों की तादाद दो हजार पाँच सौ है, जिनमें दो हजार मशीनें आप-से-आप काम करनेवाली हैं। मशीनों के अन्दर पुर्जे के ढाँचे रख दिए जाते हैं—मशीनें उन्हें घुमाने और शक्ल देने लगती हैं। लकड़ी के बुरादे की तरह ऊपर के हिस्से छिलने लगते हैं। फिर उनमें छेद किए जाते हैं या दाँत बनाए हैं। इस क्रिया में तेल का प्रयोग होता है—घिरनी नाचती रहती है, उस पर तेल चूता रहता है। यों ही एक सिरे से शुरू होकर दूसरे सिरे तक भिन्न-भिन्न रूप ग्रहण करते हुए भिन्न-भिन्न प्रकार के पुर्जे तैयार होते जाते हैं। फिर उन पुर्जों को कारखाने के दूसरे हिस्से में ले जाते हैं। वहाँ उन्हें फिट करके ट्रैक्टर तैयार करते हैं। यहाँ हर मिनट एक ट्रैक्टर तैयार होकर निकलता जाता है ! कहाँ वे भद्दी शक्ल के लोहे; कहाँ ये ट्रैक्टर।

उफ, देखकर आश्चर्य होता था। इस कारखाने में ग्यारह हजार आदमी काम करते हैं ! कुछ स्त्रियाँ भी काम करती हैं। मजदूरों के सुख-सुविधा के लिए तरह-तरह के प्रबन्ध हैं। एक हॉल है, जहाँ दो हजार पाँच सौ आदमी एक साथ बैठकर भोजन करते हैं। कम्पनी की ओर से सस्ते भोजन का प्रबन्ध है। इसी हॉल में एक ओर मंच है, जहाँ नाटक होते हैं, सिनेमा होता है, जिसमें मजदूर और प्रबन्धक, दोनों के प्रतिनिधि बैठकर सभी समस्याओं पर विचार करते हैं। मजदूरों को सन्तुष्ट रखने की सारी चेष्टाएँ की जाती हैं !

हमारे सामने ही खाने की घंटी बजी। कुछ लोग खाना लाकर कारखाने में ही खाने लगे; कुछ लोग भोजनागार में गए। हमारे सामने ही सप्ताह के वेतन का लिफाफा बँट रहा था। मशीनों के पास ही वेतन मिल गया। न कोई धक्कम-धुक्की; न कोई हिसाब-किताब का झगड़ा !

लेकिन जब मैं इसे देख रहा था, बार-बार एक प्रश्न मन में उठ रहा था। ये बड़ी-बड़ी मशीनें—जिनके बीच-बीच में मानव खड़ा है। इन मशीनों के सामने वह कितना तुच्छ लग रहा है। किन्तु ये मशीनें आई कहाँ से हैं ? उसी के मस्तिष्क से ही तो ! मानव मस्तिष्क ने जिनको जन्म दिया, उन्होंने ही आज मानव को इतना तुच्छ बना दिया है ! क्या यह मानव के कल्याण के लिए अच्छा हुआ है ? मानव भूखा है, नंगा है। उसे अन्न चाहिए। वे सभी साधन वंदनीय हैं, जो मानव को इन अभावों से मुक्त करें। किन्तु यदि ये साधन उसका बन्धन बन जाएँ, तो ? इन दोनों में सामंजस्य पैदा करना होगा।

उसके बाद हम स्ट्रैटफोर्ड के निकट के ही एक फार्म को देखने गए जहाँ बड़े पैमाने पर खेती होती है। दो हज़ार एकड़ में खेती होती हैं—गेहूँ, यव, आलू, चुकन्दर आदि की खेतियाँ बड़े-बड़े चकलों में यहाँ की जाती हैं। इसके साथ ही गोशाला है और मुरगीखाना भी !

गाएँ यहाँ दिन-रात चरागाह में ही रखी जाती हैं—चाहे आँधी हो या पानी या बर्फ गिरे ! कहते थे, प्रयोग से सिद्ध हुआ है, गायों को सदा बाहर रखने से उनमें बीमारी नहीं होती, वे अधिक दूध देती हैं और तुरत गर्भवती भी हो जाती हैं। गायों के लिए चरागाहें हैं, जिन्हें अलग-अलग टुकड़ों में बाँटकर चराते हैं। इन टुकड़ों के बीच में तार लगे रहते हैं जिनसे बिजली दौड़ती रहती है। अतः गाएँ एक ही टुकड़े में तब तक चरती रहती हैं जब तक घास खत्म न हो जाए। हम जब पहुँचे, गाएँ दुही जा रही थीं। बछवे का पता नहीं था। मशीन से दुही जा रहीं थीं। चारों चूँचियों को चार पतली मशीनों में घुसा दिया। वे हवा के जोर से धीरे-धीरे दबाती हैं। दूध उनसे निकलकर दूर के बड़े हंडे में आप-से-आप गिरता जाता है।

प्रति गाय प्रतिदिन चार गैलन की औसत से दूध देती है। साल में तीन सौ दस दिन तक दूध देती है। बछवे को अलग से दूध दिया जाता है—सिर्फ चार दिन तक माँ के थन से दूध पीने दिया जाता है। बछवों को घर में रखते हैं। हमने उन्हें जाकर देखा। बड़े हृष्ट-पुष्ट। हर बच्चे की अलग-अलग जन्मपत्री, अलग-अलग नाम। दूध को पास्चर-प्रणाली से किस तरह तैयार कर बाहर भेजते हैं, यह भी दिखलाया। बहुत गरम करके, फिर उसे किस तरह ठंडा कर दिया जाता है, इसकी प्रणाली अचम्भे में डालनेवाली थी।

एक खेत में आलू बोया जा रहा था। खेत में बड़े-बड़े ढेले थे, पत्थर के रोड़े भी कम नहीं। अपने यहाँ ऐसे खेत में आलू का सपना भी नहीं देखा जा सकता। किन्तु वैज्ञानिक खाद देकर और ट्रैक्टर से गहरी जुताई करके पत्थर पर भी खेती कर लेते हैं। कल के ही द्वारा आलू के बीज डाले जा रहे थे। बड़े-बड़े आलू वैसे ही डाल दिए जाते थे।

खेत मजदूरों का वेतन प्रति मास बीस से पच्चीस पौंड तक है और सस्ता अन्न, दूध और तरकारियाँ अलग।

मुरगीखाना भी देखा। एक जगह सैकड़ों मुरगियाँ अलग-अलग खानों में अंडे दे रहीं। हर मुरगी के सामने की तख्ती में उसके दिए अंडों का माहवारी हिसाब टँगा। फिर इन अंडों को मशीन में रखकर बच्चा तैयार किया जाता है—इस मशीन में इक्कीस दिन में अंडे आप-से-आप फूट जाते हैं और बच्चे निकल आते हैं। एक जगह छोटे-छोटे मुरगी के बच्चे चें-चें कर रहे ! मुरगियाँ बड़ी-बड़ी, उनके अंडे अपने यहाँ से बत्तख के अंडों के बराबर !

फार्म देखकर लौटे, तब तक शेक्सपीयर के सारे स्मारक-स्थान बन्द हो चुके थे। वे प्रायः दस बजे खुलते और छः बजे बन्द हो जाते हैं। तो भी टहलते-टहलते एवन के किनारे के उस चर्च को देख आए, जिसमें शेक्सपीयर को दफनाया गया था ! चर्च बन्द था, बाहर से ही सिर झुकाकर चल पड़े !

फिर शेक्सपीयर की बेटी सुसाना का घर देखने चले। उसे भी बाहर से नमस्कार किया ! मेमोरियल थियेटर के सामने जाकर शेक्सपीयर लाइब्रेरी और गैलरी के तख्तों को ही पढ़कर सन्तोष किया ! कैसा अजीब कार्यक्रम है हमारा। शेक्सपीयर के गाँव में रहकर उनके स्मारक देखने की भी फुरसत नहीं !

[नई धारा, जुलाई 1951]

स्ट्रैटफोर्ड ऑन एवन

19 मई, 1951

शेक्सपीयर की भूमि में यह तीसरा दिन है, किन्तु आज भी सारा दिन बाहर ही रहना पड़ा। संयोग से ही रात में शेक्सपीयर का एक और नाटक देख सके।

इंगलैंड की हस हृदयस्थली की हरीतिमा का आनन्द लेते हम ऑक्सफोर्ड पहुँचे। ऑक्सफोर्ड जाते ही नालन्दा की याद आ गई। नालन्दा की प्रारम्भिक रूपरेखा ही ऑक्सफोर्ड की भी रही है। वहाँ के बौद्ध बिहार ही ज्ञान के केन्द्र बन गए। यहाँ भी ईसाई-पादरियों ने ही इस ज्ञानपीठ का श्रीगणेश किया। अतः धर्म और ज्ञान का दोनों में ही एक-सा समिश्रण हुआ था। नालन्दा में हर जगह बुद्ध की मूर्ति—यहाँ हर जगह चर्च और ईसा।

यहाँ कुल मिलाकर बाईस कॉलेज हैं, जिनमें लगभग आठ हजार विद्यार्थी शिक्षा लेते हैं। इनमें स्त्रियों की संख्या एक हजार से कुछ ऊपर ही है। इन कॉलेजों में एक हजार विद्यार्थी विदेशों के पढ़ते हैं। भारतीय विद्यार्थियों की संख्या लगभग चालीस है।

विश्वविद्यालय नाम की कोई बड़ी चीज नहीं है। बस, एक बड़ा मकान जहाँ चांसलर, रजिस्ट्रार आदि के ऑफिस हैं। ऑक्सफोर्ड मुख्यतः कॉलेजों की पुरी है। जिधर देखिए, कॉलेज-ही-कॉलेज और विद्यार्थी-ही-विद्यार्थी। 'टाउन' और 'गाउन' ऑक्सफोर्ड के दो भाग रहे हैं और दोनों में प्रायः संघर्ष भी हुए हैं।

हम जब शहर में पहुँचे, तो सबसे पहले रास्ते में यहाँ की दो प्रसिद्ध सड़कें पड़ी—हाई और ब्रौड—हिन्दी में इन्हें लम्बी और चौड़ी कह लीजिए। रबर की सड़क भी यहीं पहले-पहल देखी !

हमारे मार्ग दर्शक एक भारतीय विद्यार्थी थे—श्री राघवन अय्यर। प्रतिभाशाली विद्यार्थी हैं, पाँच सौ पौंड वार्षिक की रोड्स स्कॉलरशिप पा रहे हैं। भारतीय विद्यार्थियों की ऑक्सफोर्ड मजलिस के सभापति हैं। बड़े प्रेम और उत्साह से इन्होंने सारी चीज़ें दिखलाईं—जहाँ तक पाँच-छः घंटे में दिखला सकते थे।

हमें एक्टियर कॉलेज सबसे पहले दिखलाया गया—यही कॉलेज है जो भारतीय विद्यार्थियों की शरणस्थली है ! यह कॉलेज सबसे पुराने कॉलेजों में है—1314 में इसकी स्थापना हुई थी। ट्रिनिटी कॉलेज भी देखा, जो इंगलैंड के अभिजात्य वर्ग के लड़कों का अखाड़ा है। इसमें सिर्फ पारसाल एशिया के एक विद्यार्थी को स्थान मिला था।

फिर बोडलियान लाइब्रेरी देखी, जो संसार की सबसे बड़ी लाइब्रेरियों में गिनी जाती हैं। ब्रिटिश साम्राज्य के अन्दर जितनी पुस्तकें छपती रहीं, सबकी एक प्रति इस पुस्तकालय में सरकार की ओर से भेजी जाती रही हैं। हस्तलिखित ग्रन्थों का भी बहुत बड़ा संग्रह है। नौवीं शताब्दी की पुस्तकें इसमें देखीं। सर टामस बोडले द्वारा 1600 में इस संस्था की स्थापना हुई थी !

क्राइस्ट चर्च की शानदार इमारत देखी, जिसे बनाकर रेन साहब ने सर का खिताब पाया था। एक यहाँ ऐसा भी कॉलेज है, आल सोल्स कॉलेज, जिसमें विद्यार्थी एक भी नहीं है, सिर्फ रिसर्च स्कॉलर ही हैं !

यहाँ कॉलेजों में लेक्चर नहीं हुआ करते। विद्यार्थी होस्टलों में आध्यापकों के साथ रहते हैं और उनसे मदद लेकर आप-से-आप पढ़ते हैं। अय्यर कह रहे थे, यहाँ के प्रोफेसर चिन्तन पर अधिक ध्यान देते हैं, किताब की रटन पर नहीं। उनके सामने प्रश्न रखिए और संलाप द्वारा ही वे आपको उस विषय पर स्पष्ट कर देंगे। जिन्हें लेक्चर की जरूरत मालूम हो, उनके

लिए एक्जामिनेशन स्कूल में लेक्चरों का प्रबन्ध है। इसी स्कूल में परीक्षाएँ भी होती हैं। इस स्कूल में साल भर लेक्चर और परीक्षा का क्रम चलता ही रहता है।

इन्डियन इन्स्टिच्यूट के नाम से यहाँ एक संस्था है, जिसकी स्थापना—1884 में हुई थी। इसके प्रवेश द्वार पर एक श्लोक है जिसकी पहली पंक्ति है—

शालयं प्राच्य शास्त्राणां ज्ञानोत्तेजन तत्परैः

माग्डेलन कॉलेज ऑक्सफोर्ड के सबसे अच्छे कॉलेजों में गिना जाता है। इसी में राघवन पढ़ते हैं, अतः उन्होंने इसे अच्छी तरह दिखलाया, जिसमें हम यहाँ के कॉलेजों के बारे में सही अन्दाजा लगा सकें। इस कॉलेज की इमारतें बारह एकड़ ज़मीन में हैं और इसका मैदान एक सौ एकड़ में। कॉलेज की बगल में एक छोटा सा नाला है और उसके बाद हरी-भरी कुंजें। कहा जाता है, एडिसन यही घूमा करते थे। कुंजों से चिड़ियों की आवाज आ रही थी। इस नाले पर आने-जाने का एक पुल है। कहा जाता है, शेली यहीं एक बच्चे को गोद में लेकर उससे दूसरे जन्म का हाल पूछ बैठे थे और जब वह नहीं बोला, तो भर गले से चिल्लाते हुए चले गए—हे भगवान, ये लोग अपना हाल भी नहीं बतलाते। कॉलेज के मैदान में हरिनें चर रही थीं। कहा जाता है, यहाँ जितने स्कॉलर होते हैं, उतनी ही हरिनें रखी जाती हैं !

इस कॉलेज के होस्टल में भी जाकर देखा। हर कमरे के फाटक पर एक किवाड़ भिड़काया रहता है, वह ओक होता है और इसी नाम से पुकारा जाता है। ओक बहुत पवित्र माना जाता है, उसके अन्दर विद्यार्थी सर्वतन्त्र स्वतन्त्र है।

यूनिवर्सिटी के सामने सेंट मेरी का गिरजाघर है—बहुत ही शानदार। ऑक्सफोर्ड के पहले कॉलेज की यहीं 1249 में स्थापना हुई थी। सेंट मेरी का चर्च ऑक्सफोर्ड का सबसे ऊँचा चर्च है। यूनिवर्सिटी कॉलेज में ही शेली का स्मारक है। जब हम उसे देखने गए, आँखें तर हो आईं। शेली के शव की संगमरमर की मूर्ति है। मालूम होता है, अभी-अभी समुद्र से निकालकर शव को रखा गया है। बालों से पानी चू रहा—नंगधड़ंग, किन्तु मृत्यु के बाद भी कितना सुन्दर ! इस मूर्ति के नीचे कविता की देवी की मूर्ति है, जो रो रही है !

यहाँ कॉलेज, वहाँ कॉलेज—यह कॉलेज, वह कॉलेज। कहाँ तक स्मरण रखा जाए। नाव खेने की प्रतियोगिता ऑक्सफोर्ड की खास बात है। आज भी प्रतियोगिता थी। टेम्स नदी के किनारे—जो यहाँ आइसिस कहलाती है—युवक-युवतियों का मेला-सा लगा था। हमारा ध्यान नाव पर उतना नहीं था, जितना इन लोगों पर। इंगलैंड के स्वस्थ, सबल यौवन के ये प्रतीक थे—जिस दल की नाव आगे बढ़ती थी, उसके लोग चिल्लाते हुए, हवा में पिस्तौल छोड़ते हुए, नाव के साथ दौड़ते थे। युवक ही नहीं युवतियाँ भी दौड़ रही थीं। सारे वातावरण में जैसे जवानी छितराई फिरती थी !

हमने ऑक्सफोर्ड की यूनिवर्सिटी यूनियन भी देखी, जो विद्यार्थियों की अपने ढंग की अनोखी संस्था है। इस संस्था के सारे पदाधिकारी विद्यार्थी ही होते हैं। भारतीय विद्यार्थियों में से बम्बई के कराका इसके सभापति रह चुके हैं।

ऐशमोलियन म्यूजियम संसार का सवसे पुराना म्यूजियम माना जाता है; किन्तु हम जब तक वहाँ पहुँचे, तब तक वह बन्द होने जा रहा था। दरवाजे में घुसकर हम सामने की मूर्तियाँ देख सके—कतार-की-कतार ! कुछ तसवीरें खरीदकर ही हमने अपने मन को सन्तोष दिया।

संध्या को वहाँ से रवाना हुए। जब तक हम स्ट्रैटफोर्ड पहुँचे, सात बज रहे थे। एक दिन और थियेटर देखने की बड़ी इच्छा थी। सीटें तो यों जाने पर मिलती ही नहीं। हाँ, प्रतिदिन दो-चार व्यक्ति अपनी टिकटें वापस कर जाते हैं। भाग्य की बात। सो भाग्य आज़माने की

इच्छा हुई। साढ़े सात बजे से थियेटर शुरू होता है, सात बजे से ही जाकर मि. सैम्पुलस के साथ धरना देकर बैठे। मालूम हुआ, हमारे पहले से दो आदमी और बैठे हुए हैं। दो टिकटें वापस हुईं और वे दोनों गद्गद होकर भीतर गए। हम राह देख रहे थे—सिर्फ पाँच मिनट रह गया। सैम्पुलस ने कहा, हम लोगों का भाग्य ठीक नहीं। मैंने कहा—मुझे तो अपने भाग्य पर भरोसा है। कि इतने ही में दो टिकटें मिल गईं और हम भीतर जाकर बैठ गए।

आज हेनरी चतुर्थ का दूसरा भाग खेला जा रहा था। स्टेज वही। टेकनिक भी वही। पात्रों में उस दिन जिसने रिचार्ड के प्रतिद्वन्द्वी का काम किया था, वही हेनरी चतुर्थ का काम कर रहा था। आज बिलकुल ही बदला हुआ ! मालूम होता था, वही आदमी एक रात में बूढ़ा हो गया है ! लेकिन सबसे सुन्दर पार्ट तो था फालस्टाफ का, जिसे इस साल के डाइरेक्टर एन्थोनी क्वेल ने स्वयं किया था ! शेक्सपीयर के नाटकों में फालस्टाफ एक विचित्र जीव है। इसका अभिनय बड़ा ही कठिन है। कितने ही प्रसिद्ध अभिनेता इसका पार्ट करने में असफल हो चुके हैं—जो सफल हुए वे अमर हुए। निस्सन्देह आज का अभिनय पूर्ण सफल था। लोग बार-बार तालियाँ पीटकर अपनी सहमति और प्रशंसा प्रकट कर रहे थे।

इस प्रकार अचानक नाटक देखने का मौक़ा पाकर अपने को धन्य ही समझा ! इतना आनन्द-विभोर था कि होटल में आकर डायरी तक पूरी नहीं लिख सका !

स्ट्रैटफोर्ड ऑन एवन

20 मई, 1951

शेक्सपीयर की जन्मभूमि—तुम्हें प्रमाण कर आज तुमसे बिदा हो रहा हूँ। यों तो यहाँ बहुत कुछ देखने आया था; जिन्होंने बुलाया, उन्हें भी बहुत कुछ दिखाना था, किन्तु यदि तुम्हारे दर्शनों के बिना ही लौट गया होता, तो क्या हमारी यात्रा असफल नहीं समझी जाती !

न जाने किस पुण्य पुरुष ने किस पुण्य घड़ी में पहले-पहल तुम पर अपनी झोपड़ी खड़ी की ! काश, वह व्यक्ति जान पाया होता कि जहाँ वह आज यों बसेरा ले रहा है, उस स्थान पर दो-चार दिनों का बसेरा लेने के लिए एक दिन संसार तरसेगा ?

इस होटल में ही देखता हूँ—देखिए, भोजन के समय टेबुलों के इर्द-गिर्द के चेहरे। क्या भूगोल का एक भी महादेश ऐसा है, जिसका प्रतिनिधित्व यहाँ नहीं हो रहा हो ?

अमेरिकावालों का क्या कहना ? होटल की वेटरेस कहती हैं, उनके झमेलों से तो जान आफत में रहती है ! उस टेबुल पर देखिए—उनकी नाक, उनका रंग, उनका रूप—निस्सन्देह ही वे मंगोल जाति से आए हैं—बहुत सम्भव है, वे जापानी हों !

एक पूरा टेबुल अलग उन भारतीयों ने घेर रखा है—साड़ियाँ देखिए, रंग देखिए ! निस्सन्देह वह महिला बंगाली होगी और वह युवती तो पारसी होगी ही।

हब्सियों को भी शेक्सपीयर की नाट्यकला यहाँ खींच लाई है और उस भलेमानस ने अभी बताया है, वे लोग आस्ट्रेलिया से आए हैं और ओझा का कहना है—उस टेबुल की किन्नरियाँ जरुर फ्रेंच होगी !

एक सपूत को जन्म देकर एक छोटी सी बस्ती संसार के आकर्षण का कैसा केन्द्र बन जा सकती है, इसका नमूना है, यह स्ट्रैटफॉर्ड ऑन एवन !

एवन, आज भोर में जब मोटर वोट से तुम्हारी धारा में घूम रहा था, तुम्हारे भाग्य पर कम ईर्ष्या नहीं हो रही थी !

उफ, ये नावें। उफ, इन नावों के खेवैए ! मोटर बोट तो हमारे ऐसे अपाहिज ही प्रयोग करते हैं ! ज्यादा लोग तो सादी नावें लेकर स्वयं खे रहे हैं। मर्द ही नहीं खे रहे हैं, औरतें भी। देखिए, वह युवती किस तरह डाँड को तेजी से चलाती, लाल फ्रॉक को अपने गालों की लाली से मात देती, नाव को उड़ाती, स्वयं उड़ती-सी भागी जा रही है ! और बच्चे ही क्यों बाज आएँ ? उनकी छोटी किश्तियाँ तो और भी कमाल कर रही हैं।

फिर ये राजहंस--जब वे बड़े-बड़े पंखों को फटफटाते हुए लहरों पर पैर रखते उड़ते-से चलते हैं, तब क्या कहना ?

किनारे-किनारे भी तो लोगों की भीड़ है ! और किनारे-किनारे जो नेत्ररंजक फुलवाड़ियाँ हैं, झाड़ियाँ हैं ! 'लवली', 'लवली' सबके मुँह से एक बारगी ही निकल आते हैं !

एवन ने ही तो इस गाँव का नाम यह दिया है। यों तो यह आज स्ट्रैटफोर्ड ऑन एवन—अर्थात् 'एवन पर बसा स्ट्रैटफोर्ड' कहलाता ही है, किन्तु इतिहास कहता है, यह स्ट्रैटफोर्ड नाम भी नदी के चलते ही रोमनों ने रखा। रोमन भाषा में स्ट्रेट कहते हैं सड़क को और फोर्ड का अर्थ नाला तो प्रख्यात ही है। चूँकि नाले से होकर एक सड़क इस गाँव से गुजरती थी, इसलिए इसका यह नाम पड़ा।

यह कस्बा बहुत पुराना है। वारविक शायर का यह सबसे पुराना और सबसे सुन्दर गाँव रहा है। रोमनों और सैक्सन विजेताओं ने भी इसके महत्त्व का अनुभव किया था और जब यहाँ शेक्सपीयर पैदा हुआ, सारा संसार इसके महत्त्व का लोहा मान चुका है।

शेक्सपीयर की इस जन्मभूमि को महत्त्व देने में गैरिक का बहुत बड़ा हाथ रहा है। गैरिक प्रसिद्ध अभिनेता था और शेक्सपीयर के नाटकों को नई शैली में अभिनय कर उसने लोगों को चकित कर दिया था। उसी ने पहले-पहल 1769 में शेक्सपीयर महोत्सव का प्रारम्भ किया ! जुलूस, दीपावली, शहर की सजावट, खेल-कूद, अभिनय आदि का एक ऐसा जमावड़ा हुआ कि लोग देखकर दंग रह गए। गैरिक ने अपनी बनाई हुई 'शेक्सपीयर के प्रति' कविता जब आर्ने के संगीत के साथ सुनाई, तो श्रोता भाव विभोर हो गए।

तब से प्रसिद्ध कलाकार स्ट्रैटफोर्ड में आने लगे। प्रसिद्ध अमेरिकन उपन्यास-लेखिका मेरी कारेली तो यहीं आकर बस गई थी।

शेक्सपीयर स्मारक ट्रस्ट की स्थापना 1847 में हुई, जब उनका घर नीलाम पर चढ़ चुका था। देश के नाम पर एक अपील निकाली गई, जिससे आई रकम से उस घर को ही नहीं, उनकी पत्नी के नैहरवाले घर को भी खरीद लिया गया। धीरे-धीरे ट्रस्ट का विस्तार बढ़ता गया और आज यह ट्रस्ट शेक्सपीयर के सभी स्मृतिचिह्नों को सजीव बनाने में संलग्न है।

बहुत दिनों से कुछ उत्साही अभिनेता स्ट्रैटफोर्ड में आकर अपना अभिनय कौशल दिखला जाते हैं। इस सिलसिले को स्थायी बनाने के लिए 1879 में शेक्सपीयर मेमोरियल थियेटर की स्थापना हुई। इसका श्रेय शेक्सपीयर के गाँव के ही निवासी श्री चार्ल्स फ्लावर को है, जिन्होंने अपनी सन्तान की तरह इस संस्था का लालन-पालन और वृद्धि-विकास किया।

किन्तु यह भी स्पष्ट है कि इस थियेटर को ऐसी प्रसिद्धी नहीं प्राप्त हुई रहती, यदि फ्रैंक बेनसन ऐसे कलाकार ने अपनी पूरी शक्ति इसके विकास में नहीं लगा दिया होता। बेनसन का अभिनय यूरोप भर में प्रसिद्ध था। जब उसने स्ट्रैटफोर्ड में जाकर, शेक्सपीयर की स्मृति में, हर वर्ष अभिनय करना शुरू किया, तो लोगों को झख मारकर स्ट्रेटफोर्ड जाने को लाचार होना ही पड़ा। यहाँ एक बात याद रखने की है। लन्दन के अख़बार स्ट्रैटफोर्ड के इस थियेटर का विरोध बहुत दिनों तक करते रहे। उनका कहना था कि मेमोरियल थियेटर लन्दन में बनना चाहिए, जो शेक्सपीयर की कर्मभूमि रही है, न कि स्ट्रैटफोर्ड ऐसे मामूली गाँव में जहाँ धन

और जन, दोनों का अभाव है !

किन्तु स्ट्रैटफोर्ड के भाग्य को लन्दन छीन न सका, इसका बहुत कुछ श्रेय बेनसन को है। बेनसन ने अभिनेताओं के दो दलों को अफ्रीका और अमेरिका भी भेजा। अमेरिका के दल में वह स्वयं था। तभी से अमेरिका और कनाडा का ध्यान शेक्सपीयर की ओर विशेष रूप से आकृष्ट हुआ। थियेटर का दुर्भाग्य कहिए या भाग्य कि 1926 में उसमें आग लगी और पुराना भवन नष्ट हो गया। यह दुर्भाग्य भी भाग्य में परिणत हो गया, जब इसके लिए दो लाख पौंड का चंदा देश-विदेश से आया और उसी रकम से यह नवीन नाट्यमन्दिर तैयार हुआ है ! दो लाख पौंड में सवा लाख पौंड तो अमेरिका से ही आया था !

शेक्सपीयर की जन्मभूमि अर न्यू प्लेस को तो हमने पहले ही देख लिया था। आज यहाँ से बिदा होने के पहले हमने उसने सम्बद्ध शेष स्थानों को भी देखने का तय किया।

किन्तु आज तो रविवार है। कुछ स्थान सिर्फ दो-चार बजे तक खुले रहते हैं, उन्हें भीतर जाकर देखा—शेष को बाहर से ही प्रणाम किया।

स्ट्रैटफोर्ड से डेढ़ मील की दूरी पर अन्ने हैथवे की झोपड़ी है। इसी झोपड़ी में अन्ने का जन्म हुआ था और यहीं शेक्सपीयर से उसका प्रेम हुआ था। अब भी वह फूस की झोपड़ी ही है, हाँ, उसके चारों ओर फूलों की वाटिका है, जो उसकी शोभा को सौ गुना बढ़ा देती है।

झोपड़ी के भीतर वह बेंच रखी हुई है जिस पर अन्ने और विलियम, दोनों बैठते और प्रेमालाप किया करते थे। यह बेंच अँगीठी की बगल में रखी हुई है। कहा जाता है, अन्ने और विलियम, दोनों एक साथ एक तरफ बैठते, दूसरी तरफ अन्ने की माँ और पिता बैठते। इसी अँगीठी के सामने विवाह का अन्तिम निर्णय हुआ था। यह तो सबको मालूम ही है कि अन्ने विलियम से पाँच बरस बड़ी थी। किन्तु प्रेम में उम्र क्या, दूरी क्या ?

इस झोपड़ी की भी एक-एक चीज़ को सुरक्षित रखा गया है। हम उन्हें देखते और मन-ही-मन अंग्रेज जाति की गुण-ग्राहकता को दाद देते लौटे। आज उस कुटिया में दर्शनार्थियों की ऐसी भीड़ लगी थी कि क्यू-पर-क्यू लगाने पड़ते थे !

शेक्सपीयर ने जिस ग्रामर स्कूल में पढ़ा था, वह बन्द था, अतः उसे बाहर से ही प्रणाम कर लिया ! हाँ, उस डेस्क की तसवीर खरीद ली, जिस पर मास्टर विलियम लिखा करते थे !

उस भवन को भीतर जाकर देखा, जिसमें उनकी बेटी सुसान अपने डॉक्टर पति के साथ रहा करती थी। शेक्सपीयर अपनी इस एकमात्र जीवित पुत्री को बहुत प्यार करते और अपने विद्वान और जनप्रिय दामाद पर भी उन्हें कम गर्व नहीं था। इस घर में वह प्रायः आया-जाया करते थे। यहाँ वे दोनों पलंग रखे हुए हैं जिन पर शेक्सपीयर की बेटी और दामाद सोया करते थे।

शेक्सपीयर लाइब्रेरी और गैलरी भी भीतर से नहीं देख सका। न उनकी माँ की नैहरवाला घर देख सका। किन्तु उसके लिए उतना अफसोस नहीं हुआ, जितना शेक्सपीयर की समाधि नहीं देख पाने का। उस चर्च के निकट तो इस यात्रा में कई बार गया, किन्तु हमेशा बन्द रहने ही के समय। एवन नदी के किनारे चर्च बड़ा ही सुन्दर और शानदार है। भीतर ही वह रजिस्टर रखा है जिसमें शेक्सपीयर के जातकर्म और मृत्यु का उल्लेख है। शेक्सपीयर की समाधि पर ये पंक्तियाँ अंकित हैं—

Good, frend for Jesus sake forbeare
to dig the dust enceosed hearte
Blese be ye man yt spares thes stones
And curst be he yt moves my bones.

इसमें शब्दों का रूप पुरानी अंग्रेजी का है।

बचपन में मेरे बाबा ने कहा था, जब तीरथ जाना चाहिए, तो कोई एक चीज़ अनदेखे ही छोड़ देना चाहिए। तब वह चीज़ यात्री को दुबारा बुलाती है। क्या मैं आशा नहीं करूँ कि संसार के महानतम कलाकार की अस्थियाँ जहाँ संचित हैं, वह विशाल भव्य गिरजाघर फिर एक बार मुझे अवश्य बुलाएगा ?

जब मैं स्ट्रैटफोर्ड छोड़ रहा था, अजीब भावनामय बन गया था। मित्रों ने कहा कि क्या बात है कि आप इस प्रकार चंचल हैं ! उन्हें क्या बताऊँ ? कैसे बताऊँ ? क्या भावनाओं का शब्दरूप दिया भी जा सकता है ?

(च) बिदा इंगलैंड

लंदन : हिन्दी केन्द्र

21 मई, 1951

इस बार की विलायत यात्रा की चरम सार्थकता रही, यहाँ लन्दन में हिन्दी केन्द्र की स्थापना।

मेरी इस यात्रा के लिए जो शुभकामनाएँ आई थीं, उन सब में मुझ से यह आशा की गई थी कि मैं यहाँ पर कुछ ऐसा कर जाऊँगा कि हिन्दी का हित स्थायी रूप से हो। कुछ मित्रों ने मिलकर भी कहा था कि कुछ वहाँ ऐसा कर आइए कि लन्दन में हिन्दी के लिए कुछ स्थायी काम होता रहे।

यहाँ जब आया तो यहाँ के हिन्दी प्रेमियों से चर्चा की। पहले तो लोगों ने निराशा दिखलाई। यहाँ जो आते हैं, थोड़े दिनों में चले जाते हैं। यहाँ कोई स्थायी काम कैसे हो सकेगा ? फिर रुपए-पैसे कहाँ से आएँगे ? और पार्टीबन्दी तो हम भारतीयों का पुराना रोग है—उससे कैसे बचा जाएगा ?

इन बातों का समाधान करता रहा और लोगों से मिलता रहा। डॉ. कमल कुलश्रेष्ठ से मिला, जिसकी चर्चा हो चुकी है। अन्ततः यह तय हुआ कि इसकी स्थापना की जाए और इसका उद्‌घाटन मेरे द्वारा ही कराया जाए।

भारत में लोगों को शुभकामना के लिए लिखा गया। यहाँ के हिन्दी प्रेमियों को आमन्त्रित किया गया। मुझे बड़ी प्रसन्नता हुई कि भारत से भी उत्साहजनक पत्र आए और कल लगभग पचास व्यक्तियों को लन्दन में एकत्र देखकर तो सचमुच तबीयत बाग-बाग हो गई !

डॉ. कमल ने संक्षेप में इस संस्था की चर्चा की और मेरी प्रेरणा को प्रमुखता दी। तब बिहार के श्री माहेश्वरी सिंह महेश ने आगत सन्देशों को पढ़ सुनाया। सन्देशों में बिहार और उत्तर प्रदेश के शिक्षामन्त्रियों का, सागर विश्वविद्यालय के कुलपति का, कलकत्ता विश्वविद्यालय के हिन्दी विभाग के अध्यक्ष का तथा भारत सरकार के संसद मन्त्री श्री सत्यनारायण सिंह के सन्देश प्रमुख थे। फिर मैंने उद्‌घाटन किया। पाँच-छः मिनट का भाषण ! इस केन्द्र के उद्‌घाटन करने के सौभाग्य को मैंने अपनी हिन्दी सेवा में एक उल्लेख योग्य प्रमुख कार्य बतलाया और लोगों को उत्साहित किया कि भारत से आप लोगों को सम्यक सहायता मिलती रहेगी। फिर मैंने अपना सपना बतलाया कि मैं वह दिन देखना चाहता हूँ कि इस केन्द्र की लन्दन में अपनी जगह होगी, अपना भवन होगा, एक सुन्दर पुस्तकालय इसके साथ संलग्न होगा, जहाँ हिन्दी का पूरा साहित्य संगृहीत होगा, यहाँ हिन्दी के विद्वान आकर बसेरा लेंगे और हिन्दी का सन्देश

यूरोप के अन्य भाषा-भाषियों में प्रसारित करेंगे।

मन्त्री की हैसियत से ओम प्रकाशजी ने इस हिन्दी केन्द्र की रूपरेखा रखी, जिसे हम लोगों ने पहले से ही तय कर रखा था।

उसकी रूपरेखा यों है—

नाम—

(1) इस संस्था का नाम हिन्दी केन्द्र है और इसका प्रधान कार्यालय लन्दन में है।

उद्देश्य—

(2) हिन्दी भाषा और साहित्य का प्रचार और प्रसार करना तथा इसके विकास में योग देना।

कार्य रेखा—

(3) इस उद्देश्य की पूर्ति के लिए यह केन्द्र निम्नलिखित कार्य करेगा—

(क) पुस्तकालय और वाचनालय स्थापित करना।

(ख) हिन्दी भाषा और साहित्य के पठन-पाठन का प्रबन्ध करना।

(ग) उत्तमोत्तम हिन्दी ग्रन्थों को यूरोपीय भाषाओं में अनूदित कराकर तथा हिन्दी साहित्य के सम्बन्ध में यूरोपीय भाषाओं में पुस्तकें तैयार कराकर उनके प्रकाशन का प्रबन्ध करना।

(घ) विदेशों में आए हिन्दी प्रेमियों की सृजनात्मक और समालोचनात्मक प्रतिभा के विकास के लिए और पारस्परिक विचार-विनियम के लिए साहित्य गोष्ठियों का आयोजन करना।

(ङ) हिन्दी के लेखकों को विदेशों में बुलाने का और विदेशी लेखकों को भारत भेजने का प्रबन्ध करना।

(च) लन्दन में एक हिन्दी प्रेस खोलने का प्रबन्ध करना।

इस संस्था की सदस्यता के लिए वार्षिक ढाई शिलिंग शुल्क रखा गया है और नौ व्यक्तियों की कार्य समिति होगी। कार्य समिति के सदस्य पीछे चुन लिये जाएँगे।

निस्सन्देह इस केन्द्र की स्थापना के लिए प्रेरणा देकर मैंने अपने ऊपर एक बड़ी जिम्मेवारी ली है। बेचारी हिन्दी की बड़ी बुरी हालत है। सम्मेलन अखाड़ेबाजों का अड्डा हो गया है। टंडनजी को सम्मेलन का मोह अवश्य है, किन्तु राजनीति उन्हें फुरसत कहाँ देती है। हिन्दी के अन्य उन्नायकों की भी दशा ऐसी ही है। एक ओर यह दशा, दूसरी ओर देखता हूँ, हिन्दी के लिए इस समय सबसे अधिक करना है। देश में भी नहीं, विदेश में भी। कुलश्रेष्ठजी ने उस दिन बताया था कि किस तरह संसार के भिन्न-भिन्न भागों में लोग हिन्दी की परीक्षाओं में सम्मिलित होते हैं। क्या उन्हें संघबद्ध करना एक अति आवश्यक कार्य नहीं है ? फिर हिन्दी के साहित्य को विदेशी भाषाओं में ले जाना तो इस समय परम आवश्यक हो गया है। जब मौलाना आजाद ने कहा कि हिन्दी को अन्तरराष्ट्रीय क्षेत्र में स्थान नहीं है, तो लोग बहुत बिगड़े थे। किन्तु उसके लिए प्रयत्न कितना किया जा रहा है ?

भारत लौटने पर इसके लिए अवश्य प्रयत्न करूँगा—देखूँ, कहाँ तक क्या कर पाता हूँ !

केन्द्र के उद्‌घाटन के बाद ही मैं चेखव का 'थ्री सिस्टर्स' नामक नाटक देखने चला गया। चेखव को नाटककार के रूप में हिन्दीवाले नहीं जानते। कहानी लेखक की ही तरह नाटक लिखने में भी उसे कमाल हासिल था। रंगमंच की टेकनिक को वह पूरा समझता था, अतः उसके नाटक उसके समय में भी खेले गए और प्रसिद्धि पा सके थे।

लन्दन में इस वर्ष जो फेस्टिवल चल रहा है, उसी के सिलसिले में इसे तैयार किया गया है। बड़ा ही सुन्दर नाटक है। एक मध्यवित्त परिवार की तीन बहनें—भाई कलाकार, भौजाई घर में। तीनों बहनों का अजीब विकास !—उनमें एक मास्को का सपना देखती है, दो जानती

नहीं कि वह चाहती क्या हैं ? अन्ततः फौज का पड़ाव वहाँ आ जाता है और उस घर में कुछ अफसर आने-जाने लगते हैं। तीनों बहनें तीन पर आशिक होती हैं, किन्तु एक दिन पड़ाव उठता है, अफसर बिदा होते हैं और तीनों बहनें फिर जहाँ की तहाँ। नाटक का अन्त बड़ा सुन्दर हुआ है—मास्को का सपना देखनेवाली सबसे छोटी और खूबसूरत बहन धैर्य दिलाती है—अब रोने-धोने से क्या होनेवाला, हम चलें, अपना काम किए चलें। बस।

रंगमंच भड़कीला था। पहले अंक में दो दृश्य—पहले सेटअप में थोड़ा परिवर्तन। किन्तु बाद के दो अंकों का दृश्य अलग-अलग। उन दृश्यों को भी काफी यथार्थवादी बनाया गया था। दूसरे दृश्य में एक खिड़की से दूर पर लगी आग की लपटें बड़ी खूबी से दिखाई गई थीं।

जब नाटक से लौट रहा था, देखा, एक जगह भीड़ जमा हो रही है। इस नाटकघर में बैले हो रहा है, जिसमें मारकोवा काम करती है। मारकोवा नाम से मालूम होता है, कोई रूसी लड़की है। नहीं, है तो वह अंग्रेज लड़की ही। किन्तु बैले के साथ रूस का ऐसा गठबन्धन हो गया है कि अंग्रेज अभिनेत्रियाँ और अभिनेता भी जब बैले में आते हैं, अपना नाम बदलकर रूसी नाम रख लेते हैं। यह भीड़ नाटकघर के पिछवाड़े में इकट्ठी हो रही थी। पिछवाड़े में ? किसलिए ? इसलिए कि मारकोवा इसी रास्ते से निकलेगी तो उसके दर्शन हो जाएँगे और यदि उसने कृपा की तो बैल के प्रोग्राम पर उसका दस्तख़त भी ले लेंगे ! भीड़ में ज्यादा लड़कियाँ थीं। अंग्रेज लड़कियाँ विचित्र होती हैं।

आज शाम को कामेश्वर के यहाँ जलपान किया। नाटक के टिकट का प्रबन्ध उन्होंने ही किया था। जब लन्दन छोड़ने लगा, उनसे कह दिया था। नहीं तो यहाँ नाटकों के टिकट जब चाहिए, तब कहाँ मिलनेवाले !

चाय का कारखाना : मारकोवा का बैले

22 मई, 1951

आज ऑफिसियल यात्रा का यह अन्तिम दिन था। लन्दन ने फिर अपना पुराना रूप धारण किया। भोर से ही बूँदा-बूँदी हो रही थी। लेकिन यहाँ बूँदा-बूँदी में कोई काम तो रुकता नहीं। कितने दिनों तक रुके ? जबकि मौसम का कोई ठिकाना नहीं !

जब किसी अंग्रेज से भेंट होगी तो वह सबसे पहले मौसम की चर्चा से बातें शुरू करेगा। इसके क्या मानी ? इसके मानी यही है—मौसम की अनिश्चितता। और जिस दिन आकाश साफ रहा, सूर्य की किरणें दिखाई पड़ीं; तो कह उठेगा—कैसा अच्छा मौसम; सुन्दर, दिलचस्प ! क्या-क्या नहीं कहेगा ? होटल की धाई और खानसामा भी आपसे ऐसी ही बातें करेगा और कोई बड़ा आदमी भी।

आज सबसे पहले लियन्स कम्पनी का वह कारखाना देखने गया जहाँ चाय तैयार कर देश-विदेश भेजी जाती है। इंगलैंड में चाय नहीं होती। साठ सैकड़े चाय भारत से जाती है, तीस सिलोन से और दस में सारा संसार।

विदेशों से बक्सों में बन्द करके चाय आती है। मशीन द्वारा ही इन बक्सों को ऊपर ले जाते हैं। वहाँ चाय को साफ किया जाता है। कहीं उसमें से तिनके निकाले जाते हैं, कहीं कंकड़, लोहे के टुकड़े भी चाय से निकलते हैं। बक्सों को बन्द करते समय काँटी के टुकड़े चाय में गिर पड़ते हैं, काँटी की जंग भी गिर जाती है। एक मशीन में चुम्बक लगा रहता है, वहाँ लोहे के सारे टुकड़े इकट्ठे हो जाते हैं। अन्त में धूल झाड़ी जाती है।

यों जब चाय तैयार हो जाती है, तो उसके नमूनों की रासायनिक जाँच होती है। पानी में खौलाकर एक तरफ उसकी सीठी रखते हैं, दूसरी ओर गिलास में चाय। जाँच करनेवाला आता है, पहले रंग देखता है, फिर जरा-सी जीभ पर रखकर स्वाद की परख करता है। रंग और स्वाद के आधार पर उनकी श्रेणी निर्धारित कर देता है। फिर उसी श्रेणी के अनुसार लेबल लगाकर चाय बाजारों में भेज दी जाती हैं।

लेबल लगाने की क्रिया भी बड़ी दिलचस्प—यों कहिए कि सबसे दिलचस्प यही। कतार में मशीनें लगी हैं। ऊपर से एक छोटे से छेद से चाय सड़कती जाती है। नीचे एक ओर से कागज लगता है, वह धीरे-धीरे मुड़ता, सिमटता हुआ खोल-सा बन जाता है, तब उसमें चाय भरती जाती है, दूसरे पुर्जे चाय को दबाते जाते हैं, फिर उसका मुँह बन्द होता जाता है और अन्त में उस पर लेबल सट जाता है। ये सारे काम मशीनें कर देती हैं, तब लड़कियाँ पैकेटों को इकट्ठा करती और हटाती जाती हैं। फिर उन्हें बक्सों में बन्द कर बाहर ले जाते हैं। चाय को देश-विदेश भेजने के लिए अपनी रेल लाइन है, अपनी बसें हैं और अपनी मोटर बोटें हैं।

कम्पनी ने ही हमें भोजन कराया। भोजन भारतीय ढंग का था। मांस बिलकुल नहीं था। चावल भी बनाया गया था और अन्त का पापड़ तो सबसे अधिक मजेदार था। हममें से एक आदमी ने हँसते हुए कहा— Lyns यदि चाय के साथ पापड़ भी बनाया करे तो उसकी माँग संसार में होने लगे ! फिर हम डेयरी देखने चले।

समूचे इंगलैंड के नब्बे सैकड़े लोगों को सिर्फ तीन कम्पनियाँ दूध पहुँचाती हैं—यूनाइटेड डेयरी, एक्सप्रेस डेयरी और को-आपरेटिव डेयरी। देश के कोने-कोने से इनके पास दूध पहुँचता है और वे इसे वैज्ञानिक ढंग से तैयार कर, बोतलों में बन्द कर फिर शहर-शहर, घर-घर पहुँचा देती हैं। यूनाइटेड डेयरी में ही प्रतिघंटा सत्तर हज़ार बोतलें दूध की तैयार होती हैं !

रेलों में इनके पीपेवाले खास डब्बे होते हैं। स्टेशन-स्टेशन से दूध उनमें रखा जाता है। रेल के ये डब्बे कारखाने तक सीधे पहुँचाए जाते हैं। वहाँ से पीपे के दूध को नल द्वारा भीतर ले जाते हैं। वहाँ उसे पास्चराइज्ड करते हैं—बहुत गरम करके एक खास तरीके से उसे ठंडा किया जाता है। ऐसा करके दूध को कीटाणुओं से रहित कर दिया जाता है, किन्तु उसका स्वाद नहीं बिगड़ता।

दूध कई तरह के बनाए जाते हैं। बच्चों के लिए एक किस्म का, बीमारों के लिए दूसरे किस्म का, साधारण लोगों के लिए तीसरे किस्म का। कुछ दूध खासकर टी.बी. वाले रोगियों के लिए बनाते हैं। अलग-अलग किस्म के दूध अलग-अलग बोतलों में रखे जाते हैं और उन बोतलों पर अलग-अलग ढंग के लेबल लगाते हैं। ये सारे काम मशीनों से ही होते हैं। बोतलों को कैसे साफ करते हैं, उसे देखकर भी आश्चर्य होता है। व्यवहार की गईं बोतलें बीस क्रियाओं के बाद शुद्ध होती हैं—जब मशीन से वे निकलती हैं, चमाचम दिखाई पड़ती हैं !

वहाँ से संध्या की चाय लेकर हम फिर होटल में पहुँचे। पहले से ही तय था, कि आज श्री के साथ मारकोवा का 'बैले' (Ballet) देखने जाएँगे। श्री ने कह रखा था कि साढ़े पाँच बजे आएँगे, साढ़े छः बजे से बैले है। साढ़े छः बजे तक प्रतीक्षा करता रहा, वह नहीं आया। बड़ी चिन्ता हुई। क्या उसकी तबीयत खराब हो गई या कोई घटना हुई। इसी प्रकार चिन्ता में था कि वह आ गया। उसे किसी ने कह दिया था कि बैले साढ़े छः बजे से है, किन्तु वैसी बात नहीं थी। बैले साढ़े सात बजे से था।

मारकोवा का बैले—फेस्टिवल बैले। बैले की जन्मभूमि रूस है। रूसी नर्तकी पैव लौवना ने बैले में जान डाल दी। अब तो कला का यह रूप सारे संसार में प्रख्यात और जनप्रिय हो

चला है। नृत्य में इंगलैंड पिछड़ा रहा है। किन्तु वह भी बड़ी तेजी से अपने पड़ोसियों से प्रतिस्पर्धा कर रहा है।

बैले—वाद्य और नृत्य का यह संगम। कहीं एक शब्द नहीं सुनाई पड़ेगा। मंच के नीचे वादकों का एक बड़ा गिरोह; ऊपर नर्तक और नर्तकियों का एक बड़ा गिरोह। नीचे से सिर्फ वाद्य द्वारा जो संगीत प्रस्तुत किया जा रहा है, उसी आधार पर स्टेज़ पर नृत्य हो रहा है !

पूरे फेस्टिवल के लिए लगभग एक दर्जन टुकड़े तैयार किए गए हैं। हर टुकड़ा किसी-न-किसी प्रसिद्ध कहानी या कविता से संबद्ध है। प्रतिदिन प्रायः तीन टुकड़े प्रदर्शित किए जाते हैं ! प्रायः ऐसा क्रम रखा जाता है कि तीनों तीन किस्म के हों। एक पूरा भावात्मक; एक करुण कथात्मक और एक व्यंग्यात्मक।

आज भी तीनों ही किस्म की चीज़ें थीं। उफ़, देखकर मुग्ध हो गया। नीचे एक संगीत निर्देशक और अड़तीस वादक थे। निर्देशक के हाथ के इशारे पर सभी वादक अपने-अपने बाजों को बजाते थे। क्या कहीं भी सुरभंग या बेसुरापन था ? स्वर को ऊँचे-से-ऊँचे उठान तक और नीचे-से-नीचे उतार तक ले जाते थे। ऐसे उठान तक जहाँ कि स्वर एक महान हिल्लोल मात्र बन जाता था और ऐसे उतार तक जब स्वर मौन के स्तर तक उतर आता था। उठान के समय निर्देशक की भंगिमा देखने ही लायक होती थी। बाल इधर-उधर लहरा रहे, हाथ अजीब ढंग से आस्फालन कर रहे, समूचा शरीर इस प्रकार आन्दोलित हो रहा मानो, वह भी कोई वाद्ययन्त्र हो ! और ऊपर देखिए, इस स्वर के चढ़ाव और उतार के ही ताल पर नर्तक-नर्तकियों के हाथ, पैर और अंगों की भंगिमा हो रही। उनकी संख्या भी कोई छोटी नहीं—एक नृत्य में तो उनकी संख्या पच्चीस थी। किन्तु पच्चीसों की भंगिमा ऐसी होती कि तन्मयता से देखनेवालों को वे सब मिलकर एक ही कड़ी दिखाई पड़ते।

तीनों नृत्य के परदे भी अलग और नर्तक और नर्तकियों की पोशाक में भी चारुता और विविधता। नर्तकियों के सुडौल शरीर तो साँचे में ढले से मालूम होते ! स्थूलता तो उनमें से किसी में नहीं ! पतला, छरहरा बदन। सुडौल जाँघें, पतली क़मर, फूल-सी छातियाँ। जब वे नृत्यशील होतीं, सचमुच किसी स्वप्नलोक की परियों-सी मालूम पड़तीं !

दर्शकों के बैठने की दृष्टि से यह रंगमंच अन्य मंचों से विशाल और पृथक् था। सामने की सीटों के पाँच महल बनाए गए थे और बगल में चार। रंगमंच पर तरह-तरह के प्रकाशों का विक्षेप भी बड़ा मनोरम था !

हाँ, इनके वाद्यों का निर्देशक कोई एक व्यक्ति नहीं था। तीनों टुकड़ों के तीन भिन्न-भिन्न निर्देशक थे। तीनों में जैसे होड़ हो कि किसका संगीत सबसे सुन्दर होता है !

आह, अपने देश में इन चीजों का निर्माण हम कब कर सकेंगे ?

बैले के बाद श्री के साथ ही रामनवमी बाबू से मिलने गए। रामनवमी बाबू हमारे जिले के प्रमुख वकील हैं। गांधीजी के साथ चम्पारण में काम किया था। जयप्रकाशजी के अभिभावक भी रह चुके हैं। बड़े सज्जन व्यक्ति हैं। क्या मन में आया कि अकेले यूरोप देखने को चल पड़े हैं। परसों भारत लौटनेवाले हैं। बड़े प्रेम से मिले और कहने लगे, यूरोपीय सभ्यता के बारे में हमारी धारणा बहुत ही भ्रान्त है। दोष कहाँ नहीं है, किन्तु इनकी कितनी ही चीजें हैं, जिन्हें हम जीवन में उतारें तो हमारा देश कहीं आगे बढ़ जाए ! उनके मुँह से ऐसी प्रशंसा सुनकर मुझे आश्चर्य हुआ। मेरा विचार उनसे बहुत कुछ मिलता-जुलता है।

कीट्स स्मारक : मोम की मूर्तियाँ

23 मई, 1951

तय हो गया हैं कि हम 25 मई को संध्या को इस देश से प्रस्थान कर रहे हैं। कुल तीन दिन रह गए हैं और इतना देखना रह गया है।

दो इच्छाएँ तो थीं ही—एक तो लेक डिस्ट्रिक्ट देखने की, जहाँ के प्राकृतिक सौन्दर्यों को वर्डसूवर्थ ने अमरता दे दी है और दूसरी, अपने आराध्य शॉ की कुटिया देख आने की।

किन्तु अभी तो लन्दन में ही इतना देखना रह गया है कि बाहर जाने का सोचा भी नहीं जा सकता !

आज सबसे पहले कीट्स के स्मारक भवन को देखने चले ! दिन अच्छा था। साथी भी अच्छे मिले। महेशजी थे, तूफान साहब थे और थे रमाशंकरजी !

रमाशंकरजी—यह सारन के एक युवक हैं। 1941 में इनसे छपरा जेल में भेंट हुई थी। 1942 में काम किया, फ़रार हुए ! जब राष्ट्रीय मजदूर संघ बना, उसकी ओर से सिंदरी में काम करने गए और तब से अन्तरराष्ट्रीय मजदूर संघों में ही प्रतिनिधित्व करने से फुरसत नहीं पा रहे। अब अपनी पत्नी को भी यहाँ बुला रहे हैं और इच्छा करते हैं कि लन्दन स्कूल ऑफ इकोनोमिक्स से बी.एस-सी. भी कर ही लें।

लन्दन में कौन, क्या काम से आया और क्या कर रहा है, इसकी जाँच-पड़ताल भी कम मनोरंजक नहीं होगी। मुझे प्रसन्नता इसी बात की हो रही है कि बिहार के युवक बड़े ही घर-घुस्सन समझे जाते थे, किन्तु यहाँ जब से आया हूँ, बिहार के युवक कहीं-न-कहीं जरूर मिल जाते हैं !

लन्दन में चार साहित्यकों के जन्म और कर्मस्थान सुरक्षित रखे गए हैं—जॉन्सन, डिकेन्स, कार्लाइल और कीट्स के। मैंने एक ही पर सन्तोष कर लेने का निश्चय किया।

कीट्स जिस भवन में रहते थे, उनकी स्मृति की सारी चीजें वहीं सुरक्षित करने और उसमें एक नया शानदार हिस्सा जोड़कर, उसे ही उनका स्मारक भवन बना दिया गया है। यह भवन कोई उतना बड़ा तो नहीं, किन्तु वातावरण को कुछ ऐसा सुन्दर और सजीवन बनाकर रखा गया है कि मालूम होता है, अचानक कहीं से निकलकर अभी-अभी कीट्स आपसे बातें करने लगेंगे। बहुत लोगों का कहना है कि विशालता की दृष्टि से नहीं, तो सजीवता की दृष्टि से यह स्मारक इंगलैंड के सारे स्मारकों में श्रेष्ठतम है !

मौसम अच्छा था, सुनहली धूप ने सारे स्मारक को रंगीन बना रखा था। ज्यों ही फाटक से भीतर घुसिए कि बाईं ओर वह मलबेरी का पेड़ दिखाई पड़ता है, जिसकी डाल पर वह बुलबुल बोली थी जिसकी आवाज़ ने कवि को 'ओडर टू नाइटेंगिल' लिखने को विवश किया था। बुलबुल चीखती जाती थी, कवि लिखता जाता था। उधर बुलबुल की बोली रुकी, इधर कविता रुकी। इस स्मारक भवन में कीट्स के हाथ की लिखी वह कविता सुरक्षित है और घर में घुसने पर लोगों ने बतलाया कि इसी स्थान पर बैठकर कीट्स ने वह कविता लिखी—उस स्थान से उस मलबरी के पेड़ की फुनगी दिखाई देती है।

मलबरी का पेड़ पुराना पड़ गया है, यह झुकते-झुकते नीचे पृथ्वी का आलिंगन करने पर तुला है। किन्तु बड़े लाड़-प्यार से उसे जिन्दा रखा जा रहा है और उसे सड़ने-बरबाद होने से बचाया जा रहा है।

कीट्स के भवन में घुसिए तो दाहिनी ओर का वह कमरा मिलेगा जिसमें कीट्स की प्रेमिका और पत्नी फेनी ब्राउने रहती थी। कीट्स के कई चित्र टँगे हैं, कुछ पुस्तकें रखी हैं।

उसकी बगल में ही कीट्स के प्यारे मित्र ले हंट का वह टेबुल अब भी रखा हुआ है, जिसे अपने अगल-बगल कीट्स, शेली, लैम्ब, हैंजलिट, डिकेन्स और थैकरे ऐसे अंग्रेजी के महान साहित्यकार को बैठाने का सौभाग्य प्राप्त हो चुका है।

इस भवन के दुमंजिले पर वह कमरा है जिसमें बैठकर कीट्स लिखा-पढ़ा करता था। वह एक कुरसी पर बैठता था, एक कुरसी पर हाथ रखता था। दो कुरसियों पर जिस तरह वह बैठता था, वे उसी तरह खिड़की के निकट रखी हुई हैं। कीट्स ने अपने एक मित्र को लिखा है कि जब मैं उन कुरसियों पर बैठकर पढ़ता होता हूँ तो ऐसा ध्यानमग्न हो जाता हूँ कि मालूम होता है, मैं एक तसवीर ही हूँ। उसके एक मित्र चित्रकार ने एक चित्र बनाया था जो कीट्स के उपर्युक्त भावों का सजीव चित्रण था। उसी चित्र के आधार पर ये दो कुरसियाँ बनाई और रखी गई हैं, जो कीट्स के एक भारतीय प्रेमी मि. वकील की भेंट हैं ! इसी घर में कीट्स का वह तैलचित्र रखा गया है जो उसके जीवन काल में ही, 1820 में बनाया गया था।

इस भवन में ही कीट्स का शय्याकक्ष है और ब्राउन का भी शय्याकक्ष है। कीट्स के शय्याकक्ष को देखकर अब भी हृदय द्रवीभूत हो जाता है। इसी घर में कीट्स ने अपने बलगम में खून का धब्बा देखा था, जिसे उसने अपनी मौत का वारंट बतलाया था। यहीं वह क्षयरोग से पीड़ित सोफे पर पड़ा रहता था। यहीं से सोफे पर पड़े-पड़े वह बगीचे को देखा करता था, जहाँ फेनी टहलती रहती थी। इसी कमरे से उसने बुलबुल की वह आवाज सुनी थी और वह अमर कविता लिखी थी।

कीट्स के समय का एक प्लम का वृक्ष भी था। वह तो नहीं रह गया। हाँ, उसी की एक कलम उतारकर उसे फिर से रोप दिया गया है।

कीट्स के भवन से सटा हुआ, उसी हाते में एक बड़ा ही सुन्दर भवन बनाया गया है, जिसमें एक बड़ी लाइब्रेरी और म्यूजियम है। म्यूजियम में कीट्स सम्बन्धी वस्तुओं का अपूर्व संग्रह हुआ है और अभी होता ही जा रहा है। कीट्स के बहुत से पत्र, कीट्स की लिखी पुस्तकों और कविताओं की हस्तलिपियाँ, कीट्स द्वारा पढ़ी गई पुस्तकें, जिनके मार्जिन पर उसने कुछ लिख रखा था, मेडिकल स्कूल का वह रजिस्टर; जिसमें कीट्स का नाम लिखा हुआ है—क्या-क्या न संग्रह कर दिए गए हैं। कीट्स की वह अँगूठी है, जिसे उसने अपनी पत्नी को विवाह के अवसर पर दिया था। पत्नी के व्यवहार में आनेवाली क्लिप हैं, कैंची है, चाकू है, ब्लाउज है, रूमाल है। कीट्स जिस दावात और कलम से लिखता था, वह भी हैं, उसके बालों के दो गुच्छे भी, जो उसकी मृत्यु के बाद पुण्यस्मृति के रूप में काटकर रख लिये गए थे। वे सुनहले बाल—अब भी उस चेहरे की याद दिला रहे थे जो मासूमियत का अवतार था और जो चढ़ती जवानी में ही मुरझाकर सूख गया था।

उसके बहुत से पत्रों में से एक पत्र को मैं पढ़ रहा था, जिसे उसने अपने एक मित्र को अपने लिए एक मकान ढूँढ़ देने के लिए लिखा था। मकान के बारे में उसने लिखा था—उसके शान्त वातावरण और सस्ते भाड़े पर विशेष ध्यान रखना— Quietness and cheapness is assential. हाय रे, सरस्वती के सपूतों का भाग्य !

म्यूजियम में कीट्स की एक सफेद संगमरमर की बड़ी ही भव्य मूर्ति है, जिसे उसके किसी अज्ञात अमेरिकन प्रेमी ने इस संग्रहालय को अर्पित किया है ! जैसी भावुक आत्मा; वैसी ही भावनामयी प्रतिमा और उसी प्रकार का भावुकदाता !

लाइब्रेरी भी काफी बड़ी है। साधारण साहित्य के अतिरिक्त कीट्स के सहवर्ती साहित्यकारों के साहित्य का बड़ा ही प्रामाणिक संग्रह है यहाँ !

यह स्मारक भवन लंदन के एक कोने में है। पहले यह स्थान लन्दन से बाहर था, अब तो लन्दन इससे भी आगे फैल गया है। शहर के बाहर रहने के कारण ही यहाँ के शान्त वातावरण ने कीट्स को यहाँ रहने के लिए अनुप्राणित किया था।

यहीं काफी समय लग गया। रास्तें में ही एक रेस्तोराँ में भोजन किया, फिर घूमते-फिरते मदाम तूसाद की मोम की मूर्तियों की प्रदर्शनी देखने गया। यह प्रदर्शनी संसार में अनोखी है। मोम से, इस प्रकार जीवित दिखाई पड़नेवाली मूर्तियाँ, इतनी बड़ी संख्या में शायद ही कहीं बनाई गई हों।

पच्चीस गिरोह में तीन सौ बयालीस मूर्तियाँ भवन के भिन्न-भिन्न हिस्सों में सजाकर रखी गई हैं और इसके अतिरिक्त चैम्बर ऑफ हौरर—विभीषिकाकक्ष में नब्बे मूर्तियाँ हैं। ज्यों ही आप फाटक पर पहुँचेंगे, इधर-उधर द्वारपालों की जो मूर्तियाँ हैं, आप उन्हीं से रास्ता पूछने की ग़लती कर सकते हैं।

मूर्तियों के गिरोह भी बहुत सोच-समझकर बनाए गए हैं। उदाहरण स्वरूप—साहित्यकारों का एक गिरोह है, जिसमें चौसर, शेक्सपीयर, बर्नार्ड शॉ आदि पन्द्रह साहित्यकार इस प्रकार सजाए गए हैं कि मालूम होता है, अभी-अभी इनकी कोई मजलिस बैठी है। शेक्सपीयर उधर नाटकीय ढंग से खड़े हैं, बर्नार्ड शॉ अपनी लहराती दाढ़ी को लिये हुए कुरसी पर बैठे हैं, स्कॉट अपने बड़े कुत्ते के साथ कहीं जाने की तैयारी में हों जैसे ! कॉमनवेल्थ का जो गिरोह है उनमें जवाहरलाल कुरसी पर बैठे हैं, जिन्ना साहब खड़े हैं, सेनानायक, मलान आदि भी अपनी विचित्र वेशभूषा में हैं। इंगलैंड के वर्तमान मजदूर मन्त्रिमंडल के गिरोह में बीच में एटली और चारों ओर अन्य मन्त्री हैं। बेवन के इस्तीफे के कारण एक कुरसी खाली है। वर्तमान राज्य-परिवार की मूर्ति भी बड़ी मनोरम है। 'भूत की विभूतियाँ' में गांधीजी की भी मूर्ति है। रानी 'मेरी' के कत्ल का दृश्य तो बड़ा करुण है और फ्रांस की वह अनिन्द्य सुन्दरी मालूम होती है, अभी सोई है, जिसके सौन्दर्य की धूम थी, किन्तु जिसे फ्रांस की क्रान्ति का बलिदान हो जाना पड़ा। ऐसा कौशल किया गया है कि वह साँस भी लेती है।

नाट्यकार, संसार के भिन्न-भिन्न राज्य परिवार; अमेरिका के प्रसिद्ध राष्ट्रपति, अभिनेता, खिलाड़ी, राजनीतिज्ञ और योद्धा, सबकी मूर्तियाँ अलग-अलग गिरोहों में है। विक्टोरिया क्रॉस पानेवाले सैनिकों में तीन सैनिक भारत के भी हैं !

भवन के निचले भाग में विभीषिकाकक्ष है। उसमें जाते ही भय लगता है। संसार की प्रसिद्ध हत्यारों और हत्याकारियों के अतिरिक्त हत्या के साधनों को भी एकत्र किया गया है। गिलोटिन है, खौलते कड़ाह में जलाए जाने के दृश्य हैं, फाँसी के भिन्न-भिन्न तरीके दिखलाए गए हैं ! जेल के वे कक्ष बनाए गए हैं, जहाँ संसार के प्रसिद्ध व्यक्तियों को तड़प-तड़पकर मरना पड़ा ! और अन्त में आनन्दकक्ष है, जहाँ तरह-तरह के शीशे हैं जो आपके चेहरे को विचित्र बना देते हैं और तरह-तरह के खेल हैं, जिनसे आपका भरपूर मनोरंजन होता है।

इन्हीं दो भवनों के देखने में ही संध्या हो चली। फिर रामभरतजी के घर खाने को गए। वहीं उनके साथी श्री राय भी मिले। दोनों विद्यार्थी बड़े सौम्य स्वभाव के हैं। रामभरत देवेन्द्र के साथी रहे हैं। बच्चों के बारे में भी पूछते रहे। वह लन्दन से सात-आठ मील की दूरी पर रहते हैं, फिनलैंड के एक रिफ्यूजी के घर में। यह बेचारे जमींदार थे, किन्तु क्रान्ति में सारी सम्पत्ति जब्त कर ली गई। तब उनकी लड़की लन्दन आई, यहाँ काम करना शुरू किया, पैसे इकट्ठे किए, इस घर को खरीदा और माँ-बाप को बुला लाई। अब एक ऊँचे खानदान के युवक से विवाह कर के कॉलेज में पढ़ रही है ! उद्योगियों के लिए हर जगह अवसर है !

नेशनल गैलरी : फेस्टिवल ऑफ ब्रिटेन

24 मई, 1951

आज अंग्रेजी सरकार की मेहमानदारी का आखिरी दिन है। आज ही हमें इस सेन्ट एरविन्स होटल को छोड़ देना है। कल शाम को लन्दन से चल देना है, इसलिए सोचता था, दो दिन इसी होटल में रह जाऊँ। मिस्टर सैम्पुल्स से मैंने इस बारे में चर्चा भी की, किन्तु उन्होंने दरियाफ्त करके बताया, होटल के कमरे पहले से ही 'बुक' हो चुके हैं। इसलिए, आज सवेरे उठकर अपने सामानों को सहेजने में लग गया !

आज भोर में 'इण्डिया लीग' के श्री सौरेन्सेन की ओर से जलपान के लिए हमें निमन्त्रण था। सामान को सहेजकर मैं 'इण्डिया लीग' के ऑफिस की तरफ चला। किन्तु वहाँ जाकर देखा, वहाँ कोई नहीं है। बड़ी परेशानी हुई। पीछे पता चला, यह निमन्त्रण 'इण्डिया क्लब' के लिए था। जल्दी के कारण मुझसे यह ग़लती हो गई।

मैं सोच ही रहा था कि अब क्या करूँ कि साथी इकबाल गाया आ पहुँचे। मैंने उनसे अपनी परेशानी कही ! उन्होंने बताया कि तिपहरिया तक की उनकी छुट्टी है, अतः उन्हें साथ करके सबसे पहले मैं 'नेशनल गैलरी' देखने चला।

यह नेशलन गैलरी, ट्राफलगर स्क्वॉयर में है। अंग्रेज जाति के कला प्रेम का यह एक ज्वलन्त प्रतीक है। तेरहवीं शताब्दी से लेकर उन्नीसवीं शताब्दी तक के यूरोपीय चित्रों का यह एक अद्भुत संग्रह है। ऐसा कोई भी प्राचीन चित्रकार नहीं है जिसकी कृति इस गैलरी में नहीं हो। कहा जाता है, संसार की सभी आर्ट गैलरियों में सिर्फ लुव्र (फ्रांस) की आर्ट गैलरी इसका मुकाबला कर सकती है।

इस गैलरी की स्थापना 1824 ई. में हुई थी, जबकि एक सज्जन द्वारा संगृहीत अड़तीस चित्रों को खरीदने और सुरक्षित रखने के लिए पार्लियामेंट ने साठ हजार पाउण्ड की माँग मंजूर की थी। धीरे-धीरे चित्रों का संग्रह बढ़ता गया और 1864 में ट्राफल्गर स्क्वॉयर में उनके लिए एक अलग भवन तैयार किया गया। इसके प्रबन्ध के लिए एक कमिटी बनाई गई, जिसे तसवीरों के खरीदने और सुरक्षित रखने का पूरा अधिकार है। पीछे पार्लियामेंट के एक कानून के अनुसार सरकार एक डाइरेक्टर नियुक्त कर देती है, जिसे इतना अधिकार दे दिया गया है कि अगर वह कोई कुप्रबन्ध देखता हो तो बोर्ड के निर्णयों को भी बदल सकता है।

अब इस गैलरी में दो हजार तसवीरें हैं, जो इसके विशाल भवन के तीस कमरों में सजाकर रखी गई हैं। पियोम्बो, क्लौडे, पोगार्थ, टिशियन, रैमब्रैण्ट्स, रूबेन आदि के सबसे सुन्दर चित्र, उन्नीसवीं सदी के अंत तक ही, इसमें संगृहीत हो चुके थे। फिर कई सुप्रसिद्ध संग्रहों के चित्र धीरे-धीरे इस गैलरी में आते गए। बर्नन के एक सौ सैंतालीस चित्र, टर्नर के चित्र, लोंम्बार्डी के बाईस इटालियन चित्र आदि क्रमशः संगृहीत होते गए हैं। सर चार्ल्स ईस्टलेक ने अपनी डाइरेक्टरी के समय एक सौ उनतालीस सुप्रसिद्ध चित्र खरीदे। चित्रों का दाम कितना ऊँचा हो सकता है, इसी से कल्पना कीजिए कि हौल्विन के एक चित्र के लिए चालीस हजार पाउण्ड खर्च किए गए थे। वेलास्क्वेज, टीशियन, आइक्स, जियोवैनी, वैरोनिस, पेरुज़िनों आदि पुराने उस्तादों की कृतियों की प्राप्ति से यह गैलरी अपूर्व गौरव लाभ कर चुकी है।

भवन के भीतर ज्यों ही पहुँचिए, रंगों की चकमक से आँखें चकाचौंध में पड़ जाती हैं। कमरे काफी बड़े हैं, उनकी दीवारों पर चित्र लगा दिए गए हैं। चित्रों के सजाने में उनका काल और उनकी विशेषता पर खास ध्यान दिया गया है। इस तरह चित्रों के एक तरफ से दूसरी तरफ देख जाने पर यूरोपीय चित्रकला का इतिहास भी अनायास ही हृदयंगम हो जाता है।

कमरों के बीच में बैठने के लिए सोफे रख दिए गए हैं। मैं तो जल्दी में था; किन्तु बहुत से लोग सोफों पर बैठे हुए एक-एक चित्र को गौर से देख रहे थे या बगल के साथियों को उनकी खूबियाँ बता रहे थे, किन्तु इतने धीरे से कि दूसरों का ध्यान ज़रा भी नहीं बँट पाए। कुछ नए चित्रकार, पुराने उस्तादों की कृतियों की नकल भी कर रहे थे। किस तन्मयता से उनकी आँखें उस्तादों की कृतियों पर गड़ी हुई थीं और उनके हाथ सामने के कागज़ पर चल रहे थे।

वहाँ से इकबाल के साथ मैं 'फेस्टिवल ऑफ ब्रिटेन' की विज्ञान प्रदर्शनी को देखने चला। न जाने क्या बात है कि जिस तरह कला से मुझे प्रेम है, उसी तरह विज्ञान के प्रति असीम उत्सुकता। समय कम था, कई ऐसे म्यूजियम थे जिन्हें देख लेना चाहता था, किन्तु समय का अभाव होने पर भी विज्ञान की करामातों का अवलोकन करने से मैं अपने को किसी भी हालत में वंचित करने को तैयार नहीं था।

यह विज्ञान प्रदर्शनी साइंस म्यूजियम से संलग्न है। नेशनल गैलरी से निकलकर झटपट एक बस पकड़ी और इस प्रदर्शनी के दरवाज़े पर हाजिर। सभी प्रदर्शनियों को देखने के लिए सी.ओ.आई. ऑफिस से पास मिल चुका था, अतः झटपट प्रदर्शनी का सूचीपत्र खरीदकर मैं उसमें घुसा। दरवाजे पर एक बहुत बड़ी पेंसिल टँगी थी और इस मामूली चीज से ही विज्ञान की इस मायापुरी की झलक देखने को मिलती है। प्रारम्भ में पाँच कमरे हैं; पाँचों ही अंधकारपूर्ण। ज्यों ही आप पहले कमरे में घुसेंगे, आपको मालूम होगा कि आप सिकुड़कर पेंसिल के आकार के हो गए हैं और उसके बाद कागज की मोटाई के आकार के। आप यहाँ देखेंगे कि पेंसिल की 'लीड' धीरे-धीरे कागज पर खिसकती और एक निशान बनाती जा रही है। दूसरे कमरे में जाकर आप अपने को हजार गुना मोटा पाएँगे और आप उन तत्त्वों को देखेंगे, जिनसे यह पेंसिल की लीड बनी हैं। आखिरी कमरे में पहुँचते-पहुँचते आप सिकुड़कर करोड़गुना छोटा हो जाएँगे और वहाँ वह चमकती हुई चीज देखेंगे जिसे 'एटम' कहते हैं। हर एटम के मध्य में एक छोटा सा सूर्य चमक रहा है और उसके चारों ओर बादल की तरह 'इलेक्ट्रोन' चक्कर दे रहे हैं। इन पाँच कमरों ने आपको बता दिया कि संसार की छोटी-से-छोटी चीजों में कौन से तत्त्व भरे हैं ! अब आप प्रकाश में देखेंगे के इन तत्त्वों से सारे संसार की सृष्टि किस प्रकार हुई है। यह कहानी तीन हिस्सों में बँटती है। सबसे पहले तत्त्वों की भौतिक और रासायनिक प्रवृत्ति दिखलाई गई है। तत्त्व 'एटम' से बने हैं और 'एटम' नब्बे से अधिक प्रकार के हैं, क्योंकि तत्त्वों की संख्या नब्बे से अधिक हैं। इन तत्त्वों के संयोग से किस प्रकार पृथ्वी की ऊपरी सतह बनती है और एटम की भीतरी बनावट कैसी हैं, इन्हें आँखों से देखकर आपको आश्चर्य होगा। एटम की बनावट पर ही भौतिक तत्त्वों के व्यवहार निर्भर करते हैं यह आप कार्बन के कम्पाउण्ड्स को देखकर जान सकेंगे ! सभी जीवित पदार्थो में कार्बन के अंश हैं और यहीं से जीवित पदार्थो की बनावट की जानकारी हासिल करना प्रारम्भ कर देते हैं, जो इस प्रदर्शनी का दूसरा हिस्सा है। सभी जीवित पदार्थ 'सेल्स' से बनते हैं और ये सेल्स जिन्दा रहते हैं, अपनी संख्या बढ़ाते हैं और फिर मर जाते है। इन सेल्स के भीतर वंशानुक्रम के बीज होते हैं और जब स्त्री और पुरुष के 'सेक्स-सेल' परस्पर मिलते हैं तो सन्तान की परम्परा शुरू होती है !

कहानी के तीसरे हिस्से का नाम है 'स्टौप प्रेस'। इसमें विज्ञान के आधुनिकतम अनुसंधानों पर प्रकाश डाला गया है। ये आधुनिकतम अनुसंधान भेदनेवाली किरणों, स्थान और तारों तथा विद्युत-मस्तिष्क से सम्बन्ध रखते हैं। मुझे सबसे भायी इसकी अन्तिम कड़ी, जिसमें बताया गया है कि सृष्टि का अन्त कभी नहीं होगा। चीजें टूटेंगी, फूटेंगी, उनके तत्त्व बिखरेंगे, बरबाद होंगे, किन्तु फिर समन्वय स्थापित होगा, नई सृष्टि शुरू होगी और यह क्रम शाश्वत तक चलता रहेगा।

मुझे भूख लग रही थी। कला बहुत मनोहारी है और विज्ञान बहुत आकर्षक; लेकिन पेट की कुलबुलाहट भी एक शाश्वत सत्य है, अतः यह देखना-सुनना छोड़कर प्रदर्शनी में ही लगे एक स्टाल पर जाकर खाना खाया, कॉफी पी और इस यात्रा में अनन्तरूप से जलनेवाली सिगरेट के धुएँ की फूँक उड़ाते साइंस म्युजियम की ओर चला। साइंस म्युजियम में इस हिस्से को देखकर बड़ा कुतूहल हुआ जहाँ रेल, जहाज, मोटर, साइकिल आदि के प्रारम्भ से लेकर आज तक के नमूने रखे हुए हैं। पहली रेल, पहला जहाज, पहली मोटर, पहली साइकिल—फिर उनका क्रमशः विकास। रेल की इंजिनें इस तरह रखी गई हैं कि उन्हें चलाकर भी दिखा दिया जा सकता है। बच्चों की भीड़ लगी थी। जो बच्चे अपनी आँखों से आज ही से यह सब देख रहे हैं, यदि वयस्क होने पर उनमें वैज्ञानिक अनुसंधानों के लिए स्वाभाविक अनुराग पैदा हो और वे अपने कर्तृत्वों से इस विकास क्रम में नई-नई कड़ियाँ जोड़ें, इसमें आश्चर्य की क्या बात है ?

साइंस म्युजियम के बाद हम पुस्तक प्रदर्शनी देखने गए। यह पुस्तक प्रदर्शनी विक्टोरिया एंड अलबर्ट म्यूजियम में ही रही थी। विक्टोरिया एंड अलबर्ट म्यूजियम भी इंगलैंड के प्रसिद्ध म्यूजियमों में से है ! ब्रिटिश म्यूजियम और नेशनल गैलरी के बाद इसी का स्थान आता है। महारानी विक्टोरिया के शासन काल में ही इसका प्रारम्भ हुआ और अपने नाम के साथ अपने पति का नाम जोड़कर इस म्यूजियम के द्वारा उसने अपने पति को भी अमरता दे दी है। यह म्यूजियम एक बड़े भवन में है जिसकी सूरत-शक्ल शाही है। चित्रकला, मूर्तिकला, पुस्तकालय, वस्त्रकला, काष्ठकला आदि इसके प्रमुख विभाग हैं।

इस पुस्तक प्रदर्शनी में चौसर से लेकर आज तक की आठ सौ प्रसिद्ध पुस्तकों के प्रथम संस्करण रखे हुए हैं। इनके अतिरिक्त छपाई, बँधाई और चित्रकारी के भी नमूने रखे हुए हैं ! बच्चों की पुस्तकों का सत्रहवीं शताब्दी से लेकर आज तक का संग्रह है। जादू की पुस्तकें नाम से कुछ सचित्र पुस्तकें रखीं हुई हैं, जिनके पन्ने आप-से-आप उलट जाते हैं। ऐसी प्रदर्शनियाँ लन्दन में ही बारह जगहों पर है। फिर इंगलैंड के हर बड़े शहर में स्कॉटलैंड में, उत्तरी आयरलैंड में और वेल्स में भी ऐसी प्रदर्शनियाँ संगठित की गई हैं। पुस्तकों की चलती-फिरती प्रदर्शनियाँ भी सारे देश में घूम रही हैं !

लगभग दो बज रहे थे। हमें होटल से अपना सामान हटा लेना था, अतः जल्दी-जल्दी होटल में हाजिर हुआ। थोड़ी ही देर में तूफान साहब भी आ गए और मैं अपने सामानों के साथ उनके आवास स्थान पर पहुँचा। निश्चय कर लिया था कि आज ही साउथ बैंक में जाकर फेस्टिवल ऑफ ब्रिटेन के सर्वप्रमुख अंश को भी देख लेंगे। अतः वहाँ अधिक देर नहीं ठहरकर साउथ बैंक जा पहुँचा। हम टयूब से चले थे, इसलिए यह भी नहीं पता चला कि हमने टेम्स कब पार कर लिया। जब हम टेम्स को पार कर रहे होंगे, तो वह ऊपर लहरा रहा होगा—कैसी जादूगरी ! ऊपर नदी बह रही है, उसके नीचे से रेल जा रही है।

टेम्स के दक्षिणी किनारे वाटरलू और वेस्ट मिन्सटर पुलों के बीच यह प्रदर्शनी लगाई गई है। बीच में हंगरफोर्ड का रेलवे बाँध है। इस बाँध से फायदा उठाकर समूची प्रदर्शनी को दो हिस्सों में बाँट लिया गया है। एक हिस्से में 'ब्रिटेन की भूमि' और दूसरे हिस्से में 'ब्रिटेन के निवासी' पर प्रकाश डाला गया है। प्रदर्शनी में ज्यों ही हम पहुँचे, सबसे पहले हमारा ध्यान 'डोम ऑफ डिस्कवरी' की ओर गया, जिसका घेरा तीन सौ फीट और ऊँचाई सत्तानबे फीट है। यह अल्मूनियम से बनाया गया है। संसार का सबसे बड़ा डोम है, ऐसा प्रदर्शनी के आयोजकों का दावा है।

हम पहले ब्रिटेन की भूमि से ही शुरू करें। इस विभाग में यह बताया गया है कि ब्रिटिश

द्वीप किस तरह बना, उसके प्राकृतिक धन का मूलस्रोत क्या है और नाना प्रकार की दृश्यावली उसे किस प्रकार सुन्दर बनाए हुए हैं। देहात के विभाग में ग्रामीण जीवन, खेती, बागवानी और पशुधन के विकास की ओर इस जाति ने जो प्रयत्न किए हैं, वे सब आँखों के सामने झिलमिल कर उठते हैं। प्राकृतिक साधनोंवाले विभाग में बताया गया है कि अंग्रेज कच्चे माल अपने देश में किस तरह पैदा करते हैं। इसमें बताया गया है कि हवा का उपयोग भी कच्चे माल के रूप में किस तरह किया जाता है। शक्ति और उत्पादनवाले विभाग में कच्चे मालों से किस तरह-तरह के सामान बनाए जाते हैं, यानि स्पष्ट हो जाता है। इस विभाग में अंग्रेजों के सारे उद्योग-धन्धे आँखों के सामह मूर्तिमान हो उठते हैं। समुद्र और जहाज के विभाग में जहाजों के तरह-तरह के नमूने रख दिए गए हैं और यह बताया गया है कि क्यों संसार के समुद्र पर अंग्रेजों की प्रभुता रही है। यातायात विभाग में हवा, सड़क; रेल और समुद्र द्वारा अंग्रेज जाति किस प्रकार संसार भर से यातायात का सम्बन्ध रखे हुए हैं, यह आप समझेंगे। प्रारम्भिक इंजिनों से लेकर नई-से-नई डिजाइनों की इंजिनों के नमूने वहाँ रखे गए हैं। जहाज के डांको और हवाई जहाज के एयर पोर्टों के नमूने बनाए गए हैं। ब्रॉडकास्टिंग, टेलीविजन, समुद्रीतार के चमत्कार भी वहाँ देखने को मिलते हैं।

'डोम ऑफ डिस्कवरी' या 'आविष्कारों का गुम्बद' इस सारी प्रदर्शनी का मानों केन्द्रबिन्दु है। न सिर्फ जमीन और समुद्र पर, बल्कि सारे संसार पर ब्रिटिश आविष्कारों की कितनी गहरी छाप लगी हुई है, इस गुम्बद में घुसते ही दृष्टिगोचर होने लगता है—एक ओर कुक और लेविंग्स्गटन की साहसिक यात्राओं का चित्रण देखेंगे; दूसरी ओर न्यूटन, डार्विन, फौरेड, टामसन और रदरफोर्ड के वैज्ञानिक चमत्कारों का दिग्दर्शन पाएँगे। भौतिक विभाग के नवीनतम आविष्कारों में भी ब्रिटेन का क्या हिस्सा है, इसे देखकर आप चकित हो जाएँगे। संध्या हो गई थी, सारा गुम्बद रोशनियों से जगमग कर रहा था। हम नीचे से प्रारम्भ करके ऊपर की ओर बढ़ रहे थे। जब ऊपरी हिस्से में पहुँचे और नीचे की ओर ध्यान दिया तो लगता था कि एक-एक आसमान को पार करते अब हम सातवें आसमान पर चले आए हैं। हमारी आँखों के सामने एक छोटे रूप में सारा संसार सिमट आया है और हम उसी में खो गए हैं।

डोम से निकलकर हम गुब्बारे की शक्ल के उस ज्योतिपुंज के सामने पहुँच गए जो यहाँ 'स्काईलॉन' कहलाता है। रात में यह ज्योतिपुंज जगमग-जगमग कर रहा था। अपनी ऊँचाई से, अपनी चमक से, अपनी अजीब बनावट से यह रात भर दर्शकों को अपनी ओर खींचता रहता है। इस ज्योतिपुंज की बगल में ही एक झरना ऐसा बनाया गया है जिसमें बिजली बत्तियाँ इस तरह लगी हुई हैं कि झरने से गिरता हुआ पानी बहुरंगी बन जाता है। कुछ बत्तियाँ तो पानी के अन्दर झलमल कर रही थीं। आग और पानी का यह खेल क्या कम मनोरंजक था ?

हंगरफोर्ड रेलवे बाँध के उस पार 'ब्रिटेन के निवासी' वाला भाग है। इसमें अंग्रेज जाति के स्वाभाविक गुणों का बड़ा ही सुन्दर चित्रण किया गया है। प्रकृति पर उन्होंने किस तरह विजय की, किस तरह भिन्न-भिन्न जातियाँ आईं, लड़ीं और फिर मिल गईं, धर्म ने उन्हें किस तरह प्रोत्साहित किया और पागल बनाया, नागरिक अधिकार की भावना उनमें कैसे जगी, पार्लियामेंट का उदय और विकास कैसे हुआ, घरेलू जीवन के प्रति उनमें कितना मोह है, प्रकृति के वे कैसे प्रेमी हैं और अपने पेशे के प्रति उनमें कितना गौरव है—घर और बगीचे, नए स्कूल, खेल-कूद, सिनेमा-थियेटर आदि जीवन के सभी भागों के चलते-फिरते चित्र देखकर मन का मुग्ध होना स्वाभाविक है। इस भाग के बीच में रॉयल फेस्टिवल हॉल है, जहाँ नृत्य-गीत का प्रबन्ध किया गया है। हम लोग जब वहाँ से निकल रहे थे, संगीत की ध्वनि कानों में पड़ रही थी।

बड़ी प्रबल इच्छा थी कि एक दिन जहाज़ में बैठकर टेम्स की लहरों का मजा लूँ। वहीं पता चला, यहाँ से एक छोटा सा जहाज हर आधे घंटे पर बैटर-सी पार्क में जाता है, जहाँ फेस्टिवल का 'आनन्द बाग़' लगाया गया है। ऐसे मौके को हम क्यों चूकते? झट टिकट कटाकर जहाज पर जा चढ़े। कुछ लोग पहले से वहाँ जमे थे, कुछ लोग पीछे से वहाँ आए। छोटा सा जहाज रवाना हुआ। हमारे सामने सैनिक नौजवानों का एक गिरोह था। पाँच-सात लड़कियाँ भी उनसे आ मिली थीं। जहाज़ बढ़ा जा रहा था, इधर प्रेम-व्यापार भी चल रहा था। बात-बात पर चुम्बन—आलिंगन। उन्हें इसकी जरा भी चिन्ता नहीं कि उनके अगल-बगल कौन बैठा है।

यह आनन्द बाग सैंतीस एकड़ ज़मीन में बसाया गया है। खेल-कूद, ऐश-मौज के सभी सामान यहाँ एकत्र कर दिए गए हैं। इसमें थियेटरघर हैं, संगीतघर हैं, बैण्ड पार्टियाँ हैं, झूले हैं, तरह-तरह के जुए भी हैं। हम कुछ देर से पहुँचे थे। दिन भर की दौड़धूप के कारण थक भी गए थे, अतः इधर-उधर की थोड़ी झाँकी भर ले ली। यथार्थ में मेला तो यही है—बच्चे, बूढ़े, औरत, मर्द—सभी मेलेवाले जोशखरोश में—क़िलकारियाँ, ठहाके, लपक-झपक—कहीं पिया जा रहा है, कहीं पिलाया जा रहा है। तरह-तरह की चर्खियाँ, जिनकी गति देखकर रोंगटे खड़े हो जाएँ। किन्तु उन पर भी वहीं हँसी और ठहाके।

कुछ भूख लग रही थी। एक जगह देखा, मकई के भूँजे के किस्म की कोई चीज बिक रही है। तूफान साहब से पूछा—"यह क्या है ?" तूफान साहब ने कहा—"बहुत मजेदार। जरा चाशनी लगी होती है, इसलिए मीठा भी होता है।" लेकर खाया और उसी की मिठास में वहाँ से रवाना हुआ।

लेबर पार्टी का गढ़ : कोहेनूर का दर्शन

25 मई, 1951

आज लन्दन छोड़ना है। उस लन्दन को, जो आज भी संसार का सबसे बड़ा शहर होने का दावा करता है, और कल तक जिसके साथ भारत का भाग्यसूत्र बँधा हुआ था।

जहाँ दो-चार दिन का आवास होता है, मेरे ऐसे भावुक आदमी को उसका विछोह भी खटकता है। जहाँ एक महीने से ऊपर रहा, जहाँ इतना देखना-सुनना रह गया है, उससे विछोह की कल्पना ही चंचल बना देती है।

यह लन्दन शहर, जो लगभग साढ़े चार लाख एकड़ में बसा हुआ है और जिसकी जनसंख्या लगभग साढ़े पचासी लाख है, अपनी विशालता में ही नहीं, अपनी प्राचीनता में भी इंगलैंड के जीवन पर सबसे अधिक प्रभाव रखता है। लन्दन के आसपास की जो बस्तियाँ हैं, यदि उनकी जनसंख्या को भी लन्दन की जनसंख्या में जोड़ दी जाए, तो सारे इंगलैंड की जनसंख्या की एक-चौथाई इस शहर में बसती है। पेरिस फ्रांस है और फ्रांस पेरिस, ऐसा दावा इंगलैंड के लन्दनवासी नहीं करते। किन्तु किसी जादूगरी से यदि लन्दन को लुप्त कर दिया जाए तो सारे इंगलैंड का जीवन तखड़-पखड़ हो जाएगा, इसमें सन्देह नहीं

'लन्दन' शब्द केल्ट भाषा के Lyndin—लाइन्डीन शब्द से बना है, जिसका अर्थ है 'लेक फोर्ट' यानि झील का क़िला। रोमनों के समय में लाइन्डीन एक प्रसिद्ध फौजी अड्डा और व्यापारी केन्द्र था। यह चारों ओर से एक चौड़ी और ऊँची दीवार से घिरा हुआ था, जिसका चिह्न लन्दन टावर में देखने को मिलता है। वेस्ट मिन्स्टर, ह्वाइट हॉल, डाउनिंग स्ट्रीट, ट्राफ्लगर स्क्वॉयर,

बकिंघम पैलेस, गिल्ड हॉल, इन्स ऑफ कोर्ट, काउण्टी हॉल, ब्रिटिश म्यूजियम, लन्दन यूनिवर्सिटी आदि इमारतें और संस्थाएँ, इसकी प्राचीनता और महत्ता का डंका सदियों से संसार में पीटती रही हैं।

लन्दन को अपने पार्कों पर भी बहुत गर्व है। लन्दन निवासी अपने शहर को 'सिटी ऑफ पार्क्स'—उद्यानों का नगर—कहने में भी गौरवान्वित अनुभव करते हैं। इसके पाँच पार्क जो राजकीय उद्यानों के नाम से मशहूर हैं, शहर के भिन्न-भिन्न भागों को हरा-भरा, रंगीन, जीवनमय और यौवनमय बनाए रखते हैं। इनमें हाइड पार्क (तीन सौ साठ एकड़) सबसे अधिक प्रसिद्ध है। किन्तु रक़बे के हिसाब से रिजेण्ट पार्क (पांच सौ पैंतीस एकड़) सबसे बड़ा है। इन दोनों के बाद केसिंग्टन गार्डेन (दो सौ पिचहत्तर एकड़) का नम्बर आता है, चौथा नम्बर है सेन्ट जेम्स पार्क (तिरान्बे एकड़) का और आखिरी नम्बर है ग्रीन पार्क (तिरपन एकड़) का। क्यू गार्डेन यद्यपि वनस्पति शास्त्र की प्रदर्शनी के रूप में प्रख्यात है और वहाँ पैंतालीस हजार किस्म के पेड़-पौधे हैं, तो भी वह लन्दन के बड़े पार्कों में ही गिना जा सकता है। लन्दन की काउन्टी कौन्सिल एक हज़ार पार्कों और खेलों के मैदानों का संरक्षण करती है और इस महान राजधानी में घनी आबादियों में बसनेवाले नगारिक और नागरिकाओं को जीवन के लिए अत्यावश्यक 'फेफड़े' प्रदान करती है।

इस बड़े शहर में यातायात के साधनों का प्रबन्ध करना भी कोई आसान बात नहीं है। लेकिन विशाल संगठनों के सफल संचालन के लिए प्रसिद्ध अंग्रेज जाति 'लन्दन ट्रांसपोर्ट' नाम की एक ही संस्था द्वारा ऐसा प्रबन्ध करती है कि देखकर आश्चर्य होता है। इसके यातायात की प्रणाली दो हजार वर्गमील के क्षेत्र को छेंकती है और प्रतिदिन एक करोड़ आदमी इसकी रेल, ट्यूब, बस और ट्राम पर आते-जाते हैं। शाम को सिर्फ एक घंटे में, पांच से छः बजे तक, पांच लाख आदमी इसके यातायात के साधनों का उपयोग करते हैं। इसमें भी पांच बजकर अड़तीस मिनट से पांच बजकर पैंतालीस मिनट, यानी सात मिनट में ही एक लाख इकतीस हजार आदमी इसके यातायात के साधनों का प्रयोग करते हैं—हर मिनट में आठ से नौ हजार आदमी तक। यातायात के साधन इतने सुलभ हो गए हैं कि लन्दन की आबादी को उसके अगल-बगल के क्षेत्रों में हटाया जा रहा है। पिछले पच्चीस वर्षों में दो लाख आदमी लन्दन से हटकर ऐसे क्षेत्रों में जा बसे हैं। अब लन्दन का यह भी दावा है कि संसार के किसी भी बड़े शहर के मजदूरों को उसके मजदूरों से अच्छे मकान नसीब नहीं हैं।

रात में ही तय कर लिया था कि आज दो ही स्थान देखूँगा—लेबर पार्टी के सदर मुकाम 'ट्रांसपोर्ट हाउस' को और लन्दन के प्राचीन भग्नावशेष 'लन्दन टावर' को बी.बी.सी. वाले कई दिनों से कह रहे थे कि मैं कुछ चीज़ें ब्रॉडकास्ट करूँ, अपनी कोई चीज़ उन्हें दूँ। समयाभाव के कारण उन्हें टालता रहा। किन्तु कल वादा कर लिया था कि एक 'टॉक' जरूर ही रिकॉर्ड करा दूँगा। आज सवेरे उठकर सबसे पहला काम किया कि 'बिदा इंगलैंड' नाम से पाँच मिनट की एक वार्त्ता लिख ली और उसे बी.बी.सी. के आफिस में भेजकर 'ट्रांसपोर्ट हाउस' चला।

ट्रांसपोर्ट हाउस टेम्स के किनारे एक तिमंजिली विशाल इमारत है। इसके निर्माण में स्वर्गीय श्री बेवन का बहुत बड़ा हाथ है जो एक मजदूर परिवर में जन्म लेकर बचपन से ही मजदूरी करके जीवन बिताते हुए अन्त में इंगलैंड की सबसे बड़ी मजदूर यूनियन—यातायात के सभी साधनों के मजदूरों की राष्ट्रीय संस्था--के संस्थापक बने और इंगलैंड के वैदेशिक मन्त्री के रूप में उन्होंने इहलीला समाप्त की।

इस इमारत के सामने पहुँचते ही मैने मान लिया, जहाँ के मजदूरों में अपनी एकता के बल पर इतनी शानदार इमारत बनाने की योग्यता हो, उसके हाथ में एक-न-एक दिन देश का

शासनसूत्र आनेवाला ही था। समय कम था, अधिक देख नहीं सकता था। किन्तु तूफान साहब की कृपा से थोड़ी ही देर में जो अधिक-से-अधिक देख सकता था, देख लिया। संयोग से भीतर जाते समय ही 'दी कर्टेन फॉल्स' के सुप्रसिद्ध लेखक श्री वेनिस पिले से भेंट हो गई। आप लेबर पार्टी के इन्टरनेशनल डिपार्टमेंट के सेक्रेटरी हैं। जब मेरा परिचय तूफान साहब ने दिया तो आग्रह करने लगे, मैं दो-चार दिन और ठहरूँ और लेबर पार्टी के संगठन को अच्छी तरह देखूँ। भारतीय सोशलिस्ट पार्टी के लिए उनके दिल में बड़ी श्रद्धा थी और चाहते थे कि लेबर पार्टी और सोशलिस्ट पार्टी में गहरा-से-गहरा सम्बन्ध हो। 'मेरे कोई साथी शीघ्र आएँगे और इस काम को मुझसे भी अधिक योग्यता से करेंगे'—यह कहकर उनसे क्षमा माँग ली। हाँ, उन्होंने एक लड़की को साथ में कर दिया जिसने इस दृढ़ संगठन की एक झलक दिखलाई।

लेबर पार्टी की स्थापना सन् 1900 ई. में हुई। पहले यह पार्टी लेबर रिप्रेजेण्टेशन सोसाइटी नाम से प्रसिद्ध थी। किन्तु, 1906 में इसने पार्लियामेंट में उनतीस मेम्बर भेजे और तब से ही इसका वर्तमान नाम पड़ा। यह पार्टी दिन-दिन तरक्की करती गई है। बीच में दो बार 1924 में और फिर 1929 से 1930 तक इसके हाथ में देश का शासनसूत्र भी आया। किन्तु इन दोनों बार उसका ऐसा बहुमत नहीं था कि अपनी नीति को काम में लाती। उसकी सबसे बड़ी विजय 1945 के चुनाव में हुई और तब से उसका राज्य इंगलैंड पर है।

लेबर पार्टी को वर्तमान रूप देने का बहुत कुछ श्रेय है श्री केअर हार्डी को, जिन्होंने मजदूर संघों और सहयोगी समितियों को अपने सदस्य पार्लियामेंट और स्थानीय कौंसिलों में भेजने का प्रोत्साहन दिया। केअर हार्डी के बाद फिलिप्स स्नौडन, रैमजें मैकडोनाल्ड, फ्रेड जौवेट, फ्रूज ग्लेज़ियर आदि इसके नेता पार्लियामेंट में खूब चमके। बीच में जब दो बार सरकार बनी, रैमजे मैकडोनाल्ड उसके प्रधानमन्त्री थे।

1918 से 1929 तक लेबर पार्टी की चौमुखी वृद्धि हुई। '50 से होते-होते पार्लियामेंट में उसके सदस्यों की संख्या लगभग तीन सौ तक जा पहुँची, उसे लगभग अस्सी लाख वोट मिले थे और पार्टी की सदस्य संख्या बीस लाख तक पहुँची थी। किन्तु 1931 में ही उसका पतन हुआ—जब सिर्फ पचास सदस्य उसके चुने जा सके। लेकिन धीरे-धीरे फिर उन्नति होती गई और 1945 के आम चुनाव में यह देखकर लोगों के आश्चर्य का ठिकाना न रहा, जब इस पार्टी का साफ बहुमत पार्लियामेंट में हुआ। इसके तीन सौ तिरान्बे सदस्य पार्लियामेंट में आए। एक करोड़ वोट इसे प्राप्त हुए और पार्टी की सदस्य संख्या भी पच्चीस लाख से ऊपर चली गई। इन तीन सौ तिरान्बे पार्लियामेंट के मेम्बरों में एक सौ उन्नीस को मजदूर यूनियनों ने खड़ा किया था, तेईस सहयोगी समितियों से आए थे और अड़सठ सेना थे। शेष सदस्य भी किसी-न-किसी रोजगार से ही आए और जिन्हें उनकी कांस्टीचुयेन्सी पार्टी ने खड़ा किया था।

यद्यपि 1950 के चुनाव में लेबर पार्टी को कुछ सीटें हार जाना पड़ा, किन्तु आज भी ब्रिटेन पर उसका शासन है। यह दावे के साथ कहा जा सकता है कि यदि इस नाजुक हालत में लेबर पार्टी ऐसी जनता की पार्टी की सरकार नहीं होती, तो न जाने ब्रिटेन की हालत क्या हुई रहती। समूचे यूरोप के ध्वस्त हो जाने के बाद यह लेबर पार्टी का नेतृत्व है कि इंगलैंड अपने समाज का नवनिर्माण इतनी तेजी से करता जा रहा है। लेबर पार्टी में और उसके कामों में त्रुटियों की कमी नहीं, किन्तु उसने जो कुछ कर लिया है और जिसकी झलक मैंने इन पाँच हफ्तों में देखी है, उस पर ध्यान देते हुए इस 'ट्रांसपोर्ट हाउस' को एक प्रेरणा केन्द्र के रूप में नमस्कार करने से मैं अपने को रोक नहीं सका।

ट्रांसपोर्ट हाउस की बगल में ही टेट गैलरी है, जहाँ आधुनिक कला की बहुत सी कृतियाँ

संगृहीत हैं। किन्तु फुरसत नहीं थी कि उसके दरवाजे से भी झाँक जाऊँ। दौड़ा-दौड़ा चला 'टावर ऑफ लन्दन' की ओर। वहाँ के ऐतिहासिक उपादानों से मेरी उतनी दिलचस्पी नहीं भी जितनी कि अपने देश के उस अमूल्य रत्न को देख लेने की लालसा लगी थी, जो यहाँ लगभग एक शताब्दी से रखा पड़ा है। वह अमूल्य रत्न है—कोहेनूर। एक ट्यूब पकड़कर हम टेम्स के नीचे-नीचे उस पार चले गए और वहाँ अपने सामने एक पुराने क़िले को देखा जो अठारह एकड़ जमीन को घेरे हुआ है। इस क़िले को विजेता विलियम ने बनवाया था और यह कभी क़िला कभी राजमहल, कभी बन्दीगृह, कभी टकसाल, कभी वेधशाल और कभी सरकारी मुहाफिजखाना रह चुका है। यहाँ कितनी ही ऐसी जगहें हैं, जहाँ खून की धाराएँ बही हैं; कई ऐसी कोठरियाँ हैं जहाँ मानवता ने चिल्ला-चिल्लाकर दम तोड़ा है। सर टॉमस मूर, ड्यूक ऑफ बकिंघम, क्वीन एनी, क्रॉमवेल, आर्क ऑफ एसेक्स, क्वीन कैथेराइन, लेडी ग्रे, जेम्स आदि कितने ही लोगों को इस क़िलें के अन्दर या तो तहखानों में सड़ना पड़ा या फाँसी पर चढ़ना पड़ा।

यहाँ पुराने अस्त्र-शस्त्रों का भी बहुत बड़ा संग्रह है। किन्तु मुझे अस्त्र-शस्त्रों से कोई खास दिलचस्पी नहीं रही है और वह भी इस समय जब बहुत थका-माँदा था; इसमें कौन अधिक समय लगाए ? मैं तो सीधे उस घर में चला गया जहाँ अंग्रेज राजघराने के ताज संगृहीत करके रखे गए हैं। कहा जाता है, बहुत से राजमुकुटों को तो ओलिवर क्रॉमवेल ने गला डाला या नीलाम कर डाला। इसमें सबसे पुराना ताज है, वह 'किंग एडवर्ड दी कन्फेसर' का है और सबसे जो पुरानी किरीट है वह मेरी मेडेना की है जो किंग जेम्स (द्वितीय) की पत्नी थीं। सबसे शानदार ताज जो 'किंग्स इम्पीरियल स्टेट क्राउन' कहलाता है, वह 1838 में क्वीन विक्टोरिया के राज्याभिषेक के समय तैयार कराया गया था। इसमें तीन हजार रत्न लगे हुए हैं और वह चौकोना है। पंचम जॉर्ज ने दिल्ली दरबार में जो ताज पहना था, उसी में 'कोहेनूर' लगाया गया था और उसके चारों ओर छः हजार हीरे जगमग कर रहे थे। मैं खड़ा था, एक टक अपने कोहेनूर को देख रहा था। यह कोहेनूर—कितना बड़ा इतिहास इसके साथ गुँथा हुआ है। जो कभी हिन्दुस्तान की शान था। अब उसकी शर्म बन गया है ! हाँ, मैं उसकी चमक में हिन्दुस्तान की शर्म पढ़ रहा था। और मुझे लग रहा था, सचमुच जैसे वह मुझे देखकर शरमा रहा हो ! कहा जाता है, अब वह अपने मूलरूप में नहीं है, उसकी कितनी काट-छाँट हुई है। किन्तु सारी काट-छाँट के बावजूद कोहेनूर आखिर 'कोहेनूर' है, संसार का सर्वोत्तम रत्न है और कवि के कथनानुसार 'उपजहि अनत-अनत छबि लहहीं' अपने देश से दूर, अपनी मातृभूमि से दूर, यहाँ भी हजारों रत्नों में शोभा पा रहा है !

लन्दन टॉवर से सीधे बी.बी.सी. आफिस आया। बी.बी.सी के सभी हिन्दुस्तानी साथी वहाँ थे। सबसे राम-सलाम हुई। 'बिदा इंगलैंड' शीर्षक से पाँच मिनट की एक वार्त्ता रिकॉर्ड कराई, पाँच गिन्नी लिये, झट एक दूकान पर जाकर इन पाँचों को फूँक दिया—यानी पाइप ली, 'लाइटर' लिया, सिगरेट ली और चल पड़े हूजा के घर। जिस दिन पहुँचा था, उस दिन संध्या को उनके घर भोजन हुआ था। चलते दिन भी उन्हीं के घर भोजन हुआ। कई हिन्दुस्तानी मित्र वहाँ जुटे थे। कुछ फोटोग्राफी हुई, कुछ चुहलें हुईं और फिर वहाँ से तूफान साहब के घर आकर अपना सामान लिया और झटपट जा पहुँचे हवाई अड्डे पर।

बिदा इंगलैंड ! बिदा !

(छ) स्विट्ज़रलैंड में

ज़्यूरिख से बर्न

26 मई, 1951

आज जब ज्यूरिख की एक झाँकी लेकर होटल में लौटा, तो लगा किसी प्रौढ़ा के प्रबल बाहुपाश से मुक्त होकर किसी मुग्धा के रू-ब-रू खड़ा हूँ।

हाँ, इंगलैंड और स्विट्ज़रलैंड में यही फर्क है। इंगलैंड का सौन्दर्य किसी ऐसी नारी का सौन्दर्य है जो अपने आगत वृद्धत्व को शृंगार के प्रसाधनों से आवृत्त करना चाहती है। स्विट्ज़रलैंड में मुझे एक सद्यस्नाता, अनलंकृता कुमारी के दर्शन हुए जिसके अंग-अंग का निखार स्वयं एक शृंगार है।

इस ज़्यूरिख शहर को ही देखिए। लन्दन की प्रायः सभी इमारतों के ऊपर एक अजीब कालिमा-सी दिखती थी। फिर वे कितनी भारी-भरकम मालूम देती थीं। ज़्यूरिख के मकान कैसे चमचम कर रहे थे और वे कितने हलके-फुलके मालूम देते थे।

और हर प्रमुख सड़कों के दोनों ओर जो पेड़ों की दुहरी पाँतें थीं। उनके पत्ते-पत्ते धुले-पुछे लगते थे। और हरी-हरी पत्तियों के बीच-बीच जो लाल, पीले, उजले फूलों के गुच्छे। कितनी फबन थी उनमें, कितना आकर्षण था उनमें।

लन्दन के बीचोबीच टेम्स है—दोनों किनारे नगर। टेम्स का पानी गँदला-सा लगता है और उसमें आप उन मकानों की छाया ढूँढ़ भी नहीं पा सकते थे। ज़्यूरिख के बीचोबीच नदी है और उसके छोर पर एक बड़ी झील। किन्तु उनका पानी कितना साफ। किनारे के हर पेड़ जैसे उनमें झाँक रहे हों।

दोनों ओर पहाड़ियाँ, बीच में झील; झील के दोनों किनारे बसा यह सुन्दर नगर। यह ऐसा ताजा और नया मालूम देता था कि जब मार्गदर्शक किसी इमारत के बारे में सदियाँ गिनाने लगता था, तो चिढ़ होती थी।

नदी और झील के इस किनारे को दिखाकर मार्गदर्शक उस किनारे ले गया। शहर को चीरती हुई हमारी गाड़ी एक जंगल से गुजरती हुई मालूम पड़ी। दोनों ओर चीड़ के लम्बे-लम्बे पेड़—धुले-धुलाए पत्तियों से भरे-पूरे। बीच में हमारा रास्ता। हमारी गाड़ी जहाँ रुकी, वहाँ एक क्रीड़ागार है। सामने एक बड़ा सा तालाब; तालाब की तलहटी नीले शीशे की। इसलिए सारा पानी नीला-नीला सा चमक रहा। और वह देखिए, उसमें दो श्वेत मछलियाँ तैर रहीं।

क्या वे मछलियाँ हैं ? नहीं, दो मनुष्य—एक युवक, एक युवती। कटि और वक्ष पर जरा सा परदा—समूचा खुला बदन। जब दोनों एक साथ बाहर आकर खड़े हुए, कितने भले लगते थे वे। वह देखिए, हमारे दल के एक सज्जन उनका फोटो खींच रहे हैं।

चारों ओर हरियाली ही। उन हरियालियों से पंछियों का मधुर कलरव सुनाई पड़ रहा है।

कितनी ही पेंच खाती हमारी गाड़ी आकर झील के किनारे रुकी। सघन पेंड़ों की छाया में कुरसियाँ और टेबुल सजा रखे गए हैं। बगल में ही एक होटल है। होटल से कुछ हलकी-फुलकी पेय वस्तु लाइए और यहाँ होंठों से लगाते हुए इस सुहावने दृश्य की रंगीनियाँ देखिए।

झील में कितनी ही नावें पाल लगाए खड़ी हैं—मानों उड़ने के पहले पखेरुओं ने पंख फैला दिए हों।

ज़्यूरिख स्विट्ज़रलैंड का सबसे बड़ा शहर है और बहुत पुराना है यह। रोमन साम्राज्य की छाप भी इस नगर पर पड़ी थी। एक ऐसी इमारत दिखाई गई जो ग्यारहवीं सदी की थी। यह शहर स्विट्ज़रलैंड के उद्योग-धन्धों और वाणिज्य-व्यवसायों का केन्द्र है। ऊँची-ऊँची सजी-सजाई दुकानों की बहार भी कम मोहक नहीं थी।

ज़्यूरिख में तो हमारा अचानक रैन-बसेरा हो गया था। हमें जाना तो था बर्न—जहाँ भाई सत्यनारायण हमारी प्रतीक्षा में थे। दोपहर में फोन पर उनसे बातें हुईं और हम ट्रेन से चल पड़े बर्न की ओर।

स्विट्ज़रलैंड में आते ही अंग्रेजों की महिमा समाप्त हो जाती है। ज़्यूरिख तक तो किसी तरह उससे काम चल भी जाता है, ज्यों-ज्यों भीतर घुसिए, आपकी वाणी मूक हुई।

जब रेल बर्न की ओर जा रही थी, स्विट्ज़रलैंड की सौन्दर्यराशि और भी निखरती-सी मालूम पड़ी। पहाड़ बिलकुल पेड़ों से ढँके; उनके पत्ते बड़े ही सघन, बड़े ही लुभावने। तलहटियाँ फूलों से भरी ! किन्तु बगल के एक सज्जन, जो संयोग से टूटी-फूटी अंग्रेजी जानते हैं, कहते हैं कि फूलों की बहार तो आप अप्रैल में देखते। हमारा वसन्त तो मार्च-अप्रैल में होता है। उस समय के वे तुरत-तुरत खिले हुए फूल—अब तो बहुत से झड़ गए, जो हैं, उनमें वह रंग कहाँ !

ज्यों-ज्यों देश के भीतर घुमते गए, देहात हावी होती गई। अब तो खेत-ही-खेत। इंगलैंड के खेत बड़े-बड़े। यहाँ के खेत हमारे खेतों की ही तरह छोटे-छोटे और उनमें अनेक प्रकार की फसलें ! खेतों में स्त्रियाँ और बच्चे भी काम करते दिखाई पड़ते हैं।

देखिए, उस खेत में कमर तक बढ़ आई फसल में धँसी वह कौन-सी कुमारी अपने घाघरे को हिला रही है ? क्या मटर की फलियाँ तोड़ रही है ? निस्सन्देह वे फलियाँ बहुत मीठी होंगी !

बीच-बीच में नदियाँ—पहाड़ी नाले-सी वे बड़े जोरों से बह रहीं। किन्तु पानी दर्पणोपम, स्वच्छ !

और इन नदी-नालों, खेतों-गाँवों को पीछे छोड़ती हमारी ट्रेन लगातार बढ़ती ही जा रही है। यह ज़्यूरिख से खुलती है और सौ मील की सफर तय करके बर्न में ही ठहरती !

बर्न—स्विट्ज़रलैंड की राजधानी ! छोटा देश, छोटी राजधानी। कुल एक लाख अस्सी हजार की जनसंख्या !

स्टेशन से बर्न के इण्डियन लिगेशन के ऑफिस में। बड़ी प्रसन्नता हुई यह देखकर कि उसके सामने ऊपर देवनागरी में लिखा हुआ है—'भारत की लिगेशन'। काश, लन्दन के 'इन्डिया हाउस' के कितने ही मकानों में से एक भी मकान के आगे भारत की राष्ट्रलिपि में एक अक्षर भी कुछ लिखा हुआ दिखाई पड़ता !

वहाँ से प्यारे सत्यनारायण की कुटीर में ! शहर से दूर—पहाड़ी के नीचे यह खूबसूरत कुटीर ! भीतर गए—उसकी सजावट और उस सजावट में भारतीयता देखकर हम तृप्त हो गए !

चाय, जलपान। सत्यनारायण ने बताया कि बर्न आजकल किस प्रकार अन्तरराष्ट्रीय दाँव-पेचों का अखाड़ा बन गया है। यह भी बताया कि किस प्रकार हमारी गलती से हमारे करोड़ों रुपए व्यर्थ में बरबाद हो रहे हैं।

संध्या को हम मटरगश्ती में निकले। सत्यनारायण ने अपनी मोटर ले रखी है, स्वयं हाँकता है। बड़ा मजा रहा !

पहले पहाड़ी की ओर गया। जहाँ से स्विट्ज़रलैंड की सबसे ऊँची चोटी देखी। बर्फ चमक रही थी; बादल छा रहे थे ! मीलों तक इन बर्फीली चोटियों को देखते हुए हम अघाते नहीं

थे।

बर्न के हवाई अड्डे पर गए। आरे नदी के कछार पर जाकर घूमे। लौटते समय एक गाँव में गए। यहाँ तो अस्तबल में भी बिजली जलती है। ज़रा बटन दबाया और तीन घोड़े दिखाई पड़े। इतने पुष्ठ और सबल घोड़े तो मैंने फौज के अतिरिक्त कभी अन्यत्र नहीं देखा था। गोश्त से उनके पुट्ठे धँसे से लगते थे। खेतों में काम करने के कारण उनके पैर बहुत मोटे हो चले थे और कितने सूधे लगते थे वे। हमें यों देखने लगे, मानो अब बोलेंगे—अतिथि, तुम्हारा स्वागत !

फिर हम बर्न नगर में आए ! सत्यनारायण की मोटर नदी के किनारे-किनारे चल रही थी। नदी के किनारे लगभग तीन मील तक इसी तरह की पक्की सड़क बना दी गई है। शाम को उस पर टहलते हैं या मटरगश्ती करते हैं। सड़क के किनारे जगह-जगह पेड़ों की कुंजों में कुरसी-टेबुल लगे हैं और नागरिक-नागरिकाएँ मौज मना रहे हैं। जगह-जगह स्नानागार बना दिए गए हैं। नदी से अलग लम्बे तालाब से खोद दिए गए हैं। उन तालाबों में नदी का पानी छनकर आता है, जिसमें नदी का कूड़ा-करकट या गन्दा पानी नहीं पहुँच सके। इन तालाबों में सुन्दर घाट बँधे हैं, तैरने के सामान रख दिए गए हैं, किनारे पर कपड़े बदलने के लिए घर बनवा दिए गए हैं !

आज बार-बार अपनी गंगा की याद आती रही। हम गंगा को माता कहते हैं न ? किन्तु क्या दुर्दशा कर रखी है उनकी और उनमें गोता लगानेवाले भगतों और भगतिनों की ? कितनी गन्दगी; कैसी बेपरदगी !

एक जगह नदी में बाँध देकर झरने का मजा पैदा कर दिया गया है। बाँध के ऊपर से गिरती हुई फेनिल धारा पर बिजली की रोशनी ऐसी डाली गई है कि वहाँ अद्‌भुत सप्तरंगी सौन्दर्य की सृष्टि होती है !

आरे के इस पार से पार्लियामेंट भवन और कैथिड्रल के ऊँचे गुम्बद कितने अच्छे लगते थे। इन दोनों भव्य-दिव्य इमारतों पर रोशनी का ऐसा प्रबन्ध था कि इन्हें देखते ही रहने की इच्छा होती थी। एक ओर, जनमन्दिर, दूसरी ओर, देवमन्दिर ! जब इनके निकट गया, देखा, दोनों के उपासक दोनों के आँगनों में भीड़ लगाए हुए हैं !

यूरोप दो महायुद्धों से गुजरा है। इन दोनों महायुद्धों से इसके किस देश की को तबाह नहीं किया ? अगर कोई देश बचा रहा, तो यह छोटा सा देश, जहाँ तीन भाषाएँ बोली जाती हैं, जहाँ कई नस्ल के लोग हैं, जिसके झंडे पर एम्बुलेंस का चित्र है !

अतः यह देश आज भी भरा-पूरा है, सुख में है, आनन्द में है। सत्यनारायण कहते हैं, जिसके पास पैसे हों, वह इस देश में अवश्य आए। वह पूरा आनन्द पा सकेगा और थोड़े ही दिनों में वापस भी जा सकेगा, क्योंकि यहाँ शीघ्र पैसे चुक जाने के अनेक साधन सुलभ हैं !

सत्यनारायणजी चाहते थे कि मैं उनके साथ यूरोप के उत्तरी देशों में चलूँ और कम-से-कम 'आधी रात के सूर्य का देश' तो देख ही जाऊँ। कम-से-कम बर्लिन देख आने का आग्रह तो उनका था ही। किन्तु मुझे तो शीघ्र भारत लौटने की पड़ी है। अतः आज एक अन्तिम कार्यक्रम बना लिया गया जिसके अनुसार स्विट्ज़रलैंड, फ्रांस और इटली पर ही सन्तोष करके 4 जून की भोर में दिल्ली पहुँच जाना है।

वह मनोहारी झील

27 मई, 1951

आज भोर से ही वर्षा होती रही। सत्यनारायण का यह बँगला शहर से कुछ दूरी पर है। यहाँ से देहात की हरियाली और पहाड़ों की सुषमा स्पष्ट दिखाई पड़ती है। बँगले के दुमंज़िले कमरे में लेटे-लेटे ही बाहर का भी सौन्दर्य रहे।

यह बर्न नगर, इसी नाम के एक प्रदेश का मुख्य नगर है। यह समुद्र तल से एक हजार सात सौ सत्तानबे फीट ऊँचे पर बसा है और इसकी जनसंख्या है एक लाख तीस हजार तीन सौ तीस। यह 1848 से ही स्विट्ज़रलैंड का संघीय राजधानी है। यहाँ से स्विट्ज़रलैंड के सर्वसुन्दर पहाड़ों की चोटियाँ दिखाई पड़ती हैं, जिनमें जुंग फ्राउ सबसे सुन्दर समझी जाती है। जुंग फ्राउ का अर्थ है, नई दुलहिन। कल तय हुआ था कि हम लोग आज सत्यनारायण के साथ चलकर इस नई दुलहिन का घूँघट हटाएँगे, किन्तु घटाओं का यह घूँघट तिपहरिया तक घर में ही घेरे रहा।

बर्न का अपना विश्वविद्यालय है, जिसमें दो हजार दो सौ विद्यार्थी पढ़ते हैं। बर्न कोई औद्योगिक केन्द्र नहीं है, बल्कि एक कृषिजीवी देश की समृद्ध राजधानी है। बर्न बहुत ही पुराना शहर है और इसकी प्राचीनता की सूचना देनेवाले बहुत से स्मृतिचिह्न इधर-उधर बिखरे पड़े हैं। कहा जाता है, बर्न की स्थापना बारहवीं सदी में ही हुई थी और इसने कितनी ही बड़ी-बड़ी लड़ाइयाँ और उलट-फेर देखे हैं। एक समृद्ध देश की राजधानी के अनुरूप कला का संग्रहालय, नाट्यगृह, नृत्यगृह, ऐतिहासिक संग्रहालय, राष्ट्रीय पुस्तकालय, सुन्दर बगीचे; जिनमें गुलाब का बगीचा बहुत नामी है, स्केटिंग के अखाडे, स्नानगृह आदि सभी सुखपभोग के साधन प्रस्तुत हैं।

दो बजे के बाद हम लोग बाहर निकले। सोचा गया, वर्षा हो रही है तो क्या, इस रिमझिम में थोड़ी दूर से तो हम घूम ही आएँ। सत्यनारायण की गाड़ी पर हम लोग 'ठून' की ओर रवाना हुए। ठून, बर्न से अठारह मील पर है। गाड़ी से उतरकर ज्यों ही हम कुछ कदम आगे बढ़े कि ठून की झील दिखाई पड़ी और इस झील को देखते ही जैसे रोम-रोम पुलकित हो उठे और मानो वे चिल्ला-चिल्लाकर कह रहे हों—अद्‌भुत, परम अद्‌भुत ! हम एक बगीचे में खड़े थे, हमारे चारों ओर फूल-फूल ही थे। जब पैर के नीचे ध्यान गया तो पाया, वहाँ भी छोटे-छोटे और रंग-बिरंगे फूल घास की जगह पर बिछे हुए हैं। हमारी बाईं ओर से नदी आकर इसी झील में गिर रही है और झील नीले पानी का एक ऐसा विस्तृत अंचल, जिसका कहीं ओर-छोर न हो। हवा जोंरो से बह रही थी, हमारे ओवरकोट को जैसे हमारी देह से उतारकर फेंक देना चाहती हो। इस तेज हवा के चलते झील में बड़ी-बड़ी तरंगें उठ रही हैं और टूट रही हैं। ऐसा लगता है कि नीली सरज़मीन पर अनेकानेक हंस-कुमार बन रहे और बिगड़ रही हों। जब हम किनारे पर खड़े थे, हवा के झोंके के साथ कुछ बूँदें आकर शरीर पर गिरतीं। ऐसा भावावेश था कि इच्छा होती कि झील में अब भी कूद पड़ा जाए। झील के चारों ओर पहाड़ों की ऊँची-ऊँची, उजली-उजली चोटियाँ, जिन पर बादलों के दल तरह-तरह के खिलवाड़ कर रहे। यों चारो ओर से पर्वतों से घिरी यह झील स्वप्नपुरी-सी लगती थी।

पता चला, यह झील अठारह मीलों तक चली गई है। इसकी चौड़ाई दो मील है और गहराई सात सौ पन्द्रह फीट। इसकी बाईं ओर पाँच प्रसिद्ध चोटियाँ हैं, जिनमें एक जुंग फ्राउ है। दाहिनी ओर इसी तरह की चार प्रसिद्ध चोटियाँ हैं, इन नौ चोटियों से यह झील और भी खूबसूरत बनी हुई है। यह झील इन्टरलॉकेन तक चली गई है, जहाँ तक स्टीमर-सर्विस भी

जाती है। हमारे सामने ही एक छोटी सी अगिन वोट उस ओर जा रही थी।

ठून भी एक खूबसूरत शहर है। औद्योगिक बाजार होने के साथ ही यहाँ अस्त्र-शस्त्रों के कारखाने भी हैं। हम लोग एक सैनिक संग्रहालय को देखने गए। युद्ध सम्बन्धी सारी सामग्रियाँ वहाँ बड़े सलीके से सजाकर रखी गई हैं। तरह-तरह की तोपें, तरह-तरह की बन्दूकें, तरह-तरह की तलवारें, तरह-तरह के जिरहबख्तर। स्विट्ज़रलैंड के कुछ बड़े सेनापतियों के अस्त्र-शस्त्र और जिरहबख्तर भी रखे हुए हैं। पहाड़ी युद्ध में एम्बुलेंस के दस्ते किस तरह काम करते हैं, नमूनों के सहित दिखाए गए। स्विट्जरलैंड ऐसे पहाड़ों के घिरे देश को दुश्मनों से बचाने के लिए सबसे सरल और कारगर तरीका क्या हो सकता है, यह भी दिखलाया गया है। निस्सन्देह, ऐसे सैनिक संग्रहालय युवकों के मन में सैनिक भावना उत्पन्न करने में बड़े ही उपयोगी सिद्ध होंगे। बार-बार सोचता, ऐसे संग्रहालयों की अपने देश में कितनी आवश्यकता है।

मौसम खराब होने के कारण हम ठून से आगे नहीं जा सके, वहीं से लौट चले। बहुत ही रूमानी वातावरण था। सत्यनारायण से प्रवास सम्बन्धी तरह-तरह की बात करते शाम को हम फिर बर्न आ पहुँचे। बर्न में सत्यनारायण के आग्रह पर यहाँ के दूतावास के प्रधान से मिले। वृद्ध सज्जन, जवानी में ही देशभक्ति की भावना से देश छोड़कर यूरोप आ गए और कुछ-न-कुछ देश के लिए करते रहे। पिछली लड़ाई के समय जब नेताजी यूरोप आए तो आपको उन्होंने अपना प्राइवेट सेक्रेटरी बनाया और जब यूरोप छोड़कर वह सिंगापुर चले गए तो इन्हें ही अपना यूरोप का राजदूत बनाया। जब जर्मनी की पराजय हुई, आप युद्धबन्दी बनाए गए और बड़ी-बड़ी मुश्किलों से पंडित नेहरू के हस्तक्षेप से आपकी रिहाई हुई।

किन्तु लक्षण ऐसे लग रहे हैं कि शायद आपको दूतावास से हटना पड़ेगा। क्योंकि श्री भूलाभाई के सुपुत्र धीरुभाई की मृत्यु को लेकर यहाँ तरह-तरह की बातें चल रही हैं और ऐसा लगता है, स्विट्ज़रलैंड के भारतीय दूतावास के व्यक्तियों में बहुत बड़ा परिवर्तन हो।

रात भर टिप-टिप बारिश होती रही। हम लोग बहुत देर तक गप्पें करते रहे। तय हुआ, इस बरसात के मौसम में स्विट्ज़रलैंड के मनोहारी दृश्यों को देखना मुमकिन नहीं, अतः कल ही फ्रांस के लिए रवाना हो जाया जाए और उधर से लौटती बार जिनेवा, लुज़ान को देखते फिर घर की ओर।

बर्न से पेरिस

28 मई, 1951

बादल खुल गया है, सुनहली धूप निकल आई है। इच्छा होती है, एकाध दिन यहाँ और ठहर लिया जाए। किन्तु यह हो नहीं सकता—हवाई जहाज का जो सम्बन्ध हमने तय कर लिया है, उसे बदला नहीं जा सकता। लेकिन जाने के पहले कुछ चीज़ें तो खरीद लेनी ही है। जलपान करने के बाद हम लोग बाजार चले। यहाँ का बाज़ार कोई बहुत लम्बा-चौड़ा नहीं; लेकिन साफ-सुथरा। बड़े-बड़े मकान, शीशे के भीतर चमचमाती चीज़ें। दुकानों में काम करनेवाली स्विट्ज़रलैंड की स्वस्थ सुन्दर युवतियाँ—अंग्रेजी भाषा समझने में उन्हें कुछ कठिनाई हो सकती थी, लेकिन सत्यनारायण के रहने से कोई दिक्कत नहीं हुई। मुझे जित्तिन के लिए 'एयर रायफल' खरीदना था और दुलहिन के लिए एक घड़ी। ओझा को एक कैमरा और एक घड़ी। स्विट्ज़रलैंड में आर्म्स एक्ट नहीं है। सभी नागरिकों को मन चाहे अस्त्र-शस्त्र खरीदने और उन्हें

व्यवहार करने का हक है। एयर रायफल के लिए तो अपने देश में भी लाइसेंस की जरूरत नहीं, इसीलिए ले लिया। किन्तु बढ़िया पिस्तौल-रिवाल्वर, सस्ती-से-सस्ती कीमत पर बिकते देखकर मन बहुत ललचाया। दुकानदार ने कहा—हमारे सारे देश में तो आपको इन हथियारों को रखने में कोई दिक्कत नहीं होगी; किन्तु उसके बाद आप जानें, आपकी सरकार जाने।

घड़ियों के लिए तो स्विट्ज़रलैंड मशहूर है ही। घड़ियाँ अच्छी ही होती हैं और सस्ती भी होती हैं। कैमरे भी तरह-तरह के देखे—सुन्दर, टिकाऊ, सस्ते। ओझा ने एक खरीद लिया। सौदा-सुल्फ़ करके हम 'टॉमस कुक' के दफ्तर में आए और अपनी पेरिस यात्रा के सम्बन्ध में सारी बातें तय कीं। यह टॉमस कुक कम्पनी भी एक अजीब सी चीज है। इसके सूत्र को आप पकड़ लीजिए फिर संसार भर की यात्रा आप मजे में कर आएँगे। हमने उन्हें कह दिया और उन्होंने लन्दन फोन करके ज़्यूरिख से हमारे लिए हवाई जहाज की सीट रिज़र्व करा दी। यहाँ से पेरिस जाने और जिनेवा होकर ज़्यूरिख लौटने तक का टिकट बनवाकर मँगवा दिया। पेरिस में हमारे लिए एक होटल में जगह ठीक कर दी। हम सिर्फ कहकर खाने चले गए थे। जब खाकर लौटे, सारी बातों का प्रबन्ध हो चुका है और तब उन्होंने अपना बिल दे दिया। इन सारी सेवाओं के लिए वे कुछ नहीं लेते। जिस चीज में जितना दाम लगता है, उतना ही देना पड़ता है।

शाम का खाना स्टेशन पर ही खाकर हम लोग पेरिस के लिए रवाना हो गए। मैंने सत्यनारायण से आग्रह किया कि कम-से-कम शाम का खाना मेरी ओर से हो और अब भोजन के बाद बिल का भुगतान करना पड़ा तब सत्यनारायण की बात याद आई—जिनके पास ज्यादा पैसे हों, वही स्विट्ज़रलैंड आएँ। उनके पैसे तुरत खर्च हो जाएँगे, ताकि वे जल्दी अपने घर लौट जाएँ।

गाड़ी आने में देर थी। हम स्टेशन पर ही रह गए। सत्यनारायण को अपनी उत्तर यात्रा की तैयारी करनी थी, अतः हमने उन्हें फुरसत दे दी। बस, दो आदमी एकाकी उस सुदर देश में चहलकदमी कर रहे हैं। न हम किसी की भाषा समझ सकते हैं, न हमारा रूप-रंग ही उनसे मिलता है। किन्तु मानों वे ऐसे अपरिचितों को देखने के आदी हो गए हैं। एक बार सिर से पैर तक देखते हैं, फिर चल देते हैं। हम कभी बुक-स्टॉलों के नजदीक जाते हैं, किन्तु वहाँ भी पुस्तकें और पत्रिकाएँ अंग्रेजी की नहीं बिकतीं। अख़बार भी जो मिलते हैं, वे भी स्विट्ज़रलैंड की भिन्न-भिन्न भाषाओं के ही। यहाँ के अख़बारों की पृष्ठ संख्या देखकर मैं तो हैरत में पड़ गया हूँ—कोई भी ऐसा अखबार नहीं देखा जो बीस-पच्चीस पृष्ठ से कम का हो और यहाँ का एक बहुत बड़ा अख़बार तो लोगों में मुफ्त ही बँटता है। स्विट्ज़रलैंड के सभी ऐसे लोगों के नाम इनके पास हैं, जिनमें चीजें खरीदने की ताकत हो। वहाँ के व्यापारी अपनी चीजों का विज्ञापन इस पत्र में देते हैं और इस सम्पादित दैनिक के रूप में यह अख़बार ऐसे सभी घरों में पहुँच जाता है। इन अखबारों को देखकर अपने देश के अखबारों की दयनीय और करुण स्थिति की याद बार-बार आती थी।

विदेशी भाषाएँ न जानने से कभी-कभी कितनी परेशानी हो जाती है, यह यहाँ अनुभव किया। इंगलैंड में तो जहाँ 'जेन्टिलमैन' लिखा देखा, समझ गया, यहाँ पेशाबखाना होगा। लेकिन 'जेन्टिलमैन' का स्वीस रूप क्या है, हमें मालूम नहीं। और हम जिससे पूछते हैं, वह हमारी भाषा नहीं समझता। स्टेशन के कमरों पर के साइन बोर्ड को पढ़ने और समझने की कोशिश करता। एक-दो में घुसकर देखने की कोशिश भी की, लेकिन असफलता। एक ऐसे सज्जन दिखे, जिन्हें देखकर हमने मान लिया कि ये अंग्रेजी जरूर जानते होंगे और बात सही भी निकली। उनसे पूछने पर मालूम हुआ, स्टेशन से अलग 'अन्डर ग्राउन्ड' में पेशाबघर है। वहाँ

जाकर हम निवृत्त हुए।

गाड़ी स्टेशन पर पहुँचने के थोड़ी देर पहले देखा, सत्यनारायण फिर आ पहुँचे हैं। हम लोगों ने 'स्लीपिंग कार' के लिए टिकट लिये थे। वहाँ के उन सोनेवाले डब्बों के आराम का क्या कहना ? वहाँ बिछावन है, ओढ़ना है, तकिया है, डब्बों को बिजली से गरम रखा गया है। रोशनी का इन्तजाम ऐसा है कि आप सोए ही सोए उन्हें जला सकिए, बुझा सकिए ? हमारे सामान रखवाकर इस गुलगुले बिछौने और ओढ़ने के अन्दर सुलाकर, सत्यनारायण गार्ड से मिलने गए और उसे बुलाकर हमसे मिला दिया।

बात यह है कि यह गाड़ी रात में ही स्विट्ज़रलैंड की सरहद पारकर फ्रांस पहुँच जाती है। सरहद पर ही पासपोर्ट की जाँच होती है। उन्होंने ऐसा प्रबन्ध कर लिया कि हमारे सोने में कोई बाधा न हो और यह काम भी हो जाए। हमने अपने पासपोर्ट गार्ड को दे दिए और सोए रहे।

कुछ इधर-उधर की बातें, कुछ इनकी उन्नति पर प्रशंसा, कुछ अपनी देश दशा पर आह-उसाँस, फिर पेरिस का रंगीन सपना दिमाग में लिये सोने जा रहा हूँ।

(ज) पेरिस के दिन, पेरिस की रातें !

पेरिस की ओर

29 मई, 1951

वह नींद टूटी; देखता हूँ, मेरी गाड़ी हरे-भरे मैदानों से गुजर रही है। यह भूमि फ्रांस की है। फ्रांस—यह कल्पना ही सारे शरीर में आनन्द की पुलक लाने को काफी थी !

फ्रांस—यूरोप की सभ्यताभूमि, कलाभूमि, भावनाभूमि ! फ्रांस ने संसार को फ्रांस की क्रान्ति या नेपोलियन ही नहीं दिए। इतिहास में राजनीति को इतना अधिक स्थान मिल गया है कि उसने मानव के अन्य सारे प्रयत्नों को दबा रखा है ! इतिहास—राजाओं की नामावली पढ़िए, राज्यों की उलट-पुलट का वर्णन पढिए या विजेताओं की यशोगाथा पढ़िए—जिनका सबसे बड़ा कर्तव्य यह कि कितने देशों को गुलाम बनाया, कितने लोगों को तलवार के घाट उतारे!

जब इतिहास सारे मानव प्रयत्नों को स्थान देना शुरू करेगा, फ्रांस यूरोप के सभी देशों में शीर्ष स्थान पाएगा ही, संसार के इतिहास में भी उसका उल्लेख सोने के अक्षरों में होगा!

किन्तु फ्रांस की भूमि का दर्शन ही मुझे कहाँ भावना में बहाए ले जा रहा है।

तो सामने यह मैदान। स्विट्ज़रलैंड ऐसी छोटी-छोटी खेतियाँ नहीं तो इंगलैंड ऐसे बड़े-बड़े चकले भी नहीं।

खेतों में फसलें लगी हैं, कहीं पशु चर रहे हैं, कहीं सड़कों पर साइकिलें दौड़ रही हैं। देखिए, देहात की इस सड़क पर भी वह कोई युवती है जिसकी साइकिल सर-सर अभी बढ़ रही है, किन्तु जिसके सुनहले बाल पीछे लहरा रहे हैं !

फ्रांस की कामिनियाँ—कैसी रंगीन कल्पना है उनके बारे में। किन्तु सामने के पेड़ पर जो दो पंडुक बैठे दीख रहे हैं, यह कहते हैं, कामिनियों को पेरिस में देखना; अभी हमें देखो—इस देहाती वातावरण को देखो !

पर क्या यह सम्भव है ? ज्यों-ज्यों गाड़ी बढ़ती जाती है, शहराती वातावरण सामने आता जाता है ? उफ, यह श्मशानभूमि—कितने लोगों की कब्रें एक साथ दिखाई पड़ीं ?

जीवन मधुर है—तो मृत्यु भी तो अटल घटना है।

अब खेतों की जगह बगीचे दिखाई पड़ते हैं, फसलों की जगह तरकारियाँ उपजाई जा रही हैं ! सड़कों पर ट्रक—सब्जी, फल, फूल से भरे वे कहाँ जा रहे हैं ? पेरिस !

पेरिस हमारे निकट होती जा रही है !

किन्तु यह क्या ? ज्यों-ज्यों पेरिस निकट आती जाती है, सौन्दर्य पीछे भागता जा रहा है। इधर-उधर छोटे-बड़े कारखाने, उनकी चिमनियाँ धुआँ उगल रहीं !

धुँआँ, धुआँ ! मकान काले, हवा में कालिमा ! पेरिस ! तुम क्या असुन्दर हो ? लोगों ने क्या धोखा दिया था ? इतना बड़ा धोखा—हाँ, इतना बड़ा धोखा, यह पेरिस के रेलवे स्टेशन ने डंका बजाकर कहा ! मकान काले, वातावरण काला; और लोग ! मैं तो पेरिस की कामिनियों को देखने आया हूँ, वे कहाँ हैं ?

स्टेशन पर सामान रख चला सिटे विश्वविद्यालय की ओर, जहाँ एक परिचित सज्जन हैं।

टैक्सी पर जा रहा हूँ—सड़कों पर घूर-घूरकर देख रहा हूँ। क्या देखता हूँ, क्या पाता हूँ ?

ढूँढ़ता हूँ परियाँ—पाता हूँ, सड़क पर कूड़ा-कचरा, अधेड़ मोटरें, धक्कम-धुक्का। बगल में तरकारियों की दुकान, फलों की दुकान और हाँ, यह फूलों की दुकान भी। किन्तु मैं तो दूसरे किस्म के फूल देखना चाहता हूँ—चलते-फिरते, हँसते-मुसकराते फूल ! हाँ, देखिए, इन अनेक अधबूढ़ियों में वह कोई युवती ही तो चली आ रही है। किन्तु धोखा—आँखों ने धोखा दिया। जब निकट आई, देखता हूँ, मुँह पर मकड़ी का जाला!

अच्छा है, हमारी टैक्सी तेजी से बढ़ती जा रही है। जहाँ-जहाँ चौराहे, वहाँ-वहाँ प्रतिमाएँ। किन्तु मन भिन्ना उठा है, उन्हें ध्यान से कौन देखे। यह बूढ़ा शेर—किसने इस पर हरा रंग पोत दिया है। टैक्सी, टैक्सी भागो, भागो !

सिटे यूनिवर्सिटी ! टैक्सीवाले ने जो माँगा, वह दिया। यहाँ के हिसाब का क्या कहना ? हर चीज़ हज़ार में ! सैकड़े पर आया, तो भाग्य समझिए। बर्न से ही हम तीस हज़ार ले आए थे—फ्रांस का फ्रैंक ! शायद सबसे सस्ता सिक्का।

जब यूनिवर्सिटी के हाते में गया, तो जी-में-जी आया ! कैसी सुन्दर इमारतें, कितने रंगीन फूल, कितना बड़ा मैदान ! और युवक और युवतियाँ ! इधर-उधर की बेंचों पर बैठे, कोई मैदान में खेलते-कूदते। एक काला चेहरा देखा, तो उन्हीं से पूछ बैठा। गोयराला तो मिले नहीं, इस सिलोनी युवक आनन्द ने अपने व्यवहार से मन को आनन्दित कर दिया।

सोचा, चलो, एम्बेसी। सत्यनारायण ने ब्रिगेडियर ठक्कर के नाम पत्र दे दिया है। फिर कोई-न-कोई भारतीय तो मिल ही जाएगा।

अंग्रेजी भाषा का राज्य पूरा खत्म हो चुका है। किससे पूछें, क्या पूछें ! जिससे पूछते हैं, वह मुँह देखने लगता है। अन्त में एक सज्जन मिले, जो टूटी-फूटी अंग्रेजी जानते थे। उन्होंने टैक्सीवाले को बता दिया, भूलते-भटकते हम भारतीय दूतावास में पहुँचे।

ब्रिगेडियर ठक्कर तो मिले, किन्तु वह अभी-अभी पेरिस से बाहर जा रहे हैं ! हाँ, उन्होंने बतलाया कि सत्यनारायण ने उन्हें फोन किया था और कहा कि प्रेसिडेन्ट के प्राइवेट सेक्रेटरी का केबुल मेरे नाम से आया है कि अवधेश्वर भले चंगे हैं ! इस समाचार से थोड़ा आश्वस्त हुआ। किन्तु सवाल तो रह ही गया कि पेरिस कैसे देखा जाए—ठक्कर साहब ने कहा था कि यहाँ के इन्फॉरमेशन इंचार्ज प्रेमदा से मिलिए, पर भारतीय दूतावास क्या ऐसे हैं जहाँ भारतीयों को सहायता मिल सके ?

बार-बार चेष्टा करके भी जब वहाँ किसी को खोज-खबर लेते नहीं देखा, तो कुक की शरण ली। विदेशों के यात्रियों के लिए टॉमस कुक के अधिक सहायक कोई दूसरा नहीं। उसी के बताए एक होटल में डेरा डाल फिर सिटे की ओर चले !

अब शाम होने को थी। अरे, अब तो पेरिस की कायापलट हो चुकी है। वही सड़कें, वहीं मैं। किन्तु अब तो दूसरा ही रंग दिखाई पड़ता है। तुरत एक पुरानी कहानी याद आ गई। एक राजकुमार किसी वेश्या से फँसा था। राजा ने कहा—वहाँ जरूर जाओ, किन्तु संध्या को नहीं, भोर को ! राजा का कहना ठीक था। मैंने जिसे भोर में देखा, संध्या को वह पेरिस, वह पेरिस नहीं रह गई थी !

फिर गोयराला से भेंट नहीं हुई, हाँ, बलवीरजी मिले। वह पेरिस के भारतीय विद्यार्थियों की मजलिस के सभापति हैं, गोयराला उप-सभापति। उप-सभापति का काम सभापति ने किया। उन्होंने कुछ जरूरी सलाहें दीं। हमने तय कर लिया, अब पेरिस में अपनी नाव आप खेनी है।

जब लौट रहे थे, पेरिस की शोभा अपने ओज पर थी। सज-धजकर वह हर अतिथि को सादर आमन्त्रित कर रही थी। हमने भी सोचा, चलो, पेरिस की सबसे बड़ी खूबी से ही पेरिस के देखने का श्रीगणेश करें।

कैसिनो दि पेरिस—पेरिस आकर कौन इसे बिना देखे जा सकता है ? उसी को देखें। जब उसके दरवाजे पर पहुँचे, देखा, दो और भारतीय वहाँ खड़े हैं। दो-दो चार। चार भारतीय कतार में। हम खुद एक तमाशा बन गए थे।

पेरिस की नाज़निनों का अखाड़ा जुटा—मनचलों का जमघट लगा। नीचे ऊपर—क्या एक भी जगह खाली ?

यह कैसिनो क्या है ? क्या नहीं है ? यहाँ नृत्य है, संगीत है, रंगों का मेला है, उमंगों की बरसात है। लगभग तीस लड़कियाँ चढ़ती जवानी; निखरा यौवन ! आती हैं, गाती हैं, नाचती हैं ! पहले कपड़े पहनकर आती हैं, फिर कपड़े उतारकर आती हैं। देखिए, वह लड़की लेटी है—पैर से सिर तक देखिए, पृष्ठभाग है यह। मांसल जाँघ, पृथुल नितम्ब, क्षीण कटि, पीन पृष्ठभूमि। उस लड़की को देखिए, वह जरा तिरछे आपकी तरह घुमी हुई है। नख से शिख तक देखिए। आपकी आँखें कहाँ जाकर अड़ीं, देख रहा हूँ। आपकी ही नहीं, सारी आँखें। गोरे कटोरे के ऊपर उस लाल बिन्दु पर। आप शरमा रहे हैं। शर्म की क्या बात ? यह पेरिस है। पेरिस क्या आपकी शर्म दूर करेगी ? देखिए, दोनों ने अँगड़ाइयाँ लीं, उठ खड़ी हुईं और लीजिए—यह ताक धिनाधिन। आवरण-भूषण के बन्धनों से मुक्त दो रतिदूतिकाएँ आपकी भावुकता को आमन्त्रण दे रही हैं ! तरह-तरह की अंग-भंगिमा, तरह-तरह के हाव-भाव।

नग्न सौन्दर्य ! सुना था, यूरोपीय चित्रकारों की कृतियों में देखा भी था। किन्तु यों प्रत्यक्ष देखने का तो यह पहला ही अवसर था। जो दो थीं, अब दस हो गईं। नीचे के रंगीन रंगमंच पर नग्न सौन्दर्य का यह प्रदर्शन, जिसे ऊपर की रंग-बिरंगी रोशनी और भी झलमल-झलमल बना रही है। किन्तु, कभी-कभी प्रशंसा करने को भी जी चाहता है ! कैसे सुडौल शरीर हैं ! पिडलियाँ, जाँघें, कटि, वक्षस्थल, गरदन, बाहें, उँगलियाँ—सबमें एक अजीब तारतम्य। दस चेहरे, दस ढंग की बनावटें; किन्तु दसों मिलकर कैसे नारी प्रतिमाओं की एक माला ! एक ताल पर पैर उठ रहे, कटि हिल रही, वक्षों में स्फुरण हो रहा, हाथ हिलोरें ले रहे, अंगुलियाँ नाच रहीं। नग्न सौन्दर्य क्या सिर्फ वासना को ही उभारता है ?

रंगमंच के कौशल का भी क्या कहना ? कभी ये सुन्दरियाँ फूलों के रूप में खिलती हैं; कभी ऐरोप्लेन के रूप में उड़ती हैं ! जादू-सा लगता है, जादू-सा।

और रंगमंच का जादू दर्शक मंडली पर क्या असर कर रहा है ? हर दर्शक की बगल

में एक दर्शिका—चाहे वह पत्नी हो, या प्रेयसी हो ! हाँ, यहाँ पत्नियाँ भी अपने पति को बगल में बिठलाकर ऐसे दृश्य देखने में नहीं झिझकतीं ! और प्रेमिकाएँ न देखें, तो दिखाएँ कैसे ? कोई-कोई तो अभी दिखला रही हैं। मेरे सामने जो छोकड़ी बैठी है, वह किस निर्लज्जता से अपने को, बगल में बैठे अपने प्रेमी की गोद में डाल देती है !

तीन घंटे का खेल। इन तीन घंटों तक आप तीनों लोक और तीनों काल न भूले रहें—तो मैं बाजी हारने को तैयार हूँ। बीच में जो पन्द्रह मिनट का इन्टरवल—वह तो रंग को और गाढ़ा कर देता है ! देखिए, किस तरह प्यालियाँ उछल रही हैं, खनक रही हैं—और मेरे एक दोस्त को इस मौके पर भी पानी पीने की सूझ रही है—तो एक गिलास पानी दो सौ फ्रांक में पीजिए ! इससे सस्ती तो यहाँ है लाल शराब—फ्रांस की प्यारी चीज़, सर्वसाधारण की चीज, नितान्त निरीह समझी जानेवाली चीज़।

जब कैसिनो से लौट रहा था, तब मालूम हुआ, पेरिस क्या है ? और जो पेरिस में रम गया, उसका दिल फिर किसी दूसरी जगह क्यों नहीं रमता !

लुव्र

30 मई, 1951

क्या दो दिनों में पेरिस देखी जा सकती है ? जो शहर अपने जन्म की दो हजारवीं वर्षगाँठ मना रही है, उसे कुछ घंटों में देखना—पागलपन नहीं तो क्या है ?

किन्तु आवश्यकता कभी-कभी बड़े-से-बड़े पागलपन को कस लेती है। कल का दिन बरबाद गया, कल की रात में ही पेरिस को छोड़ देना है। फिर हमारे लिए चारा क्या रह गया है ? जो कुछ घंटे हैं, उनका उपयोग करो, उपयोग करो, न बैठो, न सोओ—देखो, देखो !

और आज भोर में नहा-धो के जो निकला, तो रात के यह दो बजे आकर सोने जा रहा हूँ।

दिन भर पेरिस के कलातीर्थों के दर्शन करता रहा; रात में पेरिस के नैश-बिहार की एक झाँकी ली। पेरिस का नैश-बिहार विश्वविख्यात है। पेरिस आकर यदि इससे वंचित रह गए, तो जानकार गरदनें हिलाकर आप पर मुसकराएँगे।

कुक की शरण ली। छः सौ फ्रैंक में आधुनिक पेरिस, छः सौ फ्रैंक में ऐतिहासिक पेरिस, पांच सौ सत्तर फ्रैंक में वारसलीज और दो हजार पांच सौ फ्रैंक में नैश-बिहार। नैश-बिहार को महँगा तो होना ही चाहिए। बात यों है कि वहाँ सिर्फ जाना नहीं होता है, नशा भी करना लाजिमी है। न पीजिए, किन्तु पिलाइए और छककर !

भोर में आधुनिक पेरिस देखी। कम-से-कम बीस चीज़ें दिखलाईं—एक-से-एक अद्‌भुत, विशाल, कलामयी, सौन्दर्यमयी। लेकिन मेरे मन को भाईं सिर्फ दो चीज़ें—लुव्र और कलबर्ट। एक में कला के दर्शन हुए, दूसरी में क्रान्ति के। मेरा जीवन तो यही रहा है या तो कला क्षेत्र में विचरण करते रहे या क्रान्ति के मैदान में जूझते रहे !

लुव्र—और उसका प्रवेश ही कितना आकर्षक है। एक बहुत बड़ा बगीचा—बहुत बड़ा एक हजार चार सौ मीटर का। बड़ी ही कला से इसे सँवारा और सजाया गया है। कलबर्ट ने इसके लिए आज्ञा दी थी और पेरिस की सुप्रसिद्ध 'बागवान ल।' नीचे से इसकी क्यारियाँ तैयार कीं। फिर हर क्यारी की मोड़ पर फ्रांस के प्रसिद्ध मूर्तिकारों की बनाई मूर्तियाँ रखी गई हैं। रंग-बिरंगी सरज़मीन पर ये जीती-जागती-सी मूर्तियाँ। हर मूर्ति आपको अपने पास कुछ

देर खड़ा होने के लिए निमन्त्रण देगी—जिसे ठुकरा नहीं सकते ! मूर्तियों की हर अंग-भंगिमा बोलती-सी। ये मूर्तियाँ मुख्यतः रोमन देवी-देवताओं की हैं।

इन बगीचों से और इन मूर्तियों से किसी तरह छुटकारा माँगकर आप लुव्र में आइए। यह विशाल प्रासाद। इसे फ्रांसिस प्रथम ने प्रारम्भ किया और नेपोलियन तृतीय ने 1857 में पूरा किया। चौदहवें लुई तक इसमें राजघराना रहा करता था, किन्तु जब लुई ने वारसलीज बनवा लिया, तब से यह पूरा-का-पूरा संग्रहालय के लिए ही रख लिया गया है।

फ्रांसीसियों का कहना है, लुव्र संसार का सर्वोत्तम संग्रहालय है ! यह संसार में अनुपम है, इसे तो आज तक कोई अस्वीकार नहीं कर सका। कला की इतनी चीज़ें एक जगह कहीं नहीं मिलेंगी। लुव्र को देखकर ही आप कल्पना कर सकते हैं कि क्यों पिछली लड़ाई में फ्रांसीसी सरकार ने इसे 'खुला नगर' घोषित कर दिया था। कहीं एक बम भी यहाँ गिरता, तो न जाने संसार की कितनी अनुपम निधि बरबाद हो जाती।

हमने मूर्तिकक्ष से ही प्रारम्भ किया और मूर्तिकक्ष में प्रथम स्थान रोमन मूर्तियों को मिलना ही चाहिए। हमारे मार्गदर्शक ने रोमन मूर्तिकला के प्रारम्भ से लेकर उसके चरम विकास तक की सभी मंजिलों की मूर्तियाँ दिखला-दिखलाकर बताया। ईसा से छः सौ वर्ष पहले की 'हीरा' मूर्ति से लेकर दूसरी सदी की 'वेनस द मिलों' की मूर्ति तक। कहाँ पहले सीधी रेखाओं से शुरू किया गया और कहाँ वह भंगिमाओं के चरम बिन्दु पर समाप्त हुआ। वेनस की यह मूर्ति खंडित है, उसके कुछ खंडित अंग जो प्राप्त हुए हैं, उन्हें भी उसके निकट ही सुरक्षित रख दिया गया है। यह मूर्ति 'मिलों द्वीप' में प्राप्त हुई थी। यहाँ 'विजय' की मूर्ति भी बड़ी ही सजीव है। पंखोंवाली वह देवी—मालूम होता है, अभी-अभी स्वर्ग से उतरी है और अभी-अभी फिर उड़ने को पर तोल रही है। चेहरे पर मुसकान—आनन्द की या व्यंग्य की !!

फिर ग्रीक मूर्तियों का कक्ष। यह मूर्तिकला पाँचवीं सदी से प्रारम्भ होती है। शौर्य के चित्रण में ग्रीकों ने कमाल किया था—मांसपेशियाँ ऐसी लगीं कि मालूम होता है, अब भी वे जीवित खड़ी हम जीवित मुर्दों के शरीर पर व्यंग्य कर रही हों।

फिर पूर्वी मूर्तियों का कक्ष—चौबीस कमरों में भरी पड़ी हैं ये मूर्तियाँ। चाल्दिया, असोरिया, फारस की मूर्तिकला के उत्तमोत्तम उदाहरण और मिस्री मूर्तिकला का कक्ष भी तो आश्चर्य में डालनेवाला है। ईसा के तीन हजार वर्ष पहले तक की मूर्तियाँ यहाँ संगृहीत हैं।

ये मूर्तियाँ जो पूर्वी प्रतिभा की प्रतीक थीं, आज अपने देश से दूर पड़ी हुईं अपनी कारीगरी से संसार को चकित-विस्मित कर रही हैं। क्या ये अपने देशों की शोभा नहीं बढ़ा सकती थीं ? किन्तु उन कलाप्रेमियों को भी धन्यवाद देने से नहीं चूकिए, जिन्होंने उन देशों की गली-गली घूमकर इनका संग्रह किया—कितने पैसे खर्च हुए, कितना परिश्रम लगा, कितनी परेशानी हुई। हो सकता है, यदि वे संग्रह नहीं किए होते, तो ये नष्ट हो गई होतीं—जिस तरह आज भी नालन्दा की मूर्तियों की दुर्गत हो रही है। कोई उन्हें गलाकर लोटे ढलवाता है, कोई उन्हें सिल-लोढ़े की तरह इस्तेमाल करता है। फिर, कला को देश की सीमा में क्यों बाँधा जाए।

चलिए, पत्थर और काँसे की दुनिया से—या यों कहिए, छेनियों की दुनिया से रंगों की दुनिया में या कूचियों की दुनिया में।

उफ, इस दुनिया में प्रवेश करते ही आँखें चौंधिया जाती हैं। प्रारम्भिक इटालियन चित्रकला से लेकर आधुनिक अमेरिकन चित्रकला तक का यह अपूर्व संग्रह। इटालियन, स्पेनिश, फ्लोमेश, डच, जर्मन, इंगलिश और अमेरिकन—सभी स्कूलों के लिए अलग-अलग कक्ष और एक-एक कक्ष कें बड़े-बड़े कई-कई कमरे। संसार का कोई भी महान चित्रकार ऐसा नहीं जिसके चित्र, उन्हीं के हाथों से अंकित, यहाँ नहीं हों। अपने कुछ प्यारे चित्रकार और कुछ प्यारे चित्रों

को मूलरूप में यहाँ देखकर मैंने अपने जीवन को धन्य समझा। लियोनार्दो द विंसी, टीशियन, राफायल, एल ग्रैको, रेम्ब्रांड्ट, रुबन, हंस होलावन, गोपा, आदि के चित्रों को देख-देखकर मुग्ध होता रहा। इन्हें छपे हुए रूप में, छोटे-छोटे आकार में देखकर ही मुग्ध हुआ था। यहाँ से अपने मूल विशाल रूप में थे। उनमें से कई चित्र तो इतने बड़े कि एक दीवार को अकेले घेरे हुए। इतने बड़े चित्र, किस तरह बनाए गए होंगे, कितना परिश्रम लगा होगा—एक भी रेखा अस्पष्ट नहीं, एक भी भाव संदिग्ध नहीं। चित्रों को देखकर आप स्वयं पुकार उठेंगे, चित्रकार का भाव यह होगा। हाँ, जहाँ वह भावगोपन करना चाहता है, वहाँ आप इसके रहस्यजाल को खोल भी नहीं सकेंगे। 'मोनालिसा' का चित्र बहुत दिनों से देखा था, उस पर आलोचनाएँ भी पढ़ी थीं, उस पर एक बार फूलनजी ने एक कविता भी सुनाई थीं। वह रहस्यपूर्ण चित्र आज मेरे सामने मूलरूप में था—किन्तु क्या उसकी उस रहस्यावृत्त मुसकान का अर्थ आज भी लगा सका।

यों यहाँ सभी चित्र खुले हुए हैं। अधिकांश तैलचित्र हैं। किन्तु मोनालिसा के चित्र को शीशे के फ्रेम में पाया। मार्गदर्शक ने बताया कि एक बार किसी दुष्ट ने उस चित्र पर कुछ दाग लगा दिया था। बड़ी मुश्किल से उस दाग को हटाया जा सका; किन्तु सोचा गया कि इसे और भी सुरक्षित रूप में रखा जाए। मोनालिसा का यह चित्र कोई बड़ा भी नहीं है।

कुछ उन्नीसवीं सदी के फ्रेंच चित्रकारों के चित्र ने मुझे काफी प्रभावित किया। वे अद्‌भुत लोग थे। प्रकृति का सही चित्रण करने के लिए वे जंगलों में चले गए और वहाँ ऐसे-ऐसे प्राकृतिक दृश्यों और जीव-जन्तुओं का चित्रण किया, जिनसे आँखें हटाना मुश्किल पड़ जाता था।

रोरिक के चित्रों के रंग से मैं बहुत ही प्रभावित था। किन्तु यहाँ के रंगों के उभार ने मुझे रोरिक को भी भुला दिया।

लुव्र में मूर्तियों और चित्रों के संग्रह के अतिरिक्त आभूषणों, बरतनों और कसीदों का भी बहुत ही सुन्दर संग्रह है।

जब मैं लुव्र में घूम रहा था, दो व्यक्तियों की याद बार-बार आती थी। एक राय कृष्णदासजी की और दूसरे अपने उपेन्द्र महारथी की। राय कृष्णदासजी भारत कलाभवन के संग्रह कार्य में लगे हुए हैं। यदि एक बार वह इस संग्रहालय को देख जाते, तो उन्हें काफी उत्साह मिलता—यों तो उनका उत्साह इस बुढ़ापे में भी अदम्य है। क्या उत्तर प्रदेश की सरकार उन्हें यूरोप के भिन्न-भिन्न संग्रहालयों को देखने के लिए नहीं भेज सकती ? यों ही यदि महारथी आकर लुव्र, इंगलैंड और यूरोप के चित्रों को देख जाता तो उसकी कूची कुछ और कमाल करती। न जाने क्या बात है, अपने देश के चित्रों में जीवन का मुझे अभाव दीखता है। उनमें रेखाएँ इतनी होती हैं और वे इतनी बारीक होती हैं कि उनसे जीवन उभरता नहीं, ढँप-सा जाता है। उन चित्रों को देखकर आँखों को तृप्ति मिले और हृदय को शान्ति—किन्तु हमारे देश में आज जिस ज्वलन्त जीवन और उसके उभार और निखार की आवश्यकता है, उसके लिए हमारी चित्रकला में कुछ नवीनता आनी चाहिए !

लुव्र से लेकर कन्कॅर्ड तक वह बगीचा चला गया है। उसी बगीचे की सैर करते, उन मूर्तियों को देखकर उनके कलाकारों की स्मृति में सिर झुकाते और इस वाटिका के सौन्दर्य से अपनी आँखों को सफल करते कन्कॅर्ड तक पहुँच जाइए ! कला आप देख चुके और क्रान्ति के इस चौरस्ते पर आइए। किन्तु यह सोचिए कि इसे क्रान्तिकारियों ने क्रान्ति के मैदान के रूप में निर्माण किया या कराया था। नहीं, लुई पन्द्रहवें ने 1742 में इसको बनवाना शुरू किया। इसका निर्माण प्रसिद्ध कलाकार ग्रबोल की तैयार की गई रूपरेखा पर प्रारम्भ हुआ था, सोचा गया था कि पेरिस के मध्य में एक ऐसा भव्य स्थान बनाया जाए, जहाँ बड़े-से-बड़े महोत्सव

के अवसर पर अधिक-से-अधिक लोग इकट्ठे हो सकें। बीच में लुई पन्द्रहवें की एक विशाल मूर्ति बनाई गई थी। किन्तु किसने कल्पना की थी कि एक राजा द्वारा तैयार किया गया यह भव्य-दिव्य स्थान एक दिन एक राजा के ही रक्त से रंजित होगा ! 1792 में जब फ्रांस की क्रान्ति हुई, उत्तेजित जनता ने सबसे पहले तो उस मूर्ति को तोड़-फोड़कर नष्ट कर दिया। फिर उसी जगह फाँसी का तख्ता खड़ा कर लुई सोलहवें, उसकी रानी मेरी अन्टोनेट, औरलियन्स के ड्यूक और राजपक्ष के छः हज़ार लोगों को गिलोटिन के घाट उतार दिया ! यही नहीं, इस स्थान का नाम बदलकर प्लैस दल रेवोल्युशन—'क्रान्ति की भूमि' कर दिया !

अब इस स्थान पर, ठीक मध्य भाग में एक ऊँचा स्तम्भ है, जिसे क्लियोपेट्रा की सुई या 'ओबलिस्क' कहते हैं। मिस्र के राजा मुहम्मद अली ने यह स्तम्भ फ्रांस को उपहार में भेजा था। यह स्तम्भ चौंतीस सदियाँ देख चुका है। इस स्थान पर इसे खड़ा कराने और सजाने का श्रेय लुव्र को प्राप्त है।

स्तम्भ के सामने बुरवन का महल है और इस विशाल प्रांगण में कला की कितनी ही सुन्दर निधियाँ हैं। स्तम्भ के उत्तर-दक्षिण दो फव्वारे हैं। फव्वारों की रचना में भी कमाल किया गया है। जलपरियों, देवशिशुओं, राजहंसों और मछलियों की मूर्तियाँ इसका शृंगार करती हैं।

इस प्रांगण के चारों ओर, गोलाकार में, आठ ऊँचे चौतरे हैं, जिन पर आठ मूर्तियाँ फ्रांस के आठ नगरों का प्रतिनिधित्व करती हैं ! ये मूर्तियाँ देवियों की हैं, जिनके चारों ओर देवशिशुओं के चित्र हैं।

सारे प्रांगण में रोशनी का ऐसा प्रबन्ध है कि संध्या होते ही इसकी शोभा और बढ़ जाती है !

मैं बहुत देर तक भावमुग्ध बना इस स्थान को देखता रहा। फ्रांस ! तुम भी अजीब देश हो—एक ही रेखा में तुम्हारे यहाँ कला भी है और क्रान्ति भी है !

किन्तु कला और क्रान्ति तक ही रुक मत जाइए ! आगे बढ़िए और देखिए, यहीं से वह पथ गया है जिसे फ्रांस के लोग बड़े गर्व से 'स्वर्ग का पथ' कहते हैं—''शाँ जिलैजे !'' उनकी दृष्टि में 'शाँ ज़िलैज़े' संसार का सुन्दरतम पथ है। दोनों ओर पेड़ों की पक्तियाँ—पाँच कतारों में। चार कतारों के बाद दोनों ओर पतली सड़कें और पाँचवीं कतार के बाद वह प्रशस्त पथ, जहाँ एक सांथ चार-पाँच मोटरें जातीं और चार-पाँच मोटरें आती हैं ? पेड़ों की कतारों के बाद फूलों की रंगीन क्यारियाँ। दिन में ये रंग-बिरंगे फूल आँखें तृप्त करते हैं। शाम को रंग-बिरंगी रोशनियाँ आँखों को चकाचौंध में डालती हैं। इस स्वर्गपथ के छोर पर विजय तोरण है, जिसे नेपोलियन ने बनवाया था। स्थापत्यकला के आचार्य शालग्रिन ने इसको साकार किया। बहुत ही विशाल है यह तोरण—ऊँचाई है उनचास मीटर और चौड़ाई पैंतालीस मीटर। ऊपर की मूर्तियाँ फ्रांसीसी सेना के विजय अभियानों को प्रकट करती हैं और सबसे तो प्रभावशाली हैं इसके चार प्राचीर चित्र जिसे फ्रांस के तीन महान कलाकारों ने तैयार किया था—एक में सेना का प्रस्थान दिखाया गया है, एक में विजय; एक में प्रतिरोध और एक में शान्ति।

इस विजय तोरण के नीचे एक अज्ञात सैनिक की लाश दफनाई गई, जिस पर प्रतिदिन 'स्मृति दीपक' जलाए जाते हैं।

आज इतनी अधिक चीज़ें देखी हैं और इतनी शानदार और खूबसूरत चीजें देखी हैं कि उन सबका विस्तृत वर्णन क्या इस डायरी में लिखना सम्भव है ? वह विशाल भवन जिसके नीचे नेपोलियन की लाश एलबा टापू से लाकर रखी गई, वह मिलिटरी स्कूल जहाँ नेपोलियन की शिक्षा-दीक्षा हुई और अभी पिछली लड़ाई में जहाँ जर्मनों से दो-दो हाथ हो गई,—देखिए, उसकी दीवारों पर अभी भी गोलियों के दाग हैं। वह सीन नदी के उस पार 'सीलो भवन' जो

1878 से अन्तरराष्ट्रीय प्रदर्शनी के लिए बनाया गया और फिर जहाँ 1937 की अन्तरराष्ट्रीय प्रर्दशनी हुई और यह 'इफेल-टावर' जो इस्पात की संसार में सबसे ऊँची कृति है, मैडेलिन का वह मन्दिर जो आकार-प्रकार में पूरा ग्रीक है और सबसे बढ़कर 'प्लेस दल' ओपेरा, जो संसार में सबसे अधिक जीवनमय भवन समझा जाता है; जिसके भवन के बाहर ही आप कविता, संगीत, नाटक आदि की सुन्दर प्रस्तर प्रतिमाएँ देखेंगे और जहाँ फ्रांस की कला सदियों से पालन-पोषण और परिवर्द्धन पाती रही है। ओपेरा के बाद 'थियेटर फ्रैंसिस' की झलक आँखों में घूमती है, जहाँ फ्रांस के बड़े-बड़े कलाकारों की मूर्तियाँ ही आज तक नहीं स्थापित हैं और जहाँ उत्तमोत्तम नाटक ही नहीं खेले जाते, बल्कि जो फ्रांसीसी नाटककला का एक म्युजियम भी है।

और फिर वह 'नौत्रदाँ' जिसे विक्टर ह्यूगो ने अपने एक उपन्यास में अमर कर दिया है। 'नौत्रदाँ' को आधुनिक संसार के सात आश्चर्यों में गिना जाता है। यह एक गिरजाघर है। 1183 में इसकी शुरुआत की गई थी और दो सौ वर्षों में यह तैयार हुआ। इसी के एक गुम्बद पर एक घड़ी लगाई गई है, जो फ्रांस की सबसे बड़ी घड़ी समझी जाती है। इसी के अन्दर एक सुरक्षित स्थान पर वह पोशाक रखी गई है, जिसे पहनकर नेपोलियन गद्दी पर बैठा था। महात्मा ईसा को क्रूस पर चढ़ाकर जो लोहे की काँटियाँ ठोकी गई थीं, उसमें से एक काँटी भी यहाँ रखी गई है और ईसा के सिर पर जो काँटों का ताज रखा गया था, उसके भी कुछ टुकड़े यहाँ रखे गए हैं। 'नौत्रदाँ' के आँगन में वह सुप्रसिद्ध स्थान 'पार्विस' है, जहाँ से कहा जाता है, फ्रांस की सभी सड़कें निकली हैं। काँसे का एक मील पत्थर बनाकर वहाँ रख दिया गया है जो मील नम्बर शून्य का सूचक है।

पेरिसवालों को अपनी एक और चीज पर घमंड है। वह है—लुकजेमबुर्ग वाटिका। रंग-बिरंगी फूलों की क्यारियों और जहाँ-तहाँ स्थापित सुन्दर प्रतिमाओं के कारण यह वाटिका संसार की सबसे सुन्दर और मनोरम वाटिका कही जाती है।

पेरिस का नैश-बिहार अभी नहीं। अभी उसका वर्णन देकर अपनी नींद हराम नहीं करूँगा। अब इसे कल की डायरी में।

नैश विहार

31 मई, 1951

पेरिस का नैश-बिहार ! कैसा तमाशा, जब सारी दुनिया सोती है, पेरिस जागती है। उस दिन ग्यारह बजे रात में पहुँच ही पाया था, लन्दन खुराटे भर रहा है। यहाँ कल दो बजे रात को लौटा, तो यारों ने कहा, अजी अभी कहाँ चले; चार बजे भोर के पहले क्या नैश-बिहार को छोड़कर जाया जाता है ? यों तो सुना, सात बजे भोर तक सैलानी लोग इसके मजे लूटते रहते हैं !

टॉमस कुक ने इसके लिए टिकट का प्रबन्ध कर ही दिया था। रात में सवेरे खा-पीकर होटल से उस स्थान पर पहुँचा जहाँ सैलानियों का डिपो है। वहाँ देखा, 'हमीं एक मरीजे मुहब्बत नहीं हैं !' सैलानियों का एक पूरा दल है, जिसमें अमेरिकनों की तादाद बड़ी है। कुछ परिचित सूरतें भी दिखाई दीं, जिन्होंने हमारे साथ ही दिन में पेरिस के दृश्य देखे थे। कुछ महिलाएँ भी थीं। अमेरिकनों के बारे में उस दिन एक अंग्रेज ने बड़ी घृणा से कहा था—'दे आर ओवर पेड, ओवर फेड एंड ओवर सेक्सड। खूब पैसे, खूब खाना और खूब मौज। पेरिस में पैसे बहा

रहे हैं, शराब बहा रहे हैं, मवाद बहा रहे हैं !

लेकिन होते हैं ये अमेरिकन बड़े फक्कड़ ! अंग्रेजों की तरह चुप्पी साधे नहीं रहते ! परंतु घुल-मिल जाते और फिर साथियों की तरह व्यवहार करने लगते--हँसते-हँसते, कनखियाँ चलाते, गुनगुनाते और यदि आप चाहें, तो मिल-जुलकर नाच भी लें।

मस्तों की इस टोली को लेकर हम सबसे पहले एक मसजिद में पहुँचे। पेरिस मसजिद। क्या आश्चर्य की बात नहीं ? और उसे नैश-बिहार का श्रीगणेश स्थान क्यों बनाया गया ? पता चला, इस मसजिद का नया भवन मोरक्को के सुल्तान ने बनवाया था। मसजिद में कुछ हब्शी किस्म के लोग। हम लोग इधर-उधर घूमे। फिर एक सज्जन दिखाई पड़े, जिनका ध्यान मेरी ओर आकृष्ट हुआ। मैं शेरवानी पहने था। उन्होंने निकट आकर पूछा—पाकिस्तान ? मैंने कहा, नहीं इण्डिया। यह सज्जन बड़े मुल्ला साहब थे। मुल्ला साहब ने हमें कॉफी पिलाई। हमारे स्वागत-सत्कार के पैसे कम्पनी ही खर्च कर रही थी। हमसे जो फीस ली गई थी, उसमें सारे खर्च शामिल थे।

निस्सन्देह, इस मसजिद से ही रूमानी कैफियत तारी हुई। उसके बाद हम लोग छोटे-बड़े आधे दर्जन नैश-बिहारों में गए। हर जगह नाच-गान का समाँ। बोतलें खुल रही हैं, प्यालियाँ उछल रही हैं। सिगरेट के धुएँ से दम घुटा जा रहा है। लोगों की ठसाठस भीड़, चारों ओर दर्शकों की कतारें और बीच में नृत्य ! नृत्य—रतिरानियाँ; अपने सारे अंगों का प्रदर्शन अनेक भाव-भंगिमा में कर रहीं !

तैबरिन—यह पेरिस के नैश-बिहारों का एक प्रमुख स्थान है। भवन में घुसे नहीं कि आँखें चौंधिया गईं। नृत्य के रंगमंच से सटे टेबुलों की कतार-पर-कतारें टेबुल के ऊपर बालटियाँ रखी हुईं। बालटियों में बर्फ के पानी में बोतलें रखी हुईं। हाँ, कंठ में आग का घूँट ही डालना है, तो पहले उसे बुझा लो। किन्तु यह बुझाने की क्रिया है या आग को और भड़काने की क्रिया। टेबुलों के चारों ओर देवियों और देवताओं का झुंड। उधर रंगमंच पर सौन्दर्य का नग्न प्रदर्शन हो रहा है, इधर प्यालियों की छीना-झपटी जारी है ! लगभग एक दर्जन लड़कियाँ और उतने ही युवक—तरह-तरह के नृत्य का अवतरण कर रहे। नग्न वासना के प्रदर्शन में कहीं कोई कोर-कसर नहीं ! रंग-बिरंगी रोशनी और संगीत की नीची-ऊँची उठने और गिरनेवाली ध्वनि वासना के समुद्र में जैसे ज्वार-भाटा ला देती। मैं सिर्फ रंगमंच नहीं देख रहा; "हम देखनेवालों की नजर देख रहे हैं।" वह 'देखनेवाले' ही तो नहीं थे; 'देखनेवालियों' की संख्या दो में एक थी ही ! पेरिस में एक से किसी को तृप्ति नहीं होती, शायद !

इन नैश-बिहारों में लोग सिर्फ देखने ही नहीं जाते; वहाँ अपने मन के अरमान निकालने के भी मौके होते हैं। नाचनेवाली लड़की हँसती-हँसती आती और किसी दर्शक के होंठों को चूम जाती है। देखिए, वह लड़की उस अधवयस अमेरिकन को चूम गई, उसके होंठों पर लड़की के होंठों की लाली किस तरह चमक रही है। उसके साथी तालियाँ पीट रहे हैं। वह रूमाल निकाल रहा है कि लड़की फिर आती है और उसे घसीटकर बीच में ले जाती है और उससे लिपटकर नाचने लगती है। बुढ़ऊ भी मजा अनुभव कर रहे हैं—ता-थेई ता-थेई नाच रहे हैं। हँसी का हिल्लोल उठ रहा है और बगल का यह नौजवान रह-रहकर उठ खड़ा होता है कि यह सौभाग्य मुझे क्यों नहीं मिला !

और यह समाँ देखकर हमारे साथ आए इस दम्पती का दिल भी कसमसा उठा। वे दोनों भी खड़े हुए और नाचने लगे। अरे, ताक धिना-धिन ! कहिए, इस वातावरण को छोड़कर कौन सोने की सोच सकता है ?

पेरिस कला की पुरी, क्रान्ति की पुरी, वासना की पुरी ! और आज चलते- चलाते हमें

उस स्थान को भी देख ही लेना था; जहाँ इन तीनों का सम्मिलन हुआ था। मेरा मतलब है वार्साई के राजमहल से।

बस, वही टॉमस कुक की बस। वे ही कुछ परिचित और कुछ अपरिचित चेहरे। रास्ते में पुरानी पेरिस की कुछ स्मृतियाँ। कभी यहीं धेस्टाइल था—कल्पना करते ही रोमांच हो आया। पेरिस से निकलने पर भी बँगलों और बगीचों की कतारें। और जब वार्साई का राजमहल दीख पड़ा, पुराने इतिहास के कितने पन्ने मूर्तिमान होकर आँखों के सामने झूमने लगे।

बेचारा लुई चौदहवाँ !—उसने सोचा होगा, चलो, पेरिस के कोलाहलों से दूर, बहुत दूर एक रमणीक स्थान पर एक अति सुन्दर प्रासाद बनाकर जिन्दगी के सभी साध्य-असाध्य सुख लूटें और उसकी फैशनेबुल और खूबसूरत रानी—जो उसकी वासनाओं की आग में सदा घी डालती रही और जो स्वयं एक अग्निकुण्ड बन गई, जिसमें लुई को स्वाहा हो जाना पड़ा। प्रासाद के आँगन में वह लुई की मूर्ति है, जिसे फ्रांस के दो महान कलाकारों—पेतिती और कारतेलिये ने तैयार किया था ! इस मूर्ति ने वह दिन भी देखा होगा, जब पेरिस की जनता राजा-रानी को इस राजभवन से निकालकर पेरिस की ओर ले चली, बलि के बकरों की तरह ! इस मूर्ति के ठीक सामने वह बालकनी है, जिस पर खड़े होकर राजा-रानी ने उस उत्तेजित भीड़ को समझाने की कोशिश की थी। कहते हैं; भीड़ कुछ शान्त भी हो चली थी और वह लौटने जा रही थी; किन्तु कुछ आगबबूलों के भड़काने पर वह फिर लौटी और राजा-रानी को बालकनी से घसीटकर नीचे लाई, उसे एक गाड़ी पर चढ़ाया और दोनों को पेरिस ले गई ! पेरिस उन दिनों भूखों मर रही थी; लोग रोटियों के बिना तड़प रहे थे; रानी को घसीटते हुए पेरिस ले जाते समय औरतें चिल्लाती थीं—हम रोटी पकानेवाली को लिये जा रहे हैं ! अब पेरिस में रोटी की कमी नहीं रहेगी !

राजप्रासाद में पहुँचत ही वैभव-विलास की चकाचौंध से आँखें चौंधियाँ जाती हैं। चारों ओर सोना, मखमल और रंगीनियों की भरमार है। हर घर की दीवारें और छतें बड़े-बड़े कलाकारों के चित्रों से सुसज्जित हैं। हमने वह कमरा देखा, जिसके बारे में कहा जाता है, यह संसार का सबसे सुन्दर कमरा है और उसके बाद वह हॉल देखा जिसमें 28 जनवरी, 1919 को उस शान्तिपत्र पर हस्ताक्षर हुए जो प्रथम विश्वयुद्ध की समाप्ति का सूचक था।

इन कमरों, हॉलों और बालकनियों के बीच घूमते हुए आदमी भावनाओं में बह जाता है। मैं प्रायः ही बाहर आकर शून्य की ओर देखने लगता; लगता, जैसे जो कुछ हम देख रहे हैं, सभी शून्य मात्र है ! वे कहाँ गए, जो इनके रचयिता थे, उपभोक्ता थे ? हम कहाँ से यहाँ आ टपके और हम भी कहाँ चले जाएँगे और तो भी ईंट-पत्थर का ढेर मानवता पर मुसकराता ही रहेगा।

प्रासाद से नीचे आकर हम उससे लगे बगीचे को देखने गए। बगीचे और प्रासाद के बीच एक आँगन है जहाँ कई हौज हैं। एक हौज में बहुत से फव्वारे लगे हैं, कहा गया, ये फव्वारें फ्रांस की प्रसिद्ध नदियों का प्रतिनिधित्व करते हैं, जितनी नदियाँ, उतने फव्वारे। कन्कॅर्ड में नगरों का प्रतिनिधित्व देखा था; यहाँ नदियों का प्रतिनिधित्व देख रहा हूँ। ये फ्रांसीसी—इनकी कल्पनाशक्ति कितनी उर्वर है।

आज ही पेरिस छोड़ देना था; इसीलिए कुछ सौदे-सुलफ भी कर लेने थे। हमें पहले से ही कह दिया गया था कि पेरिस ठगहारों का शहर है—यहाँ अपरिचितों को मूँड़ने में कोई कोर-कसर नहीं की जाती। दाम वैसे ही किए जाते हैं, जैसे अपने यहाँ काबुली करते हैं। अतः सावधानी रखनी थी। गोयराला को पकड़ा और उन्होंने ही करा दिए। मैंने जित्तिन के लिए कुछ टाइयाँ, प्रभा के लिए मोती की एक माला, बच्चों के लिए रेशमी कपड़े और देवेन्द्र के

लिए रूमाल और सेंट खरीदे। दुलहिन के लिए स्विट्ज़रलैंड में ही घड़ी खरीद चुका था।

गाड़ी रात में जानेवाली थी। सोचा, दिन में 'कन्कॅर्ड' और 'स्वर्गपथ' का मजा ले चुका हूँ, चलते-चलते संध्या के समय का मजा भी लूट लूँ। किन्तु दोपहर के बाद अजीब टप-टप होने लगी और जब उसकी अवहेलना करके कन्कॅर्ड पहुँचा, तब तो खुलकर वर्षा होने लगी। एक बरामदे में खड़ा होकर अपलक नेत्रों से उन मूर्तियों को देखने लगा, जिन्होंने दो शताब्दियों से कितने ही अजीबोगरीब दृश्य देखे होंगे। जब उस स्थान की ओर ध्यान जाता, जहाँ राजा-रानी की गरदनें गिलोटिन से काटी गई थीं, तो लगता, अभी-अभी वहाँ से एक चीख निकली है और वर्षा के पानी की जगह वहाँ खून की एक पतली धार बह रही है। कल्पना क्या अधिक देर तक बरदाश्त की जा सकती थी ? भींगते हुए हम 'स्वर्गपथ' की ओर चले। रंग-बिरंगी रोशनियों से जगमग वह विशाल पथ, उसके बगल के पेड़, फूलों की कुंजें और शरीर को स्पर्श करते हुए निकल जानेवाले घाघरों की सुगन्ध—रिमझिम के रूमानी वातावरण में जैसे पंख लग गए हो। सैलानियों के लिए तो यह स्थान संध्या को सचमुच स्वर्ग बन जाता है।

फिर, पैवालिन होटल, बिल चुकाया, कुछ तसवीरें खरीदीं, स्टेशन आए और अब वापस जा रहा हूँ—अपने घोंसले की ओर।

(झ) घोंसले की ओर

जिनेवा-लूजान

1 जून, 1951

भोर-भोर तुम्हें देखने के बाद क्या अब कुछ देखना रह गया, जिनेवा ! इंगलैंड में पुरुष का पराक्रम देखा; फ्रांस में कला की कोमल भावनाएँ साकार हुईं, लेकिन स्विट्ज़रलैंड—तुम तो प्रकृति की वह सुन्दर गोद हो जहाँ पहुँचकर बूढ़ा मानव फिर एक बार बच्चा हो जाता है। और जिनेवा—स्विट्ज़रलैंड की श्रृंगार भूमि। प्रातःकाल की सुनहली धूप में, झील के किनारे खड़ा होकर जब तुम्हारी ओर देखा, लगा, अभी-अभी कोई सद्यस्नाता सुन्दरी इस झील से नहाकर किनारे पर खड़ी, आईना लिये, बालों में कंघी कर रही और सारे वातावरण में एक खुशबू बिखरा रही है। जिनेवा-सुन्दरी, तुम्हारा रंगीन आँचल उड़ रहा है, मैं अतृप्त नेत्रों से देख रहा हूँ।

जब भोर में स्टेशन से उतरा, पाया, एक झंझट में अनायास ही फँस गया हूँ। स्विट्ज़रलैंड में पन्द्रह दिनों तक रहने का वीज़ा तक बनवा लिया था, किन्तु उसके अन्दर ही फ्रांस चला गया और अब पुराने वीज़ा के बल पर फिर यहाँ उतर गया हूँ। नियमानुसार इसमें गलती हो गई थी, फिर आने के लिए नया वीज़ा चाहिए था, पर अफसर से हमने खुलकर सारी बातें कह दीं, अपनी गैर जानकारी की दुहाई दी और बताया कि हमें तो सिर्फ एक दिन रहना है, रात में ही हमें ज़्यूरिख से हवाई जहाज पर रवाना हो जाना है, तो उसने इजाजत दे दी।

स्टेशन पर ही शौचादि से निवृत्त हो लिया—बस, पैसे चाहिए, गर्म पानी है; बाथरूम है, साबुन है, तौलिया है, बालों में लगाने की क्रीम है। फिर स्टेशन पर ही सारे सामान रखकर शहर की ओर निकला। सूत्र वही टॉमस कूक का—उसी ने टैक्सी ठीक कर दी; हम जिनेवा देखकर लूजान जाने की तैयारी में हैं।

हाँ, तो जिनेवा–स्विट्ज़रलैंड की शृंगार भूमि। पृष्ठभूमि में वह माउन्ट ब्लैंक–आल्प्स अपनी सारी गरिमा के साथ यहाँ मूर्तिमान खड़ा है। उजली जटा-धूसर-पृथुल शरीर। भोर की किरणें उसकी बर्फीली चोटियों को अब भी जहाँ-तहाँ रंगीन बना रहीं और जैसे उस रंगीनी को मिटा देने के लिए बादल के धुएँ–कालिमा की सेना–धावे-पर-धावे बोल रहे हैं।

ऊपर ही मत देखा कीजिए, जरा नजरें नीचे आएँ ! यह झील, अरे झील, झील, झील। जिधर देखिए, उधर ही झील। कितनी बड़ी झील है यह। पानी, कैसा साफ, नीला और उस पर तरंगें ! और ये तरंगें क्या उस टापू को डुबोना चाहती है, जो अपने मध्य में उस महापुरुष की हड्डियाँ अब भी जुगोए है जिसके विचारों ने एक समय इस तरंगों से भी अधिक सारे यूरोप को झकझोर दिया था ! यह टापू रूसो-टापू कहलाता है और यहीं से वह पेड़ों की जो सुरम्य कुंजें दिखाई पड़ती हैं न, उसी के अन्दर सुप्रसिद्ध कलाकार प्रादिये की बनाई रूसो की वह प्रतिमा है जिसके दर्शन करने को दर्शकों के झुंड जमा हुआ करते हैं ! रूसो को नमस्कार, इस बड़भागी टापू को नमस्कार !

इस मनोरम झील के तीन ओर बस्तियाँ। ऐसी साफ, ऐसी सुन्दर कि लगे, अभी इस झील से यह पूरी ऊपर उठी हैं ! पहाड़ी पर नीचे से ऊपर तक क्रमबद्ध बनी अट्टालिकाएँ–मानो, अट्टालिकाओं के कंगूरों से नई अट्टालिकाएँ फूट निकली हों ! प्रकृति सुन्दर है, तो पुरुष उसे सजा क्यों न दे ? ये ऊँचे, उजले, चमकते, शानदार घर, जिन पर, जहाँ-तहाँ रंग-बिरंगी पताकाएँ लहरा रहीं। क्या कोई उत्सव का दिन है ? जिनेवा में उत्सव का क्या पूछना ? अब तो यह अन्तरराष्ट्रीय तीर्थ हो चला है न ? प्रायः ही विश्व सम्मेलनों की यहाँ धूम रहती है ? शायद वैसा ही कोई सम्मेलन हो रहा होगा ? रोज का पुल–झंडों-पताकाओं से सजा यह तो पूरा दुल्हा बन रहा है इस समय और इन रंगीन पताकाओं की झील से पड़नेवाली परछाइयाँ। ऊपर रंगीनी, नीचे रंगीनी। इन रंगीनियों के बीच वे जुड़े हुए हंसों की पाँतें ! हाँ, पानी इतना साफ है कि हंस की परछाई ऐसी लगती है मानो उसके कलेजे से सटी उसकी अर्द्धांगिनी उसके नीचे तैर रही हो। कैसे अद्‌भुत, अनुपम !

हमारी टैक्सी झील के किनारे-किनारे की सड़क पर घूम रही है। थोड़ी दूर जाने पर ड्राइवर ने टैक्सी को एक बगीचे में मोड़ दिया। कैसा सुन्दर बगीचा। हरे-हरे पेड़, एक ही डाल दूसरे की डाल का आलिंगन कर रही। नीचे कहीं ज़मीन भी आप नहीं देख पाएँगे या तो हरी-हरी डालियाँ, या हरी-हरी घास या रंग-बिरंगे फूल और बगीचे के बीच गुलाब की ये क्यारियाँ–कलिकाओं से लदीं। अभी ये कितनी खूबसूरत लग रही हैं, फिर जिस समय ये खिल पड़ेंगी ? क्यारियों के मध्य में एक छोटा सा हौज जिसके बीच में फव्वारे से बूँदें झड़ रही हैं। पानी में रंगीन मछलियाँ तैर रही हैं। दर्पणोपम जल जहाँ-तहाँ छोटे गोल-गोल पुरइन के पत्ते-से। क्या ये पुरइन के पत्ते हैं ? आकार-प्रकार तो वही। इधर वह संगमरमर की मूर्ति–कोई युवती, जिसकी आँखें तो इन दृश्यों से टँकीं, किन्तु जिसका मन कहीं अन्यत्र टँगा है। मूर्ति अत्यन्त सुन्दर है, किन्तु इस वातावरण में ऐसी उदास भाव-भंगिमा क्यों ? और वह काँसे की मूर्ति–एक बच्चा फूले गाल से वंशी बजा रहा ! ओ काँसे के साँवरे बच्चे, तुम वंशी बजाते रहो और जो संगमरमर की देवी, तुम उदास देखती रहो ! तुम्हारे स्रष्टा को यही पसन्द था, तो तुम्हारे लिए दूसरा चारा क्या है ?

शहर की भी एक झलक ले ली जाए। पहाड़ी स्थान, नीची-ऊँची सड़कें। गिरजाघर, विश्वविद्यालय, ओपेराघर, म्यूजियम, पुस्तकालय, टाउन हॉल, समाधियाँ–जिनमें कालविन की समाधि को कैसे भुलाया जा सके ? जिनेवा का कैथेड्रल बहुत पुराना है, बारहवीं सदी का। जिनेवा का म्यूजियम भी बहुत प्रसिद्ध है और जब रूसी गिरजाघर के निकट पहुँचा, सोने के

कंगूरोंवाली उस खूबसूरत छोटी सी इमारत को छोड़ने की इच्छा नहीं होती थी !

किन्तु समय कम, देखना बहुत। फिर घूमकर झील के किनारे आए और उस भाग को देखने चले, जो प्रथम विश्वयुद्ध के समय से ही अन्तरराष्ट्रीय शान्ति का केन्द्र बन गया है। देखिए, दूर से ही उस विशाल अट्टालिका पर किसका नाम चमक रहा है ?—उडरो विल्सन। उडरो विल्सन, दार्शनिक, राजनीतिज्ञ। किन्तु क्या राजनीतिज्ञों ने उस दार्शनिक के स्वप्न को साकार होने दिया ? पर इसमें शक नहीं कि अपनी शान्ति की कोशिशों के लिए जिनेवा ऐसे शान्त-सुन्दर स्थान को चुनकर उसने बड़ी सूझ-बूझ का परिचय दिया था। पहले राष्ट्रसंघ; अब संयुक्त राष्ट्र—बोतल बदल गई है, शराब वही है। झील के किनारे हरी-भरी झाड़ियों के बीच उसका शानदार भवन। भवन के भीतर घुसने का न साधन है, न समय। मोटरों का ताँता उसके दरवाजे पर लगा है, निश्चय ही किसी अन्तरराष्ट्रीय प्रश्न पर विचार हो रहा है वहाँ !

भवनों को देखते-देखते तो आँखें चकरा गई हैं, चले, उस कुंज में। वह कोई पिता अपने बच्चे को झूला झुला रहा है। बच्चा कितना स्वस्थ, प्रसन्न। काश, अपने देश में ऐसे बच्चे दिखाई पड़ते। शरीर में धूल, आँखों में कीचड़, बालों में जुएँ—अपने देश के वे बच्चे और ये साफ सुथरे, स्वस्थ-सुन्दर बच्चे। किन्तु कहाँ-कहाँ, किस-किस बात पर आँसू गिराए जाएँ। देखिए, उस कुंज में वह एक जोड़ी—चलें, हम जरा उनसे कुछ पूछें तो ? आप कहाँ से ? मैं मास्को से आया हूँ। हमने सिर से पैर तक अच्छी तरह देखा, उन्हें और उनकी पत्नी को भी, क्योंकि जिन्दगी में यह पहली बार किसी रूसी के रू-ब-रू खड़ा होने का मौका मिला था। दो-चार बातें—फिर वे झील की तरंगें गिनने लगे, हम स्टेशन की ओर भागे। यहाँ कोई खुलकर बातें नहीं करता—हृदय खुला रहे, तब तो।

फिर झील के किनारे-किनारे जा रहा हूँ। ये रेस्तोराँ—रंगीन छतरियों के नीचे रंगीन पोशाकें—झकझक, झलमल। यह, यह तो साड़ी मालूम पड़ती है। हाँ, साड़ी ही तो है और यह भारतीय सज्जन ? 'मैं ही डॉक्टर मित्रा ! और मेरा नैहर पटना ही है, वसन्तबसु को आप जानते ही होंगे। आप उन्हें मेरा नमस्कार कह दीजिएगा।' दोनों को नमस्कार कर हम जेनेवा को भी नमस्कार कर रहे हैं—गाड़ी खुल चुकी है। लूजान के लिए।

अब लूजान झील पर हूँ। सामने झील लहरा रही है। जिनेवा से ही यह झील शुरू होती है और इसमें अगिन वोटें भी चलती हैं। अभी-अभी एक अगिन बोट सामने ही उस पहाड़ी की तरफ गई है। पकड़ने की इच्छा थी, जरा झील की सैर कर लूँ—किन्तु जब तक घाट पर पहुँचूँ, वह खुल गई और धुआँ उड़ाती उस पहाड़ी की ओर जा रही है जिसकी चोटी पर धुआँ-धुआँ-सा उड़ रहा है।

तो सामने झील लहरा रही है—हाँ, लहरा रही है, देखिए न, सामने लहर-ही-लहर तो है, और उन लहरों को चीरती हुई वह अगिन बोट तो दूर निकल गई है; किन्तु आसपास कितनी नावें दौड़ रही हैं। रंग-बिरंगे गन्दोले, मानो चिड़ियाँ रंगीन पंखों को फैलाए लहरों पर चक्कर काट रहीं। झील के उस पार पहाड़ियाँ। पहाड़ियों पर बर्फ की धारियाँ—मानो शिव-शंकर धारीवाल की धारीदार कम्बल ओढ़कर बैठे हों। चोटियों के ऊपर बादल उड़ रहे; कभी चोटियों को ढक देते। पहाड़ियों की कई पातें—मानों, स्वर्ग की सीढ़ियाँ हों। तलहटियों में हरे-भरे वृक्ष—नीली साड़ी में हरी किनारी।

कितनी बडी झील है यह। दाहिने-बाएँ, जहाँ तक नजर जाती है, झील-ही-झील।

झील के इस किनारे को कितना सुन्दर बना रखा गया है। कहीं एक तिनका भी बेठिकाने दिखाई पड़ता है ! पेड़ों की कुंज बना दी गई है। रंग--बिरंगे फूल लगा दिए गए हैं। कुंजों में बेंचे रख दी गई हैं। देखिए, उस बेंच पर एक जोड़ी किस तरह सटकर बैठी है ! जैसे पंडुक

के जोड़े हों, इस तरह सटे जा रहे हैं मानो एक-दूसरे में समा जाना चाहते हों। और वह बेचारी—अकेली ही कुछ लिखे जा रही है। क्या लिख रही है—कोई कविता, कोई प्रेम पत्र ! हाँ, प्रेम पत्र लिखने का इससे बढ़कर कौन सा समय और स्थान हो सकता है ! और वह नौजवान—लकड़ी का फ्रेम खड़ाकर कैनवास पर कूची चलाए जा रहा है ! चलिए, निकट से देखें, कौन सा चित्र बना रहा है यह ? वह दम्पती आ गई है या यह युवती ! नहीं, यह लैंडस्केप है—पेड़ हैं, झील हैं, सामने की पहाड़ी है ! अरे भाई, बगल में कहीं इस प्रेमिका को भी साकार कर दो न !

वह एक बुढ़िया दादी आई ! जिस हिल रही हैं, किन्तु पैरों में कैसी चपलता ? और आँखों की चमक भी नहीं गई है। इधर-उधर देखती हैं, बेंच पर बैठ जाती हैं, हाथ में ऊन और काँटे, होंठों पर बुदबुदाहट और आँखें रह-रहकर उस दूर की पहाड़ी पर ! और वह एक युवती और आ रही है—आगे बच्चे की गाड़ी है। जैसी युवती, वैसा बच्चा, वैसी गाड़ी ! हाथ गाड़ी को ठेल रहे हैं, आँखें जैसे दुनिया को ठेलना चाहती हैं—हटो, तुम; अब मैं हूँ और मेरा यह बच्चा ! रह-रहकर बच्चे की ओर देखती है, बच्चा बिहँस पड़ता है, हाथ उछालने लगता है !

पेड़ों पर चिड़िएँ चहक रही हैं—बीच-बीच में, लगता है, कोई सीटी बजा रहा हो ! ओझा गुनगुना रहे हैं। हाँ, इस वातावरण में पत्थर से भी पयस्विनी फूट सकती है !

लो, यह धूप आई। अब जरा झील की ओर देखिए। हर लहर जैसे बिजली के बल्ब बन गई—वे चमक रही हैं, उछल रही हैं, उफ, रंगों का कैसा चाकचिक्य ! और उस पहाड़ी को देखिए—भोला बाबा जैसे अचानक मुसकरा पड़े, अरे, अब तो वह अट्टहास कर रहे हैं। इधर बहुत देर से, फ्रेम पर कैनवास चढ़ाए, हाथों में कूचियाँ लिये जो दर्ज़नों भावुक चित्रकार किनारे पर खड़े थे, उनमें सनसनी-सी फैल गई। आँखें इस अलौकिक दृश्य पर और हाथ की कूचियाँ कैनवास पर ताबड़-तोड़ दौड़ रही हैं ! इनमें कुछ युवतियाँ भी हैं—उनका गुलाबी चेहरा एक उत्तेजना से जवाकुसुम बन रहा है !

यह लूजान है ! प्रकृति का सौन्दर्य देखा, तो थोड़ा मानव सौन्दर्य का भी निकट से निरीक्षण कर लो।

वेलेरिव—स्नानतट ! इस झील के ही किनारे, यहाँ से कुछ दूर पर। ऊँचा चौतरा—पौधों और फूलों से हरा-भरा, रंगीन। चौतरे पर ही ऑफिस; टिकट लीजिए और नीचे जाइए ! हर चीज़ का दाम—दाम दीजिए, फिर सबके लिए सब स्थान पर प्रवेश सुलभ। नीचे सामने नीली झील की झिलमिल तरंगें तट से अठखेलियाँ कर रहीं और उन तरंगों से अठखेलियाँ कर रहीं मानव पुष्प की सुकुमार कलियाँ। किन्तु इन्हें आप सुकुमार कहेंगे ? हम ओवरकोट पहनकर भी काँप रहे हैं और वे खुले बदन इन तरंगों से लड़ रही हैं। युवतियाँ हैं, युवक हैं। युवक और युवतियों के बीच हमारे देश की तरह यहाँ ऊँची दीवारें नहीं हैं—गंगा किनारे भी जनाना घाट अलग; मर्दाना घाट अलग ! युवतियाँ और युवक एक साथ नहा रहे हैं, तैर रहे हैं, उछल रहे हैं, कूद रहे हैं। कहीं-कहीं आँख-मिचौनियाँ भी हो रही हैं, वह लड़की भागी जा रही है, वह युवक उसे खदेड़ रहा है, लड़की पानी में कूदी, नौजवान भी कूदा, गोते-पर-गोते; फिर एक-दूसरे से लिपटे, हँसते-खिलखिलाते बाहर आए।

तट की रेत पर यहाँ-वहाँ गुलाब खिल रहे। ये अधनंगी लड़कियाँ—सिर्फ कमर और छातीं के कुछ हिस्से पर झीने वस्त्र। झीने वस्त्र, जो ढँकते नहीं और उभारते हैं ! कितना सुडौल शरीर है इनका—अंग-अंग कसे, कसे अंगों में जैसे जवानी कसमसा रही हो। पानी में भिंगोकर अब धूप में सुखा रही हैं—जवानी पर की तलवार पर पानी चढ़ा रही हैं ! सुनहले बाल बिखरे

हैं। गोल-गोल बाहें, पुष्ट-पुष्ट जाँघें। लगता है, मोम की पुतलियाँ ढालकर सूखने को रख दी गई हों ! उफ, मनु की संतति कितनी सुन्दर होती है !

वापसी का रास्ता

2 जून, 1951

थोड़ी देर हड़-हड़; दो-चार धचके; फिर वही उड़ान। B.O.A.C. का हवाई जहाज। सारी बातें पुरानी—फर्क सिर्फ यह कि आया था आरमान लेकर, लौट रहा हूँ एक अजीब उदासी लेकर।

एक तो, इतना कम समय रहा कि मन-भर देख नहीं सका। पूरी यात्रा पैरों मे पंख बाँधकर हुई। यूरोप के कुछ देशों को नहीं देखने का मलाल तो रह ही गया। आचार्य नरेन्द्रदेवजी ने कहा था, यूगोस्लाविया अवश्य देख लीजिएगा। वह भी नहीं हो सका। सोचा था, एक-दो दिन रोम में ठहरकर देख लूँगा उसे, वह भी नहीं हो पाया। हवाई जहाज का ऐसा सिलसिला हुआ कि यदि इस हवाई जहाज को छोड़ता तो चार दिनों की प्रतीक्षा करनी पड़ती !

कल लूजान से ज्यूरिख पहुँचा।

रास्ते में झील के किनारे अंगूरों की कुंजें। यहीं के लाल अंगूरों से फ्रांस की लाल शराब बनती है। गाड़ी में एक सज्जन मिले, जो स्विट्ज़रलैंड के अर्थ विभाग में काम करते हैं। उन्हीं से पता चला, स्विट्ज़रलैंड के लोग अपने देश को स्विट्ज़रलैंड नहीं कहते—वहाँ की तीन भाषाओं में तीन नाम—स्विस, स्विल्ज और स्वीज। स्विट्ज़रलैंड नाम तो अंग्रेजों ने दिया है। ज्यूरिख पहचाना-सा शहर लगा। B.O.A.C. के ऑफिस में गया। बड़ी शिष्टता का व्यवहार। सामनों को लेकर झंझट मालूम होती थी। जब लन्दन से चलने लगा, हमारा सामान कुछ अधिक था। अतः उसका अतिरिक्त भाड़ा देना पड़ा। बड़ा महँगा पड़ा। इसलिए मैंने कुछ चीजें बर्न से ही पार्सल करके भेज दी थीं। ओझा ने तो बहुत सी चीजें फेंक दी थीं। किन्तु यहाँ पता चला, सामान कम ही है। ओझा को अफसोस हुआ, मैंने इत्मीनान की साँस ली।

ज्यूरिख से रोम। रोम सोया हुआ था, बत्तियाँ बुझा के। हमारी आँखों में भी खुमार। दो नींद के मारो की भेंट हुई। अन्तर्गत में आकांक्षा की—तुम्हें देख नहीं सका। आँखों की झपकियाँ कह रही थीं—छोड़ो मोह-ममता, सोओ।

सोए-ही-सोए भूमध्य सागर पार कर दिया। एकाध बार नींद टूटी, तो नीचे देखा। सब शून्य। न वे सुन्दर टापू, न बादलों के दल, न सागर का जल और तरंगें ! साँय-साँय करता हुआ हमारा हवाई रथ बढ़ा जा रहा है।

भोर में हम काहिरा पहुँचे। एक घटना हो गई। हमारे साथ नार्वे के एक सज्जन आ रहे थे। जो संयुक्त राष्ट्र की स्वास्थ्य संस्था में हैं। आप पाकिस्तान जा रहे थे। जब मैं हवाई जहाज पर बैठा-बैठा कुछ लिख रहा था, देखा, मेरे सामने के एक सज्जन भी मेरी ही तरह कुछ लिखे जा रहे हैं। हवाई जहाज पर लिखने में बड़ा मजा आता है। हम दोनों लिखक्कड़ों में आँखें-आँखें कुछ बातें हुईं और हम मित्र-से बन गए। पता चला, यह सज्जन अपनी बीवी के लिए यात्रा वर्णन लिखते जा रहे हैं और जहाँ जहाज ठहरता है, वहाँ से ही डाक से भेज देते हैं ! व्यवस्था तो कोई बुरी नहीं। बेचारे की नई शादी हुई है—कोई सूत्र तो बनाए रखना ही चाहिए।

काहिरा के रूमानी वातावरण में आपको फोटो लेने की सूझी। वह नहीं जानते थे, हवाई अड्डों पर फोटो लेना मना है। नतीजा यह हुआ कि आपका कैमरा ही जब्त कर लिया गया

और कहा गया, कराची में ही वह उन्हें लौटाया जा सकेगा !

काहिरा से हमारा नया रास्ता हुआ—बेहरिंग से नहीं, हम बसरा होकर कराची जाएँगे ! अच्छा ही लगा, नए देश देखेंगे। किन्तु यह क्या ? काहिरा से बसरा तक सिवा बालुका राशि के क्या कुछ देखने की चीज़ है ? आकाश भी शून्य-शून्य—बालू की गरमी जैसे बादलों को भी चाट गई हो ! हाँ, काहिरा से थोड़ी दूर आगे बढ़ने पर रेगिस्तान में एक लकीर-सी दिखाई पड़ने लगी; लोगों ने बताया यही स्वेज नहर है ! भूनी हुई बालुका राशि में हरे जल का यह सोता—और जरा ध्यान से देखिए, इस जल की नीली लकीर में कागज की नावें-सी तैरती नजर आती हैं। ये जहाज हैं। थोड़ी-थोड़ी दूर पर कई दिखाई पड़ते हैं।

स्वेज नहर ! मुनष्य के पराक्रम का ही एक कीर्ति स्तम्भ नहीं, मनुष्य की लालसा-पिपासा का भी एक स्मृति चिह्न ! जो जहाज इसमें आते-जाते रहे हैं, उनके द्वारा एशिया का कितना धन यूरोप गया ! यूरोप में जो वैभव देख आया हूँ, उसका स्रोत क्या वह स्वेज भी नहीं रहा ? मन में गुस्सा हुआ है ! किन्तु जो स्वेज ऐसा नहर खोद सके क्या उसे यह अधिकर नहीं मिल जाता है सब कुछ करने के लिए। हम चिल्लाया करें, किन्तु उनकी लूट-खसोट तब तक नहीं रोक सकेंगे, जब तक वही पराक्रम हममें नहीं आ जाए। हममें पौरुष जगा है, दस्यु भागते जा रहे हैं। एशिया जग रहा है यह नगर भी शोषण का नहीं, पारस्परिक आदान-प्रदान का जरिया बनकर रहेगी !

शाम होते-होते हम बसरा पहुँचे। चारों ओर बालू-बालू देखते आँखें पथरा-सी गई थीं। अतः जब वहाँ के हवाई अड्डे पर एक सुन्दर बगीचा पाया, तो आँखों को बहुत तृप्ति मिली। बगीचे के सहन में ही हम बैठे। हरी दूब पर छतरियाँ लगीं—बिजली के पंखे हवा कर रहे। बाहर अब भी हवा की जगह लू चल रही और यहाँ यह शीतल, मन्द (और सुगन्ध भी) बयार। मानव क्या नहीं कर सकता ?

बसरा से जब चले, जब तक देख सकते थे, बालू-ही-बालू दिखाई पड़ा।

यहाँ कराची। जब हम हवाई जहाज से उतरकर हवाई अड्डे पर गए, देखा, जिन्ना टोपियों की भरमार है। क्या कोई खास बात है ? हाँ, खास बात। दो-तीन सज्जन उनमें ऐसे थे, जिनका रूप-रंग मंगोलियन काट का। पता चला, वे लोग चीन से आए हैं—मुसलमान हैं—चीन की सरकार ने उन्हें भेजा है पाकिस्तान के मुसलमानों में भाईचारा स्थापित करने को। एक बार च्याँग काई शेक भारत आए थे, भारत से दोस्ती कायम करने को। पंडित नेहरू और मैडम च्याँग काई शेक को लेकर तरह-तरह की बातें सुनी गईं। 1942 के बाद जब गांधीजी जेल में गए, च्याँग काइ शेक ने मित्र राष्ट्रों से इस पर अपना विरोध भी प्रकट किया था ! अब भारत स्वतन्त्र है, च्याँग काई शेक का सितारा डूब चुका है ! चीन में नई सरकार है। वह नई सरकार संसार भर से दोस्ती करने के प्रयत्न में है। भारत उसका दोस्त बन चुका है। पाकिस्तान से भी वह अपनी दोस्ती क्यों न बढ़ाए ? और उस दोस्ती के लिए मुसलमान प्रतिनिधियों को भेजना क्या उचित नहीं था ? पाकिस्तान भारत की तरह अपने को धर्म निरपेक्ष राज्य तो नहीं मानता। अतः उससे दोस्ती के लिए उसी के धर्म के प्रतिनिधियों को भेजना मनोवैज्ञानिक दृष्टि से अवश्य ही सूझ-बूझ की बात है !

अपनी दहलीज पर

3-4 जून, 1951

3 जून, भोर हो चुकी है। नीचे फिर रेगिस्तान-ही-रेगिस्तान। उफ़, मिस्र से लेकर राजस्थान तक की भूमि पर यह कैसा दैवी अभिशाप ! यह विशाल भू-क्षेत्र क्या सदा ऐसा ही रहा है ? क्या यह सदा ऐसा ही रहेगा ? विज्ञान क्या संहार ही करता रहेगा ? जिस दिन यह विस्तृत भू भाग हरा-भरा बन जाएगा, मानवता की सबसे बड़ी विजय वह होगी !

अब जहाँ-तहाँ हरियाली और हरियाली के बीच-बीच में बस्तियाँ। भारत की वे ही उजड़ी, उघड़ी, दरिद्र बस्तियाँ ! फूल, खपरैल-चींटी से रेंगते हुए पशु और नंगधड़ंग मानव सन्तान !

पाँच-छः सप्ताह तक जो देखा, वह सपना था न ? मातृभूमि, तू कितनी प्यारी लगती है ? तेरे लिए क्या-क्या कष्ट न उठाए ? बार-बार जेल; जेल जीवन के वे दिन। किन्तु हम तो तब भी जीवित हैं—तुझे स्वतन्त्र देख रहे हैं ! किन्तु जो तुझ पर बलिदान हो गए ? उनके सामने हमारा बलिदान कितना तुच्छ ? इतने सारे बलिदान किस लिए ? तेरे किस सौन्दर्य ने हमें मोहित किया, अभिभूत किया ? तेरा रूखा-सूखा अंचल, तेरी सिकुड़ी-सहमी सन्तान ! यह अंचल अब हरीतिमा से, रंगीनी से चमक उठेगा ? तेरे बेटे, तेरी बेटियाँ कब सौन्दर्य और शौर्य से मंडित होंगे ?

वह अब कुछ पक्के मकान झलकने लगे और देखिए, वह है हमारा राष्ट्रीय हवाई अड्डा—पालम ! सलाम, ओ हमारी राजधानी दिल्ली !

हवाई अड्डे पर चीजों की जाँच। उपहार के लिए कुछ चीज़ें लाए, उस पर भी टैक्स। ओझा कुड़बुड़ा रहे हैं; बात भी ऐसी है। हम कोई व्यापारी तो हैं नहीं ? और जो व्यापारी हैं, वे उनकी आँखों में धूल झोंकते ही हैं। शराफत इस देश में पाप है न ? लन्दन में सिर्फ इतना पूछा गया कि व्यापार के लिए कोई चीज़ तो नहीं ? और हमने ना कहा, तो उन्होंने उसे तुरत स्वीकार कर लिया। बक्सों का ताला हमने खोल रखा था, ढक्कन उठाकर सिर्फ झाँक लिया, बस। यहाँ तो एक-एक चीज़ें उधेड़ी जा रही हैं, यह जानते हुए भी कि हम कौन हैं, क्यों गए थे। भारत को अपने नागरिकों पर भी विश्वास नहीं। सब बेईमान हैं, चोर हैं, यहीं से हमारा पारस्परिक व्यवहार शुरू होता है न ?

पालम से दिल्ली शहर की ओर—B.O.A.C. का दिल्ली ऑफिस। वहाँ से टैक्सी करके हम वेस्टर्न कोर्ट की ओर बढ़े। किन्तु अरे यहाँ तो रास्ता ही रुका हुआ है। बात क्या है ? अपने शहर के श्री नारायण महताजी दिखाई पड़े। उन्होंने बताया, सोशलिस्ट पार्टी का एक जुलूस निकल रहा है। जुलूस बहुत बड़ा है—गांधीजी की मृत्यु के बाद दिल्ली में इतना बड़ा जुलूस नहीं देखा गया। सवारियों के लिए रास्ता बन्द है। किन्तु चिन्ता की बात नहीं, इसी कोठी में श्यामनन्दन मिश्र रहते हैं ? टैक्सी को वहीं से बिदा किया; सामान श्यामनन्दन के घर पर रख दिया और बड़ी देर तक जुलूस देखता रहा। जुलूस इतना बड़ा कि लगभग एक घंटे तक उसकी कतार नहीं टूटी।

स्नान, भोजन, यहीं पर। तब वेस्टर्न कोर्ट। अवधेश्वर मिले, मथुरा मिले। जाते समय मथुरा नहीं थे; उस बार उसकी कसर पूरी की। जब तक दिल्ली नहीं छोड़ी प्रायः साथ ही लगे रहे। यह जुलूस किसान मार्च का था। शाम को सभा होनेवाली थी। जयप्रकाशजी यहीं हैं, उन्हें फोन किया। उनसे मिलने गए और उनके साथ ही शाम को सभा में पहुँचे। सभा में बिहार के काफी साथियों को पाया। बड़ी प्रसन्नता हुई यह अनुभव कि किस अच्छे मौके पर यहाँ

पहुँच गया हूँ। तय हुआ, कल बिहार के साथियों के ही साथ पटना जाऊँगा।

4 जून; शाम की गाड़ी से चल देना है और इतने लोगों से मिलना है। क्या यह सम्भव है, लेकिन श्रद्धेय राजेन्द्र बाबू से बिना मिले कैसे जा सकूँगा ? भाई चक्रधर को फोन किया, शाम को 4-55 पर बुलाहट हुई है।

दिन भर इधर-उधर दौड़ता रहा। ब्रिटिश इन्फॉरमेशन ऑफिस में जाकर उन लोगों से भेंट की। बड़ी ही शिष्टता से मिले, यात्रा का हाल-चाल पूछा, पटना तक जाने का राह खर्च आदि दिए। कल के जुलूस का बड़ा प्रभाव देखा उन पर। उन्हें यह तो मालूम ही था कि मैं सोशलिस्ट पार्टी से सम्बन्ध रखता हूँ–अतः अपनी प्रतिक्रिया बताने से भला कैसे चूकते ? कितने होशियार हैं ये लोग–तभी तो इतने दिनों तक हम पर राज किया और अब-जब चला गया तो ऐसी दोस्ती गाढ़ी करना चाहते हैं कि इस देश से फायदा उठाते रहें। भोंड़ी राजनीति को इन्होंने सूक्ष्म कला बना दिया है !

जब राजभवन में पहुँचा, देखा, मेरी प्रतीक्षा हो रही है। शीघ्र ही मैं दाखिल किया गया और अब मैं राजेन्द्र बाबू के सामने हूँ। उसी प्रेम से मिले और यात्रा का विवरण पूछने लगे। पाँच ही मिनट का तो समय मिला और इतनी सारी बातें करनी हैं ! मैं जल्दी-जल्दी संक्षेप में कहना चाह रहा हूँ और वह खोद-खोदकर पूछ रहे हैं। अपनी घड़ी देखी, पाँच मिनट तो पूरे हो चुके; उस कक्ष की घड़ी की ओर नज़र उठाई। श्रद्धेय बाबू ताड़ गए। हँसकर बताया, मैं आज का आखिरी मुलाकाती हूँ, अतः निश्चिन्तता से बातें कर सकता हूँ। फिर तो बड़ी देर तक बातें हुईं। बहुत दिन हुए, बाबू विलायत गए थे, यूरोप की भी यात्रा की थी। उनके प्रश्नों से ऐसा लगता था; मानों पुरानी बातों से नई बातों का मिलान कर रहे हों। साधारण अंग्रेजों की कार्यपटुता, समयपरता और ईमानदारी के वे भी कायल थे और जब पेरिस के टैक्सी ड्राइवरों की बात आई, हँसकर बोले–इहे दिल्ली के ताँगावालन के ऐसन, नया लोग के मूँड़िए लेस ! लन्दन के हिन्दी केन्द्र की स्थापना पर उन्होंने प्रसन्नता प्रकट की और उसकी वृद्धि और विकास के लिए शुभाकांक्षा भी। उसके लिए कुछ उचित सुझाव भी दिए।

टंडनजी दिल्ली में ही हैं, यह जानकर उनसे मिला–वही वात्सल्य, वही निष्कपट स्नेह ! जब तक गन्ने का रस एक गिलास नहीं पिलाया, हटने नहीं दिया। हिन्दी केन्द्र की स्थापना पर उन्हें भी प्रसन्नता हुई और उसके सम्बन्ध में अपनी सहायता का भी आश्वासन दिया !

मित्रों की राय थी, मैं दो-चार दिन दिल्ली ठहरूँ। किन्तु जैसे पटना पुकार रहा हो, बेनीपुर पुकार रहा हो। फिर दैनिक 'जनता' में विलम्ब हो रहा है, यह भी चिन्ता। जयप्रकाशजी ने मिलने के समय सबसे पहले यही पूछा–आप 'जनता' कब से निकाल रहे हैं। अतः शाम को जनता एक्सप्रेस से सभी साथियों के साथ रवाना !

पैरों में पंख बाँधकर !–हाँ, पिछले छः सप्ताह पैरों में पंख बँधे रहे। यहाँ से वहाँ, वहाँ से यहाँ। जैसे उड़ रहे हो–फुर्र-फुर्र। कहीं विश्राम नहीं, कहीं आराम नहीं ! नया आकाश, नई दुनिया। नए-नए दृश्य; नए-नए अनुभव। लगता रहा, जैसे किसी अद्‌भुत स्थान में बैठकर कोई अद्‌भुत सिनेमा देख रहा होऊँ–तीव्रतम वेग से रील-पर-रील बदल रहे हों; एक को देखने से तृप्ति भी नहीं हुई कि दूसरी रील शुरू हो गई–सोचने-समझने तक का मौका नहीं। बस, देखे जाइए, देखे जाइए !

किन्तु अब ज़मीन पर हूँ–अपनी चिर-परिचित ज़मीन पर ! वही काली मिट्टी, वे ही काले मकान, वे ही काले लोग ! ये सब अपने हैं, इसलिए प्यारे हैं; इन्हीं के बीच रहना है, अतः उस सुख-स्वप्न को भुला ही देना होगा ! थर्ड क्लास के इस डब्बे में एक-पर-एक लोग ठसाठस भरते जा रहे हैं ! इधर सामानों की रेल-पेल; उधर बीड़ी के धुएँ का अम्बार। जितने लोग,

उतनी बात ! हर आदमी बोल रहा है, जैसे बोलना हमारे ही हिस्से पड़ा है और जाने फिर कल बोलने का मौका मिले या नहीं ?

उफ, हमें अपने देश को बनाना है; एक नया देश बनाना है, उसमें एक नया समाज बनाना है। एक ऐसा समाज, जिसका हर पहलू सुखी हो, सम्पन्न हो, सबल हो, सुसभ्य ? उसी समाज का सपना कल दिल्ली में उन हजारों आदमियों की आँखों में देखा; जो दूर-दूर से पैदल चलकर उस जुलूस में शामिल होने आए थे। मेरे पैरों में पंख बँधे थे, उनकी कल्पना में पंख लगे थे। पैरों के पंख झड़ सकते हैं, कल्पना के पंख न झड़े हैं, न झाड़े जा सकते हैं ! वह नया समाज बनकर रहेगा, बनकर रहेगा !

उड़ते चलो, उड़ते चलो

[1954 ई.]

उड़ता जा रहा हूँ !

10 मई, 1952
एरोप्लेन पर

प्राचीन ऋषियों ने कहा था—चरैवेति, चरैवेति—चलते चलो, चलते चलो।

आधुनिक मानव कहता है—उड़ते चलो, उड़ते चलो।

प्राचीन ऋषियों का कहना था—पृथ्वी चल रही है, चन्द्रमा चल रहा है, सूर्य देवता चल रहे हैं, इसलिए तुम भी चलते चलो, चलते चलो।

आधुनिक मानव देखता है—पृथ्वी, चन्द्रमा या सूर्य देवता की गति प्रति घंटा लाखों, करोड़ों, अरबों मील है। किन्तु उसके पैरों की गति अत्यन्त परिमित, धीमी है। अतः वह कहता है, विज्ञान ने जो साधन दिए हैं, उनका सहारा लेकर कम-से-कम सौ से पाँच सौ मील प्रति घंटे के हिसाब से तो उड़ते चलो।

प्राचीन ऋषि की दुनिया छोटी थी, वह उसे पैदल चलकर भी पार कर ले सकते थे। आधुनिक मानव का संसार बहुत बड़ा, लम्बा-चौड़ा हो गया है। वह कहाँ तक पैरों को घसीटता चले—वह उड़ेगा, वह उड़ रहा है !

मैं भी यह दूसरी बार उड़ रहा हूँ। चार्ट बताता है, बम्बई से पेरिस पौने पाँच हजार मील है; फिर भी बीच में समुद्र हैं, पहाड़ हैं, मरुभूमि है, जंगल हैं। ऋषियों का वचन मानकर पैदल चला जाता, तो कितने दिन लग जाते ! किन्तु यह टाइम टेबुल बताता है, अभी दोपहर को 1-40 बजे हम चल रहे हैं, कल सुबह-सुबह ठीक आठ बजे पेरिस की रंगीनियों में डूबते-उतराते होंगे !

सान्ताक्रूज से अभी एक झमाके के साथ हमारा यह जहाज उड़ा है। ऊपर से बम्बई की पूरी झलक भी नहीं लेने पाया कि यह देखिए, नीचे समुद्र लहरा रहा है और ऊपर हम उड़े जा रहे हैं।

पथ पुस्तिका में उन स्थानों के रंगीन चित्र देख रहा हूँ, जो हमारे नीचे आएँगे—तरह-तरह के द्वीप, तरह-तरह के लोग, तरह-तरह के जीव-जन्तु ! अपने स्वाद से जीभ को पानी-पानी कर देनेवाली समुद्री मछलियाँ, अपने मोती से हमारे गलों को जगमगानेवाली सीपियाँ, अपने आँसू की लड़ियों से मुक्ताएँ बनानेवाली जलपरियाँ। वह द्वीप जहाँ क़ैदियों को गले में बड़ा तख्ता पहनाकर छोड़ दिया जाता था, वह द्वीप जहाँ जलदस्युओं के अड्डे रहते थे। कालीनों का बन्दरगाह मस्कट, मार्कोपोलो की प्रसिद्ध सराय हरमुज़, संसार की सबसे गरम जगह रास मसंदम, खजूरों की भूमि नज़्द। जिनमें सबसे पहले मक्खन तैयार हुआ बेदुइनों के वे चलते-फिरते घर, ऊँटों के कारवाँ, अरबी घोड़ों के झुंड ! जब हम ऊपर चले जा रहे हैं, नीचे हम क्या-क्या न छोड़ते जाएँगे ! निस्सन्देह हम पैदल चलते, तो इन सबको देखते; किन्तु इनमें से कितने को देख पाते !

नहीं-नहीं, उड़ते चलो, उड़ते चलो ! बम्बई से काहिरा, काहिरा से पेरिस—सिर्फ दो हुद के और हम अपने मन्तव्य स्थान को पा लेंगे।

अहा ! हम उड़ते जा रहे हैं, देखते जा रहे हैं और लिखते भी जा रहे हैं—यह सुख तो एरोप्लेने पर ही मिल सकता है।

पिछली बार की तरह इस बार की यह यूरोप यात्रा भी आकस्मिक ही रही। उस दिन

पटना रेडियो स्टेशन पर .. त सभा हो रही थी। रात में वहीं जाने के लिए मैं तैयार हो रहा था कि एक तार मिला—

पेरिस में होनेवाली सांस्कृतिक स्वाधीनता कांग्रेस के साहित्यिक समारोह में सम्मिलित होने के निमन्त्रण पर क्या विचार कर सकोगे ?

तार भेजनेवाले का नाम स्पष्ट नहीं था; किन्तु स्थान का नाम बम्बई स्पष्ट था। मैं सोचने लगा, यह अचानक निमन्त्रण कैसा ? किससे ?

साथ में सियाराम था। मैंने उससे कहा, चलो, पेरिस चलें। पेरिस का मतलब उसने संगीत सभा समझ लिया। कोई बुरा तो नहीं समझा ? उसने हाँ भर दी। मैं रेडियो स्टेशन की ओर तेज़ी से जा रहा था और दिमाग़ में आप-ही-आप ताना-बाना बुन रहा था।

चुनाव के बाद की थकान थी, कुछ अधूरे काम थे। सोचा था, कुछ दिनों घर पर ही रहकर उन कामों को पूरा कर लूँगा। पेरिस जाऊँ, तो फिर वही दौड़धूप; फिर काम अधूरे-के-अधूरे रह जाएँगे !

रेडियो स्टेशन पर एक-दो मित्रों को वह तार दिखलाया, फिर उसे जेब में रख दिया, सो तीन दिनों तक वहीं पड़ा रहा। मेरा मन असमंजस में था। किन्तु धीरे-धीरे मित्रों को इसकी ख़बर होती जाती थी और उन सबका आग्रह—कि ज़रूर जाओ। अन्ततः प्यारे गंगा ने सारे तर्क-वितर्क को शान्त कर दिया—नहीं, तुम्हें जाना ही चाहिए। ये काम दो महीने बाद भी हो जाएँगे और यूरोप की आबोहवा में थकान भी भूल जाएगी !

और प्रोफेसर कपिल ने अपने ही हाथों से स्वीकृति का तार भाई मसानी के पास भेज दिया। तार के प्रेषक वही थे, दूसरे दिन, दिन की रोशनी में स्पष्ट हो गया था।

उधर मसानी के तार-पर-तार आने लगे, इधर बेमन की तैयारियाँ भी होने लगीं। किन्तु बीच में एक ऐसा भी अवसर आया कि मैंने तय किया, अब जाना रोक ही देना है। किन्तु फिर मित्रों ने कहा, जाइए ही, यहाँ हम सब सँभाल लेंगे।

और आज जा रहा हूँ। किन्तु इन झंझटों का यह असर कि जा रहा हूँ, पर मेरे पास मेडिकल सर्टिफिकेट भी अधूरे ही हैं। कभी-कभी चिन्ता होती है, न जाने इसके चलते क्या हो ? किन्तु चलते समय एयर इन्डिया के मि. दस्तूर ने विश्वास दिलाया है—चिन्ता न कीजिए, सब ठीक रहेगा !

हाँ, इस बार एयर इन्डिया इन्टरनेशनल के प्लेन पर जा रहा हूँ—अपने देश के प्लेन पर ! पिछली बार B.O.A.C. के प्लेन पर गया था। प्लेन का रंगरूप तो एक ही है, किन्तु निस्सन्देह ही इसके भीतर भारतीय वातावरण लगता है !

यह हमारे सामने के थैले में जो पंखा है, उस पर एक नृत्यशील भारतीय लड़की का चित्र है। भारतीय कला इससे छलकी पड़ती है। ज़ो बैग हमें छोटे सामानों को रखने के लिए मिला है, उस पर एक भारतीय पग्गड़धारी चपरासी का चित्र है, जो हमें सलाम करता-सा दीखता है। जो होस्टेस अभी रुई और पिपरमिंट की पुड़िया दे गई है, वह एक पारसी लड़की है।

प्लेन में अधिकांश यात्री भारतीय हैं। कैसा संयोग, इसी प्लेन से पेरिस के भारतीय राजदूत मि. मल्लिक भी जा रहे हैं—दाढ़ी और पगड़ीवाले बूढ़े सज्जन !

यह कल्पना करके बार-बार पुलक होती है कि हम एक भारतीय हवाई जहाज से सफर कर रहे हैं। किन्तु सोचता हूँ, हम लोग अपने देश में अपने हवाई जहाज बनाना कब तक शुरू करेंगे ? वह भी होकर रहेगा, शीघ्र ही होना चाहिए।

उड़ा जा रहा हूँ, किन्तु अजीब सूना-सूना लग रहा है, यद्यपि पिछली बार की अपेक्षा इस बार की यात्रा निस्सन्देह ही महत्त्वपूर्ण है। इस कांग्रेस की ओर से इस साहित्य समारोह

के अतिरिक्त बीसवीं सदी की सर्वोत्तम कलाकृतियों का प्रदर्शन भी होने जा रही है। एक साथ, एक ही जगह, यूरोप के संगीत, नृत्य, कला, साहित्य—सबकी बानगी देखने-सुनने का सुअवसर प्राप्त होगा !

इस बार के साथी भी अच्छे मिले हैं। मित्रवर मसानी के पिता सर रुस्तम मसानी हमारे दल के नेता हैं। सर रुस्तम बम्बई के प्रसिद्ध शिक्षाप्रेमी ही नहीं हैं, एक उच्चकोटि के लेखक भी हैं। बम्बई विश्वविद्यालय के वह वाइस चांसलर रह चुके हैं और उनकी लिखी दादाभाई नौरोजी की जीवनी उत्कृष्ट कोटि की जीवनी मानी जाती है। उनकी कुछ रचनाओं का अनुवाद फ्रेंच में भी हो चुका है !

अभी आए थे, मेरी बगल में बैठे और बड़े प्रेम से बातें कीं जैसे कोई पिता अपने बच्चे की मिजाज़पुर्शी कर रहा हो।

पी.वाई. देशपांडे मेरे पुराने परिचितों में से हैं। जब सोशलिस्ट पार्टी का जन्म हुआ, वह भी शामिल थे। मराठी के सुप्रसिद्ध लेखक; 'नागपुर टाइम्स' के संचालकों में। वह भी आकर इस बार की यूरोप यात्रा के खाके के बारे में बातें कर गए हैं। वह पहली ही बार यूरोप जा रहे हैं।

चौथे-पाँचवें सज्जन हैं, फिलिप स्प्रैट और का. ना. सुब्रह्मण्यम्। फिलिप स्प्रैट—सुप्रसिद्ध 'मेरठ षडयन्त्र' के अभियुक्त। अंग्रेज हैं, किन्तु अब भारत को ही घर बना लिया है। एक भारतीय महिला से शादी की है। मैसूर से 'मिस इन्डिया' नामक पत्रिका निकालते हैं। शान्त चेहरा, मौन स्वभाव ! सुब्रह्मण्यम् मद्रासी हैं, तेलुगु के नामी लेखक ! धड़ल्ले से बोले जा रहे हैं।

और मेरे सामने हैं, मेरे दो आत्मीय—शिवाजी और उनकी पत्नी शीला। जब मुझे निमन्त्रण मिला, शिवाजी ने भी साथ देने की इच्छा प्रकट की। मैंने मसानी को लिखा और वह भी प्रतिनिधि की हैसियत से जा रहे हैं। उनकी पत्नी शीला ने उनका साथ देकर बिलकुल घरेलू वातावरण बना दिया है।

प्लेन उड़ा जा रहा है। हम संध्या को चले हैं, नीचे समुद्र लहरा रहा है; ऊपर हम आगे बढ़े जा रहे हैं—अपनी मातृभूमि से दूर ! कितनी दूर ?—अभी कप्तान का सूचना, पत्रक नहीं मिला है।

बम्बई में दो दिन रहा, वहाँ के मित्रों के चेहरे और स्वागत-सत्कार के दृश्य आँखों के सामने घूम रहे हैं।

बम्बई स्टेशन पर उतरकर जब बाहर हो रहा था, इस कांग्रेस की भारतीय शाखा के श्री बरखेदकर मिले। उन्होंने मेरी कोटवाली तसवीर देखी थी, अतः हिचकिचा रहे थे, किन्तु मेरे मोटे चश्मे ने उनकी झिझक दूर की। उन्होंने मसानी का सलाम कहा, किन्तु मैं तो पहले से ही तय कर चुका था, मैं पृथ्वीराजजी के साथ ठहरूँगा। अतः सीधे माटूँगा !

पृथ्वीराजजी, उनकी धर्मपत्नी रमाजी, बेटे शम्मी और शशि और बेटी उमी के स्नेह से अब भी अभिभूत हो रहा हूँ।

शम्मी ने अपने स्वाभाविक नाटकीय ढंग से कहा था—चाचाजी, वहाँ एक चपरासी भी लेते चलिए !

जब मसानी से उनके दफ्तर में मिला, हिन्दी में ही बातें शुरू हुईं ! हम लोग सदा हिन्दी में ही बातें करते आए हैं, तब भी, जब वह मुश्किल से हिन्दी में बोल सकते थे।

हमारी बिदाई के लिए जो समारोह हुआ था, उसमें अशोक और पुरुषोत्तम आए थे। पुरुषोत्तम ने उलहना दिया—मेरे यहाँ नहीं ठहरे ! और अशोक के सिर पर पूरी बम्बई पार्टी

की जिम्मेवारी; तो भी मेरे ही कारण वहाँ आए थे, ऐसा उन्होंने स्नेह से कहा !

देवेन्द्र मेरे साथ गया था, पीछे वीरेन्द्र भी आ गए थे। शीला को पहुँचाने बालाजी आए थे। शिशिर आजकल बम्बई में ही हैं, कल से ही साथ में लगे हैं। देवघर का इन्द्रनारायण सम्मेलन में काम करता था; अखबारों में आज भोर को मेरे जाने की सूचना पढ़ी थी। वह अपने साथ एक सज्जन को लेते आया था। उसी सज्जन, श्री मुकुन्द गोस्वामी के मगही पान के बीड़े चाभता उड़ा जा रहा हूँ।

किन्तु यह पान कब तक चलेगा, कहाँ तक चलेगा ? ज्यादा-से-ज्यादा काहिरा तक। तो क्यों नहीं सिगरेट शुरू कर दूँ। पिछले छः-सात महीनों से सिगरेट छोड़ रखा था और पान पर ही काटे जा रहा था। किन्तु यूरोप में पान कहाँ ? अतः बम्बई में ही दो टिन सिगरेट के खरीद लिये।

किन्तु यह क्या ? सिगरेट जलाता हूँ, तो मुँह में अजीब स्वाद लगता है ! कुछ मज़ा नहीं आ रहा है। लेकिन, आएगा, आएगा ! पुरानी चीज भी नया अभ्यास खोजती है न ?

अंधकार फैल रहा है। प्लेन की बत्तियाँ जल रही हैं। उधर होस्टेस खाने के लिए हर सीट के सामने सँकरा, टेबुल सजा रही है। चलो बेनीपुरी, हाथ-मुँह धोओ, खाओ-पीओ और सोओ। बहुत थके हो ! पेरिस घूँघट हटाए तुम्हारी प्रतीक्षा कर रही होगी; फिर वहाँ विश्राम कहाँ ? हाँ, श्रान्ति और क्लान्ति भी नहीं होगी वहाँ; किन्तु उस रास-हास के लिए भी तो शक्ति संचय आवश्यक है।

यह प्रभात : यह पेरिस

11 मई, 1952
एरोप्लेन पर

अभी नींद टूटी है और प्लेन की शीशे की खिड़की से बाहर नज़रें डालते ही यह क्या पा रहा हूँ ?

यह सुन्दर प्रभात, मनोरम प्रभात, हृदयहारी प्रभात ! उधर, दूर क्षितिज पर, सूर्योदय की लालिमा फूट रही है और इधर हमारे प्लेन के नीचे, बादलों के ढेर हैं ! ये बादल, भूरे बादल, एक-पर-एक लदे बादल—रुई के समुद्र-से, गोले के समुद्र-से लग रहे और यह लालिमा क्षण-क्षण, पल-पल रंग बदल रही है ! क्या कोई कैमरा भी उसके इस परिवर्तनशील सौन्दर्य को पकड़ सकता है—फिर क़लम क्या करे ?

वह सामने बैठी लड़की अपना कैमरा सँभाल रही है। क़लम, तू भी चलती चल !

क्षितिज का रंग बदलता जाता है। जहाँ पहले उसमें लालिमा-ही-लालिमा थी—तुरत ब्याही गई लड़की की चूनर-सी दिपती हुई, बेदाग़—वहाँ अब उसमें सुनहलापन आ रहा है ! किसी गोरे गाल पर दौड़ती शर्म की लाली का ठीक उलटा !

बादलों के ऊपर एक चमक-सी छा रही है। जगह-जगह बादल ऐसे उठे हैं कि वे पहाड़ की चोटियों-से लगते हैं। उन चोटियों की चोटियों पर चमक की हलकी लकीरें खिंच रही हैं।

बाईं ओर की खिड़की से देखता हूँ, चाँद औंधे मुँह लटका है। बादल उस ओर भी हैं, किन्तु निष्प्रभ, निस्पन्द। जीवन सूरज में है, चाँद तो सुलाना ही जानता है !

और इतनी ही देर में, इधर, यह क्या हो गया ? सूरज देवता ने अपनी ज्योति-निर्झरी का जैसे ढक्कन खोल दिया हो ! मालूम होता है, असंख्य किरण-धाराएँ एक ही साथ फूट

निकलीं ! चारों ओर चकमक, झलमल ! चारों ओर जैसे सोने का पानी फिर रहा है।

अब क्षितिज की छवि अद्भुत हो गई है। बादलों के पहाड़ के पीछे से वह सूरज देवता ने झाँका, फिर मुसकरा पड़े ! भूरे बादलों की किनारी अब सुनहली, चमकीली है। नीचे के बादल सपाट मैदान-से लग रहे हैं। ज्यों-ज्यों उजाला बढ़ता जाता है, उनका भूरा रंग दूर होता जाता है—देखिए, वे अब मक्खन से लग रहे हैं, श्वेत, स्निग्ध ! भूखे नयन उन्हें देखकर अघा नहीं रहे।

यह लड़की कैसी चंचल हो रही है। क्या इसने मान लिया है कि कैमरा काम नहीं कर सकता ? कमबख़्त, उन्हें नयनों में ही भर ले।

सूरज का पूरा गोला अब सामने है—चमकता, सुनहला गोला। सोने की थाल में कंचन का शालिग्राम ! बादलों की सुनहरी किनारी दिप रही है। बादलों के गोले में भी चमक है। अरे, सूरज की किरणें शीशे की खिड़की को छेदकर हमारे प्लेन के अन्दर भी आ घुसीं—सारा प्लने भक-सा बल उठा जैसे। अब सबकी आँखें सामने की खिड़कियों की ओर हैं।

लड़की की चंचलता बढ़ती जाती है। वह रह-रहकर अपने अलकजालों से मेरे सामने की खिड़की को ढक देती है।

सूरज ऊपर् उठता जाता है, उसका तेज बढ़ता जाता है। वह लड़की हट गई है। अब यहाँ-से-वहाँ तक निर्द्वन्द्व देख सकता हूँ; किन्तु क्या देखा जाता है ? एक अजीब जगमगाहट है। कभी-कभी खिड़की का शीशा इस तरह चमक उठता है, जैसे वह भी सूरज का कोई टुकड़ा हो। आँखें चौंधिया जाती हैं।

नीचे के बादल अब दूध के फेन-से लग रहे हैं—फेन की ही तरह वे उबलते दीखते हैं।

कहा गया था, हम पेरिस छः बजे पहुँचेंगे। मेरी घड़ी में दस बज रहे हैं। बम्बई और पेरिस के समय में लगभग पाँच घंटे का अन्तर होना चाहिए। क्या अब हम पेरिस के निकट आ गए हैं ?

हम कहाँ हैं ? बम्बई छोड़ी तो फिर काहिरा के ही दर्शन हुए। ऊँघते हुए हम प्लेन से नीचे आए थे। उन्मुक्त हवा के झोंकों ने हमें ठंडक दी थी। हवाई अड्डे के होटल में एक प्याली कॉफ़ी पीकर हमने कुछ देर के लिए नींद दूर की थी। हब्शी नौकरों के आबनूसी रंग और मोटे होंठों ने भी इसमें सहायता की थी। पासपोर्ट आदि की रस्मों के बाद फिर प्लेन में ! रात-रात न-जाने कितने मैदान, समुद्र और पहाड़ हमने पार किए। बादलों के नीचे अब निश्चय ही फ्रांस की भूमि होगी !

फ्रांस की भूमि ! रूमानियों की भूमि ; सैलानियों की भूमि ! तुम कहाँ हो ? ज़रा नीचे देखें—

अहा, फिर नयनाभिराम दृश्य। सूरज देवता काफ़ी ऊपर उठ चुके हैं और उन्होंने सारे बादलों को विचित्र ढंग से चमका दिया है। वे बादल स्वयं ज्योतिपुंज बन रहे हों जैसे। चारों ओर चमक-ही-चमक। जो कभी काले थे, भूरे हुए, सुनहले बने, अब वे उजले-उजले हैं—स्वयं उजले हैं, उजलापन बिखेर रहे हैं।

एक धचके का अहसास। हमारा प्लेन नीचे उतर रहा है क्या ? सामने प्लेन की पट्टी पर वह चमक उठा—फासेन सीट बेल्ट ! कमर बाँधो, तैयार हो।

अरे, यह नीचे क्या है ? गहरी हरियाली में ये लाल, पीले, उजले मकान ! और वह, वह—इफेल टावर ! हाँ, हाँ, हम पेरिस पहुँच चुके !

मन घबरा रहा है—अधूरे हेल्थ सर्टिफिकेट को लेकर। किन्तु यह ग़लत बात। जी कड़ा

करो और उतरो बेनीपुरी। देखो, पेरिस बाँहें पसारकर तुम्हारे स्वागत को खड़ी है ! वह खड़ी है, प्लेन भी नीचे उतरकर खड़ा हुआ, तुम भी उतरो !

सुन्दरी होस्टेस कह रही है—बाई-बाई ! पेरिस इसी की तरह मुसकराकर कहेगी—फिर आ गए, स्वागत !

(ख) पेरिस में–

रंगीन, ख़ूबसूरत बस पर सर-सर निकलता अब पेरिस में प्रवेश कर रहा हूँ।

एरोड्रम पर कोई झंझट नहीं हुई। हम सम्मानीय अतिथि थे न--ज़रा-सी ग़फलत के लिए क्या दंड पाता ? एयर इन्डिया के पेरिस प्रतिनिध मि. कौल अपने साथ उस लड़की के निकट ले गए। उसने हँसकर कागज़ पर मुहर लगा दी।

सिर से बला टली और इधर पेरिस का सौन्दर्य मन-प्राण को अभिभूत करने लगा।

हलका कुहासा छाया हुआ है। उस हलके कुहासे में सड़क के दोनों ओर के हरे-हरे पेड़ कितने सुन्दर मालूम होते हैं ! ये पेड़—कटे, छटे एक ही बल्ले पर खड़े हरे तम्बू-से ! हरी-हरी पत्तियों के बीच हलके लाल रंग के फूल और ग़ज़ब ढा रहे हैं !

फूलों की पँखुरिया सड़क पर छितराई हुई हैं, जिन्हें कुचलती हमारी बस भागी जा रही है।

यह सामने इफेल टावर—अपने पूरे गौरव के साथ कह रहा, तुम फिर आ गए ?

और अब सीन नदी पार कर रहा हूँ। सीन, यह छोटी सी नदी ! इस पर कितने बजड़ों ने बहारें लूटी हैं, कितनी लाशें इसकी तरंगों पर उतराई हैं !

और यह पुल ! अलग से ही यह कहता था, हाँ, यह पेरिस है !

दोनों छोर पर दो-दो बड़े स्तम्भ। स्तम्भों के नीचे सुन्दरतम मूर्तियाँ। हर स्तम्भ के ऊपर एक-एक घोड़े की मूर्ति—घोड़े जैसे उड़ रहे हों। घोड़ों की चारों मूर्तियाँ सुनहली ! प्रातःकाल की सुनहली किरणों ने उनके सोने की चमक में कितना इज़ाफा कर दिया है !

और यह सामने जो भवन है—उसका सुनहला कंगूरा ! भवन के बरामदे से लम्बी-लम्बी रंगीन पताकाएँ लटक रही हैं।

यह कौन स्थान है, आज कोई उत्सव है क्या ?

यह पहुँच गए एयर फ्रांस के दफ्तर में।

स्वागत समिति की ओर से एक लड़की मिली। हम होटल में ले जाए गए !

जब जलपान करके बाहर निकले, पता चला, हम शाँ जिलैजे में ही हैं। शाँ जिलैजे—स्वर्गभूमि ! इसका यही अर्थ हमें बताया गया था। पिछली बार की यात्रा में एक रंगीन संध्या हमने यहीं बिताई थी।

ऊँची अट्टालिकाएँ; दुलहिन-सी सजी-सजाई रेस्तोराँ ! पेड़ों की पाँतें। लोगों में काफी उमंग ! दिन में यह समाँ ? ओहो, आज छुट्टी का दिन है और पेरिस अपनी दो महान संतानों की जयन्ती मना रही है आज—नेपोलियन की, जोन द आर्क की !

यह सामने नेपालियन का विजय तोरण ! उसके नीचे जो 'अज्ञात सैनिक' की समाधि है, उसकी शान का आज क्या कहना ? उस पर फूलों के ढेर लगे हैं; स्मृति शिखा—रिमेम्बरस फ्लेम—धधक रही है !

हृदय में एक हूक उठती है—आह ! हम अपने शहीदों को याद करना कब सीखेंगे ? पटना सेक्रेटेरियट के शहीदों की याद आई—कहाँ फूल, कहाँ दीपक; अरे, बेठिकाना उनका

मज़ार है !

विजय तोरण पर चढ़कर उत्सव-मग्न पेरिस की एक झाँकी ली। वह इनवैलिड, जहाँ नेपोलियन की हड्डी सेंट हेलना से लाकर दफनाई गई है ! पताकाएँ किस शान से लहरा रही हैं। हाँ, थोड़ी देर पहले हम उसी के निकट से गुज़रे थे न ? और वह पुल अलेक्जेन्डर पुल होगा। ज़रा देवी जोन की मूर्ति को भी देख लें।

कुछ ऐसा उत्साह कि सामने खड़ी घोड़ागाड़ी पर चढ़कर हम उस ओर चले। पेरिस में घोड़ागाड़ी पर—अरे, हम रईसों के देश से आए हैं न ?

यह कन्कॅर्ड, यह त्विलरी। लेकिन अभी इनके बारे में नहीं। मैं सीधे उस मूर्ति के सामने खड़ा हुआ—घोड़े पर सवार, नंगी तलवार लिये वह मूर्ति—देवी जोन की मूर्ति ! सोने की मूर्ति, जिसके चारों ओर फूलों के ढेर लगे हैं। फ्रांस के राष्ट्रपति, प्रधानमन्त्री और सेनापति उसके चरणों में अपनी-अपनी मालाएँ अर्पित कर गए हैं और पेरिस के दस हजार नौजवानों ने अभी-अभी उसके निकट श्रद्धांजलि अर्पित की है !

चारों ओर लोगों की भीड़। भीड़ को कतरियाते किसी तरह मूर्ति के निकट पहुँचा और बार-बार उस ग्रामीण बालिका को प्रणाम किया, जो देश के लिए लड़ी और अन्त में जिन्दा जला दी गई।

धन्य जोन, धन्य पेरिस, धन्य मैं, जो इस शुभ दिन को ही यहाँ पहुँचने का सौभाग्य प्राप्त कर पाया।

कांग्रेस : वार्साई

11 मई, 1952
पेरिस

नौ बजे नींद टूटी। रात खूब सोया। रास्ते की थकान; दिन भर की दौड़धूप। सवेरे ही सो गया था; किन्तु जैसे कुम्भकर्ण की ख़ाला आँखों पर आ बैठी थी।

शौच, जलपान आदि के बाद ज़रा उस फाइल को देखने बैठा, जो सांस्कृतिक स्वाधीनता कांग्रेस की ओर से मेरे नाम भेजी गई है !

कितनी व्यवस्था होती है, इन लोगों के कामों में। इस फाइल में कितने ही काग़जात हैं। कांग्रेस की मुख्य पत्रिका का अप्रैल अंक है। कितने ही बड़े-बड़े लेखकों के लेख हैं—एक लेख सुप्रसिद्ध इतालियन लेखक, सौन्दर्यशास्त्र के आचार्य बेनेदित्तो क्रोचे का भी है। क्रोचे इस संस्था के सम्माननीय सभापतियों में से हैं। चाहता था, यह लेख सबसे पहले पढ़ लूँ। विषय भी मोहक था—'ला आयडियल द कम्युनिज्म' किन्तु क्या पढ़ सका ? फ्रेंच जो नहीं जानता और यह पत्रिका फ्रेंच भाषा में ही निकलती है !

बीसवीं सदी की सर्वोत्तम कृतियों की प्रदर्शनी का पूरा प्रोग्राम भी इसमें है। 30 अप्रैल से 21 मई तक चलनेवाले इस महान आयोजन की कार्य-सूची पढ़कर दिमाग़ चकरा जाता है। ऑर्केस्ट्रा, ओपेरा, बैले, कोरस, क्वार्टेट—इनके संचालकों में पश्चिमी दुनिया के बड़े-बड़े संगीताचार्यों की एक लम्बी सूची। फिर चित्र प्रदर्शनी, जिसमें आधुनिक चित्रकारों की डेढ़ सौ सर्वोत्तम कृतियाँ और अन्त में साहित्य !

मेरा सम्बन्ध तो मुख्यतः साहित्य से है, इसी के लिए बुलाया गया हूँ। अतः उसके कार्यक्रम को अच्छी तरह देखना ही था।

16 मई से यह सम्मेलन प्रारम्भ हो रहा है। पहले दिन का विषय है—लेखक और वातावरण। इसमें रूसी लेखक मार्क आन्देनौव, फ्रांसीसी लेखक रोज़र कायबा, स्वीस लेखक डेनिस द रूज़मों, अंग्रेज कवि स्टिफेन स्पेंडर आदि भाग लेंगे और इसका सभापतित्व करेंगे स्पेन के प्रसिद्ध लेखक दोन साल्वादर द मादरियागा, जिन्हें फ्रैंको की तानाशाही के शुरू होते ही देश छोड़ देना पड़ा।

इसके बाद 21, 23, 26 और 28 को इसकी बैठकें होंगी, जिनमें (1) पृथकरण और सम्बन्धस्थापन; (2) विद्रोह और मानवीय परिज्ञान; (3) अनेकरूपता और विश्वरूपता; (4) संस्कृति का भविष्य—इन विषयों पर विचार विनिमय होंगे। इन विषयों में भाग लेनेवालों में—जेम्स फरेल (अमेरिका)। यूजेनियो मौन्तेल (इटली), डब्लू. एच. औडेन (अंग्रेजी कवि), शियोदाँ (रूमानिया), इग्नात्सियो सिलोने (इटली), आन्द्रे मालरो (फ्रांस) आदि प्रमुख हैं। नोबेल पुरस्कार विजेता विलियम फौकनर भी अन्तिम दिन सम्मिलित हो रहे हैं।

26 को कला प्रदर्शनी का उद्घाटन हो रहा है। कला सम्बन्धी संलाप में रूडोल्फ़ रियर (आस्ट्रिया) ब्लादिमीर विल्दे (रूस), हरबर्ट रीड (इंगलैड) आदि भाग ले रहे हैं।

प्रतिनिधियों की जो नामावली इसके साथ सम्बद्ध है, उससे पता चलता है—भारत, जापान, इटली, जर्मनी, डेनमार्क, हालैंड, स्पेन, रूमानिया, पोलैंड, ब्राजील, आस्ट्रिया, ग्रीस, अमेरिका, फ्रांस, इंगलैड आदि के प्रतिनिधि पधार रहे हैं !

निस्संदेह यह एक महोत्सव है। क्या ऐसे महोत्सव में सम्मिलित होने का सुयोग पाना सौभाग्य की बात नहीं है ? किन्तु हर सौभाग्य के साथ उत्तरदायित्व का गठबन्धन होता है। देखता हूँ, कहाँ तक इसे निबाह पाता हूँ।

ख़बर लगी है, इटली के सुप्रसिद्ध सिलोने, हमारे ही होटल में ठहरे हैं। एक दिन उनसे मिलना चाहिए।

आज बाहर निकला तो पहले बहुत सा समय ख़रीद-फ़रोख्त में ही लग गया। हम में से कई आदमी अधूरे सामान लेकर ही आए हैं। किन्तु यहाँ की खरीद-बिक्री भी क्या आसान है ? जिस दूकान में जाइए, इतनी चीजें और इस तरह की चीजें मिलती हैं कि यह तय करना मुश्किल हो जाता है कि क्या लें, क्या छोड़ें।

शीला के लिए ओवरकोट खरीदना था। शाँ जिलैज़े की एक बड़ी दूकान में गए, जहाँ औरतों के लिए ही सामान मिलते हैं। उस लम्बी-चौड़ी इमारत की तीन मंज़िलों की इंच-इंच जगह सामानों से भरी। औरतों के लिए आवश्यक एक-एक चीज की कितनी क़िस्में—पेरिस तो फैशन की भूमि ठहरी। चीजें पसन्द कीजिए, पहनिए, लम्बे-चौड़े शीशे के सामने टहलकर देखिए कि कैसी फबती हैं। कोई हड़बड़ी नहीं। बेचनेवाली लड़कियाँ भी आपको चीजों के चुनाव में मदद करेंगी।

पेरिस फैशन की भूमि है, किन्तु देखता हूँ, शीला की साड़ी देखकर यहाँ की लड़कियाँ बरबस आकृष्ट होती हैं। वह बेचनेवाली लड़की किस तृषित नेत्र से देखती और खूबसूरत-खूबसूरत की रट लगाए हुए थी !

पेरिस की लड़कियाँ ! ये स्वयं एक अध्याय खोजती हैं, किन्तु आज फुरसत कहाँ ?

पहले हमने दूर से देखने का तय किया है, इसलिए आज वार्साई जा पहुँचा था। वार्साई क्रान्ति की भूमि, कला की भूमि ! 1781 की क्रान्ति यहीं से शुरू हुई थी न, जब पेरिस से एक भीड़ उमड़कर वहाँ पहुँची, राजा-रानी को पकड़कर, एक गाड़ी पर लेकर पेरिस लौटी। पेरिस उन दिनों भूखों मर रही थी। भीड़ की औरतें रानी की ओर इंगित कर चिल्लाती

थीं—रोटी पकानेवाली को ला रही हूँ, बहनो, अब रोटियों की कमी नहीं होगी !

यह विशाल इमारत। इमारत के सामने लुई चौदहवें की घोड़े पर सवार एक विशाल प्रस्तर प्रतिमा ! बेचारा क्या जानता था, उसके पोते को इसी इमारत से घसीटकर लोग ले जाएँगे। उसने सोचा था, मैं यूरोप का सब से शानदार महल बनवा रहा हूँ, मेरे बाल-बच्चे अनन्त काल तक इसमें रँगरलियाँ मनाते रहेंगे !

अँगनाई के सामने ही वह बालकनी है, जहाँ खड़ी होकर रानी अन्तोयेनेत ने जनता की भीड़ को शान्त करना चाहा था !

इमारत के भीतर पहुँचते ही उसके चाकचिक्य से चकित-विस्मित हो जाना पड़ता है। सभी कमरे, स्वर्ग का एक-एक टुकड़ा दीवारों पर, छतों पर वे तसवीरें, जिन्हें देखते ही, आँखें हटना नहीं चाहतीं ! यूरोप के सुप्रसिद्ध कलाकारों ने वर्षों के परिश्रम से इन चित्रों को बनाया था। यह देखकर प्रसन्नता होती है, जनता ने राजा-रानी को तो हटाया, किन्तु इन चित्रों को; कला-कृतियों को, ज़रा भी हानि नहीं पहुँचाई। जो कभी विलासभूमि थी, वह आज कला की रंगभूमि के रूप में जगतप्रसिद्ध हो रही है। इसे देखने को देश-विदेश से आए लोगों की भीड़ लगी रहती है। आज भी कितने देशों के, भिन्न-भिन्न रूपों के चेहरोवाले, भिन्न-भिन्न पोशाकोंवाले लोगों की भीड़-सी लगी है यहाँ !

लगभग दो हजार कमरे हैं इसमें। हर कमरा इतिहास का एक-एक पन्ना है। सोने की चमक; तस्वीरों की रंगीनियाँ। एक कमरे की छत पर जो तसवीरें हैं, उनके, बनाने में ही एक चित्रकार को पाँच वर्ष लगे थे। बेचारा भरसाहा लगाकर, चित लेटे हुए, लगातार तसवीरें बनाया किया ! धन्य वह धैर्य, धन्य ये चित्र !

यह बड़ा हॉल—जिसमें 1919 की वार्साई की संधि हुई। क्लिमैंसो (फ्रांस) विल्सन (अमेरिका) और लॉर्ड जार्ज (इंगलैंड) ने इसी टेबुल पर संधि पत्र पर दस्तख़त किए थे।

एक कमरे में एक बड़ी अच्छी तसवीर थी। गाइड ने कहा—देखिए, यह मेरी अन्तोयेनेत है, यह उसकी बेटी है और ये दो बेटे हैं उसके। छोटा बच्चा क्रान्ति के पहले मर चुका था। बेटी का क़त्ल रानी के साथ ही किया गया था। किन्तु यह बड़ा लड़का क्या हुआ ?

यह प्रश्न सचमुच इतिहास का एक रहस्य बना हुआ है। कहा जाता है, जब वह जेल में था, समाचार फैला, वह मर गया। एक लाश भी दफनाई गई। किन्तु रानी ने उसे चुपके खिसका दिया और वह बेचारा अज्ञातनाम हालैंड में बहुत दिनों तक जीता हुआ मरा !

क्रान्ति ! क्या-क्या न तखड़-पखड़ कर देती है यह लाल देवी !

फ्रांस की सरकार वार्साई के पुनरुद्धार में लगी है। सभी कमरों को पूर्व रूप में सजाया जा रहा है। चित्रों पर लगे धब्बे दूर किए जा रहे हैं। मूर्तियों को धोया-पोंछा जा रहा है। फ्रांस आर्थिक संकट में है। किन्तु यदि फ्रांस दुर्दिन में भी अपनी कला को भूल जाए तो फ्रांस क्या ?

दूतावास : नवोकौव : रेस्तोराँ

13 मई, 1952
पेरिस

सवेरे ही उठा, क्योंकि आज भारतीय दूतावास में जाना था और सांस्कृतिक स्वाधीनता कांग्रेस की कार्यकारी सभापति नवोकौव से मिलना था।

दूतावास में श्री मल्लिक से भेंट हुई। प्लेन पर इतने शान्त लगते थे कि लगता था, यह सदा ऊँघनेवाला आदमी भला क्या करेगा ? किन्तु यहाँ बहुत चौकस दीखे। बड़े ही तपाक से मिले। ज़्यादातर बातें हमारे दल के नेता सर रुस्तम मसानी ने ही कीं। सर मसानी भी पूरे अनुभवी—दरबारों की रीति-नीति के जानकार। भारतीय पर्यटकों की सहायता की बात आई। बताया गया, पेरिस में आनेवालों की संख्या बड़ी होती है, किन्तु स्टाफ कम है। पूरी सहायता नहीं हो पाती है। अपने देश में शोर है, दूतावासों पर बहुत खर्च हो रहा है, इधर स्टाफ की कमी का रोना ! तो खर्च होता किस मद में है ? कौन इस भूल-भुलैए में पड़े ?

वहीं काका कालेलकर के बड़े सुपुत्र डॉ. कालेलकर से भेंट हुई। डॉ. कालेलकर पहले हिन्दू विश्वविद्यालय में प्रोफेसर थे; अब यहाँ सेक्रेटरी हैं। पत्रों से इन्हीं का सम्बन्ध है। बड़े मिलनसार। हिन्दी अच्छी जानते हैं—काका साहब के लड़के ठहरे ! मेरी चीज़ें पढ़ चुके थे। घुल-घुलकर बातें कीं ! हर तरह की सहायता का आश्वासन दिया। हमारे देशपांडे तो मराठी ही ठहरे—दोनों ने खूब मराठी के चने फोड़े। हाँ, जब लोग मराठी में बोलते हैं, तो मुझे लगता है, भाँड़ में एक ही साथ कई सेर चने भड़-भड़ फूट रहे हों ! कैसी मर्दानी भाषा है यह।

हम कांग्रेस के दफ्तर में आए, तो नवोकौव से भेंट हुई। हमारे होटल से थोड़ी ही दूर पर यह दफ्तर है। बड़ा ही सुव्यवस्थित दफ्तर !

नवोकौव काफी तगड़े और खुले दिल के आदमी जँचे। ऐसे मिले कि अपने साथी हों। दफ्तर में भीड़ थी। एक कॉफी हाउस में ले आए—पीना और बातचीत साथ-साथ। उन्होंने बताया, पहले-पहले यह सम्मेलन यूरोपीय देशों को लेकर ही बुलाने का निश्चय हुआ था। किन्तु फिर सोचा गया कि एशिया से भी कुछ लोगों को बुला लिया जाए। सोचा यह जा रहा है कि एशियायी और अन्य पूर्वी देशों को लेकर एक सम्मेलन एशिया के ही किसी देश में बुलाया जाए। उस सम्मेलन को भी इसी पैमाने पर करने का विचार हो रहा है।

नवोकौव संगीत निर्माता हैं, अतः साहित्य सम्बन्धी कुछ बातों के बाद मुख्यतः संगीत पर ही चर्चा चल पड़ी। उनसे पता चला, यूरोप में, खासकर फ्रांस में कुछ ऐसे संगीतज्ञ हैं जो यह समझते हैं कि यूरोप का संगीत अब अपनी चरमसीमा पर पहुँच गया है, उसमें गतिरोध पैदा हो गया है। अतः उनका ध्यान पूरब के संगीत की ओर गया है और इस सम्बन्ध में वे अच्छा काम कर रहे हैं। नवोकौव ने यह भी बताया कि रेडियो के कारण उस संगीत की महिमा बढ़ती जाती है, जिसमें संगीतज्ञ अकेले-ही-अकेले अपनी कला का प्रदर्शन कर सके। रेडियो के यन्त्र लम्बे आर्केस्ट्रा की स्वर-लहरी को पकड़ नहीं पाते, अतः संगीतज्ञों को अपनी कला को छोटे-से-छोटे रूप में प्रकट करने को बाध्य होना पड़ रहा है। इस दृष्टि से भी अब उस संगीत की ओर ध्यान जाने लगा है जो अकेले-अकेले, थोड़े से साधनों द्वारा, पेश किया जा सके। भारतीय संगीत इसी कोटि का है, फलतः पश्चिम को अब संगीत के लिए उसकी ओर देखना ही पड़ेगा। उनका कहना था कि यदि भारत में कुछ संगीतज्ञ आवें और अपनी कला के प्रदर्शन के साथ उसकी व्याख्या भी प्रस्तुत कर सकें, तो बहुत ही अच्छा हो। भारत ने संगीत को राग-रागनियों में विभक्त कर बड़ी बारीक चीज़ दुनिया को दी है, जिसकी ओर अब लोगों का ध्यान जाने लगा है।

बाहर प्रतिनिधि मंडल भेजने में हमारी सरकार ने न जाने कितने रुपए स्वाहा किए हैं, किन्तु संगीत के लिए वह एक छदाम भी क्यों बरबाद करे ! यह भी हो सकता है कि दिल्ली के महाप्रभु भारतीय संगीत को संगीत ही नहीं समझते हों ! फिर विदेशों के लिए तो उनका व्याख्यान ही बहुत है न ?

शाम को शाँ जिलैज़े के एक रेस्तोराँ के सामने उसकी रंगीन छतरियों में बैठकर बहुत

देर तक आने-जानेवालों और वालियों को देखता रहा ! यह शाँ जिलैज़े—यों तो नेपोलियन के समय से ही यह प्रसिद्ध है, किन्तु कहते हैं, इसका यह विकास तो पचास वर्षों के अन्दर हुआ है ! और अब तो यह पेरिस के मौजी जीवों का अखाड़ा बन चुका है।

सड़क के दोनों ओर अट्टालिकाएँ—यों तो अट्टालिकाओं की कमी हमारे यहाँ के शहरों में भी नहीं। किन्तु इनमें से हर की इमारत में एक व्यक्तित्व है—पेरिस-सुलभ व्यक्तित्व ! बड़ी-बड़ी अट्टालिकाएँ, चार-पाँच मंजिलों की अट्टालिकाएँ—कितनी हलकी-फुलकी लगती हैं।

फिर, ये रेस्तोराँ ! रेस्तोराँ क्या हैं, सजी-सजाई दुलहिनें ! रंगीन, खूबसूरत; मोहक, मादक !

हर रेस्तोराँ के आगे रंगीन छतरियाँ! इन रंगीन छतरियों के नीचे एक-एक टेबुल और दो-दो कुरसियाँ। रंगीन सन्ध्या के रंगीन वातावरण में इन रंगीन छतरियों के नीचे बैठ जाइए। कुछ खाइए, खिलाइए; पीजिए, पिलाइए और घंटों गप्प करते जाइए। कोई आपको नहीं टोकेगा कि क्यों आप जगह घेरे हुए हैं, उठिए, चलते नजर आइए—जैसा कि अपने यहाँ के रेस्तोराँ के मैनेजर सोचते, करते ! थोड़ी-थोड़ी देर पर ब्वॉय पहुँचकर सिर्फ पूछ जाया करेगा, आपको क्या चाहिए ? बस।

आप इन रंगीन छतरियों के नीचे बैठे हैं और आपके सामने सौन्दर्य तरंगें ले रहा है !

पेरिस अपने सौन्दर्य के लिए प्रसिद्ध है; संगीत के लिए प्रसिद्ध है; सुगन्ध के लिए प्रसिद्ध है और प्रसिद्ध है अपनी सुरा के लिए ! तीन चीज़ों की यहाँ प्रचुरता है, चौथी चीज़, संगीत के लिए, आपको या तो सामने के 'लीडो' में जाना होगा या बगल के 'थियेटर शाँ जिलैजे' में ! हाँ, वहाँ एक साथ ही चारों मिल जाएँगे।

पेरिस की ये सुन्दरियाँ—इनके बाल, इनके चेहरे का रंग, इनकी नाक, इनकी गरदन, इनकी कमर और इनके ये लहराते घाघरे !

हाँ, पेरिस की लड़कियाँ लंदन की लड़कियों की तरह चुस्त स्कर्ट नहीं पहनतीं; उनके कटि परिधान को आप अपने देश के घाघरे का पेरिस संस्करण समझिए।

जब वे चलती हैं, तब उनके घाघरे की लहरान उनकी गति में वह अदा भर देती है कि लगता है वे चलती नहीं, हवा पर तिरती जा रही हों !

ऐसी रेस्तोराँ में, इस रूमानी फिज़ा में, खा-पीकर हम चले कैसिनो दि पेरिस देखने ! पेरिस में तीन-चार घर जो अपने नैश-बिहार के लिए प्रसिद्ध हैं, उनमें एक यह कैसिनों भी है।

टिकट के लिए रेल-पेल। और मंच का परदा उठा नहीं कि आप पहुँच गए स्वप्न-पुरी में !

हाँ, यहाँ परियाँ नाचती हैं, गाती हैं। नाचती हैं विविध रूपों में, विविध हाव-भावों में ! पहले सुसज्जित शृंगार देखिए, फिर नग्न सौन्दर्य ! नग्न सौन्दर्य—चौंकिए नहीं, घबराइए नहीं; यह पेरिस है ! और पेरिस की बेटियों को ही जगमग सौन्दर्य की वह अलक्षित चीर विधाता ने दी है कि वह इस रूप में आपके सामने आ सकें, खड़ी हो सकें, नाच सकें और दर्शकों की धमनियों के रक्त को भी नचा सकें !

तानाशाही : सिनेमाघर : ईमानदारी

14 मई, 1952
पेरिस

तीन दिन हो गए यहाँ आए, किन्तु मन अभी रम नहीं रहा है। कई अधूरे काम छोड़ आए, उनकी चिन्ता रह-रहकर आ घेरती है। किन्तु धीरे-धीरे पेरिस अभिभूत कर रही है, इसमें शक नहीं।

न जाने क्या बात है, पेरिस को मैं सदा स्त्रीलिंग में ही व्यवहार किए जा रहा हूँ। पेरिस को पुरुष के रूप में मैं कल्पना कर नहीं पाता, जैसे लंदन को स्त्री रूप में।

आज निश्चय किया है, इस डायरी के अलावा पेरिस पर एक अलग पुस्तक ही लिखूँ। क्योंकि डायरी में सारी बातें आ नहीं पातीं और पेरिस का यह संक्षिप्त वर्णन प्यास ही बढ़ा सकता है, तृप्ति नहीं दे सकता।

सवेरे से पुस्तक की रूपरेखा तैयार कर रहा था कि देशपांडे ने खबर दी, आज हमें फिर कांग्रेस के दफ्तर में जाना है। देशपांडे कांग्रेस की भारतीय शाखा के मन्त्री हैं, अतः कांग्रेस सम्बन्धी कार्यक्रम का सारा भार हमने उन्हीं के ऊपर रख दिया है।

साढ़े ग्यारह बजे कांग्रेस के दफ्तर में गया। आज उन्होंने कुछ विशिष्ट प्रतिनिधियों को बुलाया था। कई देशों के प्रसिद्ध साहित्यकों से परिचय हुआ, किन्तु उनके नामों का उच्चारण इस ढंग का कि उन्हें स्मरण रखना मुश्किल ! और नामों से मेरी विशेष दिलचस्पी भी तो नहीं रही है !

कुछ बातें हुईं। एक बही पर दस्तख़त लिये गए। जिस बही पर बरट्रेन्ड रसेल, क्रोचे आदि के दस्तखत हों, उस पर दस्तख़त करते हुए कम गौरव नहीं बोध किया। फिर फोटोग्राफी हुई। फोटोग्राफर कोशिश कर रहा था, जब हम किसी काम में लगे हों, बातें कर रहे हों, तब फोटो लिये जाएँ, जिससे स्वाभाविकता बनी रहे।

कांग्रेस के दफ्तर में एक लड़की है। बिलकुल बच्ची लगती थी, चेहरा ऐसा कि कश्मीरी लड़कियों में खप जाए। जब हमने कहा, तुम कश्मीरी लगती हो, तो उसने आश्चर्य से कहा, मैं तो आधी जर्मन और आधी बेलजियन हूँ। उसका मतलब था अपने माता-पिता की राष्ट्रीयता से !

दफ्तर में सभी सम्मानीय सभापतियों की तसवीरें लटक रही थीं—बेनेदित्तो क्रोचे, जॉन डीवी, कार्ल जैस्पर, साल्वादर द मादरियाग़ा, जैक्स मारित्तेन, बरट्रेन्ड रसेल की ! सभी वृद्ध वसिष्ठ-से लगते थे ! पश्चिमी संसार के इस महर्षियों के श्री चरणों में मन-ही-मन शीश नवाया !

दोपहर का भोजन कांग्रेस की कार्य समिति के सदस्य जूलियस फ्लीशमैन के घर पर करना था। होटल से थोड़ी दूर आर्क द ब्रम्फ से उधर, उनका घर है। घर से लगी वाटिका में एक छोटी सी विटपी के नीचे हम बैठे। इस विटपी को काट-छाँटकर ऐसा बना दिया गया था कि वह छतरी-सी लगती थी। किसी भद्दी चीज़ में भी सौन्दर्य भर देना, पेरिस की खूबी है न !

खाने पर मादरियाग़ा और रूज़्मों भी आए थे। रूज़्मों कांग्रेस की यूरोपीय शाखा के प्रधान हैं। यहाँ खाने के समय, पीने के समय, खूब बातें चलती हैं। घुल-घुलकर बातें हुईं। मैंने कहा, आज भारत में जनतन्त्र का अर्थ हो गया है पूँजीवाद का समर्थन। जब सिर्फ जनतन्त्र की रक्षा की बात कीजिए, तो लोग समझते हैं, यह परोक्ष रूप में पूँजीवाद की हिमायत कर

रहा है और चूँकि यूरोप में पूँजीवाद आखरी साँस ले रहा है, इसलिए पूँजीवाद का अर्थ हो गया है अमेरिकन पूँजीवाद। इसलिए जब हमारी कांग्रेस सांस्कृतिक स्वतन्त्रता के लिए जनतन्त्र की अनिवार्य आवश्यकता बताती है, तो लोगों को शक होने लगता है, कहीं हम अमेरिकन पूँजीवाद का समर्थन तो नहीं कर रहे हैं। लोगों के इस शक को कम्युनिस्ट और बढ़ाते हैं। भारत में कम्युनिस्टों की ओर से यही प्रचार है कि यह संस्था अमेरिकनों की संस्था है, अमेरिकन पूँजीपतियों की संस्था है। अतः मैंने सलाह दी कि इस संस्था के कुछ यूरोपीय उन्नायकों को भारत में चलना चाहिए। साथ ही, उनके लिखे इस सम्बन्ध के साहित्य का भारत में प्रचार करने की बात भी सोचनी चाहिए ! कम्युनिस्ट सस्ते साहित्य के प्रचार द्वारा किस प्रकार पढ़े-लिखे लोगों का दिमाग़ ख़राब कर रहे हैं, मैंने यह भी बताया।

रूज़मों ने मेरी बातों को समझने की चेष्टा की। जब मैंने यह बताया कि बीस-बाईस करोड़ हिन्दी भाषियों के क्षेत्र से एक भी कम्युनिस्ट पिछले चुनाव में नहीं चुना गया, बल्कि अधिकांश की ज़मानतें ज़ब्त हुईं; तो सज्जनों को विस्मयमिश्रित हर्ष हुआ !

शाम को मोन्टे कारलो सिनेमाघर में एक चित्र देखने गया, जिसमें स्कॉट की दक्षिण ध्रुव की यात्रा का चित्र था। बोल अंग्रेजी में थे, किन्तु फ्रेंच अनुवाद चित्रों के नीचे लिखे होते थे। कितना अच्छा था चित्र और किस उत्सुकता से देख रहे थे लोग। क्या हिन्दी चित्र चुम्बन-आलिंगन से कभी ऊपर उठ सकेंगे ? यहाँ तो वीरता के चित्रों में भी किसी-न-किसी तरह अश्लील शृंगार घुसेड़ने की चेष्टा होती है—शिवजी की पार्वती भी विरह के गीत गाती फिरती है !

यहाँ प्रायः सारे यूरोप के सिनेमाघरों में यह व्यवस्था है कि चाहें जब टिकट कटाकर भीतर चले जाइए और जहाँ से शुरू किया है, फिर वहाँ तक देखकर चले आइए। यदि आप दोबारा-तिबारा देखें, तो कोई आपको रोकने नहीं जाएगा। किन्तु यहाँ फुरसत किसे है कि कोई इतनी देर बैठे।

आज एक विचित्र अनुभव हुआ। इंगलैंड के लोगों की ईमानदारी के कितने सबूत पिछले साल ही मिल चुके थे। वहाँ कहा गया था, यूरोप में ऐसी ईमानदारी कहीं नहीं मिलती। फ्रांस की कम और इटली की अधिक शिकायत है इस बारे में। किन्तु आज की घटना ने पेरिस की ईमानदारी का सिक्का बिठा दिया मेरे मन में। अभी रात में मेरा पर्स एक रेस्तोराँ के टेबुल पर छूट गया था। मैं बाहर चला आया था कि पीछे से रेस्तोराँ का आदमी दौड़ा आया और पूछा—आपने कोई चीज़ खोई है ? मैं इधर-उधर टटोलने लगा, तो वह बोला—आपका पर्स ! मैं तो अवाक्—काटो तो खून नहीं। सारी पूँजी उसी में थी। किन्तु उसने आश्वस्त किया और होटल में ले जाकर मुझे मेरा पर्स सुपुर्द कर दिया !

आह ! अपने देश में यह ईमानदारी कब आएगी ? मेहनत और ईमानदारी, यूरोप की उन्नति के दो प्रमुख उपादान रहे हैं और ये ही दो तो व्यक्ति या राष्ट्र को उन्नति की चोटी पर चढ़ाते हैं !

हम अपने बाप-दादों की कहानियाँ कहना कम करें और अपने जीवन में उतारें उन गुणों को, जिन्हें अपनाकर वे भी बहुत आगे बढ़ गए हैं, जिन्हें हम बर्बर, असभ्य आदि नामों से पुकारकर आत्मतुष्टि कर लेते हैं !

आज शाम को होटल के लौंज में बैठा था, तो एक बूढ़े सज्जन पधारे। यों तो यूरोप में कोई किसी से जल्दी यह नहीं पूछता कि आप कौन हैं, क्या हैं आदि। किन्तु उस बूढ़े सज्जन ने मुझे कुछ देर तक गौर से देखकर पूछ ही तो लिया क्या आप भारत से आ रहे हैं ? और, हाँ कहने पर, उन्होंने बताया, वह स्केन्डनेविया के हैं, घुमक्कड़ तबीयत पाई है, एशिया में भी

खूब घूमे हैं, भारत के कई शहरों के नाम बताए। फिर कहा—आप लोग महान हैं, क्योंकि आपके दिमाग़ में पाँच हज़ार वर्षों का मस्तिष्क है। इस दृष्टि से यूरोप अभी बच्चा है। बच्चों की तरह इसने घरौंदें तो अच्छे बनाए हैं; किन्तु इसमें वह आन्तरिक चेतना कहाँ, जो हज़ारों वर्षों के अनुभव से ही प्राप्त होता है। स्केन्डनेविया के प्राचीन इतिहास पर भी उन्होंने गर्व प्रकट किया और अपने इब्सन की अन्तर्चेतना की मूल भित्ति बताई। फिर बोले—पश्चिमी यूरोप में कम्युनिज्म का भूत सबके सिर पर सवार है। यह भूत नहीं, उनका अपना पाप है ! हमारे देशों में भी कम्युनिस्टों ने जाल फेंके थे, किन्तु बेचारे आप उलझ गए और भागे ! कुछ नए मुरीद बनाए, उसे मास्को तक ले गए ! किन्तु उन्होंने देखा, स्केन्डनेविया की जनता ने जितना स्वयं बना लिया है, उसके मुक़ाबले रूस की जनता इतनी खूनख़राबी के बाद भी क्या पा सकी है ? वे लौटे और फिर हमारे हो रहे !

अपने सम्मेलन के कुछ प्रतिनिधियों से बातें हुई हैं, सचमुच उस वृद्ध का कहना सोलह आने सत्य है। उनमें अधिकांश उस राक्षस से घबराए हुए हैं, जिसे वे रूस या कम्युनिस्ट कहते हैं ! रूसी तानाशाही ने रूस और फौलादी घेरों के देशों में कलाकारों और साहित्यकारों पर जो जुल्म किए हैं, उनका मुकाबला करने का बदला लेने की भावना उनमें सजीव दिखाई पड़ती है। यह बड़ी अच्छी बात है। किन्तु सवाल तो यह है ये दुर्दिन देखने क्यों पड़े और इससे त्राण पाने का सही रास्ता क्या है ?

कहीं हम तानाशाही का मुक़ाबला तानाशाही से नहीं करने लगें या कहीं हम तवे से उछलकर चूल्हे में न गिर पड़ें। जनतान्त्रिक समाजवाद ही एकमात्र राह है, यदि इसे भारतीय अर्थों में लिया जाए, तभी विश्व का कल्याण दिखाई पड़ता है !

इफेल टावर : सीन का किनारा

15 मई, 1952
पेरिस

मैं चाहता हूँ, थोड़े समय में ही बहुत कुछ देख लूँ। बार-बार विदेश आना-जाना क्या सम्भव है ? यह तो संयोग कहिए, कि पारसाल आया और फिर आ गया हूँ। किन्तु तीसरी बार भी आऊँगा ही, यह कौन कहे ? अतः बहुत देखना चाहता हूँ, जहाँ तक सम्भव हो, देखना चाहता हूँ। ख़ासकर जब पेरिस पर एक अलग पुस्तक ही लिखनी है, तो बहुत कुछ देखना-पढ़ना पड़ेगा ही।

देखना ही नहीं, पढ़ना भी। पेरिस सम्बन्धी जो भी साहित्य अंग्रेजी में मिल सकता है, सब का संग्रह कर रहा हूँ—गाइड बुक, पत्रिकाएँ, स्फुट पुस्तकें, चित्रावली आदि। इन्हें पढ़ना, पढ़कर नोट करना, फिर एक-एक दर्शनीय स्थान को देखना ! गाइड तो ऊपर-ऊपर ही दीखाते हैं, इसलिए स्वयं देखना, ढूँढ़कर देखना, अतः काफी समय लग जाता है।

किन्तु गोल बाँधकर चलने के कारण उतना देख नहीं पाता। विदेश में साथी हों, यह बहुत अच्छा हो—किन्तु साथी एक रुचि के हों और थोड़े हों, तभी अच्छा !

एक तो इन्हें निकलने में ही देर होती है। नीचे प्रतीक्षा कीजिए, प्रतीक्षा कीजिए, प्रतीक्षा कीजिए। फिर चलिए, तो किसी के पैर में जाँत बँधे हैं, किसी की कमर में कोल्हू और रास्ते में जो चीज़ देखी, उसी से उलझ पड़े। हर चीज़ के दाम पूछेंगे, हर आदमी से बातें करना चाहेंगे। किन्तु किसी तरह निभाना ही है—वरदान हमने लिया, अभिशाप कौन लेगा ?

आज कांग्रेस की ओर से शाँ जिलैज़े थियेटर में प्रेस कॉन्फ्रेंस थी। अपने यहाँ प्रेस कॉन्फ्रेंस का मतलब है, सजे-सजाए टेबुल-कुरसी, कुछ नाश्ता-पानी। सब बैठे, सबका परिचय हुआ, फिर बातें हुईं।

किन्तु यहाँ अजीब हाल। सब हॉल में पहुँचे। हॉल में टेबुल पर कुछ भोज्य और बहुत पेय पदार्थ रखे हैं। लीजिए और बातें कीजिए। सभी लोग छोटी-छोटी टुकड़ियों में बँट गए हैं। यहाँ-वहाँ चारों ओर प्याले खनक रहे हैं, गप्पें चल रही हैं।

फिर नवोकौव एक ऊँची जगह पर खड़े हुए और बताया पन्द्रह देशों के प्रतिनिधि आ चुके हैं, कल से साहित्यिक जलसा शुरू होगा। जलसे का कार्यक्रम सुनाया, विषय सुनाए, प्रमुख वक्ताओं के नाम बताए। फिर मादरियाग़ा और रूजमों ने संक्षिप्त भाषण किए—दोनों के भाषण फ्रेंच में हुए, हम मुँह देखते रहे !

बीच-बीच में प्रतिनिधियों के फोटो भी लिये जाते रहे, भारतीय प्रतिनिधियों को एक साथ करके भी फोटो लिया गया। फिर एक फोटोग्राफर मेरे निकट गया और साथ की लड़की से कुछ गप्प करने को कहा। हमने बातें कुछ शुरू ही की कि कैमरे में क्लिक हुआ और 'थैंक यू' कहकर उसने धन्यवाद दिया !

हाँ, एक बात भूल रहा हूँ। मादरियाग़ा बड़े ही खुशमिजाज तबीयत के हैं, यह भोजन के दिन भी देखा था और आज भी देखा। जब हम थियेटर के निकट आए, बहुत ही कम प्रतिनिधि पहुँचे थे। हँसते हुए मादरियाग़ा आए, घड़ी देखी और बोले, सिर्फ स्पेन और भारत को ही समय पर ध्यान है। क्या सच ? वह ठहाके के साथ हँस पड़े।

वहाँ से इफेल टावर की ओर चले। पहली बार की यात्रा में उस पर चढ़ नहीं सका था। पेरिस यात्रा का इफेल के ऊपर चढ़ना भी एक आवश्यक अंग है।

इफेल टावर—एक सौ चौरासी फीट ऊँचा विशुद्ध इस्पात का यह स्तम्भ। 1881 की प्रदर्शनी के अवसर पर यह तैयार किया गया। सात हजार टन इस्पात इसमें लगा है, बारह हजार टुकड़े इसमें जोड़े गए हैं, जोड़ने में ढाई लाख पेंच लगे हैं। इफेल नामक इंजीनियर ने इसे दो वर्षों में तैयार किया। यह लौहस्तम्भ कुछ ऐसा महत्त्वपूर्ण हो गया है कि पेरिस सम्बन्धी पुस्तकों पर प्रायः इसी की तसवीर रहती है।

ऊपर जाने के लिए लिफ्ट लगा है। ज्यों-ज्यों ऊपर चढ़ता गया, पेरिस का सारा समाँ आँखों के सामने स्पष्ट होता गया—हम ऊपर थे, पेरिस नीचे थी, अपनी पूरी गरिमा और छटा के साथ।

पेरिस के बीच बहनेवाली यह सीन नदी। हमारी गंगा के सामने इसकी क्या हस्ती ? बागमती ऐसी। किन्तु कितनी खूबसूरत लगती है यह। दोनों ओर पक्के घाट बने हैं। दोनों ओर पेड़ों की पाँतें, जिनकी छाया लहरों पर झूल रही है। फिर अट्टालिकाएँ ! नदी में नावें तैर रहीं—पेरिस की नावें, खूबसूरत, रंगीन ! मोटर बोटें भी और कहीं-कहीं छोटे-छोटे जहाज भी खड़े हैं।

सीन पर पुलों की भी भरमार है। कई पुल यहीं से दिखाई पड़ते हैं। हर पुल की अलग डिजाइन—उन डिजाइनों में कला को कभी नहीं भूला गया है।

पेरिस की सभी मशहूर इमारतें यहीं से पहचान लीजिए। आँखों से कठिनाई हो रही हो तो वह दूरबीन लगी है, कुछ पैसे दीजिए और आँखों को तृप्त कीजिए।

वह नोत्रदाँ है, इनवैलिड का सुनहरा कंगूरा चमक रहा है। वहाँ पहाड़ी पर वह बड़ा गिरजाघर है। वह आर्क द ट्रम्फ है, वह कन्कॅर्ड, वह लुव्र ! सामने शीलो हाउस है, इफेल की ही तरह, 1937 की प्रदर्शनी का वरदान ! वह मिलिटरी स्कूल है, जिसमें नेपोलियन पढ़ा। ऑपेरा

हाउस भी देख पड़ता है यहाँ से !

इन अट्टालिकाओं के बीच-बीच पेड़ों की हरियालियाँ देखिए। यदि ये वृक्ष नहीं होते, तो क्या पेरिस इतनी सुहावनी लगती ? और पेरिस के दोनों छोर पर के दोनों जंगल—इन्हीं जंगलों में से एक में संसार का सबसे सुन्दर चिड़ियाखाना है !

शाम को फिर टहलने निकले। ग्रैन्ड पैलेस और पेटिट पैलेस को देखते फिर अलेक्जेन्डर पुल पर आए। ग्रैन्ड पैलेस में आधुनिक चित्रों की प्रदर्शनी हो रही है। किन्तु कितने चित्रों को देखा जाए ? अलेक्जेन्डर पुल की कला को देखते नहीं अघा रहा था। जो सोने के घोड़े बनाए गए हैं, लगता है, वे उड़े-उड़े। जो नारी मूर्तियाँ हैं, उनके सौन्दर्य का क्या कहना ? सौन्दर्य के साथ शौर्य भी—उनके हाथों की नंगी तलवारें, लगती थीं, पेरिस के दुश्मनों पर अब गिरीं, तब गिरीं !

सीन के उस पार का किनारा पकड़कर नेशनल असेम्बली के सामने फिर सीन को एक पुल से पार किया ! एक ओर नेशनली असेम्बली, दूसरी ओर मेडोलिन का गिरजाघर, बीच में कन्कॅर्ड का वह गोल मैदान, जिसके बीच में मिस्र का स्तूप ! कन्कॅर्ड—यहीं राजा-रानी के सिर काटे गए थे ! किन्तु आज इसकी चर्चा नहीं ! एक ओर राजमन्दिर, दूसरी ओर धर्ममन्दिर और बीच में यह क्रान्ति स्तम्भ—पेरिस धन्य है !

शाम का सुहावना दृश्य। शाँ जिलैजे की रूमानी सड़क को पकड़कर हम वापस आ रहे थे। दोनों ओर सघन कुंजें। कुंजों में बेंचें, बेंचों पर वह क्या चल रहा है ? चुम्बन, आलिंगन का बाजार गरम है ! निर्बन्ध प्रेम; उन्मुक्त मिलन ! स्वर्ग भूमि में बाधा कहाँ, बन्धन कहाँ ?

बीच में कुंजों के बीच एक रेस्तोराँ है; कहते हैं, पेरिस का सबसे बढ़कर फैशनेबुल रेस्तोराँ। शिवाजी की इच्छा हुई, आज जरा इसका भी मज़ा ले लें। दो ही आदमियों में सिर्फ खाना हुआ, चार हजार फैंक में—पीना होता तो न जाने क्या होता ? किन्तु कैसा सुन्दर वातावरण और कैसा अच्छा प्रबन्ध ! जब तक बैठे रहे, लगा, स्वर्ग के ही किसी टुकड़े में आ पहुँचे हों !

जब होटल को लौट रहे थे, देखा, देशपांडे, सुब्रह्मण्यम् और स्प्रैट नीग्रो नृत्य देखने जा रहे हैं। सिलोने ने उन्हें यह सलाह दी थी। किन्तु हम उनका साथ न देख सके।

कन्कॅर्ड : त्विलरी : लुव्र : कांग्रेस

16 मई, 1952
पेरिस

हाँ, सर रुस्तम हम लोगों से अलग एक दूसरे होटल में रहते हैं। उनके साथ उनकी धर्मपत्नी भी हैं, मसानी की माता, हम लोगों की माता। बम्बई की कुछ औरतें और लड़कियाँ भी उनकी अभिभावकता में आई हैं। उन सबको लेकर सर रुस्तम एक अलग शानदार होटल में हैं। उनके लिए पेरिस नई नहीं है, कई बार आए हैं। इधर यूनाइटेड नेशनस के सांस्कृतिक जलसों में सम्मिलित होने के लिए उन्हें आना ही पड़ता है।

उनके अतिरिक्त शेष हम सभी लोग एक साथ लुव्र की ओर चले।

लुव्र के पहले ही कन्कॅर्ड मिला। कहा जाता है, संसार के सर्वोत्तम स्क्वॉयरों में इसकी गिनती है। लुई पन्द्रहवें ने इसे बनवाना शुरू किया। सामने दो राजप्रासाद, उसकी अँगनाई में

यह स्क्वॉयर, इतना बड़ा कि बड़ा-से-बड़ा उत्सव यहाँ किया जा सके। स्थापत्यकला के आचार्य गैब्रील ने इसका ख़ाका तैयार किया था। 1757 में इसका निर्माण प्रारम्भ हुआ। इसके बीच में लुई पन्द्रहवें की मूर्ति थी।

किन्तु कौन जानता था, राजा के ऐश्वर्य और वैभव के प्रदर्शन की यह भूमि क्रान्ति की भूमि बन जाएगी। लुई की मूर्ति हटा दी गई, इस स्थान का नाम बदलकर 'क्रान्ति की अँगनाई' रख दिया गया और यहीं 21 जनवरी, 1793 को लुई सोलहवें की गरदन उतार ली गई। कहते हैं, तेरह महीनों तक वह विशाल गिलोटिन यहीं खड़ा रहा और छः हज़ार आदमियों की गरदनें काटी गईं। राजा, रानी, राजकुमारी, राजपरिवार के अनेक सदस्य, कितने पादरी, पंडित, कवि, दार्शनिक ही नहीं, दान्तन और रोबोस्पीअर ऐसे क्रान्तिकारियों की गरदनें भी यहीं काटी गईं !

आजकल इसके बीच में मिस्र देश से मँगाया गया एक स्तम्भ है, जो ईसा के तेरह सौ वर्ष पहले का माना जाता है। वह सत्तर फीट ऊँचा है। रोशनी का ऐसा प्रबन्ध है कि रात में सारा स्तम्भ जगमग रहता है। स्तम्भ के दोनों ओर दो झरने हैं, तीस फीट ऊँचे, बहुत ही सुन्दर—रोम के सन्त पिटर की अँगनाई के अनुकरण पर। अँगनाई के चारों ओर मूर्तियाँ हैं, जो पेरिस के सभी प्रान्तों का प्रतिनिधित्व करती हैं। लिले की मूर्ति की बगल में एक झरोखा है, जिससे पेरिस की उस सुप्रसिद्ध नाली को झाँका जा सकता है, जिसे विक्टर ह्यूगो ने अपनी सुप्रसिद्ध रचना 'ला मिज़रेबुल' में अमर कर दिया है !

कन्कॅर्ड के बाद ही त्विलरी। साठ एकड़ में फैला यह बगीचा पेरिस के शृंगार-उपादानों में है। पहले इस बगीचे में एक राजप्रासाद भी था, जिसमें कुछ दिनों तक लुई सोलहवें को कैद रखा गया था। 1871 में जब पेरिस के गरीबों ने बगावत का झंडा उड़ाया, तो सबसे पहले इस राजप्रासाद को ही ध्वस्त किया। इससे इस बगीचे का विस्तार ही नहीं, सौन्दर्य भी अधिक बढ़ गया है।

बगीचे के दोनों छोर पर दो तालाब हैं, जहाँ छुट्टियों के दिनों में बच्चे अपनी कागज़ की नावें भँसाते हुए, किलोल करते हुए पाए जाते हैं। पेड़ों की कतारें बड़े सलीके से सजाई गई हैं। फूलों की क्यारियाँ भी मन को मोह लेती हैं। सबसे बढ़कर रास्ते के किनारे-किनारे की मूर्तियाँ। एक-एक मूर्ति आँखों को जड़ीभूत करनेवाली—देखते रहिए, देखते रहिए।

फिर छुट्टियों के दिनों में और हर सन्ध्या को यहाँ की रंगरलियाँ। बगीचे में कई रेस्तोराँ हैं—रंगीन छतरियोंवाली, रंगीन कुरसियोंवाली। पेरिस के नाज़नीन का अखाड़ा जुटता है यहाँ—पीने-पिलाने का अजीब समाँ। बगीचे में कबूतरों की भी भरमार। कितने बड़े और कैसे मस्त ये कबूतर—आदमी से ज़रा भी भय नहीं। क्यों डरें; सब इन्हें दुलारते हैं, चारा देते हैं; कोई छेड़खानी नहीं करता। इन कबूतरों से ही तो शायद यहाँ के लोगों ने सदा जोड़े-जोड़े ही विचरना सीखा है ! दो कबूतर उस डाल पर—चोंच-से-चोंच मिलाए; दो कबूतर इस बेंच पर, अधर-से-अधर सटाए !

और त्विलरी की सैर करते, यह लुव्र ! लुव्र पर पेरिस को नाज़ है, होना ही चाहिए। इसका भवन, पेरिस का सबसे बड़ा और विस्तृत भवन है और इसके भीतर का कला संग्रह संसार के सर्वोत्तम कला संग्रहों में से है ! तीन शताब्दियों से जिनमें पेरिस ने कितने उत्थान और पतन देखे, इसकी वृद्धि और विकास ही होता रहा है। यों तो इसके जन्म काल को हम [illegible]क ले जा सकते हैं।

लुव्र में पहुँचते ही, इसकी विशालता और भव्यता में आप खो जाएँगे। कहाँ से शुरू करें, आप असमंजस में पड़ जाएँगे और जिस ओर निकल गए, वहीं उलझकर रह जाएँगे। लुव्र दिन

और महीने नहीं, वर्ष खोजता है और हमारे ऐसे बहुधंधी को फुरसत कहाँ कि कुछ घंटे से अधिक भी दे सके किसी सुन्दरतम वस्तु या स्थान को !

लुव्र के कला संग्रह के छः भाग हैं–1. ग्रीक और रोमन पुरातत्त्व 2. पूर्वात्य पुरातत्त्व 3. मिस्री पुरातत्त्व 4. मध्यकालीन, पुनरुत्थान और वर्तमान की मूर्तिकला 5. चित्रकला 6. मध्यकालीन पुनरुत्थान और वर्तमान की कला।

लुव्र के कला संग्रह का प्रारम्भ फ्रांसिस प्रथम के समय से हुआ। डायना की मूर्ति और इस संग्रहालय के बारह सर्वोत्तम चित्र उस काल की देन हैं। राफेल के चार, लियोनार्दो द विंसी के तीन और टीशियन के एक चित्र इनमें प्रमुख हैं। लुई पन्द्रहवें के समय कोलबर्त ने इसमें पाँच हजार चित्रों के इज़ाफे किए। लुई चौदहवें ने फ्लेमिश और डच चित्रों के संग्रह कराए। जब क्रान्ति हुई, तो उसकी विधान सभा ने 1793 में एक प्रस्ताव द्वारा लुव्र को राष्ट्रीय संग्रहालय के रूप में विकसित करने का निश्चय किया। 1848 में यह संग्रहालय राजकीय सम्पत्ति के रूप में सीधे राज्य प्रबन्ध में आ गया।

इच्छा हुई, हम जरा पूर्वात्य पुरातत्त्व को ही देखते चलें। लुव्र का दावा है कि एशियायी देशों की वस्तुओं का ऐसा संग्रह संसार में कहीं नहीं है। सीरिया, मेसोपोटामिया, ईरान, अरब आदि देशों की अमूल्य कला निधियाँ वहाँ पड़ी हुई हैं। जब हम उसके अन्दर घुसे तो तीन घंटे तक घूमते ही रहे, किन्तु कहीं ओर-छोर नहीं पाया।

फिर हम रंगों की दुनिया में आए। हर देश के चित्रों को अलग-अलग समय के अनुसार विभाजन करके सजाया गया है। किस-किस की चर्चा की जाए, कहाँ तक चर्चा की जाए ! डायरी में कहाँ तक क्या लिखा जा सकता है ?

लुव्र का, यों कहिए, संसार का सबसे प्रसिद्ध चित्र मोनालिसा के सामने आकर बहुत देर तक निहारते रहे। लियोनार्डो द विंसी की कूची की चरम सार्थकता यहाँ प्रतिफलित हुई है। जिस मुसकान का रहस्य अब तक नहीं मालूम हो सका, उसकी तह तक हम कहाँ तक जा पाते. !

देखा, एक अधवयस स्त्री उस मूर्ति की प्रतिलिपि तैयार कर रही हैं। बेचारी महीनों से इस काम में लगी है। प्रतिलिपि अच्छी उतर पाई है–किन्तु वह पुरानी बात कहाँ ?

इटली, फ्रांस, हालैंड, स्पेन आदि के पुस्तकों के चित्र देखते, उन्हें सिर नवाते, हम बाहर आकर कुछ देर चबूतरे पर बैठे रहे। बार-बार महारथी की याद आती थी। उसे आना था, देखना था।

मेरी बगल में ही एक सज्जन बैठे थे। उनसे बातें हुईं, तो पता चला, वह ईरान से आए हैं। उनका पासपोर्ट देखा, वह फारसी लिपि में था, हाँ, उसके नीचे छोटे-छोटे रोमन अक्षरों में भी लिखा हुआ था। क्या हमारी सरकार पासपोर्ट पर हिन्दी का व्यवहार नहीं कर सकती ? शोर तो बहुत है कि हिन्दी राष्ट्रभाषा मान ली गई, किन्तु काम यदि उतने ही जोर से हो पाता !

शाम को आठ बजे से कांग्रेस के साहित्य विभाग के जलसे का प्रारम्भ था। एक संगीत भवन में इसकी कार्रवाई शुरू हुई। सुसज्जित भवन। मंच पर सभापित के अतिरिक्त छः सज्जन और एक महिला। सबके भाषण हुए। भाषण अधिकतर फ्रेंच में ही। जिन्होंने अंग्रेजी में भाषण किए, उसका अनुवाद फ्रेंच में किया गया। अधिक दर्शक और श्रोता फ्रेंच थे, अतः यह व्यवस्था स्वाभाविक थी। उनके भाषण का सारांश आज की डायरी में देना सम्भव नहीं, वह कल। हाँ, फ्रेंच लेखक ग्वेहेन्नो के भाषण का तौर-तरीक़ा लिखे बिना सोने का उपक्रम करना कठिन है।

ग्वेहेन्नो इस तरह बोल रहे थे कि यदि अपने देश में उस तरह बोला जाए तो मजाक

ही समझें। वह बैठकर बोल रहे थे, किन्तु रह-रहकर उठ जाते, कभी इधर झुकते, कभी उधर झुकते, हाथ उछालते, मुँह बनाते। उनके सिर के बाल कभी इधर लटक जाते, कभी उधर लटक जाते। कभी धीमे से, कभी जोर से, बीच-बीच में कभी बहुत देर तक चुप। ऐसा लगता कि नाटक में कोई पार्ट कर रहा है ! किन्तु श्रोता मुग्ध थे, उन्हें बार-बार तालियाँ मिल रही थीं।

साढ़े बारह बजे तक सभा चलती रही; यह दो बजे तक डायरी लिख रहा हूँ। अजीब जिन्दगी है, मेरी ! मौज और मेहनत का कैसा समिश्रण है !

कलाकारों से : पैंथियन में

17 मई, 1952
पेरिस

कल हमारी कांग्रेस के उद्घाटन समारोह के अवसर पर जो भाषण हुए, उन्हें एक वाक्य में यों रखा जा सकता है—कलाकारों, करो या मरो !

तानाशाही का जो राक्षस पश्चिमी सभ्यता को—उसकी कला, विज्ञान और साहित्य को—ग्रसने पर तुला हुआ है, उससे रक्षा किस तरह हो और इस रक्षा में कवियों, कलाकारों, चिन्तकों और साहित्यिकों का क्या हिस्सा होना चाहिए, सभी भाषणों का मूलतत्त्व यही था।

भाषण का विषय था—लेखक और वातावरण !

सांस्कृतिक स्वाधीनता कांग्रेस के प्रधानमन्त्री श्री निकेलस् नवोटौव ने जलसे का उद्घाटन करते हुए देश-देश से आए साहित्यकारों और कलाकारों का स्वागत किया। मई महीने में पेरिस ऐसे सांस्कृतिक नगर में ऐसा जलसा हो, यह सर्वथा ही उपयुक्त हुआ है, क्योंकि सांस्कृतिक स्वाधीनता के योग्य वातावरण भी तो चाहिए।

साल्वादर द मादरियागा ने अपने सभापति पद से दिए गए भाषण में घोषित किया कि वैज्ञानिक, कवि और सन्त सदा से सत्य, सुन्दर और शिव से ही अनुशासित और अनुप्राणित होते रहे हैं। कलाकृति आप अपने ही में सार्थक होती है और उसकी महत्ता उसके रचयिता की आत्मा की महत्ता पर निर्भर करती है। अपने आवास स्थान के वातावरण में पलते हुए भी उसका निर्माण कार्य तो कल्पनालोक में ही चलता है। एक कलाकार और नागरिक की हैसियत से उसका कर्तव्य होता है कि वह उस वातावरण के प्रति सजग रहे, उसकी स्वतन्त्रता और स्वाधीनता के लिए लड़े और मरे।

दक्षिणी अमेरिका के उदारदली 'यल टेम्पो' के सम्पादक मि. सैन्टोस ने प्रतिनिधियों का ध्यान स्पेन और लैटिन अमेरिका के उन लेखकों के भाग्य की ओर आकृष्ट किया जो बेचारे आज मौन रहने को बाध्य कर दिए गए हैं। उन्होंने बताया कि जहाँ की स्वतन्त्रता खतरे में हो, उस नगर के लेखकों को दर्शक नहीं बनकर रहना है, उसे स्वाधीनता और न्याय के लिए लड़ना है।

फ्रांसीसी लेखक ग्वेहेन्नो ने कहा, लेखक का यथार्थ मूल्य इससे प्रकट होता है कि सच्चाई के प्रति उसका क्या रुख है और अपनी बात को वह कितनी ईमानदारी से रखता है। यह तभी सम्भव है जब वह ऐसे वातावरण में हो जहाँ स्वाधीनता का झंडा ऊँचा लहराता हो। उन्होंने रूस की जनता के प्रति सद्भावना प्रकट की और आशा की कि एक दिन वे लोग

भी स्वतन्त्रता और शान्ति की छाया में हम से गले-गले मिलेंगे !

अंग्रेज कवि स्पेन्डर ने उन्नीसवीं सदी के उन अंग्रेज और फ्रांसीसी लेखकों और कवियों की तुलना की जिन्होंने औद्योगिक सभ्यता की कुरूपता और कठोरता का चित्र प्रस्तुत करते हुए उससे मानवता की मुक्ति दिलाने के यज्ञ में अपनी हविषा डाली थी।

रोज़र कायवा फ्रांस के सुप्रसिद्ध समाजशास्त्री हैं। उन्होंने इस बात पर खेद प्रकट किया कि पिछले पचास वर्ष में लेखक और कलाकार कल्पनालोक में ही विचरते रहे और मानव पर ध्यान नहीं दिया। किसी ने ध्यान भी दिया, तो वह आध्यात्मिक तत्त्वों में ही उलझा रहा। ग्विदो प्योवेने, इटालियन लेखक ने इस पर ज़ोर दिया कि राज्य, पार्टी या धर्म के जुए के अन्दर जुता हुआ कलाकार उच्चकोटि की कला दे नहीं सकता। लेखक का कर्तव्य है शाश्वत सत्य को प्रकट करना और मानवीय समस्याओं की ओर लोगों का ध्यान आकृष्ट करना।

स्विट्ज़रलैंड के सुप्रसिद्ध लेखक डेनिश रूज़मों ने बड़े ही प्रभावशाली शब्दों में कहा—आज संसार दो टुकड़ों में बँटा है। एक में, लेखक और कलाकार को अपने विचारों और भावनाओं को प्रकट करने की स्वाधीनता प्राप्त है और दूसरे में, उसके मुँह पर ताला और हाथों में जंजीर हैं। हमें इस स्थिति को कभी नहीं भूलना चाहिए। सामाजिक और आर्थिक ढाँचे के अन्दर लेखक स्वाधीनता का एक अनुपम उपादान है। हर हालत में उसे अपने वातावरण के उन तत्त्वों के प्रति विद्रोह की आवाज उठाना है जो उसकी आवाज को रोकना चाहते हैं, नहीं तो एक दिन वह पाएगा कि चुप रहने का अधिकार भी वह खो चुका है !

इन भाषणों में जो गम्भीरता थी, उसने मुझे बहुत ही प्रभावित किया। साथ ही बार-बार मेरा ध्यान हिन्दी के अपने उन लेखकों और कवियों की ओर जाता रहा, जो कभी प्रगतिशीलता के नाम पर, तो कभी शान्ति के नाम पर उन लोगों के मकड़जाले में फँसते रहे जो प्रगति और शान्ति, दोनों के पथ पर काँटे बिछा रहे हैं।

आज सवेरे, जलपान करने के बाद, पैंथियन देखने गया था। जब वहाँ से लौट रहा था, मन भावनाओं से अभिभूत था !

यह विशाल चर्च ! यह पेरिस के सुप्रसिद्ध सन्त जेनवियेव की समाधि पर बनाया गया था। यह इतना विशाल और ऊँचा है कि पृथ्वी की गति जानने के लिए एक लट्टू लटकाकर जो प्रदर्शन किया गया था, वह इसी में। बहुत दिनों तक यह गिरजाघर धार्मिक लोगों का तीर्थ रहा; किन्तु जब फ्रांस की क्रान्ति हुई, क्रान्तिकारी सरकार ने तय किया कि फ्रांस के प्रसिद्ध व्यक्तियों की लाशें इसी के नीचे दफनाई जाएँ। ऊपर वह मन्दिर है, नीचे तहखाने में समाधियाँ हैं।

मन्दिर के भीतर पहुँचकर चारों ओर चित्रित सुन्दर चित्रों और सुप्रसिद्ध निर्माताओं द्वारा प्रस्तुत मूर्तियों को हम देख रहे थे कि घंटी बजी। मालूम हुआ, अब नीचे का तहखाना खुलेगा। हम लोग उसके पीछे हो लिये। तहखाना खुला, हम नीचे पहुँचे। शान्त, शीतल और स्वच्छ स्थान। धीमी रोशनी। सबसे पहले रूसो की समाधि मिली। रूसो का जन्म स्विट्ज़रलैंड में हुआ था, किन्तु अपनी सरकार की प्रताड़ना से भागकर वह पेरिस पहुँचा और ज़िन्दगी भर विद्रोह का ही प्रचार करता रहा। रूसो की समाधि के बाद ही वाल्तेयर की समाधि—समाधि के ऊपर एक सुन्दर मूर्ति भी, जिसके हाथ में पुस्तक है। अपनी लेखनी के जादू से थर्रा देनेवाला यह अनुपम साहित्यिक। ह्यूगो और ज़ोला की समाधियाँ आमने-सामने हैं। इन समाधियों की बस्ती में जीन जौरे की समाधि भी देखी—जौरे फ्रांस का सुप्रसिद्ध समाजवादी था, युद्ध का विरोधी था, जब 1914 में जर्मन युद्ध शुरू हुआ, पेरिस की एक सड़क पर उसकी खुलेआम हत्या कर दी गई !

बार-बार सोचता, काश, हमारे देश में चित्रकों, लेखकों और कलाकारों की ऐसी पूजा हो पाती !

तहख़ाने से निकलकर बाहर आए और दीवारों की तसवीरें देखने लगा। जोन द आर्क की वे चार प्रसिद्ध तसवीरें यहीं चित्रित हैं, जिनकी प्रतिलिपियाँ हम प्रायः पुस्तकों में पाते हैं। बड़ी-बड़ी तसवीरें हैं, पूरी दीवार घेरती हैं। 1889 में लेने पेन्यू नामक चित्रकार ने इन्हें चित्रित किया था।

एक तस्वीर में जोन ग्रामीण लड़की के रूप में भेड़ें चरा रही है कि उसके नज़दीक देवदूत आता है और देश को आज़ाद करने के लिए उसे एक तलवार देता है। दूसरे चित्र में वह घोड़े पर चढ़ी, तलवार लिये, युद्धभूमि में लड़ रही है ! तीसरे चित्र में वह फ्रांस के राजा का अभिषेक करा रही और उसके सिर पर अपने हाथों मुकुट पहना रही और चौथे में वह एक खम्भे में बाँधी जाकर ज़िन्दा जलाई जा रही है !

तसवीरें बोलती-सी लगती हैं और ऐसा लगता है, अभी-अभी चित्रकार इन्हें बनाकर बाहर गया है !

भवन के बीच में कन्वेन्शन की मूर्तियाँ हैं—बड़ी प्रभावशाली। बीच में स्वतन्त्रता की देवी है, दोनों तरफ क्रान्तिकारियों की जमघट। जो कभी देवता का घर था, क्रान्ति ने उसे स्वाधीनता का मन्दिर बना दिया।

दीवारों पर धार्मिक चित्रों की भी कमी नहीं है—खासकर वैसे चित्रों की जिनमें धर्मपुरुषों द्वारा किए गए बलिदानों का चित्रण है। एक चित्र में सिर काट लिये जाने पर भी एक सन्त का धड़ खड़ा है—रोमांच हो आया, उसे देखकर।

पैंथियन की बग़ल में ही कॉलेज द फ्रांस है। लड़के-लड़कियों का कलरव व्याप्त था। यह कॉलेज 1530 में स्थापित हुआ चार, सौ वर्षों का पुराना। इसके पुस्तकालय में सात लाख पुस्तकें, चार हज़ार हस्तलिखित पुस्तकें और तीस हजार तसवीरें हैं।

हम लाइब्रेरी में भी गए। छः सौ आदमी एक ही समय अलग-अलग बैठकर अध्ययन-मनन कर सकें, इसका बड़ा ही सुन्दर प्रबन्ध है। पेरिस पर जो किताब लिख रहा हूँ, उसके सम्बन्ध की चीज़ों की मैंने खोज-ढूँढ़ की।

फ्रेंच नहीं जानने के कारण हर जगह कठिनाई होती है—किसी तरह अंग्रेजी से या इशारे से काम चला लिया जाता है।

शाम को सीन का किनारा पकड़कर टहलने गया। शाइलो भवन में आधुनिक कला संग्रहालय की झाँकी अलग से ही ली। बड़ी सुन्दर मूर्तियाँ अँगनाई में थीं। फिर इफेल टावर के उधर मंगलभूमि की ओर गया। जहाँ पहले परेड होता था, वहाँ अब भावुक कवि एकान्त चिन्तन के लिए पधारा करते हैं ! लौटकर शाइलो की फुलवाड़ी को देखते वहाँ आए, जहाँ मार्शल फोश की शानदार मूर्ति है। फिर घोंसले में !

कौमेदिए फ्रांसिस

18 मई, 1952
पेरिस

बड़ी इच्छा थी कि उस रंगमंच को देखूँ, जहाँ फ्रांस का—शायद संसार का—सबसे बड़ा हास्य अभिनेता मौलियर अपने नाटकों को दिखाया करता था। मौलियर के नाटकों का अनुवाद

श्री जे.पी. श्रीवास्तव ने किया था और बचपन के वे दिन याद थे, जब मैं उन्हें पढ़कर लोट-पोट हो जाता था।

मौलियर साधारण परिवार का व्यक्ति था; अपनी अभिनय कला सम्बन्धी धुन के कारण उसे कष्ट भी कम नहीं उठाना पड़ा था। किन्तु अन्त में उसकी कला की विजय हुई। फ्रांस का सम्राट चौदहवाँ लुई उस पर मुग्ध हुआ। वह अब राजमहल के रंगमंच पर ही अपनी अभिनय कला का प्रदर्शन करने लगा। किस तरह सम्राट ने उसे अपने हाथ से परोसकर रसोई खिलाई थी, वह कहानी भी दिमाग में चक्कर काटा करती थी ! और अन्त में, बीमारी की हालत में भी नाटक खेलते-खेलते ही रंगमंच पर ही उसका मूर्च्छित हो जाना और चल बसना—एक बार भाई मेहर अली, जब वह पेरिस से लौटे थे, इस कथा को कहते-कहते, कैसे भाव मुग्ध हो गए थे !

वह रंगमंच अब कौमेदिए फ्रांसिस कहलाता है। वह पैलेस रॉयल के एक भाग में अवस्थित है ! सुरंग गाड़ी—मेट्रो का सूत्र पकड़कर वहाँ पहुँचा। किन्तु वहाँ पहुँचकर जैसे चकाचौंध लग गई। जिधर देखिए, महल-ही-महल। एक महल पर समता, स्वतन्त्रता और भातृत्व के क्रान्तिसूत्र अंकित थे। वहाँ पहुँचा तो पता लगा, यह तो लुव्र का ही एक भाग है। कितना बड़ा है संग्रहालय !

वहीं एक वृद्ध सज्जन से भेंट हुई। उन्होंने बताया कि इस भवन के मुख्य द्वार के ऊपरी हिस्से में जो मूर्तियाँ हैं—अब वे धुँधली पड़ गई हैं—वे लियोनार्डो द विंसी की बनाई हुई हैं। उन्होंने यह भी बताया कि अपने अन्तिम दिनों में द विंसी पेरिस में ही रहता था और उसकी समाधि भी पेरिस में ही है। मोनालिसा के इस चित्रकार की समाधि पर सिर झुकाने के लिए जी मचल उठा, किन्तु इस समय तो मौलियर की खोज थी। उन्हीं से पैलेस रॉयल का रास्ता पूछकर ढूँढ़ते-ढाँढ़ते वहाँ पहुँचा।

पैलेस रॉयल—अब उसकी पुरानी शान कहाँ। घर उदास, बगीचा उजाड़। कई सरकारी दफ्तर—कुछ दुकानें। किन्तु सब बन्द। आज रविवार है न ?

किन्तु यह रविवार ही हमारे लिए वरदान बन गया। आज कौमेदिए फ्रांसिस में मैटिनी शो होनेवाला है, यह वहाँ लगी भीड़ को देखकर मालूम हुआ। समूचे महल में इस रंगमंच के ही इर्द-गिर्द चहल-पहल। यदि वहाँ यह रंगमंच नहीं होता और उस रंगमंच में मौलियर का सम्बन्ध नहीं होता तो आज रॉयल पैलेस का शायद कोई नामलेवा भी नहीं मिलता ! कलाकारों का सम्मान कर राजभवन अपने को सम्मानित करता है, इसका प्रत्यक्ष प्रमाण हमारे सामने था।

चार-चार सौ फ्रैंक के तीन टिकट खरीदकर शिवाजी और शीला के साथ, नाट्यभवन में दाखिल हुआ। भवन के दरवाजे पर ही मौलियर, ह्यूगो, रैसिन और कौर्नीले के बस्ट की सुन्दर मूर्तियाँ थीं। ज्यों ही भीतर घुसे एक ओर 'कौमेडी' और एक ओर 'ट्रेजडी' की मनोरम मूर्तियाँ देखीं—दो देवियाँ, एक करुणा की मूर्ति, एक हास्य की देवी और सामने वह तालमा की मूर्ति, जो इस रंगमंच का श्रृंगार रहा और जिसे फ्रांसीसी अपने देश का सर्वश्रेष्ठ अभिनेता मानते हैं।

भीतर पहुँचते ही उसके चाकचिक्य से चकित हो जाना पड़ा। यह रंगमंच लगभग तीन सौ वर्षों का पुराना है। प्राचीनता की सारी शान की रक्षा करते हुए भी नवीन युग के सभी साधन यहाँ प्रस्तुत हैं। फर्श पर हर जगह मखमल। चार मंजिल का रंगमंच। सभी सीटें मखमली गद्देवाली। बिजली की बत्तियाँ ऐसी लगती थी कि मोमबत्तियाँ जल रही हों।

नीचे से जब हम ऊपर पहुँचे, वहाँ लड़कियाँ खड़ी थीं। एक ने हमारी टिकटें देखीं और

हमें ले जाकर उन नम्बरों की सीटों पर बिठा आईं। इन लड़कियों को इस सेवा के लिए दर्शकों की ओर से पैसे दिए जाते हैं। कोई जबरदस्ती नहीं है, किन्तु रिवाज यही है।

आज सोफोकल की एक ट्रेजडी खेली जा रही थी। क्या कहने हैं ? एक-एक कर तीन परदे हटे। एक-एक परदा हट रहा था, भीतर से रोशनी तेज हो रही थी और संगीत का स्वर भी ऊँचा हो रहा था। फिर संगीत के एक झमाके के साथ परदा हटा और लो यह दृश्य ! मालूम हुआ, हम किसी प्राचीनकाल की स्वप्नपुरी में पहुँच गए। एक ओर दूर तक जाती हुई पत्थर की दीवारें। सामने आँगन। आँगन में एक स्तम्भ ! स्तम्भ के पीछे पहाड़ी दृश्य--दूर पर दो पेड़ों के प्रतीक। एक ओर राजभवन, एक ओर राजपथ। राजपथ से राजभवन के द्वार तक सीढ़ियाँ; उन सीढ़ियों पर झुकी हुई मानव मूर्तियाँ। रोशनी धीरे-धीरे तेज ही होती जा रही है और ज्यों-ज्यों उजाला फैल रहा है, त्यों-त्यों मानव मूर्तियाँ स्पष्टतर होती जा रही हैं। अधिकांश स्त्रियाँ, थोड़े मर्द। सबकी रोमन साज-सज्जा। औरतें सुकुमारता की मूर्तियाँ, मर्द शौर्य की प्रतीक। सब के कंठ से स्वर-लहरी फूटी और लीजिए, राजभवन से राजा बाहर आए !

फिर नाटक शुरू हुआ। भाषा फ्रेंच, कुछ समझ में नहीं आ रहा था। किन्तु अभिनय ऐसा कि भाषा का अज्ञान भूल जाता था। अपलक दृष्टि से दो घंटों तक देखता रहा। अंग्रेजी नाटक देखे थे, उन में बल था, किन्तु ऐसी सुकुमारता वहाँ कहाँ ? अन्त में राजा अपनी आँखें पश्चाताप में आप ही फोड़कर मंच पर जब आता है और एक छड़ी के सहारे टो-टोकर सीढ़ियों से नीचे उतरने लगता है, उस समय किस दर्शक की आँखें तर नहीं हो गईं। स्ट्रैटफोर्ड और एवन में रिचार्ड का पश्चाताप भी देखा था, किन्तु यहाँ के अभिनय में जैसी कोमलता और सुकुमारता पाई, कहीं दूसरी जगह आज तक देखने में नहीं आई थी। पेरिस अभिनय कला में सानी नहीं रखती, इसमें तो सन्देह ही नहीं।

फिर एक छोटी सी कौमेडी खेली गई। अजीब पोशाकें, अजीब चेहरें। रह-रहकर हँसी के फव्वारें छूट रहे थे। उसी हँसी-खुशी में हम रंगमंच से बाहर आए !

इसी भवन में एक छोटा सा संग्रहालय भी है। बस्ट की गैलरी में मौलियर, वाल्तेयर, जॉर्ज सैंड, विक्टर ह्यूगो, डूमा आदि की मूर्तियाँ हैं। बैठे हुए वाल्तेयर की मूर्ति बड़ी ही सुन्दर है। कलाकारों द्वारा मौलियर को ताज पहनाया जा रहा है। आदम और ईव द्वारा मानवता का प्रथम नाटक अभिनीत करने का दृश्य भी सुन्दर है। यहाँ एक पुस्तकालय भी है, जहाँ नाटक साहित्य के अमूल्य ग्रन्थों और हस्तलिपियों का सुन्दर संग्रह है। इसी संग्रहालय में वह आराम कुरसी है जिस पर बैठकर मौलियर ने अपना अन्तिम नाटक खेला था, मूर्च्छित हुआ था और अन्ततः चल बसा था।

शाम को इनवैलिड (नेपोलियन का समाधि मन्दिर के निकट) की ओर गया, जहाँ एक कार्निवल मेला लग रहा है। एक तो कार्निवल, फिर पेरिस का रंगीन वातावरण। चारों ओर हँसी-ठहाके, उछल-कूद की भरमार ! तरह-तरह के खेल, तरह-तरह की घिरनियाँ, तरह-तरह के झूले, तरह-तरह की भूलभुलैया ! युवक-युवतियाँ आनन्द मना रहे—सटते, हटते, धक्का देते, लिपटते, वे निर्द्वन्द्व मौज मना रहे थे। हमारे देश के बड़े-बूढ़े देखें, तो किस तरह नाक-भौं सिकोड़ने लगेंगे !

अजीब प्रोग्राम है मेरा। कभी एक-दो बजे रात के पहले सोता नहीं। भोर में आठ-नौ बजे उठता हूँ। नहा-धोकर कभी म्यूजियम में, कभी किसी दर्शनीय स्थान में जाता हूँ, तो प्रायः बाहर ही भोजन करना पड़ता है। शाम को निकलता हूँ, तो बारह बजे के पहले लौटने का कहाँ ठिकाना ? फिर डायरी लिखना, पेरिस सम्बन्धी पुस्तक लिखना, उसके लिए पढ़ना, फिर

कल के लिए कार्यक्रम बनाना, उसके सम्बन्ध में पहले से ही पढ़ लेना, नोट कर लेना—यह तो पेरिस का वातावरण है कि इतना काम हो जाता है। अभी दो बजे सोने जा रहा हूँ !

नई कला : सांस्कृतिक स्वाधीनता

19 मई, 1952
पेरिस

आज जब एक काम से कांग्रेस के ऑफिस में गया, वहाँ 'वायस ऑफ अमेरिका'—अमेरिकन रेडियो का एक प्रतिनिधि मिला और उसके आग्रह पर मैं हिन्दी में एक संलाप देने को तैयार हो गया। यों तो कम्युनिस्टों ने अमेरिका के ख़िलाफ़ अजीब वातावरण बना रखा है, वह पूँजीवाद का प्रतीक है, जो उससे सम्पर्क रखे, वह ज़रूर डालर का गुलाम है, आदि-आदि। किन्तु मैं उनके प्रचार से डर जाऊँ, यह हीनभावना मुझमें नहीं है। जिसने अंग्रेजों की गुलामी नहीं बरदाश्त की, वह अमेरिकनों का गुलाम बन सकेगा ? हाँ, जो स्वयं दूसरे के गुलाम हैं, यदि वे सभी को अपनी ही कोटि में रखना चाहें, तो आश्चर्य क्या ?

वहाँ से हम आधुनिक चित्रकला और मूर्तिकला की प्रदर्शन देखने चले। यह शाइलो भवन में स्थित आधुनिक चित्रकला संग्रहालय के ही एक भाग में सजाई गई है। इसमें यूरोप और अमेरिका के प्रसिद्ध संग्रहालयों से चुनकर तथा कलाकारों से प्राप्त कर डेढ़ सौ ऐसी तसवीरें और मूर्तियाँ रखी गई हैं जो बीसवीं सदी की कला का सही प्रतिनिधित्व कर सकें और यह बीसवीं सदी की कला कहाँ भागी जा रही है, इसकी सूचना तभी मिल गई, जब हमने उस प्रदर्शनी के सामने काठ की वह मूर्ति देखी, जिसमें ईसा की सलीबी को मूर्त करने की कोशिश की गई है ! कंकाल-सा शरीर, चेहरे पर एक अजीब कुरूपता ! सारी मूर्ति ईसा के व्यंग्य चित्र-सी लग रही थी ! किन्तु लोग कहते हैं, हमें मानना पड़ेगा, यह भी एक कला है और शायद भविष्य की कला यही है।

परिमाण और संख्या के हिसाब से यह निस्सन्देह एक छोटी सी कला प्रदर्शनी है, किन्तु यदि विशेषता और गुण को देखा जाए, तो निस्सन्देह ही इसे एक उच्चकोटि की प्रदर्शनी कहा जाएगा। कुल मिलाकर एक सौ छब्बीस चीज़ें प्रदर्शित की गई हैं, जिनमें एक सौ चौदह चित्र हैं और बारह मूर्तियाँ। संसार के छियासठ उत्कृष्ट कलाकारों की ये कृतियाँ हैं जिनमें चित्रकारों की संख्या चौवन है। पिकासो के चित्रों की संख्या सब से बड़ी है—आठ; उनके बाद जुआन ग्रिस के छः; पौल क्ली, जौर्जेस ब्रैक तथा हेनरी रूसो के पाँच-पाँच और फर्नान्द लेगर, कासीमीर मालेविच, जौन मीरो और पीयत मौद्रियाँ के चार-चार चित्र हैं। बारह मूर्तियाँ बारह मूर्तिकारों के हैं—एक-एक उत्कृष्ट कृति ! ये कलाकृतियाँ यूरोप और अमेरिका के तीस कला संग्रहालयों से तथा बहुत से कलाप्रेमियों और कलाकारों से संगृहीत की गई हैं।

प्रदर्शनी को बड़े ही कलात्मक ढंग से सजाया गया था। चित्रों और मूर्तियों को इस सिलसिले से रखा गया था कि ऊब नहीं आए और अन्त तक उत्सुकता और रुचि बनी रही। कितने ही चित्र और मूर्ति ऐसे थे कि जिनके भावों या आकृतियों को समझना कठिन था। कहीं रेखाएँ-ही-रेखाएँ, कहीं वृत-ही-वृत। रेखाओं में भी कहीं आड़ी-आड़ी, कहीं तिरछी-तिरछी। वृतों में भी इसी तरह की विभिन्नता। कहीं-कहीं ऐसा लगता था, सारे कागज पर रंगों के छींटे डाल दिए गए हैं, शायद किसी बच्चे के द्वारा ! किन्तु इन सब के बावजूद ऐसा ज़रूर लगता

था कि कहीं इसमें सत्य ज़रूर छिपा है, कोई रहस्य है जो अपने को प्रकट करना चाहता है किन्तु कर नहीं पाता ! यही नहीं, उन रेखाओं, वृतों और रंगों के सम्मिश्रण से एक विचित्र ढंग के सौन्दर्य की भी सृष्टि होती थी, जिससे अपरिचित होने के कारण आँखें ग्रहण करने में सक्षम नहीं थीं, किन्तु तो भी वह मन को भाता था, लुभाता था ! मूर्तियों की भी यही हालत। संगमरमर, साधारण पत्थर, लकड़ी, तांबा, लोहा, टिन—इन सब से ऐसे आकारों की सृष्टि की गई थी, जिन्हें हम बाह्यजगत में पाते तो नहीं हैं, किन्तु हमारे अन्तर्जगत में ऐसे आकार प्रायः ही बनते-बिगड़ते रहते हैं, इस बात की याद ये आकार दिलाते थे !

देश-देश के प्रतिनिधि, पुरुष, महिलाएँ—सब देख रहे थे, अपनी-अपनी रुचियों के अनुसार सराहते या मुँह बनाते थे, मैं भी भाव विभोर घूम रहा था, देख रहा था। जहाँ भीड़ देखता, वहाँ आँखें फाड़-फाड़कर देखने की कोशिश करता। किन्तु यह तो कहना ही पड़ेगा, इस नई कला के समझने के लिए आँखों को बहुत दिनों तक अभ्यस्त होना पड़ेगा।

प्रदर्शनी से लौटने के बाद आज कहीं बाहर नहीं निकला। अपने होटल—फ्रैंकलिन दि रूजवेल्ट—में ही जमकर वायस ऑफ अमेरिका के लिए स्क्रिप्ट तैयार करता रहा ! स्क्रिप्ट तैयार होने पर श्री स्प्रैट को पढ़कर सुनाया। स्प्रैट थोड़ी हिन्दी सीख गए हैं, उन्होंने उसे पसन्द किया। अपने संलाप में मैंने इस कला समारोह का महत्त्व बतलाया, एशिया में तानाशाही के एजेंटों द्वारा जो सरगर्मी दिखलाई जा रही है उसकी ओर लोगों का ध्यान आकृष्ट किया और अन्त में इस बात पर जोर दिया कि सांस्कृतिक स्वाधीनता के लिए यह आवश्यक है कि एक ऐसा समाज बने जहाँ सभी सुखी और सम्पन्न हों; देश, वर्ण के भेदभाव को भूलकर मानव मात्र एक-दूसरे को भाई-भाई समझें। अन्त में मैंने कवि रवीन्द्र की सुप्रसिद्ध कविता का हिन्दी रूपान्तर दे दिया, जिसमें उन्होंने बड़े ही अच्छे ढंग से इस ओर संकेत किया है—

जहाँ स्वतन्त्र विचार न बदलें मन में मुख में,
जहाँ न बाधक बनें सबल निबलों के सुख में।
सब को जहाँ समान निजोन्नति का आवस हो,
शान्तिदायिनी निशा हर्ष सूचक वासर हो।
इस भाँति सुशासित हो जहाँ,
समता के सुखकर नियम,
बस उसी स्वतन्त्र स्वदेश में, जागें हे जगदीश हम।

श्री स्प्रैट से राजनीतिक बातें भी हुईं। वह राय के साथ थे और पटना के समादार की भी चर्चा करते थे। जयप्रकाशजी के बारे में भी बहुत बातें कीं। जयप्रकाशजी की व्यक्तित्व की बड़ी प्रशंसा करते थे, किन्तु उनकी शिकायत थी कि जयप्रकाश में अनुशासन की कड़ाई नहीं है। वह स्वयं कुछ बोलते हैं, लोहिया और अशोक कुछ और। मैंने निवेदन किया, जब हम जनतन्त्र में विश्वास करते हैं, तो पार्टी में तानाशाही क्या उचित होगी ? और यदि पार्टी में तानाशाही हुई तो फिर राजनीति में, शासन में तानाशाही को कौन रोक सकेगा ?

स्प्रैट जैसे एक भूत को जगाकर चले गए। अपनी पार्टी के बारे में बहुत देर तक सोचता रहा। पुरानी बातें याद आने लगीं ! किस उत्साह से हमने इसको जन्म दिया था, इन बीस-बाईस वर्षों के अन्दर क्या-क्या घटनाएँ हुईं। पुराने लोगों ने हमें छोड़ा, नए लोग आए ! भाई मेहर अली की याद तो इधर बार-बार आती है। वही एक थे जो पार्टी के लिए एक सांस्कृतिक मोरचा कायम करने के बारे में गम्भीरता से सोचते थे। एक बार उन्होंने लिखा था, तुम इस

बारे में आगे आओ। नई संस्कृति संघ की स्थापना हुई; किन्तु, वह जहाँ-का-तहाँ रह गया। यह सांस्कृतिक स्वाधीनता कांग्रेस—क्या इससे हमारा काम चल सकेगा ?

सोचा था, आज सवेरे सो जाऊँगा, क्योंकि आठ बजे ही इस भाषण को रिकॉर्ड कराना है। किन्तु घड़ी देखता हूँ, एक बज रहा है—अब सोओ, बेनीपुरी !

संगीत की मधुर धारा

20 मई, 1952
पेरिस

आज का भोर का समय 'वायस ऑफ अमेरिका' में अपने संलाप को रिकॉर्ड कराने में ही बीत गया। ठीक आठ बजे उसका एक प्रतिनिधि आया और हमें अपने स्टूडियों में ले गया। पेरिस में इसका अपना स्टूडियो है। स्टूडियो में रिकॉर्ड कराकर तवे अमेरिका भेज दिए जाते हैं; वहाँ से वे प्रसारित किए जाते हैं।

कल तय हुआ था, मैं अपना संलाप हिन्दी में तैयार करूँगा, सुब्रह्मण्यम् अंग्रेजी में। एक बातचीत होगी, जिसमें सर मसानी, स्प्रैट और देशपांडे सम्मिलित होंगे। आज मेरे और सुब्रह्मण्यम् के संलापों को रिकॉर्ड किया गया।

जब मैं बोल रहा था, उसका प्रतिनिधि बड़ी उत्सुकता से मेरा मुँह देख रहा था। वह हिन्दी नहीं जानता था। किन्तु ज्यों ही मैंने खत्म किया, वह मेरी भाषा की मधुरता और प्रवाह की तारीफ करने लगा। वह नहीं जानता था कि हिन्दी भाषा इतनी मीठी और ज़ोरदार है। रेडियो से मेरा पुराना सम्बन्ध रहा है, अतः मैं उसकी कला का कुछ ज्ञान रखता हूँ। भारत में भी मेरी भाषा और भाषण कला की प्रशंसा रेडियोवाले करते थे। किन्तु आज जो प्रशंसा हुई, वह मेरी नहीं, हिन्दी भाषा की हुई, अतः मुझे बड़ी प्रसन्नता हुई। देशपांडे ने भी बड़ी तारीफ़ की ! मैंने जब अपना स्क्रिप्ट उस प्रतिनिधि को दिया, तो मेरी सुन्दर हस्तलिपि से वह और भी मुग्ध हुआ !

शाम में कांग्रेस के प्रतिनिधियों का एक जुटान हुआ, जिसमें कल की कॉन्फ्रेंस के बारे में कार्यक्रम तय किया गया। यहीं स्पेन्डर ने ऑडन और मेकनीस से परिचय कराया। ये तीनों अंग्रेजी की नई कविता के आचार्य माने जाते हैं। स्पेन्डर स्वभाव से जितने ही लजीले लगे, ऑडन उतने ही फक्कड़। यों मिले, जैसे बहुत पुराने साथी हों और ऐसा प्रस्ताव किया, कि क्यों नहीं अंग्रेजी भाषी प्रतिनिधियों का एक अलग जुटाव एक दिन चाय पर हो। ऑडन जैसे बेतकल्लुफ; ठीक उसके विपरीत लुई मेकनीस, कायदे के पाबन्द। चुस्त पोशाक, सँवारा चेहरा, अपनी प्रतिभा के स्वयं कायल। मेकनीस आयरिश हैं, उनके स्वभाव में भी आइरिशपना ! मैंने उनके 'डार्क टाचर' की चर्चा चलाई, उन्होंने कहा, वह तो पढ़ने की नहीं, सुनने की चीज़ है। यह रेडियो नाटकों का संग्रह है ! यहीं सपेन्डर की बीवी से परिचय हुआ, बड़ी ही नेक और खूबसूरत—कवि को ऐसी ही पत्नी चाहिए !

शाम को ऑपेरा हाउस की तरफ निकल गया। कहा जाता है, इतना बड़ा रंगमंच यूरोप में नहीं है। इसके निर्माण में कला पर अधिक ध्यान दिया गया है। बाहर ही यूरोप के सुप्रसिद्ध संगीतज्ञों की मूर्तियाँ देखकर चित्त गद्‌गद् हो जाता है।

कांग्रेस की ओर से सब से बड़ा आयोजन किया गया है संगीत का। पूरे एक महीने का प्रोग्राम है। यूरोप और अमेरिका की बड़ी-बड़ी संगीत मंडलियों और संगीतविशारदों को

आमन्त्रित किया गया है। ऑर्केस्ट्रा की दस, ऑपेरा की तीन, बैले की तीन, कोरस की तीन और क्वार्टेट की दो मंडलियों को बुलाया गया है। उन्नीस संगीत संचालक और तेईस गायक और गायिकाएँ इसमें भाग ले रहे हैं। तिरसठ संगीत विशारदों की चीज़ें यहाँ उपस्थित की जाएँगी। थियेटर द शाँ जिलैजे, थियेटर नेशनल द ऑपेरा, पैलेस द शाइलो और कौमेडिए द शाँ जिलैज़े में भिन्न-भिन्न तिथियों के लिए इनके कार्यक्रम निश्चित हैं।

आज पहली बार इस संगीत महायज्ञ के एक आयोजन में सम्मिलित होने का अवसर मिला। सारा कार्यक्रम हमें भारत में ही भेज दिया गया था, किन्तु हमने सोचा, चलो, पेरिस पहुँचकर देखने-सुनने का प्रबन्ध हो जाएगा। किन्तु जब तक हम पहुँचे; सारी सीटें भर चुकी थीं। बड़ी मुश्किल से हमारे लिए कुछ दिनों के लिए सीटों का प्रबन्ध किया जा सका था।

आज का आयोजन शाँ जिलैजे थियेटर में था। हमारे होटल से निकट ही पड़ता था। संध्या को खा-पीकर हम वहाँ गए, तो भीड़ का क्या कहना ? यह नाटक भवन भी बहुत बड़ा है। नीचे की सीटों के अलावा, ऊपर चार मंजिलों में सीटें हैं। सारी सीटें भरी हुईं। अपनी जगह पर बैठकर चारों ओर ही नहीं, नीचे-ऊपर भी नजर दौड़ाई, तो आश्चर्यचकित हो जाना पड़ा ! नीचे विशाल रंगमंच ! लाल मखमली सीटों पर पेरिस की रंगीनियों से ओतप्रोत दर्शक-दर्शिकाएँ ! ऊपर की छत में नेत्ररंजक तसवीरें ! यहाँ के रंगमंच क्या हैं, राजमहल ही समझिए।

जब संगीत शुरू हुआ, तो क्या कहने ? पहली चीज़ आरनल्ड स्खोयनबर्ग की थी। इसके बारह सुरोंवाले संगीत ने यूरोप में हड़कम्प मचाया था। कोई उसे पागल कहता, कोई उसे संगीत का शत्रु समझता। स्खोयनबर्ग ने स्वयं लिखा है—"पचास वर्षों से मैंने संगीत में जो कुछ किया, वह ऐसा लगता है कि जैसे मैं खौलते पानी के समुद्र में फेंक दिया गया होऊँ। मेरी मदद करनेवाला कोई नहीं था, हाँ, बहुत लोग उत्सुकता से देख रहे थे कि मैं कब डूब जाता हूँ। किन्तु मैं कोशिश करता रहा, हाथ-पैर फेंकता रहा और मुझे यह देखकर आश्चर्य होता है कि मैं जिन्दा हूँ और अब मेरी चीज़ों को लोग सुनने और सराहने तक लगे हैं !" संगीत की यह प्रणाली कितनी जटिल और विशाल है, मंच को देखकर ही पता चल जाता था। पचासी आदमी भिन्न-भिन्न साजों को लेकर मंच पर बैठे थे। अजब-अजब ढंग के साज़। भारतीय साज़ों की शब्दावली में कहें, तो सिंगा, तुरही, वंशी, वीणा, सितार, वायलिन—तबला, ढोलक, नगाड़े—सबके यूरोपीय रूप वहाँ हाज़िर थे ! वीणा ऐसी कि जैसे अपनी वीणा की चाची हो; नगाड़ा ऐसा जैसे नगाड़ों का लकड़दादा हो ! किन्तु अपने यहाँ के लोगों की तरह उनका मरियल रूप नहीं, सब चमचम करते ! लगभग एक दर्जन तो स्त्रियाँ बजानेवाली थीं, वे प्रायः तारवाले साज़ बजा रही थीं। बीच के चार नगाड़े देखने ही लायक !

संगीत शुरू हुआ और फिर क्या कहने ? हमारे कानों के लिए, जो सिर्फ कोमल-कोमल स्वर सुनने के आदी हैं, यूरोपीय संगीत को सराहना मुश्किल पड़ता है ! किन्तु यह तो यूरोपीय संगीत का आधुनिकतम रूप स्खोयनबर्ग का संगीत था—सात सुरोंवाला नहीं, बारह सुरोंवाला ! जब वह ऊपर की ओर बढ़ता, लगता, क्रुद्ध समुद्र में हिलोरे-पर-हिलोरे उठ रहे हैं, ऐसा लगता, हम भी उसमें फँस गए हैं और कभी तरंगें हमें सात ताड़ ऊँचे और कभी सात ताड़ नीचे फेंक रही हैं ! बीच-बीच में जैसे बिजली कड़क पड़ी ! और जब वह नीचे उतरता तो लगता, अब हम हिमालय की शान्त हिमानी में आ गए हैं, जहाँ सुरों के स्थान में ज़रा स्पन्दन है; कम्पन है, अरे, अब तो वह भी नहीं, बिलकुल शान्ति। किन्तु यह न समझिए कि साज बन्द हो गए, देखिए, सबके हाथ चल ही रहे हैं—बाजे बज रहे हैं, किन्तु ऐसे धीमे कि स्वर मूर्तिमान नहीं हो पाता। उफ कैसा चमत्कार !

किन्तु उसके बाद जो कुछ हुआ, वह तो और भी मुग्ध करने वाला था। स्ख़ोयनबर्ग के साथ स्ट्राविंस्की का नाम यूरोपीय संगीत में जुड़ा है। स्ख़ोयनबर्ग नहीं रहे, किन्तु स्ट्राविंस्की जीवित हैं। यह वृद्ध आचार्य स्वयं साजों के साथ उपस्थित हैं। अब मंच पर एक सौ पैंसठ कलाकार उपस्थित थे, तरह-तरह के साजों को लेकर; और बहुत लोग सिर्फ कोरस गाने के लिए ! स्ट्राविंस्की 'ओपिडस रेक्स' नामक एक ऑपेरा उपस्थित कर रहे थे ! नीचे संगीत हो रहा, ऊपर, बीच-बीच में कुछ अजीब सूरतें आ रहीं। अजीब सूरतें, अजीब हाव-भाव। कल जो चीज़ चित्रकला में देखी, आज उसे नृत्यकला में देख रहे थे। समझ में कुछ नहीं आता था, किन्तु जब ये पंक्तियाँ लिख रहा हूँ, तब भी उसका संकेतनृत्य और उसका अद्‌भुत स्वर संधान आँखों और कानों को अभिभूत किए हुए है।

उफ अभी हम लोग कला के क्षेत्र में कितना पीछे हैं। आज जो देखा-सुना, उससे तो यही लगा कि जहाँ हमारे पूर्वज हमें छोड़ गए थे, हम वहीं खड़े, कहावत की मूर्ख औलादों की तरह बाप ने जो घी खाया था, सो आज हम अपने हाथ को सूँघ रहे हैं। अपने बाप-दादों का गीत हम कब तक गाते रहेंगे ? इस युग में हमने क्या दिया, युग को हमारा दान क्या है—देखना यह है और इस दृष्टि से अपनी ही आँखों में हम कितना हेय जँचते हैं।

जब संगीत समाप्त हुआ, लोगों ने कैसी तालियाँ पीटीं। वृद्ध संगीतकार को बार-बार मंच पर आना पड़ा, तो भी जैसे लोगों को अपनी प्रशंसा के प्रदर्शन से तृप्ति नहीं हो रही थी !

बाहर के स्टालों पर स्खोयनबर्ग और स्ट्राविंस्की पर बहुत सी पुस्तकें बिक रही थीं; किन्तु सबकी सब फ्रेंच में थीं, अतः लेना फिजूल जँचा। यों मेरी आदत है कि जहाँ जाता हूँ, उस सम्बन्ध का साहित्य अवश्य खरीद लेता हूँ, आज भी 'स्कोर' नामक संगीत पत्रिका का विशेषांक खरीद लिया, जो मुख्यतः स्खोयनबर्ग की संगीत कला पर ही निकाला गया है। उससे यूरोप की नई संगीत धारा पर भी बहुत प्रकाश पड़ता है।

एक अजीब बात हुई है; मेरी कोठरी की कुंजी खो गई है। बार-बार नीचे के पोर्टर से कुंजी लानी पड़ती है। अजीब स्वभाव है मेरा—चीज़ों को रखने, सँवारने की आदत ही नहीं है। ख़ैर घड़ी कह रही है; रात के दो बजने जा रहे हैं, अब भी तो सोया जाए !

नेपोलियन की समाधि : साहित्य के दो छोर

21 मई, 1952
पेरिस

रात ही तय हो चुका था, आज नेपोलियन की कब्र देख ली जाए। मैं तो पहली बार की यात्रा में भी इसे देख चुका था, किन्तु शीला के डैडी ने कभी चर्चा कर दी थी नेपोलियन की टोपी की। वह उसे देखने के लिए लालायित थी।

जब हम अलेक्ज़ेन्डर पुल पार कर रहे थे, उधर से फौज आती हुई दिखाई पड़ी। यह अलेक्ज़ेन्डर पुल—पहले दिन सुबह-सुबह हमने इसी पर सीन नदी पार किया था और इसकी सुनहली मूर्तियों को देखकर मुग्ध हुआ था ! फौज के इन दस्तों के कारण पुल की शोभा और भी बढ़ गई थी। पैदल, घुड़सवार सेना और पीछे बैंड पार्टी ! सच कहूँ; सैनिकों के चेहरे-मोहरे ने मुझे प्रभावित नहीं किया ! फौजी जीवन के साथ जो अकड़, शान और बहुत अंशों में एक उद्धतपना सम्मिश्रित है, उसका यहाँ अभाव पाया ! चेहरे पर शराफत, चाल में लचक ! घुड़सवार सेना काफी लक-दक में थी। बैंड का दस्ता अच्छा था। इनके सुनहले बैज

और कामदार झंडे, अलेक्ज़ेन्डर पुल की सुनहली मूर्तियों की पृष्ठभूमि में बहुत ही सुन्दर दीखते थे ! पुल पर से ही इनवैलिड दिखाई पड़ता है। इनवैलिड—जहाँ पहले युद्ध में पंगु बने सैनिकों की परवरिश होती थी, किन्तु अब जहाँ अस्त्र-शस्त्रों का संग्रहालय है और पेरिस के फौजी दस्तों का हेड क्वार्टर ! यह इमारत लुई चौदहवें के समय बनी थी। यह डेढ़ लाख वर्ग गज ज़मीन को घेरती है और इसकी अँगनाई चौदह सौ फीट लम्बी और तेरह सौ फीट चौड़ी है ! इसकी खिड़कियों की संख्या दो हज़ार है !

इमारत के आगे एक खाई है और उसके पीछे कतार में तोपें रखी हुई हैं। अँगनाई में घुसिए तो लुई चौदहवें की मूर्ति दिखाई पड़ती है ! इमारत के कमरों में बरामदों पर अस्त्र-शस्त्रों के अनेक नमूने कालक्रम से सजाकर रखे गए हैं। यहाँ उन पताकाओं को भी सुरक्षित रखा गया है जिन्हें नेपोलियन भिन्न-भिन्न युद्धों में विजयी बनकर दुश्मनों से छीन लाया था !

इसी इमारत के पीछे वह समाधि मन्दिर है जिसमें नेपोलियन की लाश रखी गई है ! पहले यह गिरजाघर था, माँसार नामक स्थापत्य कला विशारद ने इसकी रचना की थी ! इसे रोम के प्रसिद्ध गिरजाघर 'सेंट पिटर' के नमूने पर बनाया गया था और पेरिसवालों का कहना है, इसका गुम्बद उससे भी अधिक शानदार है। जब 1840 में यह तय किया गया कि नेपोलियन की लाश को सेंट हेलना से लाकर पेरिस में दफनाय जाए, तो उसके लिए इसी स्थान को चुना गया ! प्रसिद्ध कलाकार बिस्कौतीं ने मन्दिर के भीतर ज़मीन खोदकर समाधिस्थल का निर्माण किया। रूस के 'जार' ने इसके लिए फिनलैंड से लाल पत्थर भेजे और उसका ताबूत इसी का बना। इसी ताबूत के भीतर नेपोलियन सदा के लिए विश्राम कर रहा है !

ताबूत के चारों ओर भित्तिमूर्तियाँ हैं; जिनसे नेपोलियन की महत्ता प्रकट होती है। किस तरह नेपोलियन ने कृषि और उद्योग-धन्धों की वृद्धि की, शिक्षा का व्यापक प्रचार किया, अच्छी कानूनी हुकूमत दी, धर्म और राज्य के संघर्ष को दूर किया और अन्त में किस तरह उसने फ्रांस की भूमि से अव्यवस्था और उथल-पुथल की स्थिति को दूर किया। एक लड़की हमें दिखला रही थी। इस अन्तिम मूर्ति को दिखलाते हुए उसने कहा—जैसे आजकल कम्युनिस्ट अव्यवस्था फैला रहे हैं, नेपोलियन के समय भी यही हालत थी ! कैसा तमाशा है, समूचे पश्चिमी यूरोप में जिधर जाइए, कम्युनिस्ट अव्यवस्था की चर्चा साधारण लोगों के मुँह से भी सुनी जाती है। यहीं वह टोपी है, जिसे पहनकर नेपोलियन अपने विजय अभियानों में निकलता था !

आज शाम को यहाँ के अन्तरराष्ट्रीय भवन में कांग्रेस का साहित्यिक जलसा था। उद्घाटन के बाद यह पहला जलसा था। आज का विषय था—आइसोलेशन और कम्यूनिकेशन ! बीसवीं सदी का लेखक दो छोरों के बीच झूला झूल रहा है; एक ओर, इस सदी ने ऐसी कोलाहलपूर्ण सभ्यता पैदा कर दी है कि वह अपने को इससे दूर हटाकर, अपने को आत्मस्थ कर एक ऐसे साहित्य को सृजन कर रहा है, जिसे बिलकुल व्यक्तिगत साहित्य कहा जा सकता है। दूसरी ओर, संवहन के इतने साधन हो गए हैं, अखबार, रेडियो, फिल्म आदि कि उसे बहुत लोगों तक पहुँचाने की लालच में अपनी कला को उसे नीचे की सतह पर उतारना पड़ रहा है—दोनों में कौन वांछनीय है और क्या दोनों का सम्मिश्रण और समन्वय सम्भव है ? इस विषय पर अमेरिकन लेखक जेम्स फरेल, इतालियन लेखक क्लोदे मानी, फ्रांसीसी लेखक रोज़र कायवा आदि ने अपने विचार प्रकट किए।

सभा भवन में काफी भीड़ थी। पहले से निश्चित लेखकों द्वारा विचार प्रकट किए जाने के बाद अन्य लेखकों को भी बहस में सम्मिलित होने के लिए आमन्त्रित किया गया। आज ज़िन्दगी में पहली बार मैंने उस यन्त्र का व्यवहार किया, जिसे कान में लगा लेने पर एक

भाषा में हुए व्याख्यान को दूसरी भाषा में अनुवाद के रूप में सुना जा सकता है। यह प्रबन्ध सिर्फ तीन भाषाओं के लिए था—फ्रेंच, जर्मन और अंग्रेजी। व्याख्याता फ्रेंच या जर्मन में बोल रहे हैं और आप उन्हें अंग्रेजी में सुन रहे हैं ! ऐसा होता है कि व्याख्याता जब मंच पर एक भाषा में बोलते होते हैं, दूसरे छोर पर उसका अनुवाद दूसरी भाषा में साथ-ही-साथ किया जाता है और आपके कानों में वही अनुवाद पहुँचता है। किन्तु इसमें तमाशा यह होता है कि बोलनेवाले तो वहाँ फ्रेंच में गरज रहे हैं, यहाँ आपके कानों में किसी लड़की की सुरीली आवाज़ आ रही है और जब अनुवाद में कोई कठिनाई होती है तो उसका हलकना तो और मजा ला देता है !

पच्चीस देशों के साहित्यिक आज के जलसे में सम्मिलित हो रहे थे; किन्तु ऐसी भीड़भाड़ कि कौन किसका परिचय पा सके ? आज हम लोगों की ओर से स्प्रैट बोले। बड़े ही सीधे-सादे ढंग से अपने विचार रखे, विचारों में भारतीयता की पूरी पुट थी। आज की बहस में ब्राज़ील की एक लड़की भी बोली—शुरू तो अच्छा किया, किन्तु बोलते-बोलते यों चिल्लाने लगी कि लगता था, बेचारी हिस्टिरिया से परेशान हो ! उसकी शिकायत थी कि स्त्रियों के साथ वह व्यवहार नहीं होता, कला और साहित्य के क्षेत्र में भी, जिसकी वे हक़दार हैं ! लोगों का खूब मनोरंजन हुआ।

शाम को लुक्जेमबुर्ग की फुलवाड़ी देखने चले। अब हम पेरिस से कुछ परिचित हो चुके हैं, इसलिए ज्यादा सफर हम मेट्रो—ज़मीन के नीचे चलनेवाली रेलगाड़ी—से ही करते हैं। इसमें पैसे बचते हैं, आराम भी रहता है। यद्यपि पेरिस की ये पाताल गाड़ियाँ लन्दन की गाड़ियों से घटिया हैं, इनमें दर्जे भी दो हैं, भीड़ अधिक रहती है, ख़ासकर शाम को; किन्तु इनके द्वारा निश्चित स्थान पर कम पैसे में जल्द पहुँचा जा सकता है। मेट्रो से ऊपर आने पर, हमने पाया, हम तो लैटिन क्वार्टर में हैं। विद्यार्थियों और विद्यार्थिनियों की काफी भीड़। रेस्तोराँ छोटे-छोटे, किन्तु गाना-बजाना हो रहा, प्याले छलक रहे। काले विद्यार्थियों—खासकर हब्सियों की काफी तायदाद देखी।

किन्तु जब तक हम पहुँचे, फुलवाड़ी का फाटक बन्द हो चुका था। अतः हम लौटे। सुन रहा था, इस मोहल्ले के रेस्तोराँ से कम पैसे में अच्छा भोजन मिलता है। एक रेस्तोराँ में बैठे गए। सचमुच शाँ जिलैजे के रेस्तोराँ की अपेक्षा आधी कीमत में ही हमें बड़ा स्वादिष्ट भोजन मिला !

मेट्रो : मेला : लीडो

22 मई, 1952
पेरिस

जब भारत में ही था, कुछ पत्रों में पेंरिस में लगनेवाले अन्तरराष्ट्रीय मेले का विज्ञापन देखा था। वहीं तय किया था, इसे अवश्य ही देखूँगा। आज सुबह में जलपान करने के बाद उस ओर चला।

यह मेला पेरिस के बहिर्भाग में लगा है। पेरिस अन्तरराष्ट्रीय मजमों के लिए प्रसिद्ध है—चाहे वे राजनीतिक हों या सांस्कृतिक ! ख़ासकर फैशन की चीज़ों के मेलों के लिए तो संसार में सबसे उपयुक्त भूमि है। कुछ मेले साल-साल लगते हैं, कुछ कई वर्षों के बाद। यह मेला कई वर्षों के बाद लगा है, इसलिए इसका बहुत ही महत्त्व है !

चाहे लन्दन हो या पेरिस पृथ्वीतल से जानेवाली रेलगाड़ियाँ बड़ी सहूलियत की होती हैं—कम-से-कम पैसे में जल्द-से-जल्द आप पहुँच सकते हैं। लन्दन की ऐसी गाड़ियाँ जहाँ ट्यूब कही जाती हैं, पेरिस में वे मेट्रो कहलाती हैं ! सारी पेरिस के नीचे मेट्रो का जाल बिछा हुआ है। आप किसी एक सूत्र को पकड़ लीजिए, फिर इधर-उधर जाते रहिए। हर स्टेशन पर नक्शे और चार्ट टँगे होते हैं; थोड़ी समझदारी और सूझ में काम लेने पर कहीं भटक पड़ने की गुंजाइश नहीं।

लन्दन में इन पाताल गाड़ियों को एक ही दर्जा है; किन्तु पेरिस में दो। लन्दन की ऐसी सफाई और शानदारी भी नहीं है। किन्तु फिर भी अपने देश की सवारियों से उनकी क्या तुलना ?

मेट्रो से जब हम ऊपर हुए, ऐसा लगा, मेले के द्वार पर हम पहुँच गए। द्वार ही बताता था, भीतर कैसी रौनक़ होगी। सदर दरवाज़े पर प्रवेश करने के लिए टिकट खरीदने गया, तो पता चला, विदेशी दर्शकों के लिए आज छूट दी गई है। हमारी वेशभूषा ही मानो हमारे लिए टिकट बन गई।

भीतर पहुँचने पर पता चला, जैसे हम सचमुच मेले में हों। पारसाल इंगलैंड में 'फेस्टिवल ऑफ ब्रिटेन' का मेला देखा था ! लोगों की भीड़ का क्या कहना; किन्तु कहीं धक्कम-धुक्का नहीं। यहाँ थोड़ा-थोड़ा अपने देश का मजा आया। बार-बार बदन-से-बदन टकराते और एक हलकी मुसकराहट से माफ़ी मिल जाती !

सारा मेला कई हिस्सों में बँटा। हमने कृषि विभाग से शुरू किया और श्रृंगार विभाग में समाप्त। तरह-तरह के यन्त्र, तरह-तरह के घरेलू सामान, तरह-तरह के श्रृंगार प्रसाधन, तरह-तरह के खिलौने आदि। जिस क़तार में निकल जाइए, वहीं चकित हो रहेंगे आप। बार-बार मन में प्रश्न उठता—उफ़ मानव ने अपने सुख-साधन के लिए कैसे-कैसे सामान तैयार किए हैं। किन्तु तुरत यह प्रश्न भी मन में उठता—ये साधन कितने लोगों के लिए प्राप्य हैं। खुद अपनी ही बात लीजिए; कितनी ऐसी चीज़ें थीं, जिनके खरीदने के लिए जी ललच उठता; किन्तु तुरत अपनी जेब की याद हो आती !

जब हम लोग श्रृंगार प्रसाधन के विभाग में थे, शीला बेचारी चकित-विस्मित थी। जेवर, साज-सज्जा के सामान, सबकी ऐसी भरमार कि लगता यदि कोई एक राज बेचकर भी आए तो भी अपनी मनोकामना की पूर्ति नहीं कर सके ! क्या लिया जाएगा, कितना लिया जाएगा, कहाँ तक लिया जाएगा ?

कुछ ऐसी भीड़भाड़ थी कि रास्ते में हमारी संगत टूट गई। मैं एक ओर चला गया, शीला और शिवाजी दूसरी ओर। दोनों ओर से कुछ देर खोजाई हुई। फिर मैं मेट्रो का सूत्र पकड़कर अपने होटल में आ गया। थोड़ी देर के बाद वे लोग भी चिन्तित लौटे और मुझे यहाँ पाकर आश्वस्त हुए।

भोर में ही तय हो चुका था, आज रात में फिर नैश-बिहार का मज़ा लिया जाए। पेरिस के नैश-बिहारों में लीडो का बड़ा नाम है। यह शाँ जिलैजे में ही है। अतः सवेरे ही खाकर हम लोग वहाँ जा धमके। साथ में देशपांडे भी थे।

लीडो में नग्न नृत्य होता है, शराब उड़ती है, हास्य कुतूहल होता है। लोग नाच देखते ही नहीं हैं, नाचते भी हैं। टिकट नहीं लगता, सीट रिजर्व कर लीजिए, खेल के अन्त में बिल चुकाना पड़ता है। यदि भोजन भी कीजिए तो फी आदमी छः हज़ार फ्रैंक, भोजन नहीं कीजिए तो सिर्फ चार हज़ार फ्रैंक। हम भोजन कर चुके थे; अतः चार-चार हजार की ही सीटें रिज़र्व कराईं और समय पर जा डटे !

कैसिनो दि पेरिस से बिलकुल अलग है यहाँ का रंग। यह सोलह आने नैश-बिहार है। हर टेबुल पर शैम्पेन की बोतल बालटी में बर्फ से तर करके रखी हुई है। दो आदमी में एक बोतल शैम्पेन तो आप को पीना ही है, इसी का बिल है प्रत्येक आदमी चार हजार फ्रैंक। यदि अधिक पीना हो तो पीजिए, नए बिल चुकाइए।

खेल शुरू होने के पहले एक छोकड़ी ने आकर पूछा--क्या इस समय को अमरता देना नहीं चाहेंगे ? यानी फोटो नहीं खिंचा देंगे; बस, एक फोटो के लिए सिर्फ दो हजार फ्रैंक ! टेबुल पर ही फोटो ले लिया गया और जब लौटने लगे एक केबिनेट साइज फोटो और तीन दियासलाई के डब्बे पर फोटो उसने अर्पित किए।

क्या नृत्य, कैसा नृत्य ! पेरिस की ये परियाँ--सुनहले बाल, पतला नाक, सुराहीदार गरदन, छाती पर खिले-अधखिले फूल, पतली कमर, पृथुल नितम्ब, गोल जाँघ, सुडौल पिंडलियाँ ! कभी लचकतीं, कभी उछलतीं; कभी कमर को कमानी बना लेतीं, कभी पैरों में पंख बाँध लेतीं--आगे देखिए, पीछे देखिए, अगल देखिए, बगल देखिए। शर्म क्या, संकोच क्या ? लीडो में आप बैठे हैं न ! और सामने उस प्याली में लाल परी नाच रही है न ! छके जाइए, देखे जाइए !

आपको तो सिर्फ देखना है--देखिए, उधर क्या दृश्य हुआ ? हर जोड़ी पर लीडो सवार है। अब तो दर्शक-दर्शिकाओं के नृत्य हो रहे हैं ! ओहो, कैसी-कैसी जोड़ियाँ हैं। वह बूढ़े बाबा उस छोकड़ी को कैसे कलेजे से कसे हुए हैं और वह बुढ़िया उस नौजवान के शरीर को जैसे अपने शरीर में आत्मसात कर लेना चाहती है ! अच्छी जोड़ियाँ, जोड़ की जोड़ियाँ भी हैं--किन्तु मज़ा तो इन बेजोड़ जोड़ियों के देखने में है !

सारा हॉल सिगरेट के धुँए में धुमैला हो रहा है। शैम्पेन की गन्ध यहाँ की हवा में बस गई है। यों ही सिर चकरा रहा है, फिर ये दृश्य ! खैरियत है, ढाई बजे और खेल समाप्त हुआ !

होटल : राजदूत : देवीजी !

23 मई, 1952
पेरिस

रात तीन बजे सोए तो स्वभावतः ही देर से जगना था। हाथ-मुँह धोकर बाहर गए, खाना खाया और आकर अपनी पेरिसवाली पुस्तक लिखने लगा। देख रहा हूँ, वह पुस्तक बड़ी मज़ेदार बन रही है। हिन्दी में यह एक ही पुस्तक होगी जिसका सूत्र पकड़कर लोग पेरिस यात्रा का पूरा मज़ा उठा सकेंगे !

इधर कई दिनों से स्नान नहीं किया था। फ्रेंच बाथ पर ही चल रहा था। किन्तु जी भिन-भिन कर रहा था। शिवाजी के कमरे में जाकर खूब प्रेम से स्नान किया, तो शान्ति मिली।

बात यों है कि यद्यपि हम शाँ जिलैजे के फैशनेबुल मोहल्ले में है, तो भी हमारा यह होटल मध्यम दर्जे का होटल है। दिक्कत यह भी हुई कि शिवाजी और शीला के लिए होटल में पहले से जगह रिजर्व नहीं थी। अतः हमें सबसे पहले उसी का प्रबन्ध कर लेना पड़ा और स्वभावतः ही जो सबसे आरामदेह कमरा था, हमने उन्हें दे दिया।

इस होटल में हर कमरे के साथ स्नान घर नहीं है। हाँ, हर कमरे के साथ एक शृंगार कमरा है, जहाँ आप हाथ-मुँह-पैर धो सकते हैं। पैर धोने के लिए एक ऐसा बरतन है, जिसमें

गरम पानी भरकर उस पानी में दोनों पैर रखकर, कुरसी पर बैठे-बैठे आप अपनी पूरी थकान उतार सकते हैं। प्रतिदिन स्नान करना यहाँ लाजिमी भी नहीं समझा जाता है। किन्तु हम तो अपने स्वभाव से लाचार हैं ! प्रतिदिन नहीं नहाइए, तो मन आश्वस्त होता नहीं है। नीचे स्नानघर है, जहाँ कुछ पैसे देकर आप नहा ले सकते हैं।

किन्तु मध्यम दर्जे के इन कमरों का मुकाबला आपके देश का अच्छे-से-अच्छे होटल के कमरे भी नहीं कर सकते। मेरा कमरा सिर्फ एक आदमी के लिए है। किन्तु तो भी दो पलंग। पलंग का सुनहला फ्रेम; नीचे कालीन; पलंग के गुलगुले गद्दे, रेशमी चादर। दो मेज़ें--एक पर लिखिए-पढ़िए; एक पर नाश्ता-चाय कीजिए। पलंग के सिरहाने फोन; जब चाहिए नीचे से आदमी या दाई को बुला लीजिए। इस कमरे का चार्ज प्रतिदिन के लिए नौ सौ फ्रैंक है--यानी करीब चौदह रुपए। इंगलैंड की तरह होटल चार्ज में नाश्ते का चार्ज शामिल नहीं है। आप नाश्ता कमरे में मँगा सकते हैं या नीचे जाकर खा ले सकते हैं। भोजन को हम लोग प्रायः बाहर ही करते हैं; नाश्ते के लिए भी कोई अनिवार्यता नहीं कि यहीं करें। नीचे जो आदमी हैं, उनसे आप सब काम ले सकते हैं, नाश्ता, सिगरेट, सब वे ला देंगे। हम अपनी चिट्ठियाँ भी उन्हें ही दे देते हैं, वे उन्हें भेज देते हैं और उसका चार्ज बिल में दर्ज कर देते हैं। टैक्सी, थियेटरों के टिकट आदि का प्रबन्ध भी आप उनके द्वारा करा ले सकते हैं !

सुबह-शाम आपके कमरे की सफाई और सजावट कर दी जाएगी। मेरे ऐसा लस्टम-पस्टम आदमी--सारी चीज़ें बिखराकर निकल जाता हूँ; जब लौटता हूँ, पाता हूँ सभी चीज़ें सजाकर करीने से रखी हैं। सफाई का काम एक लड़की करती है। इतने दिनों में उससे जान-पहचान तो हो ही गई है। देखते ही हँसकर नमस्कार करती है। किन्तु भाषा का व्यवधान--कुछ बोलचाल क्या हो सकती है ? उसका नौजवान पति भी इसी होटल में काम करता है। दोनों काफी स्वस्थ, सुन्दर। होटल के भीतर तो वे अज़ीब चोगे डाले होते हैं। किन्तु सारे काम कर-धरकर, जब वे अपनी पोशाक पहनकर बाहर निकलते हैं, तो आप क्या समझेंगे कि ये नौकर-दाई का काम करते हैं--सोलह आने लेडी और जेन्टिलमैन या यहाँ की भाषा में मदाम और मोशियो !

होटल के नीचे दो कमरें ऐसे हैं, जहाँ आप जाकर अख़बार पढ़ सकते हैं, मित्रों से घुल-मिलकर बातें कर सकते हैं। 'न्यूयार्क हेरल्ड ट्रिब्युन' का पेरिस संस्करण अंग्रेजी में छपता है। हम उसी के द्वारा पेरिस और संसार की जिन्दगी से अपना दिमाग़ी सम्बन्ध स्थापित करते हैं।

नीचे का पोर्टर थोड़ी अंग्रेजी जानता है और वह लड़की भी जो इस होटल की संचालिका है। लड़की की लिखावट कितनी सुन्दर है--मोतियों की जैसी ! विनय, शालीनता, खुशमिजाजी को तो पूछिए मत। हर आदमी को ऐसा लगेगा कि यह मुझी पर सबसे अधिक मेहरबान है।

दिन का भोजन देर से किया, फिर एक झपकी ली। आज शाम को चाय के लिए अपने राजदूत महामहिम मल्लिक के घर पर निमन्त्रण था। वहाँ गया। पेरिस में भी अपने देश के झंडे को लहराते देखकर कितनी प्रसन्नता हुई ? राजदूत के घर की सजावट में काफी भारतीयता थी। स्वागत-सत्कार में भी भारतीयता की काफी पुट थी। उनकी पत्नी और साली हम लोगों के सत्कार में तत्पर थीं। यह लड़की हमारे ही साथ 'एयर इन्डिया' से आई थी। यूरोप की राजनीति के सम्बन्ध में बातें हुईं। यूरोप पर इस समय रूस का भूत सवार है। यहाँ की राजनीति का केन्द्र यही है कि रूस के साथ कैसा व्यवहार रखा जाए ? मल्लिक साहब ने अपनी राय प्रकट की, किन्तु बड़े ही सहज शब्दों में, अपने को सदा तटस्थ रखते हुए, जैसा राजदूत को करना चाहिए।

किन्तु वहाँ मि. दास नाम के एक सज्जन अपनी पत्नी के साथ आ गए थे। मि. दास भारत के क्रान्तिकारी भगोड़ों में थे, बंगाली हैं, भागकर अमेरिका गए। अब भारत सरकार के मुलाजिम हैं। उन्होंने अमेरिका में ही एक स्त्री से शादी की, जिनके रक्त में रूसी सम्मिश्रण है। यह श्रीमतीजी तो खुल्लमखुल्ला रूस का पक्ष ले रही थीं। जब इन्होंने मल्लिक साहब की बातों का सूत्र पकड़ा, तब फिर क्या मजाल कि कोई बीच में बोल सके। धड़ाधड़ बोले जा रहीं—हाथ नाचातीं, भौं मटकाती, कसम-पर-कसम खातीं। उनके विचार से सारा संसार युद्ध के लिए उत्सुक है, बेचैन है; एक सिर्फ रूस है, जिसने संसार में शान्ति कायम कर रखी है। भारत सरकार की नीति की आलोचना करने में भी उन्हें झिझक नहीं थी। भारत सरकार के एक मुलाज़िम की पत्नी के मुँह से ये बातें—इस सरकार की खुदा ही खैर करें ! किन्तु दास साहब बड़े ही परिमितभाषी—जैसे उन्हें अपनी जिम्मेवारी की सदा याद हो।

आज हमारी कांग्रेस की फिर बैठक थीं। हमने सोचा था, राजदूत के आतिथ्य से तुरत फुरसत पाकर हम उसमें शामिल हो सकेंगे। आज वहाँ पहुँचना ज़रूरी भी था, हमारे साथी देशपांडे अपना लेख पढ़नेवाले थे। किन्तु श्रीमती दास की बक-बक में हमारा बहुत समय लग गया। जब तक हम लौटें, कांग्रेस का जलसा समाप्त हो चुका था। देशपांडे ने बताया, उनके लेख का अच्छा स्वागत हुआ। कम्युनिस्टों के भौतिकवादी दर्शन पर उन्होंने क़रारी चोट की थी। इस लेख को उन्होंने मुझे पहले भी दिखलाया था। लेख विचारपूर्ण था। किन्तु मुझे ऐसा लग रहा है कि हम लोग कम्युनिस्टों को ख़ामख्वाह कुछ अधिक महत्त्व दे रहे हैं। उनकी इतनी निन्दा कर रहे हैं कि उनके प्रचारक हमीं बन रहे हैं !

श्मशानभूमि और रंगभूमि

24 मई, 1952
पेरिस

भाई मेहर अली ने अपनी अन्तिम पेरिस यात्रा के बाद मुलाकात होने पर उस श्मशानभूमि की चर्चा की थी; जहाँ सुप्रसिद्ध नाटककार मौलियर की कब्र है। तभी निर्णय कर चुका था, कभी पेरिस जाने का मौका मिला, तो इस कब्र की धूल शीश पर अवश्य चढ़ाऊँगा।

इधर जब पेरिस की गाइड बुक देखने लगा, तो पता चला, यहाँ कई प्रसिद्ध श्मशानभूमियाँ हैं, जिनमें फ्रांस के सुप्रसिद्ध व्यक्तियों को दफनाया गया है। चार तो उनमें बहुत प्रसिद्ध हैं। किन्तु मुझे तो उस श्मशानभूमि को देखना था, जहाँ मौलियर को दफन किया गया; क्योंकि उस भूमि के साथ भाई मेहर अली की स्मृति भी संलग्न है।

यह श्मशानभूमि पेरिस की सबसे बड़ी श्मशानभूमि है और पेरिसवालों का दावा है, कहीं एक जगह इतने बड़े-बड़े आदमी दफ़न नहीं किए हैं। अपने नगर की तरह इस श्मशानभूमि को भी वह अद्वितीय मानते हैं।

मेट्रो का सूत्र पकड़कर वहाँ पहुँचा। मेट्रो का छोटा सा नक्शा हर जगह मिलता है, मुफ्त ही। उसे ले लीजिए और गाइड बुक से मिलाकर स्थान को निश्चित कर लीजिए कि वह किस लाइन के किस स्टेशन के नजदीक है, फिर कोई कठिनाई नहीं होती। यदि कोई गड़बड़ हुई, तो किसी आदमी को नक्शे में जगह बता दीजिए, वह आपको सही रास्ता बता देगा।

यह श्मशानभूमि एक पहाड़ी पर है। यों तो बड़े-बड़े लोगों की कब्रें यहाँ होने से इसकी प्रसिद्धि थी ही, 1871 में जब पेरिस के ग़रीबों ने विद्रोह करके अपनी कम्यून कायम की और

अन्त में लड़ते-लड़ते इसी क़ब्रगाह में जा छिपे और अन्ततः उन्हें खदेड़कर, इसकी दीवार से सटाकर गोलियों से मार दिया गया, तब से यह एक राजनीतिक तीर्थस्थान बन गया है।

मेट्रो से ऊपर आकर हमने एक पहाड़ी-सी ऊँची जगह देखी और ऊपर जाने की सीढ़ियाँ भी। हम उसी रास्ते ऊपर चले गए। यह तो पीछे पता चला कि यह इसका सदर दरवाज़ा नहीं है। सदर दरवाज़े पर अच्छे गाइड मिल जाते हैं और क़ब्रों पर चढ़ाने के लिए फूल आदि भी।

ऊपर जाकर क़ब्रों की कतारें ही देखकर हम घबड़ा गए। देखा, वहाँ माली की तरह के कुछ लोग हैं। उनसे पूछने लगा, वे हमारी अंग्रेजी भाषा तो समझते नहीं थे; तो भी उन्होंने जान तो लिया ही कि हम दर्शक हैं और जब हमने मौलियर, बालज़क आदि के नाम लिये तो एक नक्शा हमारे हाथ में देकर लाल पैंसिल से उन तक पहुँचने का निशान बना दिया। इसके बदले में हमने कुछ पैसे उन्हें दिए और आगे बढ़े।

बीच में रास्ते, दोनों तरफ कब्रें। तरह-तरह की, नाना आकार-प्रकार की। किन्हीं-किन्हीं के ऊपर खुशनुमा मन्दिर, किन्हीं-किन्हीं पर मृत व्यक्तियों की मूर्तियाँ, किन्हीं-किन्हीं क़ब्रों पर फूल भी। एक कुनबे के मृत व्यक्तियों की कब्रें कहीं-कहीं एक ही स्थान पर दिखाई पड़ीं। नक्शे को लेकर हम आगे बढ़ रहे थे, तो भी प्रायः रास्ते भूल जाया करते थे। सबसे पहले बालजक की क़ब्र मिली; कब्र पर उसकी एक मूर्ति भी। क़ब्र के निकट खड़ा करके शीला ने हम लोगों के फोटो लिये। उसके बाद आस्कर वाइल्ड की क़ब्र मिली। यह क़ब्र अजीब है। उसके ऊपर एक चट्टान-सी रखी हुई है, जिसके नीचे के भाग में एक नंगे आदमी की मूर्ति अंकित है, मानो वह उस कब्र पर लटका हुआ हो और उसके गुप्तांग भी लटक रहे।

वहाँ से सारा बर्नहार्त की क़ब्र की खोज में बहुत समय लगा। जब इंगलैंड में पिछली बार गया था, शेक्सपीयर के गाँव के थियेटर के सिलसिले में उसकी प्रसिद्धि का ज्ञान हुआ था। पेरिस के जो पाँच राजकीय रंगमंच हैं, उनमें एक इसके नाम पर है। शेक्सपीयर के गाँव में इसने औरत होकर भी हेमलेट का पार्ट किया था। अतः उत्सुकता स्वाभाविक थी। किन्तु बड़ी खोज-ढूँढ़ के बाद भी उसकी क़ब्र नहीं पा सका।

फिर नक्शा देखते, भूलते-भटकते, मौलियर की क़ब्र के निकट पहुँचा। बहुत पुरानी क़ब्र है। दो पत्थर के स्तम्भों पर एक ताबूत है। बड़े चाव से, प्रेम से, श्रद्धा से मैंने ताबूत को चूमा। बहुत अफसोस हुआ, माला या फूल नहीं ला सका था।

इस खोज-ढूँढ़ में ही बहुत देर हो चुकी थी, अतः 1871 की कम्यून के शहीदों की वधस्थली को नहीं देख सका।

इस श्मशानभूमि में कौन-कौन नहीं है—लेखक-कवि; योद्धा-शहीद; नाटककार-अभिनेता; चित्रकार-संगीतकार; दार्शनिक-सन्त—वे बड़े-से-बड़े लोग यहाँ अनन्त निद्रा में सो रहे हैं, जिन्होंने पेरिस को पेरिस बनाया, जिन्होंने फ्रांस को वह गौरव दिया जिसके बल पर वह बार-बार पराजित होने पर भी उठकर खड़ा होता है ! यह श्मशानभूमि फ्रांसीसियों के लिए इतनी प्यारी है कि नेपोलियन ने मरते समय यह इच्छा प्रकट की थी कि उसकी लाश को इसी श्मशान में दफनाया जाए।

आज जब घर से निकल रहा था, सड़कों की मोड़ के विज्ञापन के तख्तों पर बड़े-बड़े पोस्टर टँगे हुए मिले, जिनमें उल्लेख था कि विक्टर ह्यूगो की एक सौ पचासवीं जयन्ती 26 मई से 6 जून तक मनाई जाएगी। फ्रांस के राष्ट्रपति और प्रधान मन्त्री पैंथियन में जाकर ह्यूगो का क़ब्र पर फूल चढ़ाएँगे और उस विशाल इमारत पर राज्य की ओर से दीवाली की जाएगी। नृत्य, संगीत, अभिनय आदि के भी प्रोग्राम हैं। काश पंडित नेहरू हमारे तुलसीदास

के स्मारक पर फूल चढ़ा आते ? क्या काशी के रहनेवाले श्री सम्पूर्णनन्दजी को ही यह बात सूझी ? तुलसीदास पैदा कहाँ हुए, इस पर झगड़ा कर लीजिए, किन्तु काशी में ही असी घाट पर उनका निधन हुआ, यह तो इतिहास सिद्ध है।

शाम को यों ही टहलते हुए हम ऑपेरा भवन की ओर निकल गए। कई दिनों से इसके चारों ओर हम चक्कर लगा जाते हैं, किन्तु टिकट नहीं मिल पाते। होटलवालों से कहा, तो वे बड़े मँहगे टिकट की ही बात करने लगे, पर यह संयोग देखिए, आज जब उसके भीतर इसलिए घुसे कि कम-से-कम भीतर का चाकचिक्य ही देख लें, तो वहाँ सस्ते टिकट मिल गए ! फिर हमारे आनन्द का क्या कहना ?

ऑपेरा भवन के भीतर जाते ही दिमाग़ चकरा जाता है। यह पेरिस का सबसे पुराना और सबसे बड़ा रंगमंच है। इस भवन के निर्माण में दो करोड़ रुपए खर्च हुए थे। यह आज भी माना जाता है कि संसार भर में ऐसा शानदार रंगमंच कहीं नहीं है। इसका विस्तृत वर्णन देने के लिए यहाँ न समय है, न स्थान। पेरिसवाली पुस्तक के लिए ही इसे सुरक्षित रखता हूँ। यहाँ इतना ही कहूँगा, जो लोग यूरोप गए और ऑपेरा भवन में जाकर कोई नाटक नहीं देख सके, उनका वहाँ जाना मेरी दृष्टि में अधूरा ही रहा।

टिकट लेकर हम जल्दी-जल्दी ऊपर चढ़े। संगमरमर, क़ालीन, मखमली परदे, बड़े-बड़े शीशे, ज्यों-ज्यों हम ऊपर चढ़ते गए, हम पर अपना रोब जामते गए। चौथे मंजिल के लिए हमारे टिकट थे। पहले हम जहाँ बैठाए गए, वहाँ से भी स्टेज तो अच्छी तरह दिखाई पड़ता था, किन्तु मैं तो सारे रंगमंच की सम्पूर्ण झलक देखना चाहता था। मेरी इस मनोकामना को मानो एक महिला समझ गई; ज्यों ही बीच में रिसेस हुआ, उसने मेरे लिए अपनी अगली पंक्ति की जगह खाली कर दी। उफ़, नीचे से ऊपर तक सारी सीटें भरी हुईं। कितना बड़ा भवन है यह; कैसे कलाप्रिय हैं यहाँ के लोग !

और वह रंगमंच पर क्या हो रहा है ? आज एक ऑपेरा और एक बैले का अभिनय हो रहा था। पहले ऑपेरा हुआ, बाद में बैले। ऑपेरा में सभी पात्र संगीत में ही वार्त्तालाप करते हैं—वार्त्तालाप क्या ? अपने हृदय के भावों के संगीत के रूप में रंगमंच पर ऊँड़ेलते हैं ! संगीत के सिवा एक शब्द भी नहीं। यों ही बैले में रंगमंच पर मुँह से एक शब्द भी नहीं निकाला जाता। सारे मनोभावों को नृत्य के माध्यम से ही प्रकट किया जाता है। नृत्य की गति और ताल को निर्देशित करने के लिए मंच के नीचे साज़ बजते होते हैं !

जब खेल समाप्त हुआ, बार-बार मन में प्रश्न उठता—हमारे देश में ये सब कब सम्भव हो सकेंगे ? अभी तो अच्छे नाटकों के लिए भी हमारे पास अभिनेता, अभिनेत्री, रंगमंच और साज-सज्जा नहीं मिल पाते—फिर ऑपेरा और बैले तो हमसे दूर हैं। ऑपेरा भवन को पर्याप्त सरकारी सहायता भी प्राप्त है। उसका डाइरेक्टर किसी मिनिस्टर से कम रुतबा या महत्त्व नहीं रखता ! हम अभी कला के क्षेत्र में कितने पिछड़े हुए हैं—न कला की पूजा है, न कलाकार की पूछ ! आह !

वन-विहार : चिड़ियाख़ाना

25 मई, 1952
पेरिस

जब शहर से चित्त उखड़ता है, जंगल में भागने की इच्छा होती है। किन्तु जंगल किसको मयस्सर

है ? अतः घुट-घुटकर शहर की गलियों में ही लोग ज़िन्दगी काट देते हैं।

पेरिस के नागरिक इस सम्बन्ध में अवश्य दूरदर्शी हैं। वे जानते थे कि उनके शहर में अनेकानेक मनोरंजन के साधन होने पर भी कभी आदमी का मन उचाट में आ सकता है, वह एकान्त खोज सकता है, ऐसा एकान्त जहाँ वह प्रकृति के साथ तादात्म्यता स्थापित कर सकें। अतः उन्होंने शहर के अन्दर अनेक बगीचे ही नहीं बनाए, शहर के दो छोरों पर दो जंगल भी रख छोड़े हैं और प्रति सप्ताह रविवार को इन दोनों जंगलों में मंगल मच जाता है।

आज रविवार है। हमने तय कर लिया है कि इन दो जंगलों में से एक को आज देख लें। वार्साई जाते समय उनमें से एक जंगल की झलक देख ली थी, जो पश्चिमी छोर पर है। अतः आज पूर्वी छोर के जंगल की ओर ही चलना उचित समझा। फिर इसी जंगल में वह चिड़ियाख़ाना भी है जो यूरोप के चिड़ियाख़ानों में अपना ख़ास स्थान रखता है।

भोर की खुनक; हवा में सुरूर। पेरिस के नागरिकों और नागरिकाओं के चेहरों पर छुट्टी की मस्ती। रंगीनी और गहरी हो गई है। वाचालता कुछ और बढ़ गई है। होंठों की हँसी आज गालों पर गड्ढे बनाती है। मेट्रो में भीड़ है। यदि किसी के कन्धे से आपका कन्धा लड़ जाता है, तो परवाह नहीं। यह लन्दन नहीं, पेरिस है। यहाँ अनावश्यक शिष्टाचार का चलन नहीं। दोनों ओर से आँखें मिलीं, होंठों पर मुसकान की हलकी रेखाएँ खिंची और बात ख़त्म !

मेट्रो के सुरंग से ऊपर आइए कि देखिए समाँ। बसें हैं, टैक्सियाँ हैं, ट्राम-गाड़िया हैं। जंगल के जिस छोर पर चाहिए, ये पहुँचा देंगी। जाने के पहले वन-विहार के लिए कुछ सामान भी रख लीजिए। फूल बिक रहे हैं, फल बिक रहे हैं, रोटियाँ बिक रही हैं और वह देखिए, छोटी बोतलों की लाल परी भी आपको देखकर मुसकरा रही है ! पेरिस की लाल शराब मशहूर है। दाम कम; नशा कम। बस, आँखों में थोड़ी लाली आ गई; बदन में कुछ सुरसुरी दौड़ गई।

मैं संस्कृति का चिह्न फूल को मानता हूँ। जहाँ जितने फूल हों, फूलों की दूकानें हों, समझ जाइए, वह नगर उतना ही सुसंस्कृत है। पेरिस संस्कृति की नगरी है। यहाँ पेट में गेहूँ डालकर ही लोग सन्तोष नहीं करते, जब तक कि सीने पर गुलाब नहीं टँका हो !

हम लोगों ने कोई सवारी नहीं की ! पैदल ही चले—भूलते भटकते। वन-विहार और सवारी !—यह भी कोई बात हुई !

जंगल में ज्यों-ज्यों घुसते गए, उसका वातावरण हम पर हावी होता गया। हरे-हरे पेड़, घनी-घनी छाया; जहाँ-तहाँ कुंजें—कुंजों में रंगीन फ्रॉक, फ्रॉक की बगल में भूरे कोट लोट रहे हैं। कहीं बच्चों की किलकारियाँ, कहीं झूलों की पेंगे ! कहीं खाया जा रहा है, कहीं पीया जा रहा है, कहीं खेला जा रहा है, कहीं लेटा जा रहा है ! कहीं सट-सटकर, कहीं हट-हटकर। उछल-कूद भी है, दौड़धूप भी है, उठा-पटक भी है ! पेरिस छुट्टी मना रही है, मौज़ में है। यहाँ बाधा नहीं, बन्धन नहीं—सब कुछ निर्द्वन्द्व, स्वच्छन्द, उन्मुक्त !

बीच में झीलें हैं, झीलों में नावें हैं, नावों पर नाज़नीन हैं; जो पतवार खे रहा है, उसकी मौत !

यह जंगल प्राकृतिक है; किन्तु मनुष्य ने उसके सँवार-सँभाल में काफी हिस्सा लिया है। बीच-बीच में सड़कें बना दी गई हैं, पगडंडियाँ बना दी गई हैं। झीलों के पानी को साफ रखा जाता है, कीचड़-काई की सफाई की जाती है। जो पेड़ सूखते हैं, उनकी जगह नए पेड़ लगा दिए जाते हैं। यह गरमी का मौसम है। नए-नए पत्ते, धुले-पुंछे ! ऊँचे-ऊँचे देवदार ऐसे पेड़ों के बीच-बीच छोटे-छोटे फूलवाले पेड़ों की भी बहार। वे फूलों से लदे हैं, उनकी डालियाँ झूम रही हैं ! झील के किनारे के झाड़ों की फुनगियाँ बार-बार लहरों को चूम रही हैं।

मस्ताने लोग, मस्ताना समाँ। हमारे पैर चलते-चलते थक रहे हैं, किन्तु हमारी आँखें अघाती नहीं हैं ! बेर ढल रही है, पेट कुलबुला रहा है। झील के बीच में एक टापू है—टापू के बीच रेस्तोराँ है। चारों ओर फूल : टेबुलों के इर्द-गिर्द फूल। थोड़ा खाना, बनारस का रहना—स्वच्छ जलपान; फिर चिड़ियाख़ाने की ओर।

यही है, निकट ही है, पहुँच ही गए। किन्तु चलते-चलते पैर थक गए। बीच में खेल का मैदान—युवक-युवतियाँ तरह-तरह के खेलों के, दौड़ के, घुड़दौड़ के, साइकिल दौड़ के अभ्यास में रत हैं। सुन्दर, सुपुष्ट शरीर, देखकर ईर्ष्या होती है, अपने युवक-युवतियों के शरीर-वैभव पर शर्म आती है।

उधर बच्चे मैदान में पतंगे उड़ा रहे हैं—कागज़ के ही पतंगे या रबर के; किन्तु उनमें से अधिकांश की शक्ल हवाई जहाज की। अभी से हवा से खिलवाड़ के बहाने उस पर विजय प्राप्त करने की भावना उनमें भरी जा रही है।

सड़कों को, पगडंडियों को थके पाँव से पार करते आखिर हम चिड़ियाख़ाने के निकट पहुँचे। टिकट कटाए, भीतर दाखिल हुए। अन्य चिड़ियाख़ानों से सबसे बड़ी विशेषता यह कि यहाँ के सभी जानवरों को उनकी स्वाभाविक स्थिति में ही रखने-रहने का प्रबन्ध किया गया है। एक पहाड़ी के इर्द-गिर्द यह चिड़ियाख़ाना है, इससे यह सहज ही सम्भव हो सका है। मान लीजिए, यहाँ सूअर हैं। तो पहाड़ी के निचले हिस्से में ज़मीन की सतह से तीन-चार फीट नीचे कुछ गुफाएँ बना दी गई हैं, उसके सामने चहबच्चे बना दिए गए हैं। सूअर गुफाओं में सो रहे हैं या चहबच्चों में नहा रहे हैं, आप ऊपर से उन्हें देख रहे हैं। जंगली बकरियाँ हैं, तो पहाड़ी के ऊपर उनके लिए खोह बना दिए गए हैं, वह पहाड़ी पर चर रही हैं या इधर-उधर बैठी हैं। बाघ और सिंह भी वहाँ स्वतन्त्र ही दीख पड़ते हैं। पहाड़ी के नीचे उनकी माँद है, सामने बड़ा सा आँगन है फिर इतनी चौड़ी खाई है कि वे उसे उछलकर पार कर नहीं सकते, खाई में पानी भरा है। हाथी के लिए ऐसे तालाब हैं, जिसके किनारे वे बैठे रहें या पानी को दलमलते रहें ! सूँड उठाकर वे आपसे उपहार भी ले सकते हैं।

यह देखिए, बाघ और बाघिन मस्त हो किलोल कर रहे हैं ! कैसा अद्भुत प्रेम व्यापार। दोनों एक-दूसरे की गरदनों पर जोरों से दाँत जमाते हैं, उछलते हैं, कूदते हैं, चीखते हैं, चिल्लाते हैं। दोनों अलग हो जाते हैं, अलग-अलग बैठकर उजले-उजले दाँतों के बीच से लाल-लाल जीभ निकालकर हाँफते हैं। फिर एक कूदकर दूसरे के निकट पहुँचता है, सूँघता है, उसके शरीर को जीभ से सहलाता है, अब दोनों खड़े हुए और फिर वही प्रेम क्रीड़ा शुरू हुई।

किन्तु सिंह दम्पती तो शान्त भाव से सोए हैं। किस तरह दोनों सट-सटकर सोए हैं, लगता है, दोनों प्रबल आलिंगन पाश में बँधे हों ! मृगराज का यह शानदार केसर ! मृगरानी की वह पतली कटि ! और उधर देखिए, इनके छौने किस तरह खिलवाड़ कर रहे हैं। लगता है, जैसे बड़े-बड़े वन-बिलाव हों। खेलते-खेलते वे कभी-कभी झगड़ पड़ते हैं, शोर मच जाता है। मृगराज की नींद तो गाढ़ी है, किन्तु मृगरानी की आँखें खुलती हैं, वह उस ओर देखती है, ज़रा सी गुर्रा देती है—कि बच्चे शान्त हो गए ! मुझे मृगरानी की यह क्रिया देखकर अपनी रानी की याद आती थी, जिसकी एक कुटिल भृकुटि से ही बच्चों का सारा कोलाहल बन्द हो जाता है !

तरह-तरह के पशु, पंछी, सरिसृप को देखते अन्त में हम बीच की पहाड़ी पर चढ़े जो दो सौ पच्चीस फीट ऊँची है। ऊपर जाने के लिए लिफ्ट भी है। ऊपर पहुँचकर सारी पेरिस की एक झलक हमने ली। मैंने अब तक पेरिस को एक सांस्कृतिक नगरी ही समझ रखा था; ऊपर से देखने पर पता चला, इसके आसपास कितनी फैक्टरियाँ भी हैं, जिनकी

चिमनियों से धुएँ निकल रहे थे। इन फैक्टरियों में विशेषकर शृंगार प्रसाधन की सामग्रियाँ ही तैयार होती हैं, जिनके लिए पेरिस बहुत प्रसिद्ध है।

थके-माँदे जब लौटे, तो सिवा खाकर सोने के कोई काम सम्भव नहीं था। किन्तु यहाँ तो आदत है, जब तक तारीख नहीं बदली, पलकों के पाँवड़े पर निद्रादेवी का पदार्पण होता ही नहीं। एक अध्याय पेरिसवाली पुस्तक का लिख डाला; फिर यह डायरी लिखने लगा और अब पाता हूँ, मेरे अनजाने में ही मेरी घड़ी की घंटेवाली सुई दो की सीमा को पार कर चुकी है।

चित्रकला की आत्मा

26 मई, 1952
पेरिस

अब पेरिस छोड़ने की चर्चा चल रही है। सुब्रह्मण्यम् सीधे यहाँ से बम्बई लौटेंगे। उनकी बच्ची बीमार है; बेचारे इसकी ख़बर सुनकर बहुत चिन्तित थे। अब सोचता हूँ, इस बार यह अच्छा हुआ कि मैंने यहाँ का अपना पता ही किसी के पास नहीं भेजा। विदेश में कोई दुःसम्वाद मिलता है, तो यात्रा का सारा मजा ही किरकिरा हो जाता है। हाँ, अपना कुशलक्षेम प्रायः ही लिखता रहता हूँ—वह भी एक जगह नहीं, भिन्न-भिन्न मित्रों को।

सर मसानी यहाँ से लन्दन जाएँगे। इधर एक दुर्घटना हो गई, जिससे उनकी तबीयत खराब है। एक दिन वह सड़क पार कर रहे थे, तब एक टैक्सी से टकरा गए। यहाँ टैक्सी की रफ्तार पर कोई रोक नहीं है; चाहे जिस गति से जहाँ चलाइए, शर्त यह है कि मोटर पर आपका पूरा नियन्त्रण हो। पूरा नियन्त्रण था या नहीं, इसका निर्णय कौन करे ? अतः यूरोप की सड़कों पर चलने में सदा सावधान रहना ही चाहिए। एक बात और भी है। इंगलैंड को छोड़कर सारे यूरोप में मोटरें दाहिनी ओर से जाती हैं। हम लोग, जो बाईं ओर चलने के अभ्यस्त हैं, इस उलटी रफ्तार में भूलभुलैया में पड़ जाते हैं। मसानी साहब तो कई बार यहाँ आ चुके हैं, यहाँ के नियमों से अच्छी तरह परिचित हैं; तो भी यह हालत तो अनजाने लोगों का क्या हो ? हम उनके होटल में जाकर अपनी सहानुभूति अर्पित कर आए हैं।

स्प्रैट भारत में ही बस गए हैं। बीस-पच्चीस वर्षों के बाद अपनी मातृभूमि (इंगलैंड) के दर्शन करने जा रहे हैं। घर की, ख़ासकर अपनी माँ की चर्चा करते समय उनक़ी आँखें प्रायः ही स़जल हो जाती हैं। अब जब घर के निकट आ गए हैं, घर का माया-मोह पूरी तरह उन पर सवार हो चला है।

सिर्फ देशपांडे हमारे साथ रहेंगे। पहले वह सोचते थे कि समुद्री पथ से वह लौटेंगे, किन्तु अब हमारा साथ ही देना उन्होंने तय किया है। पेरिस में लन्दन रेल के पथ से; फिर लन्दन से जिनेवा हवाई रास्ते से; जिनेवा से रोम रेल के पथ से और वहाँ से हवाई रास्ते बम्बई। पहली जून को हम पेरिस छोड़ देंगे और 20 जून को बम्बई पहुँच जाएँगे—बाकी दिनों में, जहाँ तक सम्भव हो, इंगलैंड, स्विट्ज़रलैंड और इटली को देखेंगे !

सोचता था, इस बार उत्तर की ओर फिनलैंड तक जाऊँ—किन्तु अब ध्रुव देशों को देखने के लिए तीसरी बार आना ही पड़ेगा।

विदेश यात्रा को हमारे देश में हौआ बना लिया गया है। छः-सात हज़ार रुपए में दो महीने की यूरोप यात्रा बड़े मजे में कर ली जा सकती है और इस अरसे में चार-पाँच देशों

के भ्रमण का लुत्फ उठाया जा सकता है। हाँ, साथ में मन के लायक एक-दो साथी रहें, तो और भी आनन्द हो। एकांकी यात्रा उतनी बुरी नहीं, जितनी बड़ी जमात के साथ की यात्रा !

आज फिर कांग्रेस के दफ्तर में गया। वहाँ से कांग्रेस सम्बन्धी कुछ काग़ज-पत्र लिये और फिर उसके फोटोग्राफर के दफ्तर में जाकर कुछ फोटो लिये। तरह-तरह के फोटो थे, जिन्हें जो पसन्द आया, चुन लिया।

यूरोप के लोगों में संगठन की शक्ति कुछ अद्‌भुत ढंग से विकसित हो गई है। इतना बड़ा जलसा किया जा रहा है; किन्तु कहीं भी हल्ला-हंगामा नहीं—ऑफिस में, सभा भवन में, सब जगह सुचारु व्यवस्था। अपने यहाँ ऐसी चीज़ की जाती, तो तूफान बरपा हुआ रहता। कार्यकर्ता परेशान रहते, अतिथि परेशान रहते; हर जगह कयामत का शोर होता। लेकिन यहाँ सब कुछ पहले से तय है, उसी के अनुसार सारे काम घड़ी की सुई की तरह निश्चित गति से हुए जा रहे हैं ! न ऑफिस में दौड़धूप, न सभा में धक्कम-धुक्का !

आज प्रायः दिन भर घर में ही रहा। पेरिसवाली किताब को यहीं पूरा कर लेना चाहता हूँ। उसके सात अध्याय लिख भी चुका। यों आधी यात्रा पूरी हो चुकी है।

आज सन्ध्या को फिर कांग्रेस की बैठक थी—विषय था बीसवीं सदी की चित्रकला की आत्मा। इस बैठक की अध्यक्षता की फ्रांस की आधुनिक कला के संग्रहालय के अध्यक्ष जीन कासाऊ ने और इसमें रूसी कलाकार ब्लादिमिर विल्दे, इटली के लियोनेलो वेनतुरी, आस्ट्रिया के रुडोल्फ रियर तथा इंगलैंड के हरबर्ट रीड ने भाग लिया। व्याख्यानों का स्तर बहुत ही ऊँचा था ! रीड ने इसी सिलसिले में, प्रसंगवंश एक बात कही, जो मुझे बहुत भाई ! उसने कहा—हमें कम्युनिज्म से लड़ना है, तो उससे अधिक क्रान्तिकारी होना पड़ेगा ! सिर्फ रक्षा की भावना तो प्रतिक्रिया की सूचना देती है और प्रतिक्रिया हमेशा ही दकियानूस होती है !

एक विचित्र बात पाई है। कम्युनिज्म के बारे में सिर्फ इंगलैंड के लोग ही अभावुक और तार्किक ढंग से सोचते हैं, बाकी लोग तो उसमें भावुकता की इतनी पुट दे देते हैं कि वह प्रायः ही अतार्किक हो जाता है !

सन्ध्या को शाँ जिलैजे की सड़क पर थोड़ी चहलकदमी की ! असल में पेरिस का सौन्दर्य तो सन्ध्या के बाद ही खुलता है ! टहलते-टहलते कन्कॉर्ड तक चला गया ! सड़कों पर मोटरों का रेल-पेल; दोनों ओर की पगडंडियों पर घुमक्कड़ों की टोलियाँ ! एक भारतीय टोली से अचानक भेंट हो गई ! दो पुरुष और तीन स्त्रियाँ ! वे लोग इंगलैंड में रहते हैं, उनमें से एक महिला भारतीय दूतावास में रहती हैं ! वे लोग लैटिन क्वार्टर में ठहरे हुए हैं ! बताते थे, वहाँ का जीवन काफी सस्ता है ! पगडंडियों की बग़ल में जोड़ियों का चुम्बन-आलिंगन उसी निर्बाध रूप से चल रहा था ! कारखाना चालू है--शिवाजी ने इस प्रक्रिया का यही नाम दे रखा है !

जापानी लेखिका : एशियायी संगठन

27 मई, 1952
पेरिस

कल की कांग्रेस की बैठक में ही उस जापानी लेखिका से भेंट हुई थी, जो इस कांग्रेस में जापान की प्रतिनिधि होकर आई हैं। आपका नाम श्रीमती हीराबायाशी है। नाम सुनकर लगा, जैसे

भारतीय हीराबाई का यह जापानी रूप हो और जहाँ तक शील-स्वभाव का सवाल है, देखा, उनके चेहरे पर भारतीय महिला के सद्‌गुणों की पूरी छाप है।

वह हम लोगों से बातें करना चाहती थीं, अतः आज सवेरे-सवेरे हमारे होटल में पहुँची। वह अंग्रेजी नहीं जानतीं; इसलिए अपने साथ एक जापानी युवक को रखती हैं, जो यहाँ पेरिस में ही पढ़ रहा है। उसी के माध्यम से बातें हुईं।

श्रीमती हीराबायाशी मध्य वयस की एक प्रौढ़ विचारोंवाली महिला हैं। आप की पुस्तकें जापानी साहित्य में बहुत ऊँचा स्थान रखती हैं। बच्चों के लिए उन्होंने कई पुस्तकें लिखी हैं। उन्होंने बच्चों के लिए एक उपन्यास लिखा है, जो जापान में बहुत प्रचलित है। जब उन्हें मालूम हुआ, मैं भी बच्चों के लिए लिखता हूँ, उन्हें बहुत प्रसन्नता हुई।

उनकी वेशभूषा भी निराली थी। वह अपनी जापानी पोशाक में ही यहाँ घूमती-फिरती हैं। जिनमें एकाध उजले हो चले हैं, ऐसे बालों का जापानी जूड़ा, जिसके पिछले हिस्से में दो-तीन फूल खोंसे हुए। कन्धे से घुटने से नीचे तक पीले रंग का तहबन्द लबादा। हाथ में पंखा जिसे स्वाभाविक ढंग से हमेशा झलती रहतीं। यद्यपि यहाँ भोर में काफी जाड़ा पड़ता है, तो भी पंखा लगातार डुलाती जा रहीं।

उनसे पता चला, जापानी साहित्य बहुत ही भरा-पूरा है। पिछले महायुद्ध में जापान के पराजय के कारण जापान की स्थिति बुरी होने से उसका प्रभाव साहित्य पर भी पड़ा है, किन्तु तो भी साहित्यिकों ने अपनी लेखनी को विश्राम नहीं लेने दिया है। जापानी कलाकारों को इस बात का दुख है कि जिस तरह पहले यह मान लिया गया था कि वे फासिस्टों के समर्थक हैं, उसी तरह आज मान लिया गया है कि वे कम्युनिस्टों के भ्रमजाल में पड़ गए हैं।

जापानी लेखक देशभक्त हैं; इसमें सन्देह नहीं। किन्तु उनकी देशभक्ति सदा प्रगतिगामी रही है। आज भी वे देश को अपनी लेखनी से प्रगति की ओर ले जाना चाहते हैं; किन्तु वे तानाशाही से हज़ार गुणा अच्छा प्रजातन्त्र को समझते हैं ! हाँ, उन्हें ये स्वीकार नहीं कि प्रजातन्त्र के नाम पर कोई दूसरा देश उन पर क़ब्जा किए बैठा रहे। यों ही हिरोशीमा के अणु विस्फोट को वे भूल नहीं सके हैं। उनकी यह भी धारणा है कि एशियायी मुल्क होने के कारण ही इस संहारलीला का लक्ष्य उन्हें बनाया गया।

श्रीमती हीरांबायाशी चाहती हैं कि एशियायी साहित्यकारों का भी एक सम्मेलन किया जाए—खासकर ऐसे साहित्यकारों का जिन्हें जनतन्त्र पर विश्वास हो। ऐसा सम्मेलन भारत में हो, उनकी यह भी इच्छा है और जब मैंने कहा, क्यों नहीं उसे बुद्ध की भूमि में, बिहार में किया जाए, तो उनका चेहरा खिल उठा, आँखें चमक पड़ीं ! जापान में आज भी बौद्धधर्म की ही सबसे अधिक प्रभाव है। हीराबायाशी तो बौद्धधर्म की ही अनुयायिनी हैं।

शाम को हमारी चित्रकला की प्रदर्शनी में कॉकटेल पार्टी थी। सचमुच आधुनिक चित्रों को शैम्पेन होंठ में लगाकर ही समझा जा सकता है। हाथ में रंग-बिरंगे पेय पदार्थों से भरे चमकीले नन्हे गिलासों को लिये, उन्हें जब-तब होंठों से लगाते, लोग चित्रों और मूर्तियों के सामने घूम या घूर रहे थे !

इस पार्टी में ही सिलोने से भेंट हुई। इनात्सियो सिलोने इटली के सुप्रसिद्ध लेखक हैं। "God that Failed" में इनका लेख पढ़ चुका था। सिलोने जीवन के प्रारम्भ से ही क्रान्तिकारी रहे हैं। अठारह साल की उम्र में ही इन्होंने एक अख़बार निकाला था—समाजवादी विचारों से ओतप्रोत। मुसोलिनी के ज़माने में इनका अख़बार ज़ब्त हुआ, इन पर वारंट निकला। देश छोड़कर स्विट्ज़रलैंड भाग आए। फिर गुप्तवेश से अपने देश में पहुँच और पाँच वर्षों तक छिपे-छिपे काम करते रहे; किन्तु अन्ततः उन्हें अपने देश को फिर छोड़ देना पड़ा। स्विट्ज़रलैंड

में फिर वापस आए। यहीं उन्होंने कई पुस्तकें लिखीं, जिनके कारण उनकी शोहरत यूरोप में फैल गई। कुछ दिनों के लिए वह कम्युनिस्ट पार्टी में भी शामिल हुए थे; किन्तु स्टालिन के कारनामों ने उनकी आँखें यूरोप के अन्य कितने महान लेखकों की तरह खोल दीं। पिछली लड़ाई के समय जब मुक्तिसेना ने इटली में प्रवेश किया, फिर गुप्तवेश में जर्मनों के घेरे को चकमा देकर वह अपने देश में पहुँचे और अब अपने देश के नवनिर्माण के लिए लोगों को नवीन आदर्शों की ओर प्रेरित कर रहे हैं।

सिलोने मध्यम कद के बड़े भव्य पुरुष दीखे। ललाटे काफी बड़ा, आँखें बड़ी सलोनी। स्वभाव शान्त। दिक्कत यह कि वह भी अंग्रेजी नहीं जानते; लेकिन उनकी पत्नी काफी होशियार, अंग्रेजी जाननेवाली। उन्हीं के माध्यम से उनसे बातें हुईं और तय हुआ, एक दिन वह हम लोगों से होटल में ही बातें करेंगे !

आज यहीं एक अमेरिकन दम्पती से परिचय हुआ—पति महाशय कवि हैं; पत्नी चित्रकला से शौक़ रखती हैं। साधारणतः अमेरिकनों में जो औद्धित्य दीख पड़ता है, उसका बिलकुल अभाव। यूरोप में पहली बार आए हैं दोनों। दोनों के हृदयों में शायद इस बात की कचोट कि उनकी मंशा पर शक किया जाता है, उन्हें नई साम्राज्यशाही का प्रतीक माना जाता है ? क्या रूस के टॉल्स्टॉय या गोर्की को रूसी ज़ारशाही का प्रतीक माना जा सकता था ? क्या रोम्याँ रोलाँ या ज़ीद फ्रेंच उपनिवेशवाद के प्रतीक थे ? और क्या आज भी सात्रे, स्पेन्डर या सिलोने को उन देशों की सड़ी-गली सामाजिक पद्धति के समर्थक या पोषक मान लिया जाता है ? तो फिर हम अमेरिकन कलाकारों ने ही क्या कसूर किया है ? उन लोगों की जिह्वाएँ बन्द थीं, किन्तु उनकी आँखें ये बातें पुकार-पुकारकर कह रही थीं। उन दोनों ने बहुत आग्रह किया, एक बार आकर हमारे देश को भी देख लीजिए।

रात में फिर बीसवीं सदी की सर्वश्रेष्ठ कृतियों के सिलसिले में एक ऑपेरा देखने गया। आज का ऑपेरा लन्दन की सुप्रसिद्ध नाट्यसंस्था 'कावेंट गार्डेन' द्वारा दिखाया गया था। इसका निर्देशन किया है, ब्रिटेन नामक एक नौजवान संगीतज्ञ ने। इसका नाम था 'बिली बड'। ब्रिटेन नौजवान है, किन्तु संगीत कला में उसने बड़ी ख्याति प्राप्त कर ली है। 'बिली बड' उसकी प्रसिद्ध कृति है। 'स्कोर' नामक पत्रिका में उस पर आलोचना पढ़ चुका था। दो आलोचकों ने दो तरह के विचार प्रकट किए हैं। सोचा, आज अंग्रेजी भाषा रहेगी, अतः सोचने-समझाने के लिए अच्छा मसाला मिलेगा।

किन्तु बात उलटी निकली। अंग्रेजी संगीत के सुर में बँधकर भाषा उसी तरह बिखर गई थी, जिस तरह अपने संगीतज्ञों के आलापों में सूर या तुलसी के गीत बिखर जाते हैं। हाँ, जहाँ-तहाँ भाषा की एक झलक मिल जाती थी, जिससे टूटे तारों को जोड़कर कुछ-कुछ समझने की चेष्टा की जा सकती थी। समूचा खेल एक जहाज़ पर होता है। मंच पर जहाज़ का उतारना कितना कठिन कार्य ? किन्तु आज के विज्ञान के युग में क्या असम्भव है ? जहाज़ का ऊपरी छत भी है, नीचे का हिस्सा भी है। खेल का कुछ हिस्सा ऊपर होता है, कुछ नीचे। ऑपेरा है, सब संगीत-ही-संगीत में है। नीचे से ब्रिटेन स्वयं साज़ों का संचालन कर रहा था। जब-जब इन संगीत संचालकों को छड़ी घुमाते हुए, सारे शरीर को डुलाते हुए, गरदन हिलाते हुए और बालों को उड़ाते हुए देखता हूँ, अजीब कुतूहल होता है। खेल काफी लम्बा था। काफी देर हुई, एक बजे खेल समाप्त हुआ !

वहाँ से लौटकर होटल आया। बैठकर आगे की यात्रा की पूरी स्कीम बना ली गई है। पहली जून की सुबह की गाड़ी से यहाँ से रवाना हो जाना है। 10 जून तक लन्दन में रहकर वहाँ से हवाई जहाज़ द्वारा जिनेवा। जिनेवा से इन्टरलॉकेन होते, जुंग फ्राउ देखते वेनिस, फ्लौरेंस

होते हुए रोम। रोम से 19 जून को बम्बई के लिए उड़ना !

घड़ी देखते हैं तो तीन बज चुके ! चलिए, गुलगुले गद्दे पर; सोइए ! अब पेरिस में तीन दिनों के ही मेहमान हैं आप।

क्रान्ति और कला

28 मई, 1952
पेरिस

क्रान्ति और कला—मेरा जीवन किस प्रकार इन दो आकर्षणों के बीच चक्कर काटता रहता है। बहुत दिन हुए, एक दिन एक ज्योतिषी ने मेरा हाथ देखकर कहा था, तुम्हारे हाथ में दो शिरोरेखाएँ हैं; अतः अपने जीवन को दो समानान्तर वृत्तों में घूमते पाओगे। शायद उसने मेरा स्वभाव ही देखकर ऐसा कहा था, क्योंकि उसकी झलक जब-तब मैं भी देखता ही रहता हूँ।

इधर कला-कला में ही फँसा रहा। आज सोचा, क्रान्ति के कुछ शेष-अवशेषों को भी देख लूँ। पिछली बार बेस्टिल को देख चुका था, जहाँ फ्रांस की क्रान्ति का जन्म हुआ था। इस बार उसे अच्छी तरह देख लेना चाहा।

अन्य मित्र सौदे-बारी में लग गए थे, अतः मैं अकेले ही उस ओर चला। मीठी-मीठी धूप ! बड़ा सुहावना मौसम। गरमियों में पेरिस पूरे निखार पर रहती है। अकेला था, अतः मनमाने ढंग से देखता-सुनता बेस्टिल पहुँचा।

बेस्टिल अब एक विशाल, खूबसूरत चौराहा है। बीच में बेस्टिल की स्मृति में एक ऊँचा स्तम्भ है, जिसके ऊपर स्वतन्त्रता की देवी की एक सुन्दर मूर्ति है। मूर्तिकला में फ्रांस प्रसिद्ध रहा ही है; इस स्वतन्त्रता की मूर्ति के निर्माण में बड़ी ही सुरुचि, शक्ति और शालीनता का ध्यान रखा गया है। सचमुच लगता है, यदि स्वतन्त्रता की कोई देवी हो तो उसका रूप यही हो सकता है !

इतिहास से पता लगता है, चौदहवीं सदी से ही यहाँ एक क़िला था, जिसका उपयोग जेलखाने के रूप में किया जाता था। इस जेल में सख़्ती नहीं थी, यह बाबू कैदियों के लिए ही सुरक्षित था, जहाँ वे सारी सुविधाएँ उपयोग करते। बीच में एक गुंबद था, जहाँ पर खड़े होकर वे बाहर के दृश्य भी देखा करते।

14 जुलाई, 1789 को पेरिस में क्रान्ति की आग भड़की। क्रान्तिकारियों ने एक जत्था बनाया और अपने साथ मिले हुए कुछ सैनिकों को लेकर इस जेलखाने पर चढ़ाई कर दी। थोड़ी देर तक संघर्ष हुआ, बेचारा जेलर टुकड़े-टुकड़े कर दिया गया, बचे हुए लोगों ने आत्मसमर्पण किया। क्रान्तिकारियों ने अपने नेताओं को जेल से निकाला और जुलूस बनाकर शहर में घुमाया। चारों ओर क्रान्ति की जय-जय गूँज उठी।

तब से पेरिस ने कितनी ही बार क्रान्ति की लपटें देखी हैं और यह विचित्र बात है कि बेस्टिल सदा ही उनका केन्द्र सिद्ध हुआ है। 1790 में उस क़िले को ध्वस्त कर दिया गया और यहाँ जो फाँसी का तख्ता खड़ा किया गया, उस पर एक हजार एक सौ तिहत्तर आदमियों को बलि चढ़ाया गया। 1803 में यहाँ पर एक चौराहा बनाया गया। 1830 और 1848 की क्रान्ति के अवसर पर भी इस चौराहे पर घमासान युद्ध हुए और 1871 की क्रान्ति की जननी भी यही भूमि रही। अभी उस दिन मजदूरों के एक जुलूस के साथ पुलिस की मुठभेड़ यहीं हुई है।

बीच का यह स्तम्भ 'जुलाई स्तम्भ' कहलाता है। यह एक सौ इकहत्तर फीट ऊँचा है। समूचा स्तम्भ धातु का है। स्तम्भ पर सोने के अक्षरों में उन शहीदों के नाम लिखे हैं, जिन्होंने अपने जीवन को स्वतन्त्रता के नाम पर उत्सर्ग किया। स्तम्भ के नीचे संगमरमर का गोल चबूतरा है, जिसके भीतर शहीदों की अस्थियाँ संग्रहीत हैं !

मोटरों के रेल-पेल को पार कर मैं चबूतरे के निकट पहुँचा और फिर टिकट कटाकर स्तम्भ पर चढ़ा। स्तम्भ के भीतर से ही सीढ़ियाँ हैं। एक-एक कदम ऊपर उठ रहा था और मन-ही-मन फ्रेंच जाति पर अपने को न्योछावर कर रहा था जो अपने शहीदों का ऐसा सम्मान करते हैं ! स्तम्भ के ऊपर जाकर सारी पेरिस की एक अच्छी झाँकी ली। आसमान में बादलों का एक दल बड़े वेग से पेरिस की ओर बढ़ रहा था। मैं जल्द-जल्द नीचे आया, क्योंकि आज विक्टर ह्यूगो का स्मृति मन्दिर भी मैं देख लेना चाहता था।

जब मैं टैक्सी के इन्तजार में खड़ा था, एक सज्जन पास ही में आकर खड़े हो गए। लगा, ये हम लोगों की ही तरफ के हैं। वह सज्जन भी बार-बार मेरी ओर देख रहे थे। मैंने बढ़कर पूछा, तो पता चला, वह ईरान से आए हैं, इंजीनियर हैं, वह भी ह्यूगो का स्मारक देखना चाहते हैं। हम दोनों एक ही टैक्सी पर स्मृति मन्दिर की ओर चले।

स्ट्रैटफोर्ड में शेक्सपीयर का स्मारक देख चुका हूँ, लन्दन में कीट्स का स्मारक देखा था, किन्तु जितना भरा-पूरा यह स्मारक है, उतना वे कहाँ ?

यह भवन विक्टर ह्यूगो का अपना भवन था। बीच में एक बगीचा है, चारों ओर गोलाकार घेरे में मकानों का सिलसिला है। इन्हीं लगातार बने मकानों के एक हिस्से में विक्टर ह्यूगो रहते थे। विक्टर ह्यूगो अच्छे खानदान से थे। उनके पिता एक सेनापति थे। भीतर पहुँचते ही मकान का रोब दिल पर छाने लगता है। तिमंजिला मकान है। ऊपर के दो मंजिलों पर विक्टर के स्मृति चिह्नों का विपुल संग्रह है। इस मकान को विक्टर ह्यूगो ने खुद सजाया-सँवारा था ! उनकी मृत्यु के बाद भी उसे उसी रूप में रखा गया और अन्त में उनके वारिशों ने इस भवन को सरकार को अर्पित कर दिया ! अब सरकार ने उसे म्यूजियम के रूप में परिणत कर दिया है !

सीढ़ी से ज्यों ही ऊपर चढ़िए, ह्यूगो का व्यक्तित्व और महत्त्व आपके हृदय पर स्थायी प्रभाव डालने लगता है ! नीचे से ऊपर तक चित्रों का ताँता है, जिनसे विक्टर ह्यूगो की भिन्न-भिन्न आकृतियाँ और उसके जीवन से सम्बन्ध रखनेवाली अनेक घटनाएँ स्पष्ट होती जाती हैं ! फिर कमरे शुरू हो जाते हैं, तीन बड़े-बड़े कमरे जिनमें अनेक स्मृति चिह्न ! फिर पाँच छोटे-छोटे कमरे ! हम इनमें से अन्तिम कमरे से ही शुरू करें

इस अन्तिम कमरे में विक्टर ह्यूगो सोते और विश्राम करते थे ! उनका पंलग रखा है—गद्दे, तकिया आदि से सुसज्जित ! पलंग से ऊपर एक चित्र है, उनकी मृत्यु हो जाने के बाद की। मालूम होता है, वह अमर कलाकार अपने पलंग पर अनन्त निद्रा में सोया हुआ है। पलंग की बगल में एक टेबुल है; काफी ऊँचा। ह्यूगो का क़द ठिगना था। वह खड़े-खड़े लिखा करते थे। रात में कभी-कभी सोते से उठकर भी लिखने लगते थे। टेबुल के ऊपर उनकी दावात और कलम भी उसी रूप में रखी हुई हैं। मैंने दोनों को चूमा। लिखते समय वह अपना एक पैर टेबुल के निचली डाँडी पर रखा करते थे। उसके घिस्से उस डाँडी पर अब तक मौजूद हैं। इच्छा होती थी, उसे भी चूम लूँ।

उसके बाद के कमरे में ह्यूगो पढ़ते-लिखते थे। दीवार की खूँटियों से उनकी चीज़ें लटक रही थीं। उनकी पोशाकों से उनकी श्रीसम्पन्नता टपक रही थी। कई ज़रदार चोगे लटक रहे थे। दो तलवारें भी लटक रही थीं। जो टोपी वह पहना करते थे, वहाँ वह भी रखी है।

तीसरे और चौथे कमरे उनके परिवार से सम्बन्ध रखते हैं। उनकी पत्नी बहुत सुन्दरी थी, उसके कई चित्र वहाँ हैं। विवाह होने के पहले जो उसने प्रेम पत्र लिखे थे, वे सब वहाँ सुरक्षित रखे गए हैं। उनकी सन्तानों के चित्र भी वहाँ हैं। पाँचवें कमरे में रोदिन की बनाई ह्यूगो की काँसे की एक मूर्ति है। रोदिन की कला पाकर कलाकार की आकृति सजीव हो उठी है। इसी कमरे में ह्यूगो के बालों के चार गुच्छे हैं जो चार अवस्थाओं में उतारे गए थे—1835, 1848, 1857 और 1885 में ! जो 1835 में सुनहले चमकीले थे वे ही बाल 1885 में कैसे श्वेत-शुभ्र बन गए थे !

बड़े घरों में से दो में खाने-पीने की सामग्रियाँ रखी जाती थीं और भोजन किया जाता था। तरह-तरह की रकाबियाँ, तश्तरियाँ, प्यालियाँ, गिलास आदि एकत्र करने का शौक ह्यूगो को था। इनके अनगिनत सेट वहाँ सजाकर रखे गए हैं। बड़े ही सुन्दर; निश्चय ही बहुमूल्य। खाने के कमरे में एक टेबुल है, जिस पर कभी फ्रांस के चार कलाकार एक साथ बैठे थे, गप्पें लड़ाई थीं, खाना खाया था और इन क्षणों को स्थायी रखने के लिए उन चारों ने एक-एक कार्ड पर कुछ लिख दिया था। चारों की चार दावातें, चार क़लमें टेबुल के ऊपर रखी हुई हैं और चारों कार्ड उसके दराजों में। ह्यूगो, डूमा, साँद और लामार्तिन—ये ही चार कलाकार ! लामार्तिन की लिपि सबसे सुन्दर है—ह्यूगो बहुत ही फेंककर लिखते थे और काट-कूट भी किया करते थे। ह्यूगो की पुस्तकों की जो हस्तलिखित प्रतियाँ हैं, उनमें भी बहुत काट-कूट पाई जाती है।

बहुत देर तक देखते-घूमते नीचे उतरे। वहाँ कुछ तसवीरें खरीदीं, एक पुस्तिका भी। पुस्तकें फ्रेंच में ही थीं, अतः उनका खरीदना व्यर्थ ही था।

आज कांग्रेस की साहित्यिक बैठक में लुई मैकनिस बोलनेवाले थे। अतः वहाँ गया। लुई की जबान भी बड़ी तेज़-तर्रार है !

दोपहर से ही टिप-टिप हो रही थी। घर पर आकर अपना वेदर कोट खोजता हूँ, तो ग़ायब। पिछली बार जब आया था, प्रायः ही वर्षा हो जाया करती थी। अतः शुरू में उसे सदा साथ रखा करता था। मालूम होता है, जल्दबाज़ी में कहीं छोड़ आया ! अब जब उसकी जरूरत पड़ी, तो पाता हूँ उसे खो चुका हूँ ! अजीब स्वभाव मेरा ! चीज़ों को सँभालकर रखना तो जानता ही नहीं हूँ। किसी तरह यात्रा कट जाए, तो समझूँ निबह गई।

फुलवाड़ी : दूतावास : सिलोने

29 मई, 1952
पेरिस

स्वभावतः ही देर से उठा। डायरी लिखते-लिखते ही तो ढाई बज चुके थे रात। फिर पेरिसवाली किताब भी तो बहुत समय ले लेती है।

पहले से ही तय था, आज रेल में सीट रिज़र्व करा ली जाए। शिवाजी और देशपांडे गए और यह काम करा लाए।

खा-पीकर हम लुकजेमबुर्ग की फुलवाड़ी देखने चले—जंगल देख लिया था, छोटे-छोटे पार्क भी देखे थे, त्विलरी की सैर भी कर चुका था, सोचा, पेरिस की इस सुप्रसिद्ध फुलवाड़ी को भी चलते-चलाते देख ही लेना चाहिए। एक दिन इसके फाटक से लौट आया था, अतः उत्सुकता बनी ही हुई थी।

यह फुलवाड़ी बहुत पुरानी है। क्रान्ति के कई झोकों का सामना इसे करना पड़ा है, तो भी बहुतों की दृष्टि में, यह पेरिस की सबसे खूबसूरत वाटिका है। इसका क्षेत्रफल छप्पन एकड़ है। चारों ओर घने पेड़ों से घिरी, अनेकानेक सुन्दर मूर्तियों से सजी, बीच में एक दर्पण ऐसे तालाब से सुशोभित यह फुलवाड़ी सचमुच देखने ही लायक है। कहा जाता है, यह फुलवाड़ी कवियों और कलाकारों की प्रेरणाभूमि रही है और उनमें से कई के जीवन से इसका गाढ़ा सम्बन्ध रहा है।

आज धूप अच्छी खिली हुई थी; अतः यहाँ बच्चों और खिलाड़ियों की जमघट जुटी हुई थी। घने पेड़ों की छाया से निकलकर ज्यों ही हम फुलवाड़ी के सामने हुए, आँखें चकाचौंध हो गईं। क्यारियों में रंग-बिरंगे फूल फूल रहे; रविशों पर चलते-फिरते फूल नज़र आते। बीच-बीच की कला मूर्तियाँ मानो उन नाज़नियों को चुनौती देतीं, बताओ, ब्रह्म की सृष्टि सुन्दर या कलाकार की। बच्चे उछल-कूद रहे; उनमें से कितने ही बीच के तालाब में अपनी कागजी नावें भँसा रहे और जब-तब तालियाँ पीट रहे।

फुलवाड़ी से सटा लुकजेमबुर्ग का महल। इस महल को फ्लोरेंस की राजकुमारी मेरी द मेडिसी ने बनवाया था, जब वह फ्रांस की सम्राज्ञी के पद पर अधिष्ठित हुई थी। फ्लोरेंस के पेत्ती महल के नमूने पर ही इसे बनाया गया था और उसी के अनुरूप इस वाटिका की सृष्टि की गई थी। यह महल भी कितने ही ऐतिहासिक उतार-चढ़ाव देख चुका है। कभी यह राजभवन रहा, कभी यह जेलखाना बना, अब यह कला भवन के रूप में अवस्थित है। क्रान्ति के बाद कितने ही बड़े लोगों को इसी में कैद करके रखा गया था। सुप्रसिद्ध क्रान्ति नेता दान्तन यहीं कैद किया गया था। इसकी अँगनाई कितने ही नामी लोगों के ख़ून से कई बार सींची जा चुकी है।

पिछली लड़ाई के समय जर्मनों ने फ्रांस पर कब्जा करने के बाद इस महल को अपने हवाई बेड़े का अड्डा बनाया था। इसके चारों ओर उन्होंने नाकेबन्दी की थी; किन्तु उनके सारे प्रयत्न व्यर्थ गए और यह स्थान आसानी से मुक्तिसेना के हाथों में आ गया !

इस बगीचे में पुतली के नाच का थियेटर भी है, जिससे यह बच्चों का बहुत प्यारा स्थान बन गया है ! उन बच्चों को देखते हुए मैं अघाता नहीं था ! गोरे-गोरे, तन्दुरुस्त, प्रसन्न बच्चे, किलक रहे, उछल रहे ! माताएँ अपने शिशुओं को लिये धूप में बैठीं, आनन्द मना रहीं। एक गुल्ला-थुल्ला बच्चा अपनी माँ की गोद में बैठा हमें बड़ी उत्सुकता से घूर रहा। मैंने आगे बढ़कर उसे ज़रा दुलरा दिया, बच्चे ने अपने दूध धोए दाँतों को चमकाते हुए मेरी ओर हाथ बढ़ा दिया। माँ उसकी यह हालत देखकर मुसकरा पड़ी। यह शह पाकर मैंने भी उसके सामने अपने हाथ बढ़ा दिए। बच्चे ने हाथ पकड़ लिया; वह छोड़ता ही नहीं था। उसकी माँ बच्चे की भावुकता पर हँस रही थी, बच्चा आनन्द से उछल रहा था, मैं तो ऐसा भाव-मुग्ध था कि आँखों से आँसू छलक आए। अरे, सब देश के बच्चे एक-से होते हैं—सँवलिया भाव के भूखे !

मेरी भावुकता बढ़ी। उसे गोद में ले लिया और शीला से कहा, उसका फोटो ले लो। उसकी माँ को भी बगल में खड़ा कर लिया। शीला ने फोटो लिया; माँ के चेहरे से भी भावुकता टपकी पड़ती थी। उसने मेरी डायरी में अपना पता लिख दिया ! न जाने फोटो कैसा आता है ! अच्छा आने पर उसके पास एक जरूर भेज दूँगा।

शाम को भारतीय दूतावास में हमारे सम्मान में कालेलकर ने एक पार्टी रखी थी। उन्होंने भिन्न-भिन्न देशों के प्रेस एटेचियों को भी निमन्त्रित किया था। कालेलकर की पत्नी अतिथियों का सत्कार कर रही थीं। सुना, वह गुजराती हैं, एक बड़े ही अच्छे खानदान की लड़की। आगत

सज्जनों के साथ कितनी ही श्रीमतियाँ भी आईं। मिस्र के प्रतिनिधि ने बड़ी देर तक बातें कीं ! युगोस्लाविया के प्रतिनिधि का सौजन्य भी सराहनीय था। मैंने उनसे कहा कि किस प्रकार इच्छा रहते हुए भी मैं उनके देश को देखने से अब तक वंचित रहा। उन्होंने एक बार वहाँ जाने का आग्रह किया। बेलजियम और बर्मा के प्रतिनिधि भी बड़े मिलनसार थे। कालेलकर ने बताया, उन्होंने 'फौलादी परदे' वाले देशों के प्रेस प्रतिनिधियों को भी निमन्त्रित किया था; किन्तु आज अचानक उन सबों ने आने में असमर्थता प्रकट की ! क्यों ? क्या यह इसलिए कि सांस्कृतिक स्वाधीनता की यह कांग्रेस तानाशाही की निन्दा करती है !

यहीं हमने दूतावास के एक सज्जन को देखा, जो पार्टी के पूरे समय तक छोकड़ियों में ही उलझे रहे ! पता चला, बेचारे बड़े भाग्यशाली हैं—जब तक पढ़ते रहे, परीक्षाओं में सदा अन्तिम स्थान पाने का सौभाग्य प्राप्त किया ! किन्तु बड़े घर के बेटे, फिर उससे भी बड़े घर की लाड़ली लड़की से शादी कर ली ! फिर क्या है, यहाँ एक बड़े पद पर भेज दिए गए हैं ! उनकी बीवी दिल्ली में मज़े लूट रही हैं ! यह पेरिस की रंगीनियों में डूबे हुए हैं ! ऑफिस आते हैं, रोब जमाते हैं, चल देते हैं। एम्बेसेडर को भी क्या हिम्मत कि इनसे रोक-टोक करे !

अजीब दशा है, जहाँ जाते हैं, भारतीय दूतावासों की भद्दी कहानियाँ सुननी पड़ती हैं !

हाँ, आज सवेरे ही सिलोने से बातें हुईं। वहीं उनकी पत्नी के माध्यम से। भारत की भाषाओं की प्रवृत्तियों पर बातें चलीं। फिर स्वाधीनता और तानाशाही के तत्त्वों पर बातें हुईं। इटली के सम्बन्ध में भी हमने पूछताछ की ! सिलोने सिर्फ लेखक नहीं हैं, वह स्वाधीनता युद्ध के सेनानी भी हैं। अतः राजनीतिक चर्चाएँ भी हुईं। उन्होंने बताया कि इटली में कम्युनिज्म की बाढ़ रुक गई है और वह धीरे-धीरे नष्ट हो जाएगी—इटली की धार्मिक प्रवृत्तियाँ इसे जनता में जड़ नहीं जमाने देंगी। जब उन्हें मालूम हुआ, हिन्दी क्षेत्रों में, जिसकी जनसंख्या बीस करोड़ के लगभग है, एक भी कम्युनिस्ट नहीं चुना गया, तो उन्हें हर्षमिश्रित आश्चर्य हुआ। राष्ट्रभाषा के प्रश्न पर भी बातें हुईं। हमारे एक दोस्त ने कहा, दक्षिण में उसका विरोध हो रहा है। उन्होंने तुरत पूछा—वे चाहते क्या हैं ? जब कहा गया—अंग्रेजी, तब वह झुंझला उठे। सचमुच किसी विदेशी के लिए यह कल्पना भी अद्‌भुत लगती है कि कोई देश दूसरे देश की भाषा को अपने लिए राष्ट्रभाषा बनाने को भी सोच सके। हमारे वह मित्र भी बहुत झेंपे। उन्होंने कैफियत दी—सिर्फ थोड़े दिनों के लिए ही ऐसा चाहा जा रहा है, जिसमें लोग हिन्दी पढ़-लिख लें। किन्तु सिलोने के चेहरे पर की शिकन इतने से ही नहीं गई।

कांग्रेस का आखिरी जलसा

30 मई, 1952
पेरिस

स्विट्ज़रलैंड और इटली के लिए वीज़ा लेना था, कालेलकर ने कहा था, दूतावास से वह प्रबन्ध करा देंगे। अतः हम सवेरे सबसे पहले दूतावास की ओर गए और वहाँ से स्विट्ज़रलैंड के दूतावास में आए। इसी में काफी समय लग गया, अतः सोचा गया, अब इटली का वीज़ा लन्दन में ही बनवा लेंगे।

इसी वीज़ा के चलते हम भोर में उस सिनेमाघर में नही जा सके, जहाँ इस कांग्रेस की चित्रावली दिखलाई गई थी। सुना, हम सब लोग उस चित्रावली में आए हैं।

शाम को संगीत भवन में कांग्रेस का अन्तिम जलसा हुआ, जहाँ इसका उद्घाटन समारोह हुआ था। आज भी भवन में लोग खचाखच भरे हुए थे ! आज सम्मेलन में आए कुछ विशिष्ट लोगों को ऊपर के मंच पर बिठलाया गया था—भारतीय प्रतिनिधिमंडल को भी वहीं बिठलाया गया था। मेरी बग़ल में ही जापानी लेखिका श्रीमती हीराबायाशी बैठी हुई थीं। बेचारी कुछ बातें करना चाहती थीं, किन्तु भाषा का व्यवधान—रह-रहकर सिर्फ मुसकरा देतीं।

आज के वक्ताओं में ओडेन, फाकनर, रूज़मो, मदारियाग़ा और आन्द्रे मालरौ थे। फाकनर ने ही प्रारम्भ किया। नोबेल पुरस्कार विजेता के मुँह से हम अधिक सुनना चाहते थे; किन्तु उन्होंने दस-पन्द्रह वाक्यों में ही समाप्त कर दिया। ललाट पर बार-बार उलझ जाते हुए बालों को सँभालते हुए ओडेन ने एक अच्छी वक्तृता दी। किन्तु सबसे महत्त्वपूर्ण भाषण तो था आन्द्रे मालरौ का। वह सुनने ही लायक नहीं, देखने लायक भी था। बार-बार तालियाँ पीटी जाती थीं, वह बड़े जोशख़रोस से बोल रहे थे। फ्रेंच भाषा में होने के कारण हम उनका भाषण समझ तो नहीं सकते थे, किन्तु इधर-उधर जो शब्द पकड़ जाते थे, उससे अनुभव कर रहे थे, वह क्या बोल रहे हैं। जब वह बोल रहे थे, बीच में ही किसी ने ऊपर की बालकनी से कुछ पर्चे नीचे गिराए ! उन पर्चों ने मालरो को और उत्तेजित किया, क्योंकि वह जानते थे, किन लोगों की यह शरारत हो सकती है। ज़ोशखरोस के साथ उनकी भावभंगिमा भी देखने लायक थी। हाथ उछल रहे थे, उँगलियाँ नाच रही थीं, स्वर में उतार-चढ़ाव, चेहरा बार-बार इधर-उधर होता, कभी-कभी उत्तेजना में वह कुरसी पर ज़ोरों से हुमच जाते। उस दिन ग्वेहेन्नो का भाषण सुना था, आज मालरौ का भाषण सुन रहे थे। फ्रांस के लोग प्राणपण से बोलते हैं—हमारे बंगाली भाइयों की तरह ! बार-बार कैमरे उनकी भिन्न-भिन्न भंगिमाओं को पकड़ने के लिए जैसे होड़ कर रहे हैं।

शाम को एक सज्जन के घर पर कॉकटेल पार्टी थी। जब से यहाँ आया, पार्टियों की भरमार है। मैं उन सब में शामिल नहीं हो सका; क्योंकि ऐसी पार्टियों में बहुत समय लग जाता है। पीजिए, गप्प कीजिए और तब तक नहीं लौटिए जब तक पैर डगमग नहीं करने लगें। मैं तो अपने समय का उपयोग मुख्यतः देखने-सुनने और पढ़ने-लिखने में ही करता रहा। पेरिस की कारपोरेशन के अध्यक्ष ने भी एक पार्टी दी थी; उनका शानदार निमन्त्रण पत्र अभी तक रखा है, किन्तु वहाँ भी नहीं जा सका। किन्तु सोचा, अब एक ही दिन रहना है, तो इस अन्तिम पार्टी में चलना ही चाहिए।

खोजते-ढूँढ़ते उस सज्जन के घर पर पहुँचा। काफी शानदार पार्टी थी। पेरिस का सामाजिक जीवन बड़ा ही रंगीन है। बड़ी सहृदयता से मिलते हैं, बड़े ही खुलकर बातें करते हैं। घरों की सजावट में कला पर काफी ध्यान दिया जाता है। फ्रांस में कसीदे का काम कला के अन्तिम छोर तक पहुँच गया हो जैसे। हर घर में ऐसे कुछ काम लटकते हुए मिलेंगे। लड़कियाँ कहेंगी, यह मैंने तैयार किया है, यह अमुक कलाकार की अमुक कृति पर तैयार किया गया है। प्रौढ़ाएँ कहेंगी—जब मैं कुमारी थी, इसे तैयार किया था और यह तो मेरी सास की कृति है। अपने यहाँ भी कसीदे का काम बहुत अच्छा होता था। बचपन में देखता था, मेरी फूआजी, बहनें कसीदे में लगी रहती थीं। अब तो उसे पुराना कहकर छोड़ दिया गया है और रंगीन तागों से बने थोड़े फूल और पत्तियों पर ही सन्तोष कर लिया जाता है।

कांग्रेस के जलसे से लौटकर जब अपने कमरे में लौटा हूँ—बार-बार सोचता हूँ—क्या इस कांग्रेस में शामिल होना फलदायक हुआ। जब चलने लगा था, आचार्य नरेन्द्रदेवजी नें एक पत्र लिखा था, देखिएगा, ज़रा होशियारी से वहाँ की गतिविधि समझने की कोशिश कीजिएगा। उनके

पत्र ने मुझे और भी हिचकिचाहट में डाल दिया था। किन्तु यहाँ आने पर जो कुछ देखा-सुना, मुझे प्रसन्नता ही है कि यहाँ आया ! मानता हूँ, यहाँ कुछ ऐसे लोग भी हैं, जो ख्वाहमख्वाह कम्युनिस्टों का हौआ लिये फिरते हैं; वे इस संस्था को अपना राजनीतिक जामा पहनाया चाहते हैं जिसका उद्देश्य हो रूस के प्रति घृणा पैदा करना। किन्तु मुझे यहाँ ऐसे लोग अधिक मिले, जो सांस्कृतिक स्वाधीनता के प्रति ईमानदारी से सोचते हैं और उसकी रक्षा में कला और संस्कृति की रक्षा या यों कहिए तो मानवता की रक्षा समझते हैं। अमेरिका के लोगों की अधिकता रही इसमें, उस दिन श्रीमती हीराबायाशी ने भी इस ओर ध्यान आकृष्ट कराया था। किन्तु मैंने देखा, उनमें से भी बहुत से लोग ऐसे हैं, जो स्वतन्त्र चिन्तक हैं। किसी देश का लेबुल लगाकर किसी को बदनाम करना—यह मुझे बहुत ही बुरा लगता है। यहाँ तो उसके प्रत्यक्ष प्रमाण भी मिले। हिन्दी में रूस और चीन के लिए जितना प्रचार मैंने किया, शायद ही किसी ने किया हो। 'लाल रूस' और 'लाल चीन'—मैंने दो पुस्तकें भी लिखीं और आज भी उन पुस्तकों के लिए मुझे पश्चाताप नहीं है। जो जिसका अधिकारी है, वह उसे दिया ही जाना चाहिए। किन्तु वह एकांगी नहीं होना चाहिए। जहाँ बुराई दिखे, उसे नहीं कहना, अच्छाई के साथ अन्याय करना है; यों ही, किसी बुराई के चलते अच्छाई को भी पी जाना अन्याय है !

आज संसार में ऐसी प्रवृत्तियाँ फैल रही हैं जो कला के लिए, संस्कृति के लिए, सभ्यता के लिए, मानवता के लिए ख़तरनाक हैं। ऐसी प्रवृत्तियों के विरुद्ध आवाज़ उठाना और साथ ही एक स्वतन्त्र, सम्पन्न, सुखी, आनन्दी समाज की सृष्टि के लिए प्रयत्न करते जाना—यह सिर्फ साहित्यकार या कलाकार का ही कर्तव्य नहीं है, वरन् युग की पुकार भी यही है।

पेरिस सलाम !

31 मई, 1952
पेरिस

आज पेरिस का अन्तिम दिन है। बहुत देखा, बहुत सुना, बहुत पढ़ा, बहुत लिखा। 'अब तो चला-चली की बेला' !

भोर में एक अनोखा आयोजन था। सिनेमाघरों में दिखलाए जाने के लिए एक सवाक् चित्रावली तैयार करने के लिए एक साहित्यिक गोष्ठी एक स्टूडियो में आयोजित की गई थी। उसमें हम दो भारतीय थे—सुब्रह्मण्यम् और मैं। सवेरे ही हमें मोटर से उस स्टूडियो में ले जाया गया।

दो-दो आदमियों का एक-एक दल बनाया गया। मेरे साथ श्रीमती पोर्टर थीं—अमेरिका की सुप्रसिद्ध लेखिका। बहुत वृद्ध हो गई हैं, किन्तु अब भी लिखे जा रही हैं। यहाँ की साहित्यिक मंडली में उनका बड़ा सम्मान देखा। बड़ी शान्त स्वभाव की।

पहले उनके साथ स्टूडियो में प्रवेश करते समय की चित्रावली ली गई। हम दोनों कुछ बातें करते, स्टूडियो में प्रवेश कर रहे हैं। बीच में अचानक मुझे हँसी आ गई। माना गया, यह बड़ा ही स्वाभाविक हुआ !

फिर हम टेबुल के चारों ओर बैठ गए। श्रीमती पोर्टर ने बातें शुरू कीं। साहित्य को राजनीति का पुछल्ला बनाने से उसकी गति रुक जाती है, राजनीति उस पर प्रभुत्व करने लगती है, वह मानवता से अपना नाता तोड़कर किसी पार्टी के पहिए में बँध जाता है, उसकी महत्ता नष्ट हो जाती है—वार्त्तालाप का प्रमुख सूत्र यही था। इसी विषय पर हमें बारी-बारी से अपने

विचार रखने थे। अजीब अनुभव। मुँह के सामने माइक, सामने कैमरा। कभी एक सूत्र में भी गड़बड़ी हुई, तो फिर से दुहराना पड़ता। मैंने बताया, हमारे देश में सदा सरस्वती के सपूतों की महत्ता राजनीतिज्ञों के ऊपर रही है। अकबर की अपेक्षा तुलसीदास का प्रभाव भारतीय जीवन पर अधिक है। इस युग में भी रवीन्द्रनाथ का जैसा प्रभाव हम पर है, महान नेहरू का वैसा नहीं है। नेहरू का नाम लेते समय मैंने जान-बूझकर महान शब्द जोड़ा।

अन्त में हमें उस स्टूडियो में लगे चित्रों को देखते हुए निकलना पड़ा—वही स्वाभाविक ढंग से सिगरेट का धुआँ उड़ाते, किसी-किसी चित्र के निकट जरा ठहरते, इधर-उधर नज़र दौड़ाते। यह चित्रावली यूरोप और अमेरिका में दिखलाई जाएगी; कहा गया, भारत में भी वे इसे भेजेंगे।

वहाँ से आकर जल्दी-जल्दी खा-पी लिया फिर चले लाफेत गैलरी में चीज़ें खरीदने। सुना था, पेरिस में बहुत मोल-तोल होता है, इस दूकान में इसकी झँझट नहीं। प्रयोजन की सारी चीज़ें यहाँ एक ही जगह मिल जाती हैं, यह दूसरी सुविधा। पिछली बार भी यहीं सौदे खरीदे थे। इसी की तरह की एक और दूकान भी है, किन्तु परिचित स्थान में ही जाना उचित समझा। बच्चों के लिए कुछ रेशमी कपड़े और अन्य प्रियजनों के लिए कुछ रूमाल, टाई आदि। फिर यदि पेरिस में इत्र-लेवेन्डर आदि नहीं खरीदा तो सौदा ही क्या हुआ ? एक-डेढ़ घंटे में ही दो-तीन सौ रुपए स्वाहा करके हँसते-हँसते लौटा।

शाम से ही जोरों से बूँदा-बूँदी होने लगी। पिछले साल जिस दिन चलने लगा था, पेरिस ने यही रूप धारण किया था। क्या अपनी अन्तिम झाँकी दिखाने से पेरिस लजाती है ? या वह चाहती है, लोग कुछ अरमान दिल में लिये हुए जाएँ। या अपने प्रिय अतिथियों की बिदाई की कल्पना ही उसकी आँखों में आँसू ला देते हैं।

हाँ, हम उसके प्रिय अतिथि हैं। इन बीस-इक्कीस दिनों में पेरिस से हमने प्रेम का नाता जोड़ लिया है। शीलाजी कह रही हैं, यदि काफी पैसे हों, तो वह शाँ जिलैजे में ही एक मकान लेकर जिन्दगी गुजार दें। पेरिस कलाकारों की प्यारी भूमि रही है। यूरोप के बड़े-से-बड़े कलाकार ने अपनी कला की सार्थकता तब समझी जब पेरिस ने उस पर स्वीकृति की मुहर लगा दी। यहाँ का सारा वातावरण कलात्मक है। यदि कोई कला का अध्ययन ही करना चाहे तो अपनी पूरी जिन्दगी यहाँ उसमें लगा दे सकता है। पुरानी कलाओं के मंडप के रूप में म्यूजियम आदि तो हैं ही, कला के नित-नए प्रयोग यहाँ होते रहते हैं, उनके नित-नए रूप सामने आते रहते हैं। एक छोटा सा कलाकार तो मेरे हृदय में भी बैठा हुआ है; वह इस पुरी को प्रेम से क्यों नहीं देखे ! उससे बिछुड़न की कल्पना पर वह क्यों नहीं पसीज उठे।

पिछले साल सिर्फ तीन दिनों के लिए पेरिस रहा, इस बार तीन सप्ताह गुजरे। किन्तु तृप्ति नहीं हुई। वर्षा की ये बूँदें कहती हैं, कितनी भी आँखें गीली करो, आँसुओं की झरी लगा दो, कामनाएँ कभी तृप्ति नहीं हुईं—नहीं हुईं !

इस बूँदा-बूँदी में भी शाम को बाहर निकल ही पड़ा आर्क द ट्रम्फ के नीचे जाकर 'अज्ञात शहीद' की ताबूत पर जलती स्मृति-शिखा को सिर नवाया। इस ताबूत के निकट, इसकी इस सतत प्रज्वलित स्मृति-शिखा के निकट, किस-किस के सिर नहीं झुके हैं। अभी दिन, यूरोपीय सेना का अमेरिकन सेनापति इसनहावर जा रहा था, तो उसने यहाँ आकर सलामी दी। परसों उसकी जगह रिजवे आया, तो सबसे पहले यहीं आकर सिर झुकाया। पिछले महायुद्ध में जब डिगौले की मुक्तिसेना ने पेरिस में प्रवेश किया, सबसे पहले वह यहीं आया और झुककर सलामी दी और जब पेरिस की मुक्ति के बाद चर्चिल पहली बार पेरिस पहुँचा, तो उसने भी सबसे पहले यहीं आकर सिज्दा किया ! संयोग, जिस दिन हम लोग

आए थे, सबसे पहले इसी को देखने का सौभाग्य प्राप्त किया था और आज अन्तिम बार इसी को सलाम करके जा रहा हूँ।

अहा ! इस बूँदा-बूँदी की सुहानी फिजा में आर्क द ट्रम्फ से कन्कॅर्ड तक का समाँ कैसा सुहावना लग रहा था ! लाल, हरी, उजली रोशनी से सारा पथ जगमग हो रहा था। कन्कॅर्ड का वह मिस्री स्तूप बिजली की जगमगाहट और बूँदों की झड़ी के बीच कैसा दिव्य-भव्य लग रहा था। यह शहादत की भूमि वह क्रान्ति की भूमि—बीच में शाँ जिलैजे की रूमानी झलमल ! पेरिस की सारी गरिमा यहाँ एकबारगी ही आँखों के सामने जगमग कर उठी ! इस जगमग की स्मृति लिये, पेरिस को इस बार की अन्तिम सलामी देकर, दो बजे रात को सोने जा रहा हूँ—सलाम पेरिस; कला की देवी, क्रान्ति की देवी, नमस्ते, नमस्ते !

पेरिस नहीं भूलती !

पूरे बीस दिनों पर तुमसे बिदा ले रहा हूँ पेरिस; बिदा दो, बिदा।

ये बीस दिन कैसे कटे ? पूरे सपने की तरह ! दिन भर जब घूमता होता, देखता होता तो लगता जैसे ये सारी चीज़ें सपने में हो रही हैं और जब सोता, तो मालूम होता, स्वप्नसुन्दरी मुझसे भी पहले आकर मेरे तकिए पर बैठ गई है।

लोग कहते हैं, क्या सपने देख रहे हो, जरा तथ्य को देखो ? और जहाँ के तथ्य भी सपने ऐसे तुनुक, रंगीन और मोहक हों, वहाँ आदमी क्या करें ?

दो हज़ार वर्षों से इतिहास के पन्नों पर कितनी ही रंगीन तसवीरें गढ़ती और कितनी ही दिलचस्प कहानियाँ लिखती यह नगरी एक ऐसी स्वप्निल सूरत अख़्तियार कर चुकी है कि यहाँ आकर आप अपना पिंड सपने से छुड़ा नहीं सकते।

न्यूयार्क महान है, लंदन विशाल है, मास्को के महत्त्व का क्या कहना—किन्तु, पेरिस इन सबसे पृथक् है, यह वे लोग भी मानते हैं, जो संसार की सारी गलियों की खाक छान चुके हैं।

और पेरिस की यह पृथकता उसकी उन विशेषताओं में है, जिन्हें पाना आसान नहीं। आप धन के जोर से बड़ी-से-बड़ी इमारत बना लें, खूबसूरत-से-खूबसूरत बगीचे बनवा लें, आप सड़कों पर चाँदी पिटवा दें, घरों को सोने से भरवा दें—किन्तु आप वह चीज़ कहाँ से लाएँगे, जो सदियों, सहस्राब्दियों की निरन्तर साधना से, संघर्ष से, समन्वय से ही प्राप्त होती है ?

क्या आप एक ऐसी सड़क की कल्पना कर सकते हैं, जिसके एक छोर पर 'आर्क दी ट्रम्फ' हो, फिर 'कन्कॅर्ड' हो, तब त्विलरी हो और दूसरे छोर पर लुव्र हो। मान लेता हूँ, आप 'आर्क दी ट्रम्फ' से भी ऊँचा विजय तोरण बना लेंगे और लुव्र से भी अधिक कलात्मक वस्तुओं का संग्रह कर लेंगे, किन्तु बताइए, कन्कॅर्ड और त्विलरी कैसे बना लेंगे—जिनमें एक के विशाल मैदान में राजा-रानी की बलि चढ़ी और दूसरे का भयानक संहार उसे इतना सुन्दर बगीचे का रूप देने का कारण बना।

और लुव्र ऐसा कला संग्रह भी क्या सिर्फ रुपए के बल से एकत्र किया जा सकता है ? मोनालिसा कहाँ से लाएँगे आप—लियोनार्डो फिर धराधाम पर नहीं आनेवाला है और विजय तोरण निर्माणकला में जिन कलाकारों की आत्मा बोल रही है, वे भी सदा के लिए जा चुके हैं। फिर उस 'अज्ञात सैनिक' की लाश भी कहाँ मिलेगी आपको, जिसे कितने ही नरपतियों ने, भूपतियों ने सिर झुकाया है—उस दिन जब डिगौले की मुक्तिसेना ने पेरिस में प्रवेश किया,

तो सबसे पहले उसने इस लाश को सलामी दी, उसके बाद ही चर्चिल आए तो उनका सिर सबसे पहले यहीं झुका और हम लोग यहीं थे, तो क्या देखा ? इसनहावर जब यूरोप के सेनापतित्व को सलाम करके जा रहे थे, तब इसे सलामी दी और जब उनकी जगह रिजवे आए हैं, तो वह भी यहाँ आकर सिर झुकाना नहीं भूल सके ?

पेरिस को जो प्राप्त है, वह सिर्फ वैभव का वरदान नहीं हो सकता।

कहाँ ऐसे रंगमंच हैं, जिन्हें अपने तीन सौ वर्षों के लगातार इतिहास का गर्व हो ? और एक साथ इतने बड़े-बड़े कलाकारों को जन्म या आश्रय देने का सौभाग्य भी किस एक शहर को प्राप्त है ?

पेरिस, तुम महान हो, सुन्दर हो, सुरुचिपूर्ण हो ! आज तुमने बिदा लेते कैसे एक अभाव का, एक सूनापन का अनुभव कर रहा हूँ।

इन बीस दिनों में तुम्हें हर प्रकार से देखने की कोशिश की, पेरिस। इफेल टावर पर चढ़कर देखा; पृथ्वी के नीचे मेट्रो में घुसकर तुम्हें देखा। कन्कॅर्ड के नीचे की तुम्हारी उस नाली की जाली की भी झाँकी देखी, जिसे विक्टर ह्यूगो ने अपने 'ला मिजरेबुल' में अमर कर दिया है।

तुम्हारे उन राजमहलों को देखा, जो कभी नृपतियों के श्रृंगारकक्ष थे, किन्तु जो अब जनता के मनोरंजन के साधन बन चुके हैं—जहाँ चित्रों की, मूर्तियों की, कसीदों की, राजसी पात्रों और आभूषणों की, फर्नीचरों की, कालीनों की—क्या-क्या की नहीं ?—सजे हैं, जिन्हें देखिए, तो देखते ही रहिए और कब तक देखते रहिए—वार्साई और लुव्र हो कई महीने खोजते हैं, सिर्फ अच्छी तरह देखने को। यदि कलाओं के अध्ययन की दृष्टि से देखा जाए तो कितने वर्ष, एक आदमी के कई जन्म चाहिए।

तुम्हारे गिरजाघरों को देखा, कैसे भव्य, कैसे दिव्य ! जब नोत्रेदाँ में वह काँटा देखा, जिसे ताज कहकर उन्होंने ईसा के सिर पर रखा था; उस लकड़ी के टुकड़े को देखा जिसने एक दिन संसार के सबसे निरीह व्यक्ति को अपनी गोद से चिपकाया था—मेरा मतलब है उस सलीब से, जिस पर ईसा को लटकाया गया था—तो सच कहता हूँ, पेरिस, आँखें तर हो गई थीं, रक्त रोया था !

जब लुव्र में घूम रहा था, पेरिस, बार-बार मानव की महत्ता पर गर्व होता था। जिन रंगों को कूचियों में भरकर मानव ने जो सृष्टि की, क्या विधाता की सृष्टि भी उतनी रंगीन है, और जब उसने हाथ में छेनी ली तो पत्थरों से वे मूर्तियाँ गढ़ीं, जिनके सामने हम मांस की पुतलियाँ भी तुच्छातितुच्छ हैं कि वह समस्त मूर्ति, अब उड़ी, तब उड़ी। इस मूर्ति में मैंने मानव का वह प्रारम्भिक भावना पाई जब वह आकाश पर विजय पाने को अपने लिए पंख की तलाश में व्याकुल बना हुआ था।

और जब वर्तमान काल की तसवीरों का संग्रहालय देख रहा था, तब मुझे अन्दाज हुआ, मानव अब किस रहस्य के उद्घाटन के लिए तड़फड़ा रहा है। अब शरीर, आकार, रेखा, रंग—सब उसके लिए तुच्छ हो चुके हैं। वह अब उसकी तलाश में है, उसके चित्रण के लिए अधीर है जो इनके परे है, या जो इनके अन्दर है।

तुम्हारे म्यूजियम ही नहीं, तुम्हारे श्मशाम भी मुझे कम हृदयग्राही नहीं लगे पेरिस ! पैन्थियन और लैचिस, दोनों मुझे समान गौरवशाली दिखे। रूसो, वाल्तेयर, ह्यूगो—बालजक, मौलियर, आस्कर वाइल्ड—इनकी हड्डियाँ जहाँ भी रहतीं, उन्हें तीरथ बनना ही था। औंर सिर्फ इतने ही तो नहीं, कितने वीर, देशभक्त, लेखक, कवि, अभिनेता और अभिनेत्रियों की हड्डियाँ वहाँ गड़ी पड़ी हैं। ह्यूगो के आमने-सामने जोला को पाकर तो हम कृतार्थ हुए, किन्तु जब

रेलिन और सारा बर्नहार्ट की समाधियाँ बहुत खोजने पर भी नहीं पा सके, तो कितनी निराशा हुई।

फिर बेस्टिल ! 1789 की क्रान्ति की पहली चढ़ाई ने ही जिसे ध्वस्त कर दिया, किन्तु 1848 की क्रान्ति में जहाँ कितने शहीदों के खून बहे। उस ताँबे के बड़े स्तम्भ पर जब सोने के अक्षरों में उनकी नामावली देखी, तो हर्षपुलक से सारा शरीर रोमांचित हो गया !

और उसकी बगल में ही तो वे मोहल्ले हैं, जहाँ के गरीबों ने 1871 में इतिहास प्रसिद्ध पेरिस कम्यून की स्थापना की और जहाँ से खदेड़े जाने पर लैचिस की उस श्मशानभूमि को ही जिन्होंने अपना अन्तिम युद्धक्षेत्र बनाया। कौन जानता था, ये शानदार कब्रें इन वीरों के लिए बैरिकेड का काम कर जाएँगी और अन्ततः इनकी दीवारों के निकट ही उनकी अन्तिम विश्रामस्थली बनेगी !

लेकिन मुझे वे ही प्यारे नहीं हैं, जो हमें देकर, हमें रुलाकर या हँसाकर चलते बने। तुम्हारे वे बेटे और बेटियाँ भी कम प्यारे और प्यारी नहीं जँचे जो आज भी संसार की आँखों में तुम्हें रौनकदार और गौरवशाली बनाए हुए हैं।

तुम्हारे बेटे, जिनकी साहित्यिक कृतियाँ सारे संसार को अनुप्राणित करती हैं, जिनकी विधा सदा नई लकीर खींचती आई है, जिनके हाथों की करामातें तरह-तरह के इत्रों में, दस्तानों में, नई-नई पोशाकों और आभूषणों में इस तरह व्यक्त होती रहती हैं। सारा संसार फैशन के लिए तुम्हारी ओर देखता रहता है और तुम्हारी वे बेटियाँ जो अपने शरीर की भंगिमा कंठ के मधुर स्वर से हर हृदय को मुग्ध करती हैं; जिन्हें भगवान ने सौंदर्य देने में जरा भी कोताही नहीं की और जिस पर संस्कृति और कला ने वह पानी चढ़ाया है कि जो उस ओर देखे, वह उसका होकर रहे या कट मरे।

और तुम्हारा वह स्वर्गपथ शाँ जिलैजे। मैं प्रायः ही उसके किसी रंगीन रेस्तोराँ की रंग-बिरंगी छतरियों के नीचे बैठकर किन प्यासी नज़रों से देखता रहा हूँ। कभी स्वर्ग में मेनका-उर्वशी रही होगीं; यहाँ वे हमारे सामने जा रही हैं। क्या जा रही हैं ? नहीं, अप्सराओं-सी या तो उड़ रही हैं या हवा में तैरती-सी बढ़ रही हैं। इनके ये बाल--सुनहले, तरह-तरह से सजे। कहीं धान की पीली बालियों-से लहरा रहे; कहीं लहरें भँवर-पर-भँवर बना रहे--कभी कानों के निकट झूल रहे, कभी गरदन की दोनों ओर गुच्छों में रह-रहकर इधर-उधर बहक रहे। कहाँ ?

रूप इनका, रंग इनका ? ऐसी अच्छी नाक कहाँ मिलेगी, ऐसी गोल गरदन कहाँ मिलेगी ! सीने का उभार, कटि की क्षीणता। नहीं, पेरिस, मैं इनका नख-शिख वर्णन कर इनका अपमान नहीं करूँगा।

और तुम्हारी वह छोटी बेटी, जो अब भी, इस ब्रिटिश चेनल में भी सामने आकर छिटक जाती है, नाच जाती हैं। रेल में जरा सा चुमकार दिया था। छोटी बच्ची के इस छोटे से दुलार की भी अवहेला कैसे करे ? उसके उजले रेशम-से बाल, चाँद के टुकड़े-सा छोटा ललाट, जिस पर भवों की सीक-सी दो रेखाएँ--वह नाक जिसे अपने कवियों ने चम्पे के फूल-सी नाक कही है ! लाल-हरे रंग की छींट का फ्रॉक, पैर में नन्हे-नन्हे जूते। दूर से हाथ हिलाती है, मुसकराती हुई आगे बढ़ती है और जब गोद लेने को बढ़ता हूँ, उछलती, कूदती, नाचती, भागती है।

पेरिस। तुमसे बिदा ले रहा हूँ, ले चुका हूँ। किन्तु लाख चेष्टा के बाद भी तुम भूलती नहीं हो--तुम आँखों में हो, मस्तिष्क में हो, हृदय में हो--एक सुनहली, दहकती, चमकती कौंध की तरह।

[यह लेख बी.बी.सी. के लिए 9 जून, 1952 को यात्रा के दौरान लन्दन में लिखा गया और प्रसारित हुआ। बाद में 'नई धारा' में छपा। बेनीपुरी ने इस लेख को यात्रा-पुस्तक में शामिल नहीं किया है।]

—संपादक

इंगलैंड की ओर

1 जून, 1952
लन्दन

पेरिस से लन्दन—यह क्रम ही ग़लत है। पहले लन्दन देखिए, फिर पेरिस पहुँचिए। लन्दन में मानव का उद्योग, पराक्रम, नियमित जीवन आदि देख लीजिए; फिर पेरिस में जाकर सौन्दर्य, राग-रंग, और स्वच्छन्द जीवन देखिए और उसकी मधुर स्मृति लिये अपने देश पहुँचिए। सौन्दर्य देखनेवाली आँखें शौर्य पर तुरत नहीं टिकतीं, किन्तु शौर्य के बाद सौन्दर्य बहुत ही प्यारा लगता है न ?

तभी तो आज शाम को लन्दन पहुँचकर जब हम सान्ध्य भ्रमण को निकले, हमारे साथियों को लन्दन सूना-ही-सूना, रूखा-ही-रूखा लगा। कहाँ शाँ जिलैज़े और कहाँ पिकेडली ! पिकेडली लन्दन की सबसे अधिक गुलज़ार चौक है, किन्तु शाँ जिलैजे के सामने यह क्या है ? न वह रंग, न वह रूप। फ्रांस की बेटियों के रूप से इंगलैंड की बेटियाँ कौन सा चेहरा लेकर मुकाबिला करेंगी ? यों सीधे भारत से जाइए, तो उनके गोरे-गोरे चेहरे आपको मोहेंगे; किन्तु जब पेरिस की परियों को देख लिया, फिर आपकी आँखों पर जल्द कोई रमणी टिक नहीं सकती।

पिकेडली से ट्राफलगर स्क्वॉयर, फिर ह्वाइट हॉल, 10, डाउनिंग स्ट्रीट, पार्लियामेंट भवन, पुल पर से टेम्स की झाँकी—किन्तु हमारे साथियों का मन कहीं नहीं रम सका।

यहाँ आज रात में जिस होटल में ठहरना पड़ा है, कहाँ यह और कहाँ 'फ्रैंकलिन द रूजवेल्ट' ! और तमाशा यह कि एक रात के लिए यहाँ हमें पेरिस के होटल की अपेक्षा दूने पैसे देने पड़े हैं। हमारे साथियों को ऐसा लगा कि हम स्वर्ग से पृथ्वी पर पटक दिए गए—नरक में नहीं गिरे, यही ग़नीमत !

आज भोर में ही पेरिस छोड़ दिया। छोड़ते समय मन कुछ भारी लग रहा था। ख़ैर, छोड़ना था, छोड़ दिया। आख़िर कहाँ-कहाँ घोंसला बनाया जाता ?

रेल में जिस डब्बे में मैं बैठा, मेरे सामने की सीट पर एक छोटी-सी बच्ची और उसकी माँ बैठी थीं। बच्ची कितनी खूबसूरत ! सुनहरे बाल, चम्पे की कली-सी मुखाकृति, नीली आँखें, लाल होंठ, छींट का फ्रॉक—सचमुच देवकन्या-सी लगती थी। हाथ में एक गुड़िया लिये थी। उसकी माँ बच्ची के साथ इंगलैंड जा रही थी, हाथ में फ्रेंच के माध्यम से अंग्रेजी सीखने की एक किताब थी। वह बेचारी बड़े ध्यान से उसे पढ़ रही थी। अपनी बच्ची की ओर स्नेह से निहारता हुआ मुझे देखकर दो-चार शब्द कहे। अंग्रेजी उच्चारण बहुत अजीब ढंग से करती थी !

रास्ते भर फ्रांस की देहात देखते आए। असल में हम जिसे गाँव कहते हैं, वैसे गाँव यूरोप भर में नहीं हैं। न कहीं फूस के घर, न गन्दगी का समुद्र, न फटेहाली की हद। घर-पर-घर, जैसे अपने देश के गाँवों में होते हैं, वैसी बस्ती भी नहीं। खेतों में हरियालियों के बीच जहाँ-तहाँ कुछ खपरैल के मकान, काफ़ी साफ, सुन्दर। यही गाँव है। फ्रांस आर्थिक दृष्टि से यूरोप में

बहुत ही गिरा हुआ देश है, तो भी उसके गाँवों को देखकर मन ललचा रहा था। यदि अपने देश के गाँवों में इसी तरह के ईंट और खपरैल के मकान बन जाएँ; मकानों के आसपास फलों और फूलों के पेड़ और पौधे हों, खेतों में हरियाली उमड़ रही हो, जहाँ-तहाँ पुष्ट गाएँ चर रही हों—यदि इतना भी हो जाए, तो फिर क्या कहना ?

फ्रांस के सीमा पर पहुँचकर हमने सामने समुद्र को उफनाते हुए देखा। यहाँ से इंगलैंड के बीच इक्कीस मील का समुद्र है। इस बन्दरगाह का नाम डीएप है और यहाँ से चलकर हमारा जहाज़ इंगलैंड के न्यू ऐवन बन्दरगाह पर लगेगा। पिछले महायुद्ध के सुप्रसिद्ध डनकर्क कांड की रंगस्थली यही जगह रही है, जब ऊपर से जर्मनों के बम्बर गोले बरसा रहे थे और नीचे से अंग्रेजी सेना जहाज़ पर, अगिन वोट पर, नाव पर भागी जा रही थी। जर्मनों के गोलों के निशान अब तक वहाँ बने हुए हैं—बन्दरगाह पर, चट्टानों पर अब तक उस संहार-लीला के दृश्य दृष्टिगोचर होते हैं। अंग्रेज़ों की साढ़े सात लाख सेना यहाँ से भागी थी, किन्तु इंगलैंड के तटों पर पहुँचते-पहुँचते उनकी संख्या आधी हो गई थी।

हमारा जहाज़ छोटा था—पटना-पलेजा घाट तक चलनेवाले कई जहाज़ भी उससे बड़े हैं। हाँ, उसकी लम्बाई अधिक थी और वह बड़ा ख़ूबसूरत लगता था। बड़ी सफाई, बड़ी चकमक। बूँदा-बूँदी होने लगी थी। ओवरकोट खो ही चुका था, भींगते-भागते जहाज़ पर पहुँचा। हमारा फर्स्ट क्लास का टिकट था। भीतर गद्देदार सीटें, सफाई और सुघराई का क्या कहना ? थोड़ी देर तक वहाँ बैठकर अपने को गरमा लिया। जब मैं बैठा, पाया, मुझसे दूर बैठी हुई वह फ्रेंच बच्ची मेरी ओर देखकर मुसकरा रही है। मैंने हाथ के इशारे से अपनी ओर बुलाया। उसने माँ की ओर देखा, माँ मेरी ओर देखकर मुसकराई, फिर उसे इजाज़त दे दी। रास्ते भर यह बच्ची मेरे निकट आती रही। वह मस्ती में रह-रहकर नाचने लगती।

ज्यों ही जहाज़ बन्दरगाह से बाहर हुआ, मैं ऊपर चला आया। कितना सुन्दर दृश्य। नीला-नीला समुद्र, उसमें छोटी-छोटी तरंगें उठ रहीं। तरंगों के टकराने से उजली-उजली बूँदें यहाँ-वहाँ रह-रहकर झलमला उठतीं। इस नीले समुद्र को जब हमारा जहाज़ तीव्र वेग से चीरता हुआ बढ़ने लगा, तब का दृश्य कितना मनोरम ! जहाज़ के अगल-बगल और खासकर पीछे उजले-उजले फेन उफना रहे, कोटि-कोटि बूँदें बन रहीं, उछल रहीं। नीले पानी पर वे ऐसी लगतीं कि नीलम की थाल में किसी ने पारे की महीन बूँदियाँ बिखरा दी हों। बहुत से लोग तृषित नेत्रों से इस दृश्य को देख रहे थे। ऊपर बादल उमड़ रहा था, रह-रहकर बूँदा-बूँदी हो जाती थी, नीचे से पानी के फुहारे भी ऊपर आ जाते थे।

जब जाड़ा कलेजे को कँपाने लगा, फिर जहाज़ के केबिन में चला गया। जब अपने में गरमी लाने को कुछ चाय-कॉफी पीने के लिए रेस्तोराँ में गया, देखा, लोग फ्रेंच फ्रैंक को अंग्रेजी शिलिंग-पाउण्ड में बदल रहे हैं। यादगार के लिए कुछ रखकर सारे फ्रेंच सिक्कों को बदल लिया।

इस इक्कीस मील की दूरी को यह जहाज़ तीन-साढ़े तीन घंटों में पार करता है। जहाज़ बीच समुद्र में गया, कुछ उकबाई-सी आने लगी। बेचारी शीला तो इससे और परेशान थीं। आँख मूँदकर सोने की चेष्टा की, झपकी आई और लीजिए, यह अंग्रेज़ी बन्दरगाह सामने है।

बन्दरगाह पर काफी भीड़। समुद्र के पानी को क़ाबू में रखने के लिए जो बाँध बाँधे गए हैं, उन पर खड़े और बैठे बहुत से लोग बंसी से मछलियाँ पकड़ रहे। कुछ लोग किनारे पर बैठे समुद्री हवा का आनन्द ले रहे। कुछ मनचले समुद्र में तैर भी रहे—तरंगों के झूलों पर कभी ऊपर जाते, कभी नीचे आते। आज रविवार है, छुट्टी का दिन है। काम के दिन में अंग्रेज़ काम-ही-काम करता है और छुट्टियों के दिन में छुट्टियाँ-ही-छुट्टियाँ मनाता है। इसमें जरा भी

व्यवधायन नहीं होता।

हम जहाज़ से उतरे, कस्टम ऑफिस में गए। कोई भी झंझट नहीं हुई। व्यापार का कोई समान तो नहीं, हमसे पूछा गया, हमने 'जी नहीं' भर दी और छुट्टी पाई। किन्तु यह भी देखा, जिन पर सन्देह होता, उनके सामानों की बड़ी कड़ी जाँच होती।

रेलगाड़ी लगी थी। हम उस पर बैठे और लीजिए, यह इंगलैंड की देहात सामने आ गई। शिवाजी, शीला, देशपांडे और मैं—हम चार साथी ! ऐसे साथी सबको मिलें।

थोड़ी दूर जाने पर ही अंग्रेज़ों के उद्योग और पराक्रम की झाँकी मिलने लगी। चारों ओर खेत लहरा रहे हैं। तलहटी से जोतना शुरू किया है, तो पहाड़ियों के सिर तक जोत डाला है। कितने खेतों में अभी पीले-पीले अंकुर ही निकल रहे हैं। जहाँ-तहाँ फलों और फूलों के बगीचे—सबके सब रंग-बिरंगे पत्तों और फूलों-फलों से लदे। जहाँ घासें हैं, उनमें भी फूल निकल आए हैं—नीले, पीले वे फूल आँखों को तृप्त कर रहे हैं। चरागाहों में पुष्ट गाएँ और कहीं-कहीं भेंड़ें। एकाध घोड़े भी। गाँवों के वे सुन्दर, छोटे-छोटे मकान। जहाँ-तहाँ जो मर्द, औरत, बच्चे दिखाई पड़ते हैं, वे भी हृष्ट-पुष्ट, आनन्दी, मस्त।

शाम के पहले ही हम लन्दन पहुँच गए। लन्दन स्टेशन का वही बूढ़ा रूप ! क्यों नहीं, ज़रा इसे सँवार-सुधार दिया जाता है ? पोर्टर द्वारा सामान स्टेशन से बाहर लाकर टैक्सी कर ली और चले अपने निश्चित अड्डे की ओर !

पहले ही से एक होटलवाले को हमने सूचना दे दी थी, किन्तु हम एक शाम पहले पहुँच गए। होटल से मालूम हुआ हमारे लिए कल से जगह रिज़र्व हैं। अब रात कैसे काटी जाए ? बगल के ही एक होटल से बातें कीं, उसने पैसे कसकर लिये, जगह भी अच्छी नहीं दी, किन्तु हमारे लिए चारा क्या था ? फुटपाथ पर सामान रखे, हम उस होटल से बन्दोबस्त कर रहे थे कि एक सज्जन ने आकर नमस्कार किया और लगे पटना का हाल-चाल पूछने ? उनके कारण बड़ी सहूलियत हुई। शाम को खाने के लिए वह भारतीय विद्यार्थियों के एक होस्टल में ले गए। वहाँ पूड़ी और गोस्त बड़े प्रेम से खाया। तीन सप्ताह के बाद पूड़ी, तरकारी और गोस्त—सब भारतीय ढंग से बनाए—से भेंट हुई थी। खूब खाया। वहाँ कई भारतीय विद्यार्थियों से भेंट हुई, आधे दर्जन तो बिहारी विद्यार्थी थे।

यह मेरा सौभाग्य रहा है कि जहाँ जाता हूँ, कोई-न-कोई ऐसे मिल जाते हैं, जो मेरी चीज़ें पढ़ चुके हों या मेरा नाम सुन चुके हों। देशपांडे कहते थे, भाई विदेशों में ही देखा, तुम कितने जनप्रिय हो !

इन्हीं विद्यार्थियों से मिलकर हमने इंगलैंड के लिए कार्यक्रम भी बना लिया।

भोजन करके हम साध्य भ्रमण को निकले—सबसे पहले—पिकेडली—लन्दन की चौरंगी ! किन्तु, वह आज हमें फीकी-ही-फीकी लगी। फिर ट्रॉफलगर स्क्वॉयर—ब्रिटिश सिंह की विशाल मूर्तियाँ, नेलसन का स्तम्भ, जल-जन्तुओं के मुँहवाले झरने, कबूतरों के झुंड, उनका हाथों और कन्धों पर बैठना—हमारे साथियों के मन को नहीं लुभा सके। ह्वाइट हॉल, शहीदों की समाधि, डाउनिंग स्ट्रीट—नहीं, कुछ नहीं। डाउनिंग स्ट्रीट का कितना नाम, जहाँ ब्रिटिश साम्राज्य का सबसे बड़ा आदमी—प्रधानमन्त्री—रहता है, किन्तु न वहाँ पुलिस की पल्टन, न कोई चाकचिक्य ! हाँ, यदि कोई इसकी खिड़की के निकट पहुँचकर भीतर झाँकना चाहता है, तो पुलिस का कोई जवान बड़ी शिष्टता से उसे कहता है, भीतर जाने के लिए आज्ञा .पत्र की आवश्यकता होती है ? वहाँ भीड़ नहीं हो, इसलिए पुलिस के कुछ जवान इधर-उधर घूमते रहते हैं।

पार्लियामेंट, उसकी विशाल घड़ी—बिग बेन, टेम्स का पुल, टेम्स के किनारे की

अट्टालिकाएँ—हमारा मन कहीं नहीं रम रहा। शीला कहती हैं—कहाँ पेरिस, कहाँ लन्दन। मैं भी कहता हूँ, पेरिस के बाद लन्दन—यह क्रम ही ग़लत है।

गुलाब की दुनिया

2 जून, 1952
लन्दन

कल शाम को भारतीय विद्यार्थियों से बातें करते समय तय हो गया था, मि. ठाकुर हमें आज रिचमौंड और क्यू गार्डन दिखलाने को ले जाएँगे।

मि. ठाकुर गुजरात के हैं, यहाँ बैरिस्टरी पढ़ रहे हैं। बड़े अच्छे स्वभाव के, जैसा कि प्रायः गुजराती होते हैं। हिन्दी भी सीख ली है। बड़े प्रेम से घुमाते, दिखलाते रहे। एक विचित्र आदत है इनमें; हर अच्छी चीज़ को 'साला' शब्द से सम्बोधित करेंगे। उनके मुँह से, अटपटी भाषा में, यह प्यारा शब्द और भी प्यारा लगता था।

रिचमौंड, लन्दन से दूर टेम्स के किनारे, देहात में है। छुट्टी के दिनों में लन्दन के लोग यहाँ झुंड-के-झुंड पहुँचते और आनन्द मनाते हैं। हम लोग बस से वहाँ पहुँचे। ज्यों ही टेम्स के किनारे पहुँचे, चारों ओर रंगीनियाँ-ही-रंगीनियाँ दीख पड़ीं। किनारे पर कहीं कुंज, कहीं बगीचे, कहीं हरे-भरे मैदान। बीच-बीच में खाने-पीने के लिए रेस्तोराँ फूलों की रंगीनियों और पौधों की हरियालियों के बीच बच्चे फुदक रहे, युवतियाँ किलक रहीं, युवक छाती ताने या प्रेयसी की कमर में हाथ डाले, इधर-उधर घूम रहे। कुछ नदी में नावों पर सैर कर रहे—युवक नंगे बदन, पुष्ट बाहों से डाँड़ चला रहे, उनके सामने उनकी प्रेयसी खिलखिला रही या नाव को हिलाकर ऊधम मचा रही। कुछ लोग पानी में तैर भी रहे। कितना जाड़ा, किन्तु जहाँ उमंग हो, वहाँ शीत-घाम कहाँ ? कहीं-कहीं मैदान में बच्चे गेंद उछाल रहे और वहीं कुछ युवक-युवती विभोर एक-दूसरे से लिपटे पड़े। बूढ़े-बूढ़ियों की आँखों में भी अनुराग की लाली दिखाई पड़ती।

बहुत देर तक घूमते और देखते रहे। फिर वहीं, नदी के किनारे पर रेस्तोराँ में जाकर भोजन किया। थोड़ी सी जगह को भी इस तरह सजाकर रखा है कि अधिक-से-अधिक लोग एक साथ खा सकें, तो भी उन्हें भीड़भाड़ या हो-हल्ला का बोध न हो पाए। सफाई का क्या कहना ?

रेस्तोराँ से ज्यों ही हम निकले, बूँदा-बूँदी होने लगी। एक 'पब' में घुसकर वर्षा बिताई—छुट्टी, वर्षा, वसन्त का मौसम—वहाँ खुलकर लोग पी रहे थे !

जब हम चले, बार-बार मैं सोचता, न तो हम काम करना जानते हैं, न छुट्टियाँ मनाना। काम के वक्त गप करेंगे, छुट्टी के दिन घर में सोए रहेंगे। नदियों का उपयोग हम क्या जानें टेम्स नदी का क्या-क्या न उपयोग किया है इन्होंने। एक हम हैं, जो गंगा का उपयोग इसके किनारे शौच करने या इसके पानी में कुल्ली-खखार फेंककर उसी में गोते लगाने में करते हैं ! गंगा ऐसी नदी—यदि इस पराक्रमी जाति को मिली होती !

रिचमौंड से हम 'क्यू गार्डन' में आए। लन्दन से दूर, यह विशाल बगीचा—संसार भर के पेड़ों को, पौधों को, फूलों को, लताओं को यहाँ लगा रखा गया है। विशाल-से-विशाल वृक्ष, जिनकी उम्र हज़ार साल से बड़ी। छोटे-से-छोटे पौधे जिनके फूल ज़मीन से झाँकते हुए हँस रहे। गरम देश के पौधों के लिए एक 'गरमघर' बना दिया गया है, जहा का तापमान पचहत्तर डिग्री से नीचे नहीं होने दिया जाता। जब बाहर बर्फ गिरती होती है, हड्डी ठिठुरती होती है,

इस घर के भीतर गरमी बनी रहती है। शीशे का यह घर है, जिसमें पौधों को धूप मिलती रहे।

हमने इनके भीतर जाकर देखा, अपने देश के सारे पेड़-पौधे लगा रखे गए हैं यहाँ। अफ्रीका, एशिया, अमेरिका के भी पेड़-पौधे यहाँ लगे हैं। वह देखिए, वह केले में धौद लटक रहा है, खजूर सिर हिला रहा है, कद्दू लतर रही है, गेंदा फूल रहा है। लेकिन एक बात तो है ! ये पौधे बोतल के दूध पर पले बच्चे ऐसे लगते हैं—किसी में रौनक नहीं, स्थूलता भले ही हो।

वहाँ से निकलकर हम गुलाब की क्यारियों में आए। अंग्रेज़ों को अपने गुलाब पर नाज़ है। 'इंगलिश रोज़' एक प्रतिष्ठित फूल माना जाता है। किन्तु यहाँ तो तरह-तरह के गुलाब की क्यारियाँ नहीं, खेतियाँ देखीं। भिन्न-भिन्न रंग के, भिन्न-भिन्न आकार के। गुलाब का तो एक खास रंग है ही, हमने जिसे गुलाबी नाम दे दिया है। किन्तु यहाँ तो पीला, उजला, लाल—फिर फीका और गाढ़ा आदि भेद से इन रंगो के भी अनेक सम्मिश्रण देखे। इतने बड़े-बड़े गुलाब कि उनके निकट कमल की क्या बात, सूरजमुखी भी मात खाए। फिर इन तरह-तरह के गुलाबों की क्यारियाँ लगाने में कैसी सुरुचि दिखलाई गई है—रंगों का ऐसा मेल रखा गया कि आँखों में ज़रा भी खटक न हो, वे जहाँ पड़े, वहीं गड़े ! इच्छा होती थी, इसी गुलाब की दुनिया में विचरण करता रह जाऊँ। मैं कहा करता हूँ, आज की दुनिया तो गेहूँ की दुनिया है, मैं इसके स्थान पर गुलाब की दुनिया बसाना चाहता हूँ। यह गुलाब की दुनिया कितनी रंगीन होगी, इसकी सही कल्पना आज ही कर सका।

और इस गुलाब की दुनिया के इर्द-गिर्द मँडराती हुई चलती-फिरती गुलाबों की दुनिया। चलती-फिरती, उछलती-कूदती ! जिन्हें भगवान ने गुलाब बनाकर इस धराधाम पर भेजा, वे ही इस गुलाबों की दुनिया की कद्र कर सकेंगे, इसकी सार्थकता यहीं देखी। किसी उर्दू कवि ने कहा है—'चेहरे के सामने चिराग़ लेकर वे कहते हैं, देखना है, पतंग इधर आता या उधर जाता है।' यहाँ लगता था, यही बात यहाँ भौरों से कही जा रही थी—उसी शोखी और ग़रूर से—देखें, भौरा उसे अचल गुलाबों पर जाता है या इन चंचल गुलाबों की ओर टूटते हैं ! छः पैरवाले भौंरों के असमंजस को कौन समझे; दो पैरवाले भौरे तो कसमसाहट में पड़े थे, इसके प्रत्यक्ष प्रमाण हम पा रहे थे।

इन गुलाबों की दुनिया में खड़े होकर हमने कुछ तसवीरें खिंचवाईं और खींची भी। यह इंगलैंड है—यहाँ ऐसी छोटी माँगों में ना नहीं मिला करती।

ठाकुर चाहते थे, हमें इस बगीचे के सभी नायाब चीज़ें दिखला दी जाएँ—एक ही जगह हम जम जाएँ, यह उचित भी नहीं था। हम वहाँ से बढ़े, फूलों और कुंजों की बहार लूटते, झीलों और तालाबों के किनारों के मज़े लूटने लगे। फिर हमें बड़े-बड़े ऐतिहासिक वृक्षों की ओर चलने को प्रेरित किया गया। किन्तु; यह क्या ? बूँदा-बूँदी शुरू हो गई। दर्शकों की भीडों ने कुंजों की शरण ली। किन्तु वर्षा झमाझम होने लगी। आहा ! कभी किसी एक कदम्ब के नीचे, किसी एक कृष्ण की कमली से किसी एक राधा ने वर्षा में अपनी साड़ी को भींगने से बचाया, तो हमारे यहाँ कविता-पर-कविता लिख दी गई। यहाँ तो हर वृक्ष के नीचे, कितने ही जोड़े, एक ही बरसाती लबादे से अपने तन को भींगने से बचा रहे हैं—किन्तु मन को ?

लेकिन सिर्फ बूँदें ही तो नहीं झमक रहीं। अरे, ये तो बनौरियाँ भी गिर रही हैं। कितनी ठंडक; हमारे पास बरसाती भी नहीं। जब चला था, धूप थी। अतः सोचा गया, अब लौट चलें। किन्तु ठाकुर ने चाहा, हम कम-से-कम यहाँ की म्यूजियम तो देख लें। तरह-तरह के

बीज, तरह-तरह के फल, तरह-तरह के तने। बीज फल और फूल का उपयोग किस-किस रूप में होता है, उसके भी नमूने। अपने आम को भी देखा, एक ताजा फल रखा था, लगता था अभी डाल से तोड़कर लाया होगा। और वहीं आम का एक ऐसा फल देखा जो आज से पचास साल पहले एक प्रदर्शनी में रखने के लिए भारत से मँगाया गया था और जिसे आज भी सुरक्षित रखा गया है, न वह सड़ा है, न सूखा है ! हाँ इसका पुराना रंग नहीं रह गया है।

प्रदर्शनी देख, भींगते-भागते घर की ओर चले। बस से गए थे, ट्रेन से लौटे। चढ़े थे, ज़मीन के ऊपर; उतरे ज़मीन के नीचे के स्टेशन पर। रास्ते भर ठाकुर के 'साला' का मज़ा लेते ! जब अपने होटल में पहुँचे, होटल की लड़की ने एक पुर्जा दिया, इसी साहब ने आपको फोन किया था, इस नम्बर से। सोचा, कपड़े बदलकर फोन करूँ; किन्तु मैं अपने कमरे में ही था कि ओम प्रकाश धमक पड़े। तुम्हें कैसे ख़बर हुई ? आप भूल जाएँ, किन्तु मुझे तो खोजना ही था। यही नहीं, पकड़कर अपने घर ले गए। वहाँ देखा, परिवार में एक इज़ाफा हुआ है, एक लक्ष्मी पधारी हैं। बच्ची को दुलराता, हलराता और उसकी माँ के हाथ की बढ़िया खिचड़ी के लिए भूरि-भूरि प्रशंसा करता हुआ, जब घर लौटा, तो निद्रा देवी जैसे सिरहाने बैठी थीं।

डायरी भी ख़तम नहीं कर पाया, कि...

संग्रहालयों के बीच

3 जून, 1952
लन्दन

ऐसी गाढ़ी नींद आई कि साढ़े आठ बजे नींद टूटी। यह लन्दन है, पेरिस नहीं। समय पर ही जलपान या भोजन मिल सकता है यहाँ; शराब पीने तक का समय बँधा हुआ है। पेरिस के होटलों में तो सिर्फ रहने तक का सम्बन्ध होता है, भोजन और जलपान आप जहाँ करें। लन्दन में होटल के साथ 'बेड एंड ब्रेकफास्ट'—शय्या और जलपान—दोनों संलग्न हैं। अतः जल्द-जल्द हाथ-मुँह धोकर जलपान कर लिया।

सिर के बाल बढ़ गए थे। एक सैलून में जाकर बाल बनवाए—छः शिलिंग लगे। बाल काटने से अधिक सावधानी रखी गई दाढ़ी बनाने में। फिर धोबी की दुकान पर जाकर अपने कपड़ों को धोने के लिए दिया। आज जैसे सफाई का दिन हो—स्नानघर में जाकर छोटे-छोटे कपड़ों—रूमाल, तौलिया, गँजी आदि को साफ़ किया। ख़ूब प्रेम से स्नान हुआ—मलमलकर, टब में उभुकचुभुक कर। 'एयर इन्डिया' के ऑफिस में जाकर हमने यहाँ से रवाना होने के लिए सीट भी रिज़र्व करवा ली। 'एयर इन्डिया' के लन्दन ऑफिस में भी देखा, हमारे साथ बहुत अच्छा बरताव हुआ।

आज एक अज़ीब बात हुई। देशपांडे के साथ जब मैं हजामत बनाने के लिए सैलून में गया, पहले उसने देशपांडे की हजामत बनाई। मैं प्रतीक्षा कर रहा था। हजामत बनाते हुए उसने देशपांडे से पूछा—क्या वह आपके बेटे हैं ? क्या पढ़ रहे हैं ? आप उन्हें देखने आए हैं ? देशपांडे ने जब यह घटना कही, हम लोग खूब हँसे। मुश्किल से मुझ से एक-दो वर्ष बड़े होंगे, किन्तु उनके बाल सफेद हो गए हैं, चेहरे पर झुर्रियों की भी कमी नहीं ! और एक यह मेरी मिट्टी है कि उनका समवयस्क होने पर भी मुझे उनका पुत्र अनुमान किया ! आज दिन भर

जब-तब मैं देशपांडे को 'माई डीयर फादर' कहकर हँसता-हँसाता रहा !

कल ही तब हुआ था, ओम प्रकाश हमें ब्रिटिश म्यूजियम और साइंस म्यूजियम की सैर करा देंगे। ओम प्रकाश साइंस के विद्यार्थी हैं, पटना विश्वविद्यालय से एम.एस-सी. करके आए हैं। यहाँ कई वर्षों से हैं। पत्रकारिता का भी काम करते हैं। अतः लन्दन के पूरे जानकार। खा-पीकर उन्हीं के साथ हम पहले ब्रिटिश म्यूजियम की ओर चले।

पिछले साल भी ब्रिटिश म्यूजियम देख चुका था, किन्तु इस विशाल संग्रहालय को तो जितनी ही बार देखिए, उतना ही ज्ञान बढ़ेगा, आश्चर्य बढ़ेगा। अंग्रेजों को अपने इस संग्रहालय की विशालता और विविधता पर गर्व है। रोमन ग्रीक, मिस्री कला के उपादानों के साथ पुस्तकों और पांडुलिपियों का विशाल संग्रह है यहाँ। जिस विषय पर पुस्तकें चाहिए, आप पा सकते हैं। यदि कदाचित कोई पुस्तक यहाँ नहीं मिले, तो आप इन्हें सूचित कीजिए, किसी उपाय से ये मँगा देंगे। अंग्रेजी के सभी सुप्रसिद्ध लेखकों की पांडुलिपियाँ और पत्र आदि संगृहीत हैं। उन सबको देखते और मन-ही-मन अफसोस करते कि वह दिन कब आएगा कि हम सरहपा से लेकर आज तक के हिन्दी लेखकों और कवियों की रचनाओं को एक ही साथ देख सकेंगे। वहाँ से उसके पूर्वीय विभाग में आया। इस बार उस सज्जन से मिला, जो हिन्दी विभाग के अध्यक्ष हैं। बड़े बूढ़े। जब मैंने अपना नाम बताया, इस तरह बातें कीं, जैसे मुझे पहले से जानते हों। अपने सहकारी को आदेश किया कि मेरी लिखी पुस्तकों को वे ले आवें। दुख है, मेरी लिखी तीन ही पुस्तकें वहाँ हैं—विद्यापति की पदावली, बिहारी सतसई और लाल रूस। उन्होंने मेरी शेष पुस्तकों के नाम और प्रकाशन संस्थाओं के पते पूछे। मैंने कहा मैं स्वयं सभी पुस्तकें भेज दूँगा। उनका कहना था, यदि उन्हें हिन्दी की अच्छी पुस्तकों की सूची प्राप्त हो, तो वे स्वयं मँगा ले सकेंगे। मैं जिन देशों में गया हूँ, सब जगह ऐसी सूची की माँग है। क्यों नहीं, आधुनिक साहित्य की सौ पुस्तकों की एक विवरणात्मक सूची तैयार की जाए और उसे देश-विदेश के सभी पुस्तकालयों को मुफ्त भेज दिया जाए। यह हिन्दी की बहुत बड़ी सेवा होगी, इसमें सन्देह नहीं। किन्तु प्रश्न यह है कि इस आवश्यक काम को करे कौन ? हिन्दी साहित्य सम्मेलन ऐसी संस्था भी तो दलबन्दी के दल-दल में पड़ी हुर्ह है। इस म्यूजियम में देशपांडे की भी मराठी की कई पुस्तकें थी।

वहाँ से साइंस म्यूजियम। विज्ञान के सम्बन्ध में प्रत्यक्ष जानकारी के लिए ऐसे संग्रहालयों की कितनी आवश्यकता है, वह इसी से सूचित है कि जब-जब मैं इस म्यूजियम में गया हूँ, हमेशा बच्चों के झुंडों को शिक्षक या अभिभावक साथ यहाँ एक-एक चीज़ को देखते-समझते पाया है। रेल, जहाज, मोटर, बिजली आदि के अलग-अलग विभाग हैं, जहाँ उनके पूरे विकास को प्रत्यक्ष किया गया है। पहली रेलगाड़ी कहाँ बनी, कैसी थी, कैसे-कैसे उसमें उन्नति होती गई। इंजिनों का ताँता है, जिन्हें चलाकर भी देखा जा सकता है। समय जानने के लिए पहले क्या-क्या प्रयत्न होते थे, धूपघड़ी, जलघड़ी आदि; फिर किस तरह आधुनिक घड़ी बनी और उसमें वृद्धि होती गई। यों ही हर विभाग में देखा जा सकता है। सिंचाई पहले किस तरह की जाती थी और आज पम्प क्या कमाल कर रहे हैं ? यही नहीं, पृथ्वी किस तरह चलती है, सौरमंडल में हर ग्रह की गति कैसी है, किस तरह ग्रहण लगते हैं, किस तरह चन्द्रमा के खिंचाव से समुद्र में तरंगे उठती हैं।

इन्हें देखकर आश्चर्य होता है। पृथ्वी के तत्त्व क्या हैं, कितने हैं; अणु-परमाणु क्या हैं, वे कैसे टूटते हैं, बनते हैं, संक्षेप में कहिए, तो इस संग्रहालय को अच्छी तरह देख लेना, साइंस के हर पहलू से परिचित हो जाना है। बच्चे किस उत्सुकता से इन चीज़ों को देख रहे हैं, आनन्द और आश्चर्य से उनकी आँखें चमक रही हैं। फिर किस तरह इधर-उधर वे दौड़-दौड़कर जा

रहे, उछल रहे, स्वयं देख रहे और अपने मित्रों को दिखला रहे। जो इस तरह के वातावरण में पलेंगे, उनमें किसी दिन न्यूटन और फैरेडे तो पैदा होंगे ही।

यादगार के रूप में मैंने 'Science since 1500' नाम की एक पुस्तक खरीदी जो इस म्यूजियम से ही प्रकाशित है। विज्ञान के हर विभाग का साढ़े पाँच सौ वर्षों के इतिहास इसमें संकलित है। ज्यों ही पुस्तक खोली, पहला चित्र 'लियोनार्डो द विंसी' का देखा ! लियोनार्डो, वह इतालवी चित्रकार जिसकी कृति को देखकर संसार की कोई भी चित्रशाला अपने को धन्य समझती है, यूरोप में विज्ञान का भी पिता था, क्या यह हम कलाकारों के लिए गौरव की बात नहीं है ?

ज्ञान-विज्ञान के बाद मनोरंजन हक ही हो जाता है। हम लोग पार्क पहुँचे। सबसे पहले झील में जाकर नौकानयन की बहार लूटी। थोड़ी लूटी, बहुत देखी। झील में, मैदान में किनारे पर, वृक्षों की छाया में—सब जगह रंगीनियाँ ! तन उछल रहे हैं, मन उछल रहे हैं, कहीं भाग-दौड़ कहीं उठा-पटक। हा-हा ही-ही; खिलखिल खिलखिल ! हर बगल में बगलगीर ! संध्या का सुहाना समय। पंछी घोंसले में पहुँचे; मानव पंछी घोंसले से बाहर चरने-चुगने को निकल पड़ा है ! क्या उल्लू से कोई छूता-छाता नाता है इसका ?

रात में पूरी मंडली के साथ ओम प्रकाश के घर भोजन ! वहाँ से लौटा हूँ, तो दो दिनों की डायरी एक साथ लिखकर सोने के पहले घड़ी देख रहा हूँ, तो बारह बज गए हैं और कुछ चिट्ठियाँ लिखनी ही हैं।

खुला रंगमंच

4 जून, 1952
लन्दन

आज एक बड़ी अच्छी चीज़ देखी, जिसके देखने के लिए बहुत दिनों से लालायित था। जब बी.बी.सी. गया, वहाँ पता चला, आजकल रिजेंट पार्क में 'ओपन एयर थियेटर' चल रहा है। इधर लन्दम में बी.बी.सी. का ऑफिस मेरा एक अड्डा बन गया है। वहाँ कितने ही हिन्दी भाषी सज्जन रेडियो में काम कर रहे हैं। हिन्दी भाषी प्रवासी भाइयों से भी वहाँ प्रायः मुलाकात हो जाती है। हुजा अभी हैं ही, कुमार, शीरीं, सतीश, आलेहसन, देवहुति आदि परिचितों से गप्पें करने का मौका मिल जाता है।

एक तो रिजेंट पार्क का वातावरण। झीलों में बड़े-बड़े राजहंस तैर रहे। पार्कों में तरह-तरह के गुलाब खिल रहे। झाड़ी, कुंज, दूब—सब मनोहर। उतावली में हम कुछ पहले पहुँच चुके थे। टिकट कटाकर पार्क में इधर-उधर घूमते रहे। एक खुले रेस्तोराँ में बैठकर चाय भी पी। फिर समय पर थियेटर के हाते में घुसे।

रिजेंट पार्क में चारों ओर बालछड़ियों से घिरा यह खुला मंच है। बालछड़ियाँ सघन हैं, ऊँची हैं। उनमें एक तरह कई फाटक बना दिए गए हैं। उन्हीं से प्रवेश करना होता है। भीतर पहुँचने पर पाया, एक ओर चन्द्राकार रंगमंच हैं। रंगमंच के पीछे, परदे की जगह झाड़ियाँ-ही-झाड़ियाँ हैं। हरे-हरे पत्तेवाले पेड़ों के बीच में लाल-पीले पत्तोंवाले पड़े-पौधे लगा दिए गए हैं, जिनसे झाड़ी बहुत खूबसूरत और रंगीन बन गई है। उन झाड़ियों में कई पगडंडियों-सी हैं, जिनसे होकर पात्र-पात्रियाँ रंगमंच पर आते हैं। रंगमंच पर एक दरी या जाजिम तक नहीं—हरी-हरी दूब उगी हुई। दो पत्थर की चट्टानें दो जगहों पर पड़ी हैं, जब पात्रों को

बैठकर बातें करनी हो, तो इन पर बैठ जाएँ। एक तरफ एक छोटा सा झाड़ीदार पेड़ है—नेपथ्य से देखने या बात करने का रस्म इसी से पूरा किया जाता है। चन्द्राकार रंगमंच के किनारे-किनारे जमीन से सटी, जरा-सी ऊँची एक टट्टी-सी है; गेट से देखने पर बिजली की रोशनी का प्रबन्ध वहाँ है।

दर्शकों के बैठने की जगह ढालवीं है। बिना बाँहीं की, बिना गद्दे की कुरसियाँ रखी गई हैं। आगे-पीछे के हिसाब से उनके दर्ज हैं। हमने फर्स्ट क्लास के टिकट लिये थे, सबसे अगली कतार में थे। कुछ लोग कुरसियों पर नहीं बैठकर तीन ओर की ऊँची सरजमीन पर बैठे हैं, सब्जे पर बैठकर सरसब्ज रंगीनी में, मन को हरा करने वाले, अभिनय को, बड़ी तन्मयता से देख रहे और जैसा की हम लोग चिनिया बादाम फोड़-फोड़कर खाते हैं, उसी तरह कुछ चीज़ें फोड़कर चबा रहे ! किन्तु लोग मज़े से खाना-पीना चाहें, उनके लिए भी प्रबन्ध है। बगल की झाड़ियों में दूकाने सजी हैं, जो चाहिए, खाइए, पीजिए !

आजकल वहाँ शेक्सपीयर का 'एज यू लाइक इट' चल रहा है। रॉबर्ट आटकिंस का निर्देशन था। ऑरलैंडो का पार्ट वैसिल हौस्किस ने और रोजा लिंद का पार्ट मेरी केरीज ने। टचस्टोन का पार्ट थौर्नडाइक ने और ड्यूक का पार्ट ट्रिस्टन रॉबसन ने।

शेक्सपीयर के नाटकों का मज़ा तो रंगमंच पर देखकर ही पूरा लिया जा सकता है। फिर यह नाटक तो लगता है, जैसे खुले रंगमंच पर, इन पेड़-पौधों के वातावरण में ही खेलने को बनाया गया था। वनवास में पड़े एक ड्यूक की कहानी है। जंगल में ही रोजा लिंद और ऑरलैंडो में प्रेम होता है। उसके बहुत से पात्र भी जंगलनिवासी हैं। अतः लगता था, शेक्सपीयर ने मानो इस नाटक की रचना इसी दिन के लिए की थी जब उसके देश के भावी कलाकार उसे इसी तरह खुले आकाश के नीचे, खुली हवा में खेल सकेंगे।

परदे तो हैं नहीं, खेल के प्रारम्भ की सूचना किस प्रकार दी जा सकेगी—मैं सोचता था। दो बार घंटी बज चुकी थी, अतः दर्शक इधर-उधर से सिमटकर अपनी सीटों पर बैठे उत्सुकता से मंच की ओर देख रहे थे। इतने ही में एक पगडंडी से एक आदमी ठेलागाड़ी खींचता हुआ आता दिखाई पड़ा, वह बड़ी तेज़ी से आ रहा था और उसके पीछे एक बूढ़ा दौड़ा आ रहा था—दोनों इस तरह कि लगता था, नौजवान शायद रंगमंच को बुहारने आ रहा है और बूढ़ा उसे समझा रहा है ! रंगमंच के बीच में आकर नौजवान ने ठेलागाड़ी को खड़ा कर दिया और बूढ़े से बातें करने लगा। तब लगा, अरे, यह तो नाटक शुरू हो गया है और इसी तरह बातें करते ठेलागाड़ी को घसीटते वह नौजवान उस बूढ़े के साथ दूसरी पगडंडी से झाड़ी के भीतर चला गया, तो मालूम हुआ, एक दृश्य समाप्त हो गया ! एक तरफ की झाड़ी से कुछ पुकार हुई। दूसरी ओर से उत्तर की पुकार हुई और फिर दो पात्र आकर बातें करने लगे; कभी एक ही ओर से कई आदमी लड़ते-झगड़ते आए; इसी तरह पात्र आते रहे और फिर उसी नाटकीयता के साथ जाते रहे कि कहीं भी अस्वाभाविकता नहीं दिखाई पड़ती थी।

नाटक का पूरा अभिनय बहुत ही सुन्दर था। रॉबसन के अभिनय में बड़ी ही गम्भीरता और उच्च कुल की शान थी। ऑरलैंडों में यौवनजनित प्रेम और शौर्य का अच्छा प्रदर्शन हुआ था। थौर्नडाइक ने टचस्टोन का काम बड़ी सफलता से किया। मेरी केरोज सुप्रसिद्ध अभिनेत्री हैं, उनके अभिनय में भी कमाल था। किन्तु मुझे लगा, उनकी उम्र इतनी अधिक हो गई है कि सारे अभिनय कौशल और मेकअप के बावजूद वह किशोरी, मुग्धा रोजा लिंद के रूप में खप नहीं पाती थीं। जब कलकत्ता में मैंने शिशिर कुमार भादुड़ी को युवक मधुसूदन का पार्ट करते देखा था तो मुझे ऐसा ही लगा था। किन्तु यूरोप के नाटकों में दो-चार बड़े अभिनेताओं के अभिनय पर ही सारी सफलता निर्भर नहीं करती। एक-एक पात्र, छोटा-से-छोटा पार्ट, इस

खूबी से अदा करता है कि उनका सम्मिलित अभाव को सारे नाटक को चमका देता है। यदि छोटे पात्रों को पार्ट को हटा दीजिए तो सारी चीज़ें सपाट लगें। इस दृष्टि से, यहाँ एक-एक पात्र का अभिनय बहुत ही सुन्दर रहा। रोजा लिंद के अतिरिक्त सीलिया, फिवे, औड्रे और वह गानेवाली लड़की–सबने कमाल दिखलाए। यों ही पुरुष पात्रों में दरबारियों से लेकर गड़ेरिए तक ने अपने छोटे-छोटे अभिनयों के द्वारा ऐसे सम्मिलित प्रभाव की सृष्टि की कि नाटक में चार चाँद लग गए !

जब कुछ दिन था, तभी से नाटक शुरू हो गया था। ज्यों-ज्यों अँधकार होने लगा, धीरे-धीरे रंगमंच पर रोशनी बढ़ती गई, किन्तु इस स्वाभाविक रूप में कि पता न चले कि कब रोशनी की गई। जब संध्या भींगी, बर्फ के गोले गिरने लगे, हमारे बालों पर, कोटों पर वे किस तरह चमकते थे। कभी-कभी अधिक वर्षा गिरती है या झमाझम वर्षा हो जाती है ! वैसे अवसरों के लिए, इस रंगमंच की बगल में, एक ढँपा हुआ रंगमंच तैयार रखा गया है–ऊपर से कैनवास का शामियाना-सा तना है !

आज दो खेल हुए थे, तो भी काफी लोगों की भीड़ थी। बहुत से भारतीय भी थे--फर्स्ट क्लास में अधिक भारतीय चेहरे ही दिखाई पड़े।

बी.बी.सी. में हुजा ने आग्रह किया कि दो चीज़ें दूँ। एक, इस थियेटर पर दूसरा, पेरिस पर।

इटली के दूतावास में जाकर वहाँ के लिए वीज़ा लेने की कोशिश की। उफ, कितनी झंझट ! दो-दो फोटो चाहिए, कसकर फीस चाहिए। उस दिन पेरिस में स्विट्ज़रलैंड का वीज़ा किस आसानी से मिल गया था।

मदाम तुसाओ की मोम की मूर्तियोंवाली प्रदर्शनी फिर देख आया। हमारे साथी देखकर आश्चर्यचकित रह गए। सचमुच चीज़ ही ऐसी है। हाँ, पिछली बार जहाँ ब्रिटिश मन्त्रिमंडल में मज़दूर सरकार के सदस्यों की मूर्तियाँ थीं, इस बार उनकी जगह चर्चिल आदि की मूर्तियाँ देखीं। इसे सब प्रकार नूतनतम बनाने की कैसी चेष्टा की जाती है !

कैम्ब्रिज : बच्चन

5 जून, 1952
लन्दन

पिछली बार ऑक्सफोर्ड देख आया था; सोचा, इस बार कैम्ब्रिज देख आऊँ। ये दोनों विश्वविद्यालय तो भारतीयों के लिए गुरुकुल रहे हैं न ? हमारे बड़े-से-बड़े विद्वानों का गर्व यही रहा है कि वे इन विश्वविद्यालयों से गुरुमुख होकर आए हैं।

फिर एक आकर्षण और था। वहीं बच्चन थे। बच्चन से मेरी निकटता कैसे हुई, यह भी एक कहानी है। जब बच्चन ने मधुशाला की पुकार दी, सारा हिन्दी संसार उसमें बह चला। हममें अपने को 'पवित्रतम' समझनेवाले पं. बनारसीदास चतुर्वेदी तक उसके दौर में आ गए। एक मैं था, जो खड्गहस्त खड़ा था। मुझे चिढ़ एक प्रत्यक्ष अनुभव से हुई थी। एक बारात में गया था। देखा, कवि कहलानेवाले कुछ जन्तु मधुशाला की पक्तियाँ गुनगुनाते हुए प्याले-पर-प्याले खाली कर रहे हैं--जैसे उन्हें गुनाह के लिए एक कुशान मिल गया हो।

एक दिन मैं अपने ऑफिस में बैठा था, एक अपरिचित व्यक्ति आया–भला-भला-सा आदमी, घुँघराले बाल, हँसमुख चेहरा। आते ही उसने प्रणाम किया और कहा–'कर कु ार आगे

यह सीसा।' मैं बच्चन हूँ !

'अतिथि देवोभव' की परम्परा में पला मैं--भला, घर में आए आदमी को कैसे दुत्कारूँ। बिठलाया, स्वागत-सत्कार किया। जब मालूम हुआ, उनकी पत्नी बीमार हैं उसे दिखलाने को पटना अस्पताल में ले आए हैं, तब तो सारा क्रोध काफूर हो गया, करुणा जगी। जहाँ तक बन पड़ा, उनके लिए करता रहा। यही नहीं, धीरे-धीरे मैं बच्चन के सरल, भावुक व्यक्तित्व का प्रशंसक बन गया। उधर बच्चन ने भी धीरे-धीरे मधुशाला का जामा उतार फेंका; उनकी प्रतिभा प्रेम और विरह के अनमोल मोती उगलने लगी।

वही बच्चन कैम्ब्रिज में हैं, अतः उन्हें सूचना कर दी और चल पड़े, कैम्ब्रिज की ओर। किन्तु यहाँ इटली के वीज़ा के चलते एक ट्रेन देर से हम चले और वहाँ गए तो पता चला वह कहीं बाहर चले गए हैं।

ख़ैर, एक भारतीय विद्यार्थी मिल गए और उन्होंने ही कैम्ब्रिज दिखलाया। कैम्ब्रिज नाम की उत्पत्ति 'कैम' नदी से हुई है जिसके कितने पुल (ब्रिज) को कई बार हमें पार करना पड़ा। नदी छोटी है और इसी के किनारे-किनारे विश्वविद्यालय का विस्तार है। कुल मिलाकर इक्कीस कॉलेज हैं यहाँ। उनमें से कुछ प्रमुख कॉलेजों को देखा। ट्रिनिटी कॉलेज को भी देखा, जिसमें कभी पं. जवाहरलाल नेहरू पढ़ चुके हैं। मुझे ऐसा लगा, जैसी शानदार इमारते ऑक्सफोर्ड में हैं, वैसी कैम्ब्रिज में नहीं है, किन्तु यहाँ सफाई और सिलसिला अधिक पाया। ऑक्सफोर्ड में मुझे धार्मिक वातावरण भी अधिक दिखाई पड़ा था।

जब हम पहुँचे, खुलकर धूप उगी थी। यह तो इंगलैंड के लिए न्यामत है। देखा, खेल के मैदानों में उस दुपहरिया में भी विद्यार्थियों की भीड़ है। खेल के समय भी नियमबद्धता अलग से ही स्पष्ट घोषित होती थी। जहाँ तक अपने देश के विश्वविद्यालयों की तुलना की बात है, यहाँ के विश्वविद्यालयों में एक खास अन्तर तुरत दिखाई पड़ता है। अपने यहाँ विश्वविद्यालय रटन्तु विद्यार्थियो का क्षेत्र मालूम होता है, खिंचे-मिंचे चेहरे; या फिर लोफरों की जमात, जहाँ देखो, हुरदंग ! लेकिन यहाँ ऐसा लगता है, मस्तिष्क के विकास के साथ व्यक्तित्व के विकास की ओर अधिक ध्यान दिया जाता है और साहिसकता के साथ अनुशासन की छाप हर चेहरे पर पड़ी दीखती है।

यहाँ की सुप्रसिद्ध लाइब्रेरी को हम देख आए। यह भी आशा थी कि बच्चन कहीं यहीं न पढ़ रहे हों। एक विद्यार्थी ने बतलाया था, उनका अधिक समय यहीं बीतता है। किन्तु मेरे साथ जों विद्यार्थी थे, उनके पास गाउन नहीं था, अतः लाइब्रेरी में उनका प्रवेश भी निश्चित नहीं था.। संयोग से एक दूसरे भारतीय विद्यार्थी गाउन के साथ दिखाई पड़े और उन्हीं से गाउन लेकर हमारे विद्यार्थी ने हमारे लिए पास ला दिए। भीतर जाकर देखा, पुस्तकों का कैसा विपुल संग्रह है और उनमें से इच्छित पुस्तक पाने की कैसी सुविधापूर्ण व्यवस्था है। कोई भी पुस्तक चाहिए; पाँच मिनट के अन्दर आपको इस विशाल संग्रहालय से निकालकर दे दी जा सकती है।

कुछ प्रयोगशालाएँ भी दिखलाई गईं। विज्ञान से अपरिचित होने के कारण मैं अधिक रस तो नहीं ले सका, हाँ, बड़े आश्चर्य से देखता रहा। पाया, प्रयोगशालाओं में तरह-तरह के प्रयोग चल रहे हैं।

डार्विन ने देश-देश के जानवरों की जो हड्डियाँ और ठठरियाँ एकत्र कीं, उनका संग्रहालय देखने के लोभ को हम कैसे छोड़ सकते थे। उन्हें देख रहा था और सोच रहा था, कैसा था वह दिमाग जिसने इन्हें इस तरह करीने से सजाकर जीवों के विकास का एक क्रमबद्ध इतिहास तैयार कर दिया। इन हड्डियों को पहले भी कितने लोगों ने देखा होगा, किन्तु एक प्रतिभाशील

वैज्ञानिक की आँखों ने इनमें से एक इतना बड़ा तथ्य निकाल दिया कि सृष्टि के सम्बन्ध में लोगों की धारणा ही बदल गई।

कैम्ब्रिज से लौटते समय स्टेशन पर एन्यूरिन बिवान की पुस्तक 'इन प्लेस ऑफ फीयर' खरीदी। रास्ते में जहाँ तक पढ़ सका हूँ, उससे उसके विचारों की उग्रता का ही नहीं, मौलिकता का भी परिचय मिलता है। एक गरीब घर में पैदा हुआ क्रान्तिकारी जब पार्लियामेंट का मेम्बर चुना जाता है, तो किस प्रकार उस पर भद्रता का भूत सवार होता जाता है, वह अपनी क्रान्तिकारिता खो देता है और अन्ततः, विरोधी दल का एक 'माननीय' सदस्य मात्र बन जाता है, इसका बिवान ने बड़ा अच्छा चित्र ख़ींचा है। जनतांत्रिक समाजवाद का वह कट्टर पोषक है, किन्तु उसमें पूरी क्रान्तिकारिता भरी हैं—लेबर पार्टी का वह एक जाज्वल्यमान स्तम्भ है और कुछ लोगों की दृष्टि में उसका भावी नेता भी।

हाँ, जिस समय हम लोग स्टेशन पर किताबें उलट-पुलट रहे थे, हमारे सामने लगी हमारी ट्रेन छूट गई। क्योंकि हम लोग सोच रहे थे, घटियाँ बजेंगी, सीटी बजेगी, तब न गाड़ी खुलेगी ? वहाँ तो समय हुआ और बिना घंटी और सीटी के ही गाड़ी खुली ! जब ख़ाली प्लेटफार्म देखा, हम भौंचक रह गए, किन्तु थोड़ी देर बाद ही दूसरी गाड़ी आती थी, इसलिए अधिक कष्ट नहीं हुआ।

स्पेन्डर के घर में

6 जून, 1952
लन्दन

आज की विशेष बात रही, स्पेन्डर के घर में दावत। स्टिफेन स्पेन्डर इंगलैंड की इस पुश्त के कवियों में अन्यतम माने जाते हैं। भारत में इनकी कविताओं को विशेष रुचि से पढ़ा जाता है और अंग्रेजी की 'नई कविता' के यह प्रतीक माने जाते हैं। बड़ा ही सुन्दर, सौम्य व्यक्तित्व। पेरिस में ही निमन्त्रण दिया था, लन्दन आने पर एक दिन हमारी दावत कबूल कीजिएगा। 'हमारी' से मतलब यह है कि उनकी पत्नी भी साथ थीं; वहाँ बिना गृहिणी की रजामंदी के आतिथ्य की बात भी नहीं सोची जा सकती। आज भोर में ही सांस्कृतिक स्वाधीनता संघ की लन्दन शाखा के मन्त्री उनकी ओर से बाजाब्ता निमन्त्रण दे गए हैं।

'सपर' का निमन्त्रण था। सपर का मतलब होता है, रात के भोजन के बाद का फल और पेय का निमन्त्रण। पेरिस में ही मेरे एक मित्र ने जरा सी चर्चा कर दी थी, शैम्पेन की मर्मस्पर्शी सुगन्ध और गुलाबी नशा की। हम क्या जानते थे, कविजी उसे भूले नहीं हैं और इस दावत के बहाने वह शैम्पेन की गंगा बहा देंगे !

स्पेन्डर लन्दन के ही एक अंचल में रहते हैं। छोटा सा दुमंजिला मकान है। बाहर से वह लन्दन के मामूली मकान-सा ही लगता है, किन्तु भीतर पहुँचते ही लगा, निस्सन्देह इसमें कोई विशिष्ट पुरुष रहता है। फर्श, छत, दीवार—सबकी सजावट में एक ख़ास किस्म की सादगी में सौन्दर्य। दीवार पर एक भारतीय चित्र भी जिसे स्पेन्डर भारत से ले आए थे। जब मैंने खिड़की से नीचे की ओर, आँगन की ओर झाँका, एक बगीचा-सा लगा। स्पेन्डर की बीवी ने बताया, कविजी को फूलों से भी बहुत शौक है, इनके लालन-पालन में भी कवि का हाथ लगता है।

जब हम पहुँचे, कवि अपनी पत्नी के साथ स्वागत के लिए दरवाजे पर हाजिर थे।

कवि-पत्नी अपने घर के वातावरण में और भी खूबसूरत लग रही थीं। हमने दरयाफ्त किया, बच्चे कहाँ हैं ? बताया गया, भोज में बच्चों को शामिल नहीं किया जाता ! जब हम खा-पीकर लौटने लगे, हमारे आग्रह पर बच्चों को हमसे भेंट कराई गई; घर की दासी भी उसी समय हमारे सामने हुई; उसे बड़ी उत्सुकता थी, शीलाजी की साड़ी देखने के लिए।

धीरे-धीरे लन्दन की साहित्यिक मंडली के कुछ प्रमुख सदस्य वहाँ पहुँचने लगे। लुई मेकसिन आए, रोज मेकाले आईं; कोयस्लर की पत्नी आईं, उडरो बायट आए, चार-पाँच और लोग भी, जिनसे हमें परिचय कराया गया। श्रीमती रोज बहुत बूढ़ी हो चुकी हैं। कोयस्लर की बीवी इतनी छोटी और दुबली-पतली थीं कि कोई भी उन्हें उठाकर हवा में उछाल दे। उडरो बायट से पारसाल भी भेंट हुई थी, जब वह लेबर सरकार के पार्लियामेंटरी सेक्रेटरी थे। उन्होंने फिर राजनीतिक चर्चा छेड़ी और कहा, नेहरू को चाहिए कि वह सोशलिस्ट पार्टी में शामिल हो जाएँ और उसके आधार को विस्तृत करें, तभी एशिया में कम्युनिस्टों के बढ़ाव को रोका जा सकता है। कोयस्लर लन्दन से बाहर थे, उनका प्रतिनिधित्व उनकी बीवी कर रही थीं।

अंग्रेजी दावत से मैं ऊब जाता हूँ। ढाई-तीन घंटे तक, प्रायः खड़े-खड़े खाते रहिए, पीते रहिए, बातें करते रहिए। स्त्रियों की संख्या बड़ी होती ही है। उनसे बातें करना तो लाजिमी होता ही है। बातें भी बहुत हलके किस्म की। किन्तु आज की दावत में कहीं ऊब नहीं आई। चुने-चुनाए, साहित्यिक रुचि के लोग थे; फिर स्पेन्डर और उनकी बीवी की आवभगत। स्पेन्डर शैम्पेन की बोतल लिये हर मेहमान के गिलास की ओर चौकस नजर रखते और जरा भी खाली देखा, जबरदस्ती भर देते। फल की तश्तरियों की ओर भी ध्यान—जरा इसे चखिए, जरा इसे भी तो देखिए। मैंने एक चर्चा चलाई। हमारे यहाँ जब हम कवि के घर पहुँचते हैं, यह आशा रखते हैं, दावत के साथ उनकी कविता सुनने का भी सौभाग्य प्राप्त होगा। मेकसिन ने इस सूत्र को पकड़ा और स्पेन्डर को तंग किया, किन्तु वहाँ तो इसका रिवाज भी नहीं।

स्पेन्डर चाहते हैं कि भारत में चित्रों की एक प्रदर्शनी की जाए। एशियायी चित्रकारी की अन्तरंग भावनाओं से वह बहुत ही प्रभावित थे। उनकी यह भी इच्छी देखी कि भारत में सांस्कृतिक स्वाधीनता संघ की शाखाओं का जाल बिछा दिया जाए। मैंने सुझाव दिया, आप एक बार चलिए और सभी प्रमुख नगरों का दौरा कीजिए। आपकी कविता के प्रशंसकों की हमारे देश में कमी नहीं। उन्होंने बताया, पिछली बार जब वह भारत गए थे, कम्युनिस्टों ने शोर मचाया, वह अमेरिका के एजेंट हैं। जब उन्होंने अपनी कुछ नई कविताएँ सुनाईं, तब कहीं भ्रम दूर हुआ। मैंने कहा, सांस्कृतिक स्वाधीनता संघ का यही तो अभिशाप है कि कम्युनिस्टों ने ऐसा शोर मचा रखा है, मानो वह अमेरिकन संस्था है। यह भ्रम तभी दूर होगा, जब स्पेन्डर, सिलोने ऐसे लोग एशिया के देशों में दौरे करें।

आज दिन भर बूदाँ-बूँदी होती रही। बीच में बी.बी.सी. में जाकर 'पेरिस नहीं भूलती' का स्क्रिप्ट दे आया। जब मैं उधर गया था, इधर बच्चन आए और होटल में पुर्जा रख गए कि तीन-चार बजे के बीच आ रहा हूँ। अतः बिछावन पर लेटे-लेटे उनकी प्रतीक्षा करता रहा !

प्रतीक्षा और वर्षा। वर्षा प्रतीक्षा को कितनी मधुर बना देती है—नहिं आए घनश्याम घिरि आई बदरी।' या विद्यापति का—'ईभर बादर माह भादर सून मन्दिर मोर !' घुमड़ते आकाश और उमड़ते हृदय में बहुत दिनों की रिश्तेदारी है न ? 'घन घमंड घन गरजत घोरा, प्रियाहीन डरपत मन मोरा !'

किन्तु कहाँ मैं, कहाँ प्रिया। लंका और किष्किन्धा की दूरी से कहीं बड़ी दूरी है लन्दन और पटना के बीच, फिर जब यहाँ वर्षा हो रही है, ठंडी हवा के झोंके ऊनी कपड़ों की तह को भी छेदकर कलेजे को कँपाना चाहते हैं, पटना में लू चलती होगी, लोग घरों में बन्द होंगे, पंखे चल रहे होंगे, गरमी से हाय-हाय कर रहे होंगे। आज दुनिया बँटी हुई है, इंगलैंड अंग्रेजों का है, भारत हमारा है। किन्तु कुछ दिनों में ये सारे प्रपंच दूर होंगे, एक दुनिया होगी, हम सब इसके समान नागरिक होंगे। यातायात के साधनों में बड़ी तरक्की होगी। तब जाड़े के दिनों में हम प्रतीक्षा में होंगे, ठंडे देशों के हमारे भाई-बहन कब हमारे अतिथि होते हैं; यों ही गरमियों में वे लोग हम लू वाले देशों के लोगों की प्रतीक्षा में आँखें बिछाए होंगे। वह शुभ दिन कब आएगा ?

निश्चित समय पर बच्चन आए, किस प्रेम से मिले। जब हम कैम्ब्रिज गए थे, एक पुर्जा उनके घर छोड़ आए थे। लेकिन यह लिखना भूल गए कि लन्दन में हम कहाँ ठहरें। उन्हें क्यों कष्ट दिया जाए, यह बात भी थी ! किन्तु पुर्जा पाते वह आज लन्दन आए और लगे हमें ढूँढ़ने। पहले दूतावास में पहुँचे, फिर यूनिवर्सिटी एरिया में आए कि भारतीय विद्यार्थियों से कुछ पता चले। उनका अन्दाज सही निकला—जिस पहले भारतीय विद्यार्थी से भेंट हुई उसी ने मेरा पता बता दिया !

साचे के नाटकों ने मन को मोह लिया है। राजनीतिक घटनाओं पर कितने अच्छे नाटक तैयार किए हैं उसने ? अब तक मैं ऐतिहासिक नाटक लिखता रहा, क्यों न राजनीतिक नाटक लिखूँ—राजनीति में डूबा रहा हूँ, उसे बहुत ही निकट से देखा है, यदि कोशिश करूँ, शायद अच्छी चीज़ें दे पाऊँ !

कोहेनूर : रानी : आनन्द वाटिका

7 जून, 1952
लन्दन

एक बजे दिन को निकला, सो साढ़े बारह बजे रात को लौटा हूँ। थकावट से चूर-चूर। किन्तु कैसी अजीब आदत। बिना कुछ लिखे सोना मुश्किल। मित्रों को पत्र लिखकर अब डायरी लिखने बैठा हूँ।

आज सबसे पहले लन्दन टावर देखने पहुँचा। यहीं कोहेनूर है। यह टावर पहले राजभवन था। प्राचीन राजभवनों की तरह इतिहास के कितने ही करुण पन्ने इसके साथ जुड़े हुए हैं। कितने ही सिर पर यहाँ ताज रखे गए, कितने ही सिर यहाँ गाजर-मूली की तरह कटकर गिरे। ताज और सिर का अजीब सम्बन्ध रहा है दुनिया में। कितने ही सिर ताज से आभूषित हुए हैं, कितने ही सिर ताज की वेदी पर बलि चढ़े हैं।

इंगलैंड के ताज में वह भारत का कोहेनूर जगमगा रहा है। कितना बड़ा हीरा, कैसा चमचमाता हुआ हीरा। उस हीरे को देखकर शिवाजी का हृदय भावुकता में आ गया—क्यों न इसे भारत ले चला जाए। अपने देश में भी ऐसी चर्चा सुन रखी थी। किन्तु मैं इसके खिलाफ हूँ—कोहेनूर गया नहीं कि किसी के सिर में इसके पहनने का शौक़ पैदा हुआ। इतिहास में पहली बार भारत ने प्रजातन्त्र अपनाया है, अनियन्त्रित राजसत्ता का यह प्रतीक हमसे सात समुद्र पार दूर रहे, यही अच्छा !

और इंगलैंड में इसका कोई खतरा नहीं—क्योंकि इंगलैंडवाले जानते हैं, ताजवाले सिर

की पूजा कैसे की जाती है; उस पर प्राण भी देंगे, किन्तु उस सिर को काटने से भी नहीं हिचकेंगे।

यही परसों लन्दन में क्या हुआ ? 'ट्रूपिंग ऑफ कलर' की धूम थी। चार शताब्दियों के बाद इंगलैंड की गद्दी पर एक रानी बैठी है। रानी का जन्मदिन था। उसकी सवारी निकली–घोड़े पर वह चढ़ी थी, बड़ी गम्भीर मुद्रा में। एक लाख आदमी जय-जयकार कर रहे थे। एक तो रानी, फिर नवयुवती और सुन्दरी। जब सवारी राजमहल को लौटी, झरोखे पर जाकर उसने मुसकराते हुए लोगों का अभिवादन किया। फिर क्या था, जनता पागल-सी होकर उछलने लगी–लड़कियाँ, बूढ़े, जवान–सब जैसे अपनी उम्र भूल गए हों !

और इसी जाति ने अपने एक राजा को फाँसी पर चढ़ा दिया था, उनकी सज़ा और फाँसी, दोनों के सबूत को जुगोकर रखे हुई है।

टेम्स के किनारे हम जा रहे थे। पता चला, पारसाल जो 'फेस्टिवल ऑफ ब्रिटेन' हुआ था, उसके मनोरंजन विभाग को 'आनन्द वाटिका; के नाम से अब तक जीवित रखा गया है। उसके लिए टेम्स से अगिन बोट जाया करते हैं। जब हम वोट की प्रतीक्षा में थे, उसी समय अखबारों में लीड्स में होनेवाले भारत और इंगलैंड के क्रिकेट मैच का नतीजा निकलने लगा था। एक नौजवान हमें देखकर चिल्ला उठा–हार रह हो ! शिवाजी ने कहा–हम जीतकर रहेंगे। उसने हाथ हिलाया–विशिंग यू गुडलक ! खेलों के प्रति कैसी अनुरक्ति है इस जाति में। आज अख़बारों के संस्करण-पर-संस्करण निकल रहे हैं और लोग लूट रहे हैं जैसे ! सबके हाथ में अख़बार–अपनी जीत पर कैसे खुश हैं वे। और अपनी हार इस परपुरी में कैसी खल रही है हमें !

अगिन बोट पर हम बैटरसी की ओर चले–टेम्स के बीच से उसके दोनों किनारों के लन्दन के वैभव को देखते हम आनन्द वाटिका पहुँचे।

काम को नहीं भूलो; मौज को नहीं भूलो। दस से पाँच तक खटो, मरो। फिर संध्या होते ही रंगीनियों में, राग-रंग में डूब जाओ। इस राग-रंग के लिए क्या-क्या न प्रबन्ध है,! लन्दन पार्कों की पुरी है, जिधर निकल जाइए, उधर ही पार्क–फूलों से, झाड़ियों से, कुंजों से जगमग ! लन्दन शहर का जो रक़बा है, उसमें एक-तिहाई ज़मीन में पार्क है। पारसाल जब सौ वर्षों के बाद उस महान उत्सव की तैयारी हुई, राग-रंग के लिए इस आनन्द वाटिका–प्लेजर गार्डन–का आयोजन हुआ। जब उत्सव समाप्त हुआ चारों ओर से रोशनी, आनन्द-विनोद की चीजें यहाँ और भी एकत्र कर दी गई हैं। सारी वाटिका रंग-बिरंगी रोशनियों से जगमग। तरह-तरह के खेल, खिलौने। तरह-तरह के झूले। ऐसे-ऐसे बिजलियों से संचालित झूले कि देखते ही होश गायब। किस वेग से कभी आसमान में फेंक देते हैं, कभी पाताल में उतार देते हैं। किन्तु साहसिक युवक-युवतियों के लिए इनमें भी मौज। कुछ झूलों में अजीब प्रकार के विनोद–एक ऐसा झूला, जिस पर दो-दो करके युवक-युवती बैठ जाते हैं, झूला तेजी से घूमने लगता है, घूमते-घूमते अचानक हर जोड़ी पर परदे गिर जाते हैं। अब परदे के भीतर, झूला झूलते हुए, जो चाहे कीजिए !

तरह-तरह के फव्वारे; उन्हें रोशनियों से कैसा रंगीन और दिलचस्प बना दिया गया है। एक सीढ़ी है, जो बहुत दूर तक, पेड़ों की डाल-डाल चली गई हैं; भुक-अँधेरे में उस पर टहलिए। एक स्वप्नपुरी है–टेढ़े-मेढ़े सुरंग से नीचे घुसते जाइए और वहाँ भले-बुरे सपनों को प्रत्यक्ष दीजिए। बुरे सपने–भयानक चेहरे, धधकती आग, भीषण चित्कार, भले सपने–परियाँ हैं, मस्तकुमारियाँ हैं, इन्द्रधनुष हैं, रंगीन झरने हैं, सुमधुर गुंजार है।

आनन्द वाटिका में सभी आनन्द मना रहे थे। हमने भी दो घंटे वहाँ की रंगरलियों में

हाथ बँटाया। फिर टेम्स से ही लौटे—अगिन बोट पर युवक-युवतियाँ आनन्दमग्न हो सम्मिलित स्वर में गीत गाते जाते थे।

सोशलिस्ट ग्रुप : लेबर पार्टी

9 जून, 1952
लन्दन

कल रविवार था; पूरा रविवार मनाया—सारा लन्दन रविवार मनाता है न ? दिन भर टिप-टिप वर्षा भी होती रही, लन्दन अपने असली रूप में था।

बीच में इक़बाल गाया से भेंट हो गई थी। वह सोशलिस्ट ग्रूप के सेक्रेटरी हैं। पारसाल भारतीय विद्यार्थियों के इस ग्रूप के बहुत निकट आया था। ज्यों ही उन्हें ख़बर हुई, उन्होंने तय किया, आज वे लोग मुझसे कहीं मिलेंगे।

इक़बाल गाया के घर पर ही बैठक हुई। विलायत में आने पर भी इन लोगों में अपने देश के लिए कितनी ममता है, अपने समाज की भविष्य रूपरेखा के बारे में कैसी चिन्ता है। पिछले चुनाव में पार्टी को जो विफलता हुई, उससे वे लोग कुछ उदास जरूर थे, किन्तु उन्होंने हिम्मत नहीं हारी है। उनका विश्वास है, हमारी हार के पीछे हमारी सैद्धान्तिक कमज़ोरी नहीं रही है, बल्कि साधन की कमी रही है। अगले चुनाव में हमारी बाजी जरूर रहेगी। इन लड़कों की हिम्मत देखकर मुझे बड़ी प्रसन्नता हुई।

शाम को उन्हीं के साथ एक फ्रेंच सिनेमा देखने गया, जो इस साल का सर्वश्रेष्ठ फ्रेंच चलचित्र समझा जाता है। बड़ी मौलिकता पाई इस चित्र में। एक निर्माता आता है और जादू की छड़ी घुमाता हुआ, एक-पर-एक दृश्य दिखाता जाता है—प्रेम के भिन्न-भिन्न रूपों का। सैनिक का प्रेम, व्यापारी का प्रेम, विद्यार्थी का प्रेम, वर्जित प्रेम, ग्राह्य प्रेम—ऐसे छोटे-छोटे प्लाट और इतना बढ़िया अभिनय कि शुरू से अन्त तक उत्सुकता कायम रही। हमारे यहाँ के सिनेमा को कोढ़ लग गया हैं जैसे—बस, पिटी-पिटाई लीक पर मिलन-विरह आह-ऊह, दुर्घटना और उससे बचना, फिर विवाह, शहनाई—कभी गधे पर चढ़ना, कभी नायिका को कन्धे पर चढ़ाना, कभी बन्दर-सा मुँह चिढ़ना, उफ ! ये लोग कुछ दिनों तक अपना सारा कारबोर बन्द क्यों नहीं कर देते ?

कल भोर में ही हमें लन्दन छोड़ देना है। एयर इन्डिया से बातें तय हो चुकी हैं। जो कुछ करना-धरना था, आज कर लिया। शिवाजी और शीला देहात देखना चाहते थे। किन्तु समयाभाव से उस विचार को त्याग देना पड़ा।

सबसे पहले बाजार जाकर एक ओवरकोट खरीदा। इधर कई दिनों से बूँदा-बूँदी हो रही थी। फिर स्विट्ज़रलैंड की 'जुंग फ्राउ' चोटी पर तो इस बार जाना ही है। बिना ओवरकोट के वहाँ का काम कैसे चलेगा।

कल ही ग्रूप में लड़कों ने तय किया कि मैं लेबर पार्टी के ऑफिस में भी जरूर जाऊँ। उन्हीं लोगों ने पहले से तय कर रखा था। मिश्रा को लेकर जाना था, इन्डिया हाउस से उन्हें लिया। वहीं डॉ. कौमुदी से भेंट हुई जो 'नई धारा' में सदा लिखा करती थीं। आजकल इन्डिया हाउस के प्रचार विभाग में हैं। जलपान का निमन्त्रण दिया, किन्तु अब समय कहाँ रह गया है, उनसे क्षमा माँग ली। लेबर पार्टी के ऑफिस 'ट्रांसपोर्ट हाउस' में वही कार्यव्यस्तता, उसकी वही शान, यद्यपि अब पार्टी की सरकार नहीं रह गई है। विदेश विभाग के सेक्रेटरी से मिले,

देखते ही पहचान लिया उन्होंने। पिछले चुनाव के बारे में बातें हुईं। उनका कहना था, पहले चुनाव की दृष्टि से यह कोई बुरा नतीजा नहीं था। अब बातें निर्भर करेंगी कि जो लोग भी तुम्हारे गए हैं वे वहाँ कैसा और क्या करते हैं। एक बात से वह चिन्तित थे। हमने ज़मीन के बँटवारे का जो नारा दिया, उसका महत्त्व वह नहीं समझ सके थे—कहने लगे, इससे तो ज़मीन आदि भी टुकड़ों में बँट जाएगी। जिससे उत्पादन में कमी आ जाएगी ! हमने उन्हें समझाया, यह खतरा नहीं है। ज़मीन तो आज भी टुकड़ों में बँटी है। ये टुकड़े भी उनके हाथों में नहीं हैं, जो उस पर पैदावार करते हैं। इसलिए पैदावार दिन-दिन कम होती जाती है। हम चाहते हैं कि इन टुकड़ों पर उनकी मिल्कियत हो जो यथार्थतः उनके हकदार हैं। ज़मीन पर स्वामित्व का भाव उनमें मेहनत करने और अधिक पैदा करने की प्रेरणा भरेगा। फिर, नए बँटवारे के समय हम इस पर भी तो ध्यान रखेंगे ही कि जिन किसानों को ज़मीन मिले, एक साथ, एक जगह मिले। अतः ज़मीन टुकड़ों में नहीं बँटकर, ठीक इसके विपरीत तब कम टुकड़ों में बँटी होगी। तभी हम उन पर वैज्ञानिक खेती कर सकेंगे। उत्पादन तभी बढ़ेगा।

हमने उनसे आग्रह किया कि एक बार आपमें से कोई भारत चले और हम लोगों के कार्यक्रम को समझ आवें। इतनी दूर पर, सिर्फ कागजात के जरिए, सारी चीज़ें समझी भी नहीं जा सकतीं। तब उन्होंने पैसों के अभाव की बात पेश की। आपकी पार्टी को भी पैसे का अभाव ? गरीबों की पार्टी है न ? जो पैसे आते हैं, यहाँ के खर्च से ही नहीं बच पाते ! गरीबों की पार्टी—चाहे वह भारत की सोशलिस्ट पार्टी हो या इंगलैंड की लेबर पार्टी—सदा पैसों के अभाव में ही बढ़ेगी, ऐसा मुझे लगा।

वहाँ से रॉयल एकेडमी में आया—लियोनार्डो द विंसी के चित्रों की प्रदर्शनी देखने। द विंसी की मृत्यु की तीन सौ पचासवीं वर्षगाँठ मनाई जा रही है। द विंसी इटालियन चित्रकार था—और लन्दन में यह प्रदर्शनी ! कलाकारों के प्रति ऐसा सम्मान यूरोप में ही देखा। प्रदर्शनी में लियोनार्डो का वह सुप्रसिद्ध चित्र देखा—'लास्ट सपर'—जिसमें ईसा अपने शिष्यों को रात के भोजन के टेबुल पर बताते हैं, यह उनका अन्तिम भोजन है, कल उन्हीं में से एक की गद्दारी से वह गिरफ्तार किए जाएँगे ! कहते हैं, इस चित्र के 'ईसा' और 'जुडा' के मॉडल के लिए चित्रकार को वर्षों परेशान रहना पड़ा। अन्त में एक यहूदी युवक से 'ईसा' की प्रतिकृति ली। 'जुडा' के लिए वह फाँसी की सजा पाए हुए अभियुक्तों को देखता फिरा। 'जुडा' ने ही ईसा के साथ गद्दारी की थी।

कितना बड़ा चित्र—ईसा के मुँह पर कैसी शान्ति, जुडा के मुँह पर अपराध की स्पष्ट रेखा। द विंसी अद्‌भुत प्रतिभाशाली था। बिना पाए के पुल का, हवाई जहाज़ का, टैंक का इसी तरह कई आनेवाले आविष्कारों का नमूना उसने तैयार किया था ! उन्हें भी वहाँ रखा गया था। फिर उसकी वह स्केचबुक जिसमें उसने मनुष्य, जानवर, पंछी आदि के भिन्न-भिन्न रूपों और मनोभावों का चित्रण किया है ! मुर्दे की चमड़ी उधेड़कर उसने मांसपेशियों और अंतड़ियों का अध्ययन किया था। सबके स्केच उस बही में, मूल रूप में दर्ज हैं। स्केचबुक की एक छोटी प्रति छपकर बिक रही थी, मैंने उसे खरीद लिया।

वहाँ से जाकर बी.बी.सी. में 'पेरिस नहीं भूलती' नाम की वार्त्ता रिकॉर्ड कराई। एक वार्त्ता शिवाजी की भी रिकॉर्ड की गई। फुरसत नहीं हुई कि दूसरी वार्त्ता रिकॉर्ड करवा सकूँ। यों इस काम में पैसे भी काफी मिलते हैं—हर मिनट एक गिन्नी, जो पौंड से कुछ अधिक ही होती है।

दुख है, लाख चेष्टा करने पर भी हिन्दी केन्द्र के लोगों से भेंट नहीं कर सका। मैं तो पिछली यात्रा में ओम प्रकाशजी को मन्त्री बना आया था और डॉ. कमल कुलश्रेष्ठ को उसका

सभापति। किन्तु ओम प्रकाशजी से पता चला, बीच में झगड़े शुरू हुए और उन्होंने अपने को हटा लिया। अब जिन लोगों के हाथ में वह है, उनसे मैं नहीं मिल पाया। हाँ, हुजा ने बताया, उससे जो जागृति फैली, उसके चलते कई हिन्दी संस्थाएँ लन्दन में बन गई हैं जो अपने-अपने दायरे में अच्छा काम कर रही हैं। यदि समय होता तो फिर एक बार चेष्टा करता कि इन संस्थाओं को सम्बद्ध करके 'हिन्दी केन्द्र' को सुचारु रूप से चलाने का प्रबन्ध कर जाऊँ। सेठ गोविन्ददास और श्री पुरुषोत्तमदास टंडनजी से इसके सम्बन्ध में बातें हुई थीं।

रात में युगोस्लाविया सरकार द्वारा संयोजित एक बैले पार्टी के नृत्य एक थियेटर भवन में देखे। कई मित्रों ने सलाह दी, इसे देखना मत चूकिए। सचमुच, वहाँ पहुँचकर, उसे देखकर नेहाल हो उठा ! सभी नृत्यों की पृष्ठभूमि देहात थी। देहाती पोशाक, देहाती बाजे, देहाती गीत, देहाती नृत्य। उन नृत्यों में, पोशाकों में, सुरों में बहुत कुछ भारतीयता पाई। अपने ही देश के ऐसे ताशे थे, वंशी भी अपनी ही थी, एक नृत्य में घूँघरू भी अपना ही था। पोशाक में भी अपने देश के ही ढंग के घाघरे, ओढ़नी, सुथने और जूते भी। कभी-कभी ऐसा लगता, अपने आदिवासी भाई-बहनों के नृत्य देख रहा होऊँ--हाँ, उनके चेहरे बिलकुल नेपाली ढंग के थे और नेपाली ढंग की ही गोल टोपियाँ, घुंडीदार बंडिया, कमरबन्द और चुस्त पाजामे। नृत्य और संगीत का कुछ ऐसा समाँ था कि इच्छा होती थी, कल भारत जाना बन्द करके युगोस्लाविया का ही टिकट कटा लूँ। कई नृत्यों में वीर रस का बड़ा पुट—गोरिल्ला युद्ध, तलवार युद्ध को नृत्य में ही साकार करते। लड़कियाँ छोटे कद की हलके बदन की; नाचतीं तो लगता, तितलियाँ उड़ रही हैं। कहीं जरा अश्लीलता की गन्ध नहीं। मर्दों के नृत्य भी बड़े प्रभावशाली ! युगोस्लाविया की सरकार ने इस नृत्य मंडली को यूरोप के दौरे पर भेजकर बड़ी बुद्धिमानी का काम किया है। जो कम्युनिस्ट युगोस्लाविया के नाम से ही चिढ़ते हैं, वे भी इसकी प्रशंसा कर रहे थे।

यह बड़ी अच्छी बात हुई कि लन्दन की अन्तिम रात में ऐसी अच्छी चीज़ देख ली। 'मधुरेण समापयेत' की कहावत पूरी तरह सार्थक हुई। आज माथुर साहब और कोयराला को इस नृत्य के बारे में पत्र भेजे और जित्तिन को लिख दिया, मैं 20 जून को बम्बई पहुँच रहा हूँ।

जिनेवा की सुहावनी संध्या

10 जून, 1952
लन्दन से जिनेवा

आज भोर में लन्दन छोड़ा, यों दूसरी बार लन्दन से बिदा ली। जब चला, मीठी धूप उग आई थी। लन्दन अप्रत्याशित रूप से सुहावना लग रहा था। होटल से 'एयर इन्डिया' के आफिस में, वहाँ से हवाई अड्डे की ओर। जब स्लाक एरिया पार कर रहा था, वहाँ के दृश्य से मुग्ध हो रहा। वे छोटे-छोटे खिलौने के ऐसे घर। हर घर के आगे फूल; पीछे बाड़ी। छोटे-छोटे सुन्दर, रंगीन, सुहावने घर—प्रायः दो मंजिल के। ऊपर की मंजिल पर खपरैल ! पीले मकान, लाल खपरैल, नीचे हरी घास, रंगीन फूल। इतने हलके लगते थे वे कि इच्छा होती थी, एक घर को, उसके बाड़े के साथ हथेली पर उठाकर लेता चलूँ और इन घरों में यहाँ के मज़दूर रहते हैं !

पचास मिनट की बस यात्रा के बाद लन्दन का एयरपोर्ट आता है, पलाम भी तो दिल्ली

से काफी दूर पर है।

एयरपोर्ट पर 'एयर इन्डिया' नाम पढ़कर ही प्रसन्नता हुई। आखिर वह दिन भी आया कि हमारे वायुयान संसार के कोने-कोने में उड़ने लगे। अभी इन वायुयानों के कुछ पुर्जे बाहर बनते हैं, किन्तु प्रबन्ध तो पूरा अपना है और भीतर की साज-सज्जा भी अपनी है। भीतर चलिए, देखिए, सीट के सामने थैले में जो पंखा है, उस पर दो भारतीय लड़कियों के चित्र हैं—एक मृदंग बजा रही है, एक करताल लिये नाच रही हैं। रास्ते के जो चार्ट आदि हैं, सब पर भारतीयता की छाप। खाने के समय नेपकिन की जगह जो कागज का टुकड़ा दिया गया है उस पर एक भारतीय खानसामा किस अदा से सलाम कर रहा है !

उड़ना—यह मुझे कितना प्रिय है। उड़ने के पहले प्रायः लोग बीमा करा लेते हैं। बीमा यानी खतरा। खतरे का भाव आया कि आनन्द गया। मैंने कभी बीमा नहीं कराया, न कराऊँगा। मैं तो हवाई जहाज़ को सभी सवारियों में सबसे अधिक आनन्दप्रद मानता हूँ। जब मैं गति में होता हूँ, मेरा मस्तिष्क भी गति में होता है। हवाई जहाज की उड़ान मेरे मन-प्राण में उड़ान-ही-उड़ान भर देती है। और—उन उड़ानों को कलमबन्द करने की सुविधा तो हवाई जहाज पर ही होती है—उड़ते जाइए, सोचते जाइए, लिखते जाइए !

मैं उड़ा जा रहा हूँ। हमारा प्लेन अब बादलों के ऊपर है। यूरोप पर सदा बादल छाए रहते हैं। ये बादल उसे छाया देते हैं, सूरज की तीखी किरणों से उसे बचाते हैं, मीठी फुहार देते हैं। किन्तु क्या बात है, इन बादलों की ही तरह सूरज पर सदा संकट के बादल मँडलाया करते हैं। हमारे देखते-देखते दो महायुद्धों ने उसे तबाह किया है—तीसरे महायुद्ध की गड़गड़ाहट भी सुनाई पड़ रही है !

कभी-कभी बादलों के नीचे ज़मीन दिखाई पड़ती है ! हरी-भरी ज़मीन—मेड़ों और सड़कों ने जिन्हें अनेक टुकड़ों में बाँट रखा है। ये मेड़ें न हों तो खेत में उपज न हो; ये सड़कें न हों तो आदमी का आदमी से सम्पर्क मुश्किल हो जाए। किन्तु इन मेड़ों ने, इन सड़कों ने आदमी-आदमी के बीच ऊँची-ऊँची दीवारें जो खड़ी कर दी हैं। हमने पृथ्वी को टुकड़ों-टुकड़ों में बाँटा, प्रकृति हमसे नाराज हुई, उसी का अभिशाप यह युद्ध है, महायुद्ध है। लड़ो, मरो। 'संसार एक हो' की पुकार है—किन्तु जब तक ये मेड़ें, ये दीवारें बनी हैं, क्या पृथ्वी एक हो सकती है ? मेड़ों को तोड़ों, दीवारों को ढ़हाओ।

नीचे गौर से देखता हूँ। लगता है, यह फ्रांस की भूमि है। मैं फ्रांस का प्रशंसक हो गया हूँ, उसकी कला ने, उसके सुन्दर लोगों ने मुझे मोहित किया है। किन्तु बेचारा फ्रांस—बार-बार तबाह होता रहा है। युद्ध का दानव जहाँ भी नृत्य शुरू करे, उसका ताल टूटता है, इस फ्रांस पर ही। क्या बात है; क्यों यह बात है ?

फ्रांसीसियों का स्वभाव अजीब है। जैसे भगवान ने सिर्फ दिल-ही-दिल दिया हो। हृदय और मस्तिष्क में समतुलन हुआ ही नहीं—अपने बंगाल की तरह। भावना में बहे जा रहे हैं। फ्रांस में हर दो महीनें पर सरकार बदलती रहती है। हर 'वाद' के लिए वह उर्वरा भूमि है ! कम्युनिस्टों का भी जोर है वहाँ। अभी पत्रों में पढ़ा है, वहाँ की पुलिस ने कुछ ऐसे गुप्त काग़ज़ात पकड़े हैं, जिनसे सिद्ध होता है, युद्ध छिड़ने पर यहाँ के कम्युनिस्ट अपने देश को रूस के सुपुर्द कर देते ! न जाने इन कम्युनिस्टों को अपने देश से क्या दुश्मनी है ! मसानी कहा करते थे, भारतीय कम्युनिस्ट अच्छे रूसी देशभक्त होते हैं ! हर देश की यही हालत है, सिवा रूस देश के, जहाँ के कम्युनिस्ट, जिनमें स्टालिन भी शामिल था, अपने देश पर संकट आने पर कम्युनिस्टों की अन्तरराष्ट्रीय संस्था को तोड़ने और मज़दूरों के अन्तरराष्ट्रीय गीत को छोड़ने से भी नहीं हिचके !

रात का जागरण ! अभी-अभी झपकी आ गई थी। आँखें खुली हैं तो देखता हूँ, अब हम स्विट्ज़रलैंड में हैं। झीलें, पहाड़ियाँ, बगीचे, खेत ! लगता है, प्रकृति ने यहाँ चित्रकारी की है ! हाँ, ऊपर से देखने पर ये सारे दृश्य सचमुच सुन्दर लैडस्केप-से लगते हैं। बादल छँट चुका है, सुनहली धूप खिल आई है। चारों ओर सौन्दर्य का झलमल !

जिनेवा का हवाई अड्डा। उतरकर प्रतीक्षालय में बैठा हूँ। सामान पीछे से लाए जा रहे हैं। अरे, यह क्या ? मेरा एक बैग नहीं है ? घबराता हूँ, ख़बर देता हूँ, एक अफसर दौड़कर एरोप्लेन में जाता है; मेरे बैग से लेबल टूट गया था, इसी से यह गड़बड़ी ! सामानों के साथ होटल में, जो पहले से तय कर लिया गया था। उसमें हमारे लिए जगहें सुरक्षित थीं।

मुँह-हाथ धोकर बाजार चला। कुछ चीजें खरीदनी थीं, घड़ियाँ, कैमरे। लन्दन में कर्नल नाथ से भेंट हुई थी। कर्नल नाथ कभी हज़ारीबाग जेल में हमारे सुपरिन्टेंडेंट थे। आजकल बिहार सरकार के स्वास्थ्य विभाग के डाइरेक्टर जनरल हैं। उन्होंने बताया था, राष्ट्रसंघ के स्वास्थ्य विभाग में उनके एक दोस्त हैं, हम उनसे मिलें, तो वे चीजें सस्ती खरीदवा देंगे। सोने की घड़ियों में काफी मोल-तोल होती है। हम लोग राष्ट्रसंघ के दफ्तर में गए। अमेरिकी राष्ट्रपति विल्सन का यह भव्य स्मारक ! झील के किनारे एक नई बस्ती ही बस गई है, संसार की सभी अन्तरराष्ट्रीय संस्थाओं का स्थायी आवास है। कितनी खूबसूरत जगह; कितनी सुन्दर इमारतें। ऊपर देश-देश के झंडे लहर रहे हैं—नीचे रंग-रंग के फूल खिल रहे हैं।

उस सज्जन से भेंट हुई तो उन्होंने अपनी व्यस्तता बतलाई; हाँ, एक दुकान का पता दे दिया। हम उस दुकान पर पहुँचे। घड़ियों के मोल-तोल होने लगे—जिसका दाम एक सौ चालीस फ्रैंक बताया था, उसे पचानबे फ्रैंक में देने को तैयार हो गया ! सोचा था, पहले देख आऊँ, फिर पैसे ले जाकर खरीद लाऊँगा। किन्तु पता चला, यहाँ दुकानें आठ बजे भोर में खुलतीं और शाम को सात बजे बन्द हो जाती हैं। यों ही ऑफिस भोर में आठ बजे खुलते और बारह बजे बन्द होते हैं और फिर दो बजे से पाँच बजे तक होते हैं ! मन में एक बात उठी, क्यों न अपने देश में भी यही प्रबन्ध हो। अंग्रेजों के देश में दस बजे से पाँच बजे तक ऑफिस होते हैं, क्यों हम उन्हीं का अनुकरण करते हैं, जबकि दुपहरिया में सबकी आँखें झपकती होती हैं—साहब, बाबू, चपरासी—सब ऊँघते होते हैं ! प्रोफेसर, शिक्षक, विद्यार्थी—सबकी यही हालत रहती है !

वहाँ से ट्राम पकड़कर अकेले चला तो किन्तु पीछे याद आया, जहाँ से चला हूँ, उस स्थान का नाम तो मुझे मालूम नहीं। मैं बगल के लोगों से पूछने लगा। किन्तु वहाँ अंग्रेजी भाषा कम ही लोग समझ पाते हैं। सब मेरा मुँह ताकने लगे। दूर एक लड़की बैठी थी; वह निकट आई और मुझसे टूटी-फूटी अंग्रेजी में बातें कीं। वह भली लड़की ! उसने मुझे होटल पहुँचा दिया, फिर वहाँ खड़ी रही, जब मैं होटल से चेकबुक लेकर लौटा, उस ओर जानेवाली ट्राम पर चढ़ा दिया और एक सज्जन से कह दिया कि मुझे वहाँ उतार देना चाहिए ! कहाँ वह लड़की ! कहाँ अपने देश की तितलियाँ ! और क्या ये उस लड़की से ज्यादा खूबसूरत होती हैं ! उसका स्वस्थ गुलाबी गाल, भरा-कसा बदन, सुनहले उड़ते बाल—क्या शीघ्र भुलाए जा सकेंगे ?

इन झँझटों से निवृत्त होकर हम जिनेवा झील के किनारे चहलकदमी करने लगे। यह झील, इसके टापू, इसमें तैरते हुए राजहंस, पाल उड़ाती हुई नावें, पृष्ठभूमि में हरी-भरी पहाड़ियाँ, किनारे-किनारे सुन्दर रंगीन अट्टालिकाएँ, सजी-सजाई दुकानें, रंगीन छतरियाँ, फूलों की क्यारियाँ—संसार के सुन्दरतम स्थानों में इनकी गिनती की जाती है !

झील का पानी कितना साफ ! जहाँ हम किनारे पर खड़े हैं, एक राजहंस तैरता हुआ

उसके निकट आया और बार-बार अपनी गरदन ऊँची करने और फिर पानी में डुबोने लगा। क्या हमसे कुछ भेंट माँग रहा है ? यहाँ लोग इनके खाने की कुछ चीज़ें लाते और पानी में डाल देते हैं। हम कुछ ला नहीं सके थे—देखिए, वह बेचारा हताश लौटा जा रहा है !

संध्या गहरी हुई और रोशनी चमचमा उठी। झील के किनारे-किनारे बिजली बत्तियों की सघन माला। उन बत्तियों का प्रतिबिम्ब पानी में पड़ा और झील भी जगमग कर उठी। लगा, जैसे पानी का हर कण बिजली बत्ती बन गई हो। किनारे की बत्तियों की इस माला के नीचे-ऊपर मकानों और दुकानों की रंगीन रोशनी ! थोड़ी ही देर में सारा दृश्य इन्द्रजाल-सा लगने लगा !

इस इन्द्रजाल से भाव मुग्ध हम निकट के एक रेस्तोराँ में जा बैठे, जहाँ से इस अनुपम दृश्य को भी देखते रहें ! किन्तु रेस्तोराँ का दृश्य भी क्या कम मनमोहक है। छोटे-छोटे काठ के ऐसे घेरे में बना दिए गए हैं, जहाँ आप निश्चिन्त होकर खा-पी सकें। घेरे के चारों ओर काठ के बक्सों में फूलों के पौधे हैं। चारों कोनों पर चार छोटे-छोटे स्तम्भ जिन पर फूलों के पौधे, फूलों से लदे। उनके नीचे बत्ती लगा दी गई है, बत्ती जल रही है, फूल हँस रहे हैं। बीच में खूबसूरत टेबुल और कुरसियाँ ! यहाँ खाइए, पीजिए, मजे लीजिए। हर घेरे में लोग बैठे हैं, ग्लास खनक रहे हैं, छुरी-काँटे झनक रहे हैं ! बगल में मधुर बैंड बज रहा है। उधर फव्वारे से झर-झर पानी झड़ रहा है जिस पर पड़नेवाली रोशनी उसे सतरंगी बना रही है। पेड़ों पर चिड़िया चह-चह कर रही हैं। स्वर और सौन्दर्य का यह संगम मन-प्राण को तृप्त कर रहा है।

देशपांडे कहते हैं, जिनेवा ने पेरिस को भी मात कर दिया। यहाँ प्रकृति और पुरुष का जो समन्वय हुआ है, वह पेरिस में कहाँ ? किन्तु शीलारानी कहती है, शाँ जिलैजे फिर भी सुन्दरतम है !

बहुत रात बीते हम होटल में लौटे। रास्ते में दुकानों की झाँकियाँ लेते—दुकानें बन्द हैं, किन्तु शीशे की खिड़कियों से उनका विभव झाँक रहा और ग्राहकों को निमन्त्रण दे रहा, कल फिर आना ! स्विट्ज़रलैंड घड़ियों के लिए मशहूर हैं—ये घड़ियाँ देखिए ! खिलौना और काठ की नफीस चीज़ों के लिए भी स्विट्ज़रलैंड की ख्याति है—जरा इनकी रंगीनियाँ देखिए ! दूध की मिठाइयों के लिए भी इस देश की प्रसिद्धि है, तरह-तरह के चाकलेट, रंग के भले, स्वाद के रंगे ! रंगीन कपड़ों के थान जो लटक रहे हैं, क्या इनकी छपाई स्विट्ज़रलैंड में ही हुई है !

स्विट्ज़रलैंड अपने गृहउद्योग के लिए प्रसिद्ध है। वे वहाँ के किसान हैं, कारीगर हैं, जो अपने हाथ के बल और कौशल से अपने देश को सुखी-सम्पन्न बनाए हुए हैं और उसके राजनीतिज्ञों ने भी सदा यह बुद्धिमानी दिखलाई कि अपने देश को युद्ध से परे रखा !

सामने 'जुंग फ्राउ' है !

11 जून, 1952
इन्टरलॉकेन

वह सामाने 'जुंग फ्राउ' है और मैं अपने होटल के बरामदे में बैठा यह लिख रहा हूँ।

जिस समय यहाँ पहुँचा था, यहाँ धूप-ही-धूप थी। उस उजली धूप में जैसे 'जुंग फ्राउ' खो गई थी ! विद्यापति ने क्या खूब कहा है—

'आज पुनिम तिथि जानि मोयँ अयलौं उचित तोहर अभिसार !'

गोरी देह की कामिनी पूर्णिमा की चाँदनी में खो गई ! जुंग फ्राउ की उजली चोटी धूप में खो गई थी।

किन्तु अब, जब सूरज देवता डूबने जा रहे हैं, जुंग फ्राउ का रूप-रंग निखरता जा रहा है। एक हलका, बहुत ही हलका नारंगी रंग उसे रँगता जा रहा है। हरी धरती और नीले आसमान के बीच एक धीमी सुनहरी चोटी जैसे उठ रही हो, खिलती जा रही हो !

ज्यों-ज्यों देखता हूँ, रंग गाढ़ा हो रहा है ! राख उड़ती जा रही हो, अंगारा चमकता जा रहा हो।

उसके ऊपर बादलों के कुछ टुकड़े मँडला रहे हैं। उसके दोनों ओर दो धूसर पहाड़ियाँ दिखाई पड़ती हैं ! बीच में जुंग फ्राउ के ठीक नीचे, वह हरी-भरी पहाड़ी टोकड़ी है, जहाँ से घूम-फिरकर अभी-अभी लौटा हूँ।

बगल की ये दो पहाड़ियाँ लगती हैं, जुंग फ्राउ की ये सहचरियाँ हों या बीच में महारानी; दोनों बग़ल में दो चमरधारिणी ! हाँ चमरधारिणी कहना ज्यादा सार्थक होगा—देखिए न, उनकी चोटियों पर उजली-उजली बरफ चमक रही है !

हमारे यहाँ नदी की कल्पना स्त्री रूप में और पहाड़ की कल्पना पुरुष रूप में होती आई है। फिर न जाने क्यों, इस पहाड़ का नाम 'जुंग फ्राउ' रखा गया, जिसका अर्थ होता है, 'नई दुलहिन' !

लेकिन नहीं, मैंने गलती की। यह तो पहाड़ नहीं, आल्पस पहाड़ की एक चोटी है। जिन्होंने हमारे हिमालय पहाड़ की एक चोटी का नाम कंचनजंघा रखा, क्या उन्होंने कोई ग़लती की थी !

पहाड़ की चोटियाँ—'सोने की जाँघवाली' या 'नई दुलहिन'—क्या सूझ है !

किन्तु इस 'नई दुलहिन' पर तो कल लिखना है। कल भोर में उसकी चोटी पर जा रहा हूँ। अभी तो दो-चार शब्द इसलिए लिखना पड़ा कि इस बरामदे पर बैठा नहीं कि वह नजर के सामने आ गई।

अरे, थोड़ी देर में ही वह क्या बन गई है ? अब तो वह तपे सोने-सी, कुन्दन-सी चमक रही है, चमचमा रही है। कुन्दन की एक विशाल ऊर्ध्वगामी स्तूप-सी वह लग रही है अब ! क्या किया जाए, उसे देखते रहा जाए या लिखा जाए—दोनों काम एक साथ हो, यह तो दुस्साध्य ही लगता है !

किन्तु लिखना तो छोड़ा नहीं जा सकता। इसके लिए मुश्किल से तो समय निकाल पाता हूँ। जहाँ थोड़ी फुरसत मिली, लिखने लगता। अन्य लोगों की क्या बात, अपने साथी भी मेरी इस ख़ब्त से हैरत में रहते हैं।

देशपांडे उस दिन कह रहे थे, यह अद्भुत साधना साध ली है आपने कि जब चाहा, लिख लिया !

हाँ, साधना ही तो है—पैंतीस वर्षों की साधना !

जब आज भोर में जिनेवा से इन्टरलॉकेन के लिए चला, लगा, स्वर्ग के एक अंचल से दूसरे अंचल की ओर जा रहे हैं।

सामने वह झील—लेक लेमन ! उसके परे वह पहाड़ी, जिस पर बादलों की आँख-मिचौनी। झील के किनारे बगीचे—फल लटक रहे, फूल खिल रहे। वह एक सघन पेड़, लाल फल—क्या वह हमारी लीची है ? नहीं, स्ट्राबेरी है ! कैसी खट-मीठी लगती है वह पीनेवालों के लिए अमृत !

तरह-तरह के पेड़—फलों से लदे। बीच-बीच में खेतियाँ। देखिए, गेहूँ पक गया है ! हाँ, जून में यहाँ गेहूँ पक चुका है। और वह क्या है ? क्या सरसों ? पीले-पीले फूलों से सारा खेत लहरा रहा है। वैशाख में यहाँ माघ का मेला लगा है ! कुछ नीले फूल भी—किन्तु यह तीसी हो नहीं सकती। आलू की धारियाँ—ऊपर की लतियाँ कहती हैं, नीचे के कन्द पुष्ट हो चुके होंगे !

फिर ऊपर ध्यान जाता है—अब 'जुंग फ्राउ' लाल बन चुकी है ! लगता है, नवविवाहिता वधू ने लाल चूनर पहन ली हो ! इस लाल चूनर ने उसे भीतर-बाहर लाल-लाल कर रखा है ! क्या वह अन्तःपुर में जाने की तैयारी कर रही है ?

सामने जो मकान है, वह कितना खूबसूरत है। तीन मंजिल का यह मकान, ऊपर खपरैल है। ऊपर के दोनों मंजिल पर पतले बरामदे और उन पर पंक्तियों से फूल के गमले सजाकर रखे गए हैं। सुचित्रित गमले—सुसिंचित फूल ! लाल-लाल फूल—और लीजिए, खिड़की से दो लाल फूल झाँक उठे ! किस-किस फूल को देखोगे, कहाँ तक देखोगे ?

लूज़ान तक झील का साथ रहा। पिछली यात्रा की याद आई, एक मस्त दुपहरिया यहाँ गवाँई थी। फिर बर्न पहुँचे। इतना समय नहीं कि बर्न में ठहरा जाए—टैक्सी की और सारे शहर की एक परिक्रमा कर ली ! आरे के पुल पर खड़ा होकर इधर-उधर देखने का मज़ा लेता रहा। नदी को कितना स्वच्छ-सुन्दर बना रखा गया है !

पार्लियामेंट भवन; बड़ा गिरजाघर, मुख्य बाज़ार। यहीं एक होटल में बैठकर खाना खाया !

फिर रेल की सफर शुरू हुई। इन्टरलॉकेन झील के किनारे-किनारे रेल जा रही है। झील में स्टीमर चल रहे हैं। कैसा अच्छा हुआ होता हम स्टीमर से आए होते। किन्तु समय कम; देखना अधिक ! रेल भागी जा रही है। बगल-बगल अंगूर की खेतियाँ हैं। अंगूर की लताएँ थोड़ी-थोड़ी दूर पर पंक्तियों में लगाई जाती हैं। कमाचियों पर उन्हें चढ़ाया जाता है। वहाँ देखिए, कुछ लड़कियाँ यह शुभ कर्म किस कौशल से कर रही हैं—नाजुक लताएँ कहीं टूट न जाएँ ! इन्हें नाजुक उँगलियाँ ही सँभाल सकती हैं। अंगूर की लताओं के बीच अंगूर की बेटियाँ—इन्हें देखते ही आपको नशा नहीं चढ़ जाए, तो बाजी रख लीजिए !

इन्टरलॉकेन—इसी नाम की झील पर बसा यह शहर। यहीं से 'जुंग फ्राउ' के लिए रेल जाती है। इसीलिए इसकी बड़ी प्रसिद्धि !

आज तिपहरिया में यहाँ पहुँचा हूँ। दूसरे साथी होटल में ही रह गए थे। मैं झटपट बाहर निकला।

सबसे पहले उस बगीचे में गया, जहाँ फूलों की घड़ी है ! यह घड़ी संसार में एक अनोखी चीज़ है। सब्जियों के बीच घड़ी की बड़ी आकृति है। घंटों और मिनटों के चिह्न फूलों के हैं। घंटे और मिनट की दोनों सुइयों पर भी फूल खिले हैं। दोनों सुइयाँ घूम रही हैं। ज्यों ही घंटा बीतता है त्यों ही एक आदमी की मूर्ति आप-ही-आप घड़ियाल पर चोट करने लगती है, जितने बजे हैं, उतनी बार चोट होती है, उतनी बार घड़ियाल घनघनाता है।

फिर मैं उस पहाड़ी के निकट गया, जहाँ की झाड़ियों में विलियम हेल का 'सेब' नामक नाटक अब तक खेला जाता है—बड़े धूमधाम से। अपने देश की स्वाधीनता के लिए अपने बेटे की जान पर खेलने को प्रस्तुत वह तीरंदाज ! उसकी वही भावना है, जो इस छोटे से देश का आज तक स्वतन्त्र रखे हुए है।

घूम-घामकर, थक-थकाकर, यहाँ आया और डायरी लिखने बैठा हूँ।

अरे, नई दुलहिन अब सचमुच अन्तःपुर की ओर जा रही है ! अँधेरा छाया हुआ है।

अँधेरे में भी क्या क़लम घसीटे जा रहे हो ! जाड़ा भी तो लग रहा है—चलो, तुम भी अन्तःपुर में और उस नई दुलहिन का सपना देखते सो जाओ—ऐसी सेज फिर कब मिलेगी तुम्हें।

जुंग फ्राउ : नई दुलहिन

12 जून, 1952
इन्टरलॉकेन, स्विट्ज़रलैंड

भारत का स्वर्ग कश्मीर है। यूरोप का स्वर्ग स्विट्ज़रलैंड है। कश्मीर हिमालय की गोद में हैं, किन्तु हिमालय की सबसे ऊँची चोटी इससे दूर है। आल्पस यूरोप का हिमालय है; उसकी सबसे ऊँची चोटी ही नहीं, सबसे खूबसूरत चोटी भी स्विट्ज़रलैंड में ही है। इसलिए स्विट्ज़रलैंड की महिमा और भी बढ़ जाती है।

जैसी वह खूबसूरत चोटी, वैसा ही उसका मोहक नाम। जुंग फ्राउ—नई दुलहिन ! किन्तु इस नाम पर आश्चर्यचकित होने की आवश्यकता नहीं। हमारे हिमालय की एक चोटी 'कंचनजंघा' है !—यानी जिसकी जाँघ सोने की हो !

यूरोप यात्रा में यदि आपने जुंग फ्राउ नहीं देखा, तो समझिए यात्रा अधूरी ही रही।

जब पिछले साल आया था, चारों ओर बादल-ही-बादल छाए हुए थे। बर्न (स्विट्ज़रलैंड की राजधानी) में भाई सत्यनारायण के साथ कई दिनों ठहरे, किन्तु आकाश साफ नहीं हुआ। उनकी मोटर से ठून तक आए, इन्टरलॉकेन की झील की शुरुआत देखी, वहीं से पहाड़ी चोटियों की झाँकियाँ ली और लौट गए।

क्या इस बार बिना जुंग फ्राउ देखे लौट सकते थे। कल उसकी अलग से झाँकी ली, आज उसका गाढ़ालिंगन करके लौटा हूँ। अभी तक सारे शरीर में रोमांच है। भोर में इन्टरलॉकेन से हमारी गाड़ी चली। ज्यों ही गाड़ी पहाड़ियों के बीच पहुँची, मन-प्राण तृप्त होने लगे।

ये झुरमुटें, ये चकमक फूल, ये उछलते नाले, ये लम्बे-लम्बे पेड़, ये गगनचुम्बी चोटियाँ ! हाँ-हाँ, गगनचुम्बी चोटियाँ ! अरे, वहाँ देखिए, उस चोटी पर से वह धुआँ-धुआँ क्या झड़ रहा है ? धुआँ का स्वभाव है ऊपर उठना, यह नीचे क्यों झड़ा जा रहा है। समझे ? यह धुआँ नहीं है। वहाँ से एक झरना झड़ रहा है, उसका पानी छोटे-छोटे कणों में विभक्त हो, यहाँ से धुआँ-धुआँ-सा दीख रहा है।

और वह भी झरना ही है, जिसे आप उस पहाड़ी से चाँदी की चमचम लकीर-सी नीचे की ओर आती दीख रहे हैं। लगता है, गली हुई चाँदी नीचे बही आ रही हो !

नीचे ये फूल—कितने रंग के, कितने आकार के। किसी ने इन्हें रोपा है ? किसी ने इन्हें सींचा है ? ठेठ प्रकृति की देन हैं ये। उसी के आँचल से इनके बीज झड़े, उसी की नमी ने इन्हें पहाड़ फोड़कर जमने को बाध्य किया, उसी की कृपा-वृष्टि ने इन्हें सींचा, बढ़ाया। जो तुरन्त बीज कण थे, वे सुन्दर पुष्प के रूप में प्रस्फुटित हुए। आप इनके रंग गिन सकेंगे ? गिनिए—लाल, बैंगनी, नीला, पीला, गुलाबी, वसन्ती—कहाँ तक गिनिएगा ! अधिक-से-अधिक दस रंगों का आप नाम दे सके हैं। किन्तु रंग क्या इतने ही हैं—वे फूल ठठाकर आपकी भाषा की असमर्थता पर हँस रहे हैं।

रंगों की क्या बात—क्या आप सभी फूलों को ही नाम दे पाए हैं !

यह लीजिए, यह गाड़ी एक स्टेशन पर रुकी ! यह स्टेशन है या खिलौनाघर ! काठ के बने हैं ये—किन्तु कई रंग के काठ लगाकर इनकी शोभा कैसी अद्‌भुत कर दी गई है। पीले

काठ का घर—लाल काठ की खिड़कियाँ ! घर के चारों ओर फूलों के गमले ! खिड़कियों पर भी फूलों के गमले।

एक बड़ा पहाड़ी नाला है। दूध-सा सफेद पानी उछलता हुआ बह रहा है। फेन की तरह झाग उबल रहे हैं। हमारी रेल गाड़ी इसी नाले का अनुसरण कर रही है। कभी नाला छिप जाता है, कभी प्रकट भी होता है, कभी बाएँ पड़ जाता है, कभी दाहिने हो जाता है। इंजीनियर चतुर था—प्रकृति के बनाए रास्तों का सदुपयोग क्यों न करे ?

गाड़ी धीरे-धीरे जा रही है, ऊपर चढ़ रही है न ? लेकिन अपने दाहिने तो देखिए, वह भी तो गाड़ी ही है—अरे, ऊपर से नीचे इस तरह जा रही है जैसे केंचुआ ससर रहा हो। कहीं इंजिन फेल कर गई ? धड़ाम गिर पड़ेगी—कहाँ गिर पड़ेगी ? इस खड्ड में क्या उसका नामोनिशान भी ढूँढ़ा जा सकेगा ?

किन्तु आप चिन्ता न कीजिए। इंजिन फेल होने पर भी यह गिर नहीं सकेगी ? वह इंजीनियर आपसे भी होशियार था—जिसने यह असाध्य साधन किया।

दूसरा स्टेशन, तीसरा स्टेशन ! यहाँ गाड़ी अधिक रुकेगी। कुछ लोग उतर रहे हैं और उस होटल की ओर बढ़ रहे हैं। होटल के बगल में वह क्या लिखा है ? आँखें तो धोखा नहीं दे रहीं, लिखा है—'बाजार' भारत का बाजार इस स्विट्ज़रलैंड में ? इस पहाड़ी में, इस जंगल में हमारा 'बाजार' यह शब्द यहाँ आया—कौन लाया।

अपने पर अभिमान हो रहा है, अपनी भाषा पर अभिमान हो रहा है ! बाजार का अर्थ यहाँ है वह दुकान, जहाँ सब तरह की आनन्द-प्रसाधन की चीज़ें प्राप्त हो जाएँ !

गाड़ी चली और अब लीजिए, आँखों के सामने बर्फ-ही-बर्फ ! उजली बर्फ, चमकती बर्फ ! क्या खाली आँखों से आप उसे देख सकते हैं यदि सूरज की रोशनी उस पर पड़ती हो ?—ज्यों ही उस चमकती बर्फ की राशि पर नजर पड़ती है, आप-से-आप आँखें मूँद जाती हैं। इसीलिए तो कल ही रंगीन चश्मा खरीद लिया। गाढ़े नीले चश्मे के बावजूद बर्फ कैसी चमकती दिखाई पड़ती है।

लीजिए, यह सुरंग शुरू हुई। अब बर्फ और सुरंग-सुरंग और बर्फ है न—कैसी आँख-मिचौनी।

और यह स्टेशन और यह आखिरी सुरंग ! यह सुरंग—इंजीनियरिंग का एक अद्‌भुत कौशल। स्वीस इंजीनियरों ने इसका निर्माण कर संसार में अपना रोब जमाया है।

जुंग फ्राउ की अपूर्व शोभा की चर्चा सारे यूरोप में थी, कुछ साहसी पर्वतारोही वहाँ पहुँच भी सके थे। किन्तु वह शोभा सर्वसाधारण के लिए सुलभ हो सकती है, इसकी कल्पना भी नहीं की जाती थी।

1893 में ज्यूरिख को प्रसिद्ध स्वीस इंजीनियर अडॉल्फ ग्वेयर जेलर इस ओर अपनी बेटी के साथ गरमियाँ बिताने आया था। एक दिन वह घाटियों के बीच टहल रहा था कि उसकी दृष्टि जुंग फ्राउ पर पड़ी और वह विस्मय-विमुग्ध होकर उसे देखता रह गया। उसी समय उसने मन-ही-मन निर्णय कर लिया, वह ऐसे रेलपथ का निर्माण करेगा, जिससे जुंग फ्राउ के दामन तक मानव आसानी से पहुँच सके। 26 अगस्त की भोर में उसने ऐसा निश्चय किया और उसी रात में इसके लिए उसने उस पथ का एक ख़ाका भी बना लिया।

उन्नीस वर्षों तक वह लगातार काम करता रहा। रास्ते ढूँढ़ें, सड़कें बनाईं, पुल बनाए, सुरंगें बनाईं और 1 अगस्त, 1912 को जुंग फ्राउ तक रेल ले जाने में वह समर्थ हो सका।

जुंग फ्राउ का यह अन्तिम स्टेशन ग्यारह हजार तीन सौ चालीस फीट की ऊँचाई पर है। यह स्टेशन पहाड़ के नीचे है, उसके ऊपर तो बर्फ की अनन्तराशि पड़ी हुई है। स्टेशन

से लिफ्ट के द्वारा ऊपर पहुँचा जाता है।

यह गाड़ी बिजली द्वारा चलाई जाती है। जुंग फ्राउ के निकट के दो झरनों से ही बिजली पैदा की जाती है। रेल नीचे से ऊपर की ओर ससरती है। जब कभी बिजली फेल हो जाए, तो भी गाड़ी नीचे की ओर नहीं खिसक सके, वहीं-की-वहीं खड़ी रहे। इसके लिए इंजिन में ऐसी तरकीबें लगा दी गई हैं कि वहाँ भी बिजली बनती रहे। गाड़ी के पहियों में इस प्रकार के ब्रेक भी लगे हैं कि वह जहाँ-की-तहाँ रुकी रहे।

स्टेशनों पर पहुँचते ही यात्रियों की उमंग का क्या कहना ? लड़कियों की क्या बात, बुढ़ियाँ तक नाचने और गाने लगीं। हम लोग बच्चों की उमंग से स्टेशन में घुसे। पहाड़ के भीतर यह स्टेशन है. किन्तु बिजली द्वारा रोशनी और हवा का ऐसा प्रबन्ध है कि लगता है, यह साधारण स्टेशन है।

स्टेशन के छोर पर एक बरामदा है, जिस पर खड़े होकर आप जुंग फ्राउ को देख सकते हैं। हम तेजी से वहाँ पहुँचे और आँखों पर रंगीन चश्मे लगाकर देखने लगे। वहाँ कई बड़ी-बड़ी दूरबीनें भी हैं, हमने उनका भी प्रयोग किया।

किन्तु नीचे से दूरबीन लगाकर देखने पर वह मज़ा कहाँ ? झट लिफ्ट से मैं ऊपर चला और लीजिए, मैं बर्फ पर खड़ा हूँ।

हाँ, जिन्दगी में पहली बार मैं बर्फ पर खड़ा था। मैंने समझा था जमी हुई बर्फ होगी, पैर फिसलते होंगे। किन्तु वहाँ पाया, नहीं ! बर्फ के नन्हे टुकड़े हैं बड़े मुलायम। उन पर पैर रखकर चलिए तो खूब घासवाली जमीन पर चलने का आनन्द आता है। जिस तरह घासवाली जमीन में पगडंडी बनी होती है, वहाँ भी पगडंडियाँ थीं। मैं एक पगडंडी को पकड़कर दौड़ा। इच्छा होती थी, इधर-उधर दौड़ता रहूँ। किन्तु एक अनुभवी व्यक्ति ने कहा–अरे, जरा सँभलकर। बर्फ के नीचे कहीं-कहीं पोपली जगहें हो सकती हैं, वहाँ पैर पड़े कि आप धँसे। कौन निकाल सकता है ?

तो भी इच्छा होती थी, दौड़ता ही रहूँ। ऐसी शुभ्र, शीतल, सुन्दर, बेदाग जगह कब्र पाना भी क्या कम सौभाग्य की बात हो सकती है ? यह जानता ही था बर्फ में जो गड़ जाते हैं, उनका शरीर कभी सड़ता नहीं। सैकड़ों-हजारों वर्ष बाद भी वह वैसे-का-वैसा बना रहता है ! जहाँ सड़न है, बदबू है, पिल्लू है या आग है, लपट है, झुलस है–वैसी जगहों में मरने की अपेक्षा इस बर्फ की राशि में अनन्त समाधि पाना कहीं सुन्दर है, सुरुचिपूर्ण है।

तो भी जीने की कैसी लालसा। सँभलकर, पैर बचाकर आगे बढ़ा और वहाँ पहुँचा, जहाँ एक ऊँची चबूतरानुमा जगह पर स्विट्ज़रलैंड का झंडा लहरा रहा था। वहाँ से आप चारों ओर का पूरा दृश्य भरपूर देख सकते हैं।

झंडे के नीचे खड़ा हूँ एक ओर जुंग फ्राउ हैं और दूसरी ओर मोंच। मोंच लगता है, ऊँचाई में बड़ा है। किन्तु बात ऐसी नहीं है, जहाँ खड़ा हूँ, वहाँ से मोंच निकट है। जुंग फ्राउ दूर। मोंच को भाई कहिए, जुंग फ्राउ को बहन। बहन बड़ी है (तेरह हजार छः सौ सत्तर फीट) भाई छोटा है (तेरह हजार चार सौ पैंसठ फीट) और यह बात भी है ही कि भाई से बहन कहीं अधिक खूबसूरत है। बहनें खूबसूरत होती ही हैं–आकर्षण की केन्द्र, प्यार की केन्द्र।

सामने मुँह करके एकटक जुंग फ्राउ–यूरोप की इस नवेली दुलहिन को देख रहा हूँ। वह अपनी पूरी शान के साथ खड़ी है–शुभ्र, श्वेत ! सूर्य की किरणों से उसका सारा शरीर चमचम कर रहा है। लगता है, वह अभी हँस पड़ेगी, अट्टहास कर उठेगी। उसके रोम-रोम खिलखिला रहे हैं, इतना तो अनुभव कर ही रहा हूँ।

बहुत दिन हुए, कला गुरु रवीन्द्रनाथ ठाकुर का एक चित्र देखा था—एक ऐसी ही बर्फ के स्तूप के सामने एक ऋषि खड़े हैं और उनके मुँह से अचानक निकल पड़ा है—कस्मै देवाय हविषाविधेम् !

हाँ, ऐसी जगहों में बुद्धि में यह सन्देह पैदा हो जाता है कि पूजनीय, अर्चनीय क्या है ? प्रकृति का यह शाश्वत सौन्दर्य या पुरुष का वह पराक्रम जो इस सौन्दर्य को सुलभ बना देता है !

ऊपर वह जुंग फ्राउ है, नीचे वह स्टेशन है—हमारी हविष का पात्र कौन है ? पुरुष या प्रकृति !

किन्तु, क्या यहाँ अधिक तर्क-वितर्क भी किया जा सकता है ? अजी देखिए, देखिए, पुरुष का पराक्रम बार-बार देखने को मिलेगा, प्रकृति का ऐसा सौन्दर्य तो विरल ही प्राप्त होता है।

इस झंडे के नीचे खड़ा होकर एक ओर दृष्टि डालिए, तो तेरह मील तक फैली वह ग्लेसियर—हिमानी दीख पड़ेगी; जो यूरोप की सबसे बड़ी ग्लेसियर है। तेरह मीलों तक फैली बर्फ की एक लम्बी, सुहानी चादर दपदप, चमचम ! दूसरी ओर, कुछ दूर तक बर्फ-बर्फ, फिर एक भारी खड्ड और उसके परे हरे-भरे जंगल। यदि आप सामने की बर्फशाला पर चढ़ जाएँ, तो वहाँ से दूरबीन द्वारा आप वह 'काला जंगल' (ब्लेक फारेस्ट) देख सकेंगे जो जर्मनी तक फैला हुआ है और जहाँ 1914 के युद्ध में जर्मन सेना को पराजय पत्र पर हस्ताक्षर करना पड़ा था !

पाकेट से गाइडबुक निकालकर चारों ओर की चोटियों, ग्लेसियरों, घाटियों को पहचानना चाहता हूँ, किन्तु इसमें जो समय लगता है, वह सारे मजे को किरकिरा कर डालता है। क्या सौन्दर्य के उपयोग के लिए यह आवश्यक है कि नाम-धाम की भी पूरी जानकारी कर ली जाएँ ?

एक ओर जुंग फ्राउ, एक ओर मोंच, एक ओर यह ग्लेसियर, दूसरी ओर वह हरा जंगल—आसमान में बादल के गाले उड़ रहे हैं, वे कभी-कभी इन पहाड़ियों की चोटियाँ चूमते-से नज़र आ रहे हैं—अरे, गाइडबुक जेब में रखिए, देखिए, आँखों को तृप्त कीजिए। फिर उछलिए, कूदिए, बर्फ के टुकड़े उठाकर फेंकिए, देखिए, आप की भुजा की ताकत की पहुँच कहाँ तक है ? फिर, जाड़ा है तो क्या, बर्फ के कुछ टुकड़े मुँह में रखिए, हँसिए-हँसाइए, चित्र खींचिए-खिंचाइए !

जाड़ा लग रहा है, आप ठिठुर रहे हैं। अपनी गरम पोशाक और ऊनी मोज़े के अतिरिक्त आप नीचे से खास इसी के लिए बनाए, लबादे और जूते पहन आए हैं, तो भी आप काँप रहे हैं। नीचे चलिए, कुछ पीजिए, कुछ खाइए, गरमाइए !

किन्तु उसके पहले ज़रा इस बर्फ-महल को भी देख लीजिए। बर्फ को काटकर यह बर्फ-महल बनाया गया है। बर्फ की ही छत, बर्फ की ही गच, बर्फ की गलियारी से बढ़े चलिए। यह बर्फ की मोटरगाड़ी पोर्टिको में खड़ी है। बर्फ की कुरसियाँ हैं, बर्फ की मेज है, मेज पर बर्फ की बोतलें हैं, बर्फ के प्याले हैं।—क्या बर्फ की शराब पीजिएगा ? और, बर्फ के इस नाचघर में नाचना कैसे छोड़ा जा सकता है ? देखिए, कितनी जोड़ियाँ नाच रही हैं ! नाचती हैं; फिसलती हैं, गिरती हैं, चिपकती हैं, उठती हैं, उठाती हैं, फिर नाचती हैं। आप नहीं नाचिए, तो भी आपकी धमनियों के रक्तकण तो नाच ही रहे हैं ! बोलिए, ईमान से बोलिए, बात यह हैं कि नहीं।

और कुत्ते की गाड़ी पर नहीं चढ़िएगा ? यदि यह शौक पूरा नहीं हुआ, तो यात्रा अधूरी

ही रहेगी। सुरंग के ही रास्ते बढ़ते चलिए। उसके मुँह पर आए नहीं कि फिर बर्फ का सागर लहरा उठा। वह आगे बर्फ की गाड़ी है, जिसमें कई कुत्ते जुते हैं। छोटे-छोटे कुत्ते—हाँफ रहे हैं। कुछ पैसे दीजिए, गाड़ीवान इस गाड़ी पर थोड़ी दूर तक सैर करा लाएगा। पैसे की क्या परवाह ? किन्तु डर जो लगता है, बगल में कैसा ढ़ालुवाँ है ? कहीं कुछ हो गया तो ? बहुत से लोग देखकर ही लौट रहे हैं। किन्तु मैं बढ़ा, देशपांडे ने साथ दिया। दोनों साथी इस कुत्ता गाड़ी का भी मज़ा लिया। कुत्ते कितने बलिष्ट, कितने सधे। निश्चित रास्ते पर ही ले गए और ले आए।

होटल में आकर भोजन किया। बड़ी थकावट थी। पहले कुछ पी लीजिए, यहाँ पीना गुनाह नहीं है ! तौबा तोड़ने को इससे बढ़कर कौन जगह मिलेगी ? यह स्वर्ग है, सामने वह उर्वसी है, यह अमृतघट है—गटागट पीजिए, अमरता प्राप्त कीजिए ! फिर जो रुचे खाइए और जाइए !

हाँ, चलिए। यों तो कहा जाता है, यात्रियों को एक रात वहाँ विश्राम करना चाहिए, जिसमें भोर में उगते हुए सूरज का सौन्दर्य देखा जा सके। किन्तु हमारी यात्रा का तो पूरा कार्यक्रम पहले से बँधा है। हमें लौटना ही है। हम लौटे।

ऐसा प्रबन्ध है कि लौटना दूसरे रास्ते से होता है। इससे यह सुविधा होती है कि यहाँ के पर्वतीय सौन्दर्य को हम कई पहलुओं से देख पाते हैं।

चोटियों की बर्फ से, घाटियों की हरियालियों से नेत्रों को तृप्त करते हम लौट रहे हैं। रेल के आसपास जो झाड़ियाँ हैं, उनमें तरह-तरह के फूल खिले हैं। तरह-तरह की पंछी उड़ रहे हैं, कलरव कर रहे हैं। रास्ते में नाले मिलते हैं, झरने मिलते हैं। कई बार छोटी-बड़ी सुरंगों को भी पार करना पड़ा है।

बीच में एक ऐसा स्टेशन आया, जहाँ लोग एक ट्रेन छोड़ देते हैं। यहाँ से ऐसा प्रबन्ध है कि बिजली से खींची जानेवाली लटकती कुरसियों पर बैठकर आप एक पहाड़ी की चोटी तक चले जाएँ और वहाँ से आलप्स की सारी चोटियों को एक ही साथ देख लें। हम लोगों ने ट्रेन तो छोड़ दी, किन्तु वर्षा होने लगी। यारों ने कहा, अब हम क्या देखेंगे ? हम निराश ही हो रहे थे कि अचानक बादल छँट गए, धूप खिल उठी। हम उस लिफ्ट के स्टेशन पहुँचे। देखा, किस तरह कुरसियाँ हवा में झूलती हुईं, एक मोटे डोर के सहारे आगे बढ़ती जा रही हैं। अब क्या अपने को रोका जा सकता था ? झट एक जुड़वीं कुरसी पर मैं देशपांडे के साथ बैठ गया और देखिए, देखते-देखते यह छूमन्तर !

आप क्रमशः ऊपर जा रहे हैं। ज्यों-ज्यों ऊपर पहुँचिए, त्यों-त्यों पहाड़ियों के सौन्दर्य से आँखें निहाल हो रही हैं। अभी वर्षा हुई थी यह बरदान हो गया। प्रकृति जैसे अभी स्नान करके शृंगार कर रही हो ! हाँ, संध्या भी होने जा रही है ? बर्फीली चोटियों पर सोने का पानी फिर रहा है जैसे।

अरे, यह क्या ? उधर दाहिनी ओर देखिए—वे क्या हैं ? ओहो ! कई इन्द्रधनुष एक साथ उग गए हैं। एक के ऊपर एक यों जोड़ा इन्द्रधनुष मैंने कई बार एक साथ उगा देखा है। किन्तु यहाँ तो कई इन्द्रधनुष—कोई इधर, कोई उधर कई—एक-दूसरे को काटते हुए ! यह कैसे हुआ ? क्यों हुआ ? यह बादल और सूर्यकिरणों की आँख-मिचौनी का करिश्मा है, जो भिन्न-भिन्न घाटियों की पृष्ठभूमि में उन्हें भिन्न-भिन्न आकार ग्रहण करा रहा है—हाँ, सब-के-सब सतरंगी ! कितना देखूँ—कितनी आँखों से देखूँ—सुन्दर, अति सुन्दर !

एक रस्से के सहारे हम ऊपर की ओर जा रहे हैं, दूसरे रस्से के सहारे कुछ लोग नीचे आ रहे हैं। आनेवाले जब हमारे निकट पहुँचते हैं, हाथ हिलाने लगते और 'चियर यू' कहने

लगते ! एक लड़की ने अभी कमाल ही किया है। बार-बार अपने हाथ को होंठ पर ले जाती फिर उसे हिलाती, यह क्या बात ? देशपांडे पुराने खिलाड़ी ठहरे, उन्होंने वैसा ही किया—लड़की ठट्ठा मारकर हँस पड़ी ! ओहो दूर-दूर से यह चुम्बन का कैसा आदान-प्रदान ! दो बच्चे आ रहे, वे तो उछल रहे हैं कि लगता है, कुरसी पर से नीचे जा गिरेंगे।

पहाड़ की चोटी तक पहुँचने में तीन स्टेशन पड़ते हैं। स्टेशन पर पहुँचकर हमारी कुरसी एक छावनी के भीतर घुस जाती है, वहाँ टिकटें देखी जाती हैं, फिर एक झटके के साथ कुरसी आगे बढ़ती है।

लीजिए, यह अन्तिम स्टेशन है और हम लोग आज के अन्तिम यात्री भी हैं। सूरज डूबने जा रहा है। दिन भर का ही यह कारबार है। स्टेशन पर एक रेस्तोराँ है, यहाँ खाइए, पीजिए। इधर-उधर घूम-घामकर खुली आँखों से सब देखिए। फिर यह बड़ी दूरबीन लगी है। उसके चारों ओर निशान बने हैं कि कौन सी चोटी किधर है, कितनी दूर पर है, कितनी ऊँची है। यूरोप की सभी राजधानियों की दिशाएँ और दूरियाँ भी यहाँ निर्देशित हैं। कुछ पैसे देकर दूरबीन से भी देख लीजिए।

हम जब ऊपर जा रहे थे, नजर ऊपर थीं, चोटियों पर। अब नीचे जा रहे हैं, तो नीचे देख रहे हैं ! नीचे के पेड़, पौधे, कितने सुहावने लगते हैं। इन पेड़ों को देखिए—लम्बे-लम्बे ! पत्ते कितने छितनार ! ज्यों-ज्यों पेड़ बढ़ते हैं, नीचे की टहनियाँ आपसे आप झड़ती जाती हैं। घाटों में तरह-तरह के फूल—लगती थी, रंग-बिरंगी छींट की लम्बी चादर किसी ने बिछा दी हो ! हमारे नीचे जो लोग जा रहे हैं वे भी हमें देखकर हाथ हिलाते हैं। पगडंडी पर जाती हुई वह युवती किस उमंग से हाथ हिला रही है—ओहो फूली हुई कदम्ब की डाली जैसे हवा के झोंके पर बेतहासा हिल रही है !

जब हम नीचे के स्टेशन पर पहुँचे, एक आदमी ने हाथ उठाया। हमने भी हाथ उठा दिया। जब नीचे आया, उसने कहा, मैंने आपका फोटो लिया है। यदि पाँच फ्रैंक दीजिए, तो इसकी तीन-तीन कापियाँ हम आपके देश में भेज देंगे ! कहीं ठग तो नहीं रहा ! क्या हुआ, यदि पाँच सिक्के में इनकी ईमानदारी की जाँच हो गई। पैसे दे दिए।

और जब तक बम्बई पहुँचे, हमारे फोटो पहुँच चुके थे।

फिर ट्रेन। गाड़ी नीचे की ओर जैसे फिसलती हुई जा रही हो। दोनों ओर पहाड़ियाँ। पहाड़ियों में छोटी-छोटी बस्तियाँ—छिट-पुट ! काठ के ही घर। घरों के आगे फूल की क्यारियाँ, पीछे साग-सब्जियाँ ! गाड़ी के डब्बे में कुछ बच्चे चढ़े थे। इस सुहाने समाँ का प्रभाव उन पर भी पड़ा है क्या ? वे किस तरह शोर मचा रहे हैं—गा रहे हैं, चिल्ला रहे हैं।

जुंग फ्राउ—कितना आकर्षण है इस नई दुलहिन में। हमारे डब्बे में ब्राजील के, आस्ट्रिया के, जर्मनी के, स्पेन के लोग थे, जिनका पता हमें अनायास लगा। न जानें इसी ट्रेन से कितने देशों के लोग जा रहे होंगे। मर्द हैं, औरतें हैं, बच्चे हैं। वह ब्राजील की लड़की शीलाजी की साड़ी को किस ओर से घूर रही है ! वह जर्मन युवक अपनी टूटी-फूटी अंग्रेजी में शिवाजी से बातें कर रहा है !

झुटपुटे के वक्त हम इन्टरलॉकेन पहुँचे ! सोचा, एक बार उस फूल की घड़ी को फिर देख लूँ। उस बगीचे में पहुँचा। रोशनी का ऐसा सुन्दर प्रबन्ध कि सारा बगीचा चकमक कर रहा। कुंजों में प्रेम का आदान-प्रदान चल रहा है। उस मकान से संगीत की मधुरधारा फूट रही है। फूल की घड़ी की फूल की सुइयाँ आठ पर आती हैं—घड़ी से संलग्न खिलौने का चपरासी घड़ियाल पर चोट देता है, गिनिए—एक···दो···तीन···चार···

वेनिस की ओर : इटली का देहात

13 जून, 1952
इन्टरलॉकेन से वेनिस

आज भोर में ही हम इटली के लिए रवाना होने लगे। आठ बजे तक नहा-धोकर, जलपान करके, हम अपने कमरे से होटल के नीचे चले आए। वहाँ पैसे चुकाए कुछ तसवीरें खरीदीं और चल पड़े स्टेशन की ओर।

जित्तिन के लिए जो घड़ी खरीदी, कल पाया, वह अचानक बन्द हो गई है। बड़ी घबराहट हुई। मैनेजर को दे दिया था, देखें कि कहीं मरम्मत हो जाए। तब तक दुकानें बन्द हो चुकी थीं, अतः उसने वैसे ही लौटा दिया—हाँ, कहा कि यह मेरी घड़ी भी नई है, इसी कीमत की है, यदि आप चाहें, तो इसे ले जाएँ, मैं यहाँ बनवा लूँगा। बेचारा नहीं चाहता होगा कि उसके देश की शिकायत हो; किन्तु हम तो सोचने लगे, कहीं ठग तो नहीं रहा है !

(बम्बई आते-आते घड़ी फिर ठीक से चलने लगी।)

आज थोड़ी धुंध-धुंध थी। बादल के टुकड़े सामने की पहाड़ियों पर उमड़-घुमड़ रहे थे। चलती बार जुंग फ्राउ की ओर देखा—लगा, उसके अपने चेहरे पर जैसे एक झीनी चादर डाल ली हो। क्या इसमें भी वह खूबसूरत नहीं लगती थी ?

इन्टरलॉकेन में गाड़ी के जिस डब्बे में चढ़े, उसमें जगह नहीं थी। हम खड़े थे। कन्डक्टर गार्ड आया, उसने कहा, सेकेंड क्लास में जगह नहीं है, तो चलिए फर्स्ट क्लास में बैठिए, वहाँ खाली सीटें हैं। अपने देश का अनुभव था, सोचा, मुफ्त के अधिक पैसे लग जाएँगे, थोड़ी देर खड़े-खड़े ही चलें। कहा, हमारे पास सामान हैं, इन्हें छोड़कर कहाँ जाएँ। उसने कहा—सामान की जिम्मेवारी तो मेरी है ! तब खुलकर कह दिया, हम अधिक पैसे खर्च नहीं करना चाहते। वह मुसकराया, बोला—अधिक पैसे लगाने की बात कहाँ है ? आपको हमने टिकटें काट दीं; तो यह जिम्मेवारी हमारी है कि आपको जगह दें। सेकेंड क्लास में जगह नहीं दे पाए, तो फर्स्ट क्लास के हक़दार आप हो ही गए ! फिर जहाँ सेकेंड क्लास में जगह खाली होगी, आपको हम सूचना दे देंगे। हाँ, यह भी देखेंगे के आप लोगों के लिए चार सीटें एक ही जगह मिल जाएँ !

गाड़ी जा रही है। हम लोग तृषित नेत्रों से, चुपचाप ज़मीन को देख रहे हैं। वह झील हैं, वे पहाड़ियाँ हैं, वे बगीचे हैं, वे खेत हैं ! नावें पाल उड़ा रही हैं, बादल चोटियों से लिपट रही हैं, बगीचे फलों से लदे हैं, खेत फूलों और अनाजों से भरे हैं। इच्छा नहीं होती कि इस खूबसूरत देश को छोड़ें—किन्तु छोड़ना ही पड़ रहा है ! गाड़ी द्रुतवेग से भागी जा रही है।

हमारे डब्बे में एक झुंड भारतीय हैं। ये लोग गुजराती हैं, छः लड़कियाँ, दो नौजवान ! वाह, क्या कहने, अपने देश में तीन यात्रियों में स्त्री-पुरुष का यही अनुपात रहता है ! एक झुंड स्त्रियाँ निकलती हैं, बस दो-चार मर्द ले लिये ! ये लोग पढ़े-लिखे हैं। झुंड का नायक व्यापारी है, लन्दन में उसकी दुकान की शाखा है !

रास्ते में गाड़ी बदलनी पड़ी। पेरिस से मिलान तक एक 'थ्रू ट्रेन' जाती है, हमने उसे पकड़ा।

गाड़ी भागी जा रही है, हम स्विट्ज़रलैंड को पीछे छोड़ते जा रहे हैं। स्विट्ज़रलैंड और इटली के बीच एक लम्बा दर्रा है, इसी में यूरोप की सबसे बड़ी सुरंग है। जब रेल सुरंग में घुसने जा रही थी, हमने स्विट्ज़रलैंड को भर आँखों देख लिया ! क्योंकि यह सुरंग हमने पार की और हम इटली में पहुँच गए !

और यह इटली का पहला स्टेशन है। अरे, थोड़ी देर ही लगा कि दूसरे लोक में आ गए। देशों की सीमाएँ कृत्रिम नहीं होतीं। मानता हूँ, अब होने लगी हैं, किन्तु पहले ऐसी बात नहीं थी। अगल-बगल के दो देशों में भी, कितना अन्तर होता है। फ्रांस से ज्यों ही स्विट्ज़रलैंड में घुसिए आप कह सकेंगे, यह दूसरा देश आ गया। स्विट्ज़रलैंड से इटली में घुसे और स्पष्ट लक्षित हुआ, हाँ, यह दूसरा देश है।

धूप तेज है, गरमी अधिक है। लोगों के चेहरे पर ललाई की जगह उजलापन (पिलापन कहिए) अधिक है। नाक काफी ऊँची है। फेरीवाले चिल्ला-चिल्लाकर चीजें बेचते हैं। फेरीवालों की तादाद भी अधिक है और वे एक-दूसरे से प्रतिद्वंद्विता करते-से लगते हैं। लगता है, हमारा देश अब हमसे अधिक दूर नहीं है !

लंच का थैला मिल रहा है। सस्ता पड़ेगा—ख़रीद लीजिए। कागज का यह थैला—सब कुछ है इसमें। गोश्त है, रोटी है, पनीर है, सब्जी है, नमक है, दाँत खोदने की लकड़ी है और पीने के लिए यह लाल बोतल है ! आपको प्यास लगी है, पानी चाहते हैं ? अजी साहब, यहाँ की प्यास लाल पानी से ही बुझती है ! और यह लाल पानी ख़ास इटालियन है—ज़रा बोतल में मुँह तो लगाइए ! या कागज का यह गिलास है, उसी में डालकर चखिए !

इटली में ज्यों-ज्यों घुसते गए, यह स्पष्ट होता गया यह देश मुख्यतः कृषिप्रधान है ! गेहूँ की फसल पक रही है। जहाँ देखिए, वहीं लाल-लाल बालियों से भरे खेत ! फसल अच्छी लगती है, बालियाँ पुष्ट लगती हैं। कहीं-कहीं कटनी भी शुरू हो गई है। कटनी के कई तरीके—कहीं लोग हाथ से काट रहे हैं। किन्तु अपने देश की तरह हँसिया लेकर, झुककर नहीं। एक डंडे के सिर पर हँसिया बँधी है, खड़े-खड़े इस डंडे के सहारे हँसिया को गेहूँ की जड़ में लगाते हैं और बेचारे गेहूँ के पौधे कटकर गिर पड़ते हैं। गिरते हैं, बड़े सलीके से, एक सिरहाने ! इधर-उधर नहीं बिखरते। कहीं-कहीं घोड़े जुती हुई मशीन से कटाई होती है, कहीं-कहीं विशुद्ध मशीन से भी।

खेतों में पुलियाँ पड़ी हुई हैं, बोझे पड़े हुए हैं। बोझे सिर पर नहीं ढोए जाते—घोड़ागाड़ी या बैलगाड़ी पर उन्हें ढोकर ले जाते हैं ! यूरोप में यह पहली बार बैलगाड़ी देखने का अवसर मिला है ! यही नहीं, वहाँ देखिए, बैलों से वहाँ जुताई भी की जा रही है। तभी तो कहता हूँ, अपना देश अब अधिक दूर नहीं जान पड़ता।

खेतों में मर्द काम कर रहे हैं, औरतें काम कर रही हैं, बच्चे भी काम कर रहे हैं ! बच्चे काम करें, यह भी यहीं देखा। अभी तक बच्चे को खेलते या पढ़ते ही देखा था ! लोगों के शरीर पर कपड़े भी कम हैं—मर्द प्रायः नंगे बदन हैं; बस, कमर में पैंट मात्र। हाँ, सिर पर टोप है—धूप कड़ी है न ? औरतों की चोली और घाघरा भी अपने देश की निकटता की सूचना देते हैं।

गेहूँ की कटनी हो रही है और मकई के पौधे लहरा रहे हैं। मकई के पौधे छोटे-छोटे भी कहीं-कहीं; किन्तु ज्यादातर कमर भर के। कहीं-कहीं धनबाल भी निकल रहे हैं उनमें ! इनके पौधे भी पुष्ट, गहरे हरे रंग के हवा में मस्ती से झूल रहे हैं वे !

लगता है, गेहूँ और मकई यहाँ की प्रमुख फसलें हैं। यों दूसरे अनाजों के भी पौधे दिखाई पड़ रहे हैं। कई जगह धान उग रहा है, उसके खेत में पानी छल-छल बह रहा था, बीट की फसल भी काफ़ी पैमाने पर देखी। मसूर की तरह के कुछ पौधे भी दिखाई पड़ते थे, न जाने वे क्या थे ? घास की खेती भी हर जगह पाई—जब पशु पालते हैं, तो उनके लिए खेत का कुछ अंश तो निकाल ही देना चाहिए।

खेत की मेड़ों पर यहाँ प्रायः छोटे-छोटे पेड़ लगे देखे। कतार में वे पेड़, झुरमुट बाँधे,

बड़े लुभावने लगते थे। जिन खेतों में कटनी हो गई है, इन पेड़ों के चलते, वे खेत भी सुहावने लगते हैं। ये शहतूत के पेड़ हैं, इन पर रेशम के कीड़े पाले जाते हैं, फल भी मिलता है।

बहुत से खेतों में, खासकर साग-सब्जी के खेतों की मेड़ों पर अंगूर की लत्तियाँ भी प्रायः देखीं। कतार में पतली-पतली कमाचियाँ गाड़ दी गई हैं, अंगूर की लत्तियाँ उन्हीं के आसरे बढ़कर ऊपर छितनार-सी बनी हैं। लगता है, वे हाथ-हाथ बढ़ाकर एक-दूसरे से आलिंगन करने को व्याकुल हों।

साग-सब्जियों में आलू, गोभी, प्याज, लहसुन, टमाटर और सलाद की क्यारियाँ प्रायः दिखाई पड़ती थीं। अपने प्याज को पहली बार यूरोप में देखा—लम्बी-लम्बी उनकी डंठलें हैं तो नीचे गोल-गोल बैठे भी होंगे।

दूर-दूर पर गाँव। गाँव में प्रायः ही गिरजाघर के कलश दिखाई पड़ते। सिलोने ने कहाँ था न, मेरे देश में धर्म का इतना प्रभाव अब तक है कि वहाँ कम्युनिज्म जड़ जमा नहीं सकती !

किसान मेहनती तो लगते थे, किन्तु वे सम्पन्न नहीं मालूम होते। बदन पर न वैसा गोश्त, न चेहरे पर वैसा रंग। पोशाक भी अधिक नहीं, जो है, वह भी अच्छी नहीं। लड़कियों की पोशाक भी चमकीली-भड़कीली नहीं। स्विट्ज़रलैंड की तरह गुलथुल बच्चों का भी अभाव !

देहात की सड़कें भी पक्की और सुथरी। उन पर मोटरें, ट्रक, साइकिलें, मोटर साइकिलें प्रायः दौड़ती दीखती। देखिए, वह मोटर साइकिल, पिछली सीट पर वह लाल घाघरेवाली लड़की उड़ती जा रही है !

क्या निकट में कोई शहर है ?

हाँ, गाड़ी 'मिलान' पहुँची। पं. रामनरेश त्रिपाठी ने इसे 'मिलन' बना दिया था। किन्तु, यहाँ यह 'मिलानो' है।

इटली भी यहाँ 'इतालिया' है !

अंग्रेजों के अनुकरण पर हम नामों का उच्चारण कर अपने को कितना धोखे में रखते हैं !

मिलानो में गाड़ी बदलती हैं, जिसमें दो घंटे लगते हैं ! क्यों नहीं इस समय का उपयोग किया जाए !

सामान स्टेशन के सामानघर में जमा कराकर हम स्टेशन से बाहर आए। बाहर से स्टेशन की ओर नज़र की, तो उसके भव्यता और विशालता का रोब छा गया। सामने जो सड़क है, कितनी साफ है। घासों और फलों की ऐसी कारीगरी की गई है कि लगता है, शहर में नहीं जाकर इसी के आसपास चक्कर काटते रहें।

टैक्सी करके आगे बढ़े—मकान अच्छे, सड़कें अच्छीं। बच्चे-बूढ़े, स्त्री-पुरुष—सब भले, साफ-सुथरे और खूबसूरत लगे। युवतियों का सौन्दर्य निस्सन्देह मुग्धकर—उनका रंग, उनके चेहरे की काट, उनके बाल, उनके उभरे सीने, उनके कुल्हे, उनके पैर, उनकी चाल—सब में सुघड़ाई ! इटालियन चित्रकारों द्वारा चित्रित तसवीरें आँखों के सामने नाच उठीं !

यहाँ का ऑपेरा हाउस यूरोप में विख्यात है—बाहर से ही उसकी झाँकी है। यहाँ का गिरजाघर भी यूरोप के पाँच बड़े गिरजाघरों में स्थान पा सका है, उसके आँगन में घूम-धाम लिया, भीतर गए। भीतर की मूर्तियों और चित्रों की शोभा का क्या कहना ? ईसा की भव्य मूर्ति के सामने जाकर मैंने सिर झुकाया। वहाँ दीये जल रहे थे, अपने मन्दिरों का वातावरण। आँगन में कबूतरों की भरमार और भरमार फोटोग्राफरों की जो आपसे आग्रह करेंगे, इन कबूतरों के साथ फोटो खिंचवाइए।

मिलानो से वेनिस की ओर ! देहात के पिछले दृश्य दुहर रहे हैं और लीजिए, यह वेनिस !

यह पानी पर का शहर

14 जून, 1952
वेनिस

कल कुछ रात बीते वेनिस पहुँचा था। दूर से ही पाया, यह शहर झील पर बसा है। रोशनी जगमग कर रही थी, उसका प्रतिबिम्ब पानी में झलमल कर रहा था। स्टेशन शानदार—ज्यों ही बाहर निकले, पाया, हमारे निश्चित होटल का प्रतिनिधि हमारे लिए प्रतीक्षा कर रहा है।

गोन्दोलो, गोन्दोलो ! यह गोन्दोलो, नाव है ! पतली डोंगी, सजी-सजाई। वेनिस का यह रथ है। वेनिस का यह समूचा गाँव एक झील पर बसा है, नीचे पानी, ऊपर नगर ! सड़कों की जगह यहाँ नहीं हैं। गलियाँ भी पतली नहरें ही।

हम लोग गोन्दोलो में सवार हुए। डोंगी हिल रही है, मेरे साथी घबरा रहे हैं। किन्तु मैं तो जिन्दगी भर नाव पर खेलता रहा—बेनीपुर में चार महीने तक तो इसी पर आना-जाना होता है। मुझे मज़ा आ रहा था।

जब गलियों से जा रहे थे, कई जगह देखा, नाच-गान हो रहा है ! दो बार जब पुल के नीचे से जा रहा था, ऊपर से फ्लैश लाइट द्वारा हमारा फोटो खींच लिया गया और ऊपर से ही कार्ड गिरा दिया गया—लीजिए, यह कार्ड ! कल इस पते से अपना फोटो मँगवा लीजिएगा ? वाह, कैसी सरस व्यवस्था है !

जो होटल हमारे लिए ठीक किया गया है, वह झील के किनारे एक शानदार होटल है। बीच झील में एक टापू है, जिस पर रोशनी चमचम कर रही है। दिन भर की रेल यात्रा से काफी थके; हम सवेरे ही सो गए थे।

भोर में उठे। यह वेनिस है, 'मर्चेंट ऑफ वेनिस' का वेनिस—पोर्शिया का वेनिस, एन्टोनियो का वेनिस, साइलौक का वेनिस, क्या पोर्शिया की बहनें जीवित हैं, क्या एन्टोनियो का खानदान बचा है, क्या साइलौक का छुरा सदा के लिए भोथरा जो चुका है ?

कहाँ से देखना प्रारम्भ करूँ ? सबसे पहले किसको खोजूँ ?

ज्यों ही होटल के नीचे आए, उन लोगों ने बताया, अभी भोर में एक पानी बस निकट के एक टापू में जाता है, जहाँ काँच के खूबसूरत काम होते हैं, उन्हें देख आइए। तो यहीं से शुरू हो ! किन्तु आगा-पीछा करने में बस छूट चुकी है, एक मोटर नाव करके चले !

हमारी मोटर नाव ग्रैंड कनाल से जा रही है। यही सबसे बड़ी नहर है, इसी के किनारे प्रायः सभी ऐतिहासिक स्थान हैं। बड़े-बड़े भवन, गिरजाघर। लेकिन लगता है, सभी श्रीहीन। ऐसा क्यों लग रहा है ? क्या हमारा मन ही खिन्न है ? क्या मौसम अच्छा नहीं है ?

ग्रैंड कनाल पार कर हम झील में पहुँचे और वहाँ से उस टापू की ओर चले। पानी गन्दा है कुछ सडाँस-सी गन्ध है। बात क्या है ? सामने यह छोटा सा टापू। टापू पर एक गिरजाघर—खूबसूरत तो है वह और उस ओर जो वह मोटर नाव जा रही, उस पर क्या हैं ? अरे, फूलों से लदी एक अरथी है। जो मरा है—बड़ा आदमी मरा है। शानदार अरथी है, लोग काली पोशाक पहने हैं पुरुष भी स्त्रियाँ भी। इस टापू में श्मशान है। वहीं ले जा रहे हैं ? यात्रा के समय अरथी देखना शुभ शकुन होता है—क्या हमारी आज की यात्रा अच्छी रहेगी ? हम क्या पाएँगे ? हम जो पाएँ, यह तो जा रहा है—

'आए हैं तो जाएँगे, राजा रंक फकीर।'

कबीर बाबा क्या कहते हैं आपके। आपके 'शबद' सदा हृदय छूते रहे हैं !

हम जिस टापू में जा रहे थे, उसे 'मुरानो' कहते हैं। एक टापू 'बुरानो' भी है।

अजीब-अजीब नाम हैं, दुनिया में, इटली में 'आ' कारान्त 'ओ' कारान्त और 'ई' कारान्त नाम अधिक हैं।

मुरानो के निकट पहुँचकर देखा, कुछ बच्चे घुटने भर पानी में घुसकर पानी के नीचे हाथ से कुछ टटोल रहे हैं, शायद केंकड़े की खोज में हों। समुद्री केंकड़े बड़े स्वादिष्ट होते हैं। इन्हें देखकर अपने गाँव के मछुओं के बच्चों की याद आ गई। वे किस तरह बेखटके पानी में कूद जाते, मछली मारते, केंकड़े पकड़ते हैं।

घाट पर हमारी प्रतीक्षा में उस कारखाने का एक युवक प्रतिनिधि मिला। वह हमें भीतर ले गया। छोटा सा कारखाना तीस-पैंतीस आदमी काम करते हैं, जितने हमारे यहाँ किसी भी लुहारखाने या बढ़ईखाने में काम करते हैं। भीतर एक बड़ा चूल्हा जल रहा है। चूल्हे के चारों ओर चार मुँह हैं। उन मुँहों से शीशे को भीतर पहुँचाते हैं। चूल्हे की धधकती उजली आग में शीशा तुरत ही मुलायम बन जाता है, मोम-सा मुलायम। फिर उसे बाहर लाते हैं और उसे तरह-तरह के रूप देते हैं। रंग तो चूल्हे में ही दे देते हैं। हमने देखा, एक उजला शीशा चूल्हे के भीतर ले गए और वहीं कुछ ऐसी रासायनिक चीजें डालीं कि शीशा हरा हो गया। जब मुलायम शीशा चूल्हे से बाहर आता है, किस फुर्ती और सफाई से उसे तरह-तरह के आकार दे देते हैं। जो शीशे का लोंदा लगता था, देखिए, वह तुरत फूल, पत्ता, पंछी, जानवर—क्या-क्या नहीं बन गया। बस, अंगुलियों के चार-पाँच मोड़ दिए कि देखिए, यह हंस तैयार हो गया।

हंस में पंख तो बाहर लगेंगे। चूल्हाघर से बाहर एक कोठरी है जहाँ इन चीजों पर बारीक कारीगरी की जाती हैं। चार लड़कियाँ और एक पुरुष यहाँ काम कर रहे हैं। हाँ, लड़कियाँ चार हैं। उन्हीं की पतली अंगुलियाँ तो ऐसा बारीक काम कर सकती हैं ! इन चीजों पर वे सोने-चाँदी का पानी चढ़ा रही हैं, उन पर तरह-तरह की चित्रकारियाँ कर रही हैं। कितनी जल्दी, कितनी सफाई से—कि देखकर आश्चर्य होता है। वह देखिए, वह लड़की हमारी इस आश्चर्यमुद्रा को देखकर मुसकरा पड़ी ! कितनी सुन्दरी है यह—तो भी अपने हाथ की कारीगरी की रोटी खाना ही इसे पसन्द है ! गुलाब-सा चेहरा, मोम-सी उँगलियाँ ! उँगलियाँ तब भी काम कर रही हैं, जब वह हमारी ओर देखकर मुसकरा रही है !

कुल तीस-पैंतीस आदमी यहाँ काम करते हैं, किन्तु जब इनके प्रदर्शनकक्ष में गया, देखकर दिमाग चकरा गया। कितनी तरह के, कितने आकार-प्रकार के, कितने रंग के, कितना सामान इकट्ठा कर रखा है यहा ! शराब के, चाय-कॉफी के, जलपान के, भोजन के, कमरे सजाने के, शृंगार के, रोशनी करने के, खिलौने के ऐसे-ऐसे सेट की देख-देखकर तबीयत लहालोट हो रही है। दाम भी कुछ अधिक नहीं—यदि पाँच सौ रुपए खर्च कर दीजिए, तो आपका कमरा जगमगा उठे ! किन्तु सवाल है, काँच की चीजें, लाई कैसे जाएँ ? और यहाँ-वहाँ की 'ड्यूटी' तो अलग ! एक-एक मटके, झारी, तश्तरी, प्याली, हंडे, फानूस, आदि पर तृषित नेत्र डालते हम वहाँ से बाहर हुए।

पता चला, ये लोग अपनी चीजें संसार भर में भेजते हैं। भारत में कलकत्ता, बम्बई, कराची सब बड़े शहरों में इनके एजेंट हैं। इस तरह के कारखाने वेनिस में बहुत से हैं। जिस तरह स्विट्ज़रलैंड का घरेलू उद्योग घड़ी बनाना है, उसी तरह वेनिस का घरेलू धन्धा शीशे के ये सामान तैयार करना है। यहाँ से लौटकर जब हम वेनिस पहुँचे, तो शाम को एक सज्जन आग्रहपूर्वक हमें अपने घर ले गए थे। वहाँ भी ऐसा ही कारखाना। दरियाफ्त किया तो पता चला, एक ही परिवार के लोग इस कारखाने को चलाते हैं। अपना कारखाना दिखानेवाली उस लड़की ने मुसकराकर कहा—मेरे पिताजी छः भाई हैं। हर भाई के चार-पाँच-छः बच्चे हैं। अतः

अपने ही परिवार के पच्चीस-तीस प्राणियों को लेकर हम इसे चला रहे हैं—भारत में इनका भी माल जाता है !

बार-बार सोचने को बाध्य होना पड़ता है, क्या अपने देश में कुछ ऐसे उद्योग संघ नहीं चलाए जा सकते ! अपने यहाँ तो गृहउद्योग का अर्थ सिर्फ चरखा, घानी या चटाई है—जबकि दिन-रात के व्यवहार की छोटी-छोटी चीजें भी हम बाहर से मँगाते हैं ! वेनिस का वैभव उसके यात्रियों के आगमन पर निर्भर करता है। जब-जब लड़ाई छिड़ती है, यात्रियों का आना-जाना प्रायः बन्द हो जाता है। उन दिनों इन गृहउद्योगों के बल पर ही वेनिस अपने को ज़िन्दा रख पाता है !

अपने होटल में आकर भोजन किया। दिन में मैं कुछ सोना पसन्द करता हूँ। किन्तु कल भोर में ही चल देना है—अतः जितना अधिक देख लिया जाए, इस दृष्टि से हम खाकर तुरन्त बाहर निकले !

लीडो की ओर—जिसके नाम पर पेरिस के शाँ जिलैजे में इन्द्रसभा बसाई जाती है, भला उसी को नहीं देखा जाए ! पानी-बस के अड्डे पर गया, हर दस मिनट पर ये पानी-बसें छूटती हैं। भाड़ा भी बहुत कम। ये सरकारी बसें हैं। हरे पानी को चीरती हमारी यह बस भागी जा रही है। कभी वेनिस के किनारों को, कभी टापुओं को देखते हम लीडो की ओर बढ़ते जा रहे हैं।

लीडो में प्रवेश करते ही उसके सौन्दर्य पर मुग्ध हो जाना पड़ता है। पचास वर्ष पहले तक यह टापू मछुओं की बस्ती रहा है, आज यूरोप के सर्वोत्तम क्रीड़ा केन्द्रों में परिणत हो गया है।

लीडो के बीचोबीच हम जिस सड़क से जा रहे हैं, जरा उसी की शोभा देखिए, सड़क कितनी चौड़ी, कितनी चिकनी। उसके दोनों ओर पेड़ों की दो-दो पंक्तियाँ। दोनों पंक्तियों के पेड़ों के पत्ते दो प्रकार के। सड़क पर रोशनी के लिए जो खम्भे गाड़े गए हैं, उनकी बनावट कैसी कलात्मक है। उनके ऊपर जो शीशे के हंडे हैं, उनकी शक्ल भी देखने लायक। पेड़ों की दोनों पंक्तियों के बीच जो पतली पगडंडी है, उनके खम्भे तो और भी सुन्दर। दो-दो पतले खम्भे एक साथ गड़े हैं, जिसके ऊपर जो हंडे हैं उनके नीचे तीन-तीन बत्तियों के गुच्छे हैं। भाई देशपांडे कहते हैं, संध्या होने पर जरा हम यह भी देख जाएँ कि रोशनी में यह सड़क कैसी खूबसूरत लगती है।

सड़क के किनारे जो दुकानें और रेस्तोराँ हैं, उनकी शोभा भी कितनी आकर्षक है। फूलों की भरमार, लताओं की भरमार। एक रेस्तोराँ में तो लताओं का ही पूरा मंडप बना है। इटली के गुलाब बहुत खूबसूरत होते हैं, खासकर लता-गुलाब तो ऐसे खिलते हैं कि सिर्फ फूलों के गुच्छे-ही-गुच्छे दिखाई पड़ते हैं। इटली के गुलाब का रंग भी बहुत सुन्दर होता है और यहाँ के गुलाब में भीनी गन्ध भी है !

किन्तु अपने को इन जड़ गुलाबों में ही मन उलझाइए। बढ़े चलिए, यह आप समुद्र किनारे आ गए और देखिए, यहाँ चलते-फिरते गुलाबों का कैसा मेला लगा है। पिछली यात्रा में लूजान में भी हमने स्नानक्रीडा के दृश्य देखे थे, किन्तु, इसके आगे उसकी याद आ गई, यही गनीमत !

समुद्र के किनारे पंक्तियों में अनेक काठ के छोटे-छोटे घर बने हुए हैं। स्नानार्थी आते हैं, उनमें एक घर ले लेते हैं। घर में टेबुल है, दो-एक चेयर हैं, दो कुरसियाँ हैं—बड़ा आइना है, कंघी है। नहाने के दो वस्त्र हैं। कपड़े खोल दीजिए इन्हें पहन लीजिए। मर्द के लिए एक कोपीन काफी—औरतों के लिए छाती पर की एक कोपीन भी। ये देह से ऐसे चिपकी होती

है कि नहाने, उछलने-कूदने में जरा दिक्कत न हो।

सामने समुद्र लहरा रहा है—हरा-भरा पानी, तरंगों-पर-तरंगें आ रही हैं, तटभूमि से टकरा रही हैं। तटभूमि पर हजारों आदमी नहा रहे हैं, युवक हैं, युवतियाँ हैं, बच्चे हैं, बूढ़े हैं। बच्चों के उत्साह का क्या कहना ? छोटे-छोटे बच्चे—पानी में घुसते जा रहे हैं, पानी उछालते जा रहे हैं। जब तरंगे आती हैं, उनसे खेलते हैं, उन पर हाथ-पैर पटकते हैं। देखिए, यह बच्चा धीरे-धीरे कितने पानी में चला गया—और यहाँ हमारे शिवाजी हैं कि नाव पर चढ़ने से भी डरते हैं !

युवक-युवतियों का तो यह मेला ही है जैसे। सारे कपड़े उतारकर, पुरुष सिर्फ कमर में और स्त्रियाँ कमर और छाती पर पतली कोपीन बाँधे, समुद्र में कूद रहे हैं, तैर रहे हैं, नावें खे रहे हैं, एक-दूसरे पर पानी उछाल रहे हैं। उनकी हँसी, उनकी उमंग समुद्र की तरंगों से होड़ ले रही है। जब वे अपने को पानी में खूब थका लेते हैं, तो तट पर आते और बालू पर लेट जाते हैं—जोड़े-जोड़े में, सट-सटकर ! कोई चित, कोई पट, कोई इस करवट, कोई उस करवट। सबकी एक ही हालत—किसको शरमाने की फुरसत है, एक-दूसरे को देखने की फुरसत है। माताएँ अपने बच्चों को लेकर नहला रही हैं और उनके सामने ही अपने पतिदेवों से किलोलें कर रही हैं। जैसे ये सब क्रियाएँ परम स्वाभाविक हों।

इन कोपीनों में इन युवक-युवतियों का शरीर सौन्दर्य किस प्रकार उभर आया है। खूबसूरती पेरिस में भी देखी थी, किन्तु फ्रांस और इटली की खूबसूरती में एक खास अन्तर है। इटली के प्राचीन चित्रों में माता मेरी की तसवीरें प्रायः देखी थीं—एक हृष्ट-पुष्ट माता, जिसकी छाती मातृत्व के रस से लबालब ! यहाँ उसके प्रत्यक्ष दर्शन हो रहे हैं ! उभरी-उभरी हुई छातियाँ, पतली कटि, पुष्ट नितम्ब, सघन जाँघें—मालूम हो रहा है, जैसे माइकेल ऐंजेलो या किसी अन्य इटालियन मूर्तिकार की बनाई संगमरमर की मूर्तियाँ यहाँ प्रत्यक्ष चल-फिर रही हैं। हमने पाया, यहाँ की स्त्रियों का कटि से ऊपर का भाग जितना हलका होता है, कटि से घुटने तक का भाग उतना ही पुष्ट। कालिदास के 'कुमारसम्भव' में युवती पार्वती का वर्णन स्मरण हो रहा है और याद आ रही है, अपने देश की आधुनिक युवतियों की—जो सिर्फ तेल, क्रीम, पाउडर से अपने को चमकाना चहाती हैं और इतना घी-मक्खन खाती हैं कि थोड़े दिनों में ही बदरूप बन जाती हैं। यहाँ यह भी देखा, मर्द बड़े तगड़े और उनकी पत्नियाँ-प्रेमिकाएँ शरीर की हलकी-फुलकी। हमारे यहाँ उलटा है, पतिदेव तो जैसे-के-तैसे दुबले रह गए और शादी होते ही लड़कियाँ फूलकर कुप्पा बन गईं !

समुद्र तट पर ही एक रेस्तोराँ है। हम वहीं खा रहे थे, ये दृश्य देख रहे थे। लौटकर फिर अपने होटल में आए और थोड़ा विश्राम कर फिर चले कला प्रदर्शनी देखने !

वेनिस में हर दो वर्ष पर कला संगम होता है। यह जोड़े वर्ष पर होता है—इस साल '52 है न ? यह हमारा सौभाग्य है। हमारे पास तो गाइडबुक है, उससे पता चलता है—14 जून से 19 अक्तूबर तक अन्तरराष्ट्रीय आधुनिक कला प्रदर्शनी होगी, 8 अगस्त से 12 सितम्बर तक अन्तरराष्ट्रीय सिनेमा प्रर्दशनी होगी, 10 सितम्बर से 22 सितम्बर तक अन्तरराष्ट्रीय आधुनिक संगीत प्रदर्शनी होगी और 23 सितम्बर से 5 अक्तूबर तक अन्तरराष्ट्रीय नाटक मेला लगेगा ! यों जून से अक्तूबर तक वेनिस अन्तरराष्ट्रीय कला का संगमस्थल बनने जा रहा है !

आज 14 जून है न ? कम-से-कम इसका प्रारम्भ तो देख लें। जब हम लीडो जा रहे थे, रास्ते में, किनारे पर झंडे-पताके, तोरण-बन्दनवार आदि देखे थे। लोग उस ओर जल्दी-जल्दी बढ़ रहे थे। हम भी उनके साथ हो लिये।

कितनी विशाल प्रदर्शनी है। कितनी दूर में फैली—हर देश के लिए अलग-अलग कमरे

हैं। कई देशों के लिए तो पूरे-के-पूरे मकान हैं, जिनमें कमरों की भरमार है। इटली के लिए सबसे अधिक स्थान लिया गया है। इटली यूरोप में कलाभूमि रही भी है। आज भी, अपने दुर्दिन के दिनों में भी, इटली अपने उस प्राचीन कला गौरव को नहीं भूली है। प्रदर्शनी में चित्रकला और मूर्तिकला, दोनों के नमूने हैं। पेरिस में हमने जिसे छोटे पैमाने पर, गिने-चुने रूप में देखा था, उसी का यह वृहद्, विशाल रूप है ! मूर्तिकला के नाम पर संगमरमर के, काले पत्थर के, इस्पात के, ताँबे के बड़े-बड़े, किंरूपकिमाकार, ढोके और चित्रकला के नाम पर रंगों और रेखाओं का वह गड्डमगड्ड कि आप दिमाग खरोंचकर भी नहीं जान पाएँ कि यह क्या है ? हाँ, कहीं-कहीं सूक्ष्मतर रेखाएँ और मनोहरतम रंगीनी भी और कहीं-कहीं मूर्तिकला की भी ऐसी खूबसूरत मूर्तियाँ कि मन मुग्ध हो जाए। यूरोप के सारे देशों की कलाएँ तो यहाँ थीं ही, एशिया के कई देशों की भी कलाएँ थीं। मुझे आश्चर्य हुआ, अपने देश से क्यों नहीं कला के कुछ उत्कृष्ट नमूने भेजे गए थे वहाँ ! लोग क्या कीमत लगाते उनकी, उत्तर मैं नहीं दे सकता, किन्तु आज हम लोग यहाँ पर अपने को गौरवान्वित तो अवश्य अनुभव करते—संसार की कला प्रदर्शनी में हमारे लिए भी जगह है !

प्रदर्शनी को देखकर संध्या समय वेनिस देखने को चला। सोचा, संध्या की रूमानी फिजा में वेनिस हमें अवश्य मोहित करेगा, किन्तु हमें निराशा-ही-निराशा मिली। असल में वेनिस एक उजड़ता-सा शहर है। जब तक बड़े-बड़े जहाज नहीं बने थे, दूसरे मार्ग नहीं खुले थे, वेनिस यूरोप और अफ्रीका को जोड़नेवाला एक सम्पन्न, सुखी और शानदार शहर था। वेनिस के बाजारों में संसार के व्यापारी जुटते और अपनी-अपनी चीजों का आदान-प्रदान करते। वह उन दिनों संसार का एक प्रमुखतम गोदाम था, शर्राफा था। वहीं चीजें बदली जातीं, सिक्के बदले जाते। किन्तु ज्यों-ज्यों व्यापार के दूसरे रास्ते खुलते गए, वेनिस की अवनति प्रारम्भ हुई। वेनिस की इस अवनति में एक कारण इसकी विचित्र अवस्थिति भी है। समुद्र में गिरनेवाली दो नदियों के मुहानों पर एकत्र मिट्टी पर यह शहर बसाया गया था। ज्यों-ज्यों शहर की प्रमुखता बढ़ती गई, लोग आसपास की दलदली जमीन को भरकर उस पर मकान बनाते गए थे। ये मकान भी विचित्र कौशल से बने। रास्तों की जगह छोटी-बड़ी नहरें। ये नहरें नीचे से इमारतों को खोखली बनाती रहीं। किन्तु जब तक शहर उन्नति पर था, इन सब संहारों से इमारतों को बचाने की व्यवस्था होती रही, पर अब जहाँ खाने-पीने में दिक्कत हो, वहाँ अट्टालिकाओं की ओर कौन ध्यान दे ? इटली की सरकार भी ऐसी सम्पन्न नहीं है, जो अपनी इस अद्भुत और ऐतिहासिक नगरी की रक्षा के लिए कुछ अधिक कर सके। देखा गया है, वेनिस का समूचा शहर पानी के अन्दर धँस रहा है। कई ऐतिहासिक मकान टेढ़े-मेढ़े हो गए हैं। यदि कोई अच्छी व्यवस्था नहीं हुई तो यह समूचा शहर धँस जाएगा। अब भी यह हाल है कि बरसात में इतना पानी बढ़ जाता है कि इसके ऐतिहासिक शैरगाह 'सान मार्को' पर भी पानी चढ़ जाता है।

प्रसिद्ध कवि वायरन ने वेनिस के बारे में कहा था—

'She looks a sea Cybele, fresh from ocean
Rising with her tiara of proud towers
At airy distance, with majestic motion
A ruler of the waters and their powers.'

अब भी वे अट्टालिकाएँ हैं, गिरजाघर हैं, वे ही गुम्बदें और बुर्जियाँ हैं, किन्तु लगता है, जैसे सबकी श्री सदा के लिए समाप्त हो चुकी है। संध्या के सुनहले समाँ में उनकी श्रीहीनता

और भी विह्वल बनाती है। इन भवनों में, इन गिरिजाघरों में इन राजप्रासादों में एक युग की कला-साधना भरी पड़ी है, अब भी उन्हें देखकर चित्त मुग्ध हुए बिना नहीं रहता, लेकिन जब कल्पना करते हैं कुछ दिनों में यह शहर समुद्र के गर्भ में समा जाएगा--तो बड़ी उदासी छा जाती है। यदि अब भी इन इमारतों की थोड़ी मरम्मत कर दी जाए, इन्हें धो-पोंछ दिया जाए, जहाँ-जहाँ रंग उड़ गया है, वहाँ पच्चीकारी कर दी जाए, तो फिर वायरन की कविता की इस 'समुद्र की महासुन्दरी' का हम प्रत्यक्ष दर्शन कर सकें।

जब बत्तियाँ जल उठीं, हम सान मार्को के पियाजा की सैर को निकले। यह वही जगह है, जहाँ पहुँचकर नेपोलियन ने कहा था—यह तो यूरोप का शृंगारकक्ष है ! सोचा था, यहाँ तो कुछ रंग होगा। कुछ रंग है। अब भी अलबेले-अलबेलियाँ यहाँ सैर कर रहे हैं, बीच में विस्तृत खुली अँगनाई है, तीन ओर दुकानें सजी हैं, एक ओर यह भव्य गिरजाघर है, जिसकी बगल में वह विशाल स्तम्भ है, ऊपर वह घड़ी है जिसके घंटे की सूचना दो हब्सी मूर्तियाँ डंका पीटकर देती हैं ! होटल भी हैं, अँगनाई में गाना-बजाना भी हो रहा है—किन्तु सारी चीजें उखड़ी-उखड़ी लगती हैं जैसे।

यह पियाजा बहुत ही पुराना है—800 ई. से इसकी चर्चा मिलती है। कितनी ही ऐतिहासिक घटनाएँ यहाँ घटी हैं—यहीं 1310 में विद्रोह हुआ, यहीं 1797 में प्रजातन्त्र के भाग्य का फैसला हुआ, यहीं 1842 में वह क्रान्ति शुरू हुई जिसने इटली पर से आस्ट्रिया के आधिपत्य का अन्त किया।

और यह गिरजाघर भी कम महत्त्व नहीं रखता। 832 ई. में इसका निर्माण शुरू हुआ। तब से हर शताब्दी में इसमें कुछ-न-कुछ परिवर्तन और विकास होते रहे हैं। आज यह गिरजाघर ही नहीं रहा है, वेनिस की कला का सर्वश्रेष्ठ संग्रहालय भी है। इसकी वास्तुकला भी अति मनोरम है। उजले और लाल संगमरमर से बनी यह इमारत—इसके सोने के कलश संध्या को भी जगमग कर रहे हैं। इसके भीतर दीवारों पर की गई पच्चीकारी और सोने के काम मनमोहक है। यूरोप भर में इसकी बड़ी प्रसिद्धि है। इसके अन्दर एक खजाना है जिसमें सोने और जवाहरात की तीन सौ ऐसी वस्तुएँ हैं। जिनकी कीमत नहीं कूती जा सकती ! इस गिरजाघर में संत मार्को की लाश दफनाई गई है, जो वेनिस के अपने संत माने जाते हैं।

पियाजा से आगे बढ़िए, तो आप एक ओर राजभवन देखेंगे और एक ओर यहाँ का सुप्रसिद्ध राष्ट्रीय पुस्तकालय। राजभवन में सुप्रसिद्ध कलाकारों द्वारा बनाए गए उत्तमोत्तम चित्र और मूर्तियाँ हैं। पुस्तकालय में पुरानी हस्तलिखित पुस्तकों का अनुपम संग्रह है। इन दोनों के बीच में वह स्तम्भ है, जो तीन सौ फीट ऊँचा है। यह स्तम्भ चार सौ वर्ष पुराना है। इसकी घड़ी की सुइयाँ विचित्र हैं !

आगे बढ़िए, तो आप 'ब्रिज ऑफ साह'—इच्छाओं का पुल—देखेंगे। राजमहल से सटा हुआ जेलखाना है। राजमहल में राजा द्वारा दंड पाकर, कैदी इसी रास्ते जेलखाने में भेज दिए जाते थे। उन दिनों का जेलखाना। जब वे यह पुल पार करने लगते, बेचारे अपने उच्छवासों को, आहों को, कराहों को कैसे रोक सकें ! हम कुछ देर तक खड़ा हो उसे देखते रहे और फिर मन में एक घुमड़ती आह लिये अपने होटल में आए ! काफी रात बीत चुकी थी, खाया, सो गए।

दांते के नगर में

15 जून, 1952
फ्लौरेंस

जब हम वेनिस से फ्लौरेंस के लिए रवाना हुए, फिर वही हरी-भरी खेतियाँ नज़र आने लगीं। गेहूँ की कटाई जोरों पर चल रही है—कहीं पूलियाँ, कहीं बोझे। कहीं-कहीं दँवाई भी हो रही है। कटाई ज्यादातर हाथों से ही, किन्तु अपने यहाँ की तरह हँसिया लेकर झुककर या बैठकर नहीं काटते। लाठी ऐसी चीज के निचले छोर पर हँसिया लगा है और उसके नीचे चलनी ऐसी चीज। हँसिया से काटकर डंठल उस चलनी में गिरते जाते हैं और उन्हें जगह-जगह रखते जाते हैं। फिर पूलियाँ या बोझे बनाते हैं। कहीं-कहीं बैलों से चलनेवाली मशीन से भी कटाई की जाती थी। कटनी के समय अपने यहाँ जिस तरह बच्चे खेतों में जाना पसन्द करते हैं, वही हालत यहाँ भी देखी। बच्चे खेल-कूद रहे थे या कटनी में मदद दे रहे थे। स्त्रियों को तो कटाई के समय खेतों में रहना ही चाहिए। अन्नपूर्णा के आँचल से, अन्नपूर्णा के आँचल में—यही व्यवस्था तो उचित है।

कटे हुए खेत भी वीरान नहीं लगते, क्योंकि मेड़ों पर शहतूत के पेड़ कतार में लगे रहते हैं। ये हरे-भरे छोटे-छोटे तम्बू से पेड़। इन पर रेशम के कीड़े पलते हैं—इटली का रेशम संसार में प्रसिद्ध है। दो पेड़ों के बीच कमानियाँ गाड़कर या कमानियाँ लगाकर, उन पर अंगूर की लताएँ चढ़ा दी जाती हैं। इटली की मशहूर शराबें इन्हीं अंगूरों की बेटियाँ हैं न ?

मकई की खेती लहरा रही है। कमर से लेकर छाती तक ऊँचे इनके ये लहलहाते पौधे ! कहीं-कहीं ऊपर बालें फूट रही हैं। इन हरे-हरे खेतों में कहीं-कहीं रंगीन घाघरे दिखाई देते हैं—लड़कियाँ घूम रही हैं इन हरियाली के बाजार में ! निचले खेतों में धान के पौधे—पानी पीकर कैसे पुष्ट बने हैं वे। इधर बीट की खेती भी खूब होती है—चुकन्दर की चीनी के लिए भी इटली मशहूर है। कहीं-कहीं जूट के-से पौधे भी देखे। मैंने एक सज्जन से पूछा—जूट ? उन्होंने सिर तो हिला दिया, किन्तु उन्होंने मेरी भाषा समझी या नहीं, भगवान जानें।

बोलोन में गाड़ी बदली। बोलोन का शहर बहुत सुन्दर और हरा-भरा नजर आया। नए, रंगीन मकान, फुलवाड़ियाँ, बगीचे, बारियाँ। यहाँ से पहाड़ी-ही-पहाड़ी। पहाड़ पर भी खेती। इटली के लोग मौजी होते हैं, सुना था। उसके किसान उद्योगी होते हैं, देख रहा हूँ। पहाड़ी से जो छोटी-छोटी नालियाँ नीचे उतर रही हैं, उनमें बच्चे मछली मार रहे हैं। सड़कें, इस घोर देहात में भी बड़ी अच्छी। उन पर मोटरें, साइकिलें, मोटर साइकिलें दौड़ रही हैं। मोटर साइकिलों की पिछली सीट पर प्रायः ही कोई सुन्दरी।

लगभग पाँच बजे ही फ्लौरेंस पहुँचे। जिसे हम फ्लौरेंस कहते हैं उसे यहाँ के लोग 'फिरेंजे' कहते हैं। इटली भर में नामों की यह गड़बड़ी देखी। हम लोग अंग्रेजों की दी हुई नामावली को ही अब तक दुहरा रहे हैं। इटली को उसके निवासी 'इटालिया' कहते हैं, वेनिस को वेनोजिया, मिलान को 'मिलानो', रोम को 'रोमा' ! यही कहते हैं, लिखते भी हैं। अब हम क्यों नहीं, देशों और नगरों के नाम उस देश और निवासियों द्वारा दिए गए नामों से ही पुकारा करें ?

फ्लौरेंस—छोटा सा शहर है यह, कुल साढ़े तीन लाख की आबादी। किन्तु, इस शहर का इतिहास कितना शानदार है ! एक दांते का नगर होने से ही इतिहास इसको गौरव का स्थान देता—दांते, 'डिवाइन कौमेडी' का वह अमर कवि, जिसका जोड़ा यूरोप अभी तक नहीं पैदा कर सका ! उसका वह रूमानी जीवन, उसकी वह उदात्त कल्पना ! फिर फ्लौरेंस माइकेल

ऐंजेलों की भी जन्मभूमि है और यहीं लियोनार्डो द विंसी और राफेल ऐसे कलाकारों ने अपनी कला के लिए शिक्षा और प्रेरणा पाई ! माइकेल ऐंजेलों—यह कलाकार आज भी संसार में अद्वितीय है ! यही नहीं, बांकासियों ऐसे कथाकार शहीद प्रवर सैवोनारोला, कूटराजनीति का आचार्य मैकियावेली और ज्योतिषाचार्य गैलेलियो की जन्मभूमि होने का गौरव भी इस नगर को प्राप्त है ! यह तो महान आचार्यों की नामावली है, सात सौ वर्षों से यह स्थान कला और साहित्य के क्षेत्र में कमाल दिखानेवाले असंख्य महापुरुषों की जन्मभूमि रही है।

फ्लौरेंस का नया स्टेशन उसके गौरव के अनुरूप ही है—साफ-सुथरा-खूबसूरत। स्टेशन के बगल में ही वह होटल था, जिसमें पहले से हमारी जगह सुरक्षित थी। होटल में सामान रख, स्नान कर, हम तुरत निकल पड़े शहर देखने। थोड़े समय में ही बहुत देखना—आराम या बरबाद करने के लिए हमारे पास समय कहाँ ?

फ्लौरेंस की 'पथ प्रदर्शिका' बताती है—इस नगरी की जिन्दगी में ऐसे क्षण आते हैं कि वह वाटिका, प्रदर्शनी और रंगभूमि और भावभूमि का रूप धारण कर लेती है। जहाँ संध्या हुई कि नागरिक और नागरिकाएँ, सुन्दरियाँ और उनके पिछल्लगुए, माताएँ और पत्नियाँ, बूढ़े दादा और छोटे नाती-पोते, विवाहित और कुँवारे तरह-तरह के वस्त्रों से सुसज्जित होकर इसकी सड़कों और गलियों को गुलजार बनाते हैं। इसके क्लब, काफे, कला प्रदर्शनी, संगीत भवन, सभागृह, पुस्तकालय और दूकानें सभी सदा भरी रहती हैं। फ्लौरेंस विश्व संस्कृति का केन्द्र है—यहाँ के लोग स्वभावतः ही खुश मिजाज और खुले दिल के होते हैं—तुरत घुल-मिल जाना और बात-बात पर चुटकियाँ लेना इनके स्वभाव में शामिल हो गया है। यहाँ की स्त्रियाँ अपनी खूबसूरती के लिए ही नहीं, अपनी सुरुचि और कलाप्रेम के लिए भी प्रसिद्ध हैं। यहाँ का खाना और पीना, दोनों अपनी विशेषता रखते हैं। यहाँ के उत्सवों की अधिकता और आनन्दमग्नता देखकर कोई भी चकित हो जा सकता है। यदि किसी गाँव के हाट या मेले में जाइए तो मालूम पड़े, वहाँ के साधारण लोगों के जीवन में भी कला किस तरह घुल गई है—संगीत-नृत्य की बहार के साथ रंग-बिरंगी सूरतें और पोशाकें आपकी आँखों में गड़कर रहेंगी।

ज्यों ही होटल से बाहर निकला, फ्लौरेंस का रोब दिल पर कब्जा करने लगा। सड़कें साफ, दुकानें चकमक, ट्राम, बस, मोटरों की भरमार। लोगों के चेहरे बड़े साफ, बड़े सुन्दर। पेरिस ऐसी नज़ाकत तो नहीं; किन्तु जवानों में मर्दानगी और युवतियों में भरे यौवन के चिह्न स्पष्ट दिखाई देते हैं। थके-माँदे थे, एक रेस्तोराँ में बैठकर अपने में ताज़गी लाए। फिर लगे भटकने। मेरा खयाल है, विदेश में पहले दिन अनिश्चित भ्रमण होना चाहिए, तभी उस शहर की खूबी मालूम हो सकती है। किन्तु यह क्या ? यह सामने कौन सी अट्टालिका खड़ी हो गई ? इसकी बनावट तो मालूम नहीं ! लगा, जैसे यह कोई देवमन्दिर हो। हाँ, हाँ, देवमन्दिर ही तो। आगे यह सन्त जैन का चर्च है और पीछे वह सान्ता मारिया का कैथेड्रल !

सन्त जैन के चर्च की बनावट कुछ विचित्र है। इस चर्च का इतिहास भी इसी तरह विचित्र है। कहा जाता है, पहले यहाँ प्रकृतिपूजकों का मन्दिर था। जब रोमनों के साथ वहाँ ईसाई धर्म आ गया, यहाँ यह चर्च बना। इसके आकार-प्रकार पर रोमन कारीगरी की छाप है। किन्तु इसे इस रूप में लाने का प्रयास तेरहवीं सदी में शुरू हुआ था। दो सदियों तक इसे सजाया और सँवारा गया। फिर इसे सन्त जैन के नाम पर उत्सर्ग किया गया। यही नहीं, तत्कालीन प्रजातन्त्र सरकार ने यह व्यवस्था की कि प्रजातन्त्र का कोई सदस्य, गिल्ड का कोई प्रधान, कचहरी का कोई हाकिम तब तक नियुक्त नहीं हो सकता, जब तक इस चर्च में इसके लिए विशेष उपचार नहीं हो ले। प्रजातन्त्र ने ही इसमें तीन दरवाजे बनाने का निर्णय किया,

जिसमें एक दरवाजा वेनिस के प्रसिद्ध कलाकार पिसानों ने बनाया। यह दरवाजा स्थापत्यकला के सर्वोत्तम नमूनों में समझा जाता है। बाक़ी दो दरवाजे फ्लौरेंस के युवक कलाकार, गिलबती ने बनाए। पच्चीस वर्षों की मेहनत के बाद ये दरवाजे बन सके। गिलबती ने कुछ ऐसा कमाल दिखलाया कि माइकेल ऐंजेलो तक ने इसके तीसरे दरवाजे को 'स्वर्ग का द्वार' कहकर सराहा। आज तक यह इसी नाम से पुकारा जाता है। दांते ने बड़े गर्व के साथ उल्लेख किया है कि उसका जातकर्म इसी चर्च में हुआ था और उसने आशा की थी की इसी चर्च में कवि सम्राट के रूप में उसका अभिषेक होगा।

जब हम चर्च के निकट पहुँचे, वह बन्द हो चुका था। हाँ, स्वर्गद्वार के सामने लोगों की भीड़ थी जो उसमें चित्रित 'आदमी की कथा' की चित्रावली को मुग्ध होकर देख रही थी।

किन्तु सान्ता मारिया का कैथेड्रल अभी तक खुला था। हम उसमें घुसे। यह कैथेड्रल यूरोप के चार बड़े कैथेड्रलों में तीसरा स्थान रखता है। बड़ा ही भव्य, बड़ा ही दिव्य। जब हम भीतर पहुँचे, वहाँ पूजा हो रही थी। कई पादरी ईसा की मूर्ति के सामने मन्त्र पढ़ रहे थे और उनके सामने भक्तों की भीड़ घुटने टेके मन्त्रों को दुहरा रही थी। ध्वनि से कैथेड्रल का वातावरण गुंजित था। मन्त्रों के साथ श्रुति-मधुर बाजे भी बज रहे थे। अपने देश के मन्दिरों की याद आई–वही अपने यहाँ के घंटे, घड़ियाल, स्तोत्र, जय-जयकार ! किन्तु अपने यहाँ भक्ति-भावना कम, षोडशोपचार अधिक। यहाँ देखा, ऊपर से भक्ति की प्रचुरता दिखाई पड़ती थी, अन्तर का हाल अन्तर्यामी जानें !

इस कैथेड्रल के बनाने में बड़े-बड़े स्थापत्य विशारदों का हाथ रहा है। इसका गुम्बद ब्रुनेलेशी ने बनवाया था–बिना किसी सहारे का यह गुम्बद आकाश छूता था। इसका घंटाघर जिमेत्रो ने बनाना शुरू किया, किन्तु उसकी मृत्यु के बाद पिसानों ने इसे पूरा किया। उसकी दीवारों पर जो चित्रावली और भित्तिमूर्तियाँ हैं, तथा जहाँ-तहाँ स्थापित जो मूर्तियाँ हैं, वे भी बड़े-बड़े कलाकारों की कूची और छेनी की करामात हैं। लुका डेला रोविया की अनुपम कलाकृतियाँ और माइकेल ऐंजेलो की बनाई दो अनुपम मूर्तियाँ हैं। माइकेल ऐंजेलो द्वारा बनाई माता मेरी की गोद में शहीद ईसा की मूर्ति को देखकर कौन भाव-विभोर नहीं हो रहेगा ? कहा जाता है, यह माइकेल ऐंजेलों की अन्तिम मूर्ति है और बहुत अंशों में अधूरी है। शहीद ईसा के चेहरे और माता मेरी की करुणा भावना की ऐसी प्रतिकृति यहाँ उतरी है कि हृदय बरबस द्रवित हो जाता है। कहा जाता है, माता मेरी के पीछे जोसेफ की जो मूर्ति है, वह माइकेल ऐंजेलो की अपनी मूर्ति है–अस्सी साल का बूढ़ा, झुर्रियों से भरा चेहरा, सफेद दाढ़ी, किन्तु आँखें जैसे आँसुओं में डूबकर भी बिजली-सी जल रही हों ! कैथेड्रल में चित्रों की भी भरमार ! मुझे वह चित्र बहुत भाया जिसमें दांते अपनी पुस्तक पढ़ते हुए उसमें वर्णित नरक की ओर अंगुली निर्देश कर रहे हैं।

कुछ आगे बढ़े तो इसके मुख्य बाजार में पहुँच गए। विशाल इमारतें, उनके शानदार बरामदों में दुकानें सजीं। हम उन्हें अतृप्त नयनों से देख रहे थे कि कानों में संगीत की मधुर-मोहक ध्वनि पड़ी–उससे खिंचकर हम एक बड़ी अँगनाई में आ गए। एक रेस्तोराँ है–उसके सामने भीड़ है, भीड़ के आगे रंगीन छतरियों के नीचे बैठ लोग खा-पी रहे हैं। रेस्तोराँ की ओर से ही संगीत का यह आयोजन। मंच पर खड़ी एक लड़की गा रही थी। बाजों में ढोलक ऐसी, खंजडी ऐसी, करताल ऐसी, सितार ऐसी और बाँसुरी ऐसी चीजें–काठ के दो टुकड़ों को लेकर भी बजा रहे थे, मंजीरे की तरह की कोई चीज। इन बाजों से जो एक अजीब स्वर लहरी निकलती उस पर तैरती-सी उस लड़की की स्वर माधुरी ! वह देखने में सुन्दर, छोटे कद की, कमसिन ! कंठ का क्या कहना–लगता था, अमृत उडेल रही है। गाने

का तर्ज ही नहीं, शब्दों का उच्चारण भी बहुत कुछ भारतीय ढंग का !

जब हम गाने सुनने में तल्लीन थे, एक नौजवान मेरे निकट आकर पूछने लगा—क्या आपको यह गाना पसन्द आ रहा है ? जब मैंने हाँ कहा, वह बड़ा प्रसन्न हुआ। बात-ही-बात वह कुछ ऐसा घुल-मिल गया कि वह स्वयं हमें अपने घर की चीजें दिखलाने चला। अभी विद्यार्थी ही है वह—अठारह-उन्नीस वर्ष का होगा। गोरा, खूबसूरत चेहरा, नाक उठी हुई, शरीर भरा-पूरा, कपड़े बड़े सलीके के। कॉलेज से ग्रेजुएट होकर गणित की ऊँची पढ़ाई के लिए 'स्कूल' में भरती हुआ है। कल उसकी परीक्षा है, किन्तु वाह री भद्रता ! हमारे साथ इस संध्या को घूम रहा है। अपने शहर के ज़र्रे-ज़र्रे से जैसे वह परिचित हो—इतिहास की, कला की, साहित्य की कैसी जानकारी है उसकी, विज्ञान का तो वह विद्यार्थी ही है। उस लड़के के शील, स्वभाव और ज्ञान को देखकर बार-बार अपने यहाँ के विद्यार्थियों की याद आती रही, जो नाक से आगे देख नहीं पाते और अभ्रदता तो जिनकी जवानी की निशानी है।

यहाँ से हम उस स्थान को आए जिसे आप फ्लौरेंस का खुला म्यूजियम भी कह सकते हैं। इसका नाम है पियाजा सिनोरिया या प्रजातन्त्र का मैदान। इस मैदान में साल में दो बार फुटबॉल होता है, जिसमें तरह-तरह की पोशाक पहनकर खिलाड़ी उतरते और हाथ से भी गेंद को उछाल सकते हैं। यह फ्लौरेंस का सुप्रसिद्ध राष्ट्रीय खेल है। मैदान के एक ओर प्रजातन्त्र का भवन है, जिसमें अब म्यूनिसिपलिटी का दफ्तर रहता है। भवन के सामने खुले आकाश के नीचे कुछ मूर्तियाँ हैं, जो कला की उत्तमोत्तम कृतियों में गिनी जाती हैं। यहीं माइकेल ऐंजेलो का 'डेविड' है; माना जाता है, मानव की ऐसी सुन्दर-स्वाभाविक मूर्ति संसार में दूसरी कोई नहीं। यहीं वृहस्पति का फव्वारा है—वृहस्पति की ऊँची विशाल मूर्ति के सामने यह फव्वारा दिन-रात पानी की बूँदें बरसाता रहता है। और सब से बढ़कर यहीं एक वह सिंहमूर्ति है जो फ्लौरेंस का राजचिह्न मानी जाती है। सिंहमूर्ति के हृदयभाग में लीली फूल का चिह्न है—फ्लौरेंस 'लीली' का नगर भी कहा जाता है। लाल **[मूल पांडुलिपि में पृ. 256-57 उपलब्ध नहीं है। अब इससे आगे—सम्पादक]** नहीं किया। कहा, मेरे घर लोग इन्तजार करते होंगे। उसकी भद्रता हमें मुग्ध किए जा रही थी। रेस्तोराँवालों ने बड़ा ही नेक व्यवहार किया। हमारे कहने पर तुरत भात बनाया और सामान भी बड़े ही सुस्वादु थे और उनकी कीमत तो पेरिस से आधी से भी कम ! फ्लौरेंसवालों को अच्छी रसोई बनाने पर भी नाज़ है और अपनी शराब के बारे में तो बड़े फ़ख्र से कहते हैं, कितनी भी पीजिए जीभ सूख नहीं सकती और उसकी सुगन्ध आपके दिमाग को बहुत देर तक मुअत्तर बनाए रहेगी। उनके यहाँ एक कहावत है रोटी एक दिन की और शराब एक वर्ष की। उसकी शराबों में शियान्ती बहुत ही मशहूर है। सचमुच शियान्ती शान्तिदायनी है। सोने के पहले एक बार फिर स्टेशन देख आए। रोशनी की रंगीनी में स्टेशन और भी खूबसूरत मालूम होता था और उनकी बगल के रेस्तोराँओं का कहना ? मस्ती और रंगीनी छलकी पड़ती थी। स्टेशन से लौटकर सो गया—फ्लौरेंस की गरिमा और रंगीनियों का स्वप्न देखता हुआ।

यह दांते का घर है !

16 जून, 1952
फ्लौरेंस

आज बाजार में दांते और ब्रेटिश की जो सम्मिलित मूर्ति खरीदी है। उसे सामने रखकर आज

की यह डायरी लिखने जा रहा हूँ।

जब-जब यह कल्पना करता हूँ इस शहर में दांते और माइकेल ऐंजेलो का जन्म हुआ, तब कितनी मुग्धता आ जाती है। दांते और ब्रिटिश का वह स्वर्गिक प्रेम जिसने डिवाइन कौमेड़ी को जन्म दिया था और माइकेल ऐंजेलो की वह कला जिसने पत्थर को भी सजीव बना डाला।

स्नान, जलपान से निवृत्त होकर आज दस बजे चूफीजी की गैलरी देखने गए। पता चला सोमवार के कारण आज तीन बजे खुलेगी। मन में बड़ी खिन्नता आई, किन्तु उसी भवन की दूसरी ओर राज्य के कागज़ात का म्यूजियम है, यह गाइडबुक में पढ़ चुका था। इसलिए इसके दरवाजे के भीतर घुसे, किन्तु वहाँ पहुँचने पर जब बातें शुरू कीं तो कोई समझनेवाला नहीं। यूरोप में फ्रांसीसी ही एक भाषा है, जिससे किसी तरह काम चल सकता है। अंग्रेजी कदम-कदम पर बेकार साबित हो जाती है।

किन्तु संयोग से एक अमेरिकन विद्यार्थी आ गया, जो यहाँ अनुसंधान का काम कर रहा है। उसने बातें की और जब हमने अपनी इच्छा बताई तो वह म्यूजियम के सुपरिन्टेंडेंट के पास गया। थोड़ी देर में ही वह अधिकारी खुद आ गए। बूढ़े-से सज्जन, इतिहास के डॉक्टर, बड़ी ही आवभगत की और स्वयं अपने साथ ले जाकर उस विद्यार्थी के माध्यम से कुछ चीज़ें दिखलाईं। किन्तु कितना दिखलाते ? सातवीं सदी से आज तक के सारे प्रमुख काग़ज़ात यहाँ सँवारकर रखे हुए हैं। इस विशाल भवन में तीन सौ बड़े-बड़े कमरे हैं। चार लाख मोटी-मोटी जिल्दों में ये काग़ज़ात रखे गए हैं, जिनकी संख्या एक करोड़ बीस लाख है। तालपत्र, काष्टपत्र, भोजपत्र, सभी ढंग के कागजों पर ये लिखे गए हैं। जो सबसे पुराने काग़ज़ात हैं। वे 726 ई. के हैं। दूसरे देशों के काग़जात भी हैं। उनमें दो भारतीय हस्तलिपियाँ हैं। एक बँगला की, दूसरी तामिल या तेलुगु की, यद्यपि वह समझते है वह भी बँगला ही है। हमने उनका भ्रम दूर किया।

दांते सम्बन्धी काग़ज़ात हमने देखना पसन्द किया। हमने उन काग़ज़ों को देखा, जिनमें दांते पर चलाए गए मुकदमे की मिसिलें हैं। मुद्दालहों के कई नाम हैं जिनसे दांते का नाम अन्तिम हिस्से में है। दांते को देश निष्कासन की सजा मिली थी। इधर-उधर भटकते अपनी जन्मभूमि से दूर ही मरे—1321 ई. में। इसके बाद वह काग़ज़ दिखाया गया, जिसकी रजिस्ट्री ब्रेटिश के पिता ने वसीयत के रूप में कराई थी। वसीयत में दांते की भी चर्चा है। दांते की मृत्यु के दो सौ वर्ष के बाद 1519 में फ्लौरेंस के नागरिकों ने सरकार के पास दरख़ास्त दी कि उनकी हड्डियाँ लाकर फ्लौरेंस में दफनाने की आज्ञा दी जाए। कहना नहीं होगा कि यह दरख़ास्त मंजूर की गई। ये काग़ज़ात भी यहाँ सुरक्षित हैं। इसके बाद और भी कई कमरे दिखलाए गए, देख-देखकर हम मुग्ध होते रहे। बूढ़े डॉक्टर की शराफत का क्या कहना ? यह भवन फ्लौरेंस के ऊँचे-से-ऊँचे भवनों में है। अतः उन्होंने ऊपर ले जाकर सारे शहर का विस्तृत दृश्य दिखलाया और वहीं से कितने ऐतिहासिक स्थानों और भवनों का निर्देश किया।

वहीं हमें पता लगा कि दांते का घर इसके निकट ही है। शहर का नक्शा लेकर उन लोगों ने रास्ता भी समझा दिया। उन्हें भारतीय ढंग से नमस्कार करके चले। नीचे आए तो सामने ही वह भवन दिखाई पड़ता था जो यहाँ का सबसे प्राचीन राजभवन है। उसे 'हम कल संध्या को अलग से ही देख चुके थे। इस समय भवन का द्वार खुला हुआ था। सोचा, जरा भीतर चलकर देखें। भीतर जाने पर पता चला, यहाँ चित्रों की प्रदर्शनी हो रही है। जब जर्मनों का पिछले महायुद्ध के समय यहाँ कब्जा हुआ तो वे यहाँ से बहुत चित्र अपने देश उठाकर

ले गए। हाल ही में वे चित्र वहाँ से मँगवा लिये गए हैं और कल से ही उनकी प्रदर्शनी हो रही थी। वह गिल्ड हॉल कहलाता है। इसका दूसरा नाम 'पाँच सौ आदमियों का भवन' भी है। यहीं फ्लौरेंस की गिल्ड के पाँच सौ सदस्य बैठते और अपनी नगर की व्यवस्था पर विचार-विमर्श करते। हॉल के चारों ओर मूर्तियाँ, चित्र, प्राचीरचित्र, और कसीदे की चित्रावली। एक चित्रावली में बताया गया है कि एक ईसाई सन्त को कितना कष्ट दिया गया था। उसके अंग-अंग में काँटे चुभाए गए हैं। खून बह रहा है। किन्तु उसका चेहरा वैसा ही धीर-गम्भीर। इस चित्र को देखकर मुझे बड़ी करुणा आई—आह ! हर समय, हर देश में साधुओं को कष्ट-ही-कष्ट दिए गए।

जब हम प्रदर्शनी से निकल रहे थे, फिर उस युवक से भेंट हो गई। वह अपनी परीक्षा देकर आ गया था और हमें खोज रहा था। विदेशियों के प्रति यह स्नेह भाव हमारे युवकों में भी आ पाता। उसी के साथ हम अब दांते का घर देखने चले। रास्ते में एक घंटाघर दिखाई पड़ा। उस युवक ने बताया, यह घंटा तभी बजाया जाता है जब संसार में कहीं युद्ध शुरू हो। मैंने मन-ही-मन कामना की, यह फिर कभी न बजे। यूरोप में युद्ध के कारण जो विभीषिका हुई है, उसे देखते हुए हर समझदार की यही कामना हो सकती है।

दांते का घर छोटा, बहुत ही छोटा है। घर के सामने दांते सम्बन्धी चित्र, मूर्तियाँ, पुस्तकें आदि बिक रही थीं। घर के भीतर गया तो देखा, वहाँ एक आधुनिक इटालियन चित्रकार के चित्रों की प्रदर्शनी चल रही है। यह चित्रकार पिछले महायुद्ध में युद्धबन्दी बनकर भारत भेजा गया था। अतः उसने कई चित्र भारत के सम्बन्ध में बनाए हैं। कश्मीर घाटी, गाँव, पनघट आदि उसके चित्र बहुत ही सुन्दर थे। वे चित्र बिक भी रहे थे, किन्तु इतने पैसे नहीं थे कि एक भी खरीद लेता।

दांते के घर से उस गिरजाघर की ओर चला, जो फ्लौरेंस का पैंथियन है। एक विशाल इमारत जिसमें फ्लौरेंस के सुप्रसिद्ध सपूतों की अस्थियाँ सुन्दर-सुन्दर समाधियों के भीतर संगृहीत हैं। भवन के सामने एक बड़ा मैदान, जिसके बीच में एक ऊँचे स्तम्भ पर दांते की एक बड़ी मूर्ति है। बड़ी ही सुन्दर मूर्ति। किन्तु युवक विद्यार्थी का कहना था, यह मूर्ति कला की दृष्टि से वैसी उत्तम नहीं है। उस विद्यार्थी ने ही बताया, उसकी बगल में जो इमारत है, वह कला की दृष्टि से बहुत ही महत्त्वपूर्ण है, क्योंकि उसकी दीवारों पर जिमोभानी ने जो भित्ति चित्र बनाए हैं, वे बहुत कलापूर्ण है। सबसे बढ़कर सत्ताईस दिनों के अन्दर अपने बारह सहयोगियों को लेकर उसने पूरी चित्रावली बना डाली है।

समाधियोंवाला यह विशाल भवन शान्ताक्रोचे के नाम से मशहूर है। यह भवन तेरहवीं सदी में एक गिरजाघर के रूप में बना था, यह तीन सौ फीट लम्बा और डेढ़ सौ फीट चौड़ा। इसका गुम्बद दो सौ तेईस फीट ऊँचा है। इसके अन्दर छिहत्तर समाधियाँ हैं, इसके भीतर माइकेल ऐंजेलो की समाधि है। पहली समाधि को बसारी और दूसरी समाधि को ऋषि नामक कलाकार ने बनाया। मेकियावेली का स्मारक लॉर्ड कुप्र ने बनवाया था। गैलेलिया की समाधि भी यहीं है। समूचे भवन में बड़े-बड़े कलाकारों द्वारा निर्मित मूर्तियाँ और समाधियाँ आँखों में चकाचौंध पैदा कर देती हैं। जियोत्तो की बहुत सी कलाकृतियाँ देखने लायक हैं। एक दुखान्त नाटककार की समाधि भी देखी, जिसके सामने एक नारी मूर्ति रो रही है। इस नाटककार की बड़ी तारीफ वह युवक कर रहा था—धनी का लड़का, बड़ा व्यापारी, किन्तु व्यापार से मन ऊब गया और वह दिन-रात लिखने-पढ़ने लगा। उसके घर के लोग नाराज, किन्तु सरस्वती जब सिर पर सवार होती है तो लक्ष्मी की चिन्ता आदमी को कहाँ रह जाती है ! धीरे-धीरे उसकी साहित्यिक कृतियाँ प्रसिद्धि पाने लगीं और अब फ्लौरेंस का सबसे बड़ा

नाटककार समझा जाता है।

हम देख ही रहे थे कि भवन के बन्द होने का समय हो गया—अब हम खाने चलें। युवक से फिर खाने को आग्रह किया, किन्तु वह कहाँ माननेवाला ! वादे के अनुसार वह फिर तीन बजे हमारे होटल में हाजिर हुआ। युवक के ही आग्रह पर हम सबसे पहले मेडिसी चैपेल देखने गए। फ्लौरेंस के इतिहास के साथ मेडिसी परिवार का नाम जुड़ा हुआ है। इस परिवार ने फ्लौरेंस का कला और कारीगरों के विकास में बहुत बड़ा प्रोत्साहन दिया। फ्लौरेंस का कोई हिस्सा नहीं जहाँ इन परिवार की कृतिकथा किसी रूप में अंकित न हो। इस चैपेल में मेडिसी परिवार के सभी प्रसिद्ध पुरुष दफनाए गए हैं। यह यूरोप के सर्वोत्तम स्मारकों में गिना जाता है। संगमरमर, मोंजाइक, सजावट—सबसे इसकी गरिमा चूई पडता थी। यहीं माइकेल ऐंजेलो की कुछ सुप्रसिद्ध मूर्तियाँ हैं, उसकी बनाई उषा और संध्या तथा दिन-रात भी देखने लायक है। उषा और रात को स्त्री के रूप में मूर्तिमान किया गया है और दिन को पुरुष की मूर्ति में। उषा को कुमारी माना गया है और रात को माता। सात वर्षों तक इन मूर्तियों के बनाने में वह लगा रहा, किन्तु पूरी नहीं कर पाया। कहा जाता है, मूर्तियाँ उनकी प्रारम्भिक कृतियाँ हैं। तो भी कितनी सुन्दर, कितनी जानदार !

वहाँ से हम सीधे यूफ़ीजी आए। करीब चार बज रहे थे। समय कम था, इसलिए हम इस चित्रशाला को उतना समय न दे सके, जितने की वह हकदार है। बरामदों पर मूर्तियाँ, घरों में चित्रावली। कुछ प्रसिद्ध मूर्तियाँ घरों में भी। यों तो लुव्र की महानता का कायल हूँ, किन्तु मूर्तियों और चित्रों का संकलन और उसकी सजावट देखकर मैं इसे उससे भी खूबसूरत म्यूजियम मानूँगा ही। इसके कमरे इतने सुन्दर हैं, चित्रों को इस तरह सजाकर रखा गया है, फिर चित्रों के फ्रेमों में ऐसी कारीगरी है कि इन चित्रों का प्रभाव हृदय पर लुव्र से भी अधिक पड़ता है।

इसका भवन सोलहवीं सदी में बसारी ने बनाया था। पहले सरकार ने मंत्रालय के रूप में बनाया था। नीचे के हिस्से में अब भी सरकारी कागज़ात हैं और ऊपर चित्रशाला है। बड़े-बड़े इकतीस हॉलों में कला की उत्तमोतम कृतियाँ संगृहीत हैं। सदियों के अनुसार क्रमशः हॉलों को सजाया गया है। कुछ हॉल विशेष कलाकारों के नाम पर भी हैं। वोनी शेली नाम पर एक खास हॉल है। पन्द्रहवीं सदी के हॉल में लियोनार्डो दि विंसी के दो चित्र हैं। जातकर्म नामक उसके उस सुप्रसिद्ध चित्र की मूलप्रति यहीं है। रैफेल और माइकेल ऐंजेलो के लिए जो विशेष हॉल है, उसमें रैफेल के चार सुप्रसिद्ध बड़े-बड़े चित्र हैं। माइकेल ऐंजेलो का सुप्रसिद्ध चित्र 'पवित्र परिवार' इसी हॉल को सुशोभित करता है। इसका फ्रेम भी उसने स्वयं बनाया था। प्रारम्भ के सत्रह हॉलों में फ्लौरेंस के स्कूल तथा टस्कन, अम्ब्रियन, वोलोन, लुम्वार्का और ऐलिलियन कालों के चित्र हैं। शेष हॉल में यूरोप के बड़े-बड़े कलाकारों की मूर्तियाँ सजाई गई हैं। टीसियन, रूवेन, वानटाइक, हालविन, वोरोसियो, आदि की कला कृतियाँ मन को मोह लेतीं। बरामदों में ग्रीक मूर्तियों की भरमार है। यहीं बनैले सूअर की मूर्ति है, जिसकी काँसे की प्राप्त मूर्ति यहाँ के बाजार के बैठक खाने में है। कहा जाता है जो इस सूअर के थुथने को मल देगा वह फिर फ्लौरेंस आएगा, कल बाजार में इस काँसे के सूअर का थुथना खूब छू चुका था, आज यहाँ भी इसके थुथने को छू दिया। हाथी दाँत की तसवीरें और कसीदें की चित्रकारियाँ भी देखने लायक हैं। ग्रीक मूर्तियों का ऐसा संकलन कम मिलेगा। मेडिसी परिवार के प्रायः सभी प्रमुख पुरुषों की मूर्तियाँ यहाँ हैं। एक बरामदे में उन सभी चित्रकारों और मूर्तिकारों की तसवीरें हैं, जिनकी कृतियाँ इस चित्रशाला को सुशोभित करती हैं। ये तसवीरें भी उस्तादों के हाथ की ही बनाई हुई हैं। बरामदों की छतों पर अलग-अलग चित्र समूहों में संसार के सुप्रसिद्ध

चित्रकारों, संगीतकारों, ज्योतिषियों, राजनीतिज्ञों, वक्ताओं, कथाकारों आदि के चित्र अंकित किए गए हैं।

यूफ़ीजी से ही संलग्न पित्ति पैलेस की चित्रशाला है। इसका इतिहास विचित्र है। उस युवक ने बताया, इस कला संग्रह के निर्माण का इतिहास विचित्र है। मेडिसी परिवार को कला संग्रह में पराजित करने के लिए चित्रशाला की आयोजना की गई। किन्तु कलाक्रम में यह चित्रशाला भी मेडिसी परिवार के ही हाथ में आ गई और यूफ़ीजी का ही एक भाग बन गई। इसके विशाल भवन के निर्माण में बुलेने-सी और वसारी ऐसे स्थापत्य विशारदों का हाथ रहा है। भवन बहुत ही विशाल और शानदार है। बिलकुल राजमहल-सा लगता है। इसके नीचे के हिस्से में चीनी बरतन, हाथी दाँत के काम, जवाहरात, वस्त्र और गहनों का ऐसा अच्छा संग्रह है कि संसार में इसकी जोड़ नहीं। ऊपर चित्रशाला है।

इसके सभी हॉलों की छतों में बड़े-बड़े चित्रकारों द्वारा चित्रमालाएँ अंकित हैं और उन चित्रमालाओं के नाम पर उन हॉलों के नाम रखे गए हैं। जैसे वृहस्पति का हॉल, मंगल का हॉल, इलियट का हॉल, हरकुलीज का हॉल, कामदेव का हॉल, कला का हॉल आदि। सभी हॉलों में यूरोप के बड़े-बड़े चित्रकारों के चित्र जगमग कर रहे हैं। इसके सबसे ऊपर के तले में आधुनिक इटालियन कला परिषद् का कला संग्रह है, जिसमें उन्नीसवीं सदी के और बीसवीं सदी के चित्रकारों की कृतियाँ सजाकर रखी गई हैं। यूफ़ीजी में ही इतना समय लग गया था कि इस अद्भुत कलाशाला को हम अच्छी तरह देख न सके ! किन्तु जितना देख लिया था, क्या वही कुछ कम था ?

इन दो महान चित्रशालाओं के अतिरिक्त भी फ्लौरेंस में चित्रशालाओं, संग्रहालयों, स्मारकों और संस्थाओं की भरमार है। इनमें चौबीस का प्रबन्ध सरकार की ओर से और सात का प्रबन्ध म्यूनिसिपलिटी की ओर से होता है। दस व्यक्तिगत चित्रशालाएँ हैं और बारह संग्रहालय हैं। आठ बड़े-बड़े थियेटरघर हैं। इनमें जो घर म्यूनिसिपलिटी द्वारा संचालित होता है, उसमें साढ़े चार हज़ार आदमी एक साथ बैठकर नाटक देख सकते हैं। सिनेमाघरों की भी भरमार है, जिनमें तीन सिनेमाघर तो ऐसे हैं, जिनमें पहली बार ही किसी फिल्म का उदघाटन होता है। पित्ति महल से लौटते समय संध्या हो चली थी। लौटते समय हमने कुछ सौदे खरीदे। फ्लौरेंस में चमड़े और शीशे के काम बहुत अच्छे होते हैं। एक छोटा सा चमड़े का पर्स खरीदा, जिस पर फ्लौरेंस की लीली की छाप थी। कुछ छोटी-छोटी शीशे की प्यालियाँ ली। कुछ मिठाइयाँ भी लीं। सौदे जितने सुन्दर थे उन्हें बेचनेवाली लड़की उनसे भी सुन्दर थी ! गोरा-भभूका चेहरा, सुनहले बाल जिन पर खेलवाड़ कर रहे थे। जब वह बोलती तो लगता सितार का तार छू गया। मैंने कहा—तुम बहुत खूबसूरत हो, उसने कहा, क्या सच ? फिर पूछा—क्या भारत चलोगी ? फिर उसी तरह मुसकराते कहा—मैं भारत को प्यार करती हूँ। किन्तु मैं गरीब हूँ पैसे कहाँ हैं ? मैंने कहा चलो, हमारे साथ ! अब वह खिलखिला पड़ी। ओहो, आप मजाक कर रहे हैं। मैं सच कहती हूँ, आपका देश मुझे बहुत ही प्रिय लगता है। चलते समय पूछा, तुम्हारा नाम ? उसने कहा—कोजा।

कोजा की, उस युवक की, जिसका नाम रोगाई मारशेली था और उस बूढ़े सुपरिन्टेंडेंट की, जिनका नाम मैं पूछ न सका, इन तीन जीवित व्यक्तियों तथा फ्लौरेंस के उन मृत महापुरुषों की मधुर स्मृति लिये अब सोने की तैयारी कर रहा हूँ। कल ही रोम के लिए चल देना है। बार-बार उस वाराहदेव से मनाता हूँ, जिनके थुथने कल मल दिए थे कि—हे भगवान के तीसरे अवतार, फिर कोई ऐसी लग्गी लगाना कि एक बार फिर दांते के इस नगर में आने का सुअवसर प्राप्त हो कि दो-तीन महीने यहाँ रहकर अपने जीवन को और भी कलामय बना सकूँ !

फ्लोरेंस से रोम

17 जून, 1952
रोम

फ्लोरेंस छोड़ते दुःख अनुभव हो रहा था। असल में ऐसी यात्राओं के लिए जो कार्यक्रम बनाया जाता है, वह प्रायः उटपटाँग हो जाता। किसी की रुचि किसी में, किसी की रुचि किसी में। यात्रा कम्पनियाँ अपनी सूझ-बूझ से एक कार्यक्रम बना देती हैं। मिलान में हमें एक रात अवश्य रहना चाहिए था और मेरी रुचि देखिए, तो मैं दो दिन और फ्लौरेंस में रहना चाहता। कम-से-कम एक-एक पूरा दिन 'यूफ़ीजी' और 'पित्ति' के संग्रहालयों के लिए तो देना ही था। 'पित्ति' की तो झलक भी नहीं पाई—बाहर से देखना कोई देखना हुआ ?

जब गाड़ी चली और देहात में आई वह, फिर वही दृश्य। गेहूँ की कटनी जारी है और मकई के धनबाल फूटने-फूटने पर। कटनी का काम ज्यादातर बैलों या घोड़ों से लिया जा रहा है। एक ढंग की मशीन है, जिसे बैल या घोड़े खींचते जाते हैं और गेहूँ कटकर उस पर सिमटते जाते और जब पुलिए के बराबर हो जाते हैं, तो आपसे आप खेत में गिर जाते। सारे खेत में पुलिएँ-पुलिएँ दिखाई पड़ते हैं।

मेड़ों पर के पेड़ों की शोभा भी बढ़ती जा रही है। दो पेड़ों के बीच में रस्सियाँ तान दी गई हैं और उन पर लत्तियाँ लतर रही हैं ! ये लत्तियाँ अंगूर की हैं, ये पेड़ शहतूत के हैं। जेल में हमारा एक ख़ब्ती सुपरिन्टेंडेंट था, वह कहा करता सभ्यता का मानी है—रेशम और शराब ! देखिए, दोनों की व्यवस्था हो गई !

रोम स्टेशन पर पहुँचकर सचमुच चकित हो गया। लन्दन के, पेरिस के बड़े स्टेशन देख चुका था ! लन्दन का स्टेशन उजड़ा-उजड़ा-सा लगता है, पेरिस का स्टेशन देखकर कौन कहेगा, यह संसार के सुन्दरतम नगर का स्टेशन है ! काला-कलूटा। किन्तु रोम का स्टेशन ! अरे, यह संगमरमर ! ये शीशे। ये फूल ! यह स्टेशन है या प्रदर्शनी गृह !

पिछली लड़ाई के बाद यह स्टेशन बनाया गया है ! अच्छा घर नहीं बना पाते हो, तो एक अच्छा बरामदा ही बना लो—गरीब इटली ने शायद यही सोचा। स्टेशन ही ऐसा बना दिया है कि ख्वाहमख्वाह आप इस शहर की ओर आकृष्ठ होंगे।

स्टेशन के निकट ही हमारा होटल है ! वहाँ सामान पटक हाथ-मुँह धो हम 'एयर इन्डिया' के ऑफिस में गए और तय कर आए, 19 जून को हम यहाँ से रवाना हो जाएँगे। वहाँ से 'अमेरिकन एक्सप्रेस' के दफ्तर में गए, जिसने हमारी यात्रा का प्रबन्ध किया था। देशपांडे और शिवाजी के कुछ पत्र आए थे। इस बार मैंने एक अजीब बात की है—किसी को अपना पता ही नहीं दिया, हाँ, अपनी ओर से प्रति दिन दो-चार पत्र ज़रूर भेजता रहा !

जब हम सड़क से गुजर रहे थे, देखा, जगह-जगह हथियारबन्द पुलिस तैनात है, कहीं-कहीं फौजी दस्ते भी घूम रहे हैं। बात क्या है ? पता चला, जनरल रेज़बे आज रोम आए हैं, उन्हीं के खिलाफ कम्युनिस्टों ने वहाँ प्रदर्शन करने का सोचा है। पेरिस में भी ऐसा ही किया गया था। किन्तु पेरिस में तो कुछ कर भी सके यहाँ तो टाँय-टाँय फिस्स ! हाँ, सड़कों पर एक दहशत की छाया जरूर दिखाई पड़ती थी।

शहर की यह दशा देख, हमने सोचा, शीलारानी होटल में ही रह जाएँ, तो अच्छा। शिवाजी भी रह गए। मैं देशपांडे के साथ निकला शहर देखने !

सबसे पहले क्या देखें ? रोम के इतिहास में जिस इमारत को सबसे अधिक प्रसिद्धि या निन्दा प्राप्त हो गई है, हम उसी कोलोज़ियम की ओर चले ! उस ओर जो ट्राम जा रही

थी, बड़ी मुश्किल से पूछताछकर उस पर चढ़ सका। यूरोप का सबसे बड़ा अभिशाप यह है कि कोई ऐसी भाषा नहीं जिसका सूत्र पकड़कर आप अपना काम आसानी से चला सकें। फ्रेंच शरीफों की भाषा है, अंग्रेजी व्यापारियों की। जनता तो अपनी-अपनी भाषा के ही दायरे में चक्कर काटती है।

लन्दन से रोम तक यात्रा करने के लिए आपको कम-से-कम चार भाषाएँ जाननी चाहिए—अंग्रेजी, फ्रेंच, जर्मन (स्विट्ज़रलैंड के लिए) और इतालवी ! और हर देश के लिए वीज़ा चाहिए, हर देश में सिक्के बदलने चाहिए, यदि दस सैकड़े के हिसाब से भी भँजाई ली गई, तो आपका रुपया आधा हो गया !

रोम में घुसिए और आपको वह प्रसिद्ध लोकोक्ति याद आने लगेगी—'रोम एक दिन में नहीं बना !' यह शहर संसार के प्राचीनतम नगरों से अपनी स्थिति और प्रसिद्धि के बारे में मुकाबला कर सकता है। अट्ठाईस सौ वर्षों का उसका इतिहास है जब उसके संस्थापक 'रोमुलस' ने टाइवर के किनारे, सप्त पहाड़ियों पर, उसकी नींव डाली थी। समूचे यूरोप में ज्ञान-विज्ञान की किरण बिखरने का सौभाग्य तो इसे प्राप्त ही हुआ, इसने ऐसे साम्राज्य स्थापित किए, जिसका सपना भी उन दिनों नहीं देखा जा सकता है और तमाशा यह कि संसार में साम्राज्य स्थापित करनेवाले इस शहर को अपने प्रजातन्त्र का भी उतना ही घमंड था। सीजर ऐसे अपने परम प्रतापी बेटे को भी प्रजातन्त्र की बलिवेदी पर चढ़ा देने में इसे झिझक नहीं हुई थी।

कला-कौशल का भी यह केन्द्र रहा है। जब यूरोप में पुनर्जागरण का दौर हुआ, उसके कलापक्ष को पुष्ट करने का सौभाग्य भी रोम को प्राप्त हुआ। माइकेल ऐंजेलो, राफेल, बरनीनी ऐसे कलाकार उसने पैदा किए, जिन्होंने चित्रकला, मूर्तिकला और स्थापत्यकला में युगान्तर उपस्थित कर दिया !

इन्हीं बातों पर मैं ग़ौर करता, ट्राम पर जा रहा था कि सामने कोलोज़ियम दिखाई पड़ा। उसके जो चित्र देखे थे, उससे पहचानने में दिक्कत नहीं हुई, किन्तु स्पष्ट कहूँ, उसकी दीवारों के नीचे खड़ा होने पर लगा, अपने चित्रों से भी यह महान है। यह इमारत गोल आकार का है जिसका वृत पाँच सौ तिहत्तर गज है और जिसकी ऊँचाई एक सौ सत्तावन फीट है। यह चार महल का है ! यह कोई घर नहीं, बल्कि एक रंगमंच था, जिसकी दीर्घाओं में एक साथ पचास हज़ार आदमी बैठ सकते थे। यह 80 ई. पू. में तैयार हुआ था और इसके उद्घाटन के लिए सौ दिनों तक उत्सव होता रहा था, जिसमें पाँच हजार जंगली जानवर मारे गए थे। इस इमारत पर रोमनों को बड़ा अभिमान था, वे कहा करते—जब तक कोलोज़ियम है, तब तक रोम भी रहेगा और जिस दिन रोम नहीं रहेगा, संसार नहीं रहेगा। किन्तु समय के थपेड़ों ने कोलोज़ियम को तहस-नहस कर दिया—खासकर दो बड़े-बड़े भूकम्पों ने और क्या रोम भी तहस-नहस होने से बच सका ? हाँ, संसार तब भी कायम ही है।

हम उसके आँगन (94 × 58 गज) में गए, जहाँ वे क्रूर कर्म होते थे, जब ईसाइयों को पकड़कर जंगली जानवरों के सामने डाल दिया जाता था। जंगली जानवर उन्हें नोचते-चीतरे थे और ऊपर दीर्घाओं में बैठे दर्शक हँसते, तालियाँ पीटते और आनन्द मनाते थे ! आँगन में ही गुफाएँ बनी हैं जिनमें वे जंगली जानवर रखे जाते थे, ऊपर जाने के लिए सीढ़ियाँ बनी हैं। हम उनके सहारे ऊपर पहुँचे। ऊपर पहुँचकर आप इसकी खिड़कियों से सारे रोम की एक झाँकी भी ले सकते हैं !

बहुत देर तक हम एक खिड़की पर बैठे कभी इसकी अँगनाई की ओर देखते और कभी बाहर रोम नगर पर नज़र डालते। हम वहीं थे कि दो अंग्रेज युवक वहाँ पहुँचे। क्या तमाशा है, इंगलैंड में किसी भारतीय को देखकर जो अपनापा अनुभव किया था, यहाँ इन्हें देखकर

वह अपनापा हुआ—क्योंकि हम लोग आपस में बातें कर सकते थे, एक साथ कुछ देर बैठकर सिगरेट पी सकते थे। समान भाषा भी एक बहुत बड़ा मानवीय सम्बन्ध का सूत्र है।

वहाँ से जब नीचे उतरे और आगे बढ़े, सामने एक ऐसी इमारत देखी कि पेरिस के आर्क द ट्रम्फ की याद आ गई। यह कौंस्टेंटाइन का बनाया हुआ विजय तोरण है और इसी को देखकर नेपोलियन ने पेरिस में वह विजय तोरण बनवाया था। यही नहीं, जब प्राचीन रोम के खंडहरों में घूम रहा था, तब यह स्पष्ट हुआ, नेपोलियन ने रोमन कानून को ही नहीं अपनाया था, पेरिस में जो कुछ शानदार चीजें उसने बनवाई, सब पर प्राचीन रोम की छाप है ! उसका विजय स्तम्भ भी यहीं से लिया गया था और जिस गिरजाघर में उसकी अस्थि रखी गई है, वह तो सेंट पिटर के गिरजाघर के मुकाबले में ही बनाया गया था।

फिर उस भग्नावशेष पर पहुँचा, जहाँ नीरो का 'स्वर्ण प्रासाद' था ! बस, एक चबूतरा बाकी है, उसी पर थोड़ी देर के लिए बैठ लिया—उफ, कैसा था वह आदमी, जो समूची राजधानी को जलता हुआ देखते हुए भी सितार बजा रहा था ! वह क्या था—कलाकार, सनकी या नरराक्षस ! या तीनों का सम्मिश्रण।

चित्त उद्विग्न हो गया, आगे बढ़ा। चारों ओर ढूह-ढूह, खंडहर-खंडहर ! संसार कितना क्षणिक है, मानव की कृतियों का क्या मोल है ? एक दिन वह मिट्टी में मिलेगा उसकी मनोरम कृतियाँ इतना भयानक रूप धारण कर लेंगी। किन्तु आह रे मानव ! जरा आँखें फाड़-फाड़कर देखिए, इन खंडहरों के एकान्त कोने में भी जहाँ-तहाँ युवक-युवतियाँ बैठे हैं, एक-दूसरे की कमर में हाथ डालकर चंचु-सम्मिलन कर रहे हैं ! क्या वे यह घोषणा कर रहे हैं, ये महल ध्वस्त-पस्त हो जाएँ, मानव सदा अमर है, वह जंगल में भी मंगल मनाता रहेगा, खंडहर में भी रास रचाता रहेगा।

कुछ आगे बढ़ने पर एक गिरजाघर देखा, भीतर गए। अरे, यह तो खिलौनाघर ऐसा लगता है। एक घर में खिलौनों में ही सारी सृष्टि रच दी गई है। नदी, पहाड़, जानवर, पंछी ही नहीं, चाँद, सूरज, तारे भी दिखलाए गए हैं। जब गिरजाघर से निकल रहा था, एक तन्दुरुस्त बच्चे को अपनी ओर निहारते देखा। उसके निकट गया, जरा दुलरा दिया, चुमकार दिया, फिर उसे मेरी गोद में आने में जरा भी संकोच नहीं हुआ। हाँ, जब उसे गोद में लिये आगे बढ़ा, तो लड़का कसमसाने लगा, गोद से उतारा नहीं कि भागकर दूर खड़ा हो गया, हाँ, वहाँ से मेरी ओर देखकर मुसकराता और हाथ हिलाता रहा। ये बच्चे—सब बच्चे एक हैं, चाहे पटना के बच्चे हों या रोम के !

अब हम उस जगह पहुँचे, जहाँ रोम साम्राज्य के प्राचीन ध्वंसावशेष हैं। उन्हें खोदा गया है। ज़मीन के नीचे से प्राचीन इमारतों के अवशेष निकले हैं, कहीं चबूतरे हैं, कहीं खम्भे हैं, कहीं सहन है। कभी वे भव्य रहे होंगे, विशाल रहे होंगे, आज भी इसकी सूचना मिलती थी।

इसी जगह दीवार से लगे चार नक्शे देखे, जिनमें रोमन-साम्राज्य के विकास को 'प्रदर्शित' किया गया है। पहला नक्शा, छोटा सा नगर-राज्य ! दूसरा नक्शा—146 ई. पूर्व—साम्राज्य का विकास हो रहा है। 14 ई. पू.—साम्राज्य फैलता जा रहा है। 117 ई.—साम्राज्य का चरम विकास जब यूरोप में इंगलैंड तक, अफ्रीका में मिस्र तक और एशिया में ईरान तक रोमन-साम्राज्य का विकास हो चुका है ! ये चार नक्शे और इसकी परिणति इस खंडहर के रूप में।

खंडहर के ऊपर वह रोमन साम्राज्य का चिर प्रसिद्ध कैपितोल ! सामने घोड़े की एक विशाल मूर्ति ! दरवाजे पर आदमी की दो विशाल मूर्तियाँ ! फिर नीचे की ओर सीढ़ियाँ।

सीढ़ियों से उतरिए कि वह लीजिए, आँखों को चकाचौंध में डालनेवाला विक्टर इमानुएल का शानदार स्मारक।

कितना ऊँचा, कितना विशाल, कितना सुन्दर ! ऊपर रथ में जुते घोड़ों की मूर्तियाँ—मालूम होता, वे अब भी हवा में उड़ जानेवाले हैं। फिर घोड़े पर सवार राजा की विशाल मूर्ति—काँसे के ऊपर किया गया सोने का पानी सौ साल के बाद भी चमचम कर रहा है। उसके नीचे अज्ञात सैनिकों की कब्र जिसकी बगल में दो सैनिक सदा पहरा दिया करते हैं। हम सीढ़ियों से ऊपर चढ़े गए। अज्ञात सैनिकों का अभिनन्दन किया, निकट से राजा और उसके घोड़े की गरिमा को निहारा, फिर ऊपर के मंच पर जाकर सारे रोम की एक झलक ली।

काफी देर हो चुकी थी, हम अपने होटल की ओर चले। रास्ते में वह फव्वारा दिखाई पड़ा। जिसके तीन ओर शानदार इमारते हैं; गोलाई में। इस समय वहाँ बड़ी चहल-पहल थी। बिजली की रोशनी में फव्वारे की शोभा का क्या कहना ? रेस्तोराँ में लोग खा-पी रहे हैं, गप्पें मार रहें ! कई जगह बाजे बज रहे। थके-माँदे थे, हम दोनों फव्वारे के निकट बैठकर सुस्ताने लगे, ठंडाने लगे ! हाँ, रोम में काफी गरमी पड़ रही है। जब हम बैठे थे, एक सज्जन आए, कहिए, आपका फोटो ले दूँ। यह भी सही।

फिर बैठे कि दो नौजवान आए, उनके साथ एक लड़की भी। उनमें से एक ने टूटी-फूटी अंग्रेजी में पूछा, आप कहाँ से आए। ज्यों ही इन्डिया कहा—'इन्दिया', 'इन्दिया' कहकर वह उछलने लगा। तीनों में बाजी लगी थी कि हम कहाँ के हैं। उसी नौजवान की बाजी रही। फिर वह हमारे देश की तारीफ करने लगा—गांधीजी का नाम लिया। जब उसे मालूम हुआ, हम लोग गांधीजी के साथ काम कर चुके हैं। गांधीजी मेरे गाँव में भी गए थे, तब तो उसके आनन्द का ठिकाना नहीं रहा। फिर उसने पूछा क्या आपकी यह पोशाक धार्मिक है—आप पादरी हैं। मैं काली शेरवानी पहने था। इसी से उसने ऐसा पूछा। यहाँ के पादरी काली पोशाक पहनते हैं, शेरवानी की ही तरह घुटने तक की। हमने बताया, यह हमारा राष्ट्रीय पोशाकें है, तो तुरत उसने 'मिस इन्दिया' की चर्चा छेड़ दी। इधर यूरोप की पत्रिकाओं में मिस इन्डिया—इन्द्रानी रहमान—की तसवीरें बहुत छप रही हैं, कवर पर ही। साड़ी का आँचल सिर से लेकर बगल तक ले जाने में जो चेहरे के चारों ओर एक घेरा बन जाता है, वह उन्हें बहुत अच्छा लगा था। इशारे से बताने लगे—तो हमने उनके साथ की लड़की की ओर इशारा करके कहा—हमें भी 'मिस इतालिया' बहुत अच्छी लगती हैं ! तीनों ठठाकर हँस पड़े !

इटली गरीब देश है। देखा, बहुत लोग नकली चीज़ें बेच रहे। अजीब मोल-तोल—काबुलियों को भी मात कर दिया, लेकिन हर जगह भले-बुरे लोग हैं। अभी जब मैं एक दूकान पर चीजें खरीद रहा था, एक नौजवान ने मुझे कैसी मदद की और जब हमने उसकी थोड़ी खातिर करनी चाही, किस तरह धन्यवाद के साथ अस्वीकार किया।

रोम की झाँकी

18 जून, 1952
रोम

हम लोग जो बहुधन्धी हैं, विदेशों में जाकर अपनी कामनाओं को अतृप्त ही छोड़कर लौट आते हैं। रोम के लिए हमें कम-से-कम एक सप्ताह रखना चाहिए था। किन्तु यहाँ तो टिकट

कट चुकी है, सीट रिजर्व है, कल संध्या को चल ही देना है, अतः जो देखना हो, आज देख लीजिए।

कल रात में एक टैक्सीवाले से बातें हुई थीं। उसने कहा, दस हजार लीरा में वह रोम दिखला देगा—कुल छः घंटे लगेंगे। अब तो इस संक्षिप्त परिचय से ही सन्तुष्ट होना. पड़ेगा। टैक्सी का ड्राइवर थोड़ी अंग्रेजी जानता है। एक नक्शा लेकर उसने जो गन्तव्य स्थानों की सूची बनाई, उससे लगा, एक झलक हम पा ही लेंगे।

दस हजार लीरा—घबराएँ आप नहीं। फ्रांस के फ्रैंक से भी गया बीता है यह इटालियन सिक्का। अपने एक पैसे के बराबर भी इसकी कीमत नहीं है। यहाँ हजार-लाख में ही बातें होती हैं। जिसका अर्थ इकाई-दहाई से बढ़कर शायद ही सैकड़े तक जाता है।

कोलेज़ियम से ही आज भी शुरू किया गया। रोम सात पहाड़ियों पर बसा था। ड्राइवर ने सातों के नाम और उनके स्थान बताए। फिर विजय तोरण और नीरो के स्वर्ण भवन का भग्नावशेष देखते, आगे बढ़े। कल खंडहर-खंडहर होकर गया था, आज राजपथ से चला जो 'विया फोरी इम्पीरियल', कहलाता है। इसी सड़क के किनारे सघन वृक्षों और लतागुल्मों के बीच-बीच में रोमन सम्राटों की मूर्तियाँ हैं—त्राजन, सीजर, अगस्तस, नेरवा—कहाँ तक गिनिएगा ? यहीं त्राजन का बाजार है, जहाँ कभी संसार के कोने-कोने से व्यापारी आते और अपने मालों का आदान-प्रदान करते थे। त्राजन के फोरम के सामने एक ऊँचा स्तम्भ है, जिस पर त्राजन ने अपने विजय अभियानों को सचित्र खुदवाया था। क्या इस स्तम्भ को देखकर ही नेपोलियन ने अपना विजय स्तम्भ खड़ा किया था !

फिर विक्टर इमानुएल के शानदार स्मारक को देखते, उसके शानदार घोड़े के निकट खड़ा होकर फोटो खिंचवाकर, हम कैपितोल गए। आजकल यहाँ रोम के मेयर का ऑफिस होता है। बीच की अँगनाई में कितनी ही मूर्तियाँ हैं। एक मूर्ति रोम की देवी की है, जिसके दोनों ओर दो झरने नील और टाइवर का प्रतिनिधित्व करते हैं। कहाँ नील नदी और कहाँ टाइवर—किन्तु रोम को तो अपनी विजयों पर सदा अभिमान रहा है ! दोनों तरफ दो भवन हैं, जिनके नक्शे माइकेल ऐंजेलों ने बनाए थे। एक भवन में 'म्यूजियो कैपितोलिना' है—जहाँ उत्तमोत्तम कलाकृतियाँ सुरक्षित रखी गई हैं। इसी संग्रहालय में 'मुमूर्षु गॉल' की वह मूर्ति है, जिस पर वायरन ने एक कविता लिखी थी। एक जीवन्त मूर्ति और है वहाँ, जिसकी प्रायः चर्चा होती है—एक बच्चा अपने पैर से काँटा निकाल रहा है ! बच्चे की मुखमुद्रा देखकर आँखें नहीं थकतीं।

कैपितोल की ऊँचाई से ही हमने फिर एक बार प्राचीन रोम के भग्नावशेष को देखा। दोनों ओर भवन थे, बीच में राजपथ था। राजपथ के दोनों छोर पर दो विजय तोरण, एक पार्थियनों पर विजय प्राप्त करने के उपलक्ष्य में, एक यहूदियों को पराजित करने के उपलक्ष्य में। हमारा पथप्रदर्शक उसी ऊँचाई से उँगली उठा-उठाकर बता रहा था—देखिए, वहाँ सिनेट था, जहाँ रोमनों की पार्लियामेंट बैठती थी; वहाँ वह रेस्तरा है, जहाँ से खड़े होकर वक्ता व्याख्यान देते थे; वहाँ रोमुलु की समाधि है, वहाँ शनिदेव का मन्दिर है, वहाँ सीज़र की हत्या की गई थी !

वहीं उसने उस राजपथ का चिह्न बताया, जिस पर रोमन वीरों के रथ विजय की आकांक्षा से बाहर जाते थे। रथ के पहियों के निशान देखकर राजगृह और वैशाली के राजपथों के निशान याद आ गए ! पत्थर पर गहरी लकीरें खिंची थीं।

जब हम कैपितोल से लौट रहे थे, वह घर दिखाया गया, जिसके तहखाने में फाँसी देने के लिए सेंट पिटर और सेंट पॉल को रखा गया था। उस घर के दरवाजे पर इस बात का

उल्लेख भी है। वह घर पहले जेल था। कहा जाता है, सेंट पिटर से प्रभावित होकर उसका जेलर ईसाई बन गया था।

विक्टर इमानुएल के स्मारक की ही बगल में पैलाजा विनित्सिया—वेनिस महल—है, जिसे रोम के प्राचीन महलों में सबसे सुन्दर और सुरक्षित समझा जाता है। इसी महल में मुसोलिनी रहा करता था और इसी के झरोखे पर खड़ा होकर वह रोम निवासियों को अपने सिंहगर्जन से उत्साहित किया करता था। इस महल के सामने वह चौराहा है, जहाँ एक लाख आदमी मजे से खड़े हो सकते हैं। मुसोलिनी के श्रोता यहीं खड़े-खड़े उसकी बिजली की वाणी सुना करते थे !

अब हम वेटिकन की ओर चले। किन्तु इसके पहले हमारा ड्राइवर हमें उस मन्दिर में ले गया, जहाँ माइकेल ऐंजेलो की बनाई सर्वश्रेष्ठ मूर्ति—मूसा की मूर्ति है। सफेद संगमरमर की यह मूर्ति आज भी वैसी ही जीवन्त लगती है। बहुत लोगों का कहना है कि यह संसार की सर्वोत्तम मूर्ति है। शानदार सफेद दाढ़ीवाली यह मूर्ति अभी मुँह खोलकर हमसे कुशल-वार्त्ता पूछेगी, ऐसा लगता था। उस मूर्ति की एक प्रतिलिपि खरीदकर हम वहाँ से चले !

रास्ते में चांसलरी पड़ी—इटली की सेक्रेटेरियट। काफी लम्बी-चौड़ी और शानदार इमारत है। यह पन्द्रहवीं सदी में बनाई गई थी।

और यह टाइवर नदी और उसके ऊपर यह खूबसूरत पुल। फ्रांस और इटली में जितने भी पुल देखे, सब कला के नमूने। अपने देश या इंगलैंड की तरह वे सिर्फ लोहे या कंकरीट के ढाँचे मात्र नहीं हैं। टाइवर के इस पुल पर कितनी ही भव्य मूर्तियाँ। यदि इस शानदार पुल को बाद कर दीजिए, तो टाइवर कोई बड़ी नदी नहीं—यही, हमारी बागमती ऐसी। गरमी के दिन में सूखी-सूखी लग रही थी।

पुल पर आइए और लगेगा, आप किसी नए लोक में जा रहे हैं। वेटिकन को एक नए देश का गौरव तो प्राप्त है ही। बस, एक शहर का यह देश है, जिसका अपना शासन है, अपने दूतावास हैं। ईसाइयों के बड़े पादरी यहीं रहते हैं, जो पोप कहलाते हैं। एक दिन पोप का दबदबा सारे यूरोप पर था। अब वह सिमटकर एक शहर में आ गया है। किन्तु यह शहर साधारण शहर नहीं है। यूरोप के राष्ट्रों ने समझौता कर रखा है कि चाहे जो कोई जिस किसी से लड़े, वेटिकन पर कभी बमबारी नहीं की जाएगी। वेटिकन में ही सेंट पिटर का वह बड़ा गिरजाघर है जो ईसाइयों के लिए सबसे प्रसिद्ध और पवित्र मन्दिर है और वहाँ ऐसा कला संग्रह है कि देखकर आश्चर्य होता है।

ड्राइवर ने बताया, इस पुल के आधे हिस्से से ही वेटिकन का राज्य प्रारम्भ हो जाता है। पिछले युद्ध में इटली में घमासान लड़ाई हुई, किन्तु इस शहर का बाल भी बाँका नहीं हुआ। अतः युद्ध की विभीषिकाओं से बचा हुआ यह नगर थोड़ी ही देर में हमारी आँखों को चकाचौंध में डालने लगा। जब हमारी गाड़ी सेंट पिटर के गिरजाघर की अँगनाई में रुकी, मुझे तो ऐसा लगा, किसी जादुई नगर में पहुँच गया होऊँ। दो सौ चौरासी बड़े-बड़े स्तम्भ, अट्ठास्सी गुम्बद और एक सौ चालीस मूर्तियों से घिरा यह आँगन संसार के सर्वसुन्दर स्थानों में गिना जाता है ! यह दो सौ साठ गज चौड़ा और दो सौ पन्द्रह गज लम्बा है। बीच में मिस्र का एक स्तम्भ है, जो अस्सी फीट ऊँचा है। स्तम्भ के दोनों ओर दो फव्वारे हैं जो पैंतालीस फीट ऊँचे हैं। फव्वारों से पानी की बूँदें झर-झर झर रही थीं। आँगन में इधर-उधर रंगीन कपड़ों में औरत-मर्द घूम रहे और आश्चर्यचकित हो कभी इन स्तम्भों को, कभी मूर्तियों को और कभी सेंट पिटर के गगनचुम्बी गुम्बदों को देख रहे !

सेंट पिटर का यह विशाल गिरजाघर—संसार के सभी गिरजाघरों से यह भव्य और विशाल

है। लम्बाई छः सौ आठ फीट, ऊँचाई एक सौ पैंतालीस फीट, चौड़ाई बयानब्बे फीट और पूरा रकबा अड़तालीस हजार पाँच सौ वर्गफीट है। यह कितना विशाल है, इसका अन्दाज इससे लगाइए कि इंगलैंड के सबसे बड़े गिरजाघर सेंट पॉल कैथेड्रल का रकबा सात हजार आठ सौ पचहत्तर वर्गफीट है और पेरिस के विश्व विख्यात के नोत्रेदाँ का रकबा सिर्फ पाँच हजार नौ सौ पचान्बे वर्गफीट।

इसके बनाने में बड़े-बड़े कलाचार्यों का हाथ रहा है। इसका नक्शा माइकेल ऐंजेलो ने बनाया था। राफेल ने भी एक नक्शा बनाया था, किन्तु ऐंजेलो का ही नक्शा स्वीकार किया गया। इटली के दो दर्जन सर्वश्रेष्ठ कलाकारों ने इसे सजाया, रचाया—बरनीनी, मादर्नो, जियोत्तो, बुओंबिसिनो, फोन्ताना आदि। माइकेल ऐंजेलो और राफेल की सुन्दरतम कलाकृतियाँ यहीं पाई जाती हैं।

आँगन में सीढ़ियों की ऊँचाई पार करते हुए मन्दिर के निकट आइए तो आप वहाँ आज भी स्वीस गार्डों का पहरा पड़ता हुआ देखेंगे। नेपाली पहरेदारों की तरह इनके बारे में भी यह धारणा है कि जीते जी ये दुश्मनों को भीतर नहीं घुसने देंगे। प्राचीन काल में सभी दरबारों में स्वीस गार्ड रखे जाते थे। इन्हीं स्वीस गार्डों ने फ्रांस की क्रान्ति के समय राजा-रानी को बचाने के लिए अपने को बोटी-बोटी कटवा डाला था !

मन्दिर में घुसिए और पाइएगा, सारे वातावरण पर एक गम्भीरता, पवित्रता रोब छाया हुआ है। ईसा के जीवन का सम्बन्ध अनेक अनेक मूर्तियाँ हैं। भीतर की छत पर सोना-ही-सोना है। इन मूर्तियों की भव्यता, छत की चित्रकारी और खम्भों की खुदाई देखकर आदमी दाँतों अंगुली काटने लगता है ! माइकेल ऐंजेलो के द्वारा बनी ईसा की शहादत की मूर्ति को देखकर क्या आँखें सजल हुए बिना रहती हैं ? ऐंजेलो ने यह मूर्ति चौबीस वर्ष की उम्र में ही बनाई थी। ईसा की माँ अपने शहीद बेटे की लाश को गोद में लिये रो रही हैं—आपको लगेगा, उनकी आँखों से आज भी आँसू टपक रहे हैं।

सारा मन्दिर धूप-दीप से महमह जगमग कर रहा था।

फिर हम उस प्रार्थनाघर में पहुँचे, जिसकी छत को माइकेल ऐंजेलो ने चित्रकारियों से भर दिया है। इन चित्रकारियों में सारी सृष्टिकथा कह दी गई है। आदम की तसवीर देखकर कोई भी कह सकता है, मनुष्य का आदिपुरुष ऐसा ही होगा। वह बलिष्ट शरीर, पुट्ठे उभरे, नसें तनीं, लम्बी शानदार दाढ़ी, चेहरे पर तेज और ओज—मानवता की इससे बढ़कर कोई तसवीर क्या बनाई जा सकती है ? भरसाहे पर चित लेटा हुआ यह चित्रकार दिनों, महीनों और सालों को तन्मयता से चित्रण करते हुए गुजार दिया था। प्रार्थनाघर की एक बेंच पर बैठकर ऊपर मुँह किए, मैं भावमुग्ध इस विशाल चित्रावली को कब तक एकटक देखता रहा।

फिर संग्रहालय में जाइए—यूरोप के सभी चित्रकार अपनी सुन्दरतम रचनाओं से इस देवमन्दिर को सजाने में प्रतिद्वंद्विता करते रहे हैं। राफेल की तो सारी सुन्दरतम कलाकृतियाँ यहीं हैं। इन कलाकृतियों के कारण यह स्थान उन दिनों भी तीर्थ बना रहेगा, जब कदाचित सारा विश्व धर्म को भूल जाए !

लुव्र की तरह इस कला संग्रह को देखकर भी इच्छा होती थी, यहीं कुछ दिनों रम रहा जाए। आदमी कूची लेकर कैसी रंगीन दुनिया तैयार कर दे सकता है, इसकी यह एक उत्कृष्ट बानगी है। मानव प्रतिभा को बार-बार सिर झुकाने की प्रवृति यहाँ आप-से-आप पैदा हो जाती है।

रोम के दो स्थान ऐसे हैं, जिन्हें लोग देख लेना आवश्यक समझते हैं। एक तो यहाँ के पुराने स्नानघर। रोम में काफी गरमी पड़ती है। जून में हम सोच रहे थे, क्यों नहीं अपना महीन

खादी का कुरता ले आए। इस गरमी और पसीने के कारण स्नान करने में मजा आना ही चाहिए। अतः विलासी रोमनों ने स्नान के लिए ऐसा शानदार प्रबन्ध कर रखा था कि उनका भग्नावशेष देखकर भी आश्चर्य होता है।

दूसरी चीज है–ईसाइयों की समाधियाँ, जिन्हें 'काटाकम्ब' कहते हैं। रोम के जो सम्राट थे, वे ईसाइयों को तरह-तरह से कष्ट देते थे। यदि उन्हें पता चल जाता था कि किसी ने मुर्दे को ईसाई ढंग से गाड़ा है, तो उसे उखड़वाकर जला डालते थे। अपने मुर्दों को इस बेइज्जती से बचाने के लिए ईसाइयों ने एक नवीन आविष्कार किया। जमीन के नीचे वे तह-पर-तह खोदते जाते थे और उन्हीं में अपने मुर्दों को रखते जाते थे ! हम जब एक ऐसे ही तहखाने में मुर्दों की ठठरियाँ देख रहे थे, बार-बार रोमांच हो आता था !

वहीं हमने एक ईसाई सन्त की समाधि देखी, जिनके शरीर की चमड़ी उधेड़ ली गई थी। उफ, इन सन्तों की यह साधना ही है कि अब तक ईसाई धर्म अनेक दूषणों के आ जाने पर भी जीवित है।

'काटाकम्ब' देखने को जा रहे थे। रोम की दीवार के यह बाहर है। हम जिस सड़क से जा रहे थे, उसकी बगल में एक छोटा सा मन्दिर है। 'क्का वैदिस' हमने सुन रखा था, किन्तु जब उसके स्थान पर पहुँचा, तो भावना में बह गया। कह सकता हूँ, रोम में मुझे जितना प्रभावित इस स्थान ने किया, उतना किसी भी स्थान, मन्दिर या दर्शनीय पदार्थ ने नहीं।

सेंट पिटर रोम में ईसाई धर्म का प्रचार कर रहे थे। राजा से मनाही थी, अतः चुपचाप काम करना पड़ता था। किन्तु ज्यों-ज्यों इनका प्रभाव बढ़ा, राजा ने सख्ती बढ़ाई। तब पिटर के शिष्यों ने कहा–आप यहाँ से भाग जाएँ। आप बचे रहेंगे, तो धर्म का काम होता रहेगा। पिटर चले, रोमन दीवार पार कर गए, खतरा टल गया कि इतने ही में उनके कानों में आवाज आई–'दोमिने, क्का वैदिस !'–साधु, यह क्या कर रहे हो ? पिटर चकित हुए ! इधर-उधर देखा, कोई नहीं ? फिर आगे बढ़े, तो वही आवाज ! ओह ! उन्होंने अनुमान किया, यह वाणी किसकी है ? वह काँप उठे–ऊपर नजर की तो देखा, वह ईसा थे, उनकी पीठ पर सलीब था, उन्होंने पिटर से कहा–लौट जाओ, मैं फिर येरूस्लम में सलीब पर चढ़ने जा रहा हूँ, तुम रोम में फाँसी पड़ो। पिटर लौटे, राजा ने उन्हें पकड़वाया, उन्हें जेल में रखा, फिर फाँसी दी।

पिटर मर गए–किन्तु ईसाई धर्म अमर हो गया !

क्या हर पिटर के जीवन में यह 'क्का वैदिस' की आवाज नहीं आती है ? किन्तु कितनों के कान उसे सुन पाते हैं ? राजा की फाँसी से बचने के लिए वे स्वयं अपने गले में फाँसी डाल लेते हैं !

घोंसले की ओर !

19 जून, 1952
रोम

आज ही जाना है। अब क्या देखा-सुना जाता ? थकावट भी बहुत थी। खूब देर तक सोता रहा।

कल 'क्का वैदिस' के बाद फिर रोम शहर में आया और यहाँ का पैंथियन देखा। रोमन साम्राज्य के गिने-चुने स्मृतिचिह्नों में यह है। हाथर्न ने कहा था, इससे अधिक शानदार चीज़ इस पृथ्वी पर कुछ नहीं है। भीतर रोशनी जाने के लिए छत में खुली जगह है जिसके बारे

में उसने कहा था—मानों स्वर्ग इस ओर से उसके आन्तरिक सौन्दर्य को झाँक रहा हो।

पेरिस के पैंथियन की ही तरह यहाँ इटली के बड़े लोगों की समाधियाँ हैं। मैंने राफेल की समाधि देखी। उस पर लिखा था—'जब वह जिन्दा था, प्रकृति उससे डरती थी कि कहीं वह मुझ पर भी बाजी न मार ले जाए और जब वह मर गया, वह उसी के साथ निश्चिन्त सो रही है।'

पैंथियन से लौट रहा था तो बीच में इटली की राष्ट्रीय विधान सभा का भवन दिखाई पड़ा। मेरे ड्राइवर ने बड़ी नफरत से कहा—'यहाँ लोग सिर्फ बक-बक करते रहते हैं !'

मैं चाहता था, कीट्स और शेली के स्मारकों और समाधियों को देख लूँ। किन्तु काफी देर हो चुकी थी, यह अरमान दिल में ही रह गया। कौन कहे, इसके चलते फिर आना पड़े।

रात में एक 'नाइट क्लब' में गया। खुले बगीचे में नाच-गान हो रहा था। खाइए-पीजिए, देखिए-सुनिए। किन्तु पेरिस के नैश-बिहारों का मजा जिसने लूटा हो, उसके लिए तो यह खेल-ही-खेल है। मैं इटालियन संगीत सुनना चाहता था। किन्तु यहाँ संगीत की अपेक्षा खेल-तमाशों की ही भरमार थी।

कल शाम को होटल के बाहर घूम रहा था कि दो सज्जनों को अपनी ओर घूरते देखा। ठिठकते हुए वे निकट आए और अपना परिचय दिया। उनमें एक थे श्री फूलचन्द पांडेय, जो मिलान में हिन्दी पढ़ाते हैं और दूसरे सज्जन हिन्दुस्तान टाइम्स के संवाददाता थे।

डायरी लिख ही रहा था कि वे दोनों सज्जन आ गए। पांडेयजी से पता चला, वे भारत सरकार के वैदेशिक विभाग में हैं। मिलान विश्वविद्यालय ने हिन्दी की कक्षा खोली तो उसने भारत सरकार से अध्यापक माँगा। पांडेयजी भेज दिए गए। पांडेजी बनारस के रहनेवाले हैं। इनसे पता चला, इटली के प्रायः सभी विश्वविद्यालयों में हिन्दी की पढ़ाई शुरू हो गई है। रोम विश्वविद्यालय में श्रीराम सिंह तोमर हैं। तोमरजी एक शब्दकोष तैयार कर रहे हैं जिसमें हिन्दी के शब्दों के समानार्थवाची इटालियन, फ्रांसीसी आदि सभी यूरोपीय भाषाओं के शब्द दिए जाएँगे।

फूलचन्दजी ने थोड़ी ही देर में आत्मीयता स्थापित कर ली। कुछ सौदे करने थे, उन्हीं के साथ बाहर गया। उन्हें दुख था कि हम लोगों की अधिक सेवा नहीं कर सके। आजकल विश्वविद्यालय बन्द है, इसलिए रोम के भारतीय दूतावास में ही आप रह रहे हैं।

पांडेयजी से पता चला, इटली में भारतीय भाषाओं के लिए ही अनुराग नहीं है, भारतीय फैशन भी धीरे-धीरे घर कर रहा है। लड़कियाँ अपना केश विन्यास भारतीय ढंग पर करना पसन्द करती हैं। भारतीय आभूषण भी उन्हें पसन्द आ रहे हैं। केवल विद्यार्थी ही हिन्दी नहीं पढ़ते, बड़े-बड़े फर्मों के कर्मचारी भी हिन्दी सीख रहे हैं। उन लोगों ने मान लिया है कि पन्द्रह वर्ष के बाद भारत अपना सारा कारोबार हिन्दी में करने लगेगा, अतः वे मुस्तैदी से हिन्दी सीखने में लग पड़े हैं। पांडेयजी ऐसे ही लोगों के लिए एक हिन्दी इटालियन शिक्षक नामक पुस्तक तैयार कर रहे हैं।

पांडेयजी ने बताया, इटली में साहित्य के लिए बड़ी रुचि है, साहित्यकों का यहाँ बड़ा सम्मान है। सुप्रसिद्ध लेखक बेनिदित्तो क्रोचे को यहाँ की राष्ट्रीय विधान परिषद् का सदस्य सरकार ने नामजद कर रखा है। जिस दिन क्रोचे उसकी बैठक में सम्मिलित होने को रोम आए, स्टेशन पर एक लाख आदमी की भीड़ थी। उनका व्याख्यान सुनने को हर देश के प्रमुख राजदूत परिषद् की बैठक में पहुँचे थे।

साढ़े चार बजे हम हवाई जहाज के अड्डे पर आ गए। वहाँ मैंने देखा, मेरी कलम नहीं है। बेचारे पांडेयजी मेरे होटल में गए, वहाँ कलम नहीं मिली, लेकिन मैं एक कमीज और ब्रश

छोड़ आया था, उन्हें लेते आए। इधर थैले में कलम भी मिल गई थी। अपने पर बड़ी नाराजी हुई—क्या मैं हूँ कि कोई व्यवस्था कर नहीं पाता, हमेशा लटर-पटर !

एरोड्रम आया; लगभग बीस भारतीय हैं। मर्द ही नहीं, औरतें भी। यह हैं म्रदास विश्वविद्यालय के वाइस चांसलर श्री मुदालियर, तो उनकी बूढ़ी पत्नी भी उनके साथ हैं ! हमारे साथ भी तो शीलारानी हैं। भारतीय नारियाँ अब हर जगह अपना योग्य भाग ले रही हैं।

एयर इन्डिया ! और हम फिर उड़े जा रहे हैं, उड़े जा रहे हैं।

एक लम्बा हुदक्का और हम यूरोप की भूमि पीछे छोड़ चुके हैं। ऊपर आसमान है औ· नीचे अथाह सागर लहरा रहा है। बीच में यह हमारा प्लेन उड़ा जा रहा है ! वे ही पुराने दृश्य—फिर उन्हें लिखकर समय क्यों बरबाद किया जाए ?

किन्तु दिमाग में तरह-तरह की बातें आ रही है, जा रही हैं।

यह दूसरी बार यूरोप से लौट रहा हूँ। दोनों बार की यात्रा अचानक रही। दोनों बार यूरोप को निकट से देखने और समझने की कोशिश की। दिन थोड़े लगाए, किन्तु हर दिन की हर घड़ी का उपयोग किया। इंगलैंड, फ्रांस, स्विट्ज़रलैंड और इटली—इन्हें खूब देखा। यूरोप के और कई अंचल देखने को रह गए हैं—खासकर उत्तरी अंचल के देशों को। पूर्वी अंचल के बारे में अभी क्या कहा जा सकता है ? वह अंचल तो फौलादी घेरे के अन्दर है।

इस बार इटली को जितना देखा, बहुत प्रभावित हुआ। यह देश—यूरोप की सभ्यता का अग्रदूत रहा है। अच्छे-से-अच्छे सैनिक, राजनीतिज्ञ, धर्मगुरु पर्यटक, चित्रकार, मूर्तिकार, स्थापत्यवेता, कवि, लेखक, संगीतज्ञ यह दे चुका है। सारे यूरोप पर इसकी छाप है। किन्तु दो महायुद्धों ने इसे ध्वस्त-पस्त कर रखा है। एक हरी-भरी भूमि बियावान-सी बनी है। सबसे बुरी बात यह कि जनता ने अपने पर विश्वास खो दिया है। तरह-तरह की राजनीतिक विचारधाराएँ उसे चंचल और भ्रष्ट बनाती रही हैं। मुसोलिनी ने उसे कैसा नचाया ? आज भी वहाँ कोई राजनीतिक दल ऐसा नहीं जो उसे सही नेतृत्व दे। हारकर वह फिर धार्मिकता की शरण में चिपकती जा रही है।

बचपन से ही इकबाल का यह पद्य सुन रहा हूँ—

> 'यूनानोमिस्त्र व रोमा सब मिट गए जहां से
> लेकिन अभी है बाकी नामोनिशाँ हमारा।'

इसे पढ़कर समझ लिया था, रोम उजड़ा हुआ शहर होगा, अपने मोहनजोदड़ो या हड़प्पा की तरह या पुराने पटना की तरह, किन्तु देखा, हम भावना में कितनी ग़लत बात कह जाते हैं। रोम से तो अधिक उजड़ा हुआ शहर दिल्ली है ! रोम ज़िन्दा है ! वहाँ जीवन है। वहाँ अंगड़ाई है। यदि उसकी दुर्गत हुई है तो इसमें उसका कसूर उतना नहीं, जितना संसार के उन गिद्धों का है, जो लाश पर ही जीते हैं, इसलिए चाहते हैं कि बार-बार लड़ाइयाँ होती रहें, लोग खेत आते रहें, जिसमें उनका जश्न मनता रहे।

यूरोप दो बार गया, दूसरी बार लौट रहा हूँ। इस बार की यात्रा भी बड़ी अच्छी रही। यात्रा की सफलता निर्भर करती है अच्छे सहयात्री पर। यह भाई देशपांडे हैं, यह शिवाजी हैं, यह शीलारानी हैं। हम चारों ने किस तरह एकात्मता निभाई ! हम दो बुजुर्ग हैं—दोनों बच्चों ने हमें कितना आदर और सम्मान दिया। हमने भी अपना प्यार उड़ेलने में कभी कमी की ! ऐसे साथी हों, तो फिर जंगल में भी मंगल रच जाए। हम तो सदा सुख-सुविधा से ही यात्रा करते रहे !

जब लौट रहा हूँ, मन में उत्सुकता जगती है, क्या तीसरी बार भी आ सकूँगा ? और अब तो कह सकता हूँ, जरूर आऊँगा। यूरोप ने दो बार निमन्त्रण देकर बुलाया, अब हमारा धर्म हो गया है कि उसके इस भाईचारें को हम सदा हरा-भरा रखें।

यूरोप ! आऊँगा, आऊँगा, आऊँगा !

उड़ते चलो, उड़ते चलो !—अब तो यह नारा हो गया है हमारा ! दो-चार वर्ष और घर को दे देना है, फिर तो वानप्रस्थ का बाना धारण करना ही है—उड़ते चलो, उड़ते चलो !

नेपाल में
[1955 ई.]

नेपाल में

1

3 जनवरी, 1955

पटना एरोड्रम—इन्डियन एयरलाइंस—वायुयान पर चढ़ो, उड़ो। हर-हर, एक धचका, फुर्र। नीचे कैम्प जेल, खोजो, तुम्हारा वार्ड नं. कौन था ? जहाँ 1932 में तुमने एक वर्ष गुजारा था। क्या खोजोगे ? देखो, गंगा पार कर गए। वह पहले जहाज घाट। गंगा में एक जहाज खड़ा है। ऊपर मालगाड़ियों के कुछ डब्बे। फिर खेत-खेत, धुंध-धुंध। सामने देखो, नगराज, उनकी वे चोटियाँ हैं या धुंध ने स्वर्णकिरीट पहन लिया है !

पृथ्वी को मत भूलो। वह धूसर बनी है तो क्या ? कल राजरानी थी, आज संन्यासिनी है। यही तो होता आया है। फिर कल राजरानी बनेगी। कहीं-कहीं पेड़, कहीं-कहीं गाँव। छोटे-छोटे नाले जैसे कछुए चले हों, जिसके गहरे निशान बने हों। एक बड़ी नदी। क्या यह गंडकी है ? लगता है जैसे धामिन ससरती जा रही हो।

नगराज की ऊँचाई बढ़ रही है। उनकी चोटियों की चमक बढ़ रही है। चोटियों का रंग भी धीरे-धीरे बदल रहा है। पहले चाँदी-चाँदी। अब उस पर सोने का पानी। नीचे नीली लकीर-सी खिंच रही है ! कहीं-कहीं बादल के टुकड़े चोटियों के अगल-बगल मस्ताने साँड़ से लेटे हैं।

वह पूर्व में ज्वालामुखी-सी क्या दिखाई पड़ती है ? लाल-लाल ! बादल पर सूर्यकिरणों का खेलवाड़ है या नगराज की ऊँची चोटी, जो सूर्यकिरणों से चुम्बन पाकर लाल अंगारे-सी लहक रही हैं। सचमुच लगता है, आग-सी लगी है वहाँ !

क्या भारत पार कर नेपाल में आ गए हैं ? किन्तु कोई सीमारेखा तो नहीं देखी। सीमा तो आदमी ने बनाई है न ? जैसे उधर के गाँव, वैसे इधर के गाँव। वैसी ही धूसर-धूसर पृथ्वी। वैसे ही ठिगने-ठिगने पेड़।

नगराज इतने ऊँचे हो गए हैं कि हमसे भी ऊँचे दिखाई पड़ते हैं। इस आकाश से देखने पर ही नगराज की नगराजता का बोध हो सकता है। पूर्व से पश्चिम तक चोटियों का ताँता; चोटियाँ जो चमक रहीं, दमक रहीं। चोटियों के नीचे काला-काला पहाड़। पहाड़ पर जहाँ-तहाँ उजली बर्फ की धारियाँ। क्या नगराज ने धारीदार चादर ओढ़ ली है ?

नीचे वह जंगल है क्या ? ओहो ! सचमुच हम अब नेपाल में है। नेपाल की भूमि से मुझे कितना प्रेम है ! बचपन से ही उसकी गौरवगाथा सुनता आ रहा हूँ। जब 'बालक' निकाला, पहले अंक का पहला लेख नेपाल पर दिया। 'जनता' में मैंने राणाशाही के खिलाफ जो आन्दोलन किया उसकी परिणति उस साल की क्रान्ति में हुई। क्रान्ति के बाद प्रजातन्त्र। कई बार निमन्त्रण आए, किन्तु अब तक मैं नेपाल नहीं जा सका था।

जंगल के बीच बालू की एक चौड़ी लकीर। उस लकीर के बीच पारे-सी वह क्या चमक रही है ? क्या वह हमारी बागमती है !

अब हम पहाड़ के ऊपर से उड़े जा रहे हैं। अब नगराज की गरिमा देखिए। वह अपनी सारी पृथुलता, विशालता और उच्चता के साथ हमारे सामने खड़े हैं। हम एक पहाड़ पार कर रहे हैं, दूसरा पहाड़ सामने है और उसके बाद आकाश छूनेवाला वह तीसरा पहाड़ ! जिसकी चोटियाँ चकमक कर रही हैं। कविवर श्रीधर पाठक ने हिमालय की जिन तीन सीढ़ियों का

वर्णन किया है उनमें एक सीढ़ी पार कर गए, दूसरा सामने है और तीसरी सीढ़ी ! उसे कोई तेनसिंह ही पार कर सकता है न ?

यह दूसरा पहाड़ ! कैसा भयानक ! भूरी-भूरी चट्टानें ! बीच-बीच में खड्ढ। कहीं-कहीं बादल, जो पहाड़ को छू रहे। अब हम बादल के ऊपर उड़ रहे हैं। बादल का वह टुकड़ा हमारे सामने से भागा जा रहा है। अब बादल के ऐसे असंख्य टुकड़े—मानों बन्धन तुड़ाकर अनेक बछड़े इधर-उधर भागे जा रहे हैं।

हमारा वायुयान एक दर्रे के बीच से गुजर रहा है, दोनों ओर चट्टानें। कहीं उनसे टकरा गया तो ? तो क्या ? धड़ाम ! और सारा किस्सा खत्म !!

किन्तु किस्सा क्या इतना जल्द खत्म होता है ? हम दर्रे को पार कर गए। नीचे घाटी शुरू हो रही है।

वायुयान के भीतर बत्ती भुक से जल गई। 'फासेन योर बेल्ट'। 'पट्टियाँ कसकर बाँधिए'। धचके-पर-धचके। क्या वायुयान नीचे उतरने जा रहा है ?

नीचे घर हैं, खेत हैं। खेत हैं या पहाड़ पर चढ़ने को लम्बी-लम्बी सीढ़ियाँ बनी हुई हैं ! मनुष्य ! तुमसे पत्थर भी हार मानता है ! बस्तियाँ नजर आ रही हैं, खपरैल मकान। सामने अट्टालिकाएँ ! वह नदी। नदी के किनारे वह मन्दिर। वायुयान मोड़ ले रहा है। अब नीचे की ओर झपट्टा मार रहा है। पूरी घाटी सामने है। सड़क, मकान, खेत—बीच में नदी, फिर मैदान। धचके बढ़ रहे हैं। हाँ, पट्टी कसकर बाँधिए। वह नीचे देखिए—यह ऐरोड्रम है ! कैसा ऐरोड्रम !—ऊबड़-खाबड़ जमीन ! सामने टट्टी के कुछ घर। वायुयान खड़ा हो गया ! उतरिए, चलिए ! आप काठमांडू पहुँच गए।

4 जनवरी, 1955

उफ़, कैसा जाड़ा ! किन्तु क्या जाड़े पर ध्यान देने की फुरसत है ? कल साढ़े तीन बजे यहाँ पहुँचा। प्यारे विश्वेश्वर प्रसाद कोइराला के आग्रह पर आया। उन्हें तार कर दिया था। आशा थी, ऐरोड्रम पर मिलेंगे। तराई की तरफ गए हुए हैं, अभी लौटे नहीं। लेकिन ऐरोड्रम पर कोई कठिनाई नहीं हुई। पासपोर्ट दिखलाया, सामान की जाँच-पड़ताल हुई, एक टैक्सी की और श्री भद्रकाली मिश्र के घर पर आ पहुँचा। मिश्रजी आजकल नेपाल सरकार के यातायातमन्त्री हैं। इनके परिवार से बचपन से ही परिचय है। मिश्रजी पटना में ही पढ़ते थे। भाई विश्वनाथ मिश्रजी के दामाद हैं। फिर कहाँ ठहरता ?

जब से आया, लोगों की भीड़ लगी रहती है। जो कोई मन्त्रीजी से मिलने आता है, सुनता है, बेनीपुरीजी यहीं हैं, वही दौड़ा-दौड़ा मेरी कोठरी में पहुँच जाता है। कुछ परिचित चेहरे, कुछ अपरिचित चेहरे, कुछ भूले हुए चेहरे। किस प्रेम से मिलते हैं ! नेपाल के लिए 'जनता' द्वारा की गई मेरी सेवा की बार-बार चर्चा करते हैं। कई सज्जनों ने तो यहाँ तक कहा कि मेरी ही प्रेरणा से वे राजनीति की ओर आकृष्ट हुए !

और संयोग देखिए, आज ही नेपाल अपने सबसे बड़े वयोवृद्ध कवि का सम्मान करने जा रहा है। ज्यों ही मेरे पहुँचने की खबर हुई, स्वागत समिति के प्रतिनिधि आए और मुझे आमन्त्रित कर गए।

मैं भद्रकालीजी के साथ उस स्वागत-समारोह में सम्मिलित होने गया। जब भद्रकालीजी ने उनसे मेरा परिचय कराया, उन्होंने झट छाती से लगा लिया और बोले—आप साहित्य महारथी हैं। उनकी लम्बी सफेद दाढ़ी पर हाथ फेरते हुए मैंने कहा—महारथी की दाढ़ी ऐसी हुआ करती

है ! वह हँसे, बोले, यह मेरा सम्मान नहीं हो रहा है। यह माँ शारदा को सम्मान दिया जा रहा है।

कविवर पं. लेखनाथजी के भाग्य का क्या कहना ? आज उनका रथ यहाँ के प्रधानमन्त्री, गृहमन्त्री, यातायातमन्त्री, शिक्षामन्त्री, सरकार के ऊँचे-से-ऊँचे बड़े कर्मचारी, नगर के विशिष्ट पुरुष, बूढ़े-जवान खींच रहे थे। मैंने भी हाथ लगाकर अपने को धन्य किया।

दोपहर की टूँड़ी खेल पर बड़ी सभा हुई। लोगों के उत्साह का क्या कहना ? प्रधानमन्त्री तथा अन्य सभी मन्त्री, कमान्डर-इन-चीफ, हाई कोर्ट के चीफ जस्टिस, भारतीय राजदूत, अंग्रेजी राजदूत, राजधानी के सभी प्रतिष्ठिंत पुरुष तथा लेखक और कवि पधारे थे। लोगों की अपार भीड़ ! आज सरकार ने मन्त्रालय, न्यायालय, विद्यालय सबमें छुट्टी दे रखी थी। स्वागत अभिनन्दन के बाद सबसे पहले मुझे ही भाषण के लिए बुलाया गया। मैंने थोड़े से शब्दों में अपने देश तथा उसकी राष्ट्रभाषा हिन्दी की ओर से श्रद्धांजलि अर्पित की तथा अपनी ओर से अपनी ग्रन्थावली के दोनों भाग भेंट किए। फिर प्रधानमन्त्री और शिक्षामन्त्री बोले। भारतीय राजदूत ने भारत की ओर से सम्मान अर्पित किया। अन्त में प्रधानमन्त्री ने उन्हें पाँच हजार की थैली सरकार क़ी ओर से अर्पित की, जिसे कवि ने साहित्य भवन की स्थापना के लिए दान दे दिया।

बार-बार सोचता रहा--क्या भारत में किसी साहित्यिक के सम्मान में इतना किया जा सकेगा ? क्या हमारे मन्त्री उसके रथ को छूएँगे भी ?

संध्या को नगर देखने के लिए निकला। खासकर पुरानी बस्ती की ओर गया, जहाँ पहले राजधानी थी। काठ की ही बनी हुई कई मंजिलों की ऊँची-ऊँची इमारतें सदियों से खड़ी हैं। उन इमारतों में एक इमारत ऐसी बताई गई जो एक ही पेड़ के काठ से बनाई गई थी। सभी इमारतें पुरानी पड़ गई हैं और काठों पर की गई कारीगरी धूमिल हो चली है। घूमते-घूमते उस जगह पहुँचा, जहाँ राणा जंगबहादुर ने अपने सभी विरोधियों को बुलाकर एक साथ ही कत्ल कर दिया था। संध्या का समय, मुँह-अँधेरा--मुझे यह स्थान बड़ा भयानक लगता था ! अनुभव होता था, अब भी वहाँ गरम खून की धाराएँ बह रही हों और तड़पती हुई लाशें इस खूनेनाहक की कथा चिल्ला-चिल्लाकर कह रही हों।

जब कविवर के स्वागत समारोह में गया था, वहीं नेपाल के प्रधानमन्त्री मातृका प्रसाद कोइराला, गृहमन्त्री टंक प्रसाद आचार्य तथा शिक्षामन्त्री श्री दिल्ली रमण रेग्मी से भेंट हुई। सबने बड़ा ही प्रेम दिखलाया। टंक प्रसादजी तो फिर संध्या को मिलने आए और श्रद्धा से मेरे पैर की ओर झुक गए। मैंने मना किया तो बोले, आप मेरे पिता हैं। मैंने कहा--यह आप क्या कह रहे हैं ! तब उन्होंने बताया किस तरह मेरी ही प्रेरणा से नेपाल प्रजा परिषद् की स्थापना की, फिर किस तरह षड्यन्त्र के अभियोग में उन्हें फाँसी का सजा दी गई और सारी सम्पत्ति जब्त कर ली गई। उच्चकुलीन ब्राह्मण होने के कारण उन्हें फाँसी तो नहीं दी गई, लेकिन आजन्म कारावास की सजा हुई और जेल में ही सड़ाकर मार दिए गए होते, यदि मैंने 'जनता' में उनके लिए आन्दोलन नहीं मचाया होता।

रात में बड़ी देर तक सोचता रहा--आदमी समय के प्रभाव से किस प्रकार अपने ही कर्तृत्वों को भूल जाता है, लेकिन उसके सुकर्म उसे कभी नहीं भूलते !

5 जनवरी, 1955

आज भोर में काठमांडू ने कुहरे की झीनी चादर ओढ़ ली थी। यहाँ प्रायः चर्चा है, ऐसा जाड़ा

इधर पचास वर्षों में नहीं पड़ा था !

नौ बजे भोर में श्री सुवर्ण शमशेर से मिलने गया। सुवर्णजी श्री विश्वेश्वर कोइराला के दाहिने हाथ समझे जाते हैं। राणा वंश होने पर भी इन्होंने क्रान्ति में खुलकर हाथ बँटाया और भरपूर आर्थिक सहायता की। क्रान्ति के बाद जो पहला मन्त्रिमंडल बना, उसमें वह मन्त्री थे। उनके शील-स्वभाव की तारीफ फूलन बाबू ने की थी। बड़ी ही सज्जनता से मिले। उनसे पता चला, विश्वेश्वरजी कल आनेवाले हैं।

भद्रकालीजी के घर पर दोपहर तक मिलनेवालों की भीड़ लगी रही। ऐसा लगता है, जैसे लोग बहुत दिनों से प्रतीक्षा में रहे हों।

बारह बजे मन्त्रालय में रेग्मीजी से मिलने गया। मन्त्रालय सिंह-दरबार में है। राणा चन्द्र शमशेर ने इस बनवाया था। पाँच तल्ले का विशाल भवन। चन्द्र शमशेर ने सोचा था, इसमें उनका परिवार अनन्तकाल तक सुख से रहेगा, लेकिन क्रान्ति के झकोरे ने कुछ दूसरा ही कर दिया। प्रजातन्त्र को चन्द्र शमशेर का अनुगृहीत होना चाहिए कि उन्होंने एक ऐसा भवन पहले से तैयार कर रखा था, जहाँ उसके सभी मन्त्रालय एकत्र स्थान पा सकें।

रेग्मीजी से बहुत देर तक बातें होती रहीं। रेग्मीजी बुद्धिजीवी हैं। उन्होंने नेपाल पर कई पुस्तकें लिखी हैं। उनकी प्रसिद्ध पुस्तक है—'हंडरेड इयर्स ऑफ ऑटोक्रैसी इन नेपाल'। राणा शासन का विस्तृत विश्लेषण है। इस पुस्तक ने मेरी चर्चा भी कई पृष्ठों में है। रेग्मीजी ने पुरातत्त्व के प्रधान श्री रुद्रराजजी को बुलाकर मन्त्रालय दिखला देने का आदेश किया। नेपाल में संस्कृत और प्राकृत की कितनी ही अमूल्य पुस्तकों की अमूल्य पांडुलिपियाँ पड़ी हुई हैं। इस सम्बन्ध में जब बातें चलीं, तो मैंने सम्मति दी कि पूना के भंडारकर इंसटीच्यूट से कुछ विशेषज्ञों को बुलाकर इनका जीर्णोद्धार कराइए। रेग्मीजी को यह राय पसन्द आई।

रुद्रराजजी ने मन्त्रालय दिखलाए। हर विभाग को देखा। युद्ध विभाग में कमान्डर-इन-चीफ से मिला। अनुवाद विभाग में बहुत से लोग संस्कृत ग्रन्थों के अनुवाद में लगे हुए हैं। प्राचीन पुस्तकों की नई सूची तैयार की जा रही है। नेपाली भाषा का एक वृहद् शब्दकोष भी संकलित किया जा रहा है। चुनाव कमिश्नर का ऑफिस भी देखा। नेपाल में होनेवाले नए चुनाव के लिए मतदाता-सूची बनाई जा रही है।

किन्तु पूरे मन्त्रालय का वातावरण जमींदारी कचहरी-सा लगता था। कोई इधर काम कर रहा, कोई उधर। कुछ लोग खाली धूप में बैठकर काम कर रहे। व्यवस्था अच्छी नहीं दिखी।

सिंह-दरबार के ऊपर से चारों ओर नजर दौड़ाई। आहा ! कितनी सुन्दर है यह घाटी ! स्विटज़रलैंड के दृश्य याद आ गए।

चार बजे संध्या को प्रधानमन्त्री श्री मातृका प्रसाद कोइराला के घर गया। आज उनका जन्मदिन है। बड़ी भीड़; पूरा दरबार। लोग उपहार और आशीर्वाद दे रहे। मुझे अपनी बगल में बिठाया, फोटो खिंचवाए। फिर भोज ! बड़े प्रेम से अपने हाथों से केक काटकर दिए। नेपाल के प्रायः सभी प्रमुख राजपुरुषों से एक ही साथ भेंट हो गई।

मैं त्रिपुरेश्वर में ठहरा हूँ। कहीं भी आते-जाते टूँड़ी खेल से ही निकलना पड़ता है। टूँड़ी खेल—एक विशाल मैदान है। चारों ओर सड़कें। बीच में एक मंच; सभी बड़ी राजकीय सभाएँ यहीं होती हैं। मंच के चारों ओर चार मूर्तियाँ उन गुरखा-वीरों की, जिन्होंने गत दो महायुद्धों में अपूर्व वीरता के लिए विक्टोरिया क्रॉस प्राप्त किए थे। इस मैदान में फौज के परेड भी होते हैं। शाम-सुबह 'राइट-लेफ्ट' होता हुआ देखेंगे। मैदान के चारों ओर की सड़कों पर राजपुरुषों की बड़ी-बड़ी भव्य मूतियाँ ! अधिकांश मूर्तियाँ राजाओं की। ये मूर्तियाँ विलायत से ढलवाकर मँगाई गई थीं। मैंने राणा जंगबहादुर की मूर्ति को बड़े ध्यान से देखा। घोड़े पर सवार, हाथ

में नंगी तलवार। लगता था, घोड़ा अब उड़ा-उड़ा। मैदान के सामने भीमसेन थापा का स्तम्भ। काठमांडू पहुँचने के बहुत पहले से ही यह शानदार धरहरा जैसे आगन्तुकों को आमन्त्रण देता है। कहा जाता है इस धरहरे से राणा जंगबहादुर एक छतरी लेकर कूद पड़ा था।

लेकिन यह धरहरा एक बड़ी करुण कहानी की भी याद दिलाता है। भीमसेन थापा एक स्वतन्त्रता प्रेमी, परम शूरवीर पुरुष, नेपाल के प्रधानमन्त्री। किन्तु नेपाल में प्रायः होंनेवाले राजकीय षड्यन्त्रों की चपेट में आ गए। इसी धरहरे के तहखाने में कैद किए गए। लाख यन्त्रणाएँ दी गईं, लेकिन टस-से-मस नहीं हुए। अन्त में उनके परिवार की स्त्रियों को भी गिरफ्तार किया गया और थापा के पास एक खुकरी भेज दी गई कि या तो आत्महत्या करो या बहू-बेटियों की इज्जत बरबाद होने दो। भीमसेन ने खुकरी अपने पेट में भोंक ली, अँतड़ियाँ निकल आईं, तड़प-तड़पकर उनके प्राण-पखेरू उड़ गए।

प्रजातन्त्र के बाद भी देखता हूँ, षड्यन्त्र का यह सिलसिला बन्द नहीं हुआ है। यहाँ के राजनीतिक वातावरण में अविश्वास-ही-अविश्वास पाता हूँ। यहाँ कब क्या हो जाएगा, कहा नहीं जा सकता ! रेग्मी से इस सम्बन्ध में बातें हुईं। भद्रकालीजी के बँगले पर इसकी चर्चा सुना ही करता हूँ।

6 जनवरी, 1955

आज भोर में श्री बालचन्द्र शर्मा के घर जलपान के निमन्त्रण पर गया। शर्माजी प्रजातन्त्री सरकार की सलाहकार समिति के अध्यक्ष हैं। यह सलाहकार सभा जब तक आम चुनाव नहीं हो जाता, नेपाल की संसद का काम करती है। शर्माजी विद्वान पुरुष हैं, अच्छे लेखक भी हैं। नेपाल के इतिहास पर एक प्रामाणिक पुस्तक भी लिखी है।

शर्माजी से नेपाल की इतिहास पर थोड़ी बातें हुईं। नेपाल का क्या अर्थ ? शर्माजी ने बताया, यह भोटिया शब्द है, जिसका अर्थ होता है ऊन की मंडी। ने = मंडी, पाल = ऊन। लेकिन पौराणिक आधार के अनुसार 'ने' नामक मुनि का स्थान होने से 'नेपाल' नाम पड़ा। नेपाल की जो घाटी है, पहले उसमें झील थी। उस झील में कमल नहीं होते थे। एक बार एक बोधिसत्व आए और उसमें कमल के बीज फेंक गए। वह कमल जब खिला तो उससे ज्योतिरूप स्वयंभू प्रकट हुए। 'स्वयंभू पुराण' नामक एक संस्कृत पुस्तक भी है। फिर बोधिसत्व मंजुश्री आए और उन्होंने अपने खड्ग से काटकर झील का पानी निकाल दिया और यहाँ एक नगर बसाया। धर्माकर नामक एक राजा को गद्दी पर बिठलाकर स्वयंभू तिब्बत की ओर चले गए। इसके बाद क्रमशः विदेह, गौड़ीय, गुप्तवंशी, आभीर तथा किरातवंशी राजाओं का राज हुआ। किरात राजा महाभारत में सम्मिलित हुए थे। इसे पौराणिक अनुश्रुति काल कहते हैं। नेपाल का ऐतिहासिक काल प्रारम्भ होता है लिच्छविकाल से। मानदेव उसका पहला राजा था। अंशुवर्मा का समय लिच्छवियों का स्वर्णकाल माना जा सकता है। इसी समय चीनी यात्री हुएन सांग आया था। उसने नेपाल का सम्पदा का भूरि-भूरि वर्णन किया है।

लिच्छवि नाम से मैं चौंका ! लिच्छवियों का राज्य उत्तर बिहार के उस भूभाग पर था, जहाँ का मैं रहनेवाला हूँ। उत्सुकता हुई कि इस सम्बन्ध में अधिक जानकारी प्राप्त करूँ। शर्माजी ने कृपा कर अपनी पुस्तक भेंट की। फिर शहर में थोड़ा घूम आया, इसके मुख्य बाजार में गया। शहर कितना गन्दा है, कोई सड़क दुरुस्त नहीं; सिवा एक के, जो टूँड़ी खेल के सामने पड़ती है। पुराने काठमांडू की ओर जब बढ़ा तो दुर्गन्ध के मारे नाक फटने लगी। पता चला, शहर के इस भाग में लैट्रीन का कोई इन्तजाम नहीं है। प्रायः दो मंजिले-तिमंजिले मकान हैं,

ऊपर के मंजिलों में लोग रहते हैं और वहीं से नीचे की अँगनाई में पाखाने फेंक देते हैं ! सड़कों पर गड्ढों और धूल की भरमार !

भारत का नया दूतावास अलग से देखा। गुरखों की भीड़। पता चला, ये लोग पेंशन लेने आए हैं। पुराने दूतावास को देखा, जहाँ विप्लव के समय महाराज त्रिभुवन ने शरण ली थी। मैंने बड़े गौर से दूतावास के चप्पे-चप्पे को देखा। उस दिन कितने बड़े इतिहास की नींव इस दूतावास में पड़ी थी ! यदि उस दिन महाराजा अपने महल से हवाखोरी के बहाने भागकर इस दूतावास में शरण नहीं लिये होते, तो राणाशाही का अन्त होता, नेपाल में प्रजातन्त्र की स्थापना होती ? उस समय के राजदूत सर चन्द्रेश्वरप्रसाद नारायण सिंह की सूझ-बूझ ने कमाल किया।

दिन में धर्मरत्न यमि के घर भोजन किया। धर्मरत्नजी आज भोर में ही मुझसे मिले थे और अपने घर खाने के लिए आमन्त्रित कर गए थे। धर्मरत्नजी को अठारह साल की सजा इसलिए मिली थी कि वह 'जनता' के दिनों में मुझसे सम्पर्क रखते थे। सारी जायदाद भी जब्त कर ली गई थी। प्रजातन्त्र होने पर वह उपमन्त्री बनाए गए थे। महाराजा त्रिभुवन ने प्रजातन्त्र के बाद अपने खर्च से इनके लिए एक अच्छा मकान बनवा दिया है। उसी मकान में बैठकर भोजन किया। मेरी इच्छा के अनुसार विशुद्ध नेपाली भोजन बनाया गया था। कितना स्वादिष्ट !

उन्हीं के साथ स्वयंभू का मन्दिर देखने गया। बौद्ध मन्दिर है यह। इसके आसपास और कई बौद्ध विहार हैं, उन्हें देखते हुए मन्दिर में पहुँचा। मंजुश्री के एक हाथ में तलवार है, एक हाथ में पुस्तक। इस तलवार की करामात की कहानी पहले कही जा चुकी है। यह मन्दिर काठमांडू का शृंगार है। अलग से ही इसके सुनहले कलश चमकते-दमकते दिखाई पड़ते हैं। मन्दिर के ऊपरी भाग में दो बड़ी-बड़ी आँखें चित्रित हैं। लगता है, मंजुश्री इन आँखों से अहर्निश अपने इस प्यारे नगर को देखते रहते हैं। इसकी बगल में आनन्द विहार है, जहाँ बर्मा से भेजी गई एक बहुत ही सुन्दर मूर्ति है। लंका चैत्य भी इसी के निकट है, जिसे सिलोन के एक बुद्ध भक्त ने बनवाया था। सभी मन्दिरों के आसपास गन्दगी देखकर थोड़ी वितृष्णा हुई।

संध्या को श्री बालकृष्णजी सम के घर एक चाय पार्टी में शामिल हुआ। यह पार्टी कविवर लेखनाथजी के सम्मान में हुई थी। नेपाली लेखकों और कवियों से निकट का परिचय हुआ। बालकृष्णजी को नेपाली साहित्य का रवीन्द्र कहा जाता है। बहुमुखी प्रतिभा है। आपने अपनी कई पुस्तकें भेंट कीं, जिनमें अधिकांश नाटक की हैं। नाटक से आपको इतना अधिक शौक है कि अपने लिखे एक नाटक में स्वाभाविक अभिनय करने के लिए आपने जो दाढ़ी बढ़ाई, वह आज भी आपके चेहरे को रौनक देती है। आपके घर की सजावट ने भी बहुत आकृष्ट किया।

रात का भोजन श्री नगेन्द्रकुमार के घर हुआ, जो बिहार सरकार की ओर से कोशी योजना लेज़ाँ अफसर बनकर आए हैं। नगेन्द्रजी को बचपन से जानता हूँ। उनके ऐसा उत्साही और कर्मठ युवक मैंने बहुत कम देखे हैं।

समजी के ही घर पर श्री विश्वेश्वर प्रसाद कोइराला से भेंट हुई। विलम्ब के लिए क्षमा माँगने लगे।

7 जनवरी, 1955

सवेरे विश्वेश्वरजी के घर गया। नेपाल की राजनीति को लेकर बहुत देर तक बातें होती रहीं। कैसा दुर्भाग्य, जिन्होंने कन्धे-से-कन्धा मिलाकर आजादी की लड़ाई लड़ी, वे ही आज एक-दूसरे

के दुश्मन-से लगते हैं ! कोई सैद्धान्तिक मतभेद नहीं, तो भी एक साथ काम कर नहीं सकते। संयोग ऐसा कि आज जिनके हाथ में शासन है, वे सब-के-सब मेरे प्रेमी हैं। कोशिश कर रहा हूँ, उन्हें मिला दूँ, फिर एक बार एक सूत्र में गूँथ दूँ।

मातृका बाबू ने आज भोर में कहलवाया कि मैं अपने को नेपाल सरकार का अतिथि समझूँ और जहाँ आना-जाना चाहूँ, सरकारी यातायात और पथप्रदर्शक से काम लूँ। सवेरे ही एक युवक सज्जन एक मोटर लेकर पहुँच गए और मुझसे पूछा कि मैं कहाँ-कहाँ जाना चाहता हूँ। मैंने पाटन से ही अपने पर्यटन का प्रारम्भ उचित समझा।

काठमांडू और पाटन दोनों नगर सटे-सटे हैं। बीच में बागमती नदी है। एक किनारे काठमांडू, दूसरे किनारे पाटन। नेपाल की आदि राजधानी पाटन में ही थी। इस नगर को राजा देवपाल ने बसाया था। राजा देवपाल सम्राट् अशोक के समय में हुए थे। कहा जाता है, नेपाल में बौद्धधर्म की स्थापना के लिए स्वयं सम्राट् अशोक नेपाल पधारे थे और अपनी बेटी चारुमती का विवाह नेपाल राजा देवपाल से कर दिया था। चारुमती ने ही पाटन की स्थापना की, जो पहले उनके पति के नाम पर 'देवपाटन' कहलाता था। 'पाटन' और 'पटना' इन दो नामों में कितना साम्य है ! इसी पाटन का ऐश्वर्य और वैभव देखकर चीनी यात्री मुग्ध हुए थे और इसके 'कैलाशकूट भवन' को देखकर स्वर्ग की कल्पना की थी।

किन्तु आंज का पाटन वह पाटन नहीं रहा। सड़कें ऊबड़-खाबड़, मकान टूटे-फूटे, लोगों के चेहरे पर रुक्षता और बदन पर फटे-चिटे कपड़े। कहाँ गईं वे नागरिकाएँ, जो कमल ऐसे कोमल और रंगीन पैरों से राजहंसों की तरह एक-दूसरे को ठेलतीं और अपने हास्य से वातावरण को समुज्जवल बनाती हुई चलती थीं ! कहीं-कहीं दुकानों पर जो महिलाएँ बैठी हुई दिखीं, क्या वे पुराने काल की, उन महिलाओं का प्रतिनिधित्व करती हैं ?

अन्ततः हमारी गाड़ी वहाँ रुकी, जहाँ प्राचीन राजभवन था। एक ओर दूर तक फैला हुआ प्राचीन राजभवन है और दूसरी ओर विस्तृत प्रांगण में कितने मन्दिर हैं। राजभवन काठ का ही बना हुआ है। चीनी यात्रियों ने लिखा है, इसी राजभवन का 'कैलाश कूट भवन' सात मंजिल का था और उसकी बुर्जियाँ आसमान से बातें करती थीं। आज भी तीन मंजिल का यह भवन है। बताया गया, 1934 में नेपाल में ऐसा भूकम्प हुआ था कि यह विशाल राजभवन ध्वस्त-पस्त हो गया। मन्दिर बताते थे, वे कभी बड़े सुन्दर रहे होंगे। प्रांगण के मुख्य मन्दिर में सारी रामायण और महाभारत की कथाएँ खुदे हुए चित्रों में अंकित हैं। किन्तु ये सारे चित्र और मन्दिर की कारीगरी धूल और गन्दगी से ढँकी है। यदि इन मन्दिरों की सफाई पर ध्यान दिया जाए, मूर्तियों पर की धूल और गन्दगी दूर कर दी जाए और प्रांगण को झाड़-बुहारकर साफ-सुथरा कर दिया जाए तो पाटन का यह स्थान आज भी दर्शकों का मन मोह ले सकता है।

किन्तु कौन ध्यान दे इन बातों पर ! शहर भर में सड़कों की दुर्गति है। बगल में नालियाँ बह रहीं, बदबू से भरी। सूअर उनमें चुभकियाँ लगा रहे। नेपाल के चप्पे-चप्पे भूमि से मुझे प्रेम है। बार-बार सोचता रहा, क्या नेपाल फिर अपने पूर्व गौरव को नहीं प्राप्त कर सकेगा ?

मुझे जो पथप्रदर्शक दिए गए हैं, वह उत्साही तो बहुत हैं, यूरोप में घूम आए हैं, किन्तु पाटन की जानकारी उन्हें नहीं। अतः पाटन को अच्छी तरह देख नहीं सका। राजभवन से वह मुझे एक स्तूप के निकट ले गए। यह अशोक के पुत्र महेन्द्र के नाम पर प्रसिद्ध है। स्तूप बहुत ही ऊँचा है। बड़े ही उत्साह से मैं उसकी चोटी तक चढ़ा। चोटी से काठमांडू का दृश्य बड़ा ही अच्छा लग रहा था। स्वयंभू का मन्दिर और चीनिया बौद्ध विहार यहाँ से कैसे दिव्य-भव्य लग रहे थे !

दोपहर को सिंह-दरबार में सलाहकार सभा के अध्यक्ष की ओर से एक बृहत् भोज हो रहा था। मुझे भी निमन्त्रण था। सिंह-दरबार का दरबार हॉल देखा। कैसी सजावट ! सारे नेपाल की समृद्धि लूटकर इन राणाओं ने इमारतों पर फूँक डाली थी। काठमांडू के सभी प्रमुख पुरुष उपस्थित थे। नेपाल नरेश महाराजा त्रिभुवन बीमार होकर यूरोप गए हैं। उनकी अनुपस्थिति में राजकाज श्रीमान् युवराजाधिराज सँभालते हैं। भोज में युवराजाधिराज भी पधारे हैं; अभी नौजवान हैं। उनके पीछे जो महिला थीं, कितनी सुन्दर ! पता चला, यही युवराज्ञी हैं। युवराज के प्राइवेट सेक्रेटरी से भेंट हुई, वह भी नौजवान हैं, उन्होंने कहा—युवराज से मिलने का प्रबन्ध वह कर देंगे। भोज में भारतीय राजदूत भी आए थे। दूतावास में आने का निमन्त्रण दिया उन्होंने।

आज केशर शमशेर का सुप्रसिद्ध पुस्तकालय देख आया। पहले से समय ठीक कर लिया गया था। केशर शमशेर समय के बड़े पाबन्द हैं। निश्चित समय पर पहुँचा तो पाया, पोर्टिको में खड़े वह प्रतीक्षा कर रहे हैं। ज्योंही मेरी मोटर खड़ी हुई, आगे बढ़कर मोटर का दरवाजा खोलने लगे। मैं उनकी विनम्रता पर मुग्ध हो गया। केशर शमशेर वर्तमान मन्त्रिमंडल में रक्षामन्त्री हैं। बूढ़े सज्जन ! चन्द्र शमशेर के बाद यही प्रधानमन्त्री होनेवाले थे। प्रधानमन्त्रित्व का पद ग्रहण करने के लिए जिस सवारी पर जाते, उसके लिए एक शानदार मोटर भी खरीद रखी थी, किन्तु राणाशाही का अन्त हुआ, वह स्वप्न हवा हो गया, किन्तु इस प्रजातन्त्र में भी नए नेताओं से कन्धे-से-कन्धा मिलाकर नेपाल की सेवा कर रहे हैं।

यह पुस्तकालय बड़ा ही सम्पन्न और सुसज्जित है। पुस्तकों का बहुत बड़ा संग्रह है। यहाँ प्रत्येक विषय की पुस्तकें, बड़े करीने से सजाकर रखी गई हैं। बहुत सी प्राचीन पांडुलिपियाँ भी हैं। केशर शमशेर ने स्वयं घूम-घूमकर सारा पुस्तकालय दिखाया। बतलाते थे, किस तरह बचपन में थोड़ी सी पुस्तकों से इस पुस्तकालय का शुभारम्भ किया था। आज भी नई-नई पुस्तकें खरीदने का उनका शौक बना हुआ है।

रात में टंक प्रसादजी आए। नेपाल की राजनीतिक समस्या पर बहुत देर तक बातें करते रहे। वर्तमान स्थिति से वह भी बेज़ार दिखे ! किन्तु रास्ता क्या ? और कौन निकाले ?

[**'नई धारा'** फरवरी 1955]

(2)

8 जनवरी, 1955

भोर में प्रधानमन्त्री श्री मातृका बाबू के घर पर गया। कड़ाके का जाड़ा पड़ रहा है। एक अँगीठी के निकट बैठे थे। यहाँ एक खास किस्म की अँगीठी होती है। लकड़ी डालते जाइए, धुआँ नहीं फैलेगा। अकेले थे, हम दोनों अँगीठी के निकट बैठकर बहुत देर तक बातें करते रहे।

ग्यारह बजे नगपति नागरिक संघ की ओर से मेरे लिए एक स्वागत समारोह होने जा रहा था। मैं उसमें शामिल हुआ। नेपाल के सभी प्रमुख कवि पधारे थे। भारतीय राजदूत भी आए थे। मैंने 'सिंहगढ़' और 'बापू की समाधि पर' ये दो कविताएँ सुनाईं। लेखनाथजी ने कहा—आपने वीरता के सरोवर में करुणा के कमल खिलाए हैं ! नेपाली कवियों की कविताओं में काफी सरसता, स्निग्धता, ओजस्विता और तेजस्विता पाई। युग की पुकार भी उसमें प्रतिध्वनित थी। बालकृष्ण समजी तो सचमुच महाकवि हैं। 'आग और पानी' नाम से जो एक खंडकाव्य लिख रहे हैं, उसके कुछ अंश सुनाए। विद्वत्ता और चिन्तन की परिपुष्टि। कवि

शिरोमणि लेखनाथजी की कविताएँ भी सुनने को मिलीं। चित्रधरजी ने कविता में जो कई मार्मिक चित्र उपस्थित किए, क्या मैं उन्हें शीघ्र भूल सकूँगा ? व्यथितजी की उड़ान भी देखने लायक थी। जनार्दनजी के कंठ में कितनी मधुरता है !

संध्या को पशुपतिनाथ का मन्दिर देखने गया। उसके पहले गुह्येश्वरी के मन्दिर में गया। कहा जाता है, जब सती के वियोग में पागल हुए महादेव, उनकी लाश ढोए फिरते थे, तो भगवान् विष्णु ने चक्र द्वारा उस लाश को टुकड़े-टुकड़े काटकर जहाँ-तहाँ गिरा दिया। सती का गुह्य अंग इस स्थान पर गिरा था, जहाँ यह मन्दिर है। उस मन्दिर से पशुपतिनाथ मन्दिर में आया। बीच में बाबा गोरखनाथ का मन्दिर पड़ता है। फिर बागमती की धारा। कितनी पतली धारा ! कितना कम पानी ! बन्दर इस तट से उस तट पर उछल रहे। कहाँ यहाँ की बागमती और कहाँ वह बागमती जो हमारे जिले में प्रलयंकर रूप धारण किया करती है ! पशुपतिनाथ के मन्दिर का कलश सुवर्ण का है, यह तो जगजाहिर है। यहाँ जो शिवलिंग है, उसके चारों ओर चार मूर्तियाँ हैं—ब्रह्मा, विष्णु, महेश और पार्वती की। अद्भुत कल्पना ! मन्दिर की बगल में विशाल नन्दी, सोने से मढ़ा हुआ। चारों ओर मन्दिरों की भरमार, बन्दरों की भरमार। किन्तु कितनी गन्दगी ! आह ! हम अपने देवगृहों के वातावरण को स्वच्छ और पवित्र रखना कब सीखेंगे ?

वहाँ से चीनिया विहार देखने चले। चीनिया विहार तिब्बत को नेपाल से जोड़नेवाली एक कड़ी है। यहाँ मुख्यतः तिब्बत के ही बौद्ध रहते हैं। विहार बहुत ही विस्तृत और विशाल है। चारों ओर तिब्बती तीर्थयात्री घूम-फिर रहे थे। एक जगह तिब्बती लोगों का नृत्य हो रहा था। औरतें और मर्द झूम-झूमकर गा-बजा रहे थे। बीच-बीच में शराब भी पीते जाते थे। एक मित्र ने कहा—तिब्बती चाय कभी पी है ? एक भोटिया होटल में वह लिवा गए। एक वृद्धा, उसकी तीन बेटियाँ, ये कितनी सुन्दर थीं, छोटे कद की, खिलौने-सी लगती थीं। घर में कितनी सफाई ! चाय अच्छी थी। होटल से विहार के महंत के आवास में। महंत ने अपने को राहुलजी का गुरु बताया। उसी की कृपा से पहली बार छिपकर राहुलजी तिब्बत गए थे। बड़ा चलता पुर्जा आदमी, कई भाषाएँ जानता है, बड़ी खातिर-बात की।

रात में शिक्षामन्त्री रेग्मीजी के घर पर भोजन हुआ। उन्होंने अपनी लिखी तीन पुस्तकें भी भेंट कीं।

काठमांडू में एक विचित्र बात है। राणाशाही के समय से ही यहाँ रात में कर्फ्यू लग जाता है। रास्ता चलना एकदम बन्द। राणाओं के समय में नौ बजे से ही कर्फ्यू लग जाता था, अब उस समय को बढ़ाकर ग्यारह बजे कर दिया गया है। संसार में शायद यही एक शहर है, जहाँ शान्ति के समय भी कर्फ्यू लगा रहता है !

9 जनवरी, 1955

पटना में ही नेपाल के एक युवक ने मुझे लिखा था कि यहाँ हिन्दी की कितनी ही पांडुलिपियाँ पड़ी हैं; यदि उन पर शोधकार्य किया जाए तो हिन्दी के कितने ही अज्ञात कवियों की कृतियों पर प्रकाश पड़े। वह आकर मिले और एक लम्बी सूची दी है। यह सूची सिर्फ उन कवियों की है, जिनकी पांडुलिपियाँ उनके पास हैं। उन्होंने बताया, नेपाल में पांडुलिपियाँ संगृहीत करने की प्राचीन परम्परा है। हर घर में कुछ-न-कुछ पोथियाँ पड़ी हुई हैं। यहाँ एक खास किस्म का कागज बनता है, जो जल्द नष्ट नहीं होता। यहाँ की जलवायु भी ऐसी है कि दीमक आदि कीड़ों का भय नहीं रहता। उन्होंने बताया, मल्ल राजाओं के समय में बहुत से कवि उत्तरी

गिरफ्तारी के लिए तैयार बैठे हैं !

हाँ, उस दिन गणेशमानजी से एक होटल में भेंट हुई थी। नेपाली कांग्रेस के उग्रपंथी नेताओं में वह हैं। प्रजातन्त्र होने पर जो पहला मन्त्रिमंडल बना था, उसमें मन्त्री भी थे। बड़े ही मस्त, बड़े ही स्पष्टवादी ! कहने लगे, हमारा यह देश कितना अकृतज्ञ है, उसका सबसे बड़ा साक्षी वह भीमसेन थापा का धरहरा है ! यदि यह बात नहीं होती, तो आज आपका स्वागत देश के त्राता के रूप में होता ! फिर आपने बताया कि किस प्रकार 'जनता' के एक लेख की प्रतिलिपि रखने के कारण शहीद शिरोमणि गंगालाल को बड़ी ही नृशंसता और क्रूरता से मारा गया था। लगातार चार घंटे तक उसे कोड़े मारे गए थे कि वह बता दे कि यह लेख उसे कहाँ से मिला। जब वह पानी माँगता था, तो जमीन पर उसे पटक दिया जाता था, वह व्याकुल होकर मिट्टी को दाँतों से पकड़ लेता था। जब वह इसका वर्णन कर रहे थे, मुझे बार-बार रोमांच हो आता था !

जुलूस देखकर भातगाँव की ओर चला। पाटन, काठमांडू और भातगाँव—इस घाटी के ये तीन प्रमुख नगर हैं। भातगाँव मल्लराजाओं की राजधानी रहा है। पर्सी ब्राउन ने अपनी पुस्तक में भातगाँव का वर्णन बड़ा ही सुन्दर किया है, उसकी शोभाश्री का ब्योरा देते हुए जैसे वह अघाता नहीं हो ! यह पुस्तक 1912 में प्रकाशित हुई थी। इन चालीस-पैंतालीस वर्षों में ही इस नगर की कैसी दुर्दशा हो गई है ! कहाँ वह शानदार दरबार; उसके सभी मन्दिर श्रीहीन हो चले हैं। कलशों का सोने का पानी धुल गया है; कहीं-कहीं उसकी स्मृति मात्र बची है। सोने की यत्र-तत्र की झलक उसके सुनहले दिन की याद दिलाती है। काठ पर जो सुन्दर खुदाई की गई थी, वह सड़-गल रही है। पत्थरों की मूर्तियाँ भी इधर-उधर ढह-ढनमना रही हैं। सड़कें कितनी ऊबड़-खाबड़—जैसे इनका कोई पुश्त-पनाह नहीं ! चारों ओर गन्दगी, गन्दगी—दुर्गन्ध, दुर्गन्ध; उफ !

लोग भी श्रीहीन ! कला और कारीगरी के लिए जो शहर मशहूर था, वहाँ अब बेकारी का बोलबाला है। लोग इधर-उधर बैठे, गप्प करते, समय काट रहे। बाजार में लहसुन, मूली, अदरक, सलाद बिक रहे या विदेशी कपड़े, परचून की मामूली चीजें, सुई, धागे आदि। भातगाँव की कारीगरी में सिर्फ मिट्टी के बरतन; वे भी भद्दे। भार पर लेकर खुलेआम मांस बेचा जा रहा है—सूअर का मांस, भैंसे का मांस ! वे बड़े-बड़े लोथड़े, जिन पर मक्खियाँ भिनभिना रहीं ! एक स्कूल से कुछ लड़के निकले—किसी के शरीर पर पूरा साबूत कपड़ा नहीं। एक दस वर्ष का छोकड़ा, सिगरेट धूँके जा रहा है ! गन्दी बावड़ियों पर औरतें कपड़े धो रहीं। सड़ा पानी; गन्दगी के साथ फिर बावड़ी में गिर रहा है। घर भी टूटे-फूटे ! तो भी बस्ती बड़ी घनी !

बहुत देर तक घूमता-फिरता, दरबारों और मन्दिरों को देखता रहा। एक प्रसिद्ध मन्दिर के आगे एक स्तम्भ पर मल्लराजा की मूर्ति ! कहते हैं, जब गोरखों ने मल्लवंश से शासन छीना, तो अपनी विजय के प्रतीक रूप में इस सोने की मूर्ति के हाथों में लोहे की हथकड़ियाँ डाल दी थीं। प्रजातन्त्र होने पर ये हथकड़ियाँ हटीं !

गोरखों की नेपाल विजय की कहानी बहुत ही रक्तरंजित है। कीर्तिपुर के सभी वयस्क पुरुषों की नाकें कटवा ली गई थीं। कीर्तिपुर का नाम तभी से नकटापुर पड़ गया था !

काठमांडू और भातगाँव के बीच में खेत-ही-खेत हैं। कहावत है, नेपाल के खेत और··· कभी खाली नहीं रहते। कहावत का दूसरा अंश मैंने जानबूझकर छोड़ दिया है। नेपाल के किसान बड़े कर्मठ होते हैं, साल भर तक खेतों में जुते रहते हैं। हाँ, जुते रहते हैं, क्योंकि यहाँ खेतों में बैल से काम नहीं लिया जाता। आदमी ही जोतते, कोड़ते, फिर एक खास ढंग के मुँगड़े से ढेले तोड़ते हैं। कोड़ते समय मिट्टी इस तरह रखते हैं कि क्यारियाँ बनती जाती हैं,

जिससे सिंचाई में सुविधा हो।

यहाँ खाद का अद्‌भुत प्रबन्ध है। पहले कहा जा चुका है, यह घाटी पहले झील थी। चारों ओर से पहाड़ों से घास-फूस बहकर आते और झील की तह में बैठते जाते। जब झील का पानी निकल गया, ऊपर की मिट्टी की तह जम गई। लेकिन भीतर घास-फूस का कम्पोस्ट सदियों से जमा है। किसान अपने खेतों में कुएँ खोदते हैं। कुएँ से काली मिट्टी निकलती है। वही कम्पोस्ट है। इस मिट्टी को खेत में फैला देते हैं, उत्तम खाद का काम करती है यह यों ये कुएँ सिंचाई और खाद, दोनों का काम देते हैं ! पहाड़ी झरनों से भी सिंचाई का काम लिया जाता है।

रास्ते की सड़कों के किनारे देखा, इन्डियन मिलिट्री मिशन की ओर से तार और टेलीफोन के खम्भे गाड़े जा रहे हैं। पता चला, यहाँ तार की चोरी बहुत होती है। कई दिन पाया, भद्रकालीजी का टेलीफोन काम नहीं करता है। सुना, रास्ते में किसी ने तार चुरा लिया है !

आज बालकृष्णजी 'सम' से फिर मिल आया। उन्हें देखकर 'प्रसाद' जी की याद आती है; दोनों कवि, नाटककार, चिन्तक और पुरातत्त्वज्ञ ! उनका पूरा परिवार ही कलाकार है। एक बेटी तो बहुत अच्छी चित्रकारी करती है। एक बेटी संगीत में अच्छी पैठ रखती है। उन्हीं के पुत्र श्री जनार्दनजी हैं, जिनकी श्रुतिमधुर कविता ने मुझे उस दिन मोह लिया था। पूरे घर में कला का वातावरण है। घर के दोनों फाटक ऐसे बने हैं कि लगता है, दो सजिल्द पुस्तकें रख दी गई हैं। बालकृष्णजी के विचार भी बहुत उदार ! राणा के राजवंश से हैं ! पहले यह भी 'शमशेर' थे, अब उसे 'सम' कर दिया है—श्री बालकृष्ण सम ! यह 'सम' उनके समाजवादी विचार का सूचक है !

11 जनवरी, 1955

'कुफ्र टूटा खुदा-खुदा करके।' सत्याग्रह टल गया। नेपाल के युवराजाधिराज ने नेपाली कांग्रेस की बात स्वीकार कर ली। प्रजातन्त्र के सभी हिमायत करनेवालों के हृदय यदि एक हो जाएँ तो नेपाल की उन्नति में अधिक देर नहीं लगे। यहाँ के किसान अच्छे, मजदूर अच्छे, कारीगर अच्छे ! विपुल खनिज एवं वन्य सम्पत्ति उपयोग और उद्योग की प्रतीक्षा में है। किन्तु राजनीतिक उलझनों से ही नेताओं को फुरसत कहाँ मिल पाती है ! उन पर सोचे तो कौन ?

आज दोपहर मैं त्रिभुवन पथ देखने गया। मातृका बाबू ने पहले ही खबर कर दी थी; वहाँ के सैनिक अधिकारी प्रतीक्षा में थे। बड़ी आवभगत की और अपनी जीप पर बिठाकर पथ के दसवें मील तक ले गए। कहते थे, यदि आप सवेरे आए होते, तो हम चालीस मील तक आपको ले जाते।

कितना बृहत् आयोजन है ! अफसर कह रहे थे, ऐसा बड़ा आयोजन अब तक भारत में भी नहीं किया जा सका है। पहाड़ी घाटियों से सत्तर मील लम्बी और बीस फीट चौड़ी सड़क इतने कम दिनों में निकाल देना पहले एक असम्भव कार्य लगता था। किन्तु वह असम्भव सम्भव होने जा रहा है। पिछले साल की अप्रत्याशित वर्षा और बाढ़ ने बाधा डाली, नहीं तो अब तक यह सड़क चालू हो गई होती। तो भी मई से यह चालू कर दी जाएगी—ऐसी आशा की जाती है। अब सिर्फ तेरह-चौदह मील पर थोड़ा काम करना रह गया है। सारी सड़क को कई खंडों में बाँट दिया गया है, और हर खंड पर फौज की एक-एक टुकड़ी काम कर रही है।

जब इस सड़क पर जीप से जा रहा था, इसके निर्माताओं के साहस और चातुरी पर

आश्चर्य होता था। पहाड़ काटकर, चट्टानों को सुरंगों से उड़ाकर खड्डों को पाटकर, नालों पर पुल बनाकर यह विकट रास्ता निकाला जा रहा है। ऊपर गगनचुम्बी चोटियाँ, नीचे पाताल को झाँकनेवाले खड्ड—और बीच में यह सड़क, टेढ़ी-मेढ़ी महासर्पिनी-सी सरकती मालूम पड़ती है ! कितने ही खतरनाक मोड़; कितने ही भयावने चढ़ाव-उतार ! अभी काम जारी है। कहीं पत्थर काटा जा रहा; कहीं खड्ड भरा जा रहा, कहीं पुल पाटा जा रहा ! चार हजार मजदूर काम कर रहे हैं। इंजीनियर बता रहे थे, ये मजदूर बड़े मेहनती और ईमानदार हैं; एक बार काम में जोत दीजिए, फिर करते जाएँगे, करते जाएँगे। बार-बार टोकने और निगरानी करने की जरूरत नहीं रह जाती। इन्हें पैसे भी खूब मिल रहे हैं, काठमांडू की दर से लगभग दूना पा रहे हैं ये !

यह त्रिभुवन पथ काल पाकर नेपाल का प्रगतिपथ सिद्ध होगा। यातायात के साधन के अभाव के कारण ही नेपाल की दुर्दशा है। 'रोप वे'—बिजली से चलनेवाले रस्से के रास्ते से कहाँ तक चीजें आएँ या जाएँ ?

इस सड़के से जाते हुए नेपाली किसानों की उद्योगपरता देखकर दंग हो रहा ! नीचे की घाटी से ऊपर की चोटी तक जहाँ भी थोड़ी जमीन मिली कि घेर-घारकर खेत बना लिया। नीचे से ऊपर तक खेतों की सीढ़ियाँ-सी लगी हुई हैं। एक फसल काट ली है, दूसरी के लिए तैयारी कर रहे हैं। पहाड़ी सोतों और नालों को इस तरह जगह-जगह बाँध रखा है कि जब चाहे खेतों की सिंचाई कर लें। यहाँ एक कहावत है, नाले को और बात को चाहे जिस ओर घुमा दीजिए। बात को किस तरह घुमाया जाता है, काठमांडू में पल-पल पर अनुभव करता हूँ; नाले को घुमा-फिराकर खेत-खेत को हरा-भरा कर देने की कला इस घाटी में देख रहा हूँ।

इंजीनियरों ने बताया, यह रास्ता कुछ लम्बा हो गया है जरूर; किन्तु ऐसा जानबूझकर किया गया है। इससे इस घाटी के किसानों को अपार लाभ होगा। वह दिन दूर नहीं, जब इस सड़क के किनारे कितने ही अच्छे बाग लग जाएँगे, कितनी ही सराएँ खुल जाएँगी, यहाँ के किसान-मजदूर खुशहाल हो जाएँगे।

शाम को वेदानन्दजी ने यहाँ के हिन्दी प्रेमियों की एक गोष्ठी बुलाई। अच्छी गोष्ठी जुटी। सब लोगों ने इसकी आवश्यकता को स्वीकार किया कि काठमांडू में एक हिन्दी संस्था की स्थापना अवश्य हो। उसका नाम 'नेपाल हिन्दी भवन' रखने का तय किया गया। युवराजाधिराज से उसके उद्‌घाटन के लिए निवेदन किया जाए, यदि किसी कारण से यह सम्भव नहीं हो सके, तो प्रधानमन्त्री द्वारा ही इसका उद्‌घाटन कराया जाए। वेदानन्दजी ने इसके लिए विधान आदि भी तैयार कर लिया है।

नेपाल के बारे में कई पुस्तकें पढ़ गया हूँ। उसके बारे में काफी जानकारी हासिल कर ली है। 1950 की जनगणना के अनुसार नेपाल की जनसंख्या छप्पन लाख है। कई लाख नेपाली एशिया के भिन्न-भिन्न देशों में है। नेपाल के सरकारी भूगोल में नेपाल की जनसंख्या चौंसठ लाख दी हुई है।

नेपाल की प्रसिद्ध जातियाँ हैं—(1) किरात, जिसके दो उपभेद हैं—राई और लिम्बू (2) सुनवार, (3) तमाङ्, (4) मुर्मी, (5) मगर, (6) गुरुंग, (7) शेरपा, (8) नेवर, (9) थारू। काठमांडू में क्षत्रियों का राज्य है। तराई में ब्राह्मण, क्षत्रिय, वैश्य आदि भारतीय वर्ण परम्परा की जातियाँ हैं। नेपाल के आदिवासियों की अनेक छोटी-छोटी भाषाएँ हैं। मुख्य भाषाएँ सात हैं, जिनमें तीन की चर्चा पहले हो चुकी है। इनके बोलनेवालों की संख्या हिन्दी पच्चीस लाख, नेपाली पन्द्रह लाख और नेवारी पाँच लाख।

नेपाल में कुल चौवालीस जिले हैं—पहाड़ में इक्कीस जिले, भीतर में सात जिले और तराई में सोलह जिले !

नक्शा देखिए तो, चौतरा, चौसापानी और नुवाकोट आदि भीतरी जिलों के बीच के सबसे छोटे जिलों में यह 'खास नेपाल' है; (यही काठमांडू की घाटी है) जो सारे नेपाल पर राज्य करता है।

अभी उस दिन खड्गमान सिंहजी आए थे। खड्गमान सिंह नेपाल के प्रसिद्ध देशभक्तों में से है। वह एक तसवीर दे गए। यह तसवीर उनके जेल जीवन का है; उफ् ! कितनी पीड़ा सहनी पड़ी है इस देशभक्त को ! प्रजातन्त्र होने पर इनके दिन भी बहुरे ! मन्त्री भी रह चुके हैं !

12 जनवरी, 1955

दिन भर विश्राम ही करता रहा ! तरह-तरह के लोग आते रहे; मिलते रहे ! नेपाल के अतीत और वर्तमान के बारे में अधिकाधिक जानकारी होती जाती है !

जब-जब शहर की ओर जाता हूँ, सदा टुँड़ी-खेल के मैदान में जहाँ-तहाँ बैठेठाले लोगों को समय काटते देखता हूँ। मुख्य बाजार में भी बैठेठाले लोगों की भीड़। इन बैठेठाले लोगों को लेकर यहाँ कोई भी तोड़-फोड़ का काम करा लेना आसान है; बस, कुछ पैसे चाहिए, कुछ झंडे चाहिए ! टेंट में कुछ पैसे डाल दीजिए, हाथ में झंडे दे दीजिए, फिर इन्कलाब जिन्दाबाद बोला लीजिए ! देखता हूँ, नेपाल के कुछ उपद्रवी लोग इन्हीं लोगों के भरोसे नेपाल की राजनीति को स्थिर नहीं रहने देना चाहते। नेपाली कांग्रेस ने सत्याग्रह की बात की, तो ऐसे लोगों की बन आई है; वे उधम मचाने पर तुले हुए हैं।

कल एक मित्र ने प्रसंगवश के.आई. सिंह के विद्रोह की चर्चा की। के.आई. सिंह को भारत की पुलिस ने गिरफ्तार किया, वह जेल से निकल भागे। फिर गिरफ्तार करके काठमांडू लाए गए। यहाँ भी ऐसा जादू चलाया कि जेल से निकले और सारे काठमांडू पर छा गए ! सभी मन्त्री भागकर महाराजा के महल में आकर शरण लेने को लाचार हुए। यदि महाराजा भारत से सैन्यशक्ति की सहायता नहीं माँगे होते और काठमांडू पर भारतीय वायुसेना चक्कर नहीं लगाती तो के.आई. सिंह क्या नहीं कर देते ! जब उन्हें मालूम हुआ, भारतीय सेना पहुँच रही है, तब बागमती की सूखी धारा पकड़कर वह हिमालय की ओर भागे। उस दिन बौद्ध विहार देखने गया था, तो उस रास्ते की ओर लोगों ने मेरा ध्यान आकृष्ट किया था !

मन्त्रियों के बँगलों पर जो सिपाही पहरे दे रहे थे, वे ही उनकी कैद के पहरेदार बनने जा रहे थे, यदि थोड़ी भी देर हुई होती तो मन्त्रियों की न जाने क्या गत हुई रहती—फिर काठमांडू में खून की धारा बहती !

आज भी कुछ गुंडों ने बेचारे खड्गमान सिंह पर हाथ उठाया। बेचारे को बीस वर्षों तक राणाओं ने जेल में सड़ाया। जिनके लिए सड़े-गले, उन्हीं की यह करतूत ! यह तो धन्य कहिए महाराजा त्रिभुवन को कि बेचारे के लिए एक घर बनवा दिया और एक मोटर भी दे रखी है। लोगों की ईर्ष्या और जलन इस पर भी है ! एक बार बेचारे विश्वेश्वर की जान भी मुश्किल से बची थी ! उनकी पत्नी पर हाथ उठाया गया था !

यहाँ जिस मन्दिर या महल में जाइए, दरवाजे पर सिंह की मूर्तियाँ दिखाई पड़ेंगी—फाटक के दोनों ओर दो सिंह। कभी-कभी सोचता हूँ, किसी आधी रात को ये सभी मूर्तियाँ सजीव हो उठतीं और सारे शहर में घूमकर उन्हें खा डालतीं जो मानव के वेश में खूँखार जानवर हैं, तो इस सुन्दर कलापूर्ण देश का बहुत भारी कल्याण हो जाता !

इधर नेपाल का इतिहास पढ़ रहा हूँ। जब से मल्ल नरेशों का शासन समाप्त हुआ, नेपाल

में शान्ति नहीं रही; सदा खून-खराबी होती आई है। श्री पृथ्वीनारायण शाह ने मल्लवंश को समाप्त कर एक वृहद् राज्य की स्थापना तो कर ली, किन्तु इस काम के करने में जो नृशंसता देखलाई गई, उसकी परम्परा चली आ रही है। राणा जंगबहादुर ने कितनी हत्याएँ कराईं—पांडे, थापा और बसर्नेत वंश के सभी प्रतिभाशील पुरुष की उसने दो बार हत्या कराकर नेपाल को थोड़े दिनों के लिए वीर-विहीन बनाया था। राणावंश में आपस में भी क्या कम हत्याएँ हुई हैं ? राणावंश के कितने ही लोग नेपाल से भाग-भागकर अपने और अपने खानदान को नष्ट होने से बचा सके।

नेपाल से मुझे प्रेम है। जब से यहाँ आया हूँ, वह प्रेम और उमड़ गया है। दिन-रात सोचा करता हूँ, कौन सा जादू किया जाए कि नेपाल में एक सुदृढ़ प्रजातन्त्री राज्य का श्रीगणेश हो ! जब तक हर वर्ष मन्त्रिमंडल बनता रहेगा, क्या पुनर्निर्माण हो पाएगा ?

नेपाल की इस ढुलमुल राजनीति में राणाओं के गुप्त हाथ तो हैं ही, विदेशी प्रभाव भी कम नहीं है। आजकल जिधर निकलिए, अमेरिकन जीपें दौड़ती नजर आएँगी। पादरियों का भी जाल फैल रहा है। अभी उस दिन सड़क पर पटना में रहनेवाले एक सुप्रसिद्ध पादरी से भेंट हो गई। यहाँ आकर वे एक पब्लिक स्कूल का संचालन कर रहे हैं। यानी, इसी पुश्त से उन्हें सन्तोष नहीं, अगली पुश्त को भी अपने चंगुल में फँसाने की तैयारी कर दी गई है !

एक विचित्र बात यह देखी है कि भारत और भारतीयों के प्रति साधारणतः लोगों का अच्छा रुख नहीं है ! भारत नेपाल के विकास के लिए जितना ही अधिक खर्च करता है, लोगों का सन्देह बढ़ता जाता है। कहीं कुछ गड़बड़ जरूर है, लेकिन दिल्ली में इन छोटी-छोटी बातों पर विचार करने के लिए समय किसके पास है !

संध्या को फिर कुछ हिन्दी प्रेमी एकत्र हुए—हिन्दी भवन की बात कुछ आगे बढ़ रही है ?

इधर एक काम और आ पड़ा है। 1942 में बिहार के बहुत से राजनीतिक कार्यकर्ता नेपाल भाग आए थे। छपरा के महंत मेरे सम्बन्धी होते हैं। 1942 में उनके थाने में भी 'भारत छोड़ो' आन्दोलन जोरों पर हुआ था। उनके थाने को लोगों ने जला दिया था; एक जमादार की हत्या हो गई थी। महंतजी वहाँ से भागे और नेपाल की तराई में आकर छिप गए ! कुछ ठिकाना तो था नहीं कि यह आन्दोलन कब तक चलेगा और इसमें भाग लेनेवालों का क्या हश्र होगा ! अतः महंतजी ने तराई में जमीन खरीद ली, मोटर, हाथी, बैल आदि मँगा लिये और वहीं बस जाने की तैयारी की। जिससे जमीन खरीदी, वह धूर्त्त निकला। ज्यों ही उसे मालूम हुआ कि महंतजी अंग्रेजी सरकार के फरार असामी हैं और उनकी गिरफ्तारी के लिए इनाम की भी घोषणा हुई है, उसने उनको गिरफ्तार करवाकर अंग्रेजी सरकार से इनाम लिया और नेपाल सरकार से वह जमीन भी ले ली !

जब से दिल्ली में अपनी सरकार बनी है, महंतजी दिल्ली और काठमांडू एक कर रहे हैं, किन्तु उनका काम आज तक नहीं बना ! क्या मुझसे यह सम्भव होगा ?

13 जनवरी, 1955

आज विश्वेश्वर, के घर भोर में गया। बड़े गुस्से में थे। यह गुस्सा वह युवराजाधिराज के प्राइवेट सेक्रेटरी श्री लोकदर्शन के सामने ही प्रकट कर रहे थे। उनका कहना था, कल के उपद्रव में मन्त्रिमंडल के कुछ सदस्यों का भी हाथ रहा—लोकदर्शनजी इसका कोई जवाब नहीं दे सके।

श्री लोकदर्शन—इधर इस नौजवान से मेरी घनिष्ठता बढ़ रही है। एक दिन भद्रकालीजी

से मिलने आए; भद्रकालीजी ने मुझसे परिचय कराया। फिर वे राजनीतिक बातें करने लगें; मैं वहाँ से उठकर अपने कमरे में चला आया। बातें करके वह मेरे कमरे में आए। लोकदर्शनजी काफी खूबसूरत हैं, हँसमुख, प्रियभाषी। मैंने कहा, कुछ लोगों के पिताजी बड़े दूरदर्शी होते हैं, बच्चे का ऐसा नाम रख देते हैं कि उसके सारे जीवन को प्रतिफलित करता है और कुछ ठीक इसके विपरीत होते हैं। उन्होंने मुसकराते हुए कहा; इसका अर्थ ? मैंने कहा, यही देखिए, मेरे परिवारवालों का, क्या नाम रखा है, ठूँठ, ठूँठ ! वृक्ष भी कोई नाम हुआ ? उधर आपका नाम—जैसा नाम, वैसा दर्शन ! खूब हँसे। मैंने पान बढ़ाया, बोले, नहीं खाता ! तब पान का अभाग्य समझिए, जो ऐसे होंठों पर नहीं चढ़ सका ! हँसकर पान खा लिया ! तब से जब भद्रकालीजी के घर आते हैं, मुझसे मिलते हैं, खूब बातें करते हैं। चतुर भी हैं। निस्सन्देह युवराजाधिराज ने बहुत अच्छा निजी सचिव चुना है !

विश्वेश्वरजी के घर से भारतीय दूतावास गया। यह एक अलग कालोनी-सा लगता है। अपना डाकघर है, तारघर है। यहीं डाक-तारघर काठमांडू का सम्बन्ध बाहर की दुनिया से बनाए हुए है। दूतावास में कितने ही परिचित सज्जन मिले। कई तो मेरे जिले के ही हैं।

भारतीय राजदूत माननीय श्री भगवान सहाय एक योग्य शासक की हैसियत से भारत में प्रसिद्ध थे। भोपाल और हिमाचल प्रदेश के कमिश्नर के रूप में उन्होंने काफी ख्याति प्राप्त की थी। आज यहाँ उनसे मिलकर मालूम कर सका, वह सहृदय साहित्यरसिक और कलाकार भी हैं। उन्होंने अपनी बनाई कई तसवीरें दिखलाईं, मूर्तियाँ भी ! भोपाल और हिमाचल प्रदेश के अनुभव बताए। पहले आम चुनाव में उस घोर पहाड़ी प्रदेश में चुनाव का संचालन किस प्रकार हो सका, इसका दिलचस्प वर्णन किया। भोपाल में साँची स्तूप का उद्धार तथा बौद्धों का महामेला किस प्रकार सफलतापूर्वक सम्पन्न हुआ, वह भी बताया। कहने लगे, यहाँ गड़बड़ है, क्योंकि कुछ होता नहीं है। एक बार जहाँ लोग पुनर्निर्माण के काम में लगे, फिर सारी झंझटें हवा हो जाएँगी।

मैंने सुझाव रखा, आर्थिक उत्थान के लिए त्रिभुवन पथ का निर्माण तो आप लोग करा ही रहे हैं, क्यों नहीं कुछ लाख रुपए लगाकर यहाँ के प्रमुख मन्दिरों, बौद्ध विहारों और प्राचीन राजभवनों के जीर्णोद्धार का काम करा देते ! नेपाल की जनता धार्मिक और भावप्रवण है, तब उसकी सहानुभूति भारत की ओर आप-से-आप आकृष्ट होगी ! सच कहता हूँ, इन मन्दिरों, विहारों और प्रासादों की दुर्गति मुझे असह्य मालूम होती है। शताब्दियों, सहस्राब्दियों के कला-कौशल के ये मूर्तिमान प्रतीक हैं—इनकी रक्षा मानवता के चरम हस्तकौशल की रक्षा करना है।

हम बाहर बैठकर धूप में ही बातें कर रहे थे। सुनहली धूप; हिमालय की चोटियाँ चमक रही थीं, धूप के पेड़ हवा के झोंके पर झूम रहे थे। एक भीनी-भीनी सुगन्ध फैल रही थी। बहुत ही सुहावना लग रहा था। कभी-कभी मन में होता है, नेपाल की स्थिति में स्थिरता आ जाए तो बुढ़ापा कहीं नेपाल के अंचल में ही काटूँ। हिमालय देवभूमि ! स्वर्ग की राह तो कहीं यहीं से होगी !

हम गप्प कर रहे थे कि श्री धर्मरत्न यमि पहुँच गए। तिब्बत की बात चली। उन्होंने बताया, तिब्बत में भारत के लिए बड़ी सद्भावना है। वे लोग भारत को देवभूमि मानते हैं, क्योंकि यहीं भगवान बुद्ध का अवतार हुआ था। अपनी प्रार्थना के कुछ ऐसे श्लोक भी सुनाए।

धर्मरत्नजी नेवार हैं। नेवार जाति मुख्यतः बौद्ध धर्मावलम्बी है। मल्लों के समय में शासन का सारा कार्य यही जाति चलाती थी, इसकी अपनी भाषा है, अपनी लिपि है। यह लिपि गुप्तकाल में भारत से गई थी और वहाँ 'रंजना' कहलाती है। गोरखों के राज्यकाल के प्रारम्भ

में इनकी अवहेलना की गई; किन्तु शीघ्र ही अपनी विद्याबुद्धि से इन्होंने राणाशासन में भी अपने लिए योग्य स्थान बना लिया। जब प्रजातन्त्र हुआ, इस जाति के कुछ मन्त्री लिये गए, लेकिन मेरा खयाल है, इस जाति को प्रजातन्त्र में वह स्थान नहीं मिल पाया, जिसका यह हकदार है ! वर्तमान मन्त्रिमंडल में तो एक भी नेवार नहीं है ! लेकिन सचिवालय में तो इनका बोलबाला सदा से चलता आया है। सचिवालय के उच्चतम पदों पर इनका ही बहुमत है।

प्रजातन्त्र को नेवारों की प्रतिभा का पूर्ण उपभोग करना ही पड़ेगा, नहीं तो उसे पग-पग पर संकट का सामना करना होगा। नेवार लोगों का निकट सम्पर्क तिब्बत से रहा है। तिब्बत में साम्यवाद का बोलबाला होने पर स्वभावतः साम्यवाद की ओर उनका झुकाव बढ़ रहा है। यदि वे सोचें कि प्रजातन्त्र में तो हमारी पूछ नहीं, साम्यवादी शासन में हमें योग्य पद प्राप्त हो सकेंगे, तो अचरज की क्या बात ! नेपाल को साम्यवाद के चँगुल से बचाने के लिए भी आवश्यक है कि नेवार जाति को प्रजातन्त्र में योग्य स्थान मिले।

भोजन के बाद सलाहकार सभा देखने गया। सभा जिस भवन में बैठती है, वह 'गैलरी' के नाम से पुकारा जाता था। यहीं राणा शासक विदेशी आगन्तुकों से मिलते थे; विशेष अवसरों पर यहीं सभा बुलाते थे। कैसी शानदार इमारत; सुनहली मूर्तियों, खम्भों, चित्रों और मखमली झालरों से जगमग ! सभा के अध्यक्ष हैं श्रीबालचन्द्र शर्मा, जिनकी चर्चा कर चुका हूँ। उपाध्यक्ष श्री गुलाब झा, उर्फ चुनचुन बाबू की चर्चा भी हो चुकी है। जब मैं पहुँचा, सभा की बैठक हो रही थी। अधिक लोग नेपाली में बोल रहे थे; मेरे सामने तीन सदस्यों ने हिन्दी में भाषण किया। सुना, पहले हिन्दी में भाषण करने पर हो-हल्ला मचा था; किन्तु आज तो वे लोग अबाध बोल रहे थे।

रात में भोजन के बाद, प्रायः हम लोग अँगीठी के निकट बैठते हैं। मिश्रजी, उनकी पत्नी, एक-दो अन्य मित्र होते हैं। तरह-तरह की गप्पें होती हैं, हँसी के फव्वारे छूटते हैं। बड़ा आनन्द आता है !

15 जनवरी, 1955

अरे, यहाँ आए कितने दिन हो गए ! अब घर लौटने की इच्छा होने लगी है; लेकिन रुकने के कारण भी तो पैदा होते जाते हैं। हिन्दी भवन के उद्घाटन तक तो ठहरना ही है।

कल डायरी भी नहीं लिख सका; कुछ व्यस्तता के कारण, कुछ अन्यमनस्कता के कारण !

कल संक्रान्ति थी। श्रीमती सुमित्रा सिन्हा के घर खाने गया। सुमित्राजी सलाहकार सभा में सदस्या हैं। मेरे पड़ोस में ही इनका नैहर है। मिश्रजी के घर प्रायः आती रहती हैं। मुझसे मिलीं, धीरे-धीरे आत्मीयता बढ़ी। पर्व के दिन मेरी कुटिया को पवित्र कीजिए, कैसे उनके इस आग्रह को टालता !

बस, सक्रान्ति का वह प्रसिद्ध भोजन—चूड़ा, दही, कुम्हड़े की तरकारी, अचार, चटनी ! तराई के और कई सज्जनों को निमन्त्रण था। बड़े प्रेम से भोजन किया। खूब हा-हा-ही-ही रही ! बात-बात में एक सज्जन ने एक बड़ी मार्मिक बात कही। उन्होंने कहा—हम तराईवालों की बुरी गत है ! 'खास नेपाल' के लोग हमें भारत का एजेन्ट मानते हैं और उधर आप लोग हैं, जो नेपाली का अर्थ 'खास नेपाल' के लोगों से ही लेते हैं। हम तो कहीं के नहीं रहे ! याद आया, इसी प्रकार एक बार स्वर्गीय प्रोफेसर बारी साहब ने कहा था, मुसलमान हमें हिन्दू का एजेन्ट मानते हैं और तुम लोग भी जब मुसलमान की चर्चा होती है, तो हम राष्ट्रीय मुसलमानों को बाद दे देते हो !

वहाँ से स्वयंभू के निकट लगनेवाले बौद्धों का मेला देखने चला। हर संक्रान्ति पर यह मेला लगता है, जहाँ तिब्बत के बौद्ध भी बड़ी संख्या में आते हैं। किन्तु इस साल का मेला तो बारह वर्षों के बाद लगा है, संक्रान्ति का कोई विशेष पर्व पड़ा है इस साल। मेले में नरमुंड-ही-नरमुंड ! तरह-तरह के पीले चेहरे; तरह-तरह की चिपटी नाकें ! पोशाकें भी तरह-तरह कीं और भाषाएँ भी तरह-तरह कीं ! अपनी मोटर एक एकान्त जगह में रखकर हम मेले में घुसे ! मेले का मज़ा तो धक्के खाने में हैं न ?

जब मेले के लिए बने मंच के निकट पहुँचा, तो पता चला, अभी देवता की मूर्ति नहीं पहुँच सकी है। दो दलों में झगड़ा हो गया है, देवता की मूर्ति कहीं बीच में रुकी है ! जय भगवान बुद्ध ! तुम्हारे भक्त भी नेपाल के हवा-पानी के असर से नहीं बच सके !

युवराजाधिराज आकर लौट गए हैं। बुद्धमूर्ति के साथ उनकी भी पूजा होती है !

मैं तो धक्के खाने का मज़ा ले रहा था और इस विस्तृत मानव सागर में गोते लगा रहा था ! एक मित्र ने कहा, कहीं सुन्दर चेहरा दिखाई पड़ता है ? मैंने कहा, सुन्दरता का मापदंड भी तो अलग-अलग हैं न ? यहाँ नुकीली नाक और तिरछी चितवन कहाँ मिलेगी ? मैं तो चेहरे के भीतर देख रहा हूँ ! मानव हर जगह एक है !

इस तरह हलकी-फुलकी बातें हो रही थीं कि मंच पर हलचल मची ! एक आदमी को लोग मंच से हटाना चाहते थे, वह अड़ा हुआ था। अजीब अड़ियल !—घुस्से, थप्पड़, मुक्के पड़ रहे हैं और वह रेलिंग को पकड़े अड़ा हुआ है ! किसी तरह घसीटकर उसे नीचे लाया गया, पुलिस को सुपुर्द किया गया। इस घटना से ऐसी हलचल मची कि क्या कहना ! सब लोग इधर-उधर भागने लगे, औरतों और बच्चों के कोलाहल की मत पूछिए ! लोग भाग रहे, भहरा रहे, एक-दूसरे पर गिर रहे ! हम लोग भी चल दिए !

इधर कई दिनों से 'रेडियो नेपाल' के श्री देवेन्द्रजी मिलते रहे और आग्रह करते रहे कि रेडियो पर कुछ बोलिए ! क्या बोलता ? बहुत सोच-विचार के बाद, रात में 'जय नेपाल' शीर्षक से एक कविता लिख डाली !

आज विश्वेश्वरजी से फिर भेंट हुई। कहते थे, आपके स्वागत समारोह के लिए हम एक सर्वदलीय समिति संगठित करना चाहते हैं, आप कुछ दिन और ठहर जाइए। बालचन्द्र शर्माजी ने भी यही कहा था। एक दिन टंक प्रसादजी ने भी कहा था, हम लोग आपके लिए एक स्वागत समारोह करना चाहते हैं। किन्तु मैंने टाल दिया; नेपाल को बनाओ, मेरा सच्चा स्वागत यही है !

दो बजे फिर पाटन गया था। वहाँ के विद्यार्थियों ने एक सभा मेरे लिए बुलाई थी। लड़कों में काफी उत्साह देखा। लड़कियाँ भी थीं। उनसे आग्रह किया, इन घरेलू झगड़ों से बचो, अपनी पुरानी कला और कारीगरी की ओर ध्यान दो, उनकी रक्षा और अभिवृद्धि करो, देश के नवनिर्माण के सन्देशवाहक बनो। नेपाल की साहित्यिक गरिमा बताते हुए नेपाल के लिए नए साहित्य निर्माण के लिए भी अनुरोध किया। पाटन के उस सुप्रसिद्ध प्रांगण को एक दिन झाड़ू लेकर साफ कर दो और वहाँ की कला-मूर्तियों को धो-पोंछ डालो—तो नेपाल और अपने प्रसिद्ध नगर का बहुत आशीर्वाद पाओगे, मैंने अन्त में कहा। विद्यार्थियों ने मेरी बात बड़े ध्यान से सुनी !

चार बजे उपेन्द्रजी आए। उपेन्द्रजी भारतवासी हैं, यहाँ के कॉलेज में राजनीति के प्रोफेसर हैं। यहाँ की राजनीति की गुत्थियों के बारे में बताया। कहते थे, इस शहर में प्रसिद्ध है कि यहाँ कोई बंगाली आया है, वह इन सभी नेताओं का गुरु है, उसने चेतावनी दी है कि सब लोग मिल जाओ, नहीं तो श्राप देंगे, उसी के कहने से सुलह हुई है, सत्याग्रह रुका है; वह शहर में बहुत कम निकलता है, सिर्फ पान खाने को इन्द्रचौक पर संध्या के धुँधलके में आया करता है ! सुनकर बड़ा आनन्द आया; वाह गुरु !

उनके घर पर बड़े मज़े से संध्या कटी। कुछ भारतीय प्रोफेसर आए थे, कुछ भारतीय दूतावास के कर्मचारी। एक नेपाली कलाकार ने बड़ी अच्छी वाइलिन बजाई, हम सब मुग्ध थे। उपेन्द्रजी ने यहाँ एक संगीत गोष्ठी बना रखी है, अफसोस, इस गोष्ठी का आनन्द मैं अब तक नहीं ले सका। नेपाल में बड़े अच्छे-अच्छे संगीतज्ञ हैं; भारतीय संगीत का शुद्ध रूप यहाँ प्रचलित है। मुझसे भी कुछ सुनाने को आग्रह किया गया, 'जय नेपाल' सुनाया; लोगों ने बहुत पसन्द किया। उपेन्द्रजी के एक मित्र ने उसे टेप रिकॉर्ड पर रिकॉर्ड कर लिया ! 'सिंहगढ़' भी सुनाया ! जब दोनों कविताओं को रिकॉर्ड स्वयं सुना, तो उनकी प्रभावोत्पादकता का कुछ अनुमान हुआ !

जब आज पाटन से लौट रहा था, एक गली में कुछ लोगों को ढोलक और वंशी पर गाते-बजाते हुए देखा। मालूम हुआ, यहाँ के किसान खेतों में जाते हैं, तो बाजे लेकर गाते, बजाते, नाचते हुए जाते हैं। खेतों में भी गाने-बजाने से बाज नहीं आते और जब दिन भर की हड्डीतोड़ मेहनत-मशक्कत के बाद लौटते हैं, तो फिर वैसे ही गाते-बजाते, नाचते हुए ! सच कहूँ, मैं तो नेपाली किसानों का भक्त हो गया हूँ ! काश, यही जिन्दादिली, मेहनत और ईमानदारी नेपाल के ऊँचे तबके के लोगों में होती !

16 जनवरी, 1955

आज दो बजकर बीस मिनट पर 'जय नेपाल' नामक अपनी रचना नेपाल रेडियो पर सुना आया। यह रचना कुछ ऐसी सुन्दर बन पड़ी है कि नेपाल रेडियो ने इसका रिकॉर्ड भी तैयार करा लिया है और फिर कल भोर में इसे प्रसारित करेंगे।

यहाँ के प्रसिद्ध गांधीवादी नेता तुलसीभाई मेहर इसे सुनकर मुझसे मिलने आए थे और मुझसे आग्रह किया कि इसकी पाँच हजार प्रतियाँ छपवाकर मैं उनके पास भेजवा दूँ—इसका खर्च वह स्वयं देंगे।

तुलसीभाई ने बताया, जब मैं 'जनता' में नेपाल पर लिखा करता था, तो यहाँ के राणा शासक ने उन्हें बुलाया और उनसे कहा कि वह गांधीजी को लिख दें कि 'जनता' में जो छपता है, वह गलत है और गांधीजी 'जनता' के सम्पादक को नेपाल पर लिखने से रोक दें। तुलसीभाई बहुत दिनों तक गांधीजी के साथ उनके आश्रम में रह चुके थे। उन्होंने ऐसा करने से असमर्थता प्रकट की थी।

सलाहकार सभा के अध्यक्ष बालचन्द्र शर्मा ने नेपाल के इतिहास पर एक प्रामाणिक ग्रन्थ लिखा है। इस रचना को सुनकर उन्होंने मुझे बधाई देते हुए कहा—आपने थोड़े ही शब्दों में बड़े मनोरंजक ढंग से नेपाल का भूत और वर्तमान ही नहीं, भविष्य का भी निर्देश कर दिया है !

नेपाल का रेडियो स्टेशन ! एक टूटा-फूटा मकान; भीतर भी उजाड़। चारों ओर अव्यवस्था, गन्दगी ! एक घर में मशीनें इधर-उधर बिखरी पड़ीं। जिसे स्टुडियो कहा जाता है, उसे देखकर हँसी आई। कहाँ अपने देश का रेडियो स्टेशन और स्टुडियो; चारों ओर सफाई, संजीदगी और कार्यव्यस्तता ! यहाँ स्टुडियो में एक पुरानी दरी डाल दी गई है। न जाने कब इस पर झाड़ फिरा ! पुराना हारमोनियम, ढोलक, बाजे ! कलाकार सिगरेट के धुएँ से उस कोठरी को भरे रहे ! मोहन शमशेर के जमाने में ही ढाई सौ किलोवाट की जो मशीन मँगवाई गई, वह उसी तरह धरी-पड़ी, बरबाद हो रही है। प्रजातन्त्र ने एक छोटी मशीन मँगवाकर अपना काम चलाया, जो चल रही है !

रेडियो के डायरेक्टर के पास योजनाएँ हैं, किन्तु कौन काम में लावे ? वह कहते थे,

यदि सिलोन रेडियो की तरह हम विज्ञापन और गीतों का कार्यक्रम रखें, तो इस बड़ी मशीन से काफी फायदा उठा सकते हैं। किन्तु उनकी सुनता कौन है ! बस, किसी तरह काम चलाए जा रहे हैं।

इधर नेपाल पर छह मोटी-मोटी पुस्तकें अंग्रेजी में पढ़ डाली हैं। बालचन्द्रजी का नेपाली भाषा में लिखा इतिहास पढ़ रहा हूँ। इच्छा होती है, नेपाल पर एक पुस्तक लिखूँ। लेकिन अच्छा यह होगा कि नेपाल के भीतर घुसकर लोगों का जीवन देख लूँ, फिर लिखूँ। उस दिन बालचन्द्रजी ने किरात जाति का वर्णन किया, जो हिमालय के भीतरी भाग में रहती है। उनका वर्णन ही काव्य-सा लगता था। हाँ, उन प्रदेशों में पहुँचना कठिन है, टट्टू छोड़कर और कोई सवारी नहीं। खाने-पीने में भी कठिनाई हो सकती है। दुकानें प्रायः नहीं मिलतीं; हाँ, लोगों में आतिथ्य का बहुत भाव है। लेकिन वे बेचारे काफी निर्धन हैं !

भौगोलिक दृष्टि से नेपाल के चार भाग हैं—(1) हिमाल (2) पर्वत प्रदेश (3) वेसी और (4) तराई। हिमाल : हिमालय का हिममंडित भाग : कंजनजँघा, मकालू, एवरेस्ट, गौरीशंकर, गोसाईंस्थान, मुक्तिनाथ, धवलागिरि और नन्दा देवी यहाँ की चोटियाँ हैं। उसके नीचे के भाग को पर्वत प्रदेश कहते हैं; जहाँ-तहाँ पहाड़ी जातियों की आबादी है : छिट-फुट बस्तियाँ : दुर्गम पहाड़ी रास्ते : कोई स्थायी उपज नहीं ! वेसी और तराई में ही आबादियाँ हैं।

राजनीतिक दृष्टि से नेपाल का विभाजन यों किया जाता है—

पूर्व कोसी प्रदेश : इसके पहाड़ी इलाके में छः जिले हैं, भीतरी प्रदेश में तीन जिले और तराई में आठ जिले।

पश्चिम गंडकी प्रदेश : पहाड़ में पाँच जिले हैं, भीतर में एक जिला और तराई में चार जिले।

कर्नाली प्रदेश : पहाड़ में दस जिले हैं, भीतर में तीन जिले, और तराई में चार जिले।

खास नेपाल—कोसी प्रदेश और गंडकी प्रदेश के बीच में है। काठमांडू, पाटन, भातगाँव और कीर्तिपुर—ये प्रसिद्ध नगर हैं इसमें।

पूरब से पश्चिम जिलों के नाम यों हैं—

इलाम, झापा, विराटनगर, धनकुट्टा, सप्तरी, उदयपुर, भोजपुर, ओखलडुंगा, सिराहा, महोत्तरी, सरलाही, सिंधुली, रामेछाप, चौतारा, रौतहट बारा, परसा, चौसापानी, नुवाकोट, गोरखा, चितवन, नवलपुर, बुटवल, पालपा, पोखरा, दाँग, प्युठाना, सल्याना, जुमला, बाँके, बटिया, देलख, कैल्लाली, डोटो, कंचनपुर और उडेलधुरा वैत डी।

विराटनगर और झापा मिलकर मोरंग कहलाता है। फिर पहाड़ नं. 1, पहाड़ नं. 2, पहाड़ नं. 3 और पहाड़ नं. 4 हैं।

बत्तीस 'बड़े हाकिम' इन जिलों पर शासन करते हैं।

हिन्दी भवन की बात कुछ आगे बढ़ी है। बताया गया है, युवराजाधिराज ने उद्घाटन करना स्वीकार कर लिया है। मातृका बाबू चाहते हैं कि नेपाली का ही कोई प्रसिद्ध लेखक भवन का सभापति हो। श्री बालकृष्ण समजी की ओर सबका ध्यान जाता है। किन्तु वह नेपाली लेखक संघ में हैं और वहाँ का नियम है, इस संस्था का सदस्य किसी अन्य साहित्यिक संस्था का सदस्य नहीं हो सकता। वेदानन्दजी दौड़धूप में लगे हैं।

17 जनवरी, 1955

आज मैं आनन्द से फूला नहीं समा रहा। अन्ततः 'नेपाल हिन्दी भवन' का उद्घाटन कार्य आज सम्पन्न हुआ। जब पहली बार विलायत गया था, तो इसी तरह बड़ी दौड़धूप के बाद वहाँ एक

'हिन्दी केन्द्र' की स्थापना कराई। मालूम नहीं, लोगों ने मेरे आने पर क्या किया; किन्तु वहाँ के हिन्दी भाषी एक दिन एक जगह एकत्र हो सके, क्या यही कम सन्तोष की बात है ?

उद्घाटन खूब धूमधाम से हुआ। श्रीमान् युवराजाधिराज नहीं आ सके; नेपाल के प्रधानमन्त्री श्री मातृका प्रसाद कोइराला ने उद्घाटन किया। मातृका बाबू ने कहा, हिन्दी एक दिन सारे एशिया की राष्ट्रभाषा होने जा रही है ! हमें इस भाषा को सीखना ही है और अच्छी तरह सीखना है। शिक्षामन्त्री श्री दिल्ली रमण रेग्मी ने भी हिन्दी की शिक्षा की अनिवार्यता जताई। श्री देवकोटाजी नेपाल के सबसे बड़े प्रगतिशील कवि हैं—महाकवियों में इनकी गिनती होती है। उन्होंने भी इस संस्था का अभिनन्दन किया। सर्वसम्मति से जस्टिस भगवती प्रसाद सिंह इसके सभापति और प्रोफेसर पांडेय इसके मन्त्री चुने गए। श्री वेदानन्दजी ने संस्था का उद्देश्य और विधान प्रस्तुत किया। मुझे 'जय नेपाल' सुनाना पड़ा ! देवकोटाजी ने कहा—मैं समझता था, आप जोरदार गद्य ही लिखते हैं, आपकी कविता में भी वही ओज और प्रवाह है !

इधर सोचने लगा हूँ, इस हिन्दी भवन के चलते मेरे नेपाली मित्रों और स्नेहियों में कुछ बदगुमानी तो नहीं फैलेगी ! किन्तु इस बार में मेरा हृदय साफ है। मैं इतना ही मानता हूँ कि जब नेपाल में हिन्दी भाषी लोग हैं, तो इनकी एक संस्था नेपाल की राजधानी में क्यों नहीं हो ? जहाँ तक नेपाली भाषा का प्रश्न है, उसकी लिपि और हिन्दी की लिपि एक है। नेपाली यहाँ का राज्यभाषा है; उसका ज्ञान सब नेपालियों को होना ही चाहिए। मैं तो नेवारी का भी भक्त हूँ, वह नेपाल की सांस्कृतिक भाषा शताब्दियों से रही है। स्विट्ज़रलैंड की तरह यदि नेपाल में इन तीनों भाषाओं को राज्य स्वीकृति मिल जाए, तो मुझे आनन्द ही आएगा ! नेपाल की स्थिति भी स्विट्ज़रलैंड से मिलती है।

आज भोर में श्री तुलसी मेहरजी मुझे फिर पाटन बुला ले गए थे। तुलसी भाई नेपाल में खादी का काम बड़े पैमाने पर कर रहे हैं। पाटन के प्राचीन राजभवन में ही उनका खादी भंडार है। भंडार के भिन्न-भिन्न विभागों को दिखाया। कहते थे, यदि राज्य द्वारा प्रोत्साहन मिले, तो नेपाल में खादी का उत्पादन बहुत बढ़ाया जा सकता है। यहाँ के ऊनी कपड़े भारत में भेजे जा सकते हैं, जहाँ से नेपाल को अच्छी आमदनी हो सकती है। पत्थर की मूर्तियों तथा काठ की कारीगरी के लिए भी भारत में अच्छा बाजार तैयार किया जा सकता है। एक धुनी आदमी क्या कर सकता है, मेहरजी को देखकर अनायास यह अनुभव होता है ! क्या तुलसी मेहरजी ऐसे आदमी को मन्त्रिमंडल में नहीं लिया जा सकता था ? यदि उन्हें ग्रामोद्योग और खादी विभाग सौंप दिया जाए तो नेपाल के पुनर्निर्माण में प्रगति आ जाए !

नेपाल मे कल-कारखाने अभी नहीं पहुँच पाए हैं। कपड़े की कोई मिल नहीं है। गाँव-गाँव में कुछ-न-कुछ गृहउद्योग चल रहा है। उन्हें संगठित करना नेपाल की एक बहुत बड़ी सेवा है। मेहरजी नेपाल के उच्च कोटि के सेवक हैं, इसमें सन्देह नहीं।

मेहरजी के पास गांधीजी की दी हुई खड़ाऊँ की दो जोड़ियाँ हैं ! बड़ी भक्ति से उन खड़ाउँओं को वह रखते हैं। मुझे खादी का एक अंगोछा उनसे स्पर्श कराकर दिया। मेहरजी नेवार हैं, किन्तु हिन्दी से उन्हें प्रेम है। गांधीजी के आदर्शों का वह नेपाल में मूर्तिमंत प्रतीक हैं; इसमें सन्देह नहीं।

रात में सोने के पहले बहुत देर तक काठमांडू में 'नेपाल हिन्दी भवन' के लिए एक सुन्दर इमारत बन जाने तथा उसमें एक विशाल पुस्तकालय और संग्रहालय की स्थापना के सपने देखता रहा !

[**नई धारा**, दिसंबर, 1957]

18 जनवरी, 1955

सामने श्री केशर शमशेर के दिए हुए गुणकेशरी, केमिलिया और कई रंग के गुलाब के फूलों का गुलदस्ता है और मैं डायरी लिख रहा हूँ।

गुणकेशरी नेपाल का अपना पुष्प है; राष्ट्रीय पुष्प कहिए तो भी कोई गलत बात नहीं। नेपाली कवि गुणकेशरी का वर्णन करते हुए नहीं अघाते। प्राचीन नेपाली पुस्तकों में भी इस फूल की चर्चा है। भीनी-भीनी सुगन्ध और हलका-हलका रंग। गुच्छों-का-गुच्छा फूलती है गुणकेशरी। सामने गुलदस्ते में से वह मुसकरा रही है और उसकी सुगन्ध से मन-प्राण तृप्त हो रहे हैं।

श्री केशर शमशेर का पुस्तकालय एक दिन और देख गया था। कल हिन्दी भवन के उद्घाटन के समय उन्होंने पुनः आने के लिए निमन्त्रण दिया। समय के बड़े पाबन्द। छः बजे संध्या को ज्यों ही पहुँचा, देखा, दरवाजे पर खड़े प्रतीक्षा कर रहे हैं। आदर-सम्मान के क्या कहने ? नेपाली अतिथिप्रेम के ज्वलन्त नमूने हैं आप। कैसे अच्छे पान। कैसी कीमती सिगरेट ! और बातें भी कैसी अच्छी ! कहा—आपको मैं उस समय से जानता हूँ, जब आप 'जनता' में राणाशाही के खिलाफ लिखते थे। किन्तु आपका हृदय कितनी उच्च और उदात्त भावनाओं से भरा है, यह इस कविता से स्पष्ट है ! फिर कहने लगे, जब तक सम्भव हुआ, हमने (राणाओं ने) नेपाल का राजकाज चलाया। हममें भी झगड़े थे, आपस में मार-काट भी होती थी, तो भी राजकाज चलाते जाते थे। आज भी हम लोग सहयोग दे रहे हैं, किन्तु काम कहाँ हो रहा है ? कल प्रधानमन्त्री और विदेशमन्त्री के पुत्र गिरफ्तार हुए। उनके नारे वे ही थे, जिन नारों से कभी हमें गालियाँ दी जाती थीं। इन बच्चों ने अपने पिताओं से ही क्या ऐसी बातें नहीं सीखी हैं ?

हाँ, काम तो नहीं ही हो रहा है। झगड़ों में ही समय बरबाद किया जा रहा है। श्री केशर शमशेर वर्तमान मन्त्रिमंडल में भी रक्षामन्त्री के पद पर काम कर रहे हैं। सब लोग कहते थे, केशर शमशेर अपनी जिम्मेवारी को अच्छी तरह सँभाल रहे हैं। बार-बार सोचता हूँ, ये बड़े कैसे चतुर होते हैं ! अपने यहाँ सर चन्द्रेश्वर और राय बहादुर श्यामनन्दन को देखिए। कांग्रेस का कितना विरोध किया था इन लोगों ने ! किन्तु कांग्रेसी राज्य हुआ तो एक गर्वनर हैं, एक वाइस चांसलर। और केशर शमशेर नेपाल में रक्षामन्त्री हैं।

यहाँ सिनेमा की कितनी बाहुलता है ! जहाँ कारखाने खुलने चाहिएँ, वहाँ सिनेमाघर खुल रहे हैं। कारखाने खुलते तो लोग काम में लगते। उत्पादन बढ़ता, आमदनी बढ़ती। सिनेमा में तो, हर तरह से सत्यानाश ही है; किन्तु कौन इस पर ध्यान दे ? नेपाल का धन ऐय्याशी में बाहर जाए, इस पर कौन रोक लगाए ?

जब-जब शहर में निकलता हूँ, एक बात बहुत अखरती है। शहर में भिन्न-भिन्न भागों में राणाओं के राजमहल हैं। इन महलों के चारों ओर बड़े-बड़े हाते हैं। ईंट की ऊँची-ऊँची दीवारें बनाकर इन हातों को घेर दिया गया है। ये दीवारें इतनी ऊँची हैं कि भीतर के महलों और बगीचों के सौन्दर्य भी लोगों की आँखों के सामने नहीं आ पाते। कहा जाता है कि पहले इन महलों में बहुत सी सुन्दरियाँ 'केटी' के रूप में रखी जाती थीं। कहीं ये 'केटियाँ' भाग न जाएँ या महल में होनेवाले अनाचारों को लोग देख न सकें, इसलिए ये दीवारें इतनी ऊँची बनाई गई थीं। अब न राणाशाही रही, न केटियाँ रहीं। फिर इन ऊँची-भद्दी दीवारों की क्या

आवश्यकता ? इन दीवारों को यदि ढहा दिया जाए, तो काठमांडू उपवन नगरी की तरह खूबसूरत मालूम पड़े। सुनते हैं, जब श्री विश्वेश्वर कोइराला गृहमन्त्री थे तब उनका ध्यान इस ओर गया था। श्री बालकृष्ण समजी ने स्वयं इस दिशा में पथप्रदर्शन किया था। किन्तु बात ज्यों-की-त्यों रह गई।

19 जनवरी, 1955

ज्यों-ज्यों नेपाल की ओर दिलचस्पी बढ़ती जाती है उसके सम्बन्ध में अधिक-से-अधिक जानने की चेष्टा करता हूँ। सोचता हूँ, क्यों न नेपाल की दोनों भाषाएँ, नेपाली और नेवारी सीख लूँ। नेपाली सीखना तो आसान है। बँगला से भी अधिक आसान। लिपि तो एक है ही। किन्तु नेवारी भाषा हिन्दी से बिलकुल पृथक् लगती है। उसकी लिपि भी अलग है, उसे लोग 'रंजना' कहते हैं। सुनते हैं, नेपाली की अपेक्षा नेवारी भाषा अधिक समृद्ध है। प्राचीनतम तो है ही। लेकिन पाया है, नेवार जाति के लोग भी धीरे-धीरे नेपाली को ही अपना रहे हैं और उन्होंने नेपाली को ही राष्ट्रभाषा के रूप में स्वीकार कर लिया है।

ऐतिहासिक दृष्टि से नेपाल की प्राचीनता महाभारत काल तक पहुँचती है। कुरुक्षेत्र की लड़ाई में नेपाल के किरात राजा सम्मिलित हुए थे। लिच्छवी वंश के संस्थापक मानदेव समझे जाते हैं। मानदेव के कुछ सिक्के भी मिले हैं। अंशुवर्मा और नरेन्द्रवर्मा लिच्छवियों के सबसे बड़े शासक माने जाते हैं। अंशुवर्मा ने ही कैलाशकूट भवन बनवाया था, जिसे देखकर हुएन सांग मुग्ध हो गया था। मल्लवंश के संस्थापक जयस्थिति मल्ल समझे जाते हैं। इस वंश के अन्तिम राजा जयप्रकाश मल्ल थे। इन्होंने ही वर्तमान राजवंश के संस्थापक श्री पृथ्वीनारायण शाह से लोहा लिया था। पृथ्वीनारायण शाह ने बड़ी क्रूरता से इस वंश का समूल नाश कर दिया। अब कहीं उस वंश का नामोनिशान भी नहीं है !

आज संध्या को भारतीय दूतावास के श्री शुक्ल ने एक पार्टी दी। काठमांडू के सभी प्रमुख लोग एकत्र थे। देवियों की संख्या भी काफी थी। नेपाल में परदे की प्रथा नहीं है। वहीं गोरखा परिषद् के श्री मृगेन्द्र शमशेर और रणवीर सूबा से परिचय हुआ। रणवीर सूबा मेरे निकट आकर बैठ गए और इधर-उधर की बातें भी कीं। गोरखा परिषद् की स्थापना राणाओं ने अपने स्वार्थ की रक्षा के लिए की है, ऐसा कहा जाता है। भारतीय दूतावास ने सभी दल और विचार के लोगों को एक जगह इकट्ठा कर एक अच्छा ही काम किया है। दूतावास की हार्दिक इच्छा है कि नेपाल के सभी दलों की शुभाकांक्षा भारत के प्रति हो, किन्तु बड़े खेद की बात है कि अनेक चेष्टाओं के बावजूद काठमांडू के लोगों के हृदय में भारत के प्रति सन्देह घर कर गया है।

20 जनवरी, 1955

आज गीता गेह की ओर से मेरे सम्मान में एक कवि सम्मेलन का आयोजन था। काठमांडू उपत्यका के सभी प्रसिद्ध कवि पधारे थे। बालकृष्णजी, सिद्धिरत्नजी, तिवारीजी, सिमरेजी, चित्रधरजी ऐसे सुप्रतिष्ठित वयोवृद्ध कवियों ने भी पधारने की कृपा की थी। नवयुवक कवियों की तो एक लम्बी सूची थी। कवयित्रियाँ थीं। नेपाली में, नेवारी में, हिन्दी में और संस्कृत में भी कविताएँ सुनाई गईं। नेवारी में एक कविता मेरे स्वागत में थी। नेवारी का समझना तो मुश्किल था, किन्तु हर पंक्ति के अन्त में 'बेनीपुरी' आता था, इसी से समझता था कि मुझे

लक्ष्य कर कुछ कहा जा रहा है। यमीजी ने आगन्तुकों को मेरा परिचय दिया। जब-जब अपने प्रति नेपाली भाइयों का आदर-भाव देखता हूँ, बार-बार सोचता हूँ, नेपाल की सेवा अधिक क्यों न कर सका। जिस सूत्र को 'जनता' के साथ छोड़ दिया था, क्या फिर एक बार उसे नहीं पकड़ना चाहिए ? डर यही लगता है कि यहाँ की जो स्थिति है, कुछ लिखकर कहीं सेवा के बदले कुसेवा ही न कर दूँ। हाँ, नेपाल पर एक सुन्दर सचित्र पुस्तक लिखने का निश्चय तो कर ही चुका हूँ।

कविताएँ रंग-बिरंग की थीं। प्रायः सभी में युग की पुकार तो थी ही। वर्तमान शासन से जो ऊब है, उसका प्रतिबिम्ब भी कविताओं में स्पष्ट झलकता था। लोकजीवन का चित्रण भी था। प्रकृति की गोद में पले हुए इन कवियों की कविताओं में प्रकृति निरीक्षण का पुट आना तो स्वाभाविक है ही। दो घंटे की सभा, तीन घंटे तक चलती रही। सबकी उत्सुकता कि अपनी कविताएँ मुझे सुना दें। नए कवि तो उत्साह से ओत-प्रोत थे। कवयित्रियों की कविताएँ भी सरस थीं। दो बाल कवियों की रचनाएँ सुनकर मुझे बड़ी प्रसन्नता हुई। अच्छी उड़ान थी। ऐसी सभाओं से तृप्ति कहाँ होती है ? किन्तु काम का ऐसा सिलसिला लगा है कि अधिक समय दे न सका।

संध्या समय विश्वेश्वरजी से भेंट हुई। बोले—दो दिन और ठहर जाइए। शहीद सप्ताह मनाया जानेवाला है। उसका शुभारम्भ होने के बाद ही जाइए। भद्रकालीजी से मालूम हुआ, कल युवाराजाधिराज नेपाली कांग्रेस के प्रतिनिधियों को बुलाकर मन्त्रिमंडल में आने का आह्वान करेंगे। यदि यह काम भी हो गया तो अपनी नेपाल यात्रा को पूर्णतः सफल समझूँ।

उस दिन श्री केशर शमशेरजी के पुस्तकालय से सुप्रसिद्ध चित्रकार वान गॉग का चित्राधार ले आया था। दो दिनों से जब फुरसत मिलती है, उसे देखता हूँ। उसके एक सौ बीस चित्र हैं इसमें। कुछ चित्र रंगीन भी हैं। रंगीन चित्रों में उसकी कला का निखार देखते ही बनता है। वान गॉग—जीवन भर तिरस्कृत, किन्तु इसका बदला भी उसने समाज से चुकाया। उसने तिरस्कृत लोगों का ही चित्रण किया और आज वे तिरस्कृत लोग उसकी कला के प्रताप से संसार के श्रेष्ठतम कलागृहों को अलंकृत करते हैं।

चित्राधार का प्रारम्भ हुआ है एक किसान से, जो खेत में बुआई कर रहा है। हम कलाकार भी तो किसान हैं, जो बुआई में लगे हैं। ऊसर भूमि में भी हम बीज डालते जा रहे हैं। उसी दृढ़ता से, विश्वास से, लगन से, आशा से, जिनसे प्रेरित होकर वान गॉग का यह किसान खेत में बीज डाल रहा है।

किसान, उसके बेटे, उसकी बेटियाँ; खेत, हल, फावड़ा; जुताई, कुड़ाई, कटाई; आलू, मक्का, सूर्यमुखी; पेड़, पुल, सराय, भट्ठी; नाव, मल्लाह; डाकिया, वैद्य—ये ही देहाती उपकरण उसके चित्रण के मुख्य विषय हैं। रेखाएँ मोटी-मोटी, रंग गाढ़ा-गाढ़ा। निर्जीव पदार्थ भी सजीव हो उठे हैं। रंगों में उसे पीला रंग पसन्द था; सूर्य की किरणें उसे प्यारी थीं, सूर्यमुखी फूल उसके प्यारे थे !

कला यदि सच्ची कला हो और उसकी आराधना श्रद्धा से की जाए तो वह फल देती ही है। जीवन में नहीं तो मरण के बाद तो अमरों में गिनती होती है। वान गॉग आज यूरोप के कलाकारों में अमर है ! जिन चित्रों को उसने एक प्याली चाय पर दे दिया, वे ही चित्र लाखों रुपयों में बिकते हैं। जिन्हें कभी किसी भट्ठीखाने में भी मुश्किल से जगह मिल पाती थी; वे बड़े-बड़े महलों में आदर का स्थान पा चुके हैं।

नेपाल कलाकारों के लिए एक कोषागार है—अच्छी तूलिका और लेखनी चाहिए; आप अमर होइए; इस भूमि को अमरता दीजिए।

जब अँतड़ियाँ निकालकर धोते हैं, तो कैसी दुर्गन्ध फैलती है ! चारों ओर दुर्गन्ध, दुर्गन्ध। किन्तु जैसी उनकी नाक को बास का अहसास ही नहीं। जिस पानी में अँतड़िया धोते, उसी में नहा भी रहे, मुँह-हाथ भी धो रहे, आचमन भी कर रहे !

मर्द, औरत, बच्चे—सबकी भीड़ लगी है। सब उत्साह में हैं, उमंग में हैं। औरतों को रंगीन, बूटेदार कपड़े पहनने का बड़ा शौक ! बच्चे उछल रहे, कूद रहे। जब ये बच्चे बड़े होंगे तो भी क्या दक्षिण काली माई का यह स्थान इसी प्रकार गन्दा रहेगा ?

लौटते समय 'त्रिभुवन आदर्श विद्यालय' देखा—इसे नेपाल का 'पब्लिक स्कूल' समझिए। महाराज ने यहाँ अपने लिए एक बगीचा लगवाया था; नेपाल में पहली बार मैंने आम और लीची के पेड़ यहीं देखे। ग्रीष्म में कुछ दिनों वह यहीं रहते थे; बड़ा ही सुन्दर, रमणीक स्थान है। जब प्रजातन्त्र हुआ, महाराज ने इसे पब्लिक स्कूल में परिणत कर दिया। बच्चे होस्टल में ही रहते हैं। मैट्रिक तक की पढ़ाई है। सत्तर रुपए प्रतिमास देने पड़ते हैं। इस समय पिचासी छात्र हैं; कुल सौ छात्रों के लिए स्थान है। आठ लड़कियाँ भी हैं। बच्चे सब स्वस्थ और साफ-सुथरे दिखे। होस्टल अच्छा है; किन्तु क्लासरूम बड़े भद्दे हैं। फूस के घरों में पढ़ाई होती है, जो पुराने, बेडौल और बदशक्ल हैं। बेंचों और डेस्कों की हालत अच्छी नहीं। होस्टल के मकान तो अच्छे हैं, किन्तु पलस्तर झड़ रहा है, गच उखड़ रही है ! लगता है, इनकी ओर ध्यान देने की किसी को फुरसत ही नहीं !

नेपाल ने हर चीज शुरू कर रखी है, जो किसी सभ्य देश में हो सकती है ! किन्तु सबकी हालत बुरी ! इसी रास्ते पर एक मौन्टेसरी स्कूल भी है। वहाँ नहीं जा सका; किन्तु क्या वहाँ की हालत इससे अच्छी होगी ?

इसी रास्ते में जेल का घेरा देखा, जिसमें विद्रोहियों को सड़ाने के लिए, राजाओं ने राजधानी से दूर बनाया था। अभी कुछ दिन पहले इस जेल में कुछ राणाओं के लाड़ले विद्रोह के अभियोग में रखे गए थे।

शाम का भोजन अहमददीन साहब के घर पर हुआ। अहमद साहब से भद्रकालीजी के घर पर ही भेंट हुई; घनिष्टता बढ़ी। अच्छे, सुसभ्य नौजवान—सलाहकार सभा के सदस्य भी हैं। इनका परिवार कश्मीर से यहाँ आया था; मुगलों के जमाने में ही। अपना मकान है, काफी अच्छा, सजा, सुथरा। चैकोस्लोवाकिया से काँच, बीड और निकल के सामान मँगाते हैं। अहमद साहब ने स्वतन्त्रता युद्ध में भी काम किया था। इनसे मालूम हुआ, नेपाल में मुसलमानों की बड़ी आबादी है, वह तो चार लाख की जनसंख्या बताते थे। काठमांडू में भी मुसलमानों की अच्छी खासी आबादी है। एक हाई स्कूल है, जहाँ उर्दू की पढ़ाई अनिवार्य है। कई स्कूल हैं, जहाँ उर्दू के माध्यम से लड़के पढ़ते हैं। इन स्कूलों को मुसलमान अपने खर्च से चलाते हैं।

अहमददीन साहब से नेपाल की राजनीति के सम्बन्ध में भी बातें हुई। अच्छी सूझ-बूझ है। प्रजातन्त्री पार्टियों की फूट से वह भी दुखित हैं। इस फूट से एक ओर कम्युनिस्टों का, तो दूसरी ओर गुरखा परिषद् का जोर बढ़ रहा है। नेपाल के किसान बहुत ही दबे, कुचले हुए हैं। किसान संघ के नाम से कम्युनिस्टों ने उनका संगठन शुरू किया है और अच्छी सफलता पाई है। कम्युनिस्ट पार्टी अवैध घोषित है; उसके कुछ नेताओं पर वारन्ट भी जारी है। किन्तु वे मन्त्रियों के घर आते-जाते हैं, उन्हें आमन्त्रित भी किया जाता है। गुरखा परिषद् अपना प्रभाव गुरखा सैनिकों पर बढ़ाने की चेष्टा में लगी है। उनकी यह बीमारी नेपाल के लिए बड़ी घातक सिद्ध हो रही है। महाराजाधिराज का राणाशाही के खत्म करने में बहुत बड़ा हाथ रहा है। नेपाल में प्रजातन्त्र हो, यह भी उनका अरमान रहा है। उनकी अनुपस्थिति में कोई बड़ा और नया कदम उठाया नहीं जा सकता। सब लोग इस प्रतीक्षा में है कि वह आरोग्य होकर शीघ्र

लौटें ! उनकी अनुपस्थिति का लाभ उठाकर प्रतिक्रियावादी शक्तियाँ तरह-तरह से उठा रही हैं। राजनीतिज्ञों की इस तू-तू-मैं-मैं के पीछे भी इन प्रतिक्रियावादियों का ही हाथ है।

नेपाल एक खौलता कड़ाह है—देखिए, क्या बनता है, किनके हाथ जलते हैं !

23 जनवरी, 1955

सवेरे श्री विश्वेश्वर कोइराला से मिला। उनकी तबीयत अच्छी नहीं। इधर-उधर के बाद हम राजनीति पर चले आए ! यहाँ की जो स्थिति है, यह स्वाभाविक ही है। कहीं से शुरू कीजिए, ताल टूटता है राजनीति पर ही। उन्होंने अपनी माँगों का औचित्य सिद्ध किया; पुराने अनुभव बताए। बात ठीक है, किन्तु यहाँ तथ्य या औचित्य पर कहाँ ध्यान दिया जाता है ! बात-बात में बात ऐसी जगह जाकर उलझ जाती कि समझ में नहीं आता, क्या किया जाए !

मैंने नेपाल के अच्छे दिनों के लिए शुभाकांक्षा प्रकट की ! मेरा विश्वास है, निकट भविष्य में ही वहाँ सद्भाव और सुशासन की स्थायी नींव पड़ सकेगी।

दिन का भोजन श्री त्रिपुरवर सिंह के घर हुआ। त्रिपुरवर सिंह नेवार हैं, पहले डिप्टी मिनिस्टर थे। अभी नवयुवक हैं : स्वतन्त्रता संग्राम में भी बहुत कुछ किया था। उनसे भी आग्रह किया, सब लोग मिल-जुलकर अपने देश का नवर्निर्माण कीजिए।

फिर म्यूजियम देखने गया। म्यूजियम देखने की इच्छा, आया, तब से ही था। किन्तु बीच में चोरी हो गई थी; कितनी पुरानी स्वर्ण मुद्राएँ गायब हो गईं। अतः म्यूजियम बन्दकर, जाँच-पड़ताल की जा रही थी। ये दुष्ट; ये समझते भी नहीं कि ये क्या चुरा रहे हैं। एक बार इसी तरह पटना म्यूजियम से गुप्तकालीन स्वर्ण मुद्राओं की चोरी हो गई थी।

लोग अपने देश का इतिहास चुराने से भी बाज़ नहीं आते !

म्यूजियम के क्यूरेटर हैं यहाँ के सुप्रसिद्ध चित्रकार मास्केजी। मेरा नाम सुनते ही बड़े प्रेम से मिले और स्वयं घूम-घूमकर म्यूजियम दिखलाया। नेपाली कला और ऐतिहासिक वस्तुओं का अच्छा संग्रह है। बुद्ध और हिन्दू देवताओं की मूर्तियों और चित्रों की भरमार है। गुरखा शासकों के बड़े-बड़े चित्र हैं। मल्ल राजाओं की मूर्तियाँ भी हैं। इस म्यूजियम की सबसे आकर्षक वस्तु मुझे त्रिपुरसुन्दरी की मूर्ति लगी। यह मिथिला की ब्राह्मण कन्या थीं। नेपाल के विचित्र शासक श्री रणबहादुर शाह ने इनसे विवाह किया था। अपूर्व सुन्दरी थी; चेचक हुई; चेहरे पर दाग आ गए। दर्पण देखा, मूर्च्छित हुईं; चल बसीं ! तरह-तरह की कहानियाँ प्रसिद्ध हैं इनके बारे में। त्रिपुरेश्वर का मन्दिर इन्हीं का बनवाया हुआ है; अब भी इस मोहल्ले में तराई के लोग ही ज्यादातर रहते हैं।

लौटने के पहले अपने राजदूत महोदय से मिल लेना भी मैंने उचित समझा। श्री भगवान सहायजी के बारे में पहले भी चर्चा कर चुका हूँ। बड़े ही सहृदय व्यक्ति; बड़े ही प्रेम से मिले। कलाकार हैं; कला और साहित्य पर बातें हुईं। नेपाल के बारे में आप बहुत ही आशावादी हैं; फिर दुहराया, एक बार जहाँ लोग नवर्निर्माण में लगे, फिर ये सारे झंझट दूर हो जाएँगे। आप भी महाराजाधिराज के प्रत्यागमन की प्रतीक्षा कर रहे हैं। किसी देश का राजा अपनी प्रजा का पक्ष लेकर अपने मन्त्रियों के खिलाफ खड़ा हो, इसका विरल उदाहरण हैं महाराजाधिराज त्रिभुवन ! निस्सन्देह राणाशाही की समाप्ति का बहुत कुछ श्रेय महाराजाधिराज को मिलना चाहिए। आशा है, स्वस्थ होकर लौटते ही वह कोई जोरदार कदम उठा सकेंगे।

रात में भोजन हुआ चुनचुन बाबू (सलाहकार सभा के उपाध्यक्ष श्रीगुलाब झाजी) के घर ! चुनचुन बाबू की ससुराल मेरे घर के निकट है। अतः वहाँ व्यंग्य-विनोद, हँसी-ठहाके का ही

आलम रहा। भद्रकालीजी भी सपरिवार आमन्त्रित थे और प्रधानमन्त्री मातृका बाबू भी और भी कई प्रसिद्ध राजपुरुष थे। 'मधुरेण समापयेत्' का सुन्दर उदाहरण उपस्थित हुआ !

25 जनवरी, 1955

यह गोचर का हवाई अड्डा ! यह इन्डियन एयरलाइंस का वायुयान ! यह हम उड़े ! यह स्वयंभू का मन्दिर; यह बागमती की धारा ! काठमांडू पीछे छूट गया—

जय नेपाल ! जय नया नेपाल !

[**नई धारा'**, जनवरी 1958]

नेपाल में कुछ दिन और

5 अगस्त, 1955

बेनीपुर से पटना। पटना से काठमांडू। चक्कर-चक्कर ! पटना—काम की भीड़। मुद्रिका मुझे बुलाकर आर-ब्लाक में ले आए। वहीं महंत (छपरा) का तार मिला—यहाँ आइए। ग्राम का हूँ।

रास्तें में हरियाली, हरियाली। बीच-बीच में बाढ़ की विभीषिका। प्लेन बादल के ऊपर-ऊपर उड़ता रहा। काठमांडू की घाटी कैसी सुहावनी लग रही थी। खेतों में धान-मकई ! पेड़-पौधे सभी धुले-पुँछे !

महंतजी कैसे चक्कर में फँसे हैं; मुझे भी चक्कर में डाल दिया है।

1942 का अगस्त आन्दोलन। इनके थाने में विद्रोह हुआ, एक पुलिस अफसर मारा गया। जब दमन का दौरदौरा शुरू हुआ, महंतजी नेपाल भाग गए। यहाँ जमीन खरीदी। जिसने जमीन बेची, उसी ने गिरफ्तार करा दिया, जमीन की जब्ती करवा दी, फिर जमीन हासिल कर ली।

जिस मुकदमे से फारिग होकर महंतजी ने इस जमीन की ओर ध्यान दिया। दिल्ली और काठमांडू एक किया ! भारत सरकार ने इनका पक्ष लिया। मुकदमें में भी जीते। लेकिन नेपाल की कुव्यवस्था; अब तक जमीन नहीं मिल पाई। बार-बार झंझट उठती रही; अब तक झंझट जारी है। पिछली बार मैंने सुलझाया था; फिर उलझकर रह गई है !

यों व्यक्तिगत कामों में अपने को उलझाना अच्छा नहीं लगता है। लेकिन महंत का आग्रह ! आना पड़ता है, फिर आया हूँ।

क्या अपनी ही झंझटें कम हैं ?

ग्रन्थावली का तीसरा भाग निकालना है, जो हाथ-हथफेर है, उसे सधा देना है, बच्चों को पढ़ाना-लिखाना है, मकान को पूरा कराना है और बेटों का ब्याह तो रह ही गया ! सोचता हूँ, बेनीपुर में थोड़ी जमीन और खरीद लूँ। 1959 के मार्च तक पच्चीस हजार रुपए इकट्ठे कर लेना है !

एक ही उपाय ! ग्रन्थावली के कुछ नए ग्राहक बना लूँ; ग्रन्थावली की बिक्री की सुव्यवस्था करूँ; नई पुस्तकें प्रकाशित करा लूँ; सिनेमा में दो-तीन चीजें और दूँ। पृथ्वीराजजी को एक नाटक भी देना ही है !

यदि इन सबकी व्यवस्था ठीक से जाए तो पच्चीस हजार रुपए कोई बड़ी रकम नहीं है। किन्तु हो पाए, तब न ?

लोहिया को लेकर पार्टी पर संकट आया है—लोग दौड़ने लगे हैं, यह कीजिए, वह

कीजिए ! यह कमबख्त राजनीति—

'छुटती नहीं है मुँह से ये काफिर लगी हुई !'

और '59 के चुनाव का धमक भी तो सुनाई पड़ने लगी है !

सोचा था, देवेन्द्र को प्रकाशन में लगा दूँ। किन्तु उन्हें एम.ए. करने की इच्छा है; तो वही सही। अकेले आया, अकेले जाना है। तो फिर अकेले जूझने से भागना क्यों ?

लेकिन अब सकता कहाँ हूँ ? यह थकावट, यह अंग-अंग टूटना, यह मूर्च्छा ! लगता है, मृत्यु की ओर तेज़ी से दौड़ता जा रहा हूँ।

8 अगस्त, 1955

यह नेपाल है। आया था, एक दिन में काम हो जाएगा, लौट जाऊँगा। कहता भी गया, कल काम हो जाएगा। और यह दूसरा कल भी गया।

मित्रों से मिला हूँ—बालचन्द्रजी से, बी.पी. से, टंक प्रसाद से। दूतावास के शुक्ला से, कोसी प्रोजेक्ट के नगेन्द्र कुमार से। यहाँ की राजनीति ने नई करवट ली है। लगता है, प्रजातन्त्र का बेड़ा डूब चुका। राजतन्त्र का बोलबाला है। पहले तीन सरकार का एकाधिपत्य था, अब पाँच सरकार का एकाधिपत्य है !

नए पाँच सरकार नौजवान हैं, लगता है, होशियार भी हैं। राजनीतिक दलों की फूट से फायदा उठाया है। सब लड़ रहे हैं, किसके हाथ में राज्य सौंपे ! अतः राज मेरे हाथ में !

और इस 'मेरे' का अर्थ ? राणाओं के हाथ में—उनके ससुर, साले सब तो राणा ही हैं। छः नए जनरल बनाए गए हैं, सबके सब राणा ! परामर्श समिति में भी राणाओं का ही बोलबाला। एक बुद्धिमानी और की है—नेवारों को मिला लिया है; नेवार और राणा—नया संयोग यह है !

दो-तीन दिनों से चर्चा थी, देखें, राजकीय घोषणा क्या होती है ? आज तीन बजे वह भी हुई—चुनाव 1957 के अक्तूबर तक होगा; तब तक परामर्शदाताओं से ही काम चलाएँगे, किसी राजनीतिक दल में शासन देने से गड़बड़ी होगी ! यानी, दो वर्षों तक पूर्णतः एकतन्त्र राज्य रहेगा !

हमारे ये प्रजातन्त्री दलों के भाई ! मुख्यतः इन्हीं की गलतियाँ रही कि यहाँ के प्रजातन्त्र का यों खात्मा हुआ।

दो साल के बाद चुनाव होगा—तब तक ये सारे खत्म हो जाएँगे। इसके पास फंड नहीं; इनका जन आधार नहीं। ये आपस में झगड़ते भी कम नहीं है !

गुरखा परिषद् की चाँदी रहेगी, कम्युनिस्टों की चाँदी रहेगी। कल ही यहाँ ये चीनी प्रतिनिधि मंडल गया है। लगभग तीन सौ अभिनंदन पत्र उसे गए ! जैसे नेपाल का भविष्य चीन पर ही निर्भर करता हो ! कम्युनिस्टों को उनसे बल मिलेगा। ज्यों ही चीनी दूतावास खुला, वे खुलकर खेलना शुरू कर देंगे !

भारतीय कूटनीति की नेपाल में हार हो रही है ! रुपए भारत के, काम भारत के विरुद्ध ! चर्चा है, अधिराजा से इशारतन कहा भी गया था कि नया मन्त्रिमंडल बना दीजिए, उसने टाल दिया ! डाढ़ में खून लग गया है, शिकार को कौन छोड़े ?

सभी राजनीतिक दल मिल जाएँ, तो कुछ हो। किन्तु क्या मिलेंगे ? मित्रों का कहना है, आप बीच में पड़िए, किन्तु होम के नाम पर हाथ कौन जलाए ?

लीजिए, एक सप्ताह भी समाप्त हुआ; और काम जहाँ-का-तहाँ धरा पड़ा है। अब कहाँ तक रुकूँ, कल चला जाऊँगा। बेचारे महंतजी—बहुत चिन्तित हैं, दुखी हैं, लेकिन किया क्या जाए ? प्रतिदिन कहा जाता है, बस, आज हो जाएगा। प्रतिदिन जाइए, प्रतीक्षा कीजिए, बुलाए जाइए और यही बात लेकर लौटिए, बस, आज कर देंगे, आज कर देंगे।

'अशोक' पर एक नाटक लिखना है, पृथ्वी थियेटर्स के लिए। 'संघमित्रा' को सिनेमा के योग्य बनाना है। चाहता था, इस सम्बन्ध में साहिल को पढ़ जाऊँ। डॉ. अल्तेकर से पटना में मिला था। उन्होंने भंडारकर और मुखर्जी के अशोक सम्बन्धी ग्रन्थ पढ़ने की सलाह दी। किन्तु पटना में उपलब्ध नहीं हो सके। यहाँ केशर शमशेर से मिला और उनके पुस्तकालय से चार पुस्तकें ले आया जो अशोक पर है। इन पुस्तकों के लेखक हैं : डी.आर. भंडारकर, राधाकुमुद मुखर्जी, विसेंस ए स्मिथ तथा जेम्स ए. मैकफेल।

चारों पुस्तकें पढ़ गया। भंडारकर की पुस्तक विद्वता की दृष्टि से सर्वश्रेष्ठ है। उन्होंने अशोक के शिलालेखों के ठोस आधार पर ही ग्रन्थ तैयार किया है और उन्हीं की व्याख्या कर, अशोक के व्यक्तित्व और महत्त्व का बड़ा ही अच्छा चित्र खींचा है। अशोक के बारे में पच्चीस वर्षों तक उन्होंने जो अध्ययन किया है, उसका सार-संकलन इस ग्रन्थ में समाया है।

मुखर्जी की पुस्तक सबसे बड़ी है। इस सम्बन्ध में जो भी साहित्य उपलब्ध हो सका है, सबका उपयोग किया है उन्होंने। बौद्ध ग्रन्थों में—'महावंश' और 'अवदानों' में—अशोक के बारे में जो असम्भव, असंगत बातें हैं, उनका भी उल्लेख कर दिया है। स्मिथ ने उन बातों का खंडन करते हुए भी बौद्ध ग्रन्थों में अशोक का जिस रूप में उल्लेख है, उसे परिशिष्ट में दे दिया है। सिंहाली और भारतीय बौद्ध ग्रन्थों में भी बहुत भेद है; तो फिर उसकी ऐतिहासिक प्रामाणिकता में किस प्रकार सन्देह नहीं किया जाए !

कहीं महेन्द्र अशोक का भाई है, कहीं उसका बेटा। स्मिथ ने भाई ही माना है, किन्तु औरों ने बेटा। भंडारकर ने संघमित्रा की कहीं चर्चा ही नहीं की है। बौद्ध ग्रन्थों में उल्लेख है कि अशोक ने निन्यान्बे भाइयों को मार डाला था। शिलालेखों में उनके भाइयों और परिवारों की चर्चा आई है। अशोक पहले हिन्दू धर्म मानते थे, शिव के उपासक थे, प्रतिदिन सात हजार ब्राह्मणों को भोजन देते थे, ऐसी भी चर्चा आई है। अपने बड़े भाई की हत्या कराकर ही वह गद्दी पर बैठे, इसे तो सबने स्वीकार किया है।

नरक नामक एक कारागार था, जिसमें लोगों को भेजकर उनके तड़पने का तमाशा देखना अशोक को प्रिय था, ऐसा भी उल्लेख है। उनकी पाँच रानियाँ थीं, चार बेटे थे, दो बेटियाँ थीं, दो पोते थे, दो दामाद, एक नाती। बेटियों में एक, चारुमती नेपाल के देवपाल की पत्नी थी, जिसने देवपाटन नामक नगर बसाया, संघमित्रा सिंहल गई।

गुरु का नाम जयगुप्त या मोग्गलिपुत् तिष्य ! यह तिष्य नाम अति भ्रामक— गुरु तिष्य, भाई तिष्य, सिंहल का राजा तिष्य और एक पत्नी तिष्यरसिता।

पिता बिन्दुसार जैन धर्मावलम्बी, माता सुभद्रांगी को एक जैन भिक्षु ने ही भविष्यवाणी बताई थी कि तुम्हारा पुत्र बड़ा प्रतापी और कीर्तिमान होगा।

एक शिलालेख से पता चलता है, कलिंग विजय के पहले ही अशोक ने बौद्ध धर्म स्वीकार कर लिया था। उस विजय में एक लाख आदमी मारे गए, डेढ़ लाख बन्दी बनाए गए, इनमें कई गुना अधिक गलपच कर मरे !

महेन्द्र और संघमित्रा देवी की सन्तान—कुणाल पद्मावती की संतान।

फिर अशोक का धर्माभियान—देश-देश में दूत भेजना, पश्चिम यवन (ग्रीक) देश से पूरब स्वर्णभूमि (बर्मा) तक। दक्षिण सिंहल से उत्तर तिब्बत तक। स्तूपों और शिलालेखों का सिलसिला। अफगानिस्तान से मैसूर तक; सौराष्ट्र से कलिंग तक।

स्तूपों और शिलालेखों के दिव्य सन्देश—सभी धर्मों के प्रति श्रद्धा; सभी जीवों के प्रति दया; माँ-बाप, गुरुजन के प्रति भक्ति; पड़ोसियों और आश्रितों के प्रति स्नेहभावना; दया, ममता, कोमलता, प्रेम आदि सद्भावना गुणों की वृद्धि और क्रोध, लोभ, ईर्ष्या, वासना आदि दुश्वृत्तियों के दमन के लिए सतत सचेष्ट रहना ! फिर सड़कों के किनारे वृक्ष, कूप, विश्रामघर, जगह-जगह अस्पताल, पशुओं के लिए भी अस्पताल ! सचमुच संसार में शायद ही इतना बड़ा व्यक्तित्व कभी सिंहासन पर बैठा हो !

तीन घंटे के नाटक में इतने बड़े व्यक्तित्व को कैसे रंगमंच पर उतारा जा सकता है ! फिर तीन ही दृश्यों में ! कई रातों में सोचते-सोचते सोना तक भुला चुका हूँ। बार-बार एक क्रम बनाता हूँ, किन्तु फिर उन्हें तोड़ डाला हूँ; खुद ही पसन्द नहीं आता, तो लोग क्या पसन्द करेंगे !

संघमित्रा, कुणाल, महेन्द्र को लेकर तीन एकांकी लिख चुका हूँ—इनके चलते और भी कठिनाई आ जाती है ! बीच में अशोक को खड़ा कर इन तीनों को अलग-बगल खड़ा कर दूँ, तो चर्वित-चर्वण हो जाएगा ! और इसके बिना अशोक का जीवन अधूरा हो रहेगा ! समन्वय कैसे हो ? काश हमारे आलोचक हमारी कठिनाइयों को समझ पाते।

14 अगस्त, 1955

मैं क्या हूँ, मैं कहाँ जा रहा हूँ ?

उस दिन गंगा के सामने ही तय हो गया था, मैं 14 से 19 तक छोटा नागपुर का दौरा मुद्रिका के साथ करूँगा। आज 14 को मैं काठमांडू में हूँ—गंगा क्या कहते होंगे, मुद्रिका क्या सोचता होगा; जिस साथियों को खबर कर दी गई होगी, वे क्या सोचते होंगे !

मैं शुक्रवार को ही जाने को तैयार हुआ; राहदानी भी जैसे-तैसे भारतीय दूतावास से बनवा लिया। किन्तु महंतजी ने ऐसा मुँह बनाया कि मुझे रुक जाना पड़ा। सोचा, इस झंझट को दूर ही कर लूँ। किन्तु झंझट जहाँ-का-तहाँ है; मैं यहाँ पड़ा हूँ। कहा गया, शुक्रवार को काम अवश्य हो जाएगा; आज भी कहा गया है, आज हो जाएगा।

नेपाल में एक शब्द है भोली, यानी कल ! यहाँ रोज भोली आती और जाती है; किन्तु काम जहाँ-का-तहाँ पड़ा रहता है !

भारतीय दूतावास चाहता है, यहाँ के राजनीतिक दलों में समझौता हो। समझा जाता है, मेरे द्वारा यह काम हो जाएगा। मैंने थोड़ी दौड़धूप भी की है। लगता है, अब होकर रहेगा—किन्तु फिर कब शीराज़ा बिखर जाए, इसका कौन ठिकाना ! कुएँ के मेढकों को क्या पता कि समुद्र में कौन सी तरंगें उठ रही हैं, आसमान में कौन सी आँधी पल रही है ! अपनी-अपनी टर्र ! सब सबको दगाबाज समझते हैं, सब सबको गाली देते हैं; उधर अजगर इन सबको एक-एक कर निगलने को तैयार है !

लेकिन पूछता हूँ, बेनीपुरी, तुमने अपने को खुदाई खिदमतगार क्यों समझ रखा है। जहाँ जाते हो, अपने को उलझा लेते हो ! लगता है, तुम्हारा दिमाग ठीक से काम नहीं करता। बेटों के ब्याह में भी तुम्हारे दिमाग ने धोखा दिया। अब वह फिर धोखा देने जा रहा है।

साहित्य या राजनीति—दोनों में से एक को चुन लो। द्विधा में डालकर अपने को बरबाद कर लोगे, बेनीपुरी !

सोचो, क्या हो—कहाँ तुम्हें जाना है ! तुम्हारे जीवन में फिर एक चौराहा आ गया है। गलत निर्णय तुम्हें फिर एक बार नरक कुंड में डाल देगा !

इतना लिखना है, इतना करना है। फिल्म में तुम्हारे लिए संयोग से रास्ता खुल गया है; ग्रन्थावली भी अब एक रास्ता पकड़ रही है, बच्चों की पढ़ाई का भी एक सिलसिला लग गया है। घर भी तैयार हो चला है—यदि दो साल इन्हीं में लगा दो, तो फिर तुम निश्चिन्त होकर साहित्य सेवा करते रह सकते हो ! हाँ, यही दो साल तुम्हारे भविष्य का निर्णायक होगा। बेनीपुरी, सावधान !

15 अगस्त, 1955

15 अगस्त—या तो बीमार पड़ूँ या बाहर-बाहर रहूँ, कौन क्रम है आज आठ सालों से !

रात का बारह बज चुका है। बाहर झमाझम वर्षा हो रही है। काठमांडू में इन्द्रदेव ने यह अच्छा कार्यक्रम बना रखा है। दिन में प्रायः वर्षा नहीं होती और शायद ही एक भी रात हो, जिसमें वर्षा नहीं हो !

आए दस दिन हो गए; जिस काम से आया, वह जहाँ-का-तहाँ पड़ा है। अब परसों चल ही देना है, कल जो सम्भव होगा, कर कराकर !

परसों पत्रों में पढ़ा, पटना में गोलियाँ चली हैं। बड़ी चिन्ता हुई, बच्चे सब वहीं है, न जाने क्या हुआ हो। आज के पत्रों में पढ़ा है, अब वहाँ शान्ति है !

विद्यार्थियों पर गोलियाँ—इस विदेश में इसकी चर्चा से कितनी ग्लानि होती है ! घर पर होता तो सरकार को गाली देता ! यहाँ तो गाली अपने ही सिर पर आ जमती है।

यहाँ एक हैं स्वामी कृष्णानन्दजी। 'जय नेपाल' नाम से एक हिन्दी निकालते हैं। यहाँ के दैनिक पत्र भी तमाशा ही समझिए। बस, पुलिस केप या डिमाइ के दो पेज निकाल दिए !

एक दिन 'जय नेपाल' के ऑफिस में मेरा अभिनन्दन किया था। आज आए, बड़ी देर तक बातें होती रहीं।

बताया, आप राजस्थान के हैं। बी.ए., एल.एल.बी. हैं। दो बार यूरोप से हो आए हैं। सारे भारत में भ्रमण किया है। नेपाल के कोने-कोने में घूमे हैं। चार वर्षों से नेपाल में हैं। उनका अनुभव है, यहाँ के लोग बड़े टुच्चे, धोखेबाज, दगाबाज, चरित्रहीन और भ्रष्ट हैं। प्रकृति जितनी उदार यहाँ की, पुरुष उतने ही तुच्छ यहाँ के !

तराईवालों की वकालत करने लगे, जिन्हें न नेपाली नेपाली मानते हैं और न भारतवासी भारतवासी ! नेपाली उन्हें भारत का एजेन्ट समझते हैं और भारतवासी उनकी ओर ध्यान भी नहीं देते।

स्वामीजी चाहते हैं, उन्हीं का पक्ष लिया जाए। मुझे बार-बार सावधान करते थे।

किन्तु मुझे इन झंझटों में कहाँ पड़ना है। यदि राजनीति करनी है, तो क्या भारत में स्थान नहीं है। हाँ, जब-जब आता हूँ, बड़ी पीड़ा होती है कि इतना सुन्दर देश इस प्रकार पिछड़ा हुआ है !

23 अगस्त, 1955

17 को यहाँ आया और 23 को फिर नेपाल जा रहा हूँ। 16 की शाम को भारतीय दूतावास में गया था, राष्ट्रदूत श्री से भेंट हुई। वह चिन्तित थे कि नेपाल में शीघ्र ही प्रजातन्त्र की स्थापना होनी चाहिए। मैंने यहाँ की प्रमुख दो पार्टियों के नेताओं से बातचीत की थी। मुझ से कहा

गया, फिर आइए और देखिए, गाड़ी दलदल से निकल जाए। यहाँ अचानक भद्रकालीजी से भेंट हुई। आज उन्हीं का तार पाकर जा रहा हूँ।

पटना पहुँचते ही क्या-क्या देखा, उफ, क्या कहा जाए। जहाँ दीनानाथ पांडेय की हत्या हुई थी, वहाँ खून का एक नन्हा तालाब ही बन गया था, ख़ून अब तक नहीं सूखा। बी.एन. कॉलेज की दीवारें और किवाड़ गोलियों के अनेक निशान लिये हुए हैं। रेलिंग के इस्पाती छड़ों को गोलियों ने टेढ़े कर दिए, छेद कर दिए। विज्ञान प्रयोगशाला पर भी गोलियों की बौछार हुई। ऐसी प्रचंड गोलियाँ जो दीवारों को छेदकर भीतर टँगी घड़ी को भी चकनाचूर कर सकीं।

प्रिंसिपल विद्यार्थी से मिला, लगा, चार-पाँच दिन में ही वह बुड्ढा हो गया है। बताया, वह विद्यार्थियों को लेकर सभा कर रहा था, उधर टीयर गैस और गोलियों की बौछार हो रही थीं। एक टीयर गैस वाइस चांसलर के निकट गिरी, बेचारे बुढ़े आदमी, बेहोश हो गए। एक टीयर गैस प्रयोगशाला के गैस प्लाण्ट के निकट गिरी, एक विद्यार्थी जान पर खेल कर उसे हटा नहीं दिए होता तो प्लान्ट में ऐसा विस्फोट होता कि वह मोहल्ला ही साफ हो गया होता !

राज्य ट्रांसपोर्ट के पाँच पैसे के टिकट के लिए इतना बड़ा कांड हो गया। आठ लाशें तो मिली; कहा जाता है और लोग भी मरे हैं। पुलिस जैसे पागल हो गई थी। एक एस.एस.पी. ने तो अपने हाथों गोली चलाई; दीनानाथ को उसी ने मारा, ऐसा कहा जाता है। पहले वह प्रोफेसर था, अब आई. पी. में है। स्थान बदलते ही आदमी इतना बदल हो जाता है, आदमी पे राक्षस हो जाता है !

बेचारा दीनानाथ ! अभी तीन महीने पहले उसकी शादी हुई थी—प्रेम विवाह ! वह बेचारी कॉलेज में पढ़ रही थी ! तीन महीने में ही उसका सुहाग सिन्दूर पुछ गया।

अस्पताल में जाकर रोगियों को देखा ! प्रायः सभी गोलियाँ शरीर के ऊपरी हिस्से में ही लगी हैं ! यानी लोगों को हटाना या भगाना नहीं था, उन्हें सबक सिखाना था, उनकी निर्मम हत्या करनी थी ! उन आहतों को देखकर कलेजा हिल जाता था, यद्यपि पाँच दिन हो चुके थे और उनकी हालत भी सुधर रही थी।

पहले दिन गोलियाँ चलीं तो मुख्यमन्त्री और अधिकांश मन्त्री बाहर थे। एक नौजवान मन्त्री घटनास्थल पहुँचे भी तो पुलिस ने उनकी बात सुनने से इनकार कर दिया। किन्तु दूसरे दिन की गोली तो मन्त्रिमंडल की उपस्थिति जब पटना में थी, तब चली ! एक सज्जन ने मुझे बताया, उन्होंने ज्यों ही गोलियाँ चलने लगीं, मुख्यमन्त्री को फोन भी किया, किन्तु उनकी बात नहीं सुनी गई ! फोन पटक दिया गया !

मैं अपनी पीड़ा और वेदना का क्या वर्णन करूँ—उसी दिन एक कविता लिखी, जो 'जनता' में छपी है ! उसे पुस्तिका के रूप में छपवाने का भी निर्णय किया है।

जिस दिन से आया, पार्टी की बैठकों में सम्मिलित होता रहा। जयप्रकाशजी भी आ गए थे। बेचारे जयप्रकाशजी ! गया जिले की घोर देहात में रहते थे। ज्यों ही सुना, दौड़े-दौड़े आए, रोए, इधर-उधर दौड़े। जो भी सम्भव था, किया। फिर खबर आई, नवादा में गोली चली है, वहाँ दौड़े गए ! भाषण दिए, वक्तव्य दिए। लोगों के आँसू पोंछे, शान्त किया ! सही नेतृत्व दिया। उनके जाने से लोगों में धैर्य आया; हमें अपने पर भरोसा आया। पार्टी के लोगों ने इसमें शानदार हिस्सा लिया था; हमें आगे सोचना था, क्या करें ?

बड़ी बहस—कभी इस छोर पर, कभी उस छोर पर। अन्त में, मैंने कुछ ठोस सुझाव रखे; सभी ने उसे स्वीकार किया। कर्पूरी, श्यामनन्दन और मैंनें मिलकर एक प्रस्ताव तैयार किया, उसे सर्वसम्मत से स्वीकार किया गया। और अन्त में—यह लीजिए; आन्दोलन की सारी जिम्मेवारी मुझ पर थोप दी गई !

फिर राजनीति के चक्कर में ! यह कैसा आकर्षण है, रह-रहकर खींच लेता है ! सोचा था; इसमें अब नहीं पड़ूँगा; किन्तु साथियों से एक स्वर में ऐसा जोर लगाया कि ना नहीं कर सका !

यही तो तुम्हारी कमजोरी है बेनीपुरी ! या हाथ की युग्म शिरोरेखा—डबल हेड लाइन—की यह करतूत है !

नहीं तो यह नेपाल ही क्यों जा रहे हो ? क्या वहाँ कुछ कर सकोगे ? सम्भव नहीं दीखता तो भी भागे जा रहे हो—इस मृगतृष्णा में कि कुछ कहीं हो जाए ! तो उसे चमत्कार ही समझना !

यहाँ इस ऐरोड्रम पर गोरे चेहरों की भरमार ! ज्यादातर अमेरिकन। नेपाल उनकी नई लीलाभूमि बन रहा है ! वह छोकड़ी, अपने पिल्ले को जाँघों की बीच दबाए ! वह खुर्राट बुड्ढा, जिसकी आँखों से षड्यन्त्र टपक रहा है। वह प्रौढ़ा—आधी छाती के उघाड़े ! वह युवक—कितना औधत्य है उसमें ! सभी नेपाल जा रहे हैं—इस फौज से भगवान नेपाल को बचाए।

24 अगस्त, 1955

सोने के पहले सोच रहा हूँ, जो कुछ अभी, ग्यारह बजे रात में करके आया हूँ, वह सच है या स्वप्न !

कल यहाँ पहुँचते ही दूतावास गया; सारी बातें मालूम हुईं। पता लगा, सब खेल बिगड़ चुका है। प्रजातन्त्री पार्टियों ने एक स्वर में कुछ नहीं कहा। अब राजा जो चाहे, करे। भद्रकाली से मिला; वह भी उदास दिखे !

भोर में विश्वेश्वर से मिले—उन्होंने बताया, किस तरह बँटाढार हुआ। भद्रकालीजी को लेकर फिर मिले, सुवर्णजी के घर गए। तय किया, एक बार प्रजा परिषद् के साथ एक जगह बैठा तो जाए ! नौ बजे रात में—सुवर्णजी के ही घर पर ! फिर टंक प्रसाद से मिला, वहीं उनके साथियों—रामहरि, चूड़ा प्रसाद, जूजू भाई आदि से भेंट हुई। मैंने सभी से अपनी मनोव्यथा कही ! यह मेरे लिए सौभाग्य की बात है कि नेपाल के लिए की गई मेरी सेवा को लोग भूले नहीं हैं; मेरी बातें ध्यान से सुनते हैं।

टंक प्रसाद, बालचन्द्र शर्मा, भद्रकालीजी और मैं—जब हम चारों ललिता निवास (सुवर्णजी के घर) की ओर जा रहे थे, मेरा कलेजा धड़क रहा था, न जाने क्या हो ? कहीं टंक प्रसाद और विश्वेश्वर लड़ पड़े तो !

किन्तु वहाँ अजीब बात हुई। भद्रकाली ने प्रसंग छेड़ा; तुरन्त विश्वेश्वर उठे, सिगरेट उठाई, जलाई और कह गए, मैंने तय कर लिया है, प्रजातन्त्र के लिए मैं सब कुछ त्याग करूँगा ! आप में से कोई सरकार का गठन करे, मैं उसे पूरा सहयोग दूँगा; कोई शर्त आप लोगों के साथ नहीं—शर्त सिर्फ यह कि हम अपने को बाँध लें कि गुरखा परिषद् और स्वतन्त्र लोगों के साथ काम नहीं करेंगे और मन्त्रिमंडल को पूरा अधिकर हो। इधर चर्चा है, राजा किसी को प्रधानमन्त्री नहीं बनाना चाहते ! वह स्वयं मन्त्रिमंडल की अध्यक्षता करेंगे। ऐसा होने से मन्त्रिमंडल का कोई अर्थ नहीं होगा। राज करेंगे राजा, बदनामी हमारे मन्त्रियों की। विश्वेश्वर की बात का सबने स्वागत किया। टंक प्रसादजी ने राजा के पास भेजने के लिए एक मसौदा तैयार किया ! कुछ मिनटों में ही सारा काम खत्म। हम हँसते हुए निकले। कल एक बजे तक यह मसौदा राजा के पास भेज दिया जाएगा। प्रजातन्त्र परिषद्, नेपाली कांग्रेस और रेग्मी की पार्टी, यदि सचमुच ये मिल गए तो मन्त्रिमंडल बने या नहीं, क्योंकि यह राजा के हाथ में है—किन्तु नेपाल के प्रजातन्त्री आन्दोलन के लिए तो यह निस्सन्देह ही परम सौभाग्य की बात होगी। मेरे लिए भी !

अपनी ओर

आज कई दिनों से सोच रहा था कि अपने आज तक के जीवन पर एक दृष्टि डालने को कोशिश करूँ और अपने अनुभवों को लिपिबद्ध कर लूँ, जिसमें आगे के कार्यक्रम ठीक करने में सहूलियत हो। किन्तु कभी तो यह भय कि कहीं कोई इस पंक्तियों को पढ़े और पढ़कर मेरी कमजोरियों को जान जाए, तो सम्भवतः मेरे प्रति उसके मन में कुछ कुभावना आ जाएगी, जिससे लाभ के बदले हानि ही होगी और कभी यह मनमौजीपन कि कौन पीछे की ओर देखे, जो हुआ सो हुआ, आगे बढ़ते चलो—बढ़ते चलो, कहीं किनारा लग ही जाएगा और न भी लगे तो क्या परवाह, सभी का जीवन तो सफल होता नहीं—ये दोनों खयाल मुझे इसके लिखने से रोकते रहे। किन्तु जेल का एकान्त मुझे शान्त न बैठने दे सका—आज लिख ही रहा हूँ।

मेरी माता, जब मैं शायद पाँच वर्ष का रहा होऊँगा, स्वर्गवासिनी हुईं, पिताजी मेरे नौवें वर्ष में। उनकी थोड़ी-थोड़ी याद है। माँ मुझे बहुत दुलारतीं क्योंकि कितने ही कठिन व्रतों और तपस्या के बाद मैं उन्हें प्राप्त हुआ था—ऐसा कहा जाता है। लोग कहते थे उन्हें सन्तान न होगी। उनकी धुँधली छवि मेरी आँखों में आज भी घूमती है। वह बीमार थीं, मैंने एक दिन उनके केश पकड़कर उन्हें बहुत तंग किया। इस पर मेरी दादी ने मुझसे उनका पिंड छुड़ाया और मुझे दो-चार चपतें भी लगाने लगीं। माँ गिरती-पड़ती दौड़ीं और उनसे छीनकर मुझे कलेजे में लगा लिया। लड़कपन से ही मैं कुछ जिद्दी था—आधी रात को भूँजा माँगना, अहलेसुबह भात माँगना, बेमौसम का फल माँगना, ये दिन के बखेड़े थे। सुनता हूँ, माँ अपनी रोगशय्या के निकट सभी प्राप्य चीजें जुगताकर रखतीं और जब जो माँगता, देतीं। मरने के समय मेरे हाथ से पानी पीकर मरीं—उनकी यही अन्तिम कामना थी ! हाय मेरी माँ—मुझे अभागे को 'माँ' कहने का शौक ही रह गया।

पिताजी लम्बे, साँवरे, छरहरे जवान थे। मेरे पितामह का आशास्थल, उनके पाँच पुत्रों में उनके सबसे प्रिय। उनके लिए पितामह को मैं प्रायः दुखित होते देखता। मेरे गाँव में, मेरे ननिहाल में उनकी कथाएँ मुझ से प्रायः सुनाई जाती हैं। वे लोकप्रिय थे।

माता-पिता की मृत्यु के बाद मेरे मामा ने मुझे अपने घर बुला लिया और उन्होंने ही मुझे आदमी बनाया है। बचपन में मैं तुलसी रामायण का प्रेमी रहा, कितनी बार उसका 'नवाह' या 'एकांह' पाठ कर गया हूँ, कह नहीं सकता। मुझे अच्छी तरह याद है कि बचपन में मैं रामायण में यों गर्क रहता था कि रात में राम-रावण युद्ध का स्वप्न देखता। मैं उस समय रामभक्त भी था—कंठी चन्दन से लैस, पूजापाठ के दुरुस्त। रामायण के नए-नए अर्थ जानने, शंकाएँ समाधान करने आदि का बड़ा शौक था। इसके लिए टीकाएँ देखता (रामचरणदास की टीका मैंने पहले-पहल देखी थी) और अपने गाँव एवं उसके आसपास के 'रामायणी' लोगों से 'सत्संग' किया करता था। (गाँव से अर्थ है, मेरा ममहरा, जहाँ मैं बचपन से ही रहा करता था) गाँव में लोअर पास करने के बाद कुछ दिन उर्दू-फारसी पढ़ता रहा—किन्तु रामायण प्रेम बना रहा। मैं उस समय अंटसंट कविता की टाँग भी तोड़ा करता था। शायद उस सयम मेरी उम्र बारह-तेरह साल की रही होगी।

पीछे मैं सुरसंड स्कूल में अपने बहनोई स्वर्गीय ठाकुर प्रदीप नारायण शर्मा के द्वारा ले जाया गया। वहाँ अंग्रेजी भी पढ़ने लगा। वह स्कूल उस समय मिडिल था, किन्तु इन्ट्रेंस की तैयारी हो रही थी—दो-तीन क्लासें भी खुल गए थे। यहाँ आने पर मेरा रामायण प्रेम धीमा

पड़ गया, ऐसा मुझे मालूम होता है। क्योंकि यहाँ विस्तृत क्षेत्र मिला, जिसमें मैं अपने स्वभाव के अनुसार खूब विचरण करने लगा। उस समय 'विद्यार्थी' की धूम थी—'प्रताप' अपनी फीजी की कहानी के लिए प्रसिद्ध हो रहा था, 'भारतभारती' शायद तुरत ही निकली थी—इन सबके पढ़ने में मैं तल्लीन रहता। 'प्रताप' तो चुरा-चुराकर पढ़ता, क्योंकि उस समय मास्टर लोग प्रताप पढ़ना राजद्रोह समझते थे। मैं इस प्रकार की बाहरी चीजों के पढ़ने में इतना तल्लीन रहता था कि अपने कोर्स की किताबें बहुत कम देखता। किन्तु अपनी अद्‌भुत मस्तिष्क शक्ति के कारण क्लास में सबसे अच्छा लड़का समझा जाता था। मुझे अच्छी तरह याद है कि एक बार जब अपर क्लास में पढ़ता था, मैं तुरत आए हुए 'विद्यार्थी' पढ़ने में लीन था और वे दिन थे परीक्षा के—कल 'भाषा' की परीक्षा थी। एक बार भी कोर्स की किताब न खोल सका। कल होकर 'भाषा' की पुस्तक से एक कहानी लिखने का प्रश्न दिया गया, अकस्मात् उस कहानी का पद्यरूप 'विद्यार्थी' में छपा था, मैंने इस फर्राटे से लिख दिया कि मास्टर लोग दंग रह गए। कहने का मतलब यह कि मिडिल स्कूल में रहने के समय भी मैं बाहरी साहित्यिक पुस्तकें पढ़ने में ही लगा रहता था। उस समय स्कूल की लाइब्रेरी या किसी मित्र के पास शायद ही कोई पुस्तक हो, जो मैंने न पढ़ी हो !

जब मैं अपने पूज्य बहनोई की मृत्यु के बाद (आह ! उनकी वह प्रभावशाली दमकती सूरत और उनका अपार स्नेह आज भी आँखों में आँसू ला देता है !) शिवहर स्कूल में गया, तो वहाँ के हेड मास्टर बाबू संजीवन राय के मुँह से प्रथम-प्रथम हिन्दी साहित्य सम्मेलन का नाम सुना और उन्हीं के प्रोत्साहन से प्रथमा परीक्षा देने को सोचने लगा। शिवहर में मैं तीन-चार मास ही रहा हूँगा—मिडिल पास कर मुजफ्फरपुर आया। मुजफ्फरपुर ने मेरी कल्पनाओं में पर लगा दिए। प्रथमा परीक्षा की तैयारी में लगा। वहाँ के कई साहित्यिक युवकों से मेरी जान पहचान हुई। उन लोगों ने प्रोत्साहित किया। किन्तु प्रथमा परीक्षा के थोड़े दिन पहले ही मुझे 'जड़ैया' सताने लगी—घर गया यानी ममहर। ओह ! सम्मेलन की परीक्षा के लिए मैं कितना छटपटाया, कितनी मन्नतें मानीं, कितनी बार रामगुहार किया होगा—खैर, 'जड़ैया' से पिंड छूटते ही, कमजोर शरीर लिये, मुजफ्फपुर पहुँचा और लगातार वर्षा में भीगते हुए प्रतिदिन परीक्षास्थल में जाता। खैर, परीक्षा दी, पास किया—प्रथम श्रेणी में, शायद चतुर्थ नम्बर था। किन्तु इस बीमारी के बाद वर्षा में लगातार भीगने से पहली बार छाती में जो दर्द होना शुरू हुआ, वह आज तक भी कभी भयानक और कभी मधुर रूप में अपना अस्तित्व दिखा ही देता है। इसके दूसरे ही साल, जिस समय मैं इन्ट्रेंस के थर्ड क्लास में था, मध्यमा परीक्षा दी और पास हुआ।

मुजफ्फरपुर में आते ही लेख लिखने और कविता करने का शौक चर्राया। व्याख्यान देने का रोग भी हुआ। मुझे याद होता है कि विद्यार्थी जीवन पर मैंने एक नाटक भी लिखा था, जिसे अपने दोस्तों को सुनाया करता। अपनी पहली तुकबन्दी मैंने 'प्रताप' में भेजी। बड़ी उत्सुकता से मैं उसके उस 'सूचना' को पढ़ा करता जिसमें अस्वीकृत लेखों और कविताओं की अस्वीकृति की सूचना छपती। मैं लोगों पर अपनी कवित्व शक्ति का रोब जमाए हुए था—बड़ी शंकित दृष्टि से उसे पढ़ता और यह मनसूबा बाँधता की अगर अस्वीकृति की सूचना निकली तो उस कालम को फाड़कर फेंक दूँगा, जिससे कोई देखे नहीं। इतने ही में मैं घर गया—बेनीपुर। वहाँ से लौटा तो जिधर देखता हूँ, मित्रों में मेरी ही चर्चा—मेरी कविता छप चुकी थी ! उस समय इस विजय पर जिस प्रकार मैं फूलकर कुप्पा हो गया था, उसकी याद भी आज हँसी ला देती है। तारीफ यह कि उस कविता को कई पत्रों ने उद्‌धृत किया और हाल ही में 'महारथी' में किसी महारथी कवि ने उस कविता को थोड़ा तोड़-मोड़कर अपने नाम से छपवाया था जिसकी सूचना मेरे मित्र मोहनलालजी महतो ने मुझे दी थी ! शायद उन्होंने 'मतवाला' में लिखा भी था।

अब इधर-उधर पत्रों में लेख और कविताएँ छपने लगीं। सभाओं-सम्मेलनों में कविताएँ पढ़ने लगा, लोग उत्साहित भी करने लगे, कि इतने में ही असहयोग का बिगुल बज उठा। मेरे स्कूल के हेड मास्टर ने बड़ी आरजू-मिन्नत की, क्योंकि मैं एक प्रभावशाली (!) विद्यार्थी था। पिकेटिंग, सभा, जुलूसों में भाग लेता, विद्यार्थियों का एक संघ भी स्थापित कर रखा था, जिसका मैं मंत्री था। सभाओं में भी बोल लेता। मास्टरों का स्नेहपात्र था। विद्यार्थियों में भी काफी धाक थी। क्लास का फर्स्ट लड़का था। एक विद्यार्थी के लिए यह कम नहीं है। खैर, मैंने आंदोलन में भाग लिया स्कूल छोड़ा। कुछ दिनों देहात की खाक छानता रहा, कुछ दिनों घर बैठा। गाँव के लोग तालियाँ पीटते। घर के लोगों का स्वर्ण-स्वप्न भंग हो गया। मैं कहीं का न रहा। अपने भविष्य के बारे में...मैंने सोच रखा था।

बचपन से ही, यानी जब साहित्य संसार से कुछ परिचित होने लगा, तबसे अपने जीवन के दो उद्देश्य मैंने निश्चित कर रखे थे। इनमें एक था सम्पादक बनना। सोच रखा था कि बी.एल कर वकालत करूँगा, कुछ रुपए कमाकर उसी पूँजी से एक प्रेस करूँगा और वहीं से एक मासिक पत्रिका निकालूँगा। अपने को सम्पादक की समझ बनाने की धुन में, उस समय भी जब मैं अंग्रेज़ी बहुत कम समझ सकता था, 'मॉर्डन रिव्यू' आदि अंग्रेजी पत्रिकाओं को गौर से देखा करता था, और अपनी भविष्यत् मासिक पत्रिका का ढाँचा तैयार करता। असहयोग के चलते वकालत का विचार तो नष्ट हो गया, किन्तु सम्पादक बनने की धुन लगी ही रही। भाग्यवश एक मौका भी मिला। मैं मुजफ्फरपुर के जिस स्कूल में पढ़ता था, उसके एक मास्टर बाबू मथुराप्रसाद दीक्षित 'तरुण भारत' का सम्पादन पटना में कर रहे थे। आपको एक सहकारी की आवश्यकता हुई, मुझे जानते ही थे, बुलाकर पटना ले गए। घोर अंधकार में जुगनू की ज्योति पर मैं टूट पड़ा। सम्पादक न सही, सहायक सम्पादक तो हुआ।

किन्तु कई कारण से वहाँ भी अधिक दिन न टिक सका—उसमें सबसे प्रबल मेरी महत्त्वाकांक्षा। यह महत्त्वाकांक्षा मुझे आज तक सता रही है। जहाँ अपने व्यक्तित्व के विकास में बाधा पड़ते देखा, कि मैं फिरंट हुआ। यही अवगुण मुझे किसी की मातहती में काम करने नहीं देता। मेरा मन ही नहीं लगता और बेमन का काम करना मैं जानता नहीं। इसके चलते मैं आज तक बहुत कष्ट उठा चुका हूँ, साथ ही, इस प्रवृत्ति ने मुझे आगे बढ़ने में भी मदद पहुँचाई है, ऐसी धारणा मेरी है। खैर, वहाँ से हटा, फिर कुछ दिन घर रहा। एक बार कुछ मित्रों को इस बात पर राजी करना चाहा कि कुछ प्रकाशन कार्य मिल-जुलकर किया जाए, मेरे पास पैसे थे नहीं। किन्तु यह भी स्वप्न हो गया। उन्हीं दिनों एक बार पटना आया और फिर 'तरुण भारत' में उसके प्रकाशक बाबू नागेश्वर प्रसाद शर्मा (लाल बाबू) के जबरदस्त अनुरोध से रह गया। मैं वहाँ काम कर ही रहा था कि एक सज्जन ने मुझे अपना प्रतिद्वन्द्वी मान लिया और बड़े ही षड्यन्त्र से मुझे निकाला !

पटना से ही 'किसान मित्र' नामक एक पत्र निकलता था। उसे संचालक ने मुझे रख लिया। थोड़े ही दिन काम किया कि काश-श्वास की भयंकर बीमारी से पीड़ित हो घर पहुँचा। आह ! कैसी भयंकर बीमारी थी। मैं अपनी जान से निराश हो चुका था—घर के लोग मेरे मामा (जिन्होंने बचपन से मुझे पाला-पोसा है) आदि बड़े चिन्तित थे। किन्तु शायद मुझसे और भी काम होना था, बच गया। अच्छे होने पर पुनः सम्पादक बनने की धुन सवार हो गई। अच्छी ठोकर लग चुकी थी, किन्तु कौन माने। भाई शिवपूजन सहाय से कुछ परिचय था। आप उस समय 'मतवाला मंडल' में थे—उस समय उनकी धूम थी, उनको लिखा और उन्हीं की इच्छा से पटना से निकलनेवाले 'गोलमाल' का सम्पादक कार्य करने लगा।

भाई शिवपूजन—मैं कह सकता हूँ कि यदि शिवपूजन नहीं होते, तो हिन्दी में मुझे कोई

जानता कि नहीं, इसमें मुझे सन्देह है। मेरे साहित्यिक जीवन की सृष्टि में भाई शिवपूजन का जबरदस्त हाथ है। उन्होंने मुझे जितना प्रोत्साहित किया है, उसकी याद ही रोमांच खड़ा कर देती है। मैं अपने भाई से कैसे उऋण होऊँगा।

'गोलमाल' भी उसके गोलमालिया संचालक के चलते 'गोलमाल' में पड़ गया। मैं एक बार पुनः बेकार हुआ। किन्तु तब तक थोड़ी प्रसिद्धि हो गई थी, लोग जान गए थे कि इस छोकरे में भी कलम घिसने की थोड़ी शक्ति है। कई जगह पत्र व्यव्हार शुरू किया, किन्तु दाना-पानी घसीटकर लहेरिया सराय के हिन्दी पुस्तक भंडार में ले पटका।

हिन्दी पुस्तक भंडार में मैं साढ़े तीन वर्षों तक रहा। उसके संचालक बाबू रामलोचन शरण ने मेरा खूब स्वागत किया। उनके यहाँ जाने के पहले मेरे कई ऐसे मित्र, जो उन्हे जानते थे, मुझे मना कर चुके थे। किन्तु उनके व्यवहार ने मुझे मोह लिया। उन्होंने पहले तो मेरी योग्याता की थोड़ी-बहुत क्रियात्मक जाँच की, पर पीछे तो मुझे काम करने की पूरी स्वतन्त्रता दे दी। कार्य स्वतन्त्रता मिलते ही मेरी सोई शक्ति जैसे जाग उठी। मैं दिन-रात परिश्रम करने लगा। मैं दावे के साथ कह सकता हूँ कि जितनी शक्ति मुझमें थी, उतनी मेहनत करने में मैंने कुछ उठा न रखा। सात-आठ दिन के अन्दर मैंने बिहारी सतसई की टीका लिखी थी, विद्यापति की पदावली पन्द्रह-बीस दिन के अन्दर ही संकलित, सम्पादित और प्रकाशित हुई थी। जिस समय पदावली छप रही थी मैं मुश्किल से तीन-चार घंटा सोता था। मैं काशी में था, जिस परिवार के साथ मैं ठहरा था, वहाँ एक वृद्ध थे, वे मुझे खूब डाँटते, किन्तु मैं तो धुन में मस्त था। पदावली तैयार हुई और मैं बीमार पड़ा—खूब ही बीमार। इसी प्रकार की मेहनत का फल था कि लहेरिया सराय में 'बालक' का सम्पादन और उसके लिए बिहार के जिले-जिले घूम-घूमकर प्रोपेगंडा करने एवं मित्रों से पुस्तक भंडार के लिए कितनी ही पुस्तकें लिखवाने और उन्हें छपवाने के अतिरिक्त मैंने एक दर्जन से ऊपर पुस्तकें लिख डालीं, जिनमें कुछ तो मेरे नाम से और कुछ बिना नाम के ही निकलीं। लहेरिया सराय में मेरी स्थिति विचित्र थी। मैं सम्पादक था, 'बालक' का प्रबन्धक भी था, पुस्तक भंडार का ट्रेवलिंग एजेन्ट था, करेस्पोंडेन्स क्लर्क था, प्रूफ रीडर था—क्या था, क्या नहीं था, कह नहीं सकता ? मैं पुस्तक भंडार को 'अपना' समझता था और उसके लिए सभी पाप-पुण्य करने को तैयार रहता था, अधिक मेहनत के कारण कई बार बीमार पड़ने के अतिरिक्त कुछ दिन तक मुझे मूर्च्छा रोग भी पकड़ चुका था !

मैं समझता था मेरा जीवन एक निश्चित राह पकड़ चुका, किन्तु भाग्यदेव मुसकरा रहा था। रामलोचन शरण और मेरे में इतनी घनिष्ठता देख कुछ लोग चौंके। वे लोगों उनके कान भरने लगे—जैसा कि मेरा विश्वास है। इधर मुजफ्फरपुर में हिन्दी साहित्य सम्मेलन था, मैं उसमें फँसा हुआ था। मेरी अनुपस्थिति से उन पर और भी प्रभाव डाला गया। एक बात और भी है। यह मेरा स्वभाव है कि जब तक जी लगेगा, जान लड़ाकर काम करूँगा, जहाँ तबियत ऊबी कि लगे पूरा आराम करने। वह मुझे रुपए दे रहे थे, वे देख चुके थे कि मैं कितना काम कर सकता हूँ, अतः उनमें अगर यह इच्छा हो कि मैं सदा उसी जोश से काम करता रहूँ, तो आश्चर्य क्या ? और मेरा आराम उन्हें खले, तो असम्भव क्या ? एक बात और भी मैं सोचता हूँ, मेरे ही अनुरोध पर भाई शिवपूजन भी भंडार के नौकर होकर काम कर रहे थे। सम्भव है, उनके आने से मेरी अनावश्यकता सोची गई हो—अब बेनीपुरी एक भार जँचे हो, एक ही से काम चलाने को सोचा गया हो। एक बात और है। मैं तेज मिजाज सदा से हूँ—किसी की दो बात सह लेना मेरी प्रकृति के विरुद्ध है। यों ही जो कुछ मन में आता है, खुलकर कह भी देता हूँ, चाहे किसी को बुरा लगे या भला। रामलोचन शरणजी के प्रति भी मेरा यही स्वभाव

था। मालिक सदा चाहता है कि मेरा नौकर दबा रहे, ऐसा नौकर कौन चाहेगा, जो उसी पर रोब गालिब किए रहे। हाँ, इतना जरूर है कि मैं उनके प्रति बहुत ही पूज्य भाव रखता था, क्योंकि वे अपने आत्मीय के समान मुझे बतलाते थे। किन्तु चाहे जो कारण हो, यह आत्मीयता टिक न सकी। मुजफ्फरपुर से सम्मेलन की रसीदें लेकर मैं दरभंगा में चन्दा वसूल करने आया और लौटा अपना इस्तीफा देकर। इतना जल्दी मुझे इस्तीफा देना पड़ेगा, इसकी कल्पना भी न की थी। किन्तु टाल-टूलवाली प्रकृति मेरी नहीं है, यह देहाती कहावत मुझे खूब जँचती है—भर माँग सिन्दूर, नहीं तो पट दे राँड।

'बालक' से इस्तीफा देते ही मेरे सिर पर 'युवक' सवार हुआ। मैंने झटपट निश्चय कर लिया। किसी से पूछा तक नहीं। लहेरिया सराय में ही 'युवक' के लिए विज्ञापन छपवा लिया। मेरे इस आकस्मिक इस्तीफा और झटपट निश्चय से मेरे मित्रों को आश्चर्य हुआ। मुझे भी अपनी 'सनक' पर विश्वास हो गया—हूँ, मैं सनकी हूँ !!!

मुजफ्फरपुर सम्मेलन के बाद मैं घर गया। घर पर भी सभी को बुरा लगा। किन्तु घर का प्रबन्धक भी तो मैं ही हूँ—ज्यादा विरोध कौन करे—शायद मेरे पुरुषार्थ पर भी उन्हें भरोसा है। खैर, घर पर थोड़े ही दिन ठहरा था कि मैं बीमार पड़ा, फिर मेरी रानीजी बीमार पड़ीं, मेरा दुधमुँहा बच्चा भी माँ की बीमारी से बीमार-सा हो गया। मैं तो देहात के वैद्यजी से चूर्ण पर ही अच्छा हुआ, जड़ैया आती थी, भंग-भवानी के प्रचंड गोले ने उसको स्वाहा कर दिया। किन्तु रानी को सीतामढ़ी ले जाकर आपरेशन कराना पड़ा—बुरे प्रकार का घाव था, वह मरते-मरते बची। एक बार अपनी रानी को पुनः पूर्ण स्वस्थ और बच्चे को हरा-भरा देखकर कितनी प्रसन्नता हुई थी।

यों घरेलू आपत्तियों से छुटकारा मिला। किन्तु दिन-रात चिन्ता घेरे रहती। खासकर, 'बालक' के साथ इतना प्रेम हो गया था कि सदा चित्त उद्विग्न रहता—आह ! जिसका मैंने जन्म दिया, जिसके पालन-पोषण में अपनी जान की परवाह न की, वह आज दूसरे की गोद में डाल दिया गया ! ओह ! मैंने रामलोचन शरणजी के लिए इतना किया और उन्होंने ऐसा बरताव किया !! घर से चल पड़ा, पटना आया ! गंगा बीमार था, खैर, वह अच्छा हुआ, और 'युवक' का प्रकाशन निश्चय हुआ, वह निकला है और डेढ़ वर्षों से बिहार के युवकों का प्यारा बना हुआ है। 'युवक' सम्बन्धी अनुभवों को लिखने का अभी समय नहीं है।

यों बचपन से ही मेरे जीवन का प्रवाह साहित्य की ओर रहा है। राजनीति में तो 'युवक' ने उतारा है और इन थोड़े ही दिनों में इसके विषाक्त वायुमंडल में मुझे इसकी ओर से विरक्त-सा बना दिया है। मैं समझता हूँ कि मुझे राजनीतियों—खासकर प्रचलित राजनीति में नहीं पड़ना चाहिए—यानी किसी भी राजनीतिक संस्था में नहीं घुसना चाहिए। अपना जो कुछ विचार है, वह कलम द्वारा जनता के सामने रखना चाहिए। शायद एक सम्पादक के लिए यही उचित भी है।

यह तो हुई जीवन की ऊपरी घटनाएँ। अब जरा अपने अन्तर्जीवन पर एक दृष्टि डालना चाहता हूँ। कोई दूसरा मेरे जीवन पर लिखेगा या नहीं, कह नहीं सकता; यह भी नहीं जानता, वह मुझे किस दृष्टि से देखेगा; किन्तु अपने आज तक के जीवन पर मेरी अपनी क्या राय है—यह लिखते संकोच जितना नहीं होता, उतना कोतूहल हो रहा है—जिन चीजों को हम सदा अपनी आँखों के आगे देखा करते हैं, कभी-कभी वह भी कितने कौतुक का कारण हो जाती हैं।

मेरे मित्रों और शुभचिन्तकों को जो मुझसे सबसे बड़ी शिकायत है, वह है मेरी उच्छृंखलता। यह जवानी का सिंगार है या जीवन की महान त्रुटि—कह नहीं सकता। हाँ, इतना

है। मेरे जीवन में ऐसे प्रसंग आए हैं जिन्हें मैं टाल जाता तो कितनी तरद्दुदों से बच जाता, कम-से-कम आज मैं बहुत कुछ निश्चिन्त जरूर होता। किन्तु मेरी भावुकता मुझे ऐसा क्यों करने देती। न आगा देखा, न पीछा—झटपट निर्णय कर डाला। और जहाँ एक बार निर्णय कर उस ओर पैर किया, तो जल्दी पीछे हटना कैसा ?

मैं किसी पर भी तुरंत विश्वास कर लेता हूँ। और जिस पर विश्वास किया, उसका होकर ही मुझे चैन मिलता है। किसी को तुरंत ही 'अपना' समझ लेना और तदनुसार अपनी कार्य दिशा बदल देना—मेरा स्वभाव-सा हो गया है। जहाँ कहीं रहा या नौकरी की, उसको अपना आत्मीय समझ लिया उसके नजदीक हृदय खोलकर रख दिया। जहाँ अधिक आत्मीयता होती है, वहाँ से आदमी एक तरह निश्चिन्त हो जाता है। मैं तो निश्चिन्त हो गया, किन्तु दुनिया मेरी ओर से क्यों निश्चिन्त होने लगी ! उसने षड्यन्त्र करना शुरू किया और मुझे यों अचानक पटका कि मैं चारों खाने चित हो गया। मैं दो-तीन बार इस तरह की पटकन खा चुका हूँ—किन्तु तो भी मैं आगे चेत सकता हूँ कि नहीं, कौन कहे ? समय बताएगा।

मैं महत्त्वाकांक्षी युवक हूँ। और मैंने देखा है कि जो नौजवान आगे बढ़ना चाहता है, उसे पद-पद पर कठिनाई होती है; खासकर वैसे युवकों की कठिनाई की तो कोई सीमा नहीं रहती, जो किसी 'बड़े' की छत्रच्छाया में नहीं चलता, वरन् अपने लिए आप ही रास्ता बनाने का प्रयत्न करता है। ऐसे लोगों को अपने रास्ते का काँटा स्वयं चुनना पड़ता है, अपने विरोधी की चालों पर स्वयं नजर रखना पड़ता है और बड़े-बूढ़ों की उपेक्षा को भी बरदाश्त करना पड़ता है। मेरा अनुभव इस दुनिया के प्रति कुछ अनोखा है। मैंने देखा है कि दुनिया किसी का सिक्का कबूलने के पहले उसे बेतरह ठोकती-पीटती है—धन्य हैं वे पुरुष, जिन्हें 'चीप लीडरशिप' मिल जाती है ! मैंने देखा है कि जिस समय कोई युवक आगे बढ़ता है, उसके समवयस्क एवं समान स्थितिवाले लोगों में विचित्र प्रकार का रश्क—ईर्ष्या—पैदा हो जाती है। मेरे ही साथ का लिखा-पढ़ा, मेरे ही साथ सदा रहनेवाला, मेरी ही उम्र और मेरी ही स्थिति का यह आदमी मुझसे इतना आगे बढ़ा जा रहा है, इतना प्रसिद्ध हो रहा है, इतना नाम मार रहा है, यह उसके लिए असह्य हो उठता है और वह उसका पैर पकड़कर पीछे घसीटने की चेष्टा में लग जाता है, कोई-कोई तो इस व्यापार में सुरुचि और सभ्यता को भी ताक पर रख देते हैं। धन्य और मान्य है वह पुरुष, जिसके हृदय में किसी की उन्नति पर जलन नहीं होती।

किन्तु मैंने देखा है कि जो मुझे अपना प्रिय शिष्य समझते थे, उन्हें भी मेरी उन्नति से विरक्ति हुई है—गुरु गुड़ रह जाएँ और चेला चीनी हो जाए, सब गुरु यह देखना पसन्द नहीं करेंगे। यों ही मेरे कितने ही मित्रों को मेरा अभ्युदय खटका है, उनमें से कुछ ने तो विरक्ति दिखलाई, किन्तु कुछ लोगों ने दुख अनुभव किया और कुछ ऐसे भी निकले, जिन्होंने मेरी बुराई सोची। हाँ, ऐसे मित्र भी मुझे मिले हैं, जिन्हें मेरा आगे बढ़ना अच्छा मालूम हुआ, कुछ ने आगे बढ़कर मेरे पथ के काँटे चुन दिए—तो कुछ ने वाह-वाह कहकर अग्रसर होने को उत्साहित किया। किन्तु ऐसे मित्र बहुत कम मिलते हैं। ज्यादा मित्र ऐसे ही होते हैं जो मुँह पर बड़ाई की झड़ी लगाते और पीठ पीछे गालियाँ सुनाते हैं। यह बात दूसरी है कि जिस समय सब विरोधों को सहते हुए आपने आगे बढ़कर अपने लिए स्थान बना लिया, तो यह समझकर कि अब वह हमारे विरोध की शक्ति-सीमा से बाहर है, पुनः आपके निकट वह मित्रताकांक्षी होकर पहुँच जाएँगे और सम्भवतः वह आपके अच्छे मित्र भी हो जाएँ। इस विचित्रता का रहस्य जो कुछ हो, मनुष्य स्वभाव यही है। अतः जो लोग आगे बढ़ना चाहें उन्हें सजग रहना चाहिए—यों तो यदि वह सन्मार्ग पर हैं, तो दुनिया की कोई...

[अपूर्ण, इसके बाद डायरी के पन्ने नष्ट हो गए है। तीसरे दशक का उत्तरार्द्ध।—सम्पादक]

मेरे जीवन का आदर्श : साहित्याश्रम (परिवार)

अपनी कलम के द्वारा बारह बीघे जमीन खरीदूँगा। दस बीघे जमीन में 'खेती बारी' करूँगा। दो बीघे जमीन में फुलबाड़ी लगाऊँगा। फुलवाड़ी के भीतर साहित्याश्रम की स्थापना करूंगा। साहित्याश्रम में एक सुंदर पुस्तकालय रहेगा। जिसमें विश्व साहित्य के अनमोल ग्रंथ रहेंगे। साहित्याश्रम में एक प्रेस भी होगा। जिससे छपकर 'परिवार' नामक मासिक पत्र निकलेगा।

साहित्याश्रम में पूरा साम्यवादी बरताव रहेगा। सभी जी भरकर काम करेंगे। जो कुछ आय होगी, सभी मिल-जुलकर खाएँगे। साहित्याश्रम मेरी निजी संपत्ति नहीं समझा जाएगा, वरन् वह एक सार्वजनिक संस्था होगा।

साहित्याश्रम से जो सचित्र मासिक पत्र निकलेगा उसमें खासकर ऐसी ही बातें होंगी जिनसे देहात के लोगों के जीवन में आनंद की वृद्धि हो।

'परिवार' ऐसा निकला जाएगा कि प्रत्येक परिवार में उसका खरीदा जाना आवश्यक समझा जाए। घरेलू सुखों की वृद्धि उसका खास लक्ष्य होगा।

साहित्याश्रम के चल निकलने पर स्टैंडर्ड लिटरेरी सोसाइटी के ढंग से प्रकाशन होगा।

पहले 'संसार का इतिहास' पच्चीस भागों में निकलेगा। फिर 'संसार के लेखक' तथा 'संसार के जीव-जंतु' आदि पुस्तकें निकलेंगी।

'परिवार' के बाद साहित्याश्रम की नींव मजबूत हो जाने पर एक 'देहाती' नामक सचित्र साप्ताहिक भी निकाला जाएगा। अभी इतना ही। भगवान मुझमें इतना बल दे सके अपने उपर्युक्त आदर्श को कार्यरूप परिणत कर सकूँ।

—श्रीरामवृक्ष बेनीपुरी

मेरा स्कूल जीवन

प्यारे बच्चो,
एक दिन मैं तुम्हारे ही समान बच्चा था। स्कूल में पढ़ता था, लिखता था, काफी नटखट था, खेलता था, कूदता था। आज भी उन दिनों की याद भाव-विभोर कर देती है।

जब चार साल का था, माँ मर गई। नौ वर्ष का था, तो पिताजी स्वर्ग सिधारे। फलतः मेरी पढ़ाई बहुत देर से शुरू हुई। मुझे याद है, जब सोलह साल का हो चला था, तब कहीं मैं मिडिल पास कर सका था।

क-ख-ग मैंने अपने गाँव बेनीपुर में शुरू किया और लोअर प्राइमरी की पढ़ाई अपने ननिहाल, बंशीपचड़ा में खत्म की। पिताजी के मृत्यु के बाद मैं अपने ननिहाल में ही रहता था। मेरे मामाजी मुझे अपने लड़के की तरह मानते थे और उन्हीं की कृपा से मैं आगे पढ़ सका।

लोअर प्राइमरी में जो मेरे शिक्षक थे, वह उर्दू-फारसी भी कुछ जानते थे। लोअर की पढ़ाई खत्म करके मैं उर्दू-फारसी की ओर झुका। साथ ही, ज्यों-ज्यों मेरी उम्र बढ़ती गई, मेरा नटखटपन दूर होता गया, मैं कुछ धार्मिक प्रकृति का हो गया। उसी समय तुलसीदास की रामायण से मेरा सम्बन्ध जुटा और मैं कह सकता हूँ, आज मुझमें जो साहित्यिक प्रवृत्ति या योग्यता है, उसका प्रधान कारण तुलसीदासजी हैं। उनकी रामायण ही नहीं, पीछे उनकी विनयपत्रिका भी मेरे लिए गलहार बन गई। रामायण और विनय के कितने ही पद मुझे कंठस्थ थे और उन्हें गाते और दुहराते हुए मैं थकता नहीं था।

इसी समय मेरे मामाजी के दामाद मेरी बहन को बुलाने बंशीपचड़ा आए और वह मुझे स्कूल में अभी पढ़ने के लिए अपने साथ ले गए। यदि उनसे भेंट नहीं होती, तो मैं शायद देहात में ही रह गया होता। खूबसूरत नौजवान थे, छोटे भाइयों को पढ़ाने के लिए स्कूल में नाम लिखवाने गए, तो यह देखकर कि उनकी उम्र के लोग भी पढ़ रहे हैं, उन्होंने स्वयं भी पढ़ना शुरू कर दिया और पीछे मुझे भी अपने साथ कर लिया। उनकी असामयिक मृत्यु हो गई ओर तब से मुझे अपनी नाव अकेले ही खेना पड़ा।

स्कूल में मेधावी और सदाचारी लड़कों में मेरी गिनती होती। मैं वर्ग में सदा प्रथम आता। शिक्षक और साथी सभी मेरे चरित्र की प्रशंसा करते।

सिगरेट-बीड़ी मैं छूता तक नहीं था। बाल सीधे मुड़वाता था। बाजार की मिठाइयाँ नहीं खाता। पान से भी परहेज रखता। कुरता-धोती, बस यही मेरी पोशाक थी। न पैर में जूते, न सिर पर टोपी! शिक्षकों की आज्ञा का पालन करना अपना कर्तव्य समझता। धीरे-धीरे खेल-कूद से मेरी विरक्ति होती गई। अपना सारा समय पढ़ने-लिखने में ही लगता।

स्कूली किताबों से ही मेरा सन्तोष नहीं था। पुस्तकें, पत्र-पत्रिकाएँ मैं ढूँढ़कर पढ़ता। उन दिनों पत्र-पत्रिकाओं और पुस्तकों की संख्या बहुत कम थी। किन्तु हाँ, जो थीं, वे अच्छी चीजें ही थीं। आज इनकी संख्या बढ़ गई है, तो बहुत सी अंटसंट चीजें भी बाज़ार में आ गई हैं, जिन्हें पढ़कर लड़के बनने के बनिस्बत बिगड़ते ही हैं। उस समय ऐसी बात नहीं थी, अतः पुस्तकों और पत्रिकाओं ने मुझे योग्यता बढ़ाने में बड़ी मदद की।

मेरी साहित्यिक योग्यता इतनी अच्छी हो गई थी कि जब मैं मैट्रिक में थर्ड क्लास, (आज के नौवें क्लास) में ही था, तभी हिन्दी साहित्य की मध्यमा परीक्षा पास कर, विशारद की उपाधि

प्राप्त की। मेरे ही साथ कितने बी.ए. के छात्रों ने भी यह परीक्षा दी थी और वे प्रायः मुझ से सहायता लेते थे।

यों ही जब मैं मिडिल में था, तभी से कविताएँ करता था। धीरे-धीरे मेरी कविताएँ पत्र-पत्रिकाओं में छपने लगी थीं। फुटकल कविताओं के साथ मैंने उन्हीं दिनों एक काव्य लिखना प्रारम्भ किया था और एक पूरा नाटक लिख डाला था।

स्कूल में पढ़ते समय ही सार्वजनिक कार्यों में रुचि लेने लगा था। विद्यार्थियों की एक छोटी सी संस्था मैंने संगठित की थी। उन दिनों बिहारी छात्र सम्मलेन की धूम थी, उसके जलसों में भाग लेता। मुजफ्फरपुर सेवा समितियों का केन्द्र था। मैं स्वयंसेवक का भी काम करता। जब बिहार प्रादेशिक हिन्दी साहित्य सम्मेलन का संगठन हुआ, मैं जी जान से उसके काम करता।

मैं एक साधारण किसान के घर का लड़का था। जब मिडिल पास करने के बाद मुजफ्फरपुर पढ़ने में गया, तब देखा, बड़े-बड़े लोगों के लड़के मेरे साथ पढ़ रहे हैं। वे बड़ों के लड़के अपने धनीपन की धौंस मुझ पर जमाना चाहते और कुछ लोग मुझ पर अपनी कृपा लादना चाहते। मैं सदा दोनों से बचने की कोशिश करता। मुझमें बचपन से ही एक आत्मअभिमान था। उन लड़कों की लकदक देखकर मैं सोचा करता, ऐंठ लो, जब परीक्षा में प्रथम आऊँगा, तो तुम्हारा मुँह अपना-सा बन जाएगा। मैं उनका कोई एहसान नहीं लेना चाहता था, इसलिए उनके कुटेबों से मैं अपनी रक्षा कर सका।

किन्तु कभी-कभी अपनी गरीबी बहुत खलती। वर्ग में प्रथम आने के कारण मेरी फीस तो माफ थी। कम खर्च के लिहाज से एक प्राइवेट होस्टल की झोंपड़ी में रहता था। किन्तु यहाँ पर भी समय पर पैसे नहीं देने के कारण कभी-कभी 'सीधा' बन्द कर दिया जाता था। तब चावल भुनाकर या उसे पानी में भिगोकर फाँकना पड़ता।

इतने पर भी पढ़ने की इतनी प्रबल लालसा थी कि ज्यों ही पैसे आए, उनसे पत्र-पत्रिकाएँ खरीद लेता। याद है, जब मैं दसवें वर्ग में था, तभी साढ़े चार रुपए भेजकर एक अंग्रेजी पत्रिका का ग्राहक बन गया था।

आगे पढ़ने के लिए बड़े-बड़े अरमान थे, शिक्षक भी मुझे प्रोत्साहित करते, साथियों का भी सम्मान मिलता। सोचता, यह बनूँगा, वह बनूँगा कि इतने में 1921 का असहयोग आन्दोलन आया। पत्र-पत्रिकाओं को पढ़ने से देशभक्ति का बीज हृदय में अंकुर ले चुका था। जब गांधीजी चम्पारण आए थे उनके दर्शन भी हो चुके थे। अब क्या था ! शिक्षकों के मना करने पर भी उनकी पुकार पर मैंने स्कूल छोड़ दिया और जब एक बार छोड़ा तो फिर लौटकर उसका मुँह नहीं देखा।

किन्तु अब भी, जबकि जीवन में बहुत कुछ सफलता प्राप्त हो चुकी है, अपनी अधूरी पढ़ाई की कसक नहीं भूल पाया।

बच्चो, मेरा स्कूली जीवन बताता है, खूब पढ़ो, मन से पढ़ो, पढ़ाई के साथ चरित्र पर ध्यान रखो, तो फिर लाख विघ्न-बाधाएँ आएँ, तो भी जीवन में सफलता मिलकर रहेगी, मिलकर रहेगी।

[20 अगस्त, 1958 को आकाशवाणी के पटना केन्द्र से प्रसारित]

□□□